1 MONTH OF
FREE
READING

at

www.ForgottenBooks.com

By purchasing this book you are eligible for one month membership to ForgottenBooks.com, giving you unlimited access to our entire collection of over 1,000,000 titles via our web site and mobile apps.

To claim your free month visit:

www.forgottenbooks.com/free341692

ISBN 978-0-428-24087-5
PIBN 10341692

Untersuchungen

zur

Deutschen Staats- und Rechtsgeschichte

herausgegeben

von

Dr. Otto Gierke

Professor der Rechte an der Universität Berlin

67. Heft

Beiträge

zur

Geschichte der freien bäuerlichen Erbleihe Deutschtirols im Mittelalter

von

Dr. phil. Hermann Wopfner

———— ▸◆◂

Breslau

Verlag von M. & H. Marcus

1903

Beiträge

zur

Geschichte der freien bäuerlichen Erbleihe Deutschtirols

im Mittelalter

von

Dr. phil. Hermann Wopfner

———— ⋅ ————

Breslau

Verlag von M. & H. Marcus

1903

(RECAP)

157.8
.922

heft
67-69

Vorwort.

————

Vorliegende Arbeit beabsichtigt nicht eine erschöpfende Behandlung der freien bäuerlichen Erbleihe in Deutschtirol, sondern sie vermag nur Beiträge zur Geschichte dieses für die Entwicklung des tirolischen Bauernstandes und seiner Besitzverhältnisse so wichtigen Institutes zu liefern.

Eine Untersuchung, welche die Entstehung und das Wesen dieses Rechtsverhältnisses nach allen Seiten klar legen wollte, ist gegenwärtig wohl nicht möglich. Dazu fehlen vor allem die nötigen Quellenpublikationen. Außer den von Redlich und Voltelini herausgegebenen zwei Bänden der Acta Tirolensia, die hauptsächlich nur urkundliches Material der älteren Zeit (bis herauf ins 13. Jahrhundert) enthalten, ist bisher an Urkundenpublikationen nur wenig geleistet worden. Mairhofers Urkundenbuch ist leider unzuverlässig, da er das prächtige Urkundenmaterial des Klosters Neustift nur unvollständig aufgenommen und nicht selten trotz Vorliegens der Originale spätere, ungenaue Kopieen zur Edition heranzog.

Das große und liebenswürdige Entgegenkommen des hochwürdigen Herrn Professors H. Ammann, Chorherren des Klosters Neustift, ermöglichte es mir, die von ihm sehr sorgfältig hergestellten Kopieen der Originale zu benützen, sowie die Originale des Klosterarchives selbst einzusehen.

Der Urkundenschatz, den die anderen Klosterarchive Tirols bergen, ist nur zum allergeringsten Teil und keineswegs in tadelloser Weise ediert worden. In der Hauptsache mußte daher vorliegende Arbeit auf ungedrucktes Material aufgebaut werden.

504715

Es ist begreiflich, daß gerade viele der älteren Leihebriefe
und Reverse nicht mehr im Original vorliegen [1]). Einen Ersatz
für die verlorenen Originale boten die verschiedenen Kopiare,
so der sogenannte liber testamentorum und der liber donationum
des Klosters Neustift sowie die Kartulare des Klosters Wilten,
des Klosters St. Georgenberg-Fiecht und der aufgehobenen
Kartause Schnals.

Der liber testamentorum ist ein Traditionsbuch, dessen
Abschluß der Hauptsache nach in die Mitte des 13. Jahrhunderts
fällt, während einige spätere Nachtragungen bis in den Anfang
des 14. Jahrhunderts heraufgehen. Der liber donationum enthält
Urkundenkopieen von verschiedenen Händen des 14. Jahrhunderts [2]). Das Wiltner Kopiar wurde zu Anfang des 15. Jahrhunderts
angelegt, indessen finden sich auch hier Nachträge bis zum
Ende des 15. Jahrhunderts. Das zu Ausgang des 15. Jahrhunderts niedergeschriebene Kopiar des Klosters Georgenberg
enthält in 10 Bänden, nach territorialen Gesichtspunkten geordnet, Besitztitel, sowie Leihebriefe und Reverse betreffend
den umfangreichen Grundbesitz der genannten geistlichen Anstalt. Während die bisher besprochenen Kopiare noch in den
Archiven der betreffenden Klöster liegen, befindet sich das
ebenfalls zu Ausgang des 15. Jahrhunderts verfaßte Schnalser
Kopiar als Codex n. 396 im Innsbrucker Statthalterei-Archiv.

Ein Vergleich mit einzelnen noch vorhandenen Originalen
hat für das Wiltner und Georgenberger Kopiar ergeben, daß
die Schreiber sich genau an den Wortlaut der ihnen vorliegenden Originale gehalten haben. Für die übrigen Kopiare
ließen sich ähnliche Stichproben leider nicht anstellen.

Auf Grund dieses Materials sowie zahlreicher Originale
wurde der Versuch unternommen, das Wesen der bäuerlichen
Erbleihe und deren Entwicklungsgang darzustellen. Die aus-
gedehnte Benützung ungedruckten Materials wird es entschuldigen,

[1]) Wo Kopieen an Stelle mangelnder Originale benützt wurden, ist dies
immer in den Anmerkungen eigens bemerkt worden.

[2]) Die Angaben über Alter und Entstehungsweise dieser Codices ver-
danke ich dem hochw. Herrn Professor H. Ammann, der mir in liebenswürdigster
Weise Einsicht in das Manuskript seiner interessanten Untersuchung dieser
Kopiare gestattete.

daß die Belegstellen für einzelne Teile meiner Ausführungen einen so großen Raum einnehmen.

Soweit Stellen aus Originalen oder den älteren Kopiaren des Klosters Neustift angeführt werden, ist die Schreibweise der Vorlagen genau beibehalten worden. Zitate aus den vorher erwähnten, im 15. Jahrhundert entstandenen, Kopiaren von Wilten, Georgenberg und Schnals wurden im Sinne der Weizsäcker'schen Editionsregeln behandelt. Die gleichen Grundsätze waren auch für die in den Beilagen gegebenen Stücke maßgebend.

Ist die städtische Erbleihe bisher vielfach im Zusammenhang mit dem Rentenkauf behandelt worden, so habe ich in dieser Arbeit von einer Untersuchung des Rentenkaufes Abstand genommen, da nicht die bäuerliche, sondern die städtische Leihe den Rentenkauf hervorgerufen hat [1]).

Daß die vorliegende Arbeit sich auf jenen Teil des heutigen Tirol beschränkt, wo bereits im 13. Jahrhundert die Deutschen in geschlossenen Massen saßen, bedarf keiner besondern Begründung, da ja der deutsche Landesteil in rechtlicher und wirtschaftlicher Hinsicht bedeutende Verschiedenheit gegenüber dem italienischen aufweist. Bei dem großen Einfluß, den jedoch Kultur und Recht des wälschen Südens auf den deutschen Norden genommen, durfte es selbstverständlich nicht unterlassen werden, die bäuerliche Erbleihe, wie sie sich im italienischen Landesteil herausgebildet, insoweit zum Gegenstand der Untersuchung zu machen, als sie auf die Entwicklung der deutschtirolischen Erbleihe eingewirkt haben.

Bevor ich zur Sache übergehe, kann ich nicht umhin, meinem hochverehrten Lehrer, Herrn Universitätsprofessor Dr. M. Mayr, Direktor des Statthalterei-Archives zu Innsbruck, sowie Herrn Universitätsprofessor Dr. H. von Voltelini meinen Dank auszusprechen für die große Förderung, die sie meiner Arbeit durch Rat und Tat zu teil werden ließen. Ebenso bin ich auch dem Herren Universitätsprofessor Dr. A. R. von Wretschko, ferner dem hochwürdigen Herrn Professor H. Ammann, dem Herrn Regierungsrat Dr. Egger, sowie meinen lieben Kollegen Dr. K. Klaar und Dr. K. Th. Möser zum größten Dank ver-

---

[1]) Arnold, zur Gesch. des Eigentums in den deutschen Städten S. 136.

pflichtet für vielfache Förderung meiner Arbeit. Weiters erlaube ich mir an dieser Stelle Ihr. Gnaden den hochwürdigsten Herrn Prälaten von Fiecht, Neustift, Stams und Wilten, den hochwürdigen Herren: Dr. Th. Friedle, fürstbischöflichem Kanzler zu Brixen, Domkapitular J. E. Walchegger und Fr. S. Danner, Chorherrn zu Wilten, sowie dem Herrn Landesarchivar F. Müller und der Leitung des Innsbrucker Stadtarchives für das große, mir erwiesene Entgegenkommen bei Benützung der ihnen unterstellten Archive zu danken.

Innsbruck, Weihnachten 1902.

H. Wopfner.

Inhalts-Übersicht.

Benützte Archive.

Statthalterei-Archiv Innsbruck (citiert: I. St. A., Abteilung „Parteibriefe"
   cit.: P., Abteilung „Schatzarchiv" cit.: Schatz A., Abteilung „Brixner
   Archiv" cit.: Brixner A.).
Archiv des Landes Tirol (cit.: landschaftl. Arch.).
Archiv der Stadt Innsbruck.
Archiv des Klosters Wilten.
Archiv des Klosters Fiecht-Georgenberg.
Archiv des Klosters Stams.
Archiv des Klosters Neustift.
Archiv des Brixner Domkapitels (cit.: Kap. A. Brixen; nach Laden (cit.: L.)
   geordnet).

Verzeichnis der in den Anmerkungen citierten Bücher und der hierbei verwendeten Abkürzungen.

Acta Tirolensia I. Redlich, O., die Traditionsbücher des Hochstifts Brixen. Innsbruck 1886. II 1. Voltelini, H. v., die Südtiroler Notariatsimbreviaturen des 13. Jahrhunderts. Innsbruck 1899.

Archiv-Berichte aus Tirol (cit. Archivber.) s. u. Mitteilungen der dritten Sektion der k. k. Zentralkommission.

Arnold, W., zur Geschichte des Eigentums in den deutschen Städten. Basel 1861.

Below, G. v., Territorium und Stadt, historische Bibliothek XI. München und Leipzig 1900.

Below, G. v., zur Entstehung der deutschen Stadtverfassung, historische Zeitschrift LVIII (neue F. XXII) S. 193 ff. München und Leipzig 1887.

Bonelli, notizie istorico-critiche della chiesa di Trento. Trento 1760—1765.

Brandis, J. A. Freihr. v., die Geschichte der Landeshauptleute von Tirol. Innsbruck 1850.

Brentano, L., warum herrscht in Altbayern bäuerlicher Grundbesitz, Beilage zur Allgemeinen Zeitung, Jahrgang 1896, n. 4—6.

Breslau, H., Handbuch der Urkundenlehre für Deutschland und Italien. Leipzig 1889.

Brunner, H., deutsche Rechtsgeschichte I und II. Leipzig 1887—1892.

Caro, G., zur Agrargeschichte der Nordostschweiz und angrenzender Gebiete vom 10. bis zum 13. Jahrhundert. Jahrbücher für Nationalökonomie und Statistik XXIV (dritte Folge) S. 601 ff. Jena 1902.

Chronik der Benediktinerabtei St. Georgenberg, nun Fiecht in Tirol. Verfaßt von einem Mitgliede dieser Abtei (Pirmin Pockstaller). Innsbruck 1874.

Chronik des Stiftes Marienberg, verfaßt von P. Goswin, herausgegeben von P. B. Schwitzer, tirolische Geschichtsquellen II. Innsbruck 1880.

Codex diplomaticus Austriaco-Frisingensis, herausgegeben von J. Zahn, Fontes rerum Austriacarum. Diplomataria et Acta XXXI, XXXV und XXXVI. Wien 1870—71.

Codex diplomaticus Cremonae 715—1334 I. Turin 1896.

Cod. diplom. Langob. = Codex diplomaticus Langobardiae (Monumenta historiae patriae edita iussu regis Caroli Alberti Tom. XIII). Turin 1873.

Codex diplomaticus Rheno Mosellanus, herausgegeben von W. Günther. I. Koblenz 1822.

Codex Wangianus. Urkundenbuch des Hochstiftes Trient, herausgegeben von R. Kink. Fontes rerum Austriacarum. Diplomataria et Acta V. Wien 1852.

Egger, J., die alten Benennungen der Dörfer, Gemeinden und ihrer Unterabteilungen sowie die gleichlautenden Namen von Gerichtsbezirken und Gerichtsteilen in Tirol. Zeitschrift des Ferdinandeums für Tirol und Vorarlberg XLI (dritte Folge). Innsbruck 1897.

Egger, J., Geschichte Tirols I—III. Innsbruck 1872—1880.

Pantuzzi, G., Monumenti Ravennati de' secoli di mezzo. Venezia 1801—1804.

Fontes V s. Codex Wangianus.

Fontes XXXI und XXXV s. Codex diplomaticus Austriaco-Frisingensis.

Fuchs, K. J., der Untergang des Bauernstandes und das Aufkommen der Gutsherrschaften nach archivalischen Quellen aus Neu-Vorpommern und Rügen. Abhandlungen aus dem staatswissenschaftlichen Seminar zu Straßburg VI. Straßburg 1888.

Cobbers, J., die Erbleihe und ihr Verhältnis zum Rentenkauf im mittelalterlichen Köln. Zeitschrift der Savigny-Stiftung für Rechtsgeschichte. V. germanistische Abteilung S. 130 ff. Weimar 1883.

Hartmann, L. M., Bemerkungen zum Codex Bavarus. Mitteilungen des Instituts für österreichische Geschichtsforschung XI S. 361 ff. Innsbruck 1890.

Haun, F. J., Bauer und Gutsherr in Kursachsen. Abhandlungen aus dem staatswissenschaftlichen Seminar zu Straßburg IX. Straßburg 1891.

Hausmann, S., die Grundentlastung in Bayern. Abhandlungen aus dem staatswissenschaftlichen Seminar zu Straßburg X. Straßburg 1892.

Hess, E. F. v., das Burgrecht, ius civile. Sitzungsberichte der kaiserlichen (Wiener) Akademie der Wissenschaften, philosophisch-historische Klasse XI S. 761. Wien 1854.

Heusler, A., Institutionen des deutschen Privatrechts I und II. Leipzig 1885—1886.

Hintner, V., über einige Talnamen Deutschtirols. Zeitschrift des Ferdinandeums XLIV (dritte Folge). Innsbruck 1900.

Hoeniger, R., die wirtschaftsgeschichtlichen Studien in Deutschland im Jahre 1883. Jahrbücher für Nationalökonomie und Statistik VIII (neue Folge) S. 559. Jena 1884.

Hormayr, J. Freihr. v., Geschichte der gefürsteten Grafschaft Tirol I. Teil II. Abteilung. Tübingen 1808.

Hormayr, J. Freihr. v., kritisch diplomatische Beiträge zur Geschichte Tirols im Mittelalter. II. Abteilung. Wien.

Hortzschansky, A., und Perlbach, M., siehe Lombardische Urkunden.

Hössler, M. A., zur Entstehungsgeschichte des Bauernkrieges in Südwestdeutschland. Inaugural-Dissertation. Leipzig 1895.

Huber, A., österreichische Reichsgeschichte. Zweite erweiterte und verbesserte Auflage, bearbeitet von A. Dopsch. Prag, Wien, Leipzig 1901.

Huber, E., die Bedeutung der Gewere im deutschen Sachenrecht. Bern 1894.

Hübner, R., die donationes post obitum und die Schenkungen mit Vorbehalt des Nießbrauches im älteren deutschen Recht. Untersuchungen zur deutschen Staats- und Rechtsgeschichte herausgegeben von Gierke, XXVI. Breslau 1888.

Jäger, A., Geschichte der landständischen Verfassung Tirols I und II. Innsbruck 1881—1885.

Jäger, O., die Rechtsverhältnisse des Grundbesitzes in der Stadt Straßburg während des Mittelalters. Inaugural-Dissertation. Straßburg 1888.

Inama-Sternegg, K. Th. v., deutsche Wirtschaftsgeschichte. Leipzig 1879 ff.

Knapp, G. F., die Bauernbefreiung und der Ursprung der Landarbeiter in den älteren Teilen Preußens. Leipzig 1887.

Knapp, Th., gesammelte Beiträge zur Rechts- und Wirtschaftsgeschichte vornehmlich des deutschen Bauernstandes. Tübingen 1902.

Kogler, P., das landesfürstliche Steuerwesen in Tirol bis zum Ausgang des Mittelalters. Archiv für österreichische Geschichte XC, II. Hälfte S. 419 ff. Wien 1901.

Kohler, J., Beiträge zur germanischen Privatrechtsgeschichte, Heft I und II. Würzburg 1883—1885.

Lamprecht, K., deutsches Wirtschaftsleben im Mittelalter. Untersuchungen über die Entwicklung der materiellen Kultur des platten Landes auf Grund der Quellen zunächst des Mosellandes. Leipzig 1885—1886.

Lamprecht, K., Beiträge zur Geschichte des französischen Wirtschaftslebens im 11. Jahrhundert in den staats- und sozialwissenschaftlichen Forschungen, herausgegeben von G. Schmoller, I. Band, III. Heft. Leipzig 1878.

Landesordnungen der fürstlichen Grafschaft Tirol 1526 und 1532.

Lombardische Urkunden des elften Jahrhunderts herausgegeben von A. Hortzschansky und M. Perlbach. Halle 1890.

Luschin von Ebengreuth, A., österreichische Reichsgeschichte. Bamberg 1896.

Maurer, G: L. v., Geschichte der Fronhöfe, der Bauernhöfe und der Hofverfassung in Deutschland. Leipzig 1862—1863.

Mittelrhein. UB. s. Urkundenbuch zur Geschichte der mittelrheinischen Territorien.

Mell, A., die Anfänge der Bauernbefreiung in Steiermark unter Maria Theresia und Josef II. in den Forschungen zur Verfassungs- und Verwaltungsgeschichte der Steiermark. V. Band, I. Heft. Graz 1901.

Mitteilungen der dritten (Archiv-) Sektion der k. k. Zentralkommission zur Erforschung und Erhaltung der Kunst- und historischen Denkmale, Band I und III. Wien 1888 und 1896 (Archivberichte aus Tirol von E. v. Ottenthal und O. Redlich I und II).

Mitteis, L., zur Geschichte der Erbpacht im Altertum. Leipzig 1901.

Mon. Boic. = Monumenta Boica, edidit academia scientiarum electoratus Boica. Monachi 1763—1901.

Nagel, A., zur Geschichte des Grundbesitzes und des Kredits in oberhessischen Städten. III. Jahresbericht des Oberhessischen Vereins für
Lokalgeschichte S. 1 ff. Gießen 1883.

Neust. UB. s. Urkundenbuch des Stiftes Neustift.

Niederrhein. UB. s. Urkundenbuch für die Geschichte des Niederrheins.

Paoli, C., Grundriß zu Vorlesungen über lateinische Paläographie und Urkundenlehre, aus dem Italienischen übersetzt von K. Lohmeyer III.
Innsbruck 1899.

Pertile A., storia del diritto italiano. Padova 1871 ff.

Rabe, O., die volkswirtschaftliche Bedeutung der Pacht. Hallenser Dissertation. Halle 1890.

Rapp, J., über das vaterländische Statutenwesen in den Beiträgen zur Geschichte, Statistik, Naturkunde und Kunst von Tirol und Vorarlberg
III und V. Innsbruck 1827 und 1829.

Redlich, O., s. Acta Tirolensia I.

Redlich, O., ein alter Bischofssitz im Gebirge. Zeitschrift des deutschen
und österreichischen Alpenvereins. Jahrgang 1890 S. 35 ff.

Redlich, O., über bayerische Traditionsbücher und Traditionen. Mitteilungen
des Instituts für österreichische Geschichtsforschung V S. 1 ff. Innsbruck 1884.

Rietschel, S., die Entstehung der freien Erbleihe. Zeitschrift der Savigny-
Stiftung für Rechtsgeschichte XXII. germanistische Abteilung (Zeitschrift
für Rechtsgeschichte XXV). Weimar 1901.

Rietschel, S., Markt und Stadt in ihrem rechtlichen Verhältnis. Leipzig 1897.

Roscher, W., System der Volkswirtschaft I¹². Grundlagen der Nationalökonomie. Stuttgart 1897.

Rosenthal, E., zur Geschichte des Eigentums in der Stadt Würzburg.
Würzburg 1878.

Rosenthal, E., Geschichte des Gerichtswesens und der Verwaltungs-
organisation Bayerns I. Würzburg 1889.

Salzbg. UB. = Salzburger Urkundenbuch I. Traditionscodices, ge-
sammelt und bearbeitet von P. Willibald Hausthaler. Salzburg 1898.

Sartori-Montecroce, T. B. v., Geschichte des landschaftlichen Steuerwesens
in Tirol. Beiträge zur österreichischen Reichs- und Rechtsgeschichte II.
Innsbruck 1902.

Schannat, J. F., Vindemiae litterariae hoc est veterum monumentorum ad
Germaniam sacram praecipue spectantium collectio prima. Fuldae et
Lipsiae 1723.

Schneller, J. A., Bayerisches Wörterbuch I und II, 2. Auflage. München 1872.

Schneller, Chr., Tridentinische Urbare aus dem 13. Jahrhundert. Innsbruck 1898.

Schöpf, J. B., Tirolisches Idiotikon. Innsbruck 1866.

Schupfer, F., degli ordini sociali e del possesso fondiario appo i Longobardi.
Sitzungsberichte der kaiserlichen Akademie der Wissenschaften. Philosophisch-historische Klasse XXXV S. 269 ff. Wien 1861.

Schwind, E. Freihr. v., zur Entstehungsgeschichte der freien Erbleihen in den Rheingegenden und den Gebieten der nördlichen deutschen Kolonisation des Mittelalters. Untersuchungen zur deutschen Staats- und Rechtsgeschichte herausgegeben von O. Gierke XXXV. Breslau 1891.

Schwind, E. Freihr. v., und Dopsch, A., ausgewählte Urkunden zur Verfassungsgeschichte der deutsch-österreichischen Erblande im Mittelalter. Innsbruck 1895.

Sinnacher, F. A., Beiträge zur Geschichte der bischöflichen Kirche Säben und Brixen in Tirol. Brixen 1820—1834.

Staffler, J. J., Tirol und Vorarlberg. Innsbruck 1839—1844.

Statuti della citta di Trento con una introduzione di T. Gar. Trento 1858.

Steir. UB. s. Urkundenbuch des Herzogtums Steiermark.

Tarneller, J., die Hofnamen des Burggrafenamtes in Tirol. Programm des k. k. Ober-Gymnasiums in Meran. Meran 1892—1894.

Tille, A., die bäuerliche Wirtschaftsverfassung des Vintschgaues. Innsbruck 1895.

Tiroler Almanach auf das Jahr 1802. Wien.

Tirolische Weistümer, herausgegeben von J. v. Zingerle und K. Th. von Inama Sternegg I—IV. Wien 1875—1888.

Tomaschek, J. A., die ältesten Statuten der Stadt und des Bistums Trient in deutscher Sprache Archiv für Kunde österreichischer Geschichtsquellen XXVI. Wien 1861.

UB. St. Gallen = Urkundenbuch der Abtei St. Gallen, bearbeitet von H. Wartmann, Th. I—III. Zürich, St. Gallen 1863—1882.

Urkundenbuch zur Geschichte der jetzt die Preuss. Regierungsbezirke Koblenz und Trier bildenden mittelrheinischen Territorien, herausgegeben von H. Beyer, I. Koblenz 1860.

Urkundenbuch des Augustiner Chorherrenstiftes Neustift in Tirol, herausgegeben von Th. Mairhofer. Wien 1871.

Urkundenbuch für die Geschichte des Niederrheins, herausgegeben von Th. J. Lacomblet I. Düsseldorf 1840.

Urkundenbuch des Herzogtums Steiermark, bearbeitet von J. Zahn, I. Graz 1875.

Voltelini, H. v., die ältesten Statuten von Trient und ihre Überlieferung. Archiv für österreichische Geschichte XCII I. Hälfte S. 83 ff. Wien 1902.

Voltelini, H. v., zur Geschichte des ehelichen Güterrechts in Tirol. Separatabdruck aus den „Festgaben für Büdinger". Innsbruck 1898.

Voltelini, H. V., Spuren des räto-romanischen Rechtes in Tirol. Mitteilungen des Instituts für österreichische Geschichtsforschung. VI. Ergänzungsband. Innsbruck 1901.

Windscheid, B., Lehrbuch des Pandektenrechtes I—III, achte Auflage, bearbeitet von Th. Kipp. Frankfurt 1900—1901.

Wittich, W., die Grundherrschaft in Nordwestdeutschland. Leipzig 1896.

Wolfskron, M. B. v., die Tiroler Erzbergbaue 1301—1665. Innsbruck 1903.

Wopfner, H., der Innsbrucker Landtag vom 12. Juni bis zum 21. Juli 1525. Zeitschrift des Ferdinandeums. III. Folge, 44. Heft. Innsbruck 1900.

Wörz, J. G., Gesetze und Verordnungen in Bezug auf die Kultur des Bodens in der Provinz Tirol und Vorarlberg I und II (mit zwei Abteilungen). Innsbruck 1834—1842.

Zingerle, J. v., das Urbarbuch des Klosters Sonnenburg. Separatabdruck aus dem Archiv für Kunde österreichischer Geschichtsquellen XL. Wien 1868.

Zösmair, J., die Ansiedelungen der Walser in der Herrschaft Feldkirch c. 1300—c. 1450. XXXII. Jahres-Bericht des Vorarlberger Museum-Vereins über das Jahr 1893. Bregenz.

I.

Einleitung.

Unter Erbzinsleihe verstehen wir die Überlassung von Grundstücken seitens des Eigentümers oder eines verfügungsberechtigten Besitzers an andere zu erblichem Nutzungsrecht gegen bestimmte Leistungen. Handelt es sich um Grundstücke, die der Landwirtschaft dienen, so sprechen wir von bäuerlicher Erbzinsleihe oder bäuerlicher Erbleihe kurzweg im Gegensatz zur städtischen Erbleihe, bei welcher Bauplätze mit oder ohne darauf errichteten Gebäuden als Leiheobjekte erscheinen.

Häufig wird eine Unterscheidung zwischen Erbpacht und Erbzinsleihe in dem Sinne gemacht, daß man von Erbpacht in jenen Fällen spricht, wo der vom Erbpächter zu entrichtende Zins annähernd dem Ertrag des Pachtobjektes entspricht, von Erbzinsleihe dann, wenn die Abgaben des Leihemannes sehr niedrig sind und mehr die Bedeutung eines Rekognitionszinses haben. Da aber diese Unterscheidung nur eine äußerliche ist und nicht in einer Verschiedenheit der rechtlichen Natur ihre Begründung findet, so ist dieselbe in vorliegender Untersuchung nicht festgehalten worden.

Die Geschichte der bäuerlichen Leihe im Mittelalter hängt auf das engste zusammen mit der Anhäufung großen Grundbesitzes in den Händen einzelner physischer und juristischer Personen. Zu einer Zeit, wo infolge des Mangels an technischer und administrativer Schulung ein landwirtschaftlicher Großbetrieb nur ganz vereinzelt möglich war, mußte der Grundherr dazu veranlaßt werden, seinen Besitz in bäuerlichen Be-

trieben bewirtschaften zu lassen. Zu diesem Zweck ward derselbe an Unfreie und Freie ausgetan und diesen die Nutzung
des geliehenen Gutes gegen bestimmte Abgaben und Arbeits-
leistungen überlassen.

Die Anfänge bäuerlicher Leihe zeigen sich bereits in der
germanischen Urzeit. Schon damals wurden einzelne Grundstücke Unfreien zur Bewirtschaftung und Nutzung gegen bestimmte dem Herren zu leistende Abgaben und Fronden überwiesen. Was dieselben vom Ertrag des Grundstückes erübrigten,
wurde ihnen, solange sie lebten, überlassen, fiel jedoch nach
ihrem Tode an den Herren zurück.

In fränkischer Zeit breiteten sich die Leiheverhältnisse infolge der Zunahme des Großgrundbesitzes mehr und mehr
aus. Ein großer Teil der Freien, welchem die Wucht der
staatlichen Lasten, vor allem des Kriegsdienstes, eine selbständige Existenz unmöglich gemacht hatte, ergab sich mit
Person und Eigen einem mächtigen Herren, um auf diese Weise
Schutz zu finden. Viele dieser Freien blieben als grundherrliche Hintersassen auf ihrem früheren Eigentum.

Gerade die verschiedenen Leiheverhältnisse, die sich in
jener Zeit herausbildeten, verhinderten es, daß sich in Deutschland
ähnliche Zustände entwickelten, wie sich solche in Italien seit
dem Ausgang des zweiten punischen Krieges einzustellen be-
gonnen hatten. Während hier der Rückgang des freien Bauernstandes die Ausbildung der Latifundienwirtschaft im Gefolge
gehabt hatte, war im mittelalterlichen Deutschland die Entwicklung eines landwirtschaftlichen Großbetriebes aus bereits
erwähnten Gründen unmöglich. Zur Karolingerzeit kannten nur
die königlichen Güter größere Eigenbetriebe und auch diese
verschwanden in der Folgezeit. Der Rückgang des freien
Bauernstandes brachte also in Deutschland nur eine Änderung
in den Rechtsverhältnissen an Grund und Boden mit sich, nicht
aber eine Umgestaltung der bisherigen Form des landwirtschaftlichen Betriebes. Der Kleinbetrieb blieb nach wie vor die
herrschende Form ländlicher Wirtschaft. Die verschiedenen
bäuerlichen Leihen ermöglichten es, die Nutzung von Grund
und Boden unter viele einzelne zu verteilen.

Durch das rasche Anwachsen des großen Grundbesitzes

und die häufige Ergebung Freier an mächtige Grundherren erwuchs für letztere die Notwendigkeit, die Beziehungen ihrer Hintersassen unter einander sowie gegen sich, ihre Herren, zu regeln, da das Landrecht sich nicht in derselben Schnelligkeit fortentwickelt hatte, wie diese Umgestaltungen eingetreten waren. Die Hintersassen einer Fronhofverwaltung wurden zu einer Rechtsgenossenschaft vereinigt, deren interne Angelegenheiten durch ein eigenes Gericht, das Hofgericht, geregelt wurden. Aus dessen Praxis bildete sich allmählich das Hofrecht heraus, d. h. die Summe aller jener Rechtssätze, welche das Rechtsverhältnis der Fronhofsgenossen unter einander sowie gegen den Herrn umschrieben.

In älterer Zeit konnte es sehr wohl vorkommen, daß Freie in solche Fronhofsgenossenschaften eintraten, ohne dadurch eine erhebliche Minderung ihrer Freiheit zu erleiden. Allmählich aber glichen sich die Standesunterschiede innerhalb dieses Verbandes aus. Die Unfreien zogen die Freien zu sich herab. Was diese verloren, gewannen jene, indem ihre rechtliche Stellung sich stetig besserte. Der Unterschied zwischen der untersten Stufe der Unfreien und den übrigen unfreien Bauern verschwand, soweit auch ersteren Güter zu selbständiger Bewirtschaftung zugewiesen waren, immer mehr. Seit dem Ausgang des 9. Jahrhunderts verschmolzen die Mitglieder der Hofgenossenschaft zu der einen Klasse der Hörigen.

Die Hörigkeit äußert sich darin, daß der Hörige an die Scholle gebunden ist, als Zeichen seiner Unfreiheit dem Herrn einen Kopfzins zu entrichten hat und bei Verehelichung der Zustimmung des Herrn bedarf. Außerdem spiegelt sich noch das alte Recht des Herrn auf den Nachlaß des Unfreien in den verschiedenen Erbgebühren wieder, welche vom Erbe eines Hörigen zu reichen waren.

Das Verhältnis der Hörigkeit wurde nicht nur durch Abstammung von hörigen Eltern begründet, sondern dasselbe erfaßte auch freie Personen, wenn sie in ein hofrechtliches Leiheverhältnis eintraten. Wir bezeichnen daher die Leihe nach Hofrecht als unfrei im Gegensatz zu der dem Landrecht unterstehenden Leihe, welche für den Beliehenen keinerlei persönliche Abhängigkeit vom Leiheherrn zur Folge hatte.

Als solche freie Leihen sind die Prekarien anzusehen, die bereits in der Merowingerzeit begegnen. Unter Prekarien werden sowohl Leihen auf Zeit als auch Leihen zu Erbrecht verstanden. Die Prekarie ist, wie die folgende Untersuchung dartun soll, eine der Wurzeln der freien bäuerlichen Erbleihe geworden.

Dieselben Ursachen, welche die günstige Lage des deutschen Bauernstandes im 13. Jahrhundert herbeiführten: der Verfall der Organisation der Grundherrschaft, die Kolonisation im Osten Deutschlands sowie die Vollendung des inneren Ausbaues im Mutterland, endlich das Aufblühen der Städte, haben nicht nur für die Ausbreitung der bereits vorhandenen freien Erbleiheformen gewirkt, sondern auch im Sinne einer Umwandlung zahlreicher hofrechtlicher Leihen in Formen freier Landnutzung.

Neben grundherrlichen Eigenbetrieben von geringer Bedeutung finden sich dementsprechend bis zum Ausgang des Mittelalters zahlreiche Formen freier und unfreier Leihen, die wenn nicht rechtlich so doch faktisch dem Leihemann ein erbliches Nutzungsrecht gewährten. Der größte Teil der deutschen Bauerschaft hatte kein Eigentumsrecht an den von ihm bewirtschafteten Gütern, sondern nur ein mehr oder weniger starkes Nutzungsrecht.

Seit dem Ausgang des 15. Jahrhunderts gestaltete sich die Entwicklung der Agrarverfassung im Osten Deutschlands ganz verschieden von jener im Westen und Süden, indem hier die Grundherrschaft in ihrer bisherigen Form bestehen blieb, dort aber die Gutsherrschaft an ihre Stelle trat. Der wesentlichste Unterschied zwischen diesen beiden Institutionen der ländlichen Verfassung liegt bekanntlich darin, daß bei letzterer sich auf den herrschaftlichen Gütern neben den Bauernwirtschaften ein landwirtschaftlicher Großbetrieb des Gutsherren, eine Gutswirtschaft, befand, während bei der Grundherrschaft ein grundherrlicher Eigenbetrieb größeren Stils durchaus fehlte.

Im Interesse der Ausdehnung ihres Eigenbetriebes begannen die Großgrundbesitzer im Osten Deutschlands seit dem 16. Jahrhundert die „Bauern zu legen". Eine Handhabe hierzu bot die dem Gutsherren zustehende Befugnis, dem Bauern das Nutzungsrecht des ihm überwiesenen Gutes bei mangelhafter Bewirtschaftung desselben zu entziehen. Andererseits ward die

Einziehung der Bauerngüter auch dadurch ermöglicht, daß die Gutsherren dort, wo bisher die Erblichkeit des Nutzungsrechtes nur faktisch bestanden hatte, sich auf den Rechtsstandpunkt stellten und nach dem Tode des Nutzungsberechtigten das Gut nicht mehr weiter verliehen.

Im Süden und im Westen Deutschlands ist es auch in der Neuzeit nicht zur Bildung größerer grundherrlicher Eigenbetriebe gekommen. Der bäuerliche Betrieb herrscht durchaus vor. Das Besitzrecht der Bauern ist im einzelnen freilich sehr verschieden gestaltet. Neben erblichen, frei veräußerbaren Nutzungsrechten, die sich von rentenbelastetem Eigentum nur wenig unterscheiden, begegnen auch schlechtere Besitzrechte, die auf die Lebensdauer des Berechtigten, auf mehrere Jahre oder gar nur auf einzelne Jahre beschränkt sind. Im allgemeinen macht sich jedoch, besonders unter Einfluß der Landesherrschaft, die Tendenz zur Ausbildung erblicher Nutzungsrechte geltend. Seit dem 18. Jahrhundert entfaltete die Gesetzgebung in dieser Richtung eine eifrige Tätigkeit.

In der Gewährung eines erblichen Leiherechtes lag schon der Keim zur Enteignung des Leiheherren. Wo dem Beliehenen die Befugnis zur freien, unbeschränkten Veräußerung seines Rechtes zustand, ist an die Stelle des grundherrlichen Eigentums faktisch ein Rentenbezugsrecht getreten. Seinen Abschluß fand dieser Prozeß durch eine Reihe von Gesetzen betreffend die Ablösung der grundherrlichen Lasten, wie solche im 18. und 19. Jahrhundert erlassen wurden.

Unter den Ursachen, welche dahin wirkten, daß dem deutschen Volke ein kräftiger Bauernstand erhalten blieb, nimmt das Institut der bäuerlichen Leihe, vor allem der bäuerlichen Erbleihe, eine hervorragende Rolle ein. Nachdem der deutsche Bauernstand zur Karolingerzeit sein Grundeigentum verloren hatte, erhielt er durch das Leiherecht Ersatz für seinen Verlust und Anteil an der Grundrente. Andererseits hatte die Beschränkung, welche die Natur des Leiherechtes dem Beliehenen hinsichtlich der freien Verfügung über das Objekt der Leihe auferlegt, auch in der Richtung wohltätige Folgen, daß einer Zerstückelung und Überschuldung der Bauerngüter wenigstens teilweise vorgebeugt wurde.

II.
Prekarien in Deutschtirol während des 11. und 12. Jahrhunderts.

Den Ausgangspunkt für die Entwicklung freier Erbleihen suchten die meisten Forscher bisher in den Leihen zu Hofrecht. Bereits Arnold in seinem Werke „Zur Geschichte des Eigentums in den deutschen Städten 1860“ vertrat diese Ansicht (S. 36). Seine Meinung teilen Rosenthal[1]), Nagel[2]) sowie auch Lamprecht. Nach letzterem hat sich die Mehrzahl der freien Landleihen „aus dem grundhörigen Nutzungsverhältnis beziehungsweise aus der Zerstörung der Fronhofsverwaltung herausentwickelt“[3]). Der Ansicht Lamprechts über die Entstehung der freien Erbleihen schließt sich auch v. Schwind[4]) an.

Im Gegensatz zu den bisher Genannten sucht Gobbers den Ausgangspunkt der freien städtischen Erbleihen in der freien Zeitleihe[5]). Derselbe Standpunkt wurde dann von Jaeger vertreten in seiner Dissertation über die Rechtsverhältnisse des Grundbesitzes in der Stadt Straßburg[6]).

Zu einem ähnlichen Ergebnis wie die beiden zuletzt genannten Forscher ist nun Rietschel[7]) gelangt. Der große Fortschritt, den seine Ausführungen bedeuten, liegt vor allem darin, daß er auf Grund von Traditionen an das Würzburger St. Stephanskloster den Beweis erbringt für den bisher insbesonders von Lamprecht und Schwind geleugneten Zusammenhang der Prekarien des früheren Mittelalters mit der freien

---

[1]) Zur Geschichte des Eigentums in der Stadt Würzburg S. 37.
[2]) Zur Geschichte des Grundbesitzes und Kredits in den oberschlesischen Städten S. 1 ff.
[3]) Deutsches Wirtschaftsleben im Mittelalter I, 2 S. 922.
[4]) Zur Entstehungsgeschichte der freien Erbleihen in den Rheingegenden und den Gebieten der nördlichen deutschen Kolonisation des Mittelalters S. 111 ff.
[5]) Die Erbleihe und ihr Verhältnis zum Rentenkauf S. 141 ff.
[6]) Die Rechtsverhältnisse des Grundbesitzes in der Stadt Straßburg während des Mittelalters S. 11 ff.
[7]) Die Entstehung der freien Erbleihe.

Erbleihe. Andererseits macht er mit Recht darauf aufmerksam,
wie schwankend die Grundlage ist, auf der die Ansicht jener
aufgebaut ist, welche die freien Erbleihen von den Leihen zu
Hofrecht herleiten wollen.

Es soll nun Aufgabe vorliegender Untersuchung sein, festzustellen, ob und inwieweit die Ausführungen Rietschels[1]) für
jene Gebiete, welche das heutige Deutschtirol umschließt, und
für das angrenzende Süddeutschland Geltung behalten, ob auch
hier in der kritischen Zeit des 11. und 12. Jahrhunderts die
Prekarie auftritt. Es kommt daher weniger darauf an, die
Anfänge der Prekarie eingehend darzustellen, als vielmehr die
Entwicklung derselben in diesen beiden Jahrhunderten. Da die
freien bäuerlichen Erbleihen erst im 13. Jahrhundert in Deutschtirol häufiger vorkommen, so müssen noch in den unmittelbar
vorhergehenden Jahrhunderten Beispiele von Prekarien nachweisbar sein, will man anders in den Prekarien den Ausgangspunkt der freien bäuerlichen Erbleihen sehen.

War das altrömische precarium eine Leihe auf Herrengunst,
d. h. beliebigen Widerruf gewesen, so erfuhr diese Leiheform
bei ihrer Anwendung auf Kirchengut allmählich eine bedeutsame Umgestaltung. Die kirchliche Prekarie des frühen Mittelalters erstreckte sich anfänglich auf fünf Jahre, nach welcher
Zeit sie wieder erneuert werden mußte. Dazu kamen jedoch
bald Prekarien auf eine längere Reihe von Jahren, auf Lebensdauer des Prekaristen, auf mehrere Leiber[2]).

Gewöhnlich werden drei Formen der Prekarie unterschieden[3]): die precaria data, die precaria oblata und die
precaria remuneratoria. Die beiden letzteren Formen unterscheiden sich von der einfachen Prekarie, der precaria data,
dadurch, daß bei ihnen der Leihe Schenkung von Gut des
Beliehenen voranging. Bei der p. remuneratoria wurde letzteres,
vermehrt um Gut der beschenkten Kirche, dem schenkenden

---

[1]) Rietschel a. a. O. S. 214 ff. und S. 206 ff.

[2]) Brunner, Deutsche Rechtsgesch. I S. 200 ff., 210 ff.

[3]) Nach Albrecht, Gewere S. 195; vergl. Brunner a. a. O. I S. 211;
Heusler, Institutionen des deutschen Privatrechts II S. 169; Rietschel a. a. O.
S. 203.

Prekaristen verliehen, während bei der p. oblata nur das von ihm geschenkte Gut das Objekt der Leihe bildet.

Die p. data kann für vorliegende Arbeit außer Betracht bleiben, da sie in Tirol für die ältere Zeit nicht nachweisbar ist. Ziemlich häufig kommt die p. remuneratoria in Tirol und im angrenzenden Süddeutschland zur Verwendung[1]), sehr häufig aber die p. oblata[2]).

---

[1]) Fontes XXXI n. 6 (799): Gaio schenkt sein Erbgut im Gaue Inntal zu Oberhofen und Zirl (im heut. Tirol), dann zu Pettenbach (im heut. Bayern) dem Kloster Schledorf et recepimus a nobis (den beschenkten Mönchen) in beneficium iliam terram, quam habetis in Pettinpach de parte Otiloni et houes IIII in ea ratione, ut annis singulis censum soiuere debeam dimidium solidum in argento aut in grano, et ipsas locas, quas superius prenotauimus; ferner ebend. n. 11 (827); n. 21 (c. 870) u. a.

Im 11. und 12. Jahrhundert begegnet die p. remuneratoria in

a) Acta Tirolensia I (Brixner Traditionsbücher) n. 50, 79, 228a (sämtl. 11. Jahrh.);

b) Neustifter UB. n. 125 (1169);

c) Salzburger UB. I S. 212 n. 2; ferner S. 245 Anhang (beide 11. Jahrh.);

d) Steir. UB. I n. 48 (1030), n. 246 (1146): Als Gegengabe der beschenkten Anstalt erscheint hier eine Rente jährlicher 15 Mark;

e) Mon. Boi. VI (Traditionen an Kl. Tegernsee) S. 9 (1008—1017);

f) Mon. Boi. IX (Traditionen an Kl. Weihenstephan) S. 442 (1156—1172).

[2]) UB. St. Gallen II. n. 400 (846): Graf Liutold schenkt einen Teil der Kirche zu Merishausen, ferner Hufen im Berslinger Tal und zu Merishausen, an St. Gallen: illam vero hobum in Bersiningun et in Morinishusun ad me recipiam censumque inde annis singulis solvam tantum tempus vitae meae, id est solidum I. Post meum vero obitum . . . cum omni intengritate restituatur in euum possidendum; ebend. III n. 804 (957) u. a.

Im 11. und 12. Jahrh. begegnet die p. oblata in

a) Acta Tirolensia (Brixner Traditionsbücher) I n. 71, 72, 77, 78 (a), 94, 240 (a), 249, 252 (a), 258 (b), 265, 349, 393, 394, 397 (sämtl. 11. Jahrh.); n. 410, 416, 423, 443, 445 (b), 449, 450, 455, 461, 463, 464, 467, 468, 471, 473, 477, 487, 489, 490, 494, 500, 502 (a), 502 (b), 507 (a), 510, 511, 515, 516, 519, 520, 524, 532 (sämtl. 12. Jahrh.);

b) Neustifter UB. n. 127—129, 154, 158, 160, 162, 164, 169, 170, 172. 176, 177, 180 (1174—1195);

c) Salzburger UB. I S. 320 n. 145, S. 343 n. 179, S. 348 n. 187, S. 439 n. 346, S. 493 n. 443 u. a. (sämtl. 12. Jahrh.);

d) Steir. UB. I n. 89, 108, 142, 184, 234, 235, 266, 335, 338, 349, 408, 449, 645, 654 u. a. (sämtl. 12. Jahrh.);

e) Monumenta Boica VII (Traditionen an Kl. Benediktbeuern) S. 67 (1138—1168);

Neben den bisher erwähnten Formen der precaria ist noch eine Zwischenform zu unterscheiden, welche das Mittelglied bildet zwischen p. remuneratoria und p. oblata. Ihr Wesen besteht darin, daß der Prekarist ein Gut tradiert, welches ihm jedoch nicht mehr wie bei der p. oblata zurückverliehen wird, für welches er vielmehr ein anderes Gut der beschenkten Anstalt als precarium empfängt[1]). Bei Beurteilung dieser Form ist allerdings zu bedenken, ob nicht etwa dem Prekaristen die Nutzung der geschenkten Güter stillschweigend gewährt wurde[2]), in welchem Fall eine p. remuneratoria vorliegen würde.

Unter die precariae oblatae sind auch die Schenkungen mit Vorbehalt des Nießbrauches zu rechnen, die sich ihrer juristischen Natur nach von ersteren nicht unterscheiden lassen.

---

f) Mon. Boic. VIII (Traditionen an Kl. Schäftlarn) S. 425, 426, 454 (12. Jahrh.);

g) Mon. Boic. IX (Traditionen an Kl. Weihenstephan) S. 365, 369, 375, 376 (sämtl. 11. Jahrh.); S. 380, 413, 414, 417, 433, 438, 446, 460, 462, 465, 479 (sämtl. 12. Jahrh.).

[1]) Acta I n. 82 (1050—1065): Penno von Kastelrutt schenkt Güter zu Kastelrutt, Vels und Bozen dem Bischof von Brixen. Econtra prefatus episcopus in loco, qui dicitur Cornioi ii integras hobas et decimationem VIII hobarum et ii karradas vini illis ad vitam utriusque . . . prestitit; ferner ebend. n. 83, 84, 109, 323 (sämtl. 11. Jahrh.); Salzburger UB. I S. 105 n. 44 (a), S. 108 n. 45 (beide 10. Jahrh.); Mon. Boic. VII (Benediktbeuern) S. 57 (12. Jahrh.), chend. IX (Weihenstephan S. 478 (12. Jahrh.).

[2]) Für letztere Annahme spricht Neust. UB. n. 125 (1169): Ludwig, ein Ministeriale der Kirche Brixen, schenkt dem Kloster Neustift das Gut Pleichen eo tenore, quod idem Ludewigus a manu tunc prepositi Chunradi . . . sub eadem hora et loco duo casalia in monte Scalris pro precaria recepit hoc utique laudamento firmiter interposito, quod eo decedente, quidquid in eadem precaria sive armentorum sive pecorum vel cuiuscumque utilitatis res inveniretur sine omni contradictione in usum et proprietatem uno cum memorato predio Pleichen cederet fratrum ipsius ecclesie. Aus dem Umstand, daß der Heimfall auch des geschenkten Gutes an das Kloster festgesetzt wird, geht deutlich hervor, daß an letzterem dem Schenker gleichfalls ein Nießbrauch gewährt worden war, obgleich der Text der Urkunde die Verleihung dieses Nießbrauches nicht ausdrücklich erwähnt.

Diese sogenannte Zwischenform findet sich auch anderorts, so in den Rheinlanden. Vergl. mittelrh. UB. I n. 276 (1000) und I n. 324 (c. 1045), niederrhein. UB. I n. 154 (1019). Lamprecht a. a. O. I 891 Anm. 2 rechnet die zwei ersten der genannten Urkunden kurzweg unter die remuneratorischen Prekarien, was uns jedoch unstatthaft erscheint.

Bei ersteren wie bei letzteren erwirbt der Beschenkte sofort
Eigentum an der geschenkten Sache, während dem Schenker
die Nutzung des geschenkten Gutes auf Lebensdauer gestattet
wird. Einen Unterschied könnte man vielleicht in der Richtung
sehen, daß bei den Schenkungen mit Vorbehalt des Nießbrauches
kein Zins für die Nutzung des Gutes entrichtet wird. Dagegen
ist jedoch einzuwenden, daß die Zinszahlung keineswegs als
wesentliches Merkmal der Prekarie angesehen werden darf[1].

Die Verschiedenheit beider ist eine rein äußerliche und
formelle, darin bestehend, daß bei den sogenannten Schenkungen
mit Vorbehalt des Nießbrauches der Schenker sich ausdrücklich
die Rückverleihung des geschenkten Gutes vorbehält[2], während
bei den precariae oblatae im engern Sinne ein derartiger Vorbehalt nicht erwähnt wird[3].

Ähnliche Rechtsgeschäfte wie die precaria oblata und
remuneratoria begegnen bereits im Altertum. So kam es zumal in Italien vor, „daß ein Privatmann behufs Errichtung
einer wohltätigen Stiftung sein Landgut einer Gemeinde unent-
geltlich (resp. um einen minimalen Gegenwert) zu Eigentum
aufträgt, um es als Erbpachtgut wieder zu empfangen, wobei
er die Pachtrente für den Stiftungszweck widmet"[4].

Die Quellen gebrauchen für dieses Institut der Leihe die
verschiedensten Ausdrücke. Precaria wird dasselbe zum letzten-

---

[1] Vergl. Brunner a. a. O. I S. 211.

[2] Z. B. Acta I n. 72 (1022—1039): Graf Meginhart und seine Gattin
tradieren dem Brixner Domkapitel das Gut Gödnach sö. Lienz eo tenore,
ut quamdiu ipsi viverent usufructum haberent; vergl. ferner Acta I n. 78
(1050—c. 1065) u. a. Neust. UB. n. 127 (1174) u. a. Im 11. und 12. Jahrhundert kommt fast durchgehend diese Form zur Verwendung.

[3] Vergl. Hübner, donationes post obitum S. 87 ff. Zahlreiche Beispiele
aus älterer Zeit führt Hübner a. a. O. S. 90 Anm. 1 an. Vergl. f. Neust. UB.
n. 129 (1175): Purchardus donavit ecclesie curtem quandam in Gredine cum,
manu liberorum et predictorum fratrum suorum et eandem curtem sibi et
uxori sue Mahtildi, donec vixerint, ad censum quinque munmorum . . . recepit.

[4] Mittels, Erbpacht im Altertum S. 5. Ein der precaria remuneratoria
ähnliches Rechtsgeschäft wird bereits von Kaiser Justinian in den Novellen
(VII c. 4 § 2. Quomodo usufructus rerum ad sancta loca pertinentium
constituitur) geregelt.

mal in einer Neustifter Urkunde von 1169 [1]) genannt. Häufig wird es ferner kurzweg als beneficium bezeichnet [2]).

Precaria und beneficium dürfen keineswegs als Gegensätze einander gegenübergestellt werden, da beneficium sowohl als Bezeichnung für die prekarische Leihe, als auch für die verschiedenartigsten anderweitigen Leiheformen verwendet wird [3]). „Man kann allein innerhalb der privaten freien Leihen zwischen prekarischen und nichtprekarischen unterscheiden: zu den ersteren gehören alle, bei denen der Leibe ein Geben seitens des Beliehenen vorangeht, sowohl die p. oblata wie die remuneratoria, während die nicht prekarische Leihe der alten precaria data entspricht" [4]).

Sehr häufig wird die prekarische Leiheform als usus oder ususfructus bezeichnet. Der Schenker erklärt, er behalte sich den usus oder ususfructus an der geschenkten Sache vor. Auch dann wird von usus oder ususfructus gesprochen, wenn die Nutzung des geschenkten Gutes auf mehr als einen Leib ausgedehnt wird [5]).

Der Grundtypus dieser Prekarienverträge des 11. und 12. Jahrhunderts ist im großen ganzen ein ziemlich einheitlicher. Einzelne Personen oder Eheleute schenken Güter an eine geistliche Anstalt und erhalten dieselben entweder gemäß ausdrücklichem Vorbehalt oder ohne solchen zur Nutzung zurück, wobei in den Fällen von p. remuneratoria dieses Nutzungsrecht auch noch auf bestimmte Güter der beschenkten Kirche ausgedehnt wird [6]). Zuweilen wurde dem Schenker außerdem eine Leibrente gewährt [7]). In vielen Fällen, besonders des 12. Jahr-

---

[1]) Neust. UB. n. 125.

[2]) Beneficium bezeichnet sowohl den zinslosen Nießbrauch, so Salzbg. UB. S. 343 n. 179, S. 348 n. 187; Steir. UB. I n. 235, die Zinsleihe auf Lebensdauer einzelner Prekaristen, so Acta I n. 455, 467, 477; Mon. Boic. VIII S. 454; Salzbg. UB. I S. 493 n. 443; Steir. UB. I n. 142, 449; als auch die Erbzinsleihe, so Acta I n. 450 (c), 532; Mon. Boic. VII S. 78.

[3]) Vergl. Rietschel a. a. O. S. 203—204.

[4]) Rietschel a. a. O. S. 204.

[5]) Z. B. Acta I n. 72, 258 (b).

[6]) Von der oben S. 9 erwähnten Zwischenform können wir hier in Anbetracht ihres verhältnismäßig seltenen Auftretens absehen.

[7]) Acta I n. 73, 79, 252.

hunderts, wird die Rückverleihung der geschenkten Güter gar nicht mehr ausdrücklich erwähnt. Es wird nur gesagt, der Prekarist habe das Gut an eine bestimmte geistliche Anstalt geschenkt und habe von nun an für die Nutzung einen bestimmten Zins zu entrichten[1]), in welchem Fall also der zinslose Nießbrauch bereits zur Zinsleihe geworden ist. Ausnahmsweise kommt es auch vor, daß der Schenker nicht sich selbst, sondern einer andern Person die Nutzung des Gutes vorbehält[2]).

Der Grund für die Kürze und inhaltliche Kargheit dieser Aufzeichnungen ist in der Entwicklung des Urkundenwesens jener Zeit zu suchen. Im 10., 11. und 12. Jahrhundert wird die carta, die ausführliche Verfügungsurkunde durch die notitia, die kurzgefaßte Beweisurkunde, mehr und mehr verdrängt, während im weitern Verlauf auch letztere zur unselbständigen Zeugenurkunde, zum Akt, herabsinkt[3]). Da es bei diesem hauptsächlich auf Namhaftmachung der Zeugen ankam, ist es begreiflich, daß die Traditionsbücher, welche ja vorwiegend zur Eintragung solcher Akte dienten[4]), uns nur kurz gefaßte Aufzeichnungen über die Prekarien des 11. und 12. Jahrhunderts bieten.

Das Wesen dieser jüngeren prekarischen Leiheformen bestand in der unwiderruflichen Überlassung eines Gutes an den Prekaristen wenigstens auf die Dauer seines Lebens. Nicht zum Wesen der Prekarie gehörig, wohl aber häufig üblich ist die Ausdehnung der Leihe auf mehrere Leiber, sowie die Gewährung eines erblichen Rechtes am precarium.

Eine andere Frage ist jedoch die, ob die Abmachungen zwischen Schenker und beschenkter Anstalt auch in allen Fällen zur Durchführung kamen. Vor allem ist mit dem Widerstand der beispruchsberechtigten Erben des Schenkers zu rechnen. Mögen dieselben auch durch seinerzeitige Zustimmung auf eine künftige Anfechtung der Schenkung verzichtet haben, so kam es doch oft genug vor, daß sie sich späterhin durch

---

[1]) Acta I n. 416, 463, 464, 468, 487, 489, 494, 500 u. a. (sämtl. 12. Jahrh.).
[2]) Acta I n. 503 (a), 506 (a).
[3]) Redlich, Bayr. Traditionsbücher S. 12 ff.
[4]) Redlich, Bayr. Traditionsbücher S. 26 und Redlich in Acta I S. XL ff.

solchen Verzicht nicht abhalten ließen, die Schenkung anzu-
fechten.

Daß die bedachten Kirchen in dieser Richtung nicht selten
schlimme Erfahrungen gemacht haben, kommt unter anderm
darin zum Ausdruck, daß in den Prekarienverträgen aufs nachdrücklichste betont wird, daß das geschenkte Gut nach dem
Tode des Prekaristen ohne jegliche Behinderung in den Besitz
der Kirche überzugehen habe [1].

Was nützten aber dergleichen Bestimmungen in Zeiten
großer Rechtsunsicherheit, zumal wenn mächtige Personen
Erbansprüche auf das geschenkte Gut erhoben. So läßt sich
nun in der Tat beobachten, daß in dergleichen Fällen die
Kirche Kompromisse anstrebte, durch welche wenigstens formell
ihr Recht gewahrt wurde [2]. Hatte der Schenker das strittige
Gut bis zu seinem Tode als Prekarie innegehabt und vermochte

---

[1] Z. B. Acta I n. 50 (c. 995—1005): Die edle Frau Suanihilt schenkt
ihren Besitz in der Grafschaft Pustertal an Brixen und erhält dafür auf
ihre und ihres Gatten Lebenszeit die geschenkten Güter, sowie Güter des
Hochstiftes prekarienweise. Post obitum vero illorum utrumque in potestatem
episcopi vel eius sucsessoris ad iamdictam ecclesiam sine contradictione
alicuius hominis in proprium redeat. Vergl. f. Neust. UB. n. 158 (1186),
169 (1191).

[2] Vergl. UB. St. Gallen III n. 801 (942—950): Der Vogt des Klosters
St. Gallen Notger hatte aus seinem Erbrecht Anspruch erhoben auf ein Gut,
welches der Tribun Othari der Kirche des hl. Gallus tradiert hatte. Adversus
quem, cum diu multumque ex parte cenobii fuisset decertatum nec certum
contentio finem invenisset, convenientibus crebro pro hac re utriusque partis
plurimis, novissime consilium incidit, ut quia idem Notgerus vassus noster
eta dvocatus monasterii erat, III hobas in Uzzimvilare et alpem pascuam . . .
ad monasterium contra traderet et quod repetebat praedium, ad tempus
vitae suae reciperet, quod et factum est; ähnlich Neust. UB. n. 128 (1170?).
Vergl. f. Neust. UB. n. 189 (1209), 194 (1220). Besonders deutlich tritt dieser
Vorgang in einer Neustifter Urkunde von 1280 (Arch. Neust. lib. testam.
fol. 45) vor Augen: Liebardus hatte an Neustift ein Acker in Elvas bei
Brixen geschenkt. Sein Schwiegersohn macht dem Kloster das Gut streitig.
Der Streit wird endlich in der Weise geschlichtet, quod nos (Propst von
Neustift) eundem agrum locavimus eidem Petro suisque heredibus, qui tamen
ecclesie nostre servi fuerint, tali pacto, quod nobis et ecclesie nostre singulis
annis . . . galetam olei persolvat. Vergl. f. Mon. Boic. IX (Weihenstephan)
S. 415 (1147—1156), 453—454 (1156—1172), VII (Benediktbeuern) S. 71—72.
Vergl. Jäger, Gesch. der landständ. Verfass. I S. 553—554.

die Kirche ihr Recht auf den Besitz des Gutes nicht durchzusetzen, so konnte sie wenigstens in solchen Fällen ihr Eigentum an demselben mit Erfolg behaupten, indem sie vorläufig
auf den Heimfall des Gutes Verzicht leistete und das geschenkte
Gut dem Einspruch erhebenden Erben verlieh. Dadurch wurde
eine tatsächliche Anerkennung der Schenkung durch den betreffenden Erben erreicht.

Auf diese Weise entwickelte sich denn allmählich neben
den Prekarien auf Lebensdauer des Prekaristen andere, die
auch einzelnen Erben desselben ein Nutzungsrecht am Kirchengut gewährten. Die ersten Schritte auf dem Wege zu voller
Erblichkeit des Leihegutes waren damit bereits getan.

Schon in der zweiten Hälfte des 11. Jahrhunderts[1]),
häufiger aber im 12. Jahrhundert[2]) wird das prekarische Leiheverhältnis auf mehrere Leiber ausgedehnt. Nicht nur dem
Schenker sondern auch dessen Kindern oder einzelnen Verwandten
wird die Nutzung des geschenkten Gutes gewährt. Noch in
der zweiten Hälfte des 12. Jahrhunderts gelangt diese Entwicklung zum Abschluß, indem nunmehr in einzelnen Fällen
die Prekarie zur Erbleihe geworden ist[3]).

Zur Ausbildung eines erblichen Rechtes des Prekaristen
am Leihegute hat aber außer dem bereits besprochenen noch
ein weiterer Umstand beigetragen, nämlich die Umwandlung,
welcher die Prekarien hinsichtlich ihres Zweckes unterworfen
wurden. Um darauf eingehen zu können, ist es nötig, unser
Augenmerk auf die Zinspflicht des Prekaristen zu richten.

Die Statuierung einer Zinsleistung war, wie schon erwähnt,
keineswegs wesentliches Erfordernis eines Prekarienvertrages.
Besonders vor dem 12. Jahrhundert treten zahlreiche Fälle
zinslosen Nießbrauches auf. Von letzteren ist es jedoch nur
ein Schritt zur Zinsleihe[4]).

---

[1]) Acta I n. 109, 397; Mon. Boic. IX (Weihenstephan) S. 365.

[2]) Acta I n. 464, 507 (a), Neust. UB. n. 154, 169; Salzbg. UB. S. 437
n. 341, S. 614 n. 60, S. 645 n. 122, S. 655 n. 146, S. 658 n. 154; Steir. UB.
n. 335.

[3]) Siehe unten S. 17.

[4]) Rietschel a. a. O. S. 218.

Öfters wird nur ein sehr unbedeutender Zins in Geld oder Naturalien entrichtet[1]), mit dessen Einhebung die beschenkte Kirche Sicherung ihres Eigentums gegenüber Angriffen des Prekaristen oder Dritter bezweckte. In der Zinsberechtigung des Eigentümers kam seine Gewere an der Sache, die Eigengewere, zum klaren Ausdruck, was insbesonders für die Verteidigung des Eigentumsrechtes von großer Bedeutung war, da der Inhaber der Gewere bei allen Streitfällen um das Gut die zu verklagende Partei war und deshalb im Prozeß eine vorteilhaftere Stellung erlangte[2]).

Während also die aus dem Leihegute zu entrichtende Abgabe vielfach den Charakter eines Rekognitionszinses trug[3]), fehlt es andererseits nicht an Prekarien mit bedeutenden Zinsleistungen, die als ein vom Prekaristen zugestandenes Entgelt für Gewährung langfristiger Leihen anzusehen sind. Es darf eben nicht aus dem Auge gelassen werden, daß der Zweck der precariae oblatae[4]), vom Standpunkt des Prekaristen aus betrachtet, das Seelenheil des letzteren war. Durch die Rückverleihung des Geschenkten an den Schenker sollte demselben die Entäußerung weniger fühlbar gemacht werden. Wurde nun die Leihe nicht nur auf die Lebensdauer des Schenkers, sondern auch auf jene einzelner Erben erstreckt und dadurch der wirtschaftliche Erfolg der Schenkung zu Ungunsten der beschenkten Kirche hinausgeschoben, so lag es nahe, letztere durch Entrichtung eines Zinses zu entschädigen, der wenigstens teilweise als Äquivalent für den Entgang der unmittelbaren

---

[1]) Vergl. dazu Caro, Zur Agrargeschichte der Nordostschweiz S. 604.

[2]) Vergl. Huber, Gewere S. 8, 23 und 29.

[3]) Vergl. Mon. Boic. VII (Benediktbeuern) S. 67 (1138—1168). Ulrich von Pupilingen tradiert predium suum in Munigen s. Benedicto . . . quod tamen eadem vice usque ad terminum vite sue vel si antea carere proposuerit, recepit et in testimonium huius traditionis modium frumenti singulis annis persolvat; vergl. f. ebend. S. 68 (1138—1168); Mon. Boic. VIII (Schäfflarn) S. 470 (1164—1200); Acta I n. 532 (c. 1189—1196) u. a.

[4]) Die precaria remuneratoria kommt für das 12. Jahrhundert nicht mehr in Betracht.

Nutzung des Gutes gelten mochte[1]). Derselbe wird meist in
Geld, seltener in Naturalien entrichtet[2]).

Zuweilen reicht freilich ein Prekarist auch dann einen
nicht unbedeutenden Zins, wenn es sich nur um eine Vitalleihe
handelt[3]), nicht aber um eine Leihe auf zwei oder mehr
Generationen. Darin liegt jedoch kein Widerspruch gegen die
vorhergehenden Ausführungen. Da das Rechtsgeschäft der
p. oblata auf freier Vereinbarung beider Parteien beruht, stand
es selbstverständlich einem opferwilligen Prekaristen frei, auch
härtere Bedingungen als die im allgemeinen üblichen einzugehen.

Einen ganz anderen Charakter als in den bisher besprochenen Fällen trägt die Zinsleistung bei einer großen Zahl
von Prekarien, wie sie uns vor allem in den Brixner Traditionsbüchern überliefert sind. Der wirtschaftliche Zweck, welcher .
auf Seiten der geistlichen Anstalten bis herauf ins 12. Jahrhundert mittels der Prekarienverträge verfolgt wurde, war die
Erwerbung von Grundbesitz. Daß dieser Zweck im 12. Jahrhundert in den Hintergrund tritt, zeigt sich auffallend darin,
daß die precaria remuneratoria, bei welcher derselbe besonders
klar ersichtlich ist[4]), gerade im 12. Jahrhundert nur mehr selten
vorkommt[5]).

Der Typus der betreffenden Urkunden ist auf dieser Entwicklungsstufe folgender: Eine Person tradiert einer geistlichen
Anstalt bestimmte Grundstücke und erhält dieselben als Leihegut gegen eine fixe jährliche Abgabe zurück. Die beschenkte
Kirche hingegen verpflichtet sich zur Abhaltung eines Jahrtages
für den Schenker oder für die von ihm bezeichneten Personen oder

---

[1]) Vergl. Salzbg. UB. I S. 610 n. 52 (1122—1147): Rochoh übergibt
dem Hochstift Salzburg eine Hube zu Peiningen ea videlicet conditione, ut
ipse infra dies vite sue in beneficio habeat et annuatim V denarios inde
exsolvat. Huius autem filius, qui successerit ei in beneficium XV persolvat.
Profecto hunc secundario filius, si legitime successerit, ampliori censu XXX ta
denariorum potiatur; ähnl. ebend. S. 645 n. 122, S. 655 n. 146; S. 658 n. 154
(sämtl. 1151—1167). Vergl. f. Acta I n. 532 (c. 1189—1196).

[2]) So Acta I n. 507 (a) (1170—1174): 1 Karrade Weines.

[3]) Vergl. Salzbg. UB. I S. 441 n. 350 (1147—1167); Mon. Boic. IX (Weihenstephan) S. 479 (1182—1197).

[4]) Vergl. Lamprecht, Wirtschaftsleben I, 2 S. 898.

[5]) Vergl. oben S. 8 Anm. 1.

zu anderweitigen gottesdienstlichen Handlungen im Sinne des Schenkers [1]). Des Rechtsgeschäftes der precaria oblata bediente man sich hier deswegen, um die zur Abhaltung dieser gottesdienstlichen Handlungen von Seiten der Kirche beanspruchten Leistungen zu sichern. Das der Kirche geschenkte Gut wurde dem Schenker als Leihegut zurückgegeben, wogegen letzterer die erwähnten Leistungen in Form eines Grundzinses zu entrichten hatte. Falls dieselben ausblieben, mochte sich die Kirche mit Einziehung des Leihegutes schadlos halten. Was man später in einfacherer Weise durch Bestellung einer Rente erreichte, dazu bediente man sich damals der p. oblata. Der Unterschied besteht darin, daß in unserem Falle der Rentenberechtigte zugleich Eigentümer des pflichtigen Grundstückes ist, während bei der Rentenbestellung des späteren Mittelalters das rentenpflichtige Grundstück im Eigentum des Rentenbestellers verbleibt.

Dem Zweck dieser zuletzt besprochenen Prekarien entsprechend, stellen sich dieselben häufig als Erbleihen dar [2]). Da es in erster Linie auf Sicherung einer periodischen Leistung ankam, mochte es der beschenkten Kirche nicht schwer fallen, die Nachfolge der Erben in das Leihegut zu gestatten.

Die Leistung, welche für Abhaltung der gestifteten Gottesdienste vor allem der Jahrtage zu entrichten war, wird in den Quellen meist als „oblatio" [3]) oder „copiosus apparatus" [4])

---

[1]) So Acta I n. 423: Der Ministeriale Heribrant schenkt dem Brixner Domkapitel ein Gut zu Barbian pro redemptione animnę suę ad ministerium et ius proprietatemque confratrum inibi ministrantium, usu tamen eiusdem predii usque ad vitam suam sibi retento eo tenore eaque conventione, ut ipse annuatim in honore dei omnipotentis sanctique Petri apostoli semper in kalendis augusti prescriptis confratribus plenum apparatum inde tribueret, post obitum autem suum et prescriptus dies sancti Petri et anniversarius dies eius inde celebrentur. Vergl. f. ebend. I n. 450, 461, 464, 467, 477, 494, 502 (a) u. a. Über eine auf ähnlichen Zweck (Stiftung eines ewigen Lichtes) gerichtete Prekarie betreffend ein Haus zu Wien und andere Güter vergl. v. Hess, Burgrecht S. 787, Beil. n. III (1209).

[2]) So Acta I n. 450, 472, 494, 500, 502 a, 502 b, 515. Ebenso die bereits erwähnte Prekarie Hess, Burgrecht S. 787, Beil. n. III.

[3]) Z. B. Acta I n. 423, 450, 464, 477.

[4]) Z. B. Acta I n. 423, 450, 467.

bezeichnet. Während des nähern nicht angegeben wird, was
alles unter dem „reichlichen Mahl" inbegriffen war, werden
wir in einem Falle genauer unterrichtet, was zu einer „plena
oblatio" gehört. Letztere bestand aus: xxx panes frumentini
totidemque sigalini porcusque unus saginatus vel duę oves
vivę cum urna una vini canonicali [1]).

Bei den Prekarien des 11. Jahrhunderts fehlen Bestimmungen
für den Fall der Zinssäumnis fast ausnahmslos [2]). Der niedrige
Rekognitionszins konnte solche Vorsichtsmaßregeln überflüssig
erscheinen lassen. Hingegen zeigt sich auch in dieser Hinsicht
im 12. Jahrhundert ein Umschwung. Jetzt fängt man an, den
Säumigen mit Entziehung des Leibegutes zu bedrohen [3]). Im
allgemeinen bleiben jedoch derartige Bestimmungen auch im
12. Jahrhundert ziemlich selten.

Ein Termin für die Zinszahlung wird in der Mehrzahl der
Fälle nicht festgesetzt. Nur bei den zuletzt besprochenen
Jahrtagsstiftungen wird die bedungene Abgabe häufig zur
Zeit der Abhaltung des Jahrtages entrichtet [4]), im übrigen
ist die Ansetzung der Zinstermine, wo sich solche finden, eine
sehr mannigfaltige [5]).

Ist aus den bisherigen Ausführungen hervorgegangen, daß
einerseits der Widerstand der Erben, andererseits die Umwandlung hinsichtlich des Zweckes, auf den die Prekarien gerichtet waren, die Entwicklung von Erbleibeformen im
12. Jahrhundert begünstigte [6]), so wollen wir auf eine Schilderung
der weiteren Gründe, welche im gleichen Sinne wirksam waren,
hier nicht eingehen, weil dieselben nachhaltiger erst im
13. Jahrhundert sich geltend machen, also zu einer Zeit, wo
bereits freie bäuerliche Erbleihen häufiger zu werden beginnen.

---

[1]) Acta I n. 445 (b).

[2]) Nur in Acta I n. 397 (c 1085—1097) wird Heimfall des Gutes nach
dreijähriger Zinssäumnis festgesetzt.

[3]) So Acta I n. 443, Salzbg. UB. I S. 374.

[4]) Acta I n. 450, 467, 477, 500, 515 u. a.

[5]) Acta I n. 397: in festivitate s. Martini; Mon. Boic. VIII (Schäftlarn)
S. 470: in festo s. Dyonisii; chend. IX. (Weihenstephan) S. 438: in festo s.
Viti; S. 446: in festo s. Emmeramni.

[6]) Selbstverständlich kommen daneben im 12. Jahrhundert noch immer
zahlreiche Prekarien ohne erbliches Recht des Prekaristen vor.

Es erübrigt, nunmehr einiges über die juristische Natur der Prekarien zu sagen. Bei all diesen Schenkungen mit Rückverleihung des Geschenkten gingen Eigentum und Gewere sofort auf den Beschenkten über. Während bei den donationes post obitum, die sonst mit Rücksicht auf ihren wirtschaftlichen Erfolg manche Ähnlichkeit mit der p. oblata aufweisen, der Übergang des Eigentums auf den Beschenkten an eine Suspensivbedingung geknüpft erscheint, erwirbt bei der p. oblata der Bedachte das Eigenthumsrecht sofort. Die Gewährung des Nutzungsrechtes an den Prekaristen ist nicht als Bedingung der Schenkung aufzufassen, vielmehr tritt der Erfolg der Schenkung sofort ein[1]).

Die Gewere ging durch Besitzeinweisung seitens des Schenkers an den Beschenkten über. Dieser Akt der Besitzeinweisung, die investitura, wird in den Quellen vielfach neben der Sale (traditio) eigens erwähnt, wie auch eigene Zeugen für diese Investitur angeführt werden[2]). Um nun in jenen Fällen, wo sich der Schenker Rückverleihung des Geschenkten vorbehielt, den Übergang der eigenlicben Gewere auf den Bedachten offenkundig zu machen, blieb letzterer in älterer Zeit drei Tage auf dem Gute. Diese sessio triduana findet sich in unseren Quellen nur ein einziges Mal[3]).

Der mit dem Objekt der Schenkung beliehene Schenker erlangte selbstverständlich eine Gewere, da er ja das Gut nutzte. Neben dieser Gewere konnte jedoch die eigenlicbe des Beschenkten fortbestehen, falls sich letzterer einen Zins aus dem verliehenen Gute vorbehielt[4]).

Objekt der Prekarien bildeten in älterer Zeit öfters größere Grundkomplexe[5]), in späterer Zeit einzelne Güter (predia) oder

---

[1]) Hübner a. a. O. S. 77 ff, 87 ff.

[2]) Vergl. Acta I n. 77, 179, 249, 252, 258 (b), 393 u. a. Salzbg. UB. I. S. 348 n. 187, S. 349, n. 190.

[3]) Mon. Boic. VI (Tegernsee) S. 9 (1008—1017): Der Edle Ernost tradiert verschiedene Güter an Tegernsee unter Vorbehalt des Nießbrauches. Quod patrimonium fiscalis advocatus Patto manu sua cum accepisset, triduana sessione legitime peracta in ius abbatis vendicavit.

[4]) Siehe oben S. 15.

[5]) Z. B. Fontes XXXI n. 6 (799), n. 11 (827); Acta I n. 50 (c 995—c 1005), Steir. UB. I n. 89 (1100).

2*

gar nur einzelhe Äcker und Weingärten[1]). Grundstücke in Städten erscheinen nur äußerst selten als Gegenstand dieses Rechtsgeschäftes[2]).

Ein großer Teil der Prekaristen ist zweifellos dem Herrenstande oder dem Stande der Ministerialen beizuzählen[3]). Ferner erscheinen auch zahlreiche Angehörige des geistlichen Standes als Prekaristen und zwar vom Bischof angefangen bis hinab zum einfachen clericus[4]).

Gehört die Mehrzahl der Prekaristen zweifelsohne höheren Volksschichten an, so lassen sich nur sehr wenige Fälle aus dem 11. und 12. Jahrhundert anführen, wo unzweideutig Angehörige der unteren Stände als Prekaristen genannt würden[5]), während wieder in anderen sich nur mit Wahrscheinlichkeit dartun läßt, daß wir es nicht mit Mitgliedern der oberen Stände zu tun haben[6]).

Aus dem Bisherigen geht hervor, dass sich die wesentlichen Elemente der freien bäuerlichen Erbleihen bereits in einigen dieser Prekarien des 12. Jahrhunderts finden. Die Prekaristen wie die freien Zinsleute erwerben durch die Leihe ein vererbbares dingliches Recht am Gute und bleiben frei von jenem privatrechtlichen, persönlichen Abhängigkeits-Verhältnis, in welches die Leihe nach Hofrecht den Leihemann hinabzieht.

Daß der Prekarist an seiner persönlichen Freiheit durch

---

[1]) Z. B. Acta I n. 423 (c. 1110—1122), 443 (1125—1140), Salzb. UB. I S. 348 n. 187(1125—1147), S. 366 n. 218(1125—1147), S. 435 n. 336 (1147 bis 1167), Steir. UB. I n. 338 (1150).

[2]) So Acta I n. 467 (1140—1147), 473 (1147—1160).

[3]) Acta I n. 72: Graf Meginhart; Neuest. UB. n. 160: comites de Leximunde. Die Bezeichnungen nobilis und ingenuus, die in gleicher Bedeutung verwendet werden (so Acta I n. 73 und 107, n. 77 und 79), dürften sich wohl gleichfalls auf Personen adeligen Standes beziehen, so Acta I n. 236; Salzbg. UB. I S. 370 n. 226; Ministerialen werden als Prekaristen genannt Acta I n. 423, 445 (b); Salzbg. UB. I S. 386 n. 255.

[4]) Z. B. Acta I n. 71: Bischof Hartwig, n. 416: Brixinensis cenobita, n. 524: subdiaconus; Salzbg. UB. I S. 348 n. 187: quidam clericus.

[5]) Acta I n. 490: Sohn des Diethmar rusticus de Torenten, n. 503: Luicart tributaria ecclesie.

[6]) So z. B. in Salzbg. UB. I S. 320 n. 145: servitor s. Rŭdberti nomine Trŭnt, I S. 610 n. 52: quidam nomine Rŏchohus; Mŏn. Boic. IX (Weihenstephan) S. 438 n. 10: quaedam mulier.

Eintritt in das Leiheverhältnis keinerlei Einbuße erlitt, wird
man schon von vornherein umso eher annehmen müssen, als ja
dasselbe durch einen Akt der Freigebigkeit von seiner Seite
veranlaßt wurde. Der Prekarist war demnach in der Lage,
die Bedingungen festzusetzen, unter welchen er das Leihegut
übernehmen wollte.

Nach der wirtschaftlichen Seite besteht freilich zwischen
der Mehrzahl der Prekarien des 11. und 12. Jahrhunderts und
den freien bäuerlicher Leihen ein bedeutender Unterschied
darin, daß der Zins bei letzteren in älterer Zeit wenigstens
einigermaßen dem Ertrag des Leiheobjektes entsprach, während
er bei einer großen Zahl der Prekarien zum Teil gänzlich
fehlt, zum Teil in keinerlei Verhältnis zum Ertrag des Leiheobjektes steht, was damit zusammenhängt, daß hinsichtlich des
Zweckes, der mit diesen beiden Leiheformen verfolgt wurde,
eine merkbare Verschiedenheit obwaltet.

Überhaupt kann man darüber nicht im Unklaren bleiben,
daß diese Prekarien des 11. und 12. Jahrhunderts den Eindruck
des Unfertigen machen. Vor allem ist das Recht des Prekaristen
am Leihegut zu wenig umschrieben. Ob er, falls es sich um
eine Prekarie zu erblichem Recht handelt, eine Veräußerungsbefugnis besitzt, wird gewöhnlich nicht festgesetzt [1]. Ebenso
mangelt es vielfach an Bestimmungen über Zinstermin und Folgen
der Zinssäumnis. Erst im 13. Jahrhundert kommt die Entwicklung in dieser Richtung einigermaßen zum Abschluß.

Als Ergebnis der bisherigen Ausführungen darf angesehen
werden, daß die precaria des früheren Mittelalters, die vorwiegend als Vitalleihe auftritt, in Deutschtirol bereits im
12. Jahrhundert zur Erbleihe emporgewachsen ist. Für das
angrenzende südliche Deutschland aber ergibt sich wenigstens
dies eine mit Sicherheit, daß im 12. Jahrhundert das Institut
der Prekarie noch allenthalben in Blüte steht. Mochte auch
die Frucht dieser Entwicklung im einzelnen noch viele Mängel
aufweisen, die Form war doch da, der eine neue Zeit neues
Leben einhauchen konnte. Waren diese Erbleihen erst einmal

---

[1] Über Veräußerungsbefugnis des Prekaristen nach Prekarien von
St. Gallen vergl. Caro a. a. O. S. 604.

losgelöst von der Verbindung mit vorangehender Schenkung, so stand nichts mehr im Wege, ihnen als freien Landnutzungsformen einen weiten Spielraum zu eröffnen. Im weiteren Verlauf der Darstellung wird nun der Beweis zu liefern sein, daß tatsächlich Gründe wirksam wurden, welche die weitere Entwicklung und Ausbreitung freier Erbleihen begünstigten. Ist dies erwiesen, so liegt ja der Gedanke am nächsten, daß man unter Einwirkung dieser Gründe zu den bereits vorhandenen freien Leiheformen griff und diese zweckentsprechend ummodelte[1]).

Die zu Anfang aufgeworfene Frage, ob die Ansicht Rietschels von dem Zusammenhang zwischen Prekarie und Erbleihe auch für Tirol und das angrenzende Süddeutschland Geltung habe, ist demnach in bejahendem Sinne zu beantworten. Aber nicht nur im allgemeinen sondern auch im einzelnen ergibt sich ein ähnlicher Verlauf der Entwicklung hier im südlichen Deutschland, wie ihn Rietschel vor allem für Würzburg dargelegt hat. So läßt sich beispielsweise die Beobachtung machen, daß gerade in Würzburg die Ausbildung von Prekarien zu erblichem Recht im Zusammenhang mit Jahrtagsstiftungen auftritt[2]).

Läßt sich aber diese Entwicklung der freien Erbleihe aus der Prekarie nicht auch für den Nordwesten Deutschlands behaupten? Lamprecht[3]) stellt dies bekanntlich in Abrede. Auch

---

[1]) Auf diesen Zusammenhang von Prekarie und bäuerlicher Leihe verweist bereits Jäger, Gesch. der landständ. Verfassung I S. 550—551, jedoch ohne die wesentliche Bedeutung desselben für die Entwicklung freier Erbleihen in richtiger Weise zu würdigen. Vergl. f. Schwind a. a. O. S. 120 ff.

[2]) Vergl. Schannat, vindemiae litterariae. Tom. I S. 53 ff. n. 1, 2 (11. Jahrh.), 21, 31, 32, 36, 39, 40, 43 u. a. (sämtl. 12. Jahrh.)

[3]) Lamprecht stellt in seinem bahnbrechenden Werke über das deutsche Wirtschaftsleben (I'₂ S. 896) den Satz auf, der alte Vertrag der precaria oblata werde seit dem 10. Jahrhundert immer mehr „zu dem, was er schon stets gewesen, zur bedingten Schenkung von Todes wegen." Diese Behauptung ist entschieden unrichtig, denn precaria oblata und bedingte Schenkung von Todes wegen sind zwei ihrer juristischen Natur nach ganz verschiedene Rechtsgeschäfte, indem letztere ein bedingtes, erstere aber ein unbedingtes Rechtsgeschäft ist (vergl. Hübner a. a. O. S. 76). Wie sich im folgenden zeigen wird und wie auch Lamprecht selbst a. a. O. S. 896 Anm. 4 (am

Schwind[1]) teilt Lamprechts Ansicht. Es lassen sich jedoch in den Rheinlanden ebenfalls Prekarien innerhalb des 11. und 12. Jahrhunderts nachweisen[2]), wenn gleichwohl zuzugeben ist, daß dieselben in jener Zeit nicht so häufig auftreten, daß ohne weiteres eine nachhaltige Einwirkung derselben auf die Ausbildung freier Erbleihen behauptet werden könnte.

Sollte aber der Grund für dieses verhältnismäßig seltene Auftreten der Prekarien nicht etwa in einer lückenhaften Überlieferung der Prekarienverträge zu suchen sein? In erster Linie ist zu bedenken, welche Wandlungen die Privaturkunde in der Zeit vom 10. bis zum 12. Jahrhundert durchzumachen hatte. Gerade die bereits erwähnte Umbildung der carta zur notitia muß hier in Betracht gezogen werden.

Prekarienverträge, die in jenem Zeitraum abgeschlossen wurden, sind zweifellos häufig in der Form der notitia oder gar als einfacher Akt aufgezeichnet worden. Da darf es nun nicht Wunder nehmen, wenn dergleichen formlose Aufzeichnungen

---

Schluß) zugibt, findet sich die Precaria oblata in ihrer ursprünglichen Form auch noch nach dem 11. Jahrhundert im nordwestlichen Deutschland.

Was jedoch die precaria remuneratoria betrifft, so ist Lamprecht zuzustimmen, wenn er (a. a. O. I/2 S. 897 ff.) die Ansicht vertritt, daß dieselbe auf die Entwicklung erblicher und zeitlicher Pachten wenig Einfluß genommen, da diese Form der Prekarie im Rhein-Moselland wie auch in Süddeutschland im 12. Jahrhundert nur mehr selten vorkommt.

[1]) v. Schwind a. a. O. S. 111 ff. Wenn Schwind a. a. O. S. 120—121 die Bedeutung jener Schenkungen mit Rückverleihung des Geschenkten nachdrücklich hervorhebt, so scheint mir seine ablehnende Haltung gegenüber Annahme eines Zusammenhanges zwischen Prekarie und Erbleihe nicht recht verständlich.

[2]) a) Precaria remuneratoria: Mittelrhein. UB. I n. 315 (1014): Prekarie auf Lebensdauer des Schenkers; niederrhein. UB. I. n. 188 (1052): auf Lebensdauer der Schenker, ebenso n. 192 (1057); n. 247 (1093): Prekarie auf drei Leiber.

b) p. oblata: Mittelrhein. UB. I n. 320 (1043), wahrscheinlich Erbleihe, n. 486 (1136): Lebensdauer der Schenker; niederrhein. UB. I n. 246 (1091): Erstreckung des Leiheverhältnisses auf zwei Blutsverwandte des Schenkers, nach deren Tode auf jenen seiner Verwandten, welcher zur Zeit Mitglied des beschenkten Stiftes ist, n. 263 (1104): Lebensdauer des Schenkers, n. 429 (1168): Erbleihe, n. 456 (1176): Lebensdauer der Schenker.

c) Zwischenform: mittelrhein. UB. I n. 276 (1000): Lebensdauer der Schenker, n. 324 (11. Jahrh.): Lebensdauer der Schenker, n. 338 (1052): auf vier Leiber; niederrhein. UB. I n. 154 (1019): Lebensdauer der Schenker.

sich nur selten bis auf unsere Tage erhalten haben. In späteren Zeiten mag mit diesen einfachen, unbesiegelten Pergamentzetteln gerade nicht sehr sorgfältig umgegangen worden sein und das umsomehr in jenen Fällen, wo weder die Personen der Schenker noch der Umfang der Schenkung Bedeutung beanspruchen konnten. Daraus dürfte die Erscheinung zu erklären sein, „daß fast in all den großen Klöstern Frankens, Schwabens, Lothringens, in St. Gallen, Weißenburg, Lorsch, Fulda, Prüm u. a. m. die Archive ungleich weniger Dokumente des 10. und 11. Jahrhunderts als der karolingischen Zeit aufbewahrt haben" [1]). Damit ist weiters auch der auffallende Umstand in Zusammenhang zu bringen, daß beispielsweise in St. Gallen zwar aus dem 9. und auch noch aus dem 10. Jahrhundert eine Menge von Prekarienverträgen überliefert sind, in den folgenden Jahrhunderten aber solche Verträge fast gänzlich verschwinden [2]), während in vielen Klöstern innerhalb des heutigen Bayerns oder Tirols zahlreiche Prekarien gerade aus der Zeit des 11. und 12. Jahrhunderts in den Traditionsbüchern sich finden.

Damit ist nun die Ursache jener Erscheinung berührt, daß im südöstlichen und mittlern Deutschland Prekarienverträge innerhalb dieses Zeitraumes häufig genug nachweisbar sind. Da hier entweder Abschriften der betreffenden Akte oder die Abmachungen unmittelbar, in Protokollform, in die Traditionsbücher eingetragen wurden, so ward dadurch in viel höherem Maß die Möglichkeit geboten, den Inhalt dieser Rechtsgeschäfte einer späteren Zeit zu erhalten als dort, wo solche Traditionsbücher fehlen, wie beispielsweise in St. Gallen.

Demnach dürfte der Schluß nicht ungerechtfertigt erscheinen, daß die spärlichere Überlieferung von Prekarienverträgen in den Rheinlanden nicht mit einem allmählichen Verschwinden dieses Rechtsinstituts zusammenhängt, sondern vielmehr durch die besprochene Entwicklung des Privaturkundenwesens im 10., 11. und 12. Jahrhunderts begründet ist.

Daß trotz dieser Gestaltung des Urkundenwesens sich gleichwohl Prekarienverträge im nordwestlichen Deutschland

---

[1]) Bresslau, Handbuch der Urkundenl. I S. 501.
[2]) Vergl. Caro a. a. O. S. 617.

in urkundlicher Form erhalten haben, hat vor allem darin
seinen Grund, daß die erwähnten Stücke fast durchwegs noch
als cartae abgefaßt sind. Ihre Aussteller sind in der großen
Mehrzahl der Fälle die Erzbischöfe von Köln oder die von
Trier[1]). Nur bei zwei Stücken haben wir es wahrscheinlich
mit notitiae zu tun[2]), deren eine übrigens vom Abt von Werden
besiegelt wurde[3]).

Wenn aber in der Tat ein häufigeres Vorkommen der
Prekarie für Westdeutschland angenommen werden darf, so
liegt die Annahme nahe, daß auch hier die freie Erbleihe sich
aus der prekarischen Leihe entwickelt habe. Es ist dann
entschieden folgerichtiger, den Ursprung der freien Erbleihe in
letzterer zu suchen, als in der Leihe nach Hofrecht.

III.

Entstehung und Wesen der locationes perpetuae in Wälschtirol und Deutsch-Südtirol.

Muss die precaria als eine der Wurzeln der freien bäuerlichen Erbleihe angesehen werden, so ist nunmehr zu untersuchen, ob nicht noch anderweitige Einflüsse für die Entwicklung
letzterer maßgebend geworden sind. Gleich von vorneherein
wird es nahe liegen, einen Einfluß der Leiheformen des italienischen
Südens auf den deutschen Teil des heutigen Tirols anzunehmen.

In Oberitalien hatten sich, ausgehend von den Leiheformen
der spätrömischen Zeit, bereits in den ersten Jahrhunderten
des Mittelalters eine Menge verschiedenartiger Leiheverträge
entwickelt. Trotz der großen Mannigfaltigkeit dieser Formen,
läßt sich eine Scheidung in zwei Hauptgruppen unschwer vornehmen, je nachdem das Recht des Beliehenen ein zeitlich beschränktes oder ein vererbbares ist. Sehr häufig war die
Dauer der Zeitpachtungen, der Livelle, auf 29 Jahre bemessen,
während andererseits auch Pachtverträge auf 5, 10, 12, 18,

---

[1]) Mittelrhein. UB. I n. 315, 320, 324, 338; niederrhein. UB. I n. 221, 246, 263, 456.

[2]) Niederrhein. UB. I n. 154, 188.

[3]) Niederrhein. UB. I. 188.

20, 40, 90 oder 100 Jahre nicht selten sind [1]). Erbpachtungen
wurden in der Form der Emphyteuse abgeschlossen, für welche
die Bestimmungen des römischen Rechtes maßgebend waren [2]).
Während als Emphyteuten häufig Personen der höheren und
besser situierten Stände erscheinen, sind die livellarii meist
bäuerliche Kleinpächter [3]).

Bereits im 10. Jahrhundert beginnt die Unterscheidung von
Emphyteuse und Livell in den Quellen immer unsicherer zu
werden [4]). In Zeitpachtungen auf 50—100 Jahre lag naturnotwendig der Keim zu voller Erblichkeit. Weiters ward die
Pacht nach Ablauf des Termines sehr häufig erneuert [5]).
Andererseits sprechen die Quellen oft von Emphyteuse, wo die
Dauer der Leihe nur auf einige Generationen erstreckt wurde,
was insbesondere bei Verleihung von Kirchengut üblich war [6]).
Insgesamt ist jedoch das Streben einer allmählichen Umwandlung
von Zeitpacht in Erbpacht deutlich zu erkennen. Es läßt sich
hier geradezu eine ähnliche Entwicklung beobachten wie jene,
welche seit dem Ende des 4. Jahrhunderts den Ausgleich
zwischen dem ius perpetuum als einem Erbleiheverhältnis und
der ursprünglich nur ein befristetes Nutzungsrecht gewähren-
den Emphyteuse herbeigeführt hatte [7]).

Bei all diesen Leiheformen wurde ein Zins, teils in Geld,

---

[1]) Vergl. v. Voltelini in Acta II S. XC, Pertile, Storia del diritto
italiano IV S. 302—303, Kohler, Beiträge zur germanischen Privatrechtsgesch.
Heft I Seite 41 Anm. 2.

[2]) v. Voltelini in Acta II S. XC.

[3]) Vergl. v. Voltelini in Acta II S. XC, Hartmann in den Mitteilungen
des Instituts für österreich. Geschichtsforsch. XI S. 364 f.

[4]) In einem Erbpachtvertrage von 963 (Cod. diplom. Langobardiae Col.
1175 n. 677) werden z. B. die Ausdrücke Livell und Emphyteuse zur Bezeichnung ein und desselben Rechtsverhältnisses verwendet: Einem gewissen
Kunibert wird ein Stück Land verliehen „ut idem Chunipertus eam possit
laborare, tenere et gaudere livellario nomine emphiteusis".

[5]) Vergl. v. Voltelini in Acta II S. XC; Hartmann a. a. O. S. 365; Pertile
a. a. O. IV S. 318; Schupfer, degli ordini sociali e del possesso fondiario
appo i Langobardi (Sitzungsberichte der Wiener Akad. XXXV S. 476).

[6]) Fantuzzi, Monumenti Ravennati I S. 133 n. 25 (953); S. 308 n. 122
(1097); S. 320 n. 134 (1165). Vergl. v. Voltelini in Acta II S. XC, Pertile
a. a. O. IV S. 297—298.

[7]) Vergl. Mitteis a. a. O. S. 56.

teils in Naturalien, entrichtet[1]), der fast durchaus kein Rekognitionszins war, sondern vielmehr als Entgelt für die Überlassung der Nutzung des Leiheobjektes anzusehen ist. Häufig begegnet die schon in Römerzeit auftretende colonia partiaria, bei welcher der Pächter einen Teil bestimmter Gutserträgnisse, häufig die Hälfte oder ein Drittel, abzuliefern hatte[2]).

Dürfen die Livelle in älterer Zeit nicht durchwegs als freie Leiheverhältnisse angesehen werden, da sie eine Minderung der Freiheit des Pächters herbeiführten[3]), so steht der Charakter der Emphyteuse als Form freier Leihe von Anfang an fest. Schon die Personen vieler Emphyteuten, ferner das Auftreten der Emphyteuse in der Form der precaria remuneratoria und oblata[4]) lassen das Gegenteil ausgeschlossen erscheinen. Durch die gegenseitige Durchdringung von Emphyteuse und Livell entstanden nun freie Erbleihen, die einen bedeutsamen Einfluß auch auf den tirolischen Süden erlangten.

Es treten nämlich seit dem 11. Jahrhundert Leiheformen auf, welche zwar weder als Emphyteusen noch als Livelle bezeichnet werden, deren Bestimmungen jedoch in vielen Punkten mit jenen übereinstimmen, welche das römische Recht für die Emphyteuse festsetzte. Beispiele solcher Leihen finden sich unter Cremoneser Urkunden des 11. Jahrhunderts[5]).

Der Beliehene hat die Befugnis, sein Leiherecht auf seine Erben zu übertragen, sowie dasselbe mit Vorwissen des Leiheherrn zu veräußern. Letzterer hat nur ein Vorkaufsrecht, die Zustimmung zur Veräußerung durfte, falls der Erwerber

---

. [1]) Vergl. Pertile a. a. O. IV S. 312 ff.

[2]) Z. B. Pantuzzi a. a. O. I S. 112 n. 14 (918): minuto in area modio sexto, vino anfora tercia etc.; cod. dipl. Langob. Col. 1104 n. 641 (960): vinum quod de suprascriptis vincis Dominus dederit medictate etc. Vergl. v. Voltelini in Acta II S. XC, Pertile a. a. O. IV S. 639 f., Schupfer a. a. O. 474 f.

[3]) Vergl. v. Voltelini in Acta II S. XC.

[4]) Cod. diplom. Cremone I S. 46 n. 12 (1010); S. 65 n. 62 (1033); Lombard. Urk. n. 10 (1044); n. 11 (1046); n. 18 (1059). Vergl. Pertile a. a. O. IV S. 324 und die daselbst in Anm. 128 angeführten Beispiele.

[5]) Lombard. Urk. n. 29 (1069), n. 41 (1099), Cod. diplom. Cremone I S. 85 n. 165 (1078). Beispiele aus dem 12. Jahrh.: Cod. diplom. Cremone S. 150 n. 345 (1179); Kohler a. a. O. I n. 13 (1174).

eine persona habilis war, nicht verweigert werden. Verpflichtet ist der Beliehene vor allem zur Entrichtung eines ein- für allemal fixierten Zinses in Geld oder Naturalien, sowie zur Instandhaltung des Leiheobjektes, nicht aber zu Meliorationen [1]).

Wie bei den früher erwähnten Leiheformen, dem Liveli und der Emphyteuse, wird auch hier zwischen beiden Kontrahenten eine Konventionalstrafe für alle Fälle der Kontraktverletzung durch eine der Parteien stipuliert. Die Verpflichtungen des Leiheherrn bestehen vor allem darin, dem Beliehenen die Nutzung des Leiheobjektes zu gestatten und letzterem gegebenen Falls Währschaft zu leisten.

Während das römische Recht für Emphyteusen, besonders für kirchliche und solche, welche besondere Bestimmungen enthielten, schriftliche Form verlangt [2]), erklärte die Glosse Scriptura und ihr folgend die Doktrin die Schriftform für gewohnheitsmäßig außer Gebrauch gesetzt [3]). An ihre Stelle trat die Investitur, die häufig mittelst eines Stäbchens: „per unum lignum, quod in suis manibus tenebat" [4]), vollzogen wurde, während andererseits die Form der Investitur „per cartam" zuweilen noch beibehalten wurde [5]). Hatten die zuerst erwähnten Leiheurkunden dispositiven Charakter getragen, war ihre Abfassung also für den Vollzug des Rechtsgeschäftes wesentliches Erfordernis gewesen, so tritt nun an ihre Stelle das Investiturbreve, welches nur als Beweis der vorgenommenen Investitur des Pächters mit dem Pachtgute zu dienen hat.

---

[1]) Die Meliorationsklausel, wo sie in den Urkunden noch vorkommt, ist zur bloßen Form herabgesunken. Wenn dem Pächter in einem Leihevertrag (Kohler a. a. O. I S. 47 n. 13 (1174) vorgeschrieben wird, das Gut „bene laborare", so liegt darin doch wohl nur die Verpflichtung, das Leiheobjekt in gutem Stand zu erhalten, nicht aber, wie Kohler (a. a. O. S. 47, Anm. 1) annimmt, zur Melioration.

[2]) Voltelini in Acta II S. XCIII; vergl. Pantuzzi a. a. O. I S. 320 n. 134 (1165): Contractum meliorationis causa Greco vocabulo enfiteosis solet vocari, qui semper scriptura indiget, ut optineantur ea, que a contraentibus placent.

[3]) v. Voltelini in Acta II S. XCIII.

[4]) Kohler a. a. O. I S. 42 Anm. 1; v. Voltelini in Acta II S. XVII; vergl. ferner Fontes V n. 247 (1210): Investitur per festucam; ebend. n. 252 (1211): per lignum.

[5]) Kohler a. a. O. I S. 43 Anm. Vergl. f. Beilage n. I.

Solche Investiturbreven begegnen in Oberitalien seit dem 11. [1]),
in Tirol seit dem 12. Jahrhundert [2]). Als Urkundenschreiber
erscheinen die Notare, deren Einsetzung bis zum 11. Jahrhundert ein gräfliches Recht gewesen, während später eine
Bestätigung der Ernennung durch den König bezw. den Kaiser
erfolgen mußte. Auch die Päpste hatten schon seit alters
das Recht der Ernennung von Notaren [3]).

Unter dem steigenden Einfluß des römischen Rechtes erweitern sich die anfangs bescheidenen Formeln des Investitur-
breves, „es macht sich eine dem römischen Recht entsprechendere
Sprachweise geltend und das Bestreben, die beurkundeten
Rechtsgeschäfte möglichst gegen Anfechtungen zu schützen" [4]).

Der älteste in Form eines Investiturbreve abgefaßte Erbleihevertrag auf dem Boden des heutigen Tirol ist in einem
Notariatsinstrument von 1164 überliefert. Als Leiheobjekt erscheint in demselben ein Stück mit Reben und Bäumen be-
pflanzten Landes bei Trient. Seiner ganzen Form wie inhaltlichen Gliederung nach zeigt dieses Stück deutlichen Zusammenhang mit jenen vorhin angeführten Cremoneser Erbleihen.

In diesem Leihevertrag von 1164 wie in den späteren
locationes perpetuae Südtirols lassen sich folgende Teile unterscheiden:

1. Die Erbpachtverleihung mit Angabe des Leiheobjektes,
   dessen Grenzen und Pertinenzen.

---

[1]) Z. B. Lomb. Urk. n. 29 (1069), n. 41 (1099); cod. diplom. Cremone
S. 85 n. 165 (1078); S. 150 n. 345 (1179); Kohler a. a. O. I n. 13 (1174).

[2]) Vergl. v. Voltelini in Acta II S. XCIII; Beispiele solcher Investiturbreven in Südtirol Acta II n. 61, 227, 427, 501, 506 (alle von 1236), n. 605,
606, 663, 664, 694, 740, 784, 809, 961 (sämtl. von 1237); ferner Fontes V
n. 22 (1185), 35 (1189), 43 (1191), 53 (1192) usw.; von Hormayr, Gesch.
Tirols II n. 14 (1172), 23 (1180), 57 (1192), 69 (1196). Im Innsbrucker
Statthalterei-Archiv befinden sich zahlreiche Leiheurkunden dieser Form. Die
Mehrzahl derselben gehört dem 13., 14. und 15. Jahrhundert an, nur wenige
dem 12. Drei derselben, von 1164, 1198 und 1270, wurden als Beilage n. I,
II und III dieser Arbeit beigegeben.

[3]) Vergl. Paoli-Lohmeyer, Urkundenlehre S. 109—111.

[4]) von Voltelini in Acta II S. XIX; ders. im 6. Ergänzungsband der
Mitteil. des Instituts f. österr. Geschichtsforsch. S. 147. Vergl. f. Beilage
n. II. III; Acta II n. 61.

2. Die Statuierung eines Zinses.

3. Bestimmungen betreffs Veräußerung des Erbpachtrechtes durch den Pächter.

4. Währschaftsversprechen durch den Eigentümer.

Angaben über die vorgenommene Einweisung des Pächters in den Besitz des Pachtgutes werden erst seit dem 13. Jahrhundert allgemein üblich, hingegen trifft man noch in älteren tirolischen Erbleiheverträgen zuweilen jene Klauseln, welche eine Konventionalstrafe für Kontraktsverletzungen festsetzen[1]).

Das Rechtsgeschäft der Leihe wird, wie bereits erwähnt, seit dem Ende des 12. Jahrhunderts fast durchaus als locatio perpetua oder locatio in perpetuum bezeichnet, obwohl das Leiheverhältnis der Emphyteuse und nicht der locatio conductio des römischen Rechtes nachgebildet erscheint. In den tirolischen Leiheurkunden läßt sich diese Benennung zum ersten Mal 1172 nachweisen[2]). Vielfach wird das Rechtsverhältnis dieser Leihen in den Quellen noch näher umschrieben, als ius et consuetudo domorum mercati Tridentini, andere Male als iustitia domorum recti fori Bozani oder usus et consuetudo Bauzanensis fori[3]). Daneben kommen noch Bezeichnungen vor wie locatio secundum consuetudinem molendinorum et mansorum capelle Trameni (Tramin südl. Bozen) et domini episcopi Federici[4]), locatio perpetualis secundum usum et consuetudinem terrae Pyani[5]) (Eppan nordwestl. Bozen, vgl. Schneller: Tridentinische Urbare S. 170), während in derselben Urkunde auch von einer

---

[1]) Z. B. Beilage n. I, II. Vergleiche oben S. 28.

[2]) Hormayr, Gesch. Tirols II n. 14 (1172): Bischof Salomon von Trient verleiht einem gewissen Sonza ein Grundstück: quod ipse Sonza et eius frater eam (peciam terre) habeat et tenere debeat iure locationis in perpetuum.

[3]) Vergl. von Voltelini in Acta II S. XCI—XCII und die daselbst angeführten Beispiele; derartige Bezeichnungen ferner J. St. A. P. n. 1139 (1214), n. 633 (1264), n. 657 (1285), n. 1155 (1291): usus et consuetudo locationum domorum Bozani), n. 730 (1307) usw. Über ein ius fori an Bauplätzen in Klausen vergl. Neuest. UB. n. 200 (1226).

[4]) S. St. A. P. n. 1252 (1288), n. 1263 (1299).

[5]) J. St. A. P. n. 895 (1298).

Investitur iure et nomine livelli perpetualis secundum usum et consuetudinem roncatorum montis Roncegni (Roncegno in Valsugana) gesprochen wird. Als deutsche Bezeichnungen für diese Erbleihen erscheinen Marktrecht[1]) und Erbrecht[2]), die ja nicht nur hier sondern auch in zahlreichen deutschen Städten für die städtische Erbleihe gebraucht wurden[3]). In einem Falle, bei Verleihung eines Bauplatzes in Bozen zu Erbpacht, wird bereits von einem Zinslehen (feudum fictandum) gesprochen[4]), ein Ausdruck, der in späterer Zeit insbesondere in Nordtirol häufig für Erbleiheverhältnisse verwendet wird.

Unter Einfluß der Glossatoren wird es seit dem 14. Jahrhundert üblich, daß die Notare das Recht des Grundherren am Leiheobjekt als dominium directum, als Obereigentum, das des Zinsmannes dagegen als dominium utile, als Unter- oder Nutzeigentum bezeichnen[5]).

Über den Stand der Beliehenen läßt sich in vielen Fällen Bestimmtes nicht sagen, doch lassen die Quellen vermuten, daß nicht nur Bürger und Bauern, sondern selbst Adelige derartige Erbpachtungen übernommen haben[6]). Andererseits er-

---

[1]) Arch. Neust. RR 36 (1315): Investitur mit Weingärten bei Bozen nomine locacionis perpetualis ad usum et consuetudinem fori Bozani quod detunice (!) ze marcherrecht dicitur.

[2]) J. St. A. P. n. 894 (1291): Investitur mit einem Gut bei Bozen (?) nomine locationis im perpetuum, quae dicitur erberecht, ebenso n. 1150 (1302), 925 (1303), 1262 (1320): Investitur titulo locationis et conductionis sive iuris hereditarii, quod theutunice erbreht dicitur.

[3]) Vergl. Rietschel, Markt und Stadt S. 175, Arnold a. a. O. S. 58.

[4]) Acta II n. 605 u. 606 (1237).

[5]) Vergl. beispielsweise J. St. A. P. n. 1539 (1339): Die Söhne weiland des Cristan dictus Tanperius von Motagnaga lassen dem edlen Herrn Eitel von Schema ihr Erbpachtrecht an einem Stück Weingarten bei Pergine mit dem Ansuchen auf, dasselbe dem Nikolaus, Sohn weil. des Bonus von Nogaredo zu Erbpacht zu verleihen, welchem Ansuchen Eltel entspricht: et solempni stipulatione promiserunt dicti refutatores (Concius und Huele) et locator per se et eorum heredes dicto conductori . . . predictam rem locatam sibi ab omni persona et universitate legitime warentare et defendere scilicet refutatores pro utili dominio et locator pro directo.

[6]) So wird in Beil. n. I der Pächter (gegen Ende der Urkunde) als dominus bezeichnet, ebenso Fontes V n. 74, 283.

scheinen nicht nur Freie sondern auch Hörige als Erbpächter[1]). Im allgemeinen suchten jedoch die Leiheherren den Übergang des Leihegutes auf Unfreie tunlichst zu verhindern. Sie verboten daher dem Erbpächter die Veräußerung des Gutes an Unfreie[2]). Die verleihenden Eigentümer sind vorwiegend adeligen oder geistlichen Standes. In den Städten waren wie in Deutschland vor allem geistliche Personen und Korporationen Grundeigentümer und demgemäß auch Leiheherren[3]).

Das Leiherecht konnte nicht nur von einer sondern auch von mehreren Personen gemeinsam besessen werden. Ob in einzelnen Fällen ein Besitz zu gesamter Hand vorliegt, läßt sich nicht entscheiden. Häufig findet sich der gemeinsame Erwerb des Leiherechtes durch Eheleute, so besonders in der Bozner Gegend[4]). Dementsprechend durfte der Mann das Leiherecht nicht ohne Zustimmung der Frau veräußern[5]).

Der Pächter empfängt ferner das Pachtrecht nicht nur für sich sondern auch für seine Erben (heredes). Ob unter den Erben nur Deszendenten nicht aber auch Kollateralen und Aszendenten zu verstehen sind, läßt sich nicht mit Sicherheit dartun. Hingegen wird in einzelnen Leiheverträgen ausdrücklich bestimmt, daß beide Geschlechter zur Nachfolge in das Leiherecht berechtigt sein sollen[6]).

Objekte der Leihe sind in gleicher Weise Grundstücke in den Städten wie auf dem Lande. Der Umfang der verliehenen Güter ist naturgemäß ein sehr verschiedener. In den Städten und Märkten handelt es sich vorwiegend um Gewährung von Bauplätzen, also verhältnismäßig kleinen Flecken Landes[7]). Zuweilen werden in den städtischen Leihen die Häuser als vom Pächter herrührend nur wie Zubehör des Grundes, auf dem sie

---

[1]) So Fontes V n. 280 (1217).

[2]) Siehe unten S. 52.

[3]) v. Voltelini in Acta II S. XCI, vergl. f. v. Sartori, landschaftl. Steuerwesen S. 141 Anm.

[4]) Acta II n. 61, 605—607, 663, 664, 938, 961.

[5]) Acta II n. 506 (b), 609, 775 (b).

[6]) J. St. A. P. n. 895 (1298): Erbleihe für Cuncius Pippyaner pro se et heredibus suis masculis et feminabus; ebend. P. n. 925 (1303) Erbleihe für genannte Pächter pro se et pro suis heredibus utrique sexui.

[7]) Z. B. Acta II n. 605, 606; Hormayr, Gesch. Tirols II n. 23 (1180).

standen, behandelt[1]), während in der Mehrzahl der Fälle, vor
allem in jenen, wo es sich um Afterleihen handelt, die Gebäude
selbst als Gegenstand der Leihe auftreten[2]). Am offenen Lande
werden als Leiheobjekt häufig peciae terrae vineatae (oder
vidatae)[3]), p. t. aratoriae[4]) und p. t. prativae[5]) also Weinberge,
Äcker und Wiesen genannt. Wie groß man sich ungefähr
diese Stücke (peciae) zu denken hat, läßt sich für die einzelnen
Fälle nicht feststellen. Zweifellos handelt es sich um Grundstücke von geringer Ausdehnung. In einer Erbleihe von 1302[6])
wird z. B. der Beliehene investiert: de duabus petiis terre et
debent esse duo iugera. Weiters werden auch ganze Höfe
(mansi)[7]) zu Erbleihe ausgetan. Als vorwiegend bäuerliche
Leiheformen zeigen sich die locationes perpetuae vor allem darin,
daß sie für Verleihung größerer Grundkomplexe verhältnismäßig selten angewandt erscheinen[8]).

Jedoch nicht bloß Sachen, sondern auch Rechte können
Gegenstand der Verleihung sein, so Zins und Zehentgerecht-
same[9]).

---

[1]) v. Voltelini Acta II S. XCIV, Beisp. ebend. n. 61.

[2]) Vergl. Acta II n. 506, 784 (beide 1237); Fontes V n. 22 (1185),
35 (1189); v. Hormayr Gesch. Tirols II n. 57 (1192). Afterleihen: Acta II
n. 663, 664.

[3]) Beil. n. I (1164); Acta II n. 227, 427 (beide 1236), J. St. A. P.
n. 926 (1299), 925 (1303). Neuest. Arch. RR 19, 5 (1333) usw.

[4]) Acta II n. 740 (1237), J. St. A. P. n. 368 (1269), 926 (1299), 1005
(1356) usw.

[5]) Fontes V n. 252, 253 (beide 1211, Acta II n. 740 (1137), J. St. A.
P. n. 926 (1299) u. s. w.

[6]) J. St. A. P. n. 1150.

[7]) Mansus wird in der Mehrzahl der Fälle für die bäuerliche Hufe angewendet im Gegensatz zur curia, dem Haupthof, der die Leistungen der
ihm unterstellten Zinshufe aufnimmt. Vergl. z. B. Fontes V n. 247, 248,
252, 253, wo die curia de Vulsana als Haupthof für eine Reihe abhängiger
Güter erscheint, die dorthin zu zinsen haben. Über das durchschnittliche
Ausmaß der mansi läßt sich für Tirol nichts Bestimmtes sagen. Über
mansus und curia vergl. Tille: Wirtschaftsverf. des Vintschgaues S. 73—74.
Vergl. hierzu die Ausführungen in Kap. VII.

[8]) Fontes V n. 74 (1208): Jacob von Saviola und seine Gattin investieren:
dominum Albertinu ... de omni eo, quod habent ... in villa de Stenego
et in castro et in tota plebe de Banalo et de Blezo et de Nomaso etc.

[9]) Z. B. Acta II n. 427 (1236).

Meist wird in den Leiheurkunden die Lage des Leiheobjektes durch Angabe der angrenzenden Grundstücke bekannt
gegeben. Diese Grenzbezeichnungen sind in der Richtung von
Wert, daß sie dartun, wie wenig kommassiert auch in Tirol
der große Grundbesitz war. Meist zeigt sich nämlich, daß
das Leiheobjekt und die anstoßenden Grundstücke im Eigentum verschiedener Herren stehen.

Das Recht des Beliehenen am Leiheobjekte ist unstreitig
ein dingliches. Schon das römische Recht gewährte dem Emphyteuta ein ius in re im Gegensatz zum Inhaber eines Leihegutes aus der locatio conductio. Nach deutschem Recht hatte
jeder Inhaber eines Leihegutes ein dingliches Recht an demselben, weil er dasselbe nutzte und demzufolge eine Gewere
an demselben hatte[1]).

Was nun die gegenseitigen Verpflichtungen der beiden
Kontrahenten beim Leihevertrage angeht, so ist der Beliehene
verhalten:

1. zur Zahlung des Grundzinses und anderer Abgaben;
2. zur Instandhaltung des Gutes sowie zur Vornahme von
   Meliorationen, wenn solche im Vertrag ausdrücklich ausbedungen werden;
3. zur Einholung des grundherrlichen Konsenses bei Veräußerungen seines Rechtes.

Der Leiheherr hingegen wird durch den Leihevertrag verhalten:

1. dem Beliehenen die Nutzung des Leihegutes zu gestatten
   und ihn in den Besitz einzuweisen;
2. denselben im Besitz zu schirmen, ihm Währschaft zu leisten.

Von den dem Leihemann obliegenden Verpflichtungen ist
vor allem die wichtigste jene zur Entrichtung des Zinses.
Derselbe ist im Gegensatz zu der bei den Prekarien üblichen
Abgabe als Äquivalent für die dem Pächter eingeräumte Nutzung
des Gutes anzusehen. Der Ausdruck der Quellen für Zins ist
fast durchweg „fictus" [2]).

---

[1]) Vgl. Huber: Bedeutung der Gewere S. 25, v. Voltelini in Acta II S. XCII.
[2]) Vergl. Beil. n. I u. II; Fontes V n. 22, 35; Acta II n. 61, 427, 605,
606 u. s. w. v. Hormayr, Gesch. Tirols II n. 23, 57, 69 u. s. w. Seltener wird
census für Zins gebraucht. Vergl. Beil. n. III.

Häufig wird derselbe in Geld angesetzt, was besonders bei
Verpachtung von Bauplätzen und Häusern in Städten und
Märkten der Fall war [1]), jedoch auch bei Verleihung von Grundstücken und Häusern am Lande vorkommt [2]). Außerdem wird
der Zins entrichtet in Wirtschaftsprodukten des verpachteten
Gutes [3]), oder der Zins ist zum Teil Geld zum Teil Naturalzins [4]). Zuweilen werden auch Produkte gezinst, die nicht dem
Erträgnis des betreffenden Pachtgutes entstammen. So wird
z. B. in einem Fall aus einem Weingut ein Ölzins entrichtet [5]).
Entsprechend der häufigen Anwendung der Erbpacht bei Verleihung von Weingütern sind Weinzinse besonders häufig, insbesondere in Form bestimmter Quoten vom Ertrag des Gutes
nach Art der colonia partiaria. Meist ist dem Grundherren
entprechend einer auch in Deutschland [6]), Frankreich [7]) und
Italien [8]) verbreiteten Gepflogenheit die Hälfte [9]), seltener nur
ein Drittel des gekelterten Mostes abzuliefern [10]). Der Grund,
warum gerade bei Weingütern mit Vorliebe der Teilbau zur
Anwendung kommt, dürfte darin zu suchen sein, daß der
Eigentümer hier am meisten Interesse hatte, einen Anteil sich
zu sichern, der mit der zunehmenden Ertragfähigkeit des Leiheobjektes gleichen Schritt hielt. Häufig kam es nämlich vor,

[1]) v. Hormayr, Gesch. Tirols H n. 57; Fontes V n. 22, 35, 43; Acta II
n. 61, 506, 605, 663, 784.

[2]) Acta II n. 694, 961; Beil. n. I; J. St. A. P. n. 1139 (1214): 10 solidi
aus einem casamentum in Avollano (?).

[3]) Beil. n. III; Fontes V n. 248, 250, 252, 254.

[4]) J. St. A. P. n. 657 (1285). Aus einem zu Erbpacht ausgetanem Gut
zu Orzano sind zu entrichten: sex star. siliginis, sex star. miley et sex star.
panicii et viginti solidi denariorum Veronensium parvulorum; ebend. n. 1005
(1356: 3 Pfund Trientiner Denare, 4 Star Korn.

[5]) Acta II n. 227.

[6]) Vergl. Lamprecht: Deutsches Wirtschaftsleben I/2 S. 910.

[7]) Vergl. Lamprecht: Beitr. z. Gesch. des französischen Wirtschaftslebens S. 62.

[8]) Vergl. Kohler a. a. O. I S. 46 Anm. 5, Pertile a. a. O. III S. 159,
Schupfer a. a. O. S. 475.

[9]) Vergl. Beil. n. III, zahlreiche Beispiele in J. St. A. P. n. 368 (1269,
Grundstück bei Klausen); n. 894 (1291, Weingut bei Bozen); n. 895 (1298,
Weingut bei Eppan?); n. 278 (1334, bei Margreid) u. s. w.

[10]) J. St. A. P. n. 926 (1299, Weinland bei Roncegno).

daß der Erbpächter die Weinpflanzung auf Rottland oder bisherigem Ackerland erst neu anlegen mußte. In solchen Fällen war es dann nötig, daß der Pachtherr oft bis gegen 6 Jahre auf jeglichen Zins aus dem verliehenen Gute verzichtete [1]. Andererseits war dem Grundherren an ausgiebigen Weinzinsen umsomehr gelegen, als Wein, der ja bereits frühzeitig den Gegenstand eines lebhaften Handels bildete, am leichtesten und vorteilhaftesten Verwendung finden konnte. Die Bevorzugung der Weinzinse durch den Zinsherren gegenüber anderen Abgaben zeigt sich in den Quellen deutlich genug. So verleiht z. B. 1334 [2]) ein gewisser Bertold dem Heinrich von Margreid ein Haus, ferner Wiesen, Äcker und Weingarten dortselbst zu Erbrecht mit der Verpflichtung, von den Weingütern halben Wein zu reichen, et de omnibus aliis suprascriptis scilicet domo, terris arativis prativis fictum omni anno perpetuo in vindemia capelle Trameni octo urnas vini boni . . . et duos capones. Der Ertrag von Äckern und Wiesen verbleibt demnach, wenn man von dem Hühnerzins absieht, ganz dem Pächter. Dem Herrn ist offenbar nur daran gelegen, sich einen möglichst reichen Anteil am Weinerträgnis des Leiheobjektes zu sichern.

Um einer Benachteiligung des Zinsherren hinsichtlich der Qualität des zu liefernden Weines zu begegnen, wurde im Pachtvertrag ausdrücklich betont, daß der Zinswein der Lese

---

[1]) Vergl. J. St. A. P. n. 368 (1269): Herr Heinrich Laian verleiht Burkard dem Fleischer zu Klausen eine pecia terre aratorie dortselbst zu Erbpacht: ad vites implantandas, ita quod in quinque annis ad vineale sit perductum et post proximos quatuor annos dare domino partem vini, quod deus dederit, omni anno in vindimio in dicta vinea; ebend. n. 1161 (1270): Heinrich „in dem Vagen" verleiht mehreren genannten Personen ein Stück Rottland zu Gries (bei Bozen): at vites implantandas et hinc ad proximum festum s. Michahelis et inde ad sex annos conpletos ex dono habendi, finitis predictis sex annis ad censum annuatim dandum et solvendum ipsi coniugales conductores et eorum heredes . . . medietatem vini, quod deus dederit in ipsa vinea; ebend. n. 1150 (1302): Verleihung von zwei Joch nicht näher bezeichneten Landes bei Nals (nw. Bozen) mit Verpflichtung zur Bepflanzung mit Reben und fünfjährigem Zinsverzicht seitens des Eigentümers; ebend. n. 1266 (1354): Zinsverzicht auf 3 Jahre u. s. w. Vergl. dazu Lamprecht I/₂, S. 907.

[2]) J. St. A. P. n. 278 (1334); vergl. f. Fontes V n. 247 (1210).

des Zinsgutes entnommen werden müsse oder wenigstens nicht schlechter sein dürfe, als der auf dem Gut gewachsene[1]).

Der Grundherr durfte den Zins nicht nach Willkür erhöhen. Bereits in den oberitalienischen Livellen findet sich jene Formel, die in der Folge in die tirolischen Erbpachtverträge aufgenommen wurde, wonach ausdrücklich festgesetzt ward, daß außer den bedungenen Leistungen weitere Lasten auf das Gut nicht gelegt werden dürfen[2]).

Verkaufte der Pächter sein Recht an der Sache einem Dritten, so durfte der Verpächter vom Käufer keinen höheren Zins fordern, als der Verkäufer entrichtet hatte. Dies folgt schon daraus, daß dem Pächter eingeräumt wurde, sein Pachtrecht zu verkaufen. Durch eine Erhöhung des Kanons gegenüber dem Käufer wäre das Objekt des Kaufes wesentlich alteriert worden, von einem Verkauf des Rechtes, wie der Verkäufer es innegehabt, hätte dann nicht gesprochen werden können. Daß der Zins bei solchen Veräußerungen unverändert blieb, ergibt sich übrigens unmittelbar aus den Quellen.

Z. B. Concius Futimonacha ist Erbpächter eines Hauses mit Keller in Trient, aus welchem er dem Bischof von Trient als Verpächter 5 solidi Veronenses zinst, der mit diesem Zins den Herrn Johann de Aldegherio belehnt hat. Concius läßt nun 1236 das Haus dem Bischof auf, damit dieser es dem Schneider Labelin zu Erbpacht verleihe, dem Concius sein Erbzinsrecht verkauft hatte. Nachdem die Auflassung vollzogen,

---

[1]) Vergl. Beil. n. III, Acta II n. 501 (1236); J. St. A. P. n. 633 (1264): Ad fictum reddendum dicto locatori omni anno in vindimia Cortazi (Kurtatsch bei Tramin) quando dictum mansum sive ofstat vendimiabitur unum plaustrum vini aibi collati ad mensuram Cortazi de vino ipsius mansi; ehend. n. 1252 (1288); n. 894 (1291) u. s. w.

[2]) Cod. diplom. Langobardiae n. 393: alia superinposita eis non fiat; ehend. n. 423 (907) u. s. w., gleichlautende Formel in den Veroneser Urkunden bei Kohler a. a. O. II n. 12 (1068), n. 16 (1088), I. n. 12 (1174). Über das Vorkommen dieser Formel in südtirolischen Urkunden vergl. Beil. n. I (1164), II (1198), ferner v. Hormayr, Gesch. Tirols II n. 20 (1178), 23 (1180); Fontes V n. 22 (1185), 53 (1192). Im 13. Jahrhundert findet sich dieselbe unseres Wissens nur in einer Urkunde von 1299 (J. St. A. P. n. 926): Nach Festsetzung des zu entrichtenden Zinses wird hinzugefügt: aliqua vero alia inter eos inposita non fuerunt (in Acta II n. 506a bezieht sich diese Formel nur auf die Entrichtung der Handänderungsgebühr).

verleiht der Bischof dem genannten Schneider das Haus zu Trientner Marktrecht um den bisherigen Zins von 5 solidi[1]).

1262. Bertoldus Aneche de s. Georio refutavit in Remberhtum stacionarium de Bozano peciam unam terre iacentis ad Scavers[2]) ... quam terram dictus Bertoldus Aneche huc usque habebat ad locacionem ab ipso Remberhto annuatim pro censu unius urne vini et pro duobus caponis. Tali vero pacto fecit ipse Bertoldus Aneche ipsam refutacionem in dictum Remberhtum, quod ipse Remberhtus iure locacionis perpetualis debiat investire ipsam terram Hainrico Grûbario et fuit confessus dictus Aneche, se recepisse et habuisse ab ipso Hainrico Grûbario pro dicta refutacione libras xlv Veronens... Hoc facto in continenti iam dictus Remberhtus iure locacionis perpetualis a se suisque heredibus ad habendum et detinendum investivit ipsum Hainricum Grûbarium de prefata pecia terre... ad fictum annuatim dandum et solvendum ipse Grûbarius et sui heredes suprascripto Remberhto et suis heredibus de ipsa terra unam urnam de musto et in carnisprivio duos capones vel viii sol. Veronens. annuatim[3]).

1339. Henricus dictus Praunli de Altlehen filius Petri de Curono pro se et omnibus suis heredibus fecit finem, datam et cessionem atque resignationem perpetualem in manibus nobilis viri domini Bertholdi Rubeynarii iusticiarii Merninge[4]) generaliter de omni et toto suo iure colonatus, quod habet ... in quadam pecia terre vineate posita et iacente in pertinentiis capelle Trameni ubi dicitur Hirsprunch ... rogans et petens instanter quatinus dictus d. Bertholdus investire deberet de iure colonatus ipsius pecie dominam Alhaidicem filiam quondam Heinrici Golthaymi ... eo iure, modo et forma, quem admodum ipse actenus ab ipso tenuit et possedit, prout publico continetur instrumento scripto manu Federici notarii de Curono sub anno domini millesimo cccviii° ... Hoc facto in continenti coram dictis testibus et me notario infrascripto prefatus dominus Bertholdus Rubeynarius ...

---

[1]) Acta II n. 506; ähnlich v. Hormayr, Gesch. Tirols II n. 57 (1192).
[2]) Bei Bozen.
[3]) J. St. A. Schatz A. II 87.
[4]) h. Marling bei Meran.

nomine locacionis et conductionis ad usum et consuetudinem
capelle Trameni et quondam pie memorie domini Federici
episcopi Tridentini investivit perpetualiter ipsam dominam
Albaidicem pro se et omnibus suis heredibus recipienti (!) de
predicta pecia terre vineate superius refutata . . . ad dandum
et solvendum annuatim pro ficto medium vinum etc. [1]). ·

Als Zinstermin wird bei Geldzinsen mit Vorliebe der
1. März[2]) angesetzt, Naturalzinse sind auch in Südtirol häufig
an den Festen der Heiligen Michael (29. September)[3]) und
Martin (11. November)[4]) abzuliefern. Auch Mittfasten[5]) und
der 16. Oktober (Galli)[6]) begegnen zuweilen als Zinstermin.
In Verbindung mit den Terminen erscheinen oft Fristen, indem
dem Pächter das Recht eingeräumt wurde, den Zins nicht nur
an dem üblichen Termin, sondern auch acht Tage nachher,
zuweilen auch die Woche vor und nach dem Termin, abliefern
zu dürfen[7]). Bei Verpachtung von Weingärten gegen Wein-
zins kommt es nur selten zur Beredung eines bestimmten
Termines[8]), vielmehr wird ganz allgemein angeordnet, daß
Weinzinse zur Zeit der Lese gereicht werden müssen. Es hat
dies darin seinen Grund, daß der Zinswein sogleich nach der
Kelterung an den Zinsherren abzuliefern war, weshalb ein bestimmter Tag sich nicht von vorneherein festsetzen ließ.

Der Beliehene hat den Grundherren vom Beginn der Weinlese zu verständigen, damit dieser selbst zur Beaufsichtigung
der Weinlese eintreffen oder seinen Vertreter, seinen Boten,
entsenden könne, für dessen Unterhalt der Pächter aufzukommen
hatte[9]). Solche Vertreter des Grundherren bei der Weinlese,

---

[1]) J. St. A. P. n. 508.
[2]) Vergl. Beil. n. I, v. Hormayr, Gesch. Tirols II n. 23; Fontes V n. 22,
35, 43; Acta II n. 506.
[3]) Z. B. Beil. n. II, Acta II n. 427; J. St. A. P. n. 657 (1285) u. s. w.
[4]) Z. B. Acta II n. 61, 227.
[5]) Fontes V n. 53; Acta II n. 784.
[6]) J. St. A. Schatz A. II n. 299 (1285); ebend. P. n. 1252 (1288).
[7]) Beil. n. I, II; v. Hormayr, Gesch. Tirols II n. 22, 57; Fontes V n. 22;
Acta II n. 61 u. s. w.
[8]) Vergl. v. Hormayr, Gesch. Tirols II n. 69: Aus einem Weinberg sind
2 Yhren Weines um Michaelis zu zinsen.
[9]) Vergl. Beil. n. III, ferner J. St. A. P. n. 633 (1264): Der Verpächter

in späterer Zeit Pröpste[1]) genannt, begegnen als sogenannte
Windelboten auch in Nordwest-Deutschland[2]).

Eine derartige Überwachung des Pächters war besonders
bei Teilbau von nöten, wo eine Benachteiligung des Grundherren am ehesten sowohl hinsichtlich der Quantität als der
Qualität des Zinses zu befürchten war.

In der Mehrzahl der Fälle hatte der Pflichtige den Zins
auf eigene Kosten und Gefahr bis an seinen Bestimmungsort
zu liefern[3]), nur selten hatte der Verpächter Kosten und Gefahr des Transportes zu tragen[4]). Abgesehen von der Leistung
des gewöhnlichen Grundzinses wird der Pächter zuweilen noch
zu einem „enxenium" an den Grundherren verpflichtet[5]). Es
ist dies eine Abgabe, die als exenium bereits von den spät-

verleiht einen mansus bei Kurtatsch zu Erbpacht ad fictum reddendum dicto
locatori . . . unum plaustrum vini . . . et ipsum fictum teneatur
presentare in dicto manso ispi domino Pelegrino locatori vel suis
nunciis pro eo, et sie ipse locator nec alius pro eo esset ibidem,
quod dictum vinum reciperet, ipse conductor dimittat in eo manso illud
fictum ad periculum dicti locatoris; chend. n. 1161 (1270): Verpflegung des
Boten; n. 894 (1291): et quando volunt (die Pächter) vindemiare debent denunciare sibi, quod ipsa (die Verpächterin) habeat suum nuncium in vindemia
et dare sibi expensas, quando vindimiant; n. 1150 (1302): et quandocunque
dicti conductores vindemiare voluerint . . . quod ipse (locator) habeat unum
nuncium ibi presentem et illi nuncio sine equo dent expensas.

[1]) Vergl. Tirol. Landesordnung 1526 Buch 1, Teil 6, fol. 43 Tit.: Wie die
brähst im wimmat gehalten werden sollen.

[2]) Lamprecht, Deutsches Wirtschaftsleben I S. 772.

[3]) Vergl. v. Hormayr, Gesch. Tirols II n. 69; Acta II n. 501; J. St. A.
P. n. 657 (1285): Egenus verleiht dem Fericius Haus und Grundstücke in
Orzano zu Erbpacht: ad fictum exinde omni anno dandum et solvendum,
conducendum et presentandum suis (conductoris) expensis et periculo in civitate Tridenti predictis locatoribus et eorum heredibus ad domum habitationis
eorum sex star. siliginis etc.; chend. n. 925 (1303): . . . debent dicti conductores dare de vinea predicta medium vinum in unam canipam in vegetem
sive in vas, in quocumque loco dictus locator voluerit sine omni dampno
ipsius locatoris.

[4]) Vergl. oben S. 39 Anm. 9, Urkunde von 1264.

[5]) Acta II n. 694, 809; J. St. A. P. n. 925 (1303): enxenia unum anu-
atim in festo . . . duos bonos cappones et in festo s. Thome apostoli unam
scapulam et unum chrumpain; ehend. n. 660 (1329): annis singulis pro exeniis
unam carnem porcinam et capones duos videlicet in festo s. Barthome (!)
apostoli.

römischen Kolonen entrichtet wurde als Zeichen ihrer persönlichen Abhängigkeit[1]). Bei unseren Leiheverträgen hat dieselbe
allerdings letztere Bedeutung verloren und erscheint nur mehr
als Reminiszenz an frühere Unfreiheit. Von einer auf der
Person des Verpflichteten ruhenden Last ward sie zu einer
dinglichen, auf dem Gut radizierten. Sie bestand aus Hühnern,
Schinken u. dgl.; ähnliche Abgaben werden öfters in den südtirolischen Leiheverträgen neben Geld- oder Weinzinsen und
zwar an anderen Terminen als letztere vorgeschrieben, ohne
gerade als exenia bezeichnet zu werden[2]).

Neben den besprochenen Zinsen wird in den Quellen zuweilen noch einer Abgabe „pro praestura" oder „pro praeposi-
tura"[3]) Erwähnung getan. Die Verpflichtung zu dieser Leistung
hängt zusammen mit der bereits erwähnten Gepflogenheit, daß
zur Zeit der Weinlese ein Bote des Zinsherren, ein Weinpropst,
zur Beaufsichtigung des Zinsmannes entsendet wurde. Die
Entlohnung desselben suchten nun die Grundherren ganz oder
zum Teil auf den Pächter abzuwälzen. Dies geschah in verschiedener Weise: entweder so, daß zuerst der dem Verpächter
zu leistende Zinswein ausgeschieden wurde und der Propstzins
dann aus dem Anteil des Pächters ausschließlich bestritten
werden mußte[4]), oder zumeist in der Weise, daß zuerst jene
Abgabe für den Propst abgesondert und erst vom Rest der
Grundzins gereicht wurde[5]). Von Bedeutung war dieser Unterschied vor allem bei der Teilpacht.

Neben die ordentlichen Zinse tritt als außerordentliche
Abgabe sehr häufig eine Handänderungsgebühr bei Veräußerung

---

[1]) v. Voltelini in Acta II S. XCV.

[2]) Vergl. Beil. n. III; Acta II n. 961; J. St. A. I[p] n. 1150: . . . dando
insuper (ausser halben Wein) omni anno in festo s. Michaelis quatuor carnes
porcinas videlicet duas scapulas et duos chrumpeyn.

[3]) J. St. A. P. n. 1150 (1302): debet omni anno dari nuncio predicti
locatoris una urna vini de parte locatoris et eciam conductorum; chend. n. 925
(1303): de communi parte dabunt dicti conductores mediam urnam vini pro
praesturen (!); ebenso J. St. A. Sch. A. II 103 (1307) u. s. w.

[4]) J. St. A. P. n. 660 (1329): Die Pächter haben zu geben: duas pacidas
puri musti pro prepositura videlicet de parte conductorum.

[5]) Vergl. die Beispiele in Anm. 3.

des Leiherechtes durch den Beliehenen [1]). Während beispielsweise bei der älteren städtischen Häuserleihe in Deutschland
auch der Erbe den Ehrschatz zu entrichten hatte [2]), ist nach
den südtirolischen Erbleiheurkunden nur der neu aufziehende
Käufer des Leiherechts zu dieser Abgabe verpflichtet [3]), wie
ja auch gemäß den Bestimmungen des römischen Rechtes über
Emphyteusen nur bei Veräußerungen ein laudemium zu geben
war [4]).

Nach Untersuchung der ordentlichen und außerordentlichen
Abgaben, welche der Pächter eines Gutes zu übernehmen hatte,
soll nunmehr an die Lösung der Frage gegangen werden, ob
in Südtirol die Entrichtung eines Erbstandsgeldes üblich war,
d. h. ob der Pächter bei Eintritt in das Pachtverhältnis eine
einmalige Zahlung von ansehnlicher Höhe für die Verleihung
des Erbpachtes zu erlegen hatte. Mitteis in seiner Arbeit über
die Erbpacht im Altertum ist der Meinung, daß bereits in
römischer Zeit der Erbpächter ein solches Einstandsgeld zu
entrichten hatte [5]). Das Vorkommen eines solchen Erbstandsgeldes in den südtirolischen Erbleihen steht außer Zweifel [6]).

---

[1]) Eine eigene Bezeichnung für diese Abgabe findet sich in den tirolischen
Quellen des 12. bis 14. Jahrhunderts nicht. Beispiele: v. Hormayr, Gesch.
Tirols II n. 14, 23, 57; Fontes V n. 22, 35, 43; Acta II n. 61, 427, 501 u. s. w.

[2]) Vergl. Arnold a. a. O. S. 78.

[3]) Vergl. Acta II n. 61; J. St. A. P. n. 633 (1264): habendo dictum loca-
torem vel eius heredes unam libram piperis pro omni nova confirmatione in
alium emptorem facta; ebend. P. n. 1516 (1285): habendo locatore unam
libram piperis pro unaquaque nova confirmatione in alium emptorem facta;
ebenso P. n. 657 (1285), P. n. 1252 (1288) u. s. w.

[4]) L. 3 C. de iure emph. 4, 66.

[5]) Mitteis a. a. O. S. 26.

[6]) Beispiele: Beil. n. I: Erbstandsgeld von 3 Pfund Veroneser Denare
bei Grundzins von 8 solidi; Beil. n. II: 41 solidi bei Grundz. von 3 Schäffel
Weizen und 1 Schäffel Hirse; Fontes V n. 22: 200 Pfund bei Grundz. von
10 solidi; In Beil. n. I und II handelt es sich um Verleihung bereits kulti-
vierten Landes, in Fontes V n. 22 um Verleihung eines Hauses zu Trient.
Die Höhe des Erbstandsgeldes ist in letzterem Falle wohl daraus zu erklären, daß der Zins ursprünglich nur für den Bauplatz, auf welchem das
Haus erst zu errichten war, gegeben wurde. Demnach würde das Erbstandsgeld als Kaufpreis für die vom früheren Leihemann vorgenommene Besserung
anzusehen sein. Vergl. Arnold a. a. O. S. 294.

Daß freilich nur bei wenigen der überlieferten Leiheverträge eines
derartigen Einstandsgeldes Erwähnung geschieht, ist leicht begreiflich, da in allen jenen Fällen, wo der Beliehene bedeutende Meliorationen auf dem Gute vorzunehmen hatte, etwa Rodungen oder
Anlegung neuer Kulturen, der Grundherr begreiflicher Weise auf
ein derartiges Bestandsgeld verzichten mußte. So bleiben also
hauptsächlich nur jene Fälle übrig, wo es sich um Verleihung
eines dem Grundherren heimgefallenen Gutes handelt, aus
welchem ein im Verhältnis zum Ertrag des Gutes niedriger
Zins gezahlt wurde. Wollte hier der Grundherr den bereits
zur Reallast gewordenen Zins nicht erhöhen, so stand es ihm
frei, sich durch ein Erbstandsgeld von entsprechender Höhe
für den Mehrwert des Leiheobjektes entschädigen zu lassen.
Das Erbstandsgeld hat demnach die Bedeutung eines Kaufpreises, um welchen der Erbpächter das Pachtrecht vom Eigentümer erwirbt[1]).

Es erübrigt nunmehr, die juristische Natur des Pachtzinses
zu untersuchen. Da kann nun kein Zweifel obwalten, daß derselbe den Reallasten beizuzählen · ist. Jedem Besitzer des
Leiheobjektes als solchem obliegt die Pflicht zur Entrichtung
periodisch wiederkehrender Leistungen von stets gleichbleibendem
Ausmaß. Daß der Zins der südtirolischen Erbpachten als
Reallast zu betrachten ist, tritt besonders deutlich in dem Umstand hervor, daß derselbe bei Veräußerung des Leiherechtes
durch den Pächter keinerlei Änderung erfahren durfte. Überaus klar kommt der Charakter der Grundzinse als Reallasten
auch in der engen Verbindung zum Ausdruck, in der diese
Abgaben mit den belasteten Objekten stehen. Der Pächter,
der die Freiheit des Pachtgutes von dem Zins erkauft, erwirbt
zugleich das Eigentum an demselben, ebenso jeder Dritte, dem
das Recht auf den Erbleihezins vom Grundherren verkauft
wird[2]).

. Es ist nun nicht Aufgabe dieser Untersuchung, auf den
Streit über die juristische Natur der Reallasten näher einzugehen, vielmehr wird es sich in erster Linie darum handeln,

---

[1]) Vergl. hierzu die betreffenden Ausführungen in Kap. VII.
[2]) v. Voltelini in Acta II S. LXXI.

an der Hand der südtirolischen Erbleiheverträge die Natur der
als Reallast sich darstellenden Zinsverpflichtung des nähern zu
untersuchen. Ein derartiges Vorgehen wird umsomehr von
nöten sein, als ja die Folgerungen aus dem Wesen der Reallast in Rücksicht auf Zinse und sonstige Abgaben nicht allenthalben in gleicher Weise gezogen wurden [1]).

Vor allem drängt die Frage auf Lösung, ob bei Zinssäumnis der Pächter durch Dereliktion des Gutes von weiterer
Verpflichtung zur Zinszahlung befreit wird, oder ob er darüber-
hinaus für die völlige Entrichtung des Zinses persönlich haftet.
Wer mit Duncker, Gengler, Hensler u. a. das in den Reallasten
liegende obligatorische Element ganz gegenüber dem dinglichen
zurücktreten läßt, wird freilich von vorneherein geneigt sein,
nur erstere Frage zu bejahen.

Im gleichen Sinne wird letztere auch durch die bereits erwähnte Arbeit v. Schwind's [2]) gelöst. Auf Grund einer Durch-
sicht vorzüglich der älteren rheinischen Leiheverträge kommt
der genannte Forscher zu folgendem Ergebnis: „Die Nichterfüllung der aus dem Leihevertrage dem Nutznießer erwachsenden Zinsverpflichtung hatte im allgemeinen für den
Beliehenen lediglich den Verlust seines Leiherechtes, also
namentlich nicht Personalexekution zur Folge" [3]).

Zu einem wesentlich verschiedenen Ergebnis ist in dieser
Hinsicht Gobbers gelangt in seinem Aufsatz: Die Erbleihe
und ihr Verhältnis zum Rentenkauf im mittelalterlichen Köln
des XII.—XIV. Jahrhunderts. Gestützt auf Bestimmungen
dreier Leiheverträge von 1227, 1367 und 1375 sucht er zu beweisen, daß durch Anfall oder Dereliktion die verfallene Zinsschuld keineswegs erlosch [4]).

Diesen widerstreitenden Meinungen gegenüber soll nun vorerst untersucht werden, wie sich die tirolischen Erbleihen hinsichtlich dieser Frage verhalten. Folgende Beispiele werden
darüber Klarheit verschaffen.

---

[1]) Vergl. Stobbe, Deutsches Privatrecht [3] II 2 S. 49 ff.

[2]) Zur Entstehungsgeschichte der freien Erbleihen in den Rheingegenden u. s. w.

[3]) a. a. O. S. 56, vergl. f. chend. S. 59—60.

[4]) a. a. O. S. 150.

1237. (Objekt: Bauplatz zu Bozen.) Nach der Festsetzung der Zinsleistung wird bestimmt: si in primo anno fictum non dederit, in secundo anno induplare teneatur, et si in secundo anno non. indupletur, in tercio anno cadat ab omni suo iure huius locacionis et tamen solvat fictum induplatum supra omnia sua bona[1]).

1281. (Pecia terre bei Bozen.) . . . fictum annuatim dare ei locatori in die s. Michelis unam libram piperis et si uno anno obmiserit, in secundo anno induplare promisit et si in secundo anno non induplabit, in tercio anno cadat a suo iure et tamen fictum obsessum dare[2]).

1284. (Hof bei Graun.) . . . et si dictus Regenoldus conductor et sui heredes non solverent dictum fictum et amissera in primo anno, indupletur et si in secundo anno non solverint dictum fictum. iterum indupletur et si cessaverit in solucione ficti per tres annos, cadat ab omni suo iure salva tamen racione ficti retenti[3]).

1285. (Pecia terre und eine Au bei Bozen.) . . . fictum annuatim deinde dare vii libras in die s. Galli et si uno anno non dabit, in secundo anno induplare promisit, et si in secundo anno non dabit, in tercio anno cadat ab omni suo iure et tamen solvat fictum duplatum[4]).

1288. (Mühle und Ackerland bei St. Jakob unterh. Bozen.) . . . dando et solvendo ipse Wiliclinus vel eins heredes fictum perpetuale omni anno in festo s. Galli octo dies ante vel octo post xviii libras Veron. parvul. . . . et si fictum in primo anno non solverit, indupletur et si in secundo anno non solverit, redupletur et si per tres annos steterit, quod dictum fictum non solverit, cadat ab omni suo iure, quod habet in dicta locatione et eciam postea atendere fictum domini sub poena omnium suorum bonorum[5]).

---

[1]) Acta II n. 605. Ebenso Acta II n. 606, 607, 694, 784, 809, 938 (sämtl. 1237), ähnlich n. 663 u. 664 (1237): cadant ab omni suo iure huius locacionis et tamen solvant fictum induplatum.

[2]) J. St. A. P. n. 635.

[3]) J. St. A. P. n. 1506.

[4]) J. St. A. Schatz A. II n. 299.

[5]) J. St. A. P. n. 1252.

1293. (Rottland am Ritten bei Bozen.) . . . nomine ficti dare et solvere teneatur duas libras piperis et si uno anno omisit, quod fictum predictum non solverit, in secundo anno induplare teneatur, et si in secundo anno non induplaverit, tunc in tercio anno cadat ab omni suo iure huius locationis et tamen predictum fictum obsessum et induplatum solvere teneatur sub obligatione omnium suorum bonorum presentium et futurorum[1]).

1303. (Pecia terre arative bei Cognola östi. Trient.) . . . dando et solvendo dictus Tridentinus conductor et sui heredes ipsi Donato locatori et suis heredibus omni anno in festo s. Michaellis vel eius viii* viginti octo soldos denariorum Veron. parvul. ficti perpetualis et si dictus Tridentinus conductor vel sui heredes dictum fictum non solverint in primo anno indupletur et si in secundo anno dictum fictum non solverint, similiter redupletur et si steterit per trigenium, quod dictum fictum non solverint, tunc cadant ab omni suo iure dicte locacionis et nichillominus fictum retentum solvere teneantur super omnibus aliis suis bonis presentibus et futuris de pacto speciali habito inter eos[2]).

Aus diesen Beispielen ergibt sich folgendes: Entrichtet der Pächter den Zins nicht zu rechter Zeit, so hat er im folgenden Jahre, zuweilen auch bereits nach einigen Monaten[3]), das Doppelte des Zinsbetrages zu geben. Zahlt er auch dann nicht, so wird er nach einigen Leiheverträgen seines Rechtes verlustig, nach anderen hat er dann das Vierfache des Jahreszinses zu entrichten. Geschieht auch letzteres nicht, so wird das Gut dem Verpächter ledig[4]).

---

[1]) Arch. Neust. JJ 41.

[2]) J. St. A. P. n. 1525; ebenso J. St. A. P. n. 730 (1307: Weingarten bei Bozen); n. 1536 (1322: Wasserleitung aus der Fersina) u. s. w.

[3]) Vergl. Acta II n. 694. Nach Acta II n. 809 tritt Heimfall des Gutes ohne weiteren Aufschub ein, falls der Zins nicht rechtzeitig gereicht wird.

[4]) Man wird kaum irren, wenn man diese Klauseln zum Teil auf römisch rechtliche Einflüsse zurückführt, da bei den Emphyteusen gleichfalls bei dreijähriger Zinssäumnis (bei kirchlichen Emphyt. bei zweijähriger Zinssäumnis) Privation des Pächters gestattet war. Vergl. Windscheid, Pandektenrecht* I S. 998.

Allen diesen Beispielen gemeinsam ist jedoch die Bestimmung, daß durch den Heimfall des Leiheobjektes an den Verpächter der Pächter von weiterer Haftung für den geschuldeten Zins nicht befreit wird. Die Ejektion des Pächters wirkt demnach nur als Strafe, nicht auch als Befriedigungsmittel.

Während nach den soeben angeführten Erbleiheverträgen bei Zinssäumnis der Schuldner mit Entziehung des Leiheobjektes bestraft wurde, wie das den für die Emphyteuse geltenden Vorschriften des römischen Rechtes entsprach [1]), erwähnt eine Reihe südtirolischer Erbleihen nichts von einem derartigen Privationsrecht des Verpächters gegen den säumigen Pächter [2]). Daß tatsächlich dieses Recht dem Verpächter nicht immer gegen den Zinsschuldner zustand, ergibt sich aus einer Klage um Zinsschuld von 1236 [3]).

Es klagt nämlich der Verpächter auf Entrichtung versäumten Pachtzinses von drei Jahren und erhebt zugleich Anspruch auf den strafweise verdoppelten Zinsbetrag. Er stellt nun an den Richter das Ansuchen, derselbe debeat pronunciare, quod ipse Mucius (der Pächter) de cetero omni anno solvat eis (dem Kläger und den von ihm vertretenen Miteigentümern des Leiheobjektes) tres libras Veronens. fictum omni anno de domo et casale . . . et postea dixit ipse Mucius, quod refutavit dictam locationem in dictum d.ᵐ Poldum (Verpächter) et quod ipsam refutationem recepit, quod inficiatur d. Poldus, dicens si eam vult refutare, quod paratus est recipere, ita quod solvat fictum non solutum etc.

Von einem dem Grundherren zustehenden Privationsrecht ist demnach keine Rede, die Auflassung des Leiherechtes durch den Pächter ist als eine durchaus freiwillige anzusehen, da der Grundherr vom Richter vorher Statuierung der Zinspflicht des Pächters für die Zukunft gefordert hatte. Andererseits ist wiederum von besonderem Interesse, daß der Pächter auch nach Dereliction des Leihegutes von der Haftung für den versessenen Zins nicht befreit wird.

---

[1]) L. 2 C. de iure emph. 4, 66.

[2]) Vergl. v. Voltelini in Acta II S. XCIV und die dorts. Anm. 7 angeführten Beispiele.

[3]) Acta II n. 94.

Spielt in den bisher besprochenen südtirolischen Erbleihen das in der Zinspflicht liegende obligatorische Element eine große Rolle, so scheint dasselbe in einer allerdings nicht so großen Zahl von Fällen zurückzutreten. Davon einige Beispiele:

1185. (Haus und Keller in Trient.) . . . omni anno persolvere debeant eidem duo episcopo . . . decem solidos denar. Veronensis monete sub pena dupli ficti; post penam prestitam rato manente pacto. Si per biennium steterint, quod non persolverint predictum fictum, debent cadere hinc modo a suo iure[1].

1264. (Hof bei Kurtatsch s. Tramin.) . . . si tenuerit (conductor) fictum ultra terminum, indupletur et si per duos annos, cadat ab omni suo iure[2].

1299. (Acker, Wiese und Weingarten bei Roncegno in Valsugana.) . . . si per annum steterit, quod non solverit fictum, dupletur et si per trienium steterit, quod non solverit fictum, dupletur et a iure livelli cadere debeat[3].

Die angeführten Stellen scheinen dafür zu sprechen, daß nach einem Teil der südtirolischen Erbleihen dem Grundherren Personalexekution gegen den säumigen Zinsmann nicht gestattet ist. Die Anwendung des argumentum ex silentio dürfte hier um so eher statthaft sein,. als doch kaum anzunehmen ist, daß die Verfasser der Verträge, die sonst so vorsichtigen Notare, ein dem Grundherren zustehendes persönliches Klagerecht gegen den Zinsschuldner nicht ausdrücklich erwähnt hätten.

Einen positiven Anhaltspunkt bietet eine Erbleiheurkunde von 1189[4], laut welcher Bischof Konrad von Trient den Bewohnern von Egna (Neumarkt) Bauplätze und Häuser verleiht. Der Bischof behält sich hier das Recht vor, nach zweijähriger Zinssäumnis im dritten Jahre den geschuldeten Zins anzunehmen oder aber das Gut einzuziehen. Demnach ward tatsächlich der Fall vorgesehen, daß der Erbzinsmann durch den Heimfall des Leiheobjektes von weiterer Haftung für die Zinsschuld befreit wurde.

Obwohl nach den früheren Ausführungen kein Zweifel ob-

---

[1] Fontes V n. 22, ferner ebend. n. 283 (1278).
[2] J. St. A. P. n. 633.
[3] J. St. A. P. n. 926.
[4] Fontes V n. 35.

walten kann, daß die Grundzinse als Reallasten anzusehen sind, hat sich doch im einzelnen gezeigt, wie das in der Reallast liegende obligatorische Element nicht immer gleich stark vertreten ist gegenüber dem dinglichen.

Es ist daher der Versuch einer einheitlichen Konstruktion der Zinsverpflichtung mit ausschließlicher Betonung des dinglichen Elementes, wie von Schwind ihn unternommen hat[1]), nicht am Platze. Mag Schwinds Ansicht von der Natur des Erbleihezinses auch für die Mehrzahl der rheinländischen Erbleihen zutreffen, so ist doch nach den wenigen Beispielen, die Gobbers für eine persönliche Haftung des Beliehenen für versäumten Zins anführt[2]), anzunehmen, daß das Prinzip der persönlichen Haftung auch im Nordwesten Deutschlands nicht bloß ausnahmsweise zur Geltung kam. Vor allem wird man sich aber in jenen zahlreichen Fällen, in denen keine besondere Festsetzung für den Fall der Zinssäumnis urkundlich verbrieft wurde[3]), vor voreiligen Schlüssen nach der einen oder der andern Richtung hin hüten müssen.

Schwind hält ein persönliches Klagerecht des Grundherren für unnötig, da die Zusprechung des Leiheobjektes bei dauernder Zinssäumnis dem Leiheherren unmittelbar einen Vermögenswert in die Hand gegeben habe, „der zur Deckung seiner Ansprüche unter allen Umständen vollkommen hingereicht, den Wert der Zinsforderung wohl stets bei weitem überragt hat"[4]). Diese Behauptung dürfte in vollem Umfang kaum bewiesen werden können. Vollkommene Befriedigung fand der Leiheherr in der Zusprache des Leiheobjektes doch nur dann, wenn der Zins sehr niedrig war, in keinem Verhältnis zum tatsächlichen Ertrag des Leiheobjektes stand, so daß der Leiheherr Aussicht hatte, vom nächsten Pächter unter Umständen ein bedeutendes Erbstandsgeld zu erlangen. Wie aber dann, wenn der Zins von bedeutender Höhe war und ein Erbstandsgeld von solcher Höhe, daß dadurch die Zinsschuld gedeckt wurde, nicht gefordert werden konnte? Womit sollte sich in solchen Fällen der Grund-

---

[1]) v. Schwind a. a. O. S. 56, 59—60.
[2]) Gobbers a. a. O. S. 150.
[3]) v. Schwind a. a. O. S. 53.
[4]) v. Schwind a. a. O. S. 52.

Wopfner, Bäuerliche Erbleihe.

herr schadlos halten? Das Gut in eigene Wirtschaft zu nehmen, war gegen die Neigung der Grundherren in älterer Zeit, ein entsprechendes Erbstandsgeld war kaum zu erlangen. Auch dürfte sich, um eine weitere Möglichkeit ins Auge zu fassen, ein nachfolgender Pächter bei wirtschaftlich normalen Verhältnissen kaum bereit gefunden haben, den Zinsrückstand zu übernehmen.

Frägt man nun, warum gerade bei den südtirolischen Erbleihen in dem Verhältnis zwischen dem reallastberechtigten Grundherren und dem Zinsmann das obligatorische Element vielfach besonders stark hervortritt, so wird ein Blick auf die älteren oberitalienischen und südtirolischen Leiheurkunden die Antwort auf diese Frage finden lassen.

Das Prinzip persönlicher Haftung für Zinsschuld begegnet bereits in den oberitalienischen Pachtverträgen des 10. bis 12. Jahrhunderts und im Zusammenhang damit auch bei den ältesten südtirolischen Erbleihen. Bereits bei den oberitalienischen Livellen, dann auch bei Erbpachtungen sowohl Oberitaliens als auch des südlichen Tirols wird für Fälle der Kontraktverletzung durch einen der Kontrahenten, also auch für Unterlassung der Zinszahlung eine Konventionalstrafe stipuliert [1]). Aus der Natur dieser Stipulation ergibt sich als etwas Selbstverständliches, dass der Pächter für Zahlung des Zinses persönlich haftbar ist. Bei einem Teil dieser Verträge wird außerdem ausdrücklich festgesetzt, dass nach Entrichtung der stipulierten Strafe der Leihevertrag weiterhin in Kraft bleiben solle.

Als die Strafklausel in dieser Form allmählich aus den Urkunden verschwand, mochte gleichwohl das Bewusstsein zurückbleiben, daß der Erbpächter für die ihm aus dem Leihevertrag erwachsenden Verpflichtungen, vor allem für rechtzeitige Leistung des Kanon, persönlich hafte.

---

[1]) Z. B. Cod. diplom. Langob. n. 661 (960. Zeitleihe): Pena nomine inter nos obligamus, ut si quis ex nobis vel meas succetrices aut heredes ante dictis annis foris ex ipsis casis et rebus exicuterimus, aut verullos preposita fecerimus, nisi ut contravenit, aut si nos suprascriptis germanis vel nostris heredes minime fecerimus, et non compleverimus de omnia, quod supra legitur, tunc componat pars illa, que in culpa ceciderint ad parte fidem servanti argentum solidos viginti; ähnlich Lomb. Urk. n. 29 (1069), n. 41 (1099), Kohler a. a. O. 1 n. 13 (1174); für Tirol vergl. Beil. n. I (1164), n. II (1198).

Die Verpflichtung zur Leistung des Landemiums muß als Reallast angesehen werden, da dasselbe nicht von Fall zu Fall durch Vertrag zwischen Grundherren und Zinsmann festgesetzt wird, sondern von jedem, der in Zukunft das Leiherecht vom Pächter durch Kauf erwirbt, zu entrichten ist [1]).

„Zur Verbesserung des Leiheobjektes wie nach den älteren Emphytheusen ist der Erbpächter nicht mehr verpflichtet" [2]), wohl aber zur Instandhaltung des Gutes. Sollten Verbesserungen vorgenommen werden, so mußte dies ausdrücklich im Vertrag festgesetzt werden.

Kommt der Pächter seinen Verpflichtungen in dieser Richtung nicht nach, verwüstet er das Gut, so verliert er sein Recht. Die Entscheidung hierüber ist jedoch nicht der Willkür des Verpächters anheimgestellt, auch nicht irgendwelcher hofrechtlichen Instanz, sondern vielmehr einer Kommission von Sachverständigen, deren Auswahl allerdings dem Grundherren zusteht [3]).

Nach römischem Recht besaß der Emphyteuta die Befugnis, sein Recht an der Sache mit Vorwissen des Eigentümers zu veräußern. Letzterer konnte für Erteilung des Konsenses, den er nicht willkürlich verweigern durfte, eine Abgabe von

---

[1]) Vergl. oben S. 42 Anm. 3, ferner Arnold a. a. O. S. 78.

[2]) von Voltelini Acta II S. XCIV; vergl. oben S. 28. Formell wird allerdings noch zuweilen in einzelnen Urkunden Melioration des Leiheobjektes gefordert so z. B. Beil. n. III oder J. St. A. P. n. 894 (1291): Et debent dicti conductores predictas vineas bene laborare, secundum quod faciunt boni laboratores meliorando rem et non peiorando.

[3]) J. St. A. P. n. 368 (1269): Heinrich Laian verleiht dem Burchard, Fleischer von Klausen, und dessen Bruder ein Stück Ackerland dortselbst zu Erbpacht mit der Verpflichtung, es mit Reben zu bepflanzen: et si forte non bene laborarent ipsam vincam dominus debet facere praevidere sive anlaiten probos et ydoneos viros et dicere coloni, quod melioret, quod si non fecerit et ipsam vincam tam paupertatis deteriorabit, quod tunc cadat a iure suo dicte locacionis; J. St. A. P. n. 1150 (1302): Et quando hoc non facerent ita quod boni et discreti laboratores dicerent, quibus votum fit de cultura, quod dicte pecie terre essent deteriorate ex culpa conductorum propter malam culturam, quod tunc cadant ab omni eorum iure dicte locacionis; ebenso J. St. A. P. n. 1262 (1320), n. 1266 (1354) u. s. w.

4*

2 %/₀ des Kaufpreises verlangen. Weiters hatte der Eigentümer das Vorkaufsrecht, doch mußte er von demselben innerhalb zweier Monate nach gestelltem Gesuch des Emphyteuta Gebrauch machen [1]).

Diese Bestimmungen finden analoge Verwendung in den Südtiroler locationes perpetuae. Bei einem großen Teil dieser letzteren, insbesonders bei den Leihen zu Marktrecht — mag es sich um Grundstücke am Land oder in den Städten handeln — wird dem Pächter ausdrücklich das Recht zu freier Veräußerung zugesichert, vorausgesetzt, daß der Erwerber des Leiherechtes eine persona habilis ist. Nicht veräußert werden darf dasselbe an Kirchen, Geistliche, mächtige Personen (viri potentes) und Unfreie [2]), weil der Verpächter offenbar fürchtete, daß ihm von denselben das Gut leichter entfremdet werden könnte. Bei Unfreien war dies insofern möglich, als es in jenen Fällen, wo ein Unfreier das Leiherecht erwarb, leicht zur Einmischung eines Dritten in das Verhältnis zwischen Pächter und Verpächter kommen konnte. In einem Falle wird ausdrücklich nur Veräußerung an Freie erlaubt [3]). Wenn zuweilen auch Veräußerung des Leiherechtes an Juden verboten wird [4]), so hängt dies wohl mit der in der zweiten Hälfte des Mittelalters auftretenden Tendenz zusammen, die Juden vom Grundbesitz auszuschließen.

Die Zahl der Leiheverträge ohne Veräußerungsbefugnis

---

[1]) L. 3 C. de iure emph. 4, 66. Vergl. Windscheid, Pandektenrecht [6] I S. 994. Vergl. über das Veräußerungsrecht bei den Erbleihen in Deutschland v. Schwind a. a. O. S. 33.

[2]) Vergl. Beil. n. III, Acta II n. 61, 427, 501, 506, 663 u. s. w.; J. St. A. P. n. 633 (1264): vendat cuicumque voluerit excepto ecclesie servo famulo potenti viro; J. St. A. P. n. 657 (1285): vendat postea, cui velit excepto milliti potenti homini servo ecclesie seu loco religioso aut tali persone, qui dictum fictum non bene persolveret et non esset sufficiens ad persolvendum dictum fictum u. s. w.

[3]) J. St. A. P. 926 (1299): vendat cuicumque voluerit exceptis ecclesiis comitibus vel capitaneis aut servis sed tantum liberis personis, quarum occasione condictus dominus non deterioretur.

[4]) J. St. A. P. n. 1506 (1284): Et licitum sit ei conductori ius suum vendere donare pignorare obligare cui voluerit exceptis militibus pontentis (!) viris servis et ecclesiis Judeis sive locis religiosis.

des Pächters ist eine so geringe[1]), daß das freie Veräußerungsrecht der Erbpächter mit den besprochenen Einschränkungen
als allgemein üblich angesehen werden darf.

Will der Pächter von seinem Veräußerungsrecht Gebrauch
machen, so soll er die Zustimmung des Grundherren einholen,
die jedoch offenbar ohne triftigen Grund nicht versagt werden
konnte, wie ja auch vielfach ausdrücklich festgesetzt wird, der
Pächter könne das Gut verschenken, verkaufen, verpfänden,
„sine omni predictorum dominorum locatorum et eorum heredum
contradictione"[2]), falls nur jene Einschränkungen bezüglich gewisser Personen eingehalten werden.

In einigen Fällen erscheint das Eigentum des Leiheherren
bereits frühzeitig dermaßen verblaßt, daß eine Zustimmung
desselben zur Veräußerung gar nicht gefordert wird[3]).

In allen den Fällen, wo Zustimmung des Grundherren zur
Veräußerung des Leiherechtes verlangt wird, wahrte sich derselbe das Vorkaufsrecht. Doch mußte er sich innerhalb einer
Frist von 8—15 Tagen, zuweilen auch binnen Monatsfrist entscheiden, ob er kaufen wolle oder nicht[4]).

Entschließt sich der Grundherr, dem Pächter selbst sein
Recht an der Sache abzukaufen, so muß letzterer meist eine
Preisermäßigung gewähren. Dieselbe richtet sich nicht nach
dem Wert des Leiherechtes, sondern ist fast durchaus für die
verschiedensten Güter gleichmäßig fixiert. Gewöhnlich beträgt
sie 20 Veroneser Solidi[5]).

---

[1]) Beispiele in Beil. n. II, Acta II n. 740.

[2]) Acta II n. 61, 427, 506, 784.

[3]) So bereits Beil. n. I, wo es heißt, das Gut sei dem Pächter und
seinen Erben „aut cui ipsi dederint" verliehen worden. Vergl. f. unten S. 54.

[4]) Acta II n. 501, 506: 8 Tage; n. 605, 663, 694, 784: 15 Tage;
J. St. A. P. n. 633 (1264): si ipse conductor suum ius vendere voluerit primo
denunciare debeat ipsi locatori et ei ad minus dare debeat XX sol. Ver., si
emere voluerit et si emere noluerit infra XV dies, postquam ei denunciatum
fuerit, vendat cuicumque noluerit excepto ecclesie etc.; J. St. A. Schatz A. II
87 (1262): . . . si vendere voluerit, vendat Rembherto locatori . . . XX sol.
Ver. ad minus quam alicui alii . . . sin autem facta denunciacione ante per
mensem, vendat postea, cui velit, excepto militibus etc.; vergl. f. Beil. n. III.

[5]) So in Acta II n. 501, 506, 605, 606, 663; Fontes V n. 22, 35, 43,
53; v. Hormayr a. a. O. II n. 57 u. s. w.

Die Veräußerung des Leiherechtes fand in Südtirol in drei
verschiedenen Formen statt[1]). Die eine derselben besteht in
Auflassung des Leiheobjektes an den Grundherren und Neuver-
leihung durch letzteren an den Erwerber[2]), die zweite in direkter
Übergabe durch den bisherigen Zinsmann an den neuen Er-
werber unter Vorbehalt nachträglicher Genehmigung durch den
Leiheherren[3]), die dritte endlich in direkter Übertragung des
Leihegutes auf den Erwerber mit Vorbehalt des grundherrlichen
Zinses, aber ohne Einholung seines Konsenses[4]).

Auflassung an den Zinsherren und Verleihung durch letzteren
an den Käufer sind jedoch für die Zeit des 12. und 13. Jahrhunderts die gebräuchlichste Form für Veräußerung des Erbpachtrechtes.

---

[1]) Über die Bedeutung dieser Formen vergl. das im Kap. VII Gesagte.

[2]) Vergl. v. Voltelini in Acta II S. XCVI, ferner n. 506; v. Hormayr
a. a. O. II n. 57, 69; J. St. A. P. n. 926 (1299): Ibique dⁿᵃ Adeleta uxor condam Jacobi Praćezati di monte Roncegni et Odoricus a Canipa filius condam
Rodulfi . . . tamquam tutor Grete . . . refutaverunt et recusaverunt in manibus domini Adelpreti filii condam domini Nicholai de Roncegno recipientis
in primis unam peciam terre prative . . . unam peciam terre arative . . .
unam peciam terre vineate . . . quas res dicta dⁿᵃ Adeleta et dicta Greta
pupilla habebat et tenehat ad livellum a dicto dⁿᵒ Adelpreto . . . et ad hoc
fecerunt dictam refutationem, ut ipse d. Adelpretus iure livelli perpetualis
investire deberet Conradum filium condam Ancii de Antraygue de monte
Roncegni de dictis rebus superius refutatis . . . Qua vero refutatione facta
dictus d. Adelpretus iure et nomine livelli perpetualis . . . secundum usum
et consuetudinem roncatorum montis Roncegni iuvestivit dictum Conradum etc.
(folgt Investiturbreve mit den üblichen Bedingungen); ebenso J. St. A.
Schatz II n. 103 (1307). Vergl. hierzu die Beispiele oben S. 38.

[3]) Acta II n. 775 (1237): Graciadeo, Meier von Domo (bei Eppan) und
sein Schwiegersohn verkaufen dem Ulrich Loselin ihre Rechte an einem
Hause mit Keller und Grundstücken zu Pigenò in Eppan, welches sie von
dem Domkapitel zu Trient zu Erbpacht innehaben: Ed addiderunt in iura-
mento, quod fecerant, quod faciant laudare et confirmare dᵒˢ canonicos de
Tridento statim in festo s. Martini (1238 Nov. 11).

[4]) Fontes V n. 53 (1192): quod si tamen vendere voluerint, dᵘᵐ episcopum interrogare debeant, et si emere voluerit, XX solidis minus, quam uni
alii, dare debeant; sin autem emere noluerit, vendant cui voluerint, salvo
suprascripto ficto etc.; Acta II n. 609 (1237): Albertin und seine Gemahlin verkaufen dem Ulrich von Verona und seiner Gemahlin das Erbpachtrecht von einem Hause in Bozen salvo iure ficti dⁱ episcopi; ebenda
n. 735 (1237)

Falls der Erbpächter mit Außerachtlassung der besprochenen Formen veräußerte, verlor er sein Recht[1]). Dementsprechend muß auch ein Vindikationsrecht des Grundherren gegenüber dem unrechtmäßigen Erwerber des Leihegutes angenommen werden.

Wenn auch die Leiheverträge keinerlei Bestimmungen über das Recht des Pächters enthalten, Afterverleihungen vorzunehmen, so ist doch in Analogie zu den Vorschriften über Veräußerung des Pachtrechtes anzunehmen, daß in der Mehrzahl der Fälle Afterleihen nur mit Zustimmung des Grundherren begründet werden durften[2]).

. Die Verpflichtungen des Pächters sind also nach den vorausgegangenen Ausführungen rein vermögensrechtlicher Natur. Ein Verhältnis persönlicher Abhängigkeit des Leihemannes gegenüber dem Leiheherren erwächst aus diesen Erbpachtverträgen keineswegs. Aus der im Wesen freien Veräußerungsbefugnis des Pächters ergibt sich weiters, daß derselbe jederzeit in der Lage war, sein Vertragsverhältnis zu lösen[3]).

Die wesentlichste der dem Leiheherren aus dem Leihevertrag erwachsenden Verpflichtungen besteht selbstverständlich darin, dem Beliehenen, seinen Erben, sowie allen denen, die das Leiherecht rechtmäßig erworben hatten, die Nutzung des Leiheobjektes zu überlassen.

Aus dem Wesen des Leihevertrages ergibt sich weiters, daß der Pächter auch dann sein Recht nicht verlieren durfte, wenn der Verpächter das Leiheobjekt veräußerte. Für die locationes perpetuae gilt nicht der Grundsatz, von dem die locatio conductio des römischen Rechtes beherrscht wird: Kauf

---

[1]) Vergl. Fontes V n. 35.

[2]) Gotschalk Studar von Gries verleiht dem Heinrich Pere von Bozen ein Stück Land, welches ersterer vom Andreaskloster in Freising innehat: Et promisit ipse locator Gotschalcus hinc ad festum proximi s. Andree et de inde ad duos annos ei Hainrico Pero et suis heredibus dictam locationem confirmare cum conventu sci. Andre cum corum literis sigillatis. J. St. A. P. n. 635 (1281).

[3]) Eine Ausnahme von der Regel bildet in dieser Hinsicht Beil. n. II, wo dem Pächter ausdrücklich die Lösung des Pachtverhältnisses verboten wird.

bricht Miete[1]). Zuweilen wird sogar dem Erbpächter ein Vorkaufsrecht zugesichert, falls der Verpächter das Leiheobjekt
veräußern will. Es werden dann für die Regelung dieses Vorkaufsrechtes ähnliche Anordnungen getroffen, wie hinsichtlich
des dem Grundherren zustehenden Vorkaufsrechtes[2]).

Mit der Verpflichtung, dem Beliehenen die Nutzung des
Gutes zu überlassen, war auch jene verbunden, denselben in
den Besitz des Gutes zu setzen[3]).

Mit besonderem Nachdruck wird durchwegs die Verpflichtung
des Leihenden zur Währschaftsleistung gegenüber dem Beliehenen betont. Wie es bei den Römern gebräuchlich war,
daß bei wertvollen Gegenständen der Verkäufer dem Käufer
für den Fall der Entwährung das Doppelte des zu Ersetzenden
durch eine besondere Stipulation versprach[4]), so fand auch bei
den südtirolischen Erbleihen die duplae stipulatio unter Vermittlung oberitalienischer Urkunden Eingang. Die duplae
stipulatio erweitert sich außerdem „von einer Eviktionshaftung
zum Versprechen der Währschaftsleistung, das ist der Über-

---

[1]) Vergl. Beil. n. III; ferner J. St. A. P. n. 895: Et si aliquo tempore
dicta locatrix vel eius heredes ius suum et bona predicta vendere voluerint,
vendant audacter cui velint salva racione dicti conductoris et suorum heredum.

[2]) Vergl. Beil. n. III; ferner J. St. A. P. n. 894 (1291): Et (si) supra
dns. Diamota (locatrix) vel ipse Conradus (conductor) . . . voluerint ius suum
vendere, uterque teneatur denunciare alteri et vendere sibi ad invicem unus
alteri pro XX solidis Ver. parvul. minus quam alteri persone, si autem emere
noluerint, tunc uterque ius suum vendat, cui velit sine contradicione alterius
infra mensem post denunciationem factam unus alteri. Arch. Neust JJ.4, 1
(1293): si dictus Obricus locator vel sui heredes aliquo tempore ius suum,
vendere voluerint, tunc similiter primo dicto Hermanno conductori vel suis
heredibus denunciare debeantur et ei emere volenti pro XX soli. Ver. parvul.
minus quam ab aliquo habere potuerit, vendere teneatur, et si emere noluerit
uno mense post denunciacionem ei factam, vendat suum ius, cui velit, exceptis
ecclesiis servis vel talibus personis, que impedire (possent) ius et rationem
prefati Hermanni conductoris.

[3]) Die abgesehen von unwesentlichen Veränderungen seit dem 13. Jahrhundert immer gleichbleibende Formel hiefür: dare conductoribus liceniam
et parabolam eorum (locatorum) auctoritate intrandi tenutam. Vergl. Beil.
n. III; Acta II n. 61, 145, 227, 427, 457, 501, 506; Besitzeinweisung durch
Vertreter des Leihenden Acta II n. 605—607, 663 u. a.

[4]) Windscheid, Pandektenr.[5] II S. 627, Anm. 3.

nahme der Defension im Eviktionsprozesse und ihrer siegreichen Durchführung"[1]). Aus der langobardischen carta wurde weiters der Brauch übernommen, zuweilen zur duplae stipulatio noch hinzuzufügen, daß Ersatz zu leisten sei sub aestimacione in consimili loco. „Diese Verweisung auf gleich gute Grundstücke dürfte wohl eher die Schätzung als den Ersatz betreffen, vielleicht liegt ein unverstandener Rest einer römischen Formel vor, die etwa besagte, daß der Ersatz pro bonitate loci zu erheben sei"[2]).

In gleicher Weise wie der Eigentümer ist auch der veräußernde Pächter zur Währschaftsleistung verpflichtet, falls sich die Veräußerung ohne Auflassung des Pachtobjektes an den Eigentümer vollzieht[3]).

Bei aller Verschiedenheit im einzelnen weisen doch diese südtirolischen Erbleihen ein einheitliches Gepräge auf. Alle charakterisieren sich mit größter Bestimmtheit als freie Erbleihen. Dies kommt vor allem in der Freizügigkeit der Beliehenen zum Ausdruck, die eine notwendige Folge der dem Pächter fast durchaus zustehenden freien Veräußerungsbefugnis ist.

Ein Unterschied zwischen städtischen und bäuerlichen Erbleihen läßt sich hinsichtlich ihrer juristischen Natur nicht behaupten. Abweichungen lassen sich nur nach der wirtschaftlichen Seite hin beobachten, so sind Ausmaß des Leiheobjektes und Zinsqualität begreiflicherweise bei den einzelnen Leihen sehr verschieden.

Mit Hoeniger einen Unterschied zwischen der den geistlichen Grundherrschaften entstammenden Leihe und der Leibe nach ius civile anzunehmen[4]), dafür ergibt sich keinerlei Anhaltspunkt. Vielmehr finden sich in Bozen und Trient, vom 12. Jahrhundert angefangen, genug Erbleihen für das in geist-

---

[1]) v. Voltelini in Acta II S. LXXVII. Vergl. Beil. n. I, III; Fontes V n. 22, 53 u. a.; Acta II n. 61, 227, 427, 457, 501, 506 u. s. w.

[2]) v. Voltelini in Acta II S. LXXVIII.

[3]) v. Voltelini in Acta II S. XCIV; in Acta II n. 506 a: Versprechen der Währschaftsleistung sowohl des auflassenden Pächters als des Verpächters. Ebenso J. St. A. P. n. 1539 (1339), citiert oben S. 31 Anm. 6.

[4]) Hoeniger, wirtschaftsgeschichtl. Studien in Deutschland S. 571 ff.

lichem Eigentum stehende Gut, in denen das freie Veräußerungsrecht des Pächters bereits deutlich genug hervorgehoben wird [1]).
Der von Rietschel in seiner Abhandlung über die freien Erbleihen aufgestellte Satz, „dass kein Anlaß vorliegt, eine von
der gewöhnlichen privaten freien Erbleihe grundsätzlich verschiedene städtische Erbleihe als vorhanden anzunehmen" [2]),
gilt auch für den Süden Tirols.

Die Frage, ob die in Südtirol auftretenden Erbleihen auf
städtischem Boden entstanden sind, kann nicht mit Sicherheit
beantwortet werden, Tatsache ist jedoch, daß die älteste nach-
weisbare Erbzinsleihe Südtirols ein Grundstück am Lande zum
Gegenstand hat [3]).

Andererseits steht fest, daß diese Leihen in den Städten
Trient und Bozen starke Verbreitung fanden. Da darf es dann
nicht Wunder nehmen, wenn auch auf dem offenen Lande die
Erbpachtverhältnisse als Leihen zu Trientner oder Bozner
Marktrecht bezeichnet werden. Die Notare sahen eben in
richtiger Erkenntnis der Gleichartigkeit der städtischen und
ländlichen Leihe letztere als Nachbildungen ersterer an und
benannten sie dementsprechend.

Die freien Erbleihen waren, wie aus den früher angeführten
Beispielen hervorgeht, in Stadt und Land bereits um die Mitte
des 13. Jahrhunderts stark verbreitet. In den Imbreviaturen
des Notars Jakob Haas lassen sich allein im Jahre 1237 vier
Erbpachtverträge über ländliche und sieben über städtische
Liegenschaften nachweisen [4]).

Die locationes perpetuae verbreiteten sich nicht nur über
den heutigen italienischen Landesteil und über die unmittelbar
angrenzenden Gebiete Deutschtirols, sondern drangen vielmehr

---

[1]) Fontes V n. 22 (1185), 53 (1192) u. a. Vergl. f. v. Below, Stadtverfassung S. 244.

[2]) a. a. O. S. 200.

[3]) Vergl. Beil. n. I (1164): In Oberitalien verhält es sich ähnlich: Bereits Langob. Urk. n. 29 (1069): Erbpachtverleihung (in Form des Investitur-
breves) an pecia una de terra aratoria . . . que iacet foris iam dicta civitate
(Cremona); ebend. n. 41 (1099); Cod. dipl. Cremonae S. 85 n. 165 (1078).

[4]) Acta II n. 694, 740, 809, 961 und n. 605, 606, 607, 663, 664,
784, 938.

von da aus einerseits nach Nordosten bis nach Klausen, andererseits nach Nordwesten über Meran [1]) ins Vintschgau.

Die notwendige Vorbedingung für das Auftreten dieser locationes perpetuae bildet das Vorhandensein des Notariats.

Nur die mit dem römischen Rechte wenigstens einigermaßen vertrauten Notare waren zur Abfassung dieser Leiheverträge befähigt, die nach Form wie Inhalt auf einer viel höheren Stufe der Entwicklung standen als die meisten Leiheverträge, die gleichzeitig auf deutschem Boden begegnen.

Die locationes perpetuae behaupteten sich im tirolischen Süden bis in die Neuzeit herauf ohne bedeutende Umgestaltung [2]).

Eine bemerkenswerte Änderung macht sich seit dem 14. Jahrhundert zuweilen in der Richtung geltend, daß der Erbpächter innerhalb bestimmter Zeiträume das Gut neuerdings zu empfangen hat [3]). Man wollte damit offenbar verhindern, daß das immer mehr verblassende Eigentumsrecht des Verpächters sich in ein bloßes Rentenbezugsrecht verwandle.

Wie die Kunst Italiens auf die Tirols befruchtend einwirkte, so gewann auch das in Italien zu neuem Leben erwachte

---

[1]) Das Meraner Stadtarchiv enthält, wie mir mein Kollege Dr. K. Th. Möser mitteilte, eine bedeutende Zahl von Notariatsimbreviaturen des 14. Jahrh. in welchen zahlreiche locationes perpetuae angeführt werden.

[2]) Seit dem 14. Jahrhundert begann auch die Gesetzgebung der Regelung des Erbpachtwesens ihr Augenmerk zuzuwenden. Vergl. Tomaschek, Älteste Statuten von Trient cap. 129, und v. Voltelini, Älteste Statuten von Trient S. 188, 198.

[3]) J. St. A. P. n. 1005 (1356): Der Abt des St. Lorenzklosters bei Trient verleiht der Frau Katharina Haus und Grundstücke bei Ravina zu Erbpacht: semper tamen in capite quorumlibet quinque annorum locationem renovando et renovationis causa eidem d^{no} abbati et suis successoribus libram unam piperis absque allia super impositione presentando; ebend. n. 823 (1366): Der Ritter Friedrich von Greifenstein verleiht dem Heinrich genannt Angerer von Floruz einen Hof bei Floruz iure locacionis et condicionis (!) perpetualis . . . hoc videlicet modo in pacto expresso stipulatione valato, quod presens investitura et locacio sit valitura hinc ad XVIIII annos proximos venturos et deinde XVIIII annos unum memsem ante vel tres post petere teneatur dictam renovationem, ut ipse d^{us} Fridericus vel allii causam habentis (!) investituram predictam modo predicto petitam facere teneatur. Erneuerung emphyteutischer Leiheverhältnisse nach Ablauf von je 19 Jahren forderten auch die Trientner Statuten aus dem Anfang des 16. Jahrhunderts cap. 102 (nach der Ausgabe von Gar).

römische Recht bereits frühzeitig bedeutsamen Einfluß auf
Tirol und nicht zum Unheil.

Für die weitere Entwicklung mußte es von großer Bedeutung sein, daß sich im Süden Tirols fest und klar nach
Grundsätzen des römischen Rechtes das Institut der freien
Erbleihe herausbildete. Denn als zu Anfang des 15. Jahrhunderts
in Deutschtirol die Gesetzgebung sich mit der Regelung der
bäuerlichen Rechtsverhältnisse und insbesonders der bäuerlichen
Erbleihen, der sogenannten Baurechte, zu beschäftigen anfing[1]),
ward ihr die Arbeit dadurch nicht wenig erleichtert, daß bereits in einem großen Teil des Landes, und gerade im Centrum
desselben, das Institut der Erbleihe in einheitlicher und relativ
vollkommener Weise geregelt war. Letzterer Umstand mußte
für die Gesetzgebung jener Zeit besonders wichtig sein, da dieselbe weniger schöpferisch tätig als vielmehr bestrebt war, bestehendes Recht zu erhalten.

Die Vorteile, die dem tirolischen Bauernstand durch eine
frühzeitige und zweckmäßige Ausbildung der freien Leiheverträge zu Teil wurden, erscheinen erst im rechten Licht,
wenn man etwa die Erbleihen des norddeutschen Kolonisations-
gebietes zum Vergleich heranzieht. Auch hier saß ein Großteil der Bauerschaft nicht auf eigenem Grund und Boden,
sondern hatte nur ein erbliches Nutzungsrecht an demselben,
das allerdings tatsächlich dem Eigentum sehr nahe kam.
Während aber in Tirol das Nutzungsrecht seit Ausgang des
Mittelalters sich immer mehr und mehr in rentenbelastetes
Eigentum verwandelte, gestaltete sich die Entwicklung im
norddeutschen Kolonisationsgebiet viel ungünstiger. Die lücken-
hafte Ausbildung des Instituts der Erbleihe, das Fehlen einer
gesetzlichen Regelung desselben, haben es hier den Grundherren
verhältnismäßig leicht gemacht, einerseits die Bauern zu legen,
das heißt ihre Leihegüter einzuziehen, andererseits das Leiherecht des Bauern zu verschlechtern.

---

[1]) Die Landesordnung von 1352 bleibt hier aus später anzuführenden
Gründen unberücksichtigt.

IV.
Ursachen der Ausbreitung freier Erbleihen.

Zwei Umstände haben im 12. und 13. Jahrhundert vor
anderen den vorteilhaftesten Einfluß auf die Entwicklung der
wirtschaftlichen Lage des deutschen Bauernstandes genommen:
die großartige Kolonisation im Osten des Reiches und die
kolonisatorische Arbeit im Innern desselben einerseits, das rasche
Aufblühen der Städte andererseits[1]). Beide Umstände steigerten
gewaltig die Nachfrage nach menschlicher Arbeitskraft und
damit auch den Wert derselben. Dadurch ward dem Überschuß
der ländlichen Bevölkerung die Möglichkeit geboten, sich unter
günstigeren Bedingungen als bisher den Lebensunterhalt zu
erwerben.

Hier interessiert uns jedoch vor allem, wie durch diese
Wertsteigerung der menschlichen Arbeitskraft die Ausbreitung
freier bäuerlicher Erbleiheformen gefördert wurde.

Wollten die großen Grundherren weite, bisher erträgnis-
lose Flächen nutzbar machen, so konnten sie in Ermangelung
der erforderlichen unfreien Arbeitskräfte ihre Absicht nur
dann verwirklichen, wenn es ihnen gelang, durch Gewährung
vorteilhafter Bedingungen das nötige Menschenmaterial heranzuziehen.

Bereits im alten Griechenland lassen sich Erbpachtungen
an Rottland beobachten. So wird nach den Tafeln von Heraklea
urbar zu machendes Land des Dionysostempels zu Erbpacht
ausgetan[2]). Ähnliches wiederholt sich im römischen Reich[3]).
Der Grund, warum im Altertum wie im Mittelalter Rottländereien
zu erblichem Recht verpachtet werden, ist nicht schwer zu
finden. Die Zeitpacht konnte bei solchen Ländereien kaum
verwendet werden, „weil kein Pächter, der auf Zeit oder

---

[1]) v. Inama, Deutsche Wirtschaftsgesch. II S. 205.
[2]) Vergl. Mitteis a. a. O. S. 7.
[3]) Vergl. Mitteis a. a. O. S. 20 ff., 30 ff.

Kündigung sitzt, bereit ist, Kapital und Arbeit in den Boden
zu stecken, um gerade dann abgestiftet zu werden, wenn derselbe zu rentieren beginnt" [1]).

Auch das Aufblühen der Städte war in ähnlicher Weise
der Ausbildung freier Erbleihen günstig. Sollten die Städte
sich rasch bevölkern, so mußten vor allem günstige Bedingungen
zur Ansiedelung in denselben gewährt werden. Da der größte
Teil der vom Lande in die Städte abströmenden Bevölkerung
keineswegs kapitalkräftig war, konnte an kaufsweisen Erwerb
von städtischen Bauplätzen nicht gedacht werden. Da war
nun wiederum die freie Erbzinsleihe die geeignetste Form, den
Einwanderern den Besitz von Grundstücken zu ermöglichen,
auf denen sie ihre Wohnstätten errichten konnten, ohne eine
spätere Vertreibung befürchten zu müssen.

Es frägt sich nun, ob die Entwicklung der freien Erbleiheverhältnisse auch in Tirol unter ähnlichen Bedingungen von
statten ging, wie sie vorhin für das mittelalterliche Deutschland
im allgemeinen geschildert wurden.

Jenes bereits erwähnte Aufblühen der Städte läßt sich
auch in Tirol beobachten. Die immer reger werdenden Handels-
beziehungen zwischen Deutschland und Italien mußten notwendigerweise den tirolischen Städten zu gute kommen, vor
allem jenen, welche an einer der Hauptadern des deutsch-
italienischen Verkehrs, der Brennerstraße, gelegen waren [2]).
Dementsprechend waren auch hier die Vorbedingungen für Ausbreitung von Erbleihen gegeben. Wie noch aus den Darlegungen
des vorigen Kapitels in Erinnerung sein wird, läßt sich das
Institut der Erbleihe in den Städten Bozen und Trient bereits
während des 12. und 13. Jahrhunderts ziemlich häufig beobachten.

Die Blüte der Städte und der damit zusammenhängende

---

[1]) Mitteis a. a. O. S. 4. Vergl. f. Heusler, Institutionen II S. 172. Über
das Auftreten der freien Erbleihe bei Urbarmachung öder Ländereien vergl.
z. B. für das norddeutsche Kolonisationsgebiet: Schwind a. a. O. S. 124, für
Böhmen und Mähren: Huber Dopsch, Österr. Reichsgesch. S. 107 f., für Vorarlberg: Zösmair, Ansiedlungen der Walser S. 17 ff.

[2]) Von Wohlhabenheit zeigt es, wenn z. B. die Stadt Bozen dem Bischof
von Trient bereits 1256 eine jährliche Steuer von 1000 Pfund entrichten
kann. Vergl. Kogler, Tirol. Steuerwesen (Arch. f. österr. Gesch. XC S. 686).

ausgedehntere Betrieb der Gewerbe steigerte auch in Tirol die Nachfrage nach Arbeitskräften. Da solche in den Städten nicht genügend vorhanden waren, mußten sie aus der Landbevölkerung gewonnen werden [1]. Durch diese erhöhte Nachfrage ward der Wert der Arbeitskräfte auch am offenen Lande gesteigert.

Eine andere Frage ist die, ob auch in Tirol innerhalb des 12. und 13. Jahrhunderts eine innere Kolonisation von Bedeutung stattfand. In der Folge wird sich zeigen, daß tatsächlich erst innerhalb dieses Zeitraumes, zum Teil erst im 14. Jahrhundert, der Ausbau des Landes einigermaßen zum Abschluß kam [2].

Waren vor dieser Zeit nur die Haupttäler, wie etwa das Tal des Inn und der Etsch in Folge ihrer leichten Zugänglichkeit und größeren Fruchtbarkeit mit einem dichteren Netz von Siedelungen — besonders den Talhängen entlang — überzogen worden, so ward hauptsächlich erst jetzt der Überschuß der Bevölkerung durch die großen Grundherren, insbesonders die geistlichen, in mehr abseits gelegene Täler gelenkt, wo Räter, Romanen und Bajuvaren bisher nur vereinzelt sich niedergelassen hatten [3].

In das Ende des 13. Jahrhunderts fallen die großen Rodungen der Klöster Polling und Wilten in der Leutasch an der Nordgrenze des heutigen Tirols. In die Zeit des 12. und 13. Jahrhunderts dürfte auch eine ausgiebigere Besiedelung des Selrain-

---

[1] Um die Vermehrung der städtischen Bevölkerung zu erleichtern, erteilt Herzog Otto II. von Meranien der Stadt Innsbruck 1239 das Privileg, daß Freie oder Unfreie, die in Innsbruck das Bürgerrecht erworben, nach einem einjährigen, unbeanstandeten Aufenthalt in der Stadt, von keinem Herren mehr zurückgefordert werden können. v. Hormayr, Beitr. II n. 120; vergl. Jäger, landständ. Verfassung I S. 636.

[2] Rodungen kleineren Styls lassen sich noch bis ins 18. Jahrhundert herauf verfolgen, worüber besonders die im J. St. A. befindlichen Bücher des Oberst-Jägermeisteramts Aufschluß geben.

[3] Es würde begreiflicherweise den Rahmen dieser Arbeit bedeutend überschreiten, sollte hier eine quellenmäßige Darstellung der tirolischen Siedelungsgeschichte gegeben werden. Die folgenden Ausführungen wurden zum Teil einem Aufsatz Redlichs: „Ein alter Bischofsitz im Gebirge" entnommen, der in Kurzem eine Skizze der tirolischen Siedelungsverhältnisse im späteren Mittelalter entwirft.

tales stattgefunden haben [1]). Bereits zu Anfang des 12. Jahrhunderts ward ferner die hehre Stille des Achenseegebietes durch vordringende Ansiedler gestört, welche zweifelsohne von den Klöstern Georgenberg und Tegernsee hingesandt wurden [2]). Später als die bisher erwähnten Gegenden dürfte das Ötztal der Wildnis entrissen worden sein [3]).

Innerhalb des Zeitraumes vom 11. bis zum 13. Jahrhundert fanden weiters umfangreiche Rodungen im Tale von Lüsen (bei Brixen) und in verschiedenen Nebentälern des Pustertals, so im Tauferer Tal, in den Tälern Antholz und Villgraten statt [4]). Waren in den zuletzt genannten Gegenden besonders das Hochstift Brixen, das Kloster Innichen und die Herren von Taufers für die Kolonisation tätig gewesen, so hatte gleichzeitig in Brixens nächster Umgebung das Kloster Neustift eifrig am Ausbau des Landes gearbeitet. Schon die Anlegung desselben „in loco horrendo et inculto", wie die Gründungsurkunde besagt, mußte seine Insassen zu eifriger Rodetätigkeit anspornen [5]). Noch im 14. Jahrhundert war das Stift in dieser Richtung eifrig tätig, da nach Angabe des Propstes Konrad IV. von Neustift (1327—1342) im Jahre 1336 allein 5 kleinere Neubrüche und ein Hof bei Mittenwald (nördlich Neustift) der Wildnis abgewonnen wurden [6]).

---

[1]) Redlich a. a. O. S. 44.

[2]) In einer Schenkung Bischof Hartmanns von Brixen an Georgenberg von 1141 (Poskstaller, Chronik von St. Georgenberg S. 234 n. 11) heißt es unter anderm: Superaddimus etiam iam saepe dicto abbati et suis successoribus novam parrochiam in valle Emaus (Achen) cum eodem iure per omnia, quo praedictas parochias (Vomp und Schwaz) illi stabilivimus a lacu usque ad locum, ubi terminat in noster episcopatus in finibus illis. Vergl. f. Arch. Georgenberg, Kopiar, Habach, Jenbach etc. fol. 97, wo in einer undatierten Urk. aus dem 12. Jahrh., enthaltend einen Grenzvertrag zwischen Tegernsee und Georgenberg erzählt wird: Post aliquorum autem revolucionem annorum defunctis iam sepe dictis Slitterensibus Tegernsenses videntes et fratribus s. Georii commode silvam excoli de limitibus possessionem suam irrumpentibus verba centencionis invenerunt.

[3]) Redlich a. a. O. S. 44.

[4]) Redlich a. a. O. S. 40—42; Hintner, Talnamen Deutschtirols S. 73—74.

[5]) Neust. UB. n. 1. Bereits 1177 befreit Papst Alexander III. die Rodungen der Klosterbrüder von dem Zehent (ebend. n. 132).

[6]) Neust. Arch. lib. don. n. 144 fol. 66: Hic notandum est, quod ego

Auch im Süden Tirols war trotz seiner alten Kultur der
innere Ausbau des Landes noch keineswegs vollendet. Von
Rodungen größeren Umfanges berichten vor allem zwei Urkunden, die eine vom 16. Februar 1216[1]), die andere vom
3. August 1228[2]).

Ganz besonderes Interesse kann erstere beanspruchen.
Die in derselben enthaltenen Bestimmungen über die Art und
Weise, wie die Rodung vorzunehmen und Ansiedler herangezogen
werden sollen, weisen große Ähnlichkeit mit jenen auf, die im
Osten Deutschlands zur Erreichung derselben Zwecke getroffen
werden.

Laut dieser Urkunde verleiht Bischof Friedrich von Trient
dem Ulrich und Heinrich von Bozen die Höhen von Costa
Cartura bei Folgareith[3]), um dortselbst wenigstens zwanzig
Hufen zu roden und Siedler dahin zu berufen, unter welche
sie das ganze Gebiet zur Urbarmachung und Bebauung verteilen sollen. Der Bischof verpflichtet sich sodann, jedem einzelnen das ihm von den Unternehmern zugewiesene Land zu
Erbrecht zu verleihen. Nach Ablauf eines zwischen Bischof
und Siedlern zu vereinbarenden Zeitraumes haben letztere dem
ersteren einen Zins zu entrichten, über dessen Höhe zwischen
Bischof und Kolonisten gelegentlich der Investitur ein Abkommen
getroffen werden soll. Die beiden Unternehmer erhalten als
Lohn für ihre Bemühungen je einen der auf dem Neuraut entstehenden Höfe: non de melioribus nec de peioribus als rechtes
Stiftslehen, also offenbar ohne Zins.

Wer mit der Geschichte der Kolonisation im Osten Deutschlands nur einigermaßen vertraut ist, dem wird sofort die Analogie zwischen letzterer Urkunde und jener Bischof Wichmanns
von Magdeburg aus dem Jahre 1159[4]) auffallen. Diese inhalt-

---

Chunradus prepositus anno d. mccccxxxvi a festo s. Dorothee interim (!)
excolui a nova cultura v vineas, iii aput claustrum, unam in Brixina v[tam]
in Schrempach et unam curiam novam in Mittenwalde.

[1]) Fontes V n. 132.
[2]) J. St. A. Schatz A. n. 4566 (transsumiert in eine Urk. Herzog Leopold IV. von Österreich aus dem Jahre 1401).
[3]) Bewohnte Berggegend östl. von Calliano a. d. Etsch (ital. Folgaria).
[4]) Gedruckt bei Heinemann, Albrecht der Bär n. 40 S. 469 ff. Vergl.
von Schwind a. a. O. S. 146.

liche Verwandtschaft ist um so bedeutungsvoller, als die Urkunde Wichmanns als Typus der kolonisatorischen Neugründungen im östlichen Deutschland angesehen werden kann.

Auch in dieser Urkunde von 1159 wird ein Unternehmer mit der Heranziehung von Kolonisten betraut, unter welche er das zu rodende Land verleihen soll. In beiden Fällen erhalten ferner die Kolonisten die gerodeten Güter zu freiem Erbzinsrecht. Hier wie dort werden die Unternehmer von den Grundherren durch Einräumung besonderer Begünstigungen belohnt, indem ihnen ein Teil des gerodeten Landes zu Lehenrecht und nicht zu Zinsrecht verliehen wird.

In mancher Richtung zeigen sich allerdings auch Verschiedenheiten, welche jedoch hauptsächlich darauf zurückzuführen sein dürften, daß in den bisher äußerst schwach besiedelten Gebieten des östlichen Deutschland die Kolonisation in weit größerem Maßstab betrieben wurde als in Südtirol.

Von einer Rodung größeren Stils berichtet auch die zweite Urkunde von 1228, welche einen Vergleich zwischen Bischof Gerard von Trient (1223—1232) [1] und dem dortigen Domkapitel einerseits, Graf Albert III. von Tirol, den Grafen Ulrich und Heinrich von Eppan andererseits enthält. Dieser Vergleich enthält unter anderm folgende Bestimmung: Remprecht von Boimont und seine Erben possint et valeant iam aut in futurum ibidem (bei Montiggl in der Gegend von Kaltern) ubi voluerint exstirpare et evellere possessiones proprias et allodia centum et quinquaginta iugera terre ad agros et ad vineas . . . et quod coloni, quos ipse d. Remprechtus vel heredes sui ibidem constituunt in istis neque in lignis ad omnem usum ipsorum non habeant aliquam molestiam neque impedimentum ab aliquo.

Daß diese eifrige Arbeit am Ausbau des Landes, wie sie sich allenthalben beobachten läßt, von der größten Bedeutung für die Ausbreitung freier Erbleihen werden mußte, wird nach

---

[1] Die Urkunde erwähnt fälschlich einen Bischof Konrad als Kontrahenten. Der Irrtum dürfte auf die Weise entstanden sein, daß im Original entsprechend einem häufig geübten Brauche nur der Anfangsbuchstabe des bischöflichen Namens geschrieben stand. Da war es dann leicht möglich, daß der Kopist statt G C gelesen und das C in Conradus aufgelöst hat.

den früheren Ausführungen kaum bezweifelt werden. Einen quellenmäßigen Beleg über jenen Zusammenhang zwischen Rodetätigkeit und Auftreten freier Erbleihen bildet die erwähnte Urkunde von 1228.

Auch die Ausbreitung feinerer Kulturen, vor allem des Weinbaues, hat das Aufkommen freier Erbleihen nicht wenig begünstigt, da der Grundherr unter den früher geschilderten Umständen nur gegen Gewährung guter Bedingungen die nötigen Arbeitskräfte gewinnen konnte. Das war nun in diesem Falle um so schwieriger, als gerade der Weinbau größere Geschicklichkeit und intensive Arbeit voraussetzt. Bei Neuanlage von Weinbergen mußte dann.dem Pächter umsomehr ein Äquivalent für seine Opfer an Arbeit und Kapital geboten werden, als von neu gepflanzten Reben Erträgnis erst nach 5 bis 6 Jahren zu erwarten war [1]). Es ist daher begreiflich, wenn freie Erbleihen nicht nur in Tirol[2]), sondern beispielsweise auch im heutigen Niederösterreich[3]) und in der Moselgegend[4]) gerade bei Weingütern frühzeitig zur Verwendung kamen.

Weitere der Ausbreitung freier Erbleihen förderliche Umstände ergaben sich aus der Umwandlung, welche die Grundherrschaft im 12. und 13. Jahrhundert durchmachte.

V.
Die Grundherrschaft in Deutschtirol seit dem 13. Jahrhundert.

Ein großer Teil von Grund und Boden des heutigen Tirol befand sich bereits im frühen Mittelalter in Händen geistlicher und weltlicher Großgrundbesitzer. Zahlreiche Hochstifter und Klöster auf heute bayrischem Gebiet hatten in Tirol sehr umfangreichen Besitz, so von ersteren: Augsburg, Regensburg, Bamberg und Freising[5]), von letzteren Herrenchiemsee, Frauen-

---

[1]) Vergl. oben S. 36.
[2]) Siehe oben S. 33.
[3]) Vergl. v. Schwind a. a. O. S. 9 ff.
[4]) Vergl. Lamprecht, Wirtschaftsleben I S. 903 ff.
[5]) Jäger, landständ. Verfassung I S. 310 ff.

chiemsee, Rot und viele andere [1]). Von geistlichen Grundherren, die ihren Sitz innerhalb der Grenzen des heutigen Tirol hatten, wären vor allem zu nennen das Bistum Brixen, die Abteien Georgenberg, Marienberg, ferner das adelige Frauenstift Sonnenberg u. a.

Die Art der Erwerbung des Grundbesitzes seitens geistlicher Anstalten brachte es mit sich, daß derselbe keine kompakte Masse bildete, sondern in Streulage fast über das ganze Land ausgebreitet war. Um nur ein Beispiel zu erwähnen: Georgenberg besaß Güter im Brixental, im ganzen untern Inntal, im Wipptal von Schönberg südlich Innsbruck angefangen bis Bozen, ferner Güter um Bozen und Meran [2]). Seine Besitzungen erstreckten sich demnach über ein Gebiet, zu dessen Durchfahrung in unseren Tagen der Schnellzug an sechs Stunden benötigt. In ähnlicher Streulage befand sich auch der Großteil des Besitzes der übrigen geistlichen Grundherren.

Daß die Zahl der geistlichen Grundherren vor allem im südlichen Tirol eine besonders große war, hat in deren Streben nach Erwerbung von Weingütern seinen Grund.

Neben der Geistlichkeit hatten auch die alten Adelsgeschlechter großen Grundbesitz, so vor allem die Grafen von Tirol und die Grafen von Görz-Tirol, die späteren Landesfürsten [3]), ferner die Grafen von Eppan [4]), die Vögte von Matsch [5]) u. a. Wenn wir auch im allgemeinen über den adeligen Großgrundbesitz schlechter unterrichtet sind als über den geistlichen, so läßt sich immerhin feststellen, daß auch ersterer keineswegs kommassiert war, wenn er auch meist nicht über so weite Gebiete sich ausdehnte wie letzterer.

---

[1]) Jäger, landständ. Verfass. I S. 331 ff.

[2]) Ein klares Bild über die Ausdehnung dieses Besitzes geben die neun Kopiare des Klosters. In ähnlicher Weise war der Besitz des Augsburger Stiftes über fast ganz Deutschtirol ausgebreitet. Vergl. Tiroler Weist. I S. 202 Z. 20 ff.

[3]) Die große Ausdehnung des landesfürstlichen Grundbesitzes zeigt sich deutlich in den im J. St. A., sowie in Wien und München vorhandenen Rechnungsbüchern und Urbaren der Landesfürsten aus dem 13., 14. und 15. Jahrhundert.

[4]) Vergl. Jäger, landständ. Verfass. I S. 96—97.

[5]) Vergl. Jäger a. a. O. I S. 174—175.

Daß diese großen Grundherren einen namhaften Teil ihres Besitzes in eigenem Betrieb behielten, ist nirgends nachweisbar. Schon von vornherein ist die Natur des Landes und das in Folge derselben herrschende Hofsystem[1]) der Anwendung großer Eigenbetriebe nicht günstig, wie auch heute noch solche in Deutschtirol so gut wie ganz fehlen[2]).

Fassen wir die Verhältnisse innerhalb der tirolischen Grundherrschaften des 12. und 13. Jahrhunderts ins Auge, über die wir uns aus Angaben gleichzeitiger Urkunden sowie Rückschlüssen aus Weistümern des 14. und 15. Jahrhunderts unterrichten können, so ergibt sich, daß Grund und Boden meist durch unfreie Zinsleute bestellt wurden, welche für die Nutzung des Herrenlandes bestimmte Abgaben zu leisten hatten. Mancipia und servi erscheinen vom 10. Jahrhundert bis ins 12. Jahrhundert gleichsam als Zubehör von Grund und Boden und werden auch damit veräußert[3]). Daß im 12. und 13. Jahrhundert diese auf Herrengüter gesetzten unfreien Knechte eine eigene, unterste Klasse der unfreien Bauernschaft bildeten, die etwa von jener der hörigen Bauern, der Barschalken, zu unterscheiden wäre, läßt sich nirgends beobachten. Hörige und Leibeigene (servi, mancipia) sind offenbar in jener Zeit bereits zu einer einheitlichen Klasse von unfreien Zinsleuten verschmolzen[4]).

Das Recht derselben an dem Zinsgute war, soviel sich ersehen läßt, ein sehr prekäres. Der Grundherr hatte das Recht, den unfreien Baumann vom Gut, das er zur Zeit inne hatte, wegzunehmen, ihn abzustiften, und ihn auf ein anderes zu setzen. Einen Anspruch hatte der Baumann nur darauf, überhaupt ein Gut zu erhalten. Ein bestimmtes Gut auf Lebens-

---

[1]) Das Dorfsystem kam nur in wenigen Gegenden Tirols zur Anwendung, wo die Breite der Talsohle demselben günstiger war, so z. B. im untern Inntal.

[2]) Auch die heutigen tirolischen Großgrundbesitzer verpachten den Großteil ihres Besitzes.

[3]) Vergl. Acta I n. 11, 12, 16, 18 (985—993), n. 24a, 28 (993-1000), n. 29, 30, 60 (995—1005), n. 65—67, 70 (1022—1039), n. 112, 157a (1050—1065), n. 344 (1085—1090), n. 409 (1100—1110) u. a. Vergl. Jäger, Landständ. Verfassung I S. 547.

[4]) Über eine ähnliche Entwicklung in Niedersachsen und Westfalen vergl. Wittich, Grundherrschaft S. 275.

dauer behalten oder gar auf seine Nachkommen übertragen zu dürfen, stand ihm nicht zu[1]).

Für die Nutzung des Gutes waren alljährlich bestimmte[2]) Abgaben zu entrichten. An Stelle des dem Herren in älterer Zeit zustehenden Erbrechtes gegenüber seinen Eigenleuten ist im 13. Jahrhundert eine Mortuarabgabe getreten, der Todfall, der meist in Form des Bestbauptes d. i. des besten Stückes aus der Herde des verstorbenen Eigenmannes zu reichen war[3]). Nur innerhalb der Grundherrschaft des Klosters Sonnenburg

---

[1]) Vergl. Arch. Neustift lib. test. fol. 45 b (1278, August 23.), im Neust. UB. n. 318 nur unvollständig ediert: Propst Ingramm von Neustift verleiht dem Berchthold von Choflach Haus und Acker (ohne Ortsangabe) gegen Zins von 3 Galeten Öls: ut quolibet anno ad manus nostras iliud resignet et si nos vel ecclesiam nostram fraude vel excessu graviter leserit, nullatenus rehabendum resignet. Item ut eo defuncto bene cuitum, si tamdiu tenuerit, ad nos sine contradictione uxoris et omnium heredum libere devolvatur et ut ipse, cum sibi suppetant facultates ipso predio relicto ad mandatum nostrum ad aliam ecclesie nostre transeat coloniam. Item ut hoc ipsum predium pro maiori censu seu evidentiori utilitate vel servitiis melioribus, que ipse Perhtoldus non vult vel non poterit explere, conferre possimus et ita ipse nos impedire non debebit aliquatenus in hoc facto; vergl. f. Neust. UB. n. 320 (1278). Vergl. Tir. Weist. I S. 4 Z. 4 (Frauenchiemsee, niedergeschrieben 1462): Darnach offent man euch, daß mein frau ir freie stift hat also, daß sie ainen, der ein gros gut hat, dem er nicht getun mag, wol gestiften mag auf ein klaineres, oder ainen, der ein klains gut hat, auf ein grössers. An das alte, schlechte Besitzrecht der unfreien Bauleute erinnert noch die Verpflichtung der Zinsleute von St. Georgenberg, ihr Leihegut alljährlich in der „Stift", d. i. vor dem grundherrlichem Gericht, aufzulassen. Vergl. f. tir. Weist. I S. 93 Z. 3 (Pillersee, 2. Hälfte 14. Jahrh.), II S. 57 Z. 7 (Stams 1538). Ebenso wird auch in einer Neust. Urk. von 1282 (Arch. Neust. lib. don. n. 125 fol. 47 b) verfügt: Preterea quicumque pro tempore bona tenuerit supradicta (in der Umgebung von Brixen), ea secundum, tenorem privilegii nostri ad manum prelati tenebitur more domesticorum nostrorum anno quolibet resignare novo concessionis beneficio in eodem contextu ipsius recepturus.

[2]) Daß es dem Grundherren freistand, den Zins seiner Grundholden willkürlich zu erhöhen, läßt sich außer in jener in vorangehender Anmerkung citierten Urkunde von 1278 nirgends nachweisen.

[3]) Vergl. Tirol. Weist. I S. 93 Z. 11 (Pillersee, 2. Hälfte 14. Jahrh.); S. 134 Z. 31 (Wildschönau 2. Hälfte 14. Jahrh.); S. 209 Z. 14 (Absam 2. Hälfte 14. Jahr.); II S. 103 Z. 22 (Aschau 1461) u. a.

fiel noch zu Anfang des 13. Jahrhunderts nach Art des mehr in Norddeutschland üblichen Buteils die Hälfte des vom Baumann hinterlassenen Vermögens dem Grundherren zu[1]).

Die Unfreiheit dieser Bauleute kam vor allem darin zum Ausdruck, daß sie an die Scholle gebunden waren[2]) und zur Verehelichung mit Eigenleuten fremder Herren der Zustimmung ihres Herrn bedurften[3]).

Die rechtliche Stellung der Grundholden innerhalb der Grundherrschaft war demnach im 12. und zum Teil auch noch im 13. Jahrhundert keine günstige. Die tatsächliche Lage derselben gestaltete sich jedoch zweifelsohne viel günstiger als nach ihrer rechtlichen Stellung zu erwarten wäre[4]). Dies gilt vor allem hinsichtlich ihres Verhältnisses als Bauleute des Grundherren.

Die Nachteile, die dem Baugute aus dem häufigen Wechsel der Inhaber erwachsen, konnten dem Grundherren nicht verborgen bleiben. So kam es dahin, daß in vielen Fällen nicht nur der Zinsmann, sondern auch seine Nachkommen ungestört auf dem Gute sitzen blieben. Eine derartige Entwicklung mußte durch die Streulage des großen Grundbesitzes noch begünstigt werden, die begreiflicher Weise eine strenge Geltendmachung grundherrlicher Rechte und Überwachung der Grundholden nicht wenig erschwerte.

Neben diesen unfreien hofrechtlichen Leiheverhältnissen treten nun unter Einwirkung der früher geschilderten Umstände während des 13. Jahrhunderts auch in Deutschtirol mehr und mehr freie Leiheverhältnisse, vor allem freie Erbleihever-

---

[1]) Vergl. v. Hormayr, Beiträge II S. 168 n. 77 (1209); Jäger, landständ. Verfass. I S. 362.

[2]) Direkte Bestimmungen hierüber fehlen zwar, doch kommt diese Gebundenheit noch in der Landesordnung von 1404 zum Ausdruck (vergl. Beil. n. XVII Punkt 1), wenn sie auch hier durch das freie Verkaufsrecht des Baumannes bedeutungslos geworden ist. Das gleiche ergibt sich auch aus dem Rechte des Grundherren, Eigenleute zur Übernahme von Gütern zu zwingen. Vergl. Neust. UB. n. 320 (1278); vergl. Tir. Weist. I S. 140 Z. 15 (Stumm 2. Hälfte 14. Jahrh.), II S. 75 Z. 37 ff. (Ötztal 1462).

[3]) Vergl. Tir. Weist. I S. 141 Z. 19 ff. (Stumm); S. 209 Z. 18 ff. (Absam, 2. Hälfte 14. Jahrh.), S. 254 Z. 7 ff. (Axams 1462) u. a.

[4]) Siehe unten S. 74.

bältnisse auf, deren Ausbildung durch die bereits vorhandenen
prekarischen Leihen und die locationes perpetuae gefördert wurde.

So lange noch jene leibeigenen Knechte, denen bisher kein
Gut zur Bewirtschaftung überwiesen worden war, am Herren-
hofe in bedeutender Anzahl sich befanden, konnte sich der
Grundherr dieser bedienen, um heimfallende Güter zu besetzen
oder seine Einkünfte durch Rodungen zu erhöhen. Das Vorhandensein solcher unfreier Arbeitskräfte, über die der Herr
jederzeit frei verfügen konnte, war demnach ein wesentliches
Hemmnis für die Ausbreitung freier Leihen.

Es ist daher von großer Wichtigkeit, daß unter Einfluß
christlicher Ideen vom 10. Jahrhundert angefangen bis ins
12. Jahrhundert herauf viele dieser servi cottidiani, die zu unbeschränkten Dienstleistungen verpflichtet waren, freigelassen
und als Censualen an Kirchen übergeben wurden[1]). Folge dieser
Schenkungen war einerseits eine Schwächung der wirtschaftlichen Macht des Grundherren, andererseits eine Nötigung zu
häufigerer Anwendung freier Erbleihen.

Bei der zunehmenden Verbreitung freier Erbleihen mußte
den Grundholden immer mehr die prekäre Natur ihrer rechtlichen Stellung gegenüber dem Grundherren zum Bewußtsein
kommen. Als Folge dieser Erkenntnis brach sich im 13. Jahrhundert eine auf Erlangung eines festen Rechtes am Zinsgute
gerichtete Bewegung Bahn, die einerseits durch das Auftreten

---

[1]) Solche Freilassungen zu Censualenrecht sind in den Brixner und
Salzburger Traditionsbüchern in großer Zahl verzeichnet, so Acta I n. 195,
197—199, 318, 365, 382, 390, 391—393 (sämtl. 11. Jahrh.), n. 401—406,
413, 415, 417 u. a. (sämtl. 12. Jahrh.); Salzbg. UB. I S. 257 ff., n. 7—11, 13,
15 (sämtl. 987—1025) u. a. Vergl. f. Steir. UB. I n. 129, 273, 295, 303, 338,
355, 425 u. a. (sämtl. 12. Jahrh). Häufig hatten diese Censualen einen Zins
von 5 Denaren zu entrichten. Vergl. Huber-Dopsch, Österr. Reichsgesch.
S. 59, Mell, Bauernbefreiung in Steiermark S. 6. Auch in Traditionsbüchern
von Klöstern des heutigen Bayern treten derartige Freilassungen sehr häufig auf.
Daß diese Freigelassenen vor ihrer Freilassung auf der untersten Stufe
der Unfreiheit standen, dafür spricht der Umstand, daß dieselben bei säumiger
Entrichtung des ihnen auferlegten Kopfzinses wieder in ihre frühere, härtere
Unfreiheit zurücksanken: si tres annos supersederint et in quarto non im-
pleverint, cottidiano servitio subiaceant (Salzb. UB. I S. 257 n. 7;
vergl. f. ebend. I S. 261 n. 15, S. 612 n. 51. Vergl. auch Pockstaller, Chron.
Georgenberg S. 231 n. 9).

freier Erbleihen gefördert wurde, andererseits wieder auf Ausbreitung letzterer zurückwirkte, wie ja auf volkswirtschaftlichem Gebiet überhaupt „die wichtigsten gleichzeitigen Vorgänge einander wechselseitig bedingen" [1].

Gelang es den Grundholden, das Ziel, das sie sich vorgesetzt, zu erreichen, das ist, ein erbliches Recht am Leihegut zu erlangen, so war damit von selbst eine freiheitlichere Entwicklung des ganzen Instituts der Güterleihe auch für die Kreise ·der unfreien Bauernschaft gegeben.

Besonders deutlich spiegelt sich diese Bewegung wider in einer Urkunde Bischof Brunos von Brixen für das Kloster Neustift aus dem Jahre 1278 [2]). Er wendet sich hier gegen den auf Gütern des Klosters entstandenen Mißbrauch: quod domestici ecclesie Novecellensis viri et femine sibi et suis heredibus in allodiis curtibus areis hortis agris domibus decimis et in villicaria, dicta maierhof, eidem ecclesie adiacentibus e vicino in loco, qui dicitur uf der Ebin, ius hereditarie successionis in minimis et iam possessiunculis hortulis et agellis, licet plurimi sint heredes, vendicare presumunt. Dagegen ordnet der Bischof aufs nachdrücklichste an, daß niemand von den Leuten des Klosters Erbrecht an den Gütern des Klosters beanspruche, außer wenn ihm ein solches durch ein rechtmäßig ausgefertigtes Verleihungsinstrument von seiten des Klosters eingeräumt worden sei: Item statuimus, ut prepositus quolibet anno per se vel per alium predicta debeat instituere, destituere ac locare pro annuo censu iure coloni, prout sibi et ecclesie viderit expedire. Weiter verbietet der Bischof, daß weder die Grundholden des Klosters noch die außer dem grundherrschaftlichen Verband stehenden Pächter [3]) die ihnen zugewiesenen Klostergüter ohne ausdrückliche Bewilligung von Propst und Konvent veräußern. Alle bisher in rechtswidriger Weise vorgenommenen Veräußerungen werden

[1]) Roscher, Volkswirtschaft [22] I S. 35.
[2]) Neust. UB. n. 320.
[3]) Die Urkunde unterscheidet zwischen domesticus und extraneus. Unter letzterem haben wir uns zweifelsohne einen freien Pächter oder auch Unfreie fremder Herren vorzustellen.

aufgehoben, dem Propst aber wird der Auftrag erteilt, das entfremdete Gut zu vindizieren.

Worauf es die Grundholden abgesehen hatten, das kommt hier zum klaren Ausdruck. Erbrecht und freies Veräußerungsrecht waren die Ziele ihrer Bewegung. Andererseits zeigt sich aber auch, wie sehr die tatsächlichen Verhältnisse innerhalb der Grundherrschaft der rechtlichen Entwicklung vorausgeeilt waren. Die Anmaßung von Erbrecht und Veräußerungsrecht durch die Grundholden war bereits so allgemein geworden, daß Propst und Konvent von Neustift die Hilfe des Bischofs gegen ihre Hintersassen anrufen müssen.

Der gewaltsame, ja geradezu revolutionäre Charakter dieser Bewegung brachte es mit sich, daß dieselbe nicht allein auf Besserung des Rechtes der Grundholden an ihrem Leihegut gerichtet blieb, sondern mehrfach eine viel radikalere Abhülfe der die hörige Bauernschaft drückenden Beschwerden herbeizuführen suchte. Daß diese Bewegung nicht bloß auf die unfreie Bauerschaft sich beschränkte, sondern auch Zinsleute aller Kategorieen mit sich zog, ist leicht begreiflich, wenn man deren Endziel ins Auge faßt, das in gänzlicher Lösung des grundherrschaftlichen Verbandes und Zinsverweigerung[1]) bestand. Die Zinsleute strebten in der Tat auf diesem Punkt der Entwicklung nichts Geringeres an als ihr abgeleitetes Recht am Gute in Eigentum zu verwandeln. Das Ziel, das ungefähr 600 Jahre später durch die Grundentlastungsgesetze des Jahres 1848 und der Folgezeit erreicht wurde, ward also bereits damals ins Auge gefaßt. Daß die Bewegung in dieser Überspannung und Ausartung von vornherein aussichtslos war, ist selbstverständlich.

---

[1]) Daß diese Bestrebungen allenthalben im Lande auftauchten, beweisen die über Zinsweigerung der Censualen um die Mitte des 13. Jahrhunderts auftauchenden Klagen. Die Klöster Marienberg und Georgenberg hatten sich gegen die Zinsweigerer und Schädiger des Kirchengutes nach Rom um Hilfe gewendet. Vergl. Schwitzer, Chron. Marienberg S. 186 (1289); Pockstaller, Chron. Georgenberg S. 257 n. 40 (1272). In diesem Zusammenhang wird es auch begreiflich erscheinen, daß sich Bischof Bruno von Brixen 1279 (Neust. UB. n. 330) veranlaßt sah, den Seelsorgern seiner Diözese einzuschärfen, die Censualen des Klosters Neustift zur Zahlung des schuldigen Kopfzinses anzuhalten.

Die Grundherren suchten begreiflicherweise sowohl dieser Bewegung als auch jenen gemäßigteren Bestrebungen der Bauleute nach Erlangung eines erblichen Rechtes am Leihegute aufs nachdrücklichste entgegenzutreten. Sie wandten sich an Bischof[1]) und Papst[2]) um Hilfe und ließen sich zur Einziehung entfremdeten Kirchengutes ermächtigen. Durch Begründung kurzfristiger Leiheverhältnisse[3]) und Vorschriften über periodische Auflassung des Leiheobjektes an den Leiheherren[4]) suchten sie den Bestrebungen ihrer freien und unfreien Bauleute einen Damm entgegenzusetzen.

Die Reaktion der geistlichen Grundherren gegen die Schwächung ihrer wirtschaftlichen Stellung blieb jedoch erfolglos. Die allgemeine volkswirtschaftliche Lage in Deutschtirol, die wir früher zu schildern versucht, war den reaktionären Bestrebungen der Grundherren nicht günstig. Mit der Ausbreitung freier Erbleihen wurde aber gleichzeitig auch die bisherige Stellung der Grundherrschaft gegenüber ihren unfreien Bauleuten erschüttert. Die vielfach bereits tatsächlich vorhandene Erblichkeit des Leiherechtes mußte im Wege gewohnheitsrechtlicher Entwicklung bald zu einer im Recht begründeten werden. Dementsprechend wird auch den unfreien Hintersassen mehr und mehr ein erbliches Nutzungsrecht an ihren Baugütern zugestanden[5]). Die alljährliche Auflassung des Leihegutes wurde

---

[1]) Vergl. Neust. UB. n. 320 (1278).

[2]) Vergl. Schwitzer, Chron. Marienberg S. 188 (1279), S. 186 (1289); Pockstaller, Chron. Georgenberg S. 257 n. 40 (1272), S. 257 n. 41 (1272).

[3]) Vergl. Arch. Neust. lib. test. fol. 46 (lückenhafter Abdruck Neust. UB. n. 329): Propst Ingramm von Neustift verleiht 1279 dem Berchthold von Koflach predium nostrum, quod dicitur Hohenwart et quod Ulricus carpentarius coluit sub hac forma, ut premissum est ... ad tres annos iure coloni colendum, ut quolibet horum trium annorum exinde in purificacione duas galetas olei et libram piperis nobis solvat pro censu et ut transactis hiis tribus annis nobis libere ac voluntarie deheat resignare alteri, si nobis placuerit, conferendum et ut vinee nostre ibidem post istos tres annos censum vini vel alterius rei, prout nobis videbitur, imponere debeamus: Verleihung auf 4 Jahre Neust. UB. n. 367 (1290), auf 10 Jahre ehend. n. 319 (1278).

[4]) Siehe oben S. 70 Anm. 1.

[5]) Vergl. Neust. Arch. lib. test. fol. 45b (1280): Propst Ingramm von Neustift verleiht Petro suisque heredibus, qui tamen ecclesie nostre servi fuerint, einen Acker in Elvas bei Neustift; ehend. fol. 48 (1287): Propst In-

zwar mancherorts, so in Neustift und Georgenberg, beibehalten, hatte aber nunmehr nur formelle Bedeutung[1]).

Gegen Ausgang des 13. Jahrhunderts zeigt sich auf der ganzen Linie der Sieg jener auf Erbrecht am Leihegut gerichteten Bestrebungen freier und unfreier Bauleute. In Neustift lassen sich derartige Leiheverhältnisse wie die oben S. 69 ff. geschilderten für das 14. Jahrhundert nicht mehr nachweisen, obwohl gerade in Neustift das urkundliche Material in seltener Fülle vorhanden ist. Auch in Nordtirol nähern sich bereits im 14. Jahrhundert hofrechtliche Leiheformen mehr und mehr den landrechtlichen: Der Hörige erhält ein erbliches Leiherecht, zuweilen auch verbunden mit beschränkter Veräußerungsbefugnis gegen Entrichtung eines festen Kanon und gewisser außerordentlicher Abgaben wie Todfall, Bestandgeld u. a.[2]). In nicht wenigen Fällen endlich wurden die Fesseln hofrechtlicher Abhängigkeit ganz abgestreift, und gingen die unfreien Leihen in freie über.

Die geschilderten Bewegungen und Strömungen innerhalb der Grundherrschaften haben sich nur auf kirchlichen Besitzungen nachweisen lassen. Doch dürften sich zweifellos ähnliche Vorgänge auch innerhalb der in Laienhänden befindlichen Grundherrschaften abgespielt haben, zumal ja auch hier die Zahl der Erbleihen seit dem 13. Jahrhundert im Wachsen begriffen ist. Da die kirchlichen Anstalten ungleich mehr Sorg-

gramm verleiht Heinrico dicto Kezzelino servo monasterii nostri et omnibus suis heredibus . . . predium nostrum dictum Pachuf processu consueto ab antiquis videlicet xxx solidos in festo s. Michahelis archangeli et hedo et xxx ovis in festo pasche persolvendis im perpetuum hereditario iure.

[1]) Bei jener bereits oben S. 70 Anm. 1 citierten Urkunde von 1282 findet sich beispielsweise diese Vorschrift alljährlicher Auflassung des Leihegutes zu Händen des Grundherren, obwohl es sich zweifellos um eine Erbleihe handelt, da ausdrücklich verfügt wird: ut videlicet dicta bona ipse (der Pächter) et sui heredes in perpetuum possideant.

[2]) Die Hausgenossen auf der Grundherrschaft des Hochstiftes Augsburg zu Absam haben Erbrecht an den ihnen verliehenen Gütern und dürfen einen Teil ihrer Güter mit Vorwissen des Propstes auf drei Jahre verpachten. Vergl. Tir. Weist. I S. 206 Z. 34 u. Z. 47 ff. (2. Hälfte 14. Jahrh.). Über Erbrecht und Veräußerungsbefugnis bei den hofrechtlichen Leihen des Klosters Herrenchiemsee zu Stumm vergl. Tirol. Weist. I S. 140 Z. 32 ff. (2. Hälfte 14. Jahrh.).

falt auf Aufbewahrung wichtiger Schriftstücke verwandten als
die Laien, ist es leicht begreiflich, daß wir über die Verhältnisse auf den Grundherrschaften letzterer schlechter unterrichtet
sind. Daß die Bestrebungen der Bauleute auch hier von Erfolg begleitet waren, wird kaum bezweifelt werden, wenn man
bedenkt, daß die weltlichen Grundherren noch weniger in der
Lage waren als die geistlichen dieser Entwicklung hindernd
entgegenzutreten. Die Verwicklung in die verschiedenen Fehden
und politischen Wirren ihrer Zeit mußte ihr Augenmerk nur
allzusehr von den Vorgängen auf ihren Grundherrschaften ab-
lenken. Falls sie nur in den Bezügen aus ihren Gütern keine
Einbuße erlitten, mochten sie sich leicht darüber trösten, daß
das Recht des Beliehenen am Leiheobjekt aus einem unsicheren
in ein festes und nicht willkürlich entziehbares sich verwandelte[1]).

Um diese Vorgänge innerhalb der Grundherrschaft besser
zu verstehen, ist es nötig, einen Blick auf die Gestalt der grundherrschaftlichen Organisation seit dem 13. Jahrhundert zu werfen.
Letztere weist dieselben Grundzüge auf, wie sie sich auch in
anderen deutschen Territorien beobachten lassen. Der grundherrliche Besitz zerfiel in Güter, die zum Meierhof gehörten
und in Zinshufen. Der Meier hat seinen Charakter als grundherrlicher Beamter in der zweiten Hälfte des Mittelalters
bereits verloren. Der Meierhof samt den Einkünften desselben
aus den zugehörigen Zinshufen wird zu Erbrecht verliehen[2]).

Eine derartige Organisation der deutschtirolischen Grund-
herrschaft tritt uns besonders deutlich in der Stiftsöffnung von
Absam[3]) (nördl. Hall im Unterinntal), wo sich ein Meierhof des
Bistums Augsburg befand, vor Augen. Der Grundbesitz des

---

[1]) Die Zunahme der Erbleiheverträge über Güter des Landesfürsten seit
der zweiten Hälfte des 13. Jahrhunderts ergibt sich aus dem im J. St. A.
aufbewahrten III. Band des Schatzarchiv-Repert. fol. 1687 ff., wo sich Auszüge
aus den ältesten Urkunden über Erbrechtverleihungen vom Jahre 1288 an
aufgezeichnet finden.

[2]) Vergl. Tir. Weist. I S. 2 Z. 33 ff. In gleicher Weise erhalten z. B.
die zahlreichen Meier des Brixner Bischofs Erbrecht an den Küchenmeier-
höfen dieses Hochstiftes (J. St. A. Brixner A. n. 1524, 1527, 1540, 1566 u. a.
sämtl. von 1454).

Stiftes in Tirol zerfällt hiernach in zwei Hauptgruppen, deren
eine, die südtirolische, dem Meierhof bei Bozen, deren andere
dem Meierhof zu Absam behufs Verwaltung unterworfen war.
Unter diesen zwei obersten Meierhöfen steht wieder eine Reihe
einzelner Meierhöfe, so in Südtirol die Meierhöfe zu Mölten,
Laien, Kastelruth u. a., in Nordtirol die Meierhöfe zu Vomp,
Thaur und am Mieningerberge. Diese Meierhöfe zweiter Ordnung dienten offenbar als Sammelstellen für die aus den unter-
gebenen Zinshufen zufließenden Reichnisse, während die beiden
„obersten" Meierhöfe zwar auch diesen Zwecken dienten, daneben aber Sitze einer grundherrschaftlichen Zentralverwaltung
waren[1]).

Bei zahlreichen Grundherrschaften Deutschtirols ist die
Villikationsverfassung in dieser Form zur Zeit des 14. und
15. Jahrhunderts bereits verschwunden. Daß dieselbe jedoch
in älterer Zeit in ganz Deutschtirol gebräuchlich gewesen, dafür
sprechen die zahlreichen über das ganze Land zerstreuten
„Meierhöfe"[2]). In welcher Weise sich der Verfall der Villikationsverfassung vollzogen hat, ob vielleicht die tirolischen
Grundherren in ähnlicher Weise wie die Grundherren im Nordwesten Deutschlands die Haupthöfe von den Villikationen ab-
trennten und nur erstere an die villici vermeierten[3]), läßt sich
nicht erweisen.

Wo die Villikationsverfassung sich erhalten hat, erscheint
der Meier als Vorsitzender im Hofrecht, im Bautading[4]). In
jenen Grundherrschaften, in welchen es zur Auflösung der
Villikationsverfassung gekommen war, übernahm der vom Grundherrn ernannte Probst oder Amtmann diese Funktion[5]).

---

[1]) Vergl. Tir. Weist. I S. 201 (2. Hälfte 14. Jahrh.).

[2]) Erwähnung von Meierhöfen Neust. UB. n. 53, 61, 176, 194, 320
(villicaria dicta maierhof); vergl. ferner das bei Jäger a. a. t). I S. 359 über
die Meierhöfe des Klosters Sonnenburg Gesagte. Erwähnung zahlreicher
Meierhöfe in den Tir. Weist., vgl. dazu das Sachregister derselben IV S. 1125.

[3]) Vergl. Wittich, Grundherrschaft S. 317 ff.

[4]) Vergl. Tir. Weist. I S. 203 Z. 3 ff., 41 ff., S. 204 Z. 12 ff. Statt Bautading finden sich häufig auch die Bezeichnungen Baustift oder kurzweg Stift.

[5]) Vergl. Tir. Weist. I S. 91 Z. 4 ff., S. 138 Z. 30 ff., S. 77 Z. 14 ff.,
S. 77 Z. 22. S. 78 Z. 26 ff. (Propst für Einhebung der Gefälle. Amtmann für

Die auf den grundherrlichen Gütern sitzenden Hörigen
waren innerhalb je eines Fronhofes zu einer Genossenschaft
vereinigt[1]). Dementsprechend werden sie als Hausgenossen bezeichnet[2]), wie auch beispielsweise in Nordwestdeutschland zuweilen die im Villikationsbezirk befindlichen Laten Hausgenossen
genannt werden[3]).

Das Hofrecht war kein autonomes Recht der Hörigen.
Zurückgehend auf die Disziplinargewalt des Herren gegen seine
Unfreien bestand es nur kraft des Willens des Herren[4]). Auf
dem Wege gewohnheitsrechtlicher Bildung hatten sich jedoch
bestimmte Satzungen herausgebildet, die der Rechtsprechung des
Hofgerichtes zu Grunde gelegt wurden, während andererseits
wieder die in letzterem erflossenen Entscheidungen das Wesentliche zur weiteren Ausbildung des Hofrechtes beitrugen.

Das Bauding war kompetent für alle Angelegenheiten, die
Pflichten und Rechte der Hörigen unter einander und gegen
ihren Herren betrafen. Vor dasselbe gehörten dementsprechend
alle Klagen um jene Güter, die nach Hofrecht verliehen wurden[5]),
während alle Klagen aus freien Erbleiheverhältnissen dem Landgericht vorbehalten blieben.

Grundherrlichkeit und Gerichtsherrschaft lagen in Tirol
häufig in verschiedenen Händen. Während im Herzogtum Bayern
durch die sogenannte Ottonische Handfeste von 1311 den Ständen
die niedere Gerichtsbarkeit auf ihren Gütern zugestanden
wurde[6]), hat ein Großteil der tirolischen Grundherren dieselbe

richterliche Befugnisse); IV S. 347 Z. 5 u. s. w. Selbst auf jenen Gütern
des Augsburger Hochstiftes zu Absam, wo sich die Villikationsverfassung
am ausgesprochensten erhalten hat, geht bei Anwesenheit des grundherrlichen
Propstes der Vorsitz im Bautading auf letzteren über. Vergl. Tir. Weist. I
S. 203 Z. 14 ff., S. 204 Z. 10 ff.

[1]) Vergl. hierzu das über südwestdeutsche Grundherrschaften Gesagte
bei Knapp, Beiträge S. 411 ff.

[2]) Vergl. Tir. Weist. I S. 67 Z. 9, S. 77 Z. 3 u. 15, S. 202 Z. 4; IV
S. 347 Z. 8 u. s. w.

[3]) Wittich a. a. O. S. 368.

[4]) Vergl. Wittich, Grundherrschaft S. 294.

[5]) Tir. Weist. I S. 140 Z. 22 ff., S. 201 Z. 28 ff.; Tir. Weist. IV S. 347
Z. 12 ff.

[6]) Vergl. Rosenthal, Gerichtswesen Bayerns S. 189.

nicht erlangt. Auch jene derselben, denen es gelungen war, die niedere Gerichtsbarkeit zu erwerben, waren nicht in der Lage, letztere über ihren ganzen Besitz auszudehnen. Neustift erhielt beispielsweise die niedere Gerichtsbarkeit nur für die Hofmark Neustift, also nur für die nächste Umgebung des Klosters. Für Güter, die außerhalb dieses Bezirkes lagen, blieb die Kompetenz des Landgerichtes aufrecht[1]).

Mehrere der tirolischen Hofmarksgerichte besaßen die Ziviljurisdiktion im vollen Umfang[2]), die Kriminaljurisdiktion jedoch nur in Bezug auf Vergehen, während schwere Verbrechen vor das Landgericht gehörten[3]). In der Hofmark von Absam hinwiederum gehörten vor das Gericht des Meier, dem hier nicht nur die grundherrliche Hofgerichtsbarkeit, sondern auch eine niedere Gerichtsbarkeit öffentlich rechtlicher Natur zusteht, nur jene Vergehen, die mit einer Buße von 5 Pfund oder weniger gesühnt wurden[4]).

Ein Großteil der tirolischen Grundherren mit bedeutendem aber weit zerstreutem Grundbesitz, wie St. Georgenberg, besaßen für keinen Teil ihrer Güter die niedere Gerichtsbarkeit. Für die Untertanen konnte der Umstand, daß Gerichtsherrschaft und Grundherrschaft in verschiedenen Händen lagen, von Vorteil werden, zumal, wenn sich die verschiedenen Herren eifer-

---

[1]) Vergl. Neust. UB. n. 614, 640, 691.

[2]) So schenkt Bischof Reginbert von Brixen 1140 an das Kloster Wilten die Hofmark gleichen Namens und gewährt ihm für dieselbe Immunität in vollem Umfang. Jäger, landständ. Verfass. I S. 396 ff. Vergl. f. die Gründungsurkunde von Stams bei v. Hormayr, Gesch. Tirols II n. 218 S. 488 (1275, deutsche Übersetz. bei Sinnacher, Beiträge IV S. 496 ff.), wo verboten wird, daß der Landrichter sich eine Gerichtsbarkeit über Güter und Leute des Klosters anmaße, ausgenommen, wenn es sich um Diebstahl, Mord und Notzucht handle. Über ein ähnl. Privileg für das Kloster Au bei Bozen vergl. Bonelli, Notizie II S. 489—490 n. 54 (1189). Vergl. Jäger a. a. O. I S. 483 ff. Über geringeren Umfang der Hofmarkgerichtsbarkeit in Bayern vergl. Rosenthal a. a. O. S. 195.

[3]) Vergl. die vorhin citierten Urkunden. In Bayern wie in Tirol werden als schwere Verbrechen gleichmäßig bezeichnet „todschlag, tauff und notnunft". Vergl. Rosenthal a. a. O. S. 193, Tir. Weist. I S. 67 Z. 12 (Anget, 1462), S. 77 Z. 15 (Kitzbühel 1402) u. a.

[4]) Tir. Weist. I S. 204 Z. 43 ff.

süchtig überwachten [1]). Auch dort, wo der Grundherr die Nieder-
gerichtsbarkeit in Händen hatte, fehlte es begreiflicherweise
nicht an Streitigkeiten, vor allem Kompetenzstreitigkeiten, mit
dem Inhaber der hohen Gerichtsbarkeit [2]).

Um aber wieder auf die freien Erbleiheverhältnisse
zurückzukommen, so ist hervorzuheben, daß ein wesentlicher
Unterschied zwischen freien und unfreien, d. i. hofrechtlichen
Erbleiheverhältnissen, darin besteht, daß für erstere das Landgericht beziehungsweise das Hofmarkgericht, für letztere das
grundherrliche Baugericht kompetentes Forum war [3]).

Für die unfreien Leihen galt das Hofrecht, für die freien
Leihen das Landrecht. Dieser Unterschied kommt im Text
der freien Leiheverträge häufig zum deutlichsten Ausdruck, indem einzelne Bestimmungen oder der ganze Inhalt derselben
als dem Landrecht entsprechend bezeichnet werden [4]).

So heißt es in einer Erbleihe von 1331, daß Dekan und
Kapitel zu Neustift den Hof zu Schrämbach „ze rechtem paurecht nach lantsrecht" verliehen haben [5]).

In einer Erbleihe von 1334, betreffend einen Acker bei
Brixen, verspricht der Leiheherr, er und seine Erben wollen
„umbe daz paurecht des vorgeschriben ackchers rechte gewern
sein nach landes recht" [6]).

1369. Die Gerhaben der Kinder weiland Michels von
Plätsch verleihen Güter bei Brixen (?) „nach landes recht umb
einen benanten zins . . . ze rehten paurehten" [7]).

1389. Hans der Geltinger verleiht dem Heinz an der

---

[1]) Vergl. Th. Knapp, Beiträge S. 422.

[2]) In einem Vertrage von 1453 verspricht Herzog Sigmund von Tirol
dem Bischof von Augsburg: Wir sullen auch durch uns selber, unser
phleger und amptleut solh pauteding und raichen füro in dhain
weg irren noch hindern (Tir. Weist. I S. 2 Z. 18 Absam).

[3]) Auch Lamprecht a. a. O. I/2 S. 925 erblickt in der Freiheit von der
Pflicht, vor dem grundherrlichen Hofgericht zu erscheinen, den wesentlichen
Unterschied der freien Erbpacht von der hofrechtlichen Leihe mit erblichem
Nutzungsrecht.

[4]) Vergl. Jäger, landständ. Verfass. I S. 557.

[5]) Neust. UB. n. 481.

[6]) Kap. A. Brixen L. 9 n. 126½, Archivber. II n. 2289.

[7]) J. St. A. P. n. 1255.

Linden und seiner Frau eine Mühle bei Mühlbach: daz si daråuf haben sôllent ewigew paurecht nach landes recht[1]).

Was ist nun unter Landrecht zu verstehen? In der Zeit vor Erlaß der Landesordnung von 1404 bezeichnen die Quellen mit Landrecht nichts anderes als das allgemein im Lande geltende Gewohnheitsrecht im Gegensatz zu den partikularen Rechtssatzungen einzelner Grundherrschaften[2]). Wenn sich die Erbleihen erst seit der ersten Hälfte des 14. Jahrhunderts auf das Landrecht berufen, so hängt dies offenbar damit zusammen, daß dieselben erst seit der zweiten Hälfte des 13. Jahrhunderts in Deutschtirol größere Verbreitung erlangt hatten[3]). Später freilich, als im Jahre 1404 das Recht der Erbleihen eine gesetzliche Regelung im Sinne der bisherigen gewohnheitsrechtlichen Entwicklung erfuhr, ist in vielen Fällen unter dem Landrecht, auf welches sich die Leiheverträge berufen, das durch die Landesordnung von 1404 gesetzte Recht zu verstehen[4]),

---

[1]) J. St. A. P. n. 369.

[2]) Bereits in einer Urkunde von 1209 werden consuetudo tocius provinciae (Landesgewohnheit) und provinciale ius (Landrecht) im gleichen Sinne gebraucht. Die Bauleute des Klosters Sonnenburg hatten sich nämlich in diesem Jahre über das dem Kloster zustehende Erbteilungsrecht beschwert, demzufolge die Hälfte des Nachlasses eines Baumannes dem Kloster zufallen sollte. Sie baten, man möge sie in dieser Hinsicht der „consuetudo tocius provinciae" genießen lassen und nur ein Rind als Erbgebühr verlangen. Die Ministerialen des Klosters raten der Äbtissin, sie möge mit Rücksicht auf die ungewöhnliche Härte dieser Abgabe auf dieselbe verzichten und sich gemäß dem „provinciale ius" mit einem Sterbrind begnügen. Hormayr, Beiträge II n. 77.

[3]) Jäger, landständ. Verfass. I S. 559, glaubt, Landrecht sei bereits im 14. Jahrhundert im Sinne von Landesordnung zu verstehen und hält es für wahrscheinlich, daß bereits unter König Heinrich († 1335) eine Landesordnung, welche die Verhältnisse der Bauleute regeln sollte, erlassen worden sei. Jäger stützt jedoch seine Ansicht auf wenig beweiskräftige Tatsachen.

[4]) Vergl. z. B. J. St. A. P. n. 160 (1410): Hans Werberger verleiht Hans dem Maiser einen Weingarten zu Vilpian (Dorf nordwestl. Bozen) zu Erbrecht mit dem Rechte, denselben: ze verchåufen und ze versetzen ... als ain yechlich sämlich pauman mit sämlichen seynen paurechten wol tûn sol und mag nach dem landes recht; ebenso J. St. A. P. n. 1228 (1461): Ulrich und Hans von Freundsberg verleihen dem Heinrich Jäger und seinen Erben einen Anger bei Schwaz: Ob sy uns aber den ytzgenantn czins in der hemelten stifft nit gehen und uns den lenger verzihen wolten, so haben

daneben aber wird noch immer das allgemein geltende Gewohnheitsrecht, auch soweit es nicht in der Landesordnung
kodifiziert wurde, als Landrecht bezeichnet.

Der Träger des Landrechtes ist das Landgericht. Dessen
Rechtsprechung ist auf den Sätzen des Landrechtes aufgebaut[1]),
während das grundherrliche Gericht nach den Satzungen des
Hofrechtes vorgeht.

Der Gegensatz zwischen Leihe nach Landrecht und Leihe
nach Hofrecht ist von den Zeitgenossen deutlich genug erkannt
worden. Auf dem Landtage von 1525 beschweren sich Bürger
und Bauern bitter darüber, daß die geistlichen Grundherren
Leiheverträge abschließen, die dem allgemein geltenden Landesbrauche zuwiderliefen[2]), womit sehr wahrscheinlich einerseits
hofrechtliche Leihen gemeint waren, andererseits Leiheverhältnisse, die zwar zu den freien gezählt werden müssen, die aber
aus unfreien Leihen sich entwickelt hatten. In solchen Leihen
nun werden, entsprechend ihrem Ursprung, dem Baumann
schwerere Lasten aufgebürdet, wie Todfall und Fronden, die sich

---

wir sy auff dem obgenanten anger darumb ze notten und ze pfenden, als
dann ain yeder herr umb sein zinss wol getan mag nach dem landsrechten.

[1]) Vergl. Jäger, landständ. Verfassung I S. 557 und die dort angeführten
Beispiele; f. Tir. Weist. I S. 292 Z. 26 (Trins, 1411).

[2]) Die beiden unteren Stände führen unter anderm an: daz man in ge-
dachter grafschaft Tirol under ainen landsprauch wonen sollen,
als in leben, erb und pawrechten, hinlassung und verkaufung der
gueter und dergleichen etc., so wellen sych doch dieselben des gaistlichen stands darynnen alwegen exempt machen und den armen
unverstanden leuten in solich brief besonder vorbehalt setzen, des sich ir
f(ürstlich) d(urchlaucht) noch die vom adl und ander nit understeen noch
begern und beleihen alain damit bey gemainem landsprauch. Dieselben des geistlichen stands understeen sich auch verrer durch ir aigen
aufsatz und practict new preuch im land ze machen mit todfellen, anfang
und besteegelt, darzue schöpfen sy inen ueber dieselben gueter
aigen gerichtstzwang und recht mit dem, daz sy sprechen, es soll mit
den guetern nach irs stifts und gotzhaus rechten gehalten
werden, daz ist: es sey dem landsprauch gmäß oder nit, daz nit die
wenigist ursach diser emperung aine gewesen ist. J. St. A. Landtags-Akten
1525, Landtags-Abschied fol. 82. Vergl. meinen Aufsatz über den Innsbrucker
Landtag von 1525 S. 109—110.

für gewöhnlich bei freien Erbleihen nicht finden. Mochte diese Ungleichheit rechtlich noch so gut begründet sein, so ist doch die Erbitterung leicht begreiflich, welche dieselbe unter der Landbevölkerung hervorrief, die nur auf die Gegenwart sah und auf die Rechtstitel der Grundherren keine Rücksicht nehmen wollte.

Je mehr im 14. und 15. Jahrhundert die freien Erbleihen sich neben den unfreien Erbleihen ausbreiteten, je mehr sich die hofrechtlichen Leiheverträge inhaltlich den freien Leiheverträgen näherten, desto schwerer mußte es werden, die Kompetenz des grundherrlichen Gerichtes über dieselben aufrecht zu erhalten und desto leichter konnten Kompetenzstreitigkeiten zwischen Grundherren und Gerichtsherren entstehen, deren Folge eine Lösung der ursprünglich unfreien Leiheverhältnisse vom hofrechtlichen Verbande war. Bei einer Reihe von freien Erbleihen des 15. Jahrhunderts läßt sich deren hofrechtlicher Ursprung noch genau erkennen, so vor allem bei zahlreichen Leihen zu Hausgenossenrecht[1]), so bei einem großen Teil der Erbleihen des Klosters Georgenberg[2]).

Zur Verwischung des Unterschiedes zwischen landrechtlichen und hofrechtlichen Erbleiheverhältnissen trug vor allem die so wichtige Landesordnung von 1404 wesentlich bei. Durch dieselbe wurden die wichtigsten Rechte und Pflichten der „Bauleute"[3]) in einheitlichem Sinne geordnet, ohne daß darauf Rücksicht genommen wurde, ob es sich um Erbleihen nach Landrecht oder Erbleihen nach Hofrecht handelte. Wer immer „Erbrecht oder Baurecht"[4]) an Gütern hat, kann dieselben vorbehaltlich der grundherrlichen Zinse frei veräußern. Vor allem aber wird dem Baumann das Recht gegeben, bei etwaigen Bedrückungen durch den Grundherren sein Recht vor dem „Richter, unter dem er (der Baumann) gesessen ist", zu suchen.

---

[1]) Siehe unten S. 99.
[2]) Vergl. z. B. Beil. n. XVIII.
[3]) Baumann wird derjenige genannt, der ein Gut bebaut, das im Eigentum eines andern steht. Dieses Wort bezeichnet nur das wirtschaftliche Verhältnis zum Grundherren. Vergl. Tille, Wirtschaftsverfassung S. 42.
[4]) Über die Bedeutung von Baurecht und Erbrecht siehe unten S. 94 ff., 98 ff.

Durch letztere Bestimmung wurde eines der wesentlichsten
Merkmale, welches den Gegensatz zwischen freier und unfreier
Leihe bedingte, beseitigt. Wenn sich im 14. Jahrhundert noch
vereinzelt Erbleiheverhältnisse finden, die für den Beliehenen
persönliche Abhängigkeit vom Grundherren herbeigeführt haben[1]),
so dürften solche im 15. Jahrhundert nur mehr bei wenigen
Grundherrschaften vorgekommen sein.

In der Neuzeit tritt der Unterschied zwischen freien und
unfreien Erbleihen noch mehr in den Hintergrund. In den
Landesordnungen von 1526 und 1532 wird das Rechtsverhältnis
zwischen Grundherren und Bauleuten durchaus in einheitlichem
Sinne geordnet.

VI.

Die bäuerliche Erbleihe in Deutschtirol.

Die in den beiden ersten Kapiteln enthaltenen Ausführungen
dürften die Annahme nahe legen, daß die Prekarien und
locationes perpetuae als die beiden Wurzeln der freien deutschtirolischen Erbleihe anzusehen sind. Denn da die wirtschaftliche Lage zur Zeit des 13. Jahrhunderts der Ausbreitung freier
Erbleihen so günstig war, versteht es sich von selbst, daß
unter solchen Umständen nach den bereits vorhandenen freien
Leiheformen gegriffen wurde, um dieselben zweckentsprechend
zu verwenden und sie weiter auszubilden. Die locatio perpetua
hätte eigentlich ungleich mehr dem vorhandenem Bedürfnis entsprochen als die viel weniger entwickelte Prekarie. Wenn aber
tatsächlich die locatio perpetua nur im südlichen Deutschtirol
vollinhaltlich übernommen wurde, so hängt dies damit zusammen,
daß ihre Abfassung rechtskundige Notare verlangte. Solche
waren aber in Nordtirol nicht zu finden.

---

[1]) Daß aus einem Erbleiheverhältnis sich eine Minderung der persönlichen Freiheit des Beliehenen ergab, ist für das 14. Jahrhundert aus der
Stiftsöffnung von Absam nachweisbar: Wer haben si geöffnet, alle unser
frawen aigenleut oder die auf den güetern unser lieben frauen gesessen sint, die sollen nit heiraten on ains probsts oder malers willen
und rat (vergl. Tir. Weist. I S. 209 Z. 18 ff.).

Einen viel größeren Einfluß auf die Entwicklung freier
bäuerlicher Leihen mußte die Prekarie erlangen, die ja eine
weit allgemeinere Verbreitung gefunden hatte als die locatio
perpetua. Die wesentlichen Elemente eines freien Leihevertrages
sind, wie wir gesehen, bereits in den Prekarien enthalten. Nunmehr galt es, diese Form der Leihe, wie sie gegeben war,
derart weiterzubilden, daß sie für die wirtschaftlichen Zwecke,
welche durch bäuerliche Leihen erreicht werden sollten, dienlich
würde. Vor allem mußten Zinsleistung und Veräußerungsbefugnis des Beliehenen in eingehenderer Weise geregelt werden.

Dieses Erfordernis wurde erfüllt in einer Reihe von Vital-
pachtverhältnissen[1]), wie sich solche seit der zweiten Hälfte
des 13. Jahrhunderts auf dem Boden Deutschtirols nachweisen
lassen. Die Leihe hat sich nunmehr von der Verbindung mit
vorhergehender Schenkung losgelöst und auch ihr Zweck nach
der wirtschaftlichen Seite hin hat sich geändert. Zu einer Zeit
nun, wo verschiedene Gründe, wie bereits erwähnt, der Ausbreitung freier Erbleihen günstig waren, ist es begreiflich, daß
gerade die Vitalleihe sich leicht zur Erbleihe weiterentwickeln
konnte, so besonders dann, wenn auch die Frau des Leihemannes in das Leiheverhältnis einbezogen wurde.

Bald tritt neben die Vitalleihe ein auf zwei Generationen

---

[1]) Propst Heinrich von Neustift verleiht (concessimus) 1255 dem Gotschalk Burger von Brixen einen Weingarten bei Brixen: ad tempus vite sue.
quod volgo dicitur lipgedinge hac adhibita conditione, ut de proventibus
eiusdem vinee primo anno quartam partem vini solvat, de proventibus vero
anni secundi dimidiam partem vini, tertio vero anno novem urnas solvet et
idem servitium pure et fideliter quamdiu vixerit ecclesie nostre annis singulis
persolvat. Adicimus etiam, ut iam dictam vincam et ius sibi concessum in
eadem non liceat sibi vendere aut alienare aut quoquo modo inmutare nisi
de nostra licentia speciali (Arch. Neust. Original eingebunden zwischen fol. 36
und 37 des lib. test.).

Propst Heinrich von Neustift verleiht (investivit) 1259 dem Concius von
Bozen und dessen Frau einen Hof zu Bozen: uti de cetero quod dictus
Concius et sua uxor habeant et teneant dictum mansum . . . ad fictum
dandum et solvendus (!) annuatim ipsi domino preposito . . . in festo
s. Michaelis ii carradas vini de illo vino, quod nascitur supra dictum mansum
vel de alio ita bono et si uno anno omiserint, quod dictum fictum non
dederint, quod tunc cadant ab omni eorum iure huius locacionis et tamen
solvant dictum vinum, quod retinuerunt (Arch. Neust. RR. 35).

sich erstreckendes Leiheverhältnis, so verleiht z. B. Propst
Heinrich von Neustift 1267 dem Witegus Cramar von Bozen
und dessen Sohn und den Frauen dieser beiden einen Hof am
Berge Villanders „donec omnis aut unus illorum vixerit" gegen
Zins von einer Gaiete Öls am Sonntag Invocavit[1]). Wird erst
einmal die Dauer der Leihe auf zwei Generationen ausgedehnt,
so ist es nur mehr ein Schritt zu völliger Erblichkeit des Leiherechtes[2]).

Seit der zweiten Hälfte des 13. Jahrhunderts läßt sich nun
in der Tat das Auftreten freier bäuerlicher Erbleihen immer
häufiger beobachten, wie ja bereits im 12. Jahrhundert Prekarien
mit erblichem Nutzungsrecht in bedeutender Anzahl auftreten.
Bei diesen bäuerlichen Erbleihen wie allen folgenden überläßt
der Grundherr ein Stück Landes an einen einzelnen oder eine
Mehrheit von Personen zu erblichem Nutzungsrechte, wofür
diese einen fixen jährlichen Zins und häufig auch fixierte außerordentliche Abgaben zu entrichten haben, ohne daß sie durch
ihren Eintritt in den Erbleihevertrag in ein persönliches Abhängigkeitsverhältnis zum Leiheherrn gerieten. Für den Fall
der Zinssäumnis wird der Beliehene mit ähnlichen Strafen bedroht, wie sie bei den locationes perpetuae üblich waren.

Das älteste Beispiel einer solchen Erbleihe liegt uns in
einer Urkunde des Klosters Marienberg von 1142 vor, laut
welcher Abt Adelbert von Marienberg eine Alpe „in Aste"

---

[1]) Arch. Neust. HH. 17, 1.

[2]) Der allmähliche Übergang von Vitalleihe zu Erbleihe tritt besonders
hübsch in einer Urkunde des Klosters Benediktbeuern von 1257 vor Augen:
Ego Henricus d. g. abbas in Buren notum facio . . . qualiter dominus Heinricus abbas . . . comisit houbam nostram Pfans (Pfons bei Matrei südlich
Innsbruck) et molendinum cuidam Machtilde, filie domini Chounonis de Ma-
treic, sub tali conditione, ut annuatim inde serviret in cellario nostro decem
urnas vini et xv caseos. Ea defuncta sub ipsa conditione optinuit eam
filius eins Otto, qui tunc temporibus nostris obiit et Petrissam uxorem suam
ac duos filios Chounonem et Ottonem reliquit, quibus tribus predictam houbam
commisimus, ut eam sicut ava eorum et pater eorum actenus servierunt, et
ipsi serviant sine omni contradictione. Et primo accessum tantum ad pactum,
quantum ad censum ut iuris erat, solverunt et si inter eos aliquis censum
suum solvere neglexerit, parte sua privetur et alii duo serviant. Si aliquis
eorum sine herede decesserit, alii pro eo pactum non solvant: si heredem
habuerit, ille pactum reddat.

Arboni et filio suo Meginhardo et omni posteritati eorum verleiht: ad tributum xx ovium et terciam partem rabarum,
quod tributum ante festum sancti Galli dandum est; si autem
quidquam usque post natale domini remanserit, duplicari debet;
si vero quid usque post paxa residuum fuerit, alpis illa in
potestate abbatis et fratrum sit, nisi per graciam hoc pro-
mereatur, ut iterum eis reconcedatur[1]).

Das Brixner Domkapitel verleiht (conmiserunt) 1230 dem
edlen Herren Hugo von Taufers drei Höfe in und bei Taufers
gegen jährlichen Zins von 12 Pfund Berner um Allerheiligen
„ea tamen condicione apposita, quod praedictae curiae sub prae-
fato pacto et sub eadem pensione ad haeredes suos utriusque
sexus debeant transire . . . Praeterea hoc fuit insertum pacto,
ut si ipse vel sui haeredes saepedictam pensionem in praedicto
termino non persolveret videlicet xii libras, anno secundo
debeant ipsam duplicare, quodsi forte ipse vel haeredes sui in
secundo anno cessaverint et usque in tercium annnm expectave-
rint, tunc in paenam pensionem ipsam in quadruplum videlicet
xlviii libras solvere teneantur. Item si ipse vel haeredes
sui etiam tercio anno toto elapso a pensione cessaverint, a iure
suo cadere debeant“ [2]).

Probst Witemar von Wilten verleiht 1267 mit Zustimmung
des Konvents Ludewico cognomine Völsach et uxori sue Ger-
drudi et ipsorum heredibus domum nostram iu foro Insprukk,
in qua pater suus residebat et chamerlantum de villa nostra
et predium nostrum in Riede secus villam Natrs[3]) sub tali
forma et condicione, ut singulis annis in festo s. Martini
censum inde persolvant de domo octo libras, de chamerlanto
sex libras, de predio Riede unam libram . . . et si predictum
censum tempore statuto primo anno non solverint, anno secundo
duplicetur et si adhuc ex aliqua contumacia aut paupertate anno
tercio predictum censum non persolverint, cadant ab omni suo
iure et revertatur in nostram possessionem libere et quiete cum
censu triplicato[4]).

---

[1]) Chron. Marienberg S. 73—74.
[2]) v. Hormayr, Gesch. Tirols II n. 128.
[3]) Natters, Dorf südl. Innsbruck.
[4]) Kop. Wilten fol. 44. Bei jener Wiltner Urkunde von 1234, die Rapp

Abt und Konvent von Wilten verpachten (locaverunt iure censuali) 1278 Chunrado filio quondam Ortolfi de Sterczinga et eius heredibus prediolum suum in Flons[1]) situm ... pro annuo censu secundum quod in instrumento ipsorum prefato Chunrado super eo tradito plenius continetur ... condicione interposita, quod si dictus Chunradus vel eius heredes uno anno censum instrumento prelibato determinatum certo termino non persolverint, anno secundo ipsum censum duplicatum persolverent alioquin ex tunc omni iure, quod eis in ipso prediolo conpeciit, sunt privati[2]).

Propst Ingramm von Neustift verleiht (contulimus colendum et tenendum inconcusse) 1286 dem Heinrich Scherven, Bürger von Brixen, und seinen Erben einen Acker bei Brixen gegen jährlichen Zins von 3 Galveien Weizens während der kommenden fünf Jahre, nach deren Ablauf er jährlich zwei Yhren Weines entrichten soll: si censum unius anni persolvere neglexerint, secundo anno duplicabunt et si tunc duplicata solucione sibi non prospexerint, tercio anno suum ius penitus amiserunt et neglectum censum nichilominus persolvent integre ac precise[3]).

Die Reihe der Beispiele ließe sich für das 13. Jahrhundert noch bedeutend vermehren[4]). Im 14. und 15. Jahrhundert breiteten sich die freien bäuerlichen Erbleihen weiter und weiter aus, bis die Mehrzahl der tirolischen Grundherren ihr Land zu Erbleiherecht ausgetan hatten. Erfährt auch das Wesen der freien bäuerlichen Erbleihen Deutschtirols in der Zeit nach dem 13. Jahrhundert keine Umgestaltung, so erleiden dieselben gleichwohl formell wie inhaltlich in der Folgezeit manche Veränderungen.

---

im Anhang zu seinem Aufsatze „über das vaterländische Statutenwesen" ediert hat (S. 104), handelt es sich nicht, wie Rapp annimmt, um eine Baurechtverleihung, da kein Zins ausbedungen wird und die Urkunde selbst das Leihegut als feodum bezeichnet.

[1]) Flans, südl. Sterzing.

[2]) Kop. Wilten fol. 137.

[3]) Arch. Neustift lib. don. n. 104.

[4]) Vergl. Beil. n. IV (1283); Neust. UB. n. 306 (1277), 337 (1281); Chron. Marienberg S. 73 (1212), u. a.

Die schriftliche Abfassung der Erbleiheverträge ist seit der zweiten Hälfte des 13. Jahrhunderts allgemein üblich, wenn auch nicht nachweisbar ist, ob sie für die Gültigkeit des Vertrages erforderlich war. Für die Folgezeit darf man wohl annehmen, daß gewohnheitsrechtlich die urkundliche Form ein notwendiges Erfordernis für die Rechtskraft des Erbleihevertrages geworden ist[1]). Gesetzlich vorgeschrieben wird die schriftliche Abfassung erst in der Landesordnung von 1532[2]).

In der Form, in welcher die Erbleiheverträge Deutschtirols abgefaßt wurden, zeigt sich ein bedeutender Unterschied gegenüber den locationes perpetuae. Bei letzteren kommt allgemein das unpersönlich abgefaßte Investiturbreve zur Anwendung, dessen Beweiskraft auf der Unterfertigung des Notars beruht, während zur Aufzeichnung ersterer die fast ausnahmslos persönlich abgefaßte Urkunde dient, die durch das Siegel des Leiheherren beglaubigt wird.

Im 14. Jahrhundert wird es in Deutschtirol wie auch anderwärts in Süddeutschland[3]) üblich, den Beliehenen mittels eines Reverses den Empfang der Leihe und die Bedingungen derselben bestätigen zu lassen. Dieser Revers verdrängt nicht den Leihebrief, sondern tritt durchaus neben ihm als sein Gegenstück auf[4]).

---

[1]) Die Landesordnung von 1404 setzt für alle Erbleiheverträge schriftliche Abfassung voraus, da sie den Baumann zur Edition der Verleihungsurkunde verhält, falls der Grundherr dieselbe einsehen will. Vergl. Beil. n. XVII Punkt 15.

[2]) Es sollen hinfüran die grundt- und zinsherren, sy seyen geistlichs oder weltlichs stannds allenthalben in disem unserm land der fürstlichen grafschafft Tirol und derselben zugewonten iren paw- und zinslewten nit nach rödlen oder instrumenten oder auf ainich sunder geding, die wider gemainen lanndsprauch sein, sunder nach dem lanndsprauch angetzaigter unser grafschafft Tirol auf gebürlich verleichbrief und revers leihen, wo aber anders gehandelt würde, das soll nit crafft haben. Tir. Lo. 1532, Buch V Tit. 15 Bl. 60).

[3]) Vergl. Arnold a. a. O. S. 281.

[4]) Daß eine bedeutend größere Anzahl von Reversen als von Leihebriefen sich erhalten hat, liegt auf der Hand, da die vom Verpächter zu Händen des Pächters ausgestellten Leiheurkunden viel leichter verloren gehen konnten, als die Reverse der Pächter, für deren Aufbewahrung die Grundherren; vor allem die geistlichen, besser Sorge zu tragen in der Lage waren, als die

Vereinzelt begegnen solche Reverse bereits im 13. Jahrhundert[1]). Allgemein wird der Gebrauch derselben erst seit der Mitte des 14. Jahrhunderts. Hier einige Beispiele solcher Reverse:

1305. Berthold der Brebst von Brixen bekennt: „daz mĭn lieber herre her Sabsse der techant und allz capitel ze Brihsen mit gemeinem rat gelihen und gelazzen habent mir und frawen Agnes . . . und allen unsern eriben paeiden sûnn und tohteren iren swaikhof datz Parenpûhel" [2]) gegen jährlichen Zins von 4 Pfund Berner[3]).

1312. „Chunt sei getan . . . daz ich Nykel meiner herren der chorherren von Prichzen choch mit willen und gunst Nyklausen An dem Orte ze Prichsen ires maiers in der Runkaden han einen akcher, der gehôrt in iren hof, den si habnt in der Runkaden . . . bestanden von denselben meinen herren mir und Elspeten meiner hawsfraw und allen unsern erben". Die genannten übernehmen die Verpflichtung den Acker in einen Weingarten umzubauen und nach Ablauf von 6 Jahren halben Wein alljährlich zu zinsen[4]).

1326. Ich Fridrich weylent Rûdolfes sun von Velles vergih . . . für mich und für alle mein geswystride und für alle unser erben . . . daz uns unser herre abt Wernher von Wetzelsprunnen[5]) und der convent da selben lassen hat ein gut, daz da leit ze Chômnaten[6]) ze rechtem pâwrecht[7]).

1328. Ich Arnold welent Pranthochs sun von Potzen thun chunt . . . das ich und all mein erben ze rechtem zinsrecht und lehen enphangen han von dem erberen herrn abt Chunrad von sand Gorien aus dem Intal[8]) und von dem convent da-

---

bäuerlichen Pächter. Verleihbrief und Revers fordert die Lo. 1532 l. cit. Buch V Tit. 15 Bl. 60 (siehe oben S. 90 Anm. 2). Vergl. dagegen Arnold a. a. O. S. 281.

[1]) Siehe unten S. 96 Urk. von 1277.
[2]) In der Umgebung von Brixen.
[3]) Kap. A. Brixen L. 12 n. 172. Regest. Archivber. II n. 2201.
[4]) Kap. A. Brixen L. 4 n. 12½, Archivber. II n. 2213.
[5]) Wessilbrunn. Vergl. Jäger, landständ. Verfass. I S. 348 ff.
[6]) Kemmaten, Dorf im Inntal westl. Innsbruck.
[7]) Arch. Stams K. 72 n. 4.
[8]) Kloster St. Georgenberg.

selbens ain stuckh . . . weingarten in Griess pey Potzen.
Jährlicher Zins: 2 Yhren Weines[1]).

1360. Seifried, Ulrich des Rickers Sohn, von Pinzagen bekennt, daß er von Frau Elsbeth der Gernstainerin den Hof
„ze Winchel" zu Pinzagen[2]) unter der Bedingung „pestanden"
habe, daß er und seine Erben nach Ablauf von sechs Jahren
den bisher üblichen Zins entrichten[3]).

1421. Peter Planner zu Vahrn bekennt, daß er vom Meier
zu Sarns Wiesen und Äcker bei Vahrn „zu ewigem pawrn-
recht (!) umb ayn benannt zins bestanden hab ewiklich unvertriben chains iars ewiklich nymermer nicht zu gehöheren[4]).

Daß gerade seit Beginn des 14. Jahrhunderts die Reverse
häufiger zu werden beginnen, ist darin begründet, daß die
Grundherren gegenüber den bereits erwähnten Bestrebungen
der Bauleute[5]) ihr Eigentum und ihr Zinsbezugsrecht durch
Forderung derartiger Reverse sicherzustellen suchten.

Noch in der zweiten Hälfte des 14. Jahrhunderts zeigt sich
gegen die vorhergehende Zeit eine bedeutsame Umänderung
hinsichtlich der Art, wie der Grundherr die Übertragung
eines ihm ledig gewordenen Leihegutes vornahm, indem dieselbe
die Form eines Kaufvertrages annahm.

Diese Umgestaltung hat ihren Grund in der Veränderung,
welche die wirtschaftliche Lage erfahren hatte. Wenn im 13.
und auch noch im 14. Jahrhundert häufig Rottland oder noch
wenig kultivierter Boden als Objekt der Leihe erscheint, so
konnte der Grundherr — zumal wenn Mangel an bäuerlichen
Arbeitskräften herrschte — vom Leihemann meist[6]) kein oder
doch nur ein sehr geringes Erbstandsgeld verlangen. Je mehr
jedoch der innere Ausbau des Landes der Vollendung entgegen-
ging und andererseits der Wert der Leiheobjekte in Folge der
vorgenommenen Meliorationen stieg, desto günstiger wurde die
Lage des Grundherren in jenen Fällen, wo es sich darum

[1]) Kopiar Georgenberg: Etsch, Burggrafenamt fol. 117.
[2]) Dorf bei Brixen.
[3]) J. St. A. Brixner A. n. 2516.
[4]) J. St. A. Brixner A. n. 1893.
[5]) Siehe oben S. 74 ff.
[6]) Vergl. oben S. 43.

handelte, ein ihm heimgefallenes Leihegut neuerdings zu verleihen.

Er konnte nunmehr dem Pachtlustigen das Gut zwar um
den bisherigen Zins verleihen, für die Übertragung des Leiherechtes aber sich eine der Wertsteigerung des Leiheobjektes
entsprechende Summe bezahlen lassen. Andererseits stand ihm
das Recht zu, den Zins zu erhöhen. Von letzterem Rechte nun
scheint der Grundherr, im 15. Jahrhundert wenigstens, keinen
Gebrauch mehr gemacht zu haben, wohl aber suchte er in
ersterer Weise seinen Vorteil zu wahren, indem er für die Vornahme der Leihe ein bedeutendes Erbstandsgeld verlangte,
welches die Natur eines für das Leiherecht zu zahlenden Kaufpreises annahm [1]).

Die Übertragung des Leiherechtes setzt sich demnach aus
zwei Rechtsgeschäften zusammen: aus Kauf und Leihe. Während
anfangs der Inhalt beider Rechtsgeschäfte in einer Urkunde
zusammengefaßt wird [2]), wird es im 15. Jahrhundert mancherorts üblich, Kauf und Leihe getrennt zu beurkunden.

So bekennen 1470 z. B. Abt Kaspar und der Konvent von
Georgenberg, daß sie: dem erberen Hansen Starchen und seinen
erben ze kaufen geben haben die pawrecht auf dem gutt genannt Michelpach gelegen in Perdisaw [3]), darumb er uns und
ze anfall geben hatt fümfzig mark perner Meraner münz [4]).

1470. Abt Kaspar und Konvent von Georgenberg verleihen Hans dem Starchen, seiner Frau und seinen Erben das
Gut Michelbach gegen jährlichen Zins von 300 Käsen [5]).

Aus der Landesordnung von 1532 geht deutlich hervor,
daß zu dieser Zeit der Verkauf des Leiherechtes verbunden mit
nachfolgender Leihe die durchaus übliche Form war, welcher
sich der Grundherr bediente, um die Übertragung des Gutes auf
einen neuen Leihemann zu vollziehen [6]).

---

[1]) Vergl. Beil. n. XIV (1373), n. XVIII (1435).
[2]) Vergl. Beil. n. XIV (1373), n. XVIII (1435).
[3]) Pertisau, Ortschaft am Achensee.
[4]) Kop. Georgenberg: See zu Achen etc. fol. 76b.
[5]) a. a. O. fol. 77b.
[6]) Vergl. Landeso. 1532 Buch V Tit. V Bl. 56b: Wann aber der grundtherr die pawrecht (wie obsteet) an sich nymbt, so soll er schuldig sein, die

Daß die freien Erbleihen gerichtlicher Bestellung bedurften[1]),
läßt sich für das Gebiet vorliegender Untersuchung nirgends
nachweisen. Bei einem großen Teil der uns überlieferten Erbleiheverträge Deutschtirols handelt es sich um Güter, die im
Eigentum einer geistlichen Anstalt standen, die für ihren Besitz
Immunität besaß. An eine Verleihung vor dem Landgericht
ist demnach hier von vorneherein nicht zu denken. Aber auch
dort, wo weltliche Grundherren oder geistliche, die sich keiner
Immunität erfreuten, als Leiheherren erscheinen, fehlt jedes
Anzeichen, daß eine gerichtliche Fertigung der Erbleihe erforderlich gewesen wäre. Wenn in einigen Baurechtsreversen
der Richter jenes Bezirks, in welchem das Leiheobjekt gelegen
war, als Siegler erscheint, so darf hieraus kein Schluß auf die
Gerichtlichkeit der Leihe gezogen werden. Denn da die Beliehenen sehr häufig nicht zu den siegelmäßigen Personen gehörten, lag es am nächsten, daß sie sich an den Richter mit
der Bitte um Besiegelung des Reverses wandten.

Für das Institut der Erbleihe waren die mannigfaltigsten
Bezeichnungen im Gebrauch, so ius coloni oder Baurecht, ius
censuale, Zinslehen, Marktrecht, Erbrecht[2]). Am häufigsten
kommt entschieden der Ausdruck Baurecht zur Verwendung.
Er ist die deutsche Übersetzung von ius colonatus und umfaßt
wie „Baurecht" freie und unfreie Leiheverhältnisse[3]). Colonus

---

pawrecht (wo er die nit selbs bchalten, sunder widerumb verkauffen
will) des erben oder freundtschafft, darvon er die an sich genomen hat,
antzutragen. Über die Vornahme der Leihe vergl. Buch V Tit. XV Bl. 60:
Die Verleihung soll „nach dem lanndsrechten bescheen" etc. Über Verkauf
des Erbpachtrechtes durch den Verpächter vergl. Mell, Bauernbefreiung in
Steiermark S. 12; f. Lamprecht, Wirtschaftsleben I/2 S. 940 Anm., Arnold
a. a. O. S. 293 ff., Fuchs, Untergang des Bauernstandes S. 56, Haun, Bauer
und Gutsherr in Kursachsen S. 163.

[1]) Vergl. Heusler II S. 178—179.

[2]) In einem Fall wird das Recht des Erbzinsmanns als ius precarium
bezeichnet. So verleiht 1292 Propst Peter von Neustift einen Acker bei
Brixen dem Gotschalk Stufler, Bürger von Brixen, seiner Frau und seinen
Erben iure precariarum gegen Zins von halben Wein nach 8 Jahren. Arch.
Neust. lib. test. fol. 56 b.

[3]) Als Bezeichnung einer prekarischen, freien Leihe kommt ius coloni
beispielsweise in einer Urkunde von 1291 vor (Neust. Arch. 001): Arnold von

oder Baumann ist jeder „qui predium colit“ (der ein Gut baut),
ist jeder, dem die Nutzung eines Gutes gegen Zins überlassen
wurde, sowohl der freie Zinsmann, als der an die Scholle gebundene unfreie. Während in älterer Zeit Baurecht (ius colonatus)
sowohl für Leihen auf Zeit als für Leihen zu erblichem Recht
Verwendung findet[1]), ist, vom 15. Jahrhundert angefangen, unter
Baurecht fast ausnahmslos ein erbliches Leiherecht zu verstehen.

Baurecht darf überhaupt nicht als terminus technicus für
eine bestimmte Form der bäuerlichen Leihe angesehen werden
etwa in dem Sinne, daß Baurecht gegenüber Erbrecht, Marktrecht, Zinslehen u. s. w. eine besondere Art der bäuerlichen
Leihe darstellt. So werden beispielsweise Baurecht und Zinslehen für ein und dasselbe Leiheverhältnis verwendet[2]). Ähnliches gilt für Baurecht und Erbrecht[3]).

Völs, ein Ministeriale der Brixner Kirche, schenkt den Hof Gammerbray bei
Völs (südl. Klausen) an Neustift „hoc excepto, quod ego Arnoldus solus pro
tempore vite mee recepi eandem curiam a domino preposito Novecelle iure
coloni tenendam et colendam et nomine census teneor inde solvere singulis
annis duas urnas vini Bozanensis mensure. Ähnlich Neust. UB. n. 313 (1278).
Vergl. f. oben S. 38 (1339).

Über ius coloni bei unfreien Leiheformen vergl. Neust. UB. n. 320:
Item statuimus, ut prepositus quolibet anno . . . predicta debeat instituere,
destituere ac locare pro annuo censu iure coloni. Siehe oben S. 70 Anm. 1.

Was vom ius coloni gesagt wurde, gilt ebenso vom Baurecht. Auch
Baurecht kann sowohl freie wie unfreie Leihen bezeichnen. So verleiht z. B.
1302 Propst Albrecht von Neustift Ulrich dem Sneider einen Weingarten
bei Klausen „ze vreiem paurehte“ gegen halben Wein (Arch. Neust.
GG. 1). Um unfreie Leihen handelt es sich Tir. Weist. I S. 203 Z. 32 (Absam).
Item aber öffnen si und melden, das die pauicate unser lieben frauen paurecht haben in hausgenossen rechten. Über den unfreien Charakter der hier
als Baurecht bezeichneten Leiheformen vergl. Tir. Weist. I S. 209 Z. 18.

[1]) Vergl. Jäger, Landständ. Verfass. I S. 555.

[2]) So bekennt Hans der Holer 1381, daß ihm Herr Hans von Starkenberg ein Gut in Leins (bei Imst) „zu ainem ewigen zinslehen“ verlihen
habe, und räumt dem Leibeherrn das Vorkaufsrecht ein, falls „ich (Baumann)
oder mein erben unsrew pawrecht auf den obgenant gute verkauffen
wolten“ (vergl. Beil. n. XV). Ähnliches wiederholt sich in einer Wiltner
Urkunde (Kop. Wilten fol. 274 b): Diemut von Plummes (Hof. s. Innsbruck)
verkauft ihre „pawrecht, die gelegen sint auf dem Plumms“, und zwar
jenen Teil des Plumeshofes, welchen sie von ihrem Vater erbte. Alle Teile
sind vom Kloster Wilten „ze lehen“.

[3]) Über die Anwendung von Baurecht und Erbrecht in der Landesordnung von 1404 vergl. Beil. n. XVII Punkt 13.

Baurecht ist demnach ein gänzlich farbloser Ausdruck, der — in älterer Zeit wenigstens — für alle Formen der Leihe um Zins gebraucht wird. Baurecht ist ganz allgemein das Recht, ein bestimmtes Gut gegen Zinszahlung zu nutzen. Dementsprechend behauptet Tille[1]) ganz mit Recht, daß „Baumann" nur das wirtschaftliche Verhältnis zum Grundherren bezeichnet, ohne die rechtliche Stellung der Person auch nur zu berühren.

Häufig ist in den Quellen von Zinslehen die Rede.

In einer Wiltner Urkunde von 1277 bekennt sogar der Landesfürst Meinhard II. selbst, von Abt Witmar von Wilten ein „feodum censuale" bei Natters gegen jährlichen Zins von 1 Pfund Berner erhalten zu haben[2]).

1284. Propst Ingramm von Neustift verleiht Haus, Keller und Zehenten bei Neustift Albert dem Schmied und seinen Erben „nomine feodi censualis" gegen Zins von 4 Galeten Öls[3]).

1337. Heinrich der Rötel Amtmann des Bischofs von Freising verleiht der Diemut, des Niklas Hausfrau, ein Viertels-viertel aus einem Gute bei Innichen „also als man cynslehen leihen sol"[4]).

Was nun die rechtliche Natur aller Leihen, die unter dem Namen Zinslehen zusammengefaßt werden, betrifft, so steht fest, daß wir es hier nur mit freien Zinslehen zu tun haben. In der überwiegenden Mehrzahl der Fälle[5]) hat der Inhaber eines Zinslehens ein erbliches Recht am Leihegute.

Vom Zinslehen zu unterscheiden ist das bäuerliche Lehen, dessen die Quellen nicht selten Erwähnung tun[6]). Wenn Tille[7])

---

[1]) Wirtschaftsverfassung S. 42.

[2]) Kop. Wilten fol. 271.

[3]) Arch. Neust. lib. don. fol. 74b n. 124.

[4]) Fontes XXXV n. 662. Vergl. f. Beilage n. VIII (1339). Auch eine locatio perpetua über einen Bauplatz in Bozen wird als Zinslehen bezeichnet (Acta II n. 805).

[5]) Nur ausnahmsweise wird „Zinslehen" für eine Leihe auf Zeit verwendet, z. B.: Meier Berchtold verleiht 1299 iure locationis ad xv annos conpletos seu fruges iure et nomine feudi fictandivi zwei Grundstücke bei Bozen gegen jährlichen Zins von 1 Yhre Weins (J. St. A. P. n. 362).

[6]) Vergl. Tirol. Weist. II S. 289 Z. 29 (Laudegg. 2. Hälfte 14. Jahrhundert), II S. 102 Z. 28 (Aschau. 1461); Lo. 1532 Buch V Tit. 19 Bl. 61.

[7]) a. a. O. S. 51.

zwischen Erblehen und Zinslehen unterscheidet und jenes als
Erbpacht, dieses als Vitalpacht ansieht, so ist dies ebenso unrichtig [1]) wie seine Behauptung, das beiden gemeinsame Moment
sei in der Leistung des Treueides durch den Erblehens- wie
den Zinslehensmann zu erblicken [2]). Der tatsächliche Unterschied zwischen dem Bauernlehen, dem Freienlehen der Landesordnung von 1532, und dem Zinslehen dürfte darin zu suchen
sein, daß aus ersterem kein Zins zu entrichten war, daß ferner
ersteres vor der Landesordnung von 1532 zuweilen nur im
Mannesstamm vererbbar war [3]).

Wird die locatio perpetua gerne als „Marktrecht" bezeichnet, so kommt diese Benennung in Südtirol zuweilen auch
bei anderen Formen der Erbleihe zur Verwendung [4]). Vor
allem ist es bei diesen Leihen, wie bei einzelnen locationes
perpetuae [5]), der Zins, der nach Marktrecht zu entrichten ist.
Was darunter zu verstehen, ergibt sich aus dem zweiten
der folgenden Beispiele.

---

[1]) Wie soeben gesagt wurde, sind unter Zinslehen gewöhnlich Erbleiheverhältnisse zu verstehen. Die von Tille angeführte Stelle des Tartscher
Weistums (Tir. Weist. III S. 52 Z. 9) beweist seine Behauptung nicht. Wäre
Tille in der Lage gewesen, für seine vortreffliche Arbeit ungedrucktes
Material in größerem Umfang heranzuziehen, so würde ihm gewiß nicht
entgangen sein, daß gerade im Vintschgau „Zinslehen" durchwegs ein Erb-
pachtverhältnis bezeichnet. Vergl. Beil. n. XX (1484).

[2]) Diese Behauptung wird bei Tille nicht bewiesen. In den zahlreichen
Urkunden über Zinslehensverleihungen wird eines Treueides des Beliehenen
nicht gedacht.

[3]) Dieselben freyen und afterlehen sollen hinfüran durch die lebens-
herren auf sün und döchtern verlihen werden etc. Lo. 1532 Buch V Tit. 19
Bl. 61 b.

[4]) Vergl. Beil. n. IV (1283).

[5]) Vergl. J. St. A. P. n. 1543 (1351): Hiltpold von Weineck und Ottlin
von Naturns verleihen den Herren Ulrich und Reinbrecht von Schloß Wehr-
berg verschiedene Güter oberhalb Tisens bei Meran iure fori quod volgariter
dicitur marchreht hoc est si uno anno ipsum afictum non dederint nec solverint, in secundo vero anno induplare teneantur et si in secundo anno
ipsum afictum cum duplo non dederint nec solverint in tercio vero anno
cadant et cadere debeant dicti conductores omnesque ipsorum heredes ab
omni suo iure dicti locacionis ac eciam cadere debent ab omni suo iure,
quod dicti fratres conductores habent ... in una domuncula et pomerio po-
sitis super Tysens.

Wopfner, Bäuerliche Erbleihe.

So verleiht Propst Albrecht von Neustift 1311 Ulrich dem Klammer, seiner Frau und seinen Erben ein Haus zu Klausen unter der Bedingung, daß sie „ze rechtem marchrecht" 10 Schilling Berner zinsen sollen [1]).

1376. Paul von Zwingenberg verleiht Kunz dem Schmied ein Grundstück zu Nals [2]), auf welchem eine Mühle erbaut wurde, mit der Bedingung, daß letzterer und seine Erben jährlich 4 Pfund Berner zinsen sollen „nach marchtrecht, also welchs iares er mir den zins als nicht geb, so wer iz fursich zwispil, wer dann, daz er mir am andern iar die zinse und daz zwispil nicht geb, am dritten iar so wer er geschaiden von allen sein rechten, die er hiet oder gehaben möcht an dem vorgenant güte ze behalten zinse und zwispil, der sölt ich mich haben auf andern sein güten, die er dann bäte" [3]).

Die Verwandtschaft dieser Leihen zu Marktrecht mit den locationes perpetuae tritt vor allem in jenen Bestimmungen über die Folgen der Zinssäumnis offen zu Tage.

Nicht nur in Tirol, sondern allenthalben auf deutschem Boden wird die Erbzinsleihe am Lande wie in den Städten als Leihe zu Erbrecht bezeichnet [4]). Ziemlich bald werden die von den Urkunden gebrauchten Redewendungen wie „iure hereditario concedere", „ze erbrecht verleihen" u. a. zu technischen Bezeichnungen für das Institut der Erbleihe [5]).

So heißt es in einer Wiltner Urkunde von 1334: Wir Hainrich etc. chunich ze Pehaim etc. verieben . . . daz wir unserm getriwen Hansen dem Plozzen ünsern hof ze Eppan umb ein benanten cinse gelazzen haben . . . den er von uns

[1]) Neust. UB. n. 425.

[2]) Dorf zwischen Bozen und Meran im Etschtal.

[3]) J. St. A. P. n. 891. Ähnliche Bestimmungen finden sich jedoch auch bei Leihen zu Burgrecht in Städten des heutigen Niederösterreich, nur daß hier der bedungene Zins von vierzehn zu vierzehn Tagen auf das Doppelte, Dreifache u. s. w. wächst. Vergl. v. Hess, Burgrecht S. 770.

[4]) Vergl. Arnold a. a. O. S. 58—59, Rosenthal, Gesch. d. Eigentums Beil. n. 10, 23, 25; Maurer, Fronhöfe III S. 224; v. Schwind a. a. O. S. 25.

[5]) v. Schwind a. a. O. S. 25.

und von unsern vordern er und sein vodern . . . vormalen ze erbrecht gehabt hat[1]).

1461. Ulrich und Hans von Freundsberg bekennen, daß sie Heinrich Jäger zu Schwaz, seiner Frau und seinen Erben einen Anger unter dem Schloß Freundsberg „ze erbrecht verlyhen" haben gegen Zins von drei Pfund Berner[2]).

Neben den bisher genannten werden in Nordtirol häufig Leihen „zu Hausgenossenrecht" erwähnt. Wie schon der Name andeutet, haben wir es hier mit einer ursprünglich hofrechtlichen Leiheform zu tun[3]), die erst im 14. und 15. Jahrhundert gleich anderen zu einer Form freier Erbleihe umgestaltet wurde. Jeder Hinweis auf hofrechtliche Abhängigkeit fehlt beispielsweise in folgenden Leihen zu Hausgenossenrecht.

1365. Konrad der Stöchel von Kemmaten bekennt, daß er Konrad dem Hudler, dessen Frau und dessen Erben, eine „Hofstatt" zu Kemmaten „nach hausgenözzen reht" gegen Zins von sechs Zwanzigern verliehen habe[4]).

1377. Ich Bärtlme der Schremph purger ze Halle vergich . . . für mich, für mein hawsfraw und für all mein erben, also das wir bestanden haben in hausgenozzem rechten nach der stat recht ze Halle von dem erwirdigen gaistlichem herren abbt Chŭnrat von sant Jörgenberg ein hofstat gelegen ze Halle auf dem rain[5]).

All diese mannigfaltigen Bezeichnungen decken sich keineswegs mit ebensoviel rechtlich verschiedenen Leiheverhältnissen. Der Umstand, daß die Quellen ein und dasselbe Rechtsverhältnis verschieden benennen[6]), zeigt ja am besten, wie sehr man sich davor büten muß, aus der Verschiedenheit der Bezeichnung auf Unterschiede in der juristischen Natur der Leiheverhältnisse zu schließen.

Der Gegensatz zwischen freien und unfreien Leiheformen

---

[1]) Kop. Wilten fol. 28.

[2]) J. St. A. P. n. 1228.

[3]) Siehe oben S. 79. Leihen zu Hausgenossenrecht als hofrechtliche Leihen in Tir. Weist. I S. 203 Z. 32 (Absam 2. Hälfte 14. Jahrh.).

[4]) Kop. Wilten fol. 236.

[5]) Kop. Georgenberg (Pfannhaus Hall, Innsbruck u. s. w.) fol. 56.

[6]) Siehe oben S. 95.

kommt zuweilen auch äußerlich zur Geltung, indem die Quellen selbst beispielsweise von Verleihung eines Gutes „zu freiem Baurecht" oder „nach freier Leute Recht" sprechen.

So verleiht Propst Albrecht von Neustift 1302 Ulrich dem Schneider einen Weingarten „ze vreiem paurehte" [1]).

Äbel, des Scherers Eidam, von Neustift verleiht 1334 Heinrich dem Chezzler von Stufels den Talacker „ze rechtem pawrechte ewikleich unvertriben nach freyer lewte recht" [2]).

Konrad, des Ernst Sohn von Brixen, verleiht 1341 Heinrich dem Ofner und seinen Erben einen Weingarten, genannt Fidmetz, „ze rechten paw nach freyer livt recht" [3]).

Als Objekt der bäuerlichen Erbleihe[4]) erscheinen einzelne Grundstücke, ferner Komplexe von Gütern, die, zu einer wirtschaftlichen Einheit zusammengefaßt, einer Bauernfamilie einen mehr oder weniger reichlichen Unterhalt zu bieten in der Lage waren, endlich Güter, die ihrem Umfang nach nicht als Bauerngüter, sondern eher als kleine Grundherrschaften anzusehen sind.

Die Größe jener einzelnen Grundstücke, die selbständig zu Leihe ausgetan werden, wird häufig nicht angegeben. Nur die Leiheurkunden über Besitzungen des Klosters Wilten in der Umgebung von Innsbruck geben den Umfang solcher Leiheobjekte in Joch an. Man kann diese Güter, welche im Gegensatz zu den zu einem Hof gehörigen Grundstücken einzeln veräußert werden durften, als walzende Güter bezeichnen, wie ja auch heute nach dem tirolischen Höfegesetz von 1900 die nicht zu einem geschlossenen Hof gehörigen frei veräußerbaren Güter walzende Güter genannt werden. Für einen Teil dieser Grundstücke darf wohl angenommen werden, daß sie erst durch Rodung in späterer Zeit erobert wurden oder daß sie von Zerschlagung eines Hofes herrühren [5]).

Zahlreiche Leihen beziehen sich auf die bäuerliche Wirtschaftseinheit, den Hof, der unter den verschiedensten Be-

---

[1]) Siehe oben S. 95 Anm.
[2]) Kap. A. Brixen L. 9 n. 126½, Archivber. II n. 2289.
[3]) J. St. A. P. n. 599.
[4]) Vergl. Beil. n. XXII—XXIV.
[5]) Vergl. Th. Knapp, Beiträge S. 393.

zeichnungen als curia, mansus, hoba, villa, Hufe auftritt[1]).
Nicht selten wird ferner „Leben" für Bauerngut gebraucht,
wodurch ursprünglich nur der rechtliche, nicht der wirtschaftliche Charakter eines Gutes festgestellt wird. Der Name „Lehen"
muß jedoch bald eine allgemeine, auf die Größe bezügliche
Bedeutung angenommen haben[2]). So wird derselbe z. B. 1683
in gleicher Weise wie in Bayern[3]) für Viertelshof verwendet[4]).
Ähnlich wird „Hube" in Bayern[5]) wie in Tirol[6]) zuweilen
zur Bezeichnung von Gütern geringeren Umfanges als der Hof
gebraucht[7]).

Nicht selten nennen die Quellen Schweigen als Leiheobjekte.
Unter der Schweige ist ein Hof zu verstehen, auf dem vorwiegend Viehzucht getrieben wird. Dementsprechend haben
die Schweigen gewöhnlich Produkte der Viehzucht oder Geld
zu zinsen[8])[9]).

Im allgemeinen ist jedoch Tille darin beizustimmen, „daß
eine bestimmte Terminologie für die wirtschaftlichen Anwesen

---

[1]) Über synonyme Verwendung dieser Ausdrücke vergl. Tille a. a. O. S. 74.

[2]) Tille a. a. O. S. 76.

[3]) Hausmann, Grundentlastung S. 49.

[4]) Tir. Weist. IV S. 121 Z. 5; vergl. Tille a. a. O. S. 76.

[5]) Vergl. Hausmann a. a. O. S. 49.

[6]) Vergl. Tarneller, Hofnamen des Burggrafenamtes S. XIII; Tille a. a. O.
S. 75.

[7]) Unrichtig ist die Gleichstellung von Güetl und Hof bei Tille a. a. O.
S. 75. Nach Tarneller (a. a. O. S. XIV), auf den sich Tille beruft, ist Güetle
synonym mit Selde (kleines Anwesen). Aus einem Gültregister der Herrschaft Forst aus dem Anfang des XIV. Jahrh. (München, Reichsarchiv Cod.
Tirol n 22½) geht beispielsweise hervor, daß aus dem Hof ein ungleich
höherer Zins zu entrichten ist als aus dem Güetel.

[8]) Vergl. Tir. Weist. I S. 74 Z. 42, IV S. 739 Z. 35.

[9]) Zuweilen wird ein „kamerlant" als Leiheobjekt angegeben. Ob
„kamerlant" und „selde" identisch sind, wie Tarneller (a. a. O. S. XIV) annimmt, möchte ich gleich Tille (a. a. O. S. 76) bezweifeln. Zuweilen wird
kamerlant in Nordtirol geradezu als Flächenmaß gebraucht. So wird in einer
Georgenberger Urkunde von 1328 (Kop. Georgenberg „Pfannh. Hall" u. s. w.
fol. 37) ein „gut ze Pawchirch, des zway chamerlant sint" verliehen. Andererseits erscheint „kamerlant", das sich aus verschiedenen nicht beisammen
liegenden Grundstücken zusammensetzt, so in einer Urk. von 1390 (J. St.
A. P. n. 932), die gleichfalls eine Erbleihe an einem „kamerlant" zu Baumkirchen enthält.

ihrer Größe und wirtschaftlichen Leistungsfähigkeit nach nicht
entwickelt ist" [1]).

Außer Bauerngütern erscheinen zuweilen auch umfangreiche Besitzungen als Gegenstand des Leihevertrages. So
werden z. B. in der bereits erwähnten Urkunde von 1230 drei
Höfe (curiae) des Brixner Kapitels dem Hugo von Taufers
gegen Zins verliehen [2]). Den Charakter kleiner Grundherrschaften tragen geradezu die dem Hochstift Brixen gehörigen
Küchermeierhöfe, die ebenfalls zu Erbrecht ausgetan werden [3]).

Neben diesen liegenden Gütern bilden auch nutzbare Rechte,
die wie Sachen behandelt werden, Objekte des Leihevertrages,
so Zehente und Zinse [4]).

Als Erbpächter treten nicht nur Bauern, sondern auch
Bürger [5]) und Adelige [6]) auf. In einem Fall erscheint sogar
der Landesfürst selbst als Erbzinsmann des Klosters Wilten [7]).
Wie einzelne Personen so können auch Genossenschaften zu
Erbrecht beliehen werden [8]).

---

[1]) Tille a. a. O. S. 77.

[2]) Siehe oben S. 88.

[3]) Siehe oben S. 77 Anmerk. 2.

[4]) Vergl. z. B. Beil. n. IV (1283). Über Zehentpacht im Moselland
vergl. Lamprecht, Wirtschaftsleben I/2 S. 932. Vergl. f. J. St. A. Brixner A.
n. 1565 (1401): Der Meier zu Viers verleiht dem Kristan, Hänslein des
Schusters Sohn, eine Hube zu Pardell (bei Klausen) „darzw den zehent aus
dem hof ze Pawngarten und den zehent aus dem aygem und fümf star chorn
gelz aus dem hof ze dem Örtlein von sand Peter".

[5]) Vergl. z. B. Beil. n. VIII (1339).

[6]) Siehe oben S. 88, f. J. St. A. Schatz A. n. 3415 (1264): Abt Gotschalk
von Wilten verleiht domino Hainrico de Grifenstain und seinen Erben eine
Mühle mit Baum- und Weingarten am Eisack (bei Bozen?) gegen Zins von
11 Pfund Berner.

[7]) Meinhard II., Graf von Görz und Tirol, bekennt, daß ihm Propst
Witmar von Wilten eine Schweige bei Natters gegen jährlichen Zins von
1 Pfund Berner verliehen habe (Kop. Wilten fol. 271, v. J. 1277).

[8]) Kop. Wilten fol. 243b (1352): Ich Hainreich der Pölt, ich Christan
sein sun, ich Ulreich der Chrelle u. s. w. und wir die dorflewt gemaincbleich
ze Chemnaten veriehen an disen brief ... daz wir ewichleich uns und allen
unsern erben und nachkomen bestanden haben von dem erwirdigen abt
Chunrat von Wiltein ... den perchk in Senders (Alpe nördl. Kematen) mit
allen nüczen und rechten ... und sullen wir in iärichleich an sand Gallen
tag davon ze dinst geben sechs und zwainzig phunt perner gaber und guter

Während in älterer Zeit nur geistliche und weltliche Großgrundbesitzer als Leiheberrn begegnen, verleihen seit dem
14. Jahrhundert auch zahlreiche Pfarr- und Filialkirchen ihren
meist in Streulage befindlichen Grundbesitz erbpachtsweise [1]).
Sodann bedienen sich auch kleine Grundbesitzer des Instituts
der Erbleihe, um Güter auszutun, die sie nicht selbst bewirtschaften wollten. Dies geschieht nicht nur bei Eigentum,
sondern auch bei geliehenem Gut, und zwar hier vermittels der
Afterleibe.

VII.

Die rechtliche Natur der bäuerlichen Erbleihe Deutschtirols.

An dem zu Erbleihe ausgetanen Land konnte dem Leiheherrn entweder das Eigentumsrecht oder ein abgeleitetes Recht
zustehen, indem ihm das betreffende Objekt als Lehen oder im
Wege der Zinsleihe übertragen worden war.

In zahlreichen Fällen endlich läßt sich die ursprüngliche
Natur des leiheherrlichen Rechtes nicht mehr erkennen. Ins-
besondere mag die Radizierung vogteilicher Lasten auf be-
stimmte Güter dazu beigetragen haben, daß die ursprüngliche
Natur solcher Lasten vergessen wurde und die betreffenden
Objekte wie grund- oder leiheherrliche Güter behandelt wurden.

Durch den Erbleihevertrag nun entäußerte sich der Leiheherr nur seines unmittelbaren Nutzungsrechtes an der Sache,
auf welchem Titel es immer beruhen mochte, und übertrug
dasselbe auf den Leihemann. Im Gegensatz zur Veräußerung
mit Vorbehalt einer Rente aus dem veräußerten Gute wird das

Meraner münz. Hier ist fern. zu erwähnen die zinslehensweise Verleihung
des Hofes zu St. Valentin auf der Malser Heide an die Gemeinden Mals und
Burgeis von seiten des Domkapitels von Chur im Jahre 1403. Orig. im tirol.
Landesarch.: Gemeindearch. Mals (Regest Archivber. II n. 502). Die Gemeinde
wird in diesen Urkunden noch nicht als juristische Person aufgefaßt. Es
haften demnach für die Zinszahlung nicht das Gemeindevermögen, sondern
die Vorsteher der Gemeinde, bezw. einzelne Mitglieder derselben.

[1]) Vergl. Archivber. I n. 212, 214, 324, 380, 381, 384, 385, 389,
393 u. s. w.

Recht, das dem Leihenden am Leiheobjekt zusteht, durch den
Leihevertrag nicht wesentlich alteriert, sondern ändert sich nur
hinsichtlich seiner Wirksamkeit. Ist der Leihende Eigentümer,
so bleibt er es auch nach Abschluß des Leihevertrages, hat er
das Gut als Lehen inne, so ändert sich durch den mit einem
Dritten abgeschlossenen Pachtvertrag sein Verhältnis zum
Lehensherren in keiner Weise. Nur in der Ausübung des ihm
zustehenden Rechtes an der Sache, hat er sich durch Abschluß
des Erbleihevertrages eine Beschränkung auferlegt.

Ganz richtig sprechen viele Leiheurkunden nur von einer
Überlassung des „Baurechtes", des Rechtes, das Gut zu bauen
und folglich dessen Früchte einzunehmen. In ebenso richtiger
Weise wird bei Kaufverträgen unter Bauleuten als Vertrags-
objekt das „Baurecht" angegeben und nicht etwa die Sache
selbst [1]).

Die aus dem Erbleihevertrag entspringenden Rechte und
Pflichten des Beliehenen und des Leihenden sind folgende:

I. Der Beliehene hat ein dingliches, vererbbares und unter
bestimmten Einschränkungen auch veräußerliches Recht am
Leihegut, ist hingegen zur Entrichtung gewisser ordentlicher
und außerordentlicher Abgaben sowie zur Instandhaltung des
Leiheobjektes verpflichtet.

II. Der Leiheherr hat Anspruch auf richtige Ablieferung
der ausbedungenen Abgaben, hat ferner ein Konsensrecht und
Vorkaufsrecht bei Veräußerungen des Leiherechtes durch den
Beliehenen, sowie ein Recht zur Vindikation, falls dieselben
vertragswidrig vorgenommen wurden. Ebenso steht ihm ein
beschränktes Aufsichtsrecht über die Bewirtschaftung des Leihegutes zu, sowie eine bedingte Befugnis zur Privation des
Pächters bei gewissen Fällen der Kontraktsverletzung durch
letzteren. Verpflichtet ist der Leiheherr vor allem, dem Zinsmann die Nutzung des Gutes zu gestatten sowie ihm für das
Baurecht Währschaft zu leisten.

---

[1]) Ein Einfluß der Theorie vom doppelten Eigentum, dem dominium
directum des leihenden Eigentümers und dem dominium utile des Beliehenen,
zeigt sich bei den mittelalterlichen Erbleihen Deutschtirols, soweit sie nicht
in Form der locationes perpetuae abgefaßt waren (vergl. oben S. 31). in
keiner Weise.

I. In der Mehrzahl der Fälle wird ein Leihegut nicht einzelnen Personen übertragen, sondern findet gemeinschaftlicher Erwerb des Erbleiherechtes durch Eheleute statt. Zuweilen werden auch einzelne Kinder des beliehenen Ehepaares in die Leihe aufgenommen, wodurch wohl künftigen Erbschaftstreitig-keiten vorgebeugt werden sollte, falls nach dem Tode eines Ehegatten der andere zu einer zweiten Ehe schritt und Kinder aus dieser Ehe hervorgingen [1]).

Wie bei Eigengütern, so bestand auch bei Leihegütern ein festes Anwartschaftsrecht der Familienmitglieder, welches das Familienhaupt nötigte, Veräußerungen nur mit Zustimmung letzterer vorzunehmen. Dementsprechend wird in vielen Ur-kunden über Verleihung von Leiherechten nicht nur die Zu-stimmung der Ehegattin, sondern auch jene der Kinder erwähnt.

Die Erbenqualität wird häufig dadurch näher umschrieben, daß nur die eheliche Deszendenz der Beliehenen als erbfähig erklärt wird [2]). Wenn die Quellen von Erben (heredes) sprechen, sind offenbar nur die Deszendenten der Beliehenen gemeint, nicht etwa auch Aszendenten und Kollateralen [3]).

Bereits frühzeitig hat sich Erblichkeit des Leiherechtes nicht nur in der männlichen, sondern auch in der weiblichen Linie herausgebildet [4]). Nur bei den Bauernlehen scheint

---

[1]) Vergl. Arnold a. a. O. S. 165, 169.

[2]) Petrus, Propst von Neustift, verleiht 1292 „Gotschalco et uxori sue Floreie ac omnibus heredibus eorum ex eisdem legitime descendentibus" einen Acker bei Brixen gegen Zins (Arch. Neust. lib. test. fol. 56b); Albert, Propst von Neustift, verleiht 1299 Heinrico dicto Sluzler et uxori sue domine Hailke suisque heredibus legittimis ... predium ecclesie nostre dictum iure census perpetuo (lib. test. fol. 50); Heinrich Vasolt von Trüns bekennt 1314, daß Abt und Konvent von Wilten „mir und meiner hausfrawen Alhayden und meinen erben, die von uns payder leib chöment", ein Gut an dem „Tulver" gegen 6 Pfund Berner Zins verliehen haben (Kop. Wilten fol. 142).

[3]) Vergl. Rapp, Statutenwesen 32.

[4]) Abt Hermann von Weingarten verleiht 1297 „discreto viro et provido Ch(unrado) Gandinerio purichravio Tyrolensi sibi et suis heredibus utri-usque sexus" Güter in der Pfarre Naturns gegen genannten Zins (J. St. A. Schatz. A. II n. 581). Dekan und Domkapitel von Brixen verleihen 1302 „Gotschalich dem Lavren und frawen Alheid seiner hausfrawen und frawen Gevten irer mueter und allen iren erben peiden suon und tohtern" einen Weingarten für genannten Zins (Kap. A. Brixen L. 6 n. 46; Archivber. II

das Erbrecht der Frauen erst spät anerkannt worden zu sein [1]).

Wie nach Lehensrecht beim Mannes- oder Lehensfall der Erbe um Lebenserneuerung ansuchen ("muten") mußte, so konnte auch bei den bäuerlichen Erbleihen der Rechtsübergang auf die Erben sich vielfach nicht ohne Mitwirkung des Leiheherrn vollziehen.

So wird in einem Vertrag von 1313 zwischen dem Domkustos Hartmann von Brixen mit dem Zinsmann der Kustodie Aeblein dem Chranbiter verfügt: daz swer guster ist, der sol dieselben hûben und den weingarten einem under denselben erwen (des Zinsmanns) lazzen, der in dazû vervangen ist und duncht und der sol es von im empfahen [2]).

Ebenso bekennt 1343 Wilhelm der Orlent, Bürger zu Brixen, daß das Domkapitel von Brixen ihm und seinen Erben einen Weingarten bei Pfeffersberg verliehen habe: wenne ich egenanter Wilhalm und mein hawsfrâw Elspet nicht ensein, so sol ie ainer unser eleichen leiberben, der dem capitel aller pest gevellet für daz capitel chomen und den oftgenanten weingarten nach genaden von in bestên, also daz der weingart ungetailt beleihe [3]).

1321. Nos Wernherus Wiltinensis monasterii abbas notum facimus . . . quod nos . . . collacionem bonorum subscriptorum, que Albero dive memorie civis in Inspruk olim iure censuali a nobis retinuit nunc vero filii ipsius Wernhardus videlicet ac Hermannus frater eius et ipsorum heredes utriusque sexus universi iure predicto a nobis manutenent, vetus ipsorum

---

n. 2194). Vergl. f. Neust. UB. n. 470 (1326): Bischof Friedrich von Brixen verleiht 1394 den Küchenmeierhof zu Latzfons (südw. Brixen) dem Kristan von Gais, seiner Frau und den Erben derselben „sunen und töchtern" um den bisherigen Zins (J. St. A. Brixner A. n. 1560).

Bezeichnender Weise ist nur in einem der ältesten Leiheverträge (vom J. 1212) das Successionsrecht auf die männliche Nachkommenschaft des Pächters beschränkt (Chron. Marienberg S. 73). Vergl. Lamprecht, Wirtschaftsleben I S. 940.

[1]) Siehe oben S. 97.
[2]) Acta I n. 714.
[3]) Kap. A. Brixen L. 6 n. 50, Archivber. II n. 2339.

privilegium innovando concedimus velut ante iure censuali perpetuo possidenda agrum etc. [1]).

Die Statuten des Gerichtes Enneberg aus dem 16. Jahrhundert schreiben in dieser Richtung vor: do der haus oder lehenbesteer mit tot verruckt oder sonst verändert wirt, soll der erb und kaufer dieselben güeter und lehen besteen wie von alter [2]).

Daß freilich eine derartige Einweisung der Erben durch den Herren in allen tirolischen Grundherrschaften üblich gewesen wäre, ist keineswegs anzunehmen [3]). Ja selbst innerhalb ein und derselben Grundherrschaft dürfte in dieser Richtung kein einheitlicher Branch gegolten haben, da ein großer Teil der Leiheverträge entsprechende Vorschriften nicht enthält. Mit der allmählichen Abschwächung des leiheherrlichen Rechtes gegenüber dem des Leihemannes mußte auch dieses Bestätigungsrecht des Grundherren nach und nach verschwinden. In den Landesordnungen von 1404 [4]), 1526 und 1532 wird desselben nicht mehr gedacht.

Durch die Mitwirkung des Grundherren bei Übertragung des Leiherechtes im Erbgang ward vor allem eine erneuerte Anerkennung des grundherrlichen Rechtes bezweckt. Letztere suchten verschiedene Grundherren in noch wirksamerer Weise dadurch zu erreichen, daß sie im Leihevertrage festsetzten, der Pächter habe alljährlich oder innerhalb bestimmter Zeiträume sein Baurecht dem Herrn aufzulassen, um es dann neuerlich von ihm zu bestehen [5]). Entsprechend der Natur des Erbleihe-

---

[1]) Kop. Wilten fol. 73. Vergl. f. Beil. n. VI (1327).

[2]) Tir. Weist. IV S. 726 Z. 34.

[3]) Im Weistum von Passeier aus dem Ende des 14. Jahrhunderts wird festgesetzt: Item wenn das ist, das ain pauman abget und erben lat, die erben sint nicht gepunden, die höf ze emphahen (Tir. Weist. IV 101, 18). Auch in der Mehrzahl der Erbleiheverträge aus den Rheinlanden wird einer solchen Erneuerung des Leihevertrages nicht gedacht. Vergl. v. Schwind a. a. O. 43.

[4]) Die Stelle in der Landesordnung von 1404: „Item wär auch das yemant erbrecht in dem lannd biet an güeteren" etc. (Beil. n. XVII P. 10) bezieht sich offenbar nur auf den Fall, daß ein Verwandter, dessen Erbrecht nicht wie etwa jenes von Kindern des Erblassers notorisch ist, seinen Erbanspruch auf das Leiheobjekt geltend machen will.

[5]) Diese Klausel findet sich bei fast allen Erbleiheverträgen, in welchen

vertrages durfte die Neuverleihung vom Herren nicht verweigert werden.

Daß derartige periodische Auflassungen des Leiherechtes häufig genug vorgeschrieben waren, beweisen die zahlreichen Abgaben, welche der Leihemann von Zeit zu Zeit „ze geding" entrichten mußte[1]). Unter „geding" verstehen die Quellen eine anderweitig als Ehrschatz oder laudemium bezeichnete Abgabe, welche der neue Erwerber des Leiherechtes dem Leiheherrn zu entrichten hatte[2]). Wenn nun ein „Geding" alljährlich oder

---

das Kloster St. Georgenberg als Grundherr erscheint; vergl. z. B. Beilage n. XVIII (1435).

Weitere Beispiele bieten folgende Erbleihen: Niklaus Sohn weiland Peter des Schusters von Mühlbach bekennt, daß ihm Adelheid die Zöllnerin zu Mühlbach ein Grundstück zu Mühlbach gegen Zins verliehen habe: Auch sol ich vorgnannt Nikel oder mein erben die vorgnannt pawrecht . . . von der vorgnannt Alhaitn der zolnerin oder von iren erben pesten ye zu funf iaren mit zwayn huner zu vasnacht an geverde (J. St. A. P. n. 890). Peter Vasser bekennt, daß Kristan von Freyberg, Domherr zu Brixen, ihm eine Hube „zu ewigen Baurechten" verliehen habe: und sol (ich Vasser) die huch albeg ze fünf iaren von dem benanten meinen hern besten mit zwain kapawner (J. St. A. Brixner A. n. 456). Über periodische Auflassung des Leiherechtes bei den locationes perpetuae siehe oben S. 59.

[1]) Z. B.: Von einem Gute des Klosters Wilten zu Patsch (s. Innsbruck) werden nach einer Urk. von 1322 „dritthalb phunt perner ze geding" gegeben; von einem Hofe im Wipptal nach einer Urk. von 1336 „fünf phunt ze geding" (Kop. Wilten fol. 288 u. 302). Ein großer Teil der zu Erbrecht verliehenen Güter der Herrschaft Forst bei Meran zahlt nach einem Urbar aus dem Anfang des 14. Jahrh. (München Reichsa. codex Tirol n. 22½) jedes fünfte Jahr ein „geding", so heißt es fol. 1: Darnach so giltet der Nyderhof ze Chovel, da der Zimmerman sweiger aufsitzet, dreisig pfunt perner und ain chitz . . . und ie an dem funften iar funf pfunt perner ze geding. In einem Erbleihevertrag von 1407 um einen Viertelhof zu Tartsch im westlichen Vintschgau wird ausbedungen. daß die Zinsleute „allwegen an dem nâwnden iar den vierdentail von achtzehen phunden berner ze geding zu ainer newn enphahunft" geben sollen (J. St. A. P. n. 116).

[2]) So verleiht 1341 Konrad, des Ernst von Brixen Sohn, Heinrich dem Ofner und dessen Erben einen Weingarten zu Fidmetz (?) um genannten Zins: „und han (ich Konrad) darum enphangen ze rechtem gedinge ain fuder weins Brixner mazz" (J. St. A. P. n. 599). In einem Erbleihevertrag von 1385 behält sich das Brixner Domkapitel als Grundherr vor, daß nach dem Tode des Leihemanns einer von dessen Erben das Gut vom Kapitel bestehen solle „und ein geding geben nach gnaden, als sitleich und gewonleich

innerhalb bestimmter Perioden vom Leihemann gefordert wurde, so läßt sich daraus der Schluß ziehen, daß derselbe verpflichtet war, das Gut alljährlich oder nach Ablauf einer bestimmten Reihe von Jahren von neuem zu empfangen, für welche Neuverleihung eben das „Geding" zu geben war.

Die Entstehung dieser Verpflichtung des Beliehenen, das Leiherecht alljährlich aufzulassen, dürfte unschwer zu erklären sein. Es muß bedacht werden, daß in älterer Zeit zahlreiche Zinsleute, insbesonders unfreie, nur ein Recht sehr prekärer Natur an den ihnen verliehenen Gütern hatten [1]). Viele dieser unfreien Zinsleute mußten das Zinsgut dem Herrn alljährlich auflassen, ohne einen Anspruch zu haben, es neuerdings zu empfangen. Als aber unter Einfluß der früher geschilderten Verhältnisse zahlreiche unfreie Leiheverhältnisse zu freien Erbleihen umgebildet wurden, blieb die alljährliche Auflassung nach wie vor üblich, wenn sie auch meist zur bloßen Form geworden war, die für den Grundherren nur insofern Wert hatte, als sie, wie schon erwähnt, eine erneuerte Anerkennung seines grundherrlichen Rechtes bedeutete. Im 14. und 15. Jahrhundert freilich ist vielfach nur mehr die Abgabe allein übrig geblieben, während die früher damit verbundene Auflassung nicht mehr nachweisbar ist.

Wollte der Leihemann noch bei Lebzeiten sein Recht einem seiner Erben übertragen, so bedurfte es selbstverständlich in allen jenen Fällen einer Einweisung des letzteren durch den Herren, wo auch für Rechtserwerb im Erbgang dessen Mitwirkung erforderlich war [2]).

Eine Aufteilung des Leihegutes unter die Erben des Bau-

---

ist von andern sülchen des capitels gütern (Kap. A. Brixen L. 12 n. 163, Archivber. II n. 2575).

[1]) Siehe oben S. 69.

[2]) So erscheinen die Eltern Hans des Bittners 1385 vor dem Brixner Domkapitel mit der Bitte, ihrem Sohn und dessen Erben den „Rytenhof ze Payerdorf" (Gemeinde Pfeffersberg bei Brixen) zu verleihen „wan die pawrecht desselben hofs sein rechtz erbe waren". Das Kapitel willfährt dieser Bitte, bedingt sich jedoch unter anderm aus, daß nach dem Tode des Leihemanns einer seiner Erben das Baurecht vom Kapitel bestehe (Kap. A. Brixen L. 12 n. 163, Archivber. II n. 2575).

manns bedurfte der Zustimmung des Grundherren[1]). Vielfach
wird eine Teilung des Leiheobjektes gleich von vorneherein
durch den Leihevertrag ausgeschlossen und gilt für die Erb-
folge in das Leiherecht das Anerbenrecht, das heißt: das Leihegut
hat ungeteilt auf einen der Erben überzugehen. Die Namhaftmachung des Erben war dann gewöhnlich Sache des Grundherren.

So verleiht 1287 Propst Ingramm von Neustift dem Heinrich
dictus Kozzelinus, einem Unfreien (servus) des Klosters, und
dessen Erben ein Klostergut genannt „Pachuf" um genannten
Zins in perpetuum hereditario iure ab uno eorum sive mas-
culus fuerit sive femina possidendum[2])[3]).

1343 verleiht das Brixner Domkapitel Wilhelm dem Orient,
Bürger zu Brixen, seiner Frau und seinen Leibeserben einen
Weingarten bei Pfeffersberg gegen Zins von 2 Yhren Weines:
Wenne ich egenanter Wilhalm und mein hawsfråw Elspet nicht
ensein, so sol ie ainer unser eleichen leiberben, der dem
capitel aller pest gevellet, für daz capitel chomen und den
oftgenanten weingarten nach genaden von in bestên, also daz
der weingart ungetailt beleihe[4]).

Kristan von Gais und Kristein seine Frau bekennen
1394, daß ihnen Bischof Friedrich von Brixen den Küchenmeierhof zu Latzfons um den üblichen „kuchendinst"[5]) verliehen habe: wenn auch wir egenannt wirtleut baide mit dem
tod abgen, so sol ye ainer unsrer erben, der dem egenant
gotshaus ze Brichsen nüczleich und rêtleich ist zu
ainem pauman, für den egenannt unserm herren von Brichsen...
kömen und die pawrecht des oftgenant küchenmayrhofs em-
phahn[6])[7]).

[1]) Über Unteilbarkeit der Erbpachtgüter im Moselland vergl. Lamprecht,
Wirtschaftsleben I/2 S. 939.

[2]) Arch. Neust. lib. test. fol. 48.

[3]) Statt „possidendum" steht im lib. test. trotz des vorangehenden
„predium": „possidendis".

[4]) Kap. A. Brixen L. 6 n. 50, Archivber. II n. 2339. Vergl. f. Beilage
n. VI (1327), n. XIX (1459).

[5]) Die Küchenmeierhöfe hatten für bestimmte Tage den Bedarf der
bischöflichen Küche zu decken.

[6]) J. St. A. Brixner A. n. 1560.

[7]) Ausdrückliche Verbote von Teilung ohne Vorwissen des Leiheherren

Teilungen, die ohne Zustimmung des Grundherren bewerkstelligt wurden, entbehrten rechtlicher Wirksamkeit und hatten
außerdem für den teilenden Baumann Verlust seines Rechtes
zur Folge [1] [2]).

Gleichwohl läßt sich beobachten, daß zumal Güter größeren
Umfanges wie die Meiergüter einer ziemlich weitgehenden Teilung
unterworfen wurden. So erwähnen die Quellen halbe Meierhöfe,
Drittel, Viertel und Sechstel von Meierhöfen. Aber auch kleinere
Güter werden geteilt. So spricht z. B. eine Wiltner Urkunde
von 1376 [3]) von einer Teilung des Plumeshofes (s. Innsbruck),
während eine andere Urkunde desselben Klosters von 1407 [4])
über die Aufteilung des Märhofes (bei Neuhaus) unter vier
Bauleute berichtet.

Um eine Realteilung zu vermeiden, begnügte man sich zuweilen mit einer Teilung der Nutzung des Leiheobjektes [5]).

---

finden sich in zahlreichen Leiheverträgen. Vergl. Beil. n. XVIII (1435), n. XIX
(1459); vergl. ferner das Teilungsverbot in der Landesordn. von 1404, Beil.
n. XVII P. 11.

[1]) Vergl. Landeso. 1404 Beil. n. XVII P. 11 und die Wiederholung der
in letzterer getroffenen Bestimmungen in der Landeso. von 1532 Buch V
Tit. 3 Bl. 56. Die Leihebriefe selbst setzen zwar meist keine besonderen
Strafen fest für eigenmächtige Vornahme der Teilung seitens des Leihemanns,
sprechen aber häufig dem Leiherrn für alle Fälle der Kontraktsverletzung
durch den Beliehenen das Privationsrecht zu.

[2]) Im Gegensatz zu diesen Teilungsverboten in Deutschtirol wird den
Erben des Emphyteuta im italienischen Süden bereits in den Alexandrinischen
Statuten von Trient (aus der Mitte des 15. Jahrhunderts, vergl. darüber
v. Voltelini, Statuten von Trient S. 191) Buch III c. 96 die Befugnis erteilt,
das Leihegut nach Belieben zu teilen, nur wird hier das Institut der Ein-
zinserschaft bei Vornahme von Teilungen vorgeschrieben. Prof. Dr. v. Voltelini
hatte die Liebenswürdigkeit, mich auf diese Punkte der noch unedierten
Statuten Bischof Alexanders von Trient (J. St. A. Codex n. 470) aufmerksam
zu machen. Vergl. ferner die von Gar edierten Statuten des Bischofs Bern-
hard von Cles Buch II c. 102 S. 92.

[3]) Kop. Wilten fol. 274b.

[4]) Dez wart der obgenant apt (von Wilten) und die nachgeschriben
(vier) pawläut uberain, das sie den genanten hof under sich woiten tailen
(Kop. Wilten fol. 38b). Vergl. f. Beil. n. XXIII n. 19: Verleihung einer Viertels-
hube zu Wilten. Über die Verleihung eines Viertelsviertel eines Hofes bei
Innichen vergl. Fontes XXXV n. 662 (1337). Vergl. f. Beil. n. XXIV S. 152.

[5]) Abt Kaspar von Georgenberg verleiht 1474 dem Heinrich Schmölzer
und seiner Hausfrau, sowie Konrad dem „präst" (Propst) des Klosters, seiner

Mit der Erblichkeit des Leihcrechtes ist meist ein freies Veräußerungsrecht des Leihemannes verbunden. Schon der Emphyteuta hat eine im Wesen freie Veräußerungsbefugnis besessen, der gegenüber der Grundherr, falls er nicht Bedenken objektiver Natur gegen den neuen Erwerber vorbringen konnte, nur auf sein Vorkaufsrecht beschränkt war. Ebenso erfreute sich auch der Erbpächter des späteren Mittelalters einer ähnlichen Verfügungsfreiheit über sein Leiherecht[1]).

Zu einer Zeit freilich, wo das Institut der Erbleihe noch in der Entwicklung begriffen war, darf man nicht erwarten, dieses Veräußerungsrecht bereits durchgehends anzutreffen. So mangelt es im 13. Jahrhundert für Deutschtirol nicht an Beispielen, daß in Erbleiheverträgen nichts von einem solchen Rechte des Leihemannes erwähnt wird, und man wird kaum irre gehen, wenn man aus diesem Schweigen schließt, daß der Beliehene das freie Verfügungsrecht tatsächlich nicht besaß. In jener Zeit der Entwicklung der Erbzinsleihe aus der Prekarie ist dieser Mangel gewiß leicht erklärlich. Noch begreiflicher aber ist derselbe bei jenen Erbleiheverhältnissen, die aus der Umbildung unfreier Leihen hervorgegangen sind. Auf die Dauer vermochten aber die Grundherren dem natürlichen Gang der Entwicklung nicht Widerstand zu leisten. Auch der Einfluß der im Süden Deutschtirols stark verbreiteten locationes perpetuae, die dem Pächter das Recht zur freien Veräußerung seines Leiherechtes einräumten, darf nicht unterschätzt werden.

Am Ende des 13. Jahrhunderts treten denn auch bereits Erbleihen auf, welche ein, wenn auch beschränktes, Veräußerungsrecht des Beliehenen zulassen.

In einer Erbleihe des Klosters Neustift von 1292 zeigt sich der Übergang zu größerer Verfügungsfreiheit des Leihemannes. Letzterer sowie seine Erben dürfen nicht aliis vendere, quam ecclesie nostre, et sunt a nobis unam marcam minus quam ab

---

Hausfrau und allen Erben eine Wiese unterhalb Schwaz: das sy die obgemelt wiss auszaigen mügen, welichs tayl sich yr yeder halten solle, doch das es alles ain ungetaylt guet belcybe (Kop. Georgenberg: Vomp u. s. w. fol. 63).

[1]) Vergl. Arnold S. 178 ff., v. Schwind a. a. O. S. 33.

aliis accepturi. si eos vendere et nos emcre contigerit ius, quod habent in vinea prenotata [1]).

Die Entwicklung vollzieht sich selbstverständlich nicht allenthalben gleichartig. Innerhalb einer und derselben Grundherrschaft treten neben einander Erbleihen mit und ohne Veräußerungsklausel auf.

So lange noch das grundherrliche Recht kräftiger sich geltend machte, war begreiflicherweise jede Veräußerung an die Zustimmung des Grundherrn gebunden [2]), die von demselben in jener Zeit wohl nach Belieben verweigert werden konnte, da der Erbleihevertrag nur den Baumann und seine Erben als nutzungsberechtigt anerkannte.

So verfügt denn auch der Abt von Wilten in jener bereits angeführten [3]) Urkunde von 1267: Volumus insuper, ut ipse Ludwicus et sui heredes nullam habeant potestatem nisi antea a nobis requiratur ad manus alienas conferendi.

Ähnliche Bestimmungen finden sich in einer Erbleihe des Klosters Neustift von 1314: Es sollent auch Dionisius erben daz guot niht tailen noch an werden an unsern willen [4]).

Wenn nun dieses Konsensrechtes des Leiheherrn selbst in späterer Zeit häufig gedacht wird, so frägt sich, ob es auch hier noch dem Belieben desselben anheimgestellt war, seinen Konsens zu verweigern. Bei den locationes perpetuae war letzteres entschieden nicht der Fall. Hier konnte der Grundherr ohne triftigen Grund seine Zustimmung zu Veräußerungen nicht versagen. Auf einen ähnlichen Punkt der Entwicklung sind in der Mehrzahl auch die vom römischen Recht weniger beeinflußten Erbleihen Deutschtirols bereits im 14. Jahrhundert angelangt. Dementsprechend tritt bereits in der Form der Veräußerungsklausel das grundherrliche Konsensrecht in den Hintergrund.

So bekennen in einer Urkunde des Brixner Domkapitels von 1312 die Erbpächter, daß sie das Gut verkaufen dürfen:

---

[1]) Arch. Neust. lib. test. fol. 56b.
[2]) Vergl. Lamprecht, Wirtschaftsleben 1/2 S. 942, v. Schwind a. a. O. S. 33.
[3]) Siehe oben S. 88.
[4]) lib. don. fol. 75 n. 128.

swem wir wellen in unser genoschaft[1]) und anders niht und
doch daz es mit der vorgenanten unserr herren willen und
gunst gescheh[2]).

Ebenso verleihen 1369 Gerhaben der Kinder weiland Michels
von Plåtsch dem „erbern chneht" Heinzlein dem Chezzler, seiner
Frau und seinen Erben Wiesen und Alpen „ze rehten paurehten". Wollen die Bauleute ihr Recht verkaufen, so sollen
sie es zuerst dem Grundherren anbieten und ihm billiger lassen
als anderen. Machen letztere von ihrem Vorkaufsrecht nicht
Gebrauch, so mugent si's in irr genôzschaft mit ünserm willen
wol verchauffen, wem si wellent[3]).

Mehr und mehr kommt jedoch das freie Veräußerungsrecht
des Baumanns auch in der entsprechenden Formel des Leihevertrages zu unzweideutigem Ausdruck.

1289. Notum sit . . . quod Minhardus colonus de Elves
debet habere agrum . . . situm sub ecclesia predicta Elves pro
tempore vite sue. Sed eo defuncto ager ad filiam ipsius Min-
hardi Mahtild dictam et omnes heredes ipsius Mahtildis libere
revertetur, ita ut iure censuali . . . tres pullos . . . persolvant
et si vendere decreverint agrum, primo monasterio predicto
exhibebunt emendum[4]).

1334. Aebel des Scherers Eidam verleiht Heinrich dem
Chezzler von Stuvels das Baurecht des Talackers. Will Heinrich
oder seine Erben das Baurecht verkaufen, so soll er es dem
Aebel — und zwar um 5 Pfund billiger — anbieten. Kauft er
nicht, so mögen sie das Gut verkaufen: wem si wellent in der
genôzschaft, die uns (dem Grundherren und seinen Erben) . . .
als gût ze pawlewten sein als si und sulen wir sei daran nicht
engen[5]).

1361. Konrad der Haeuzze von Mühlbach bekennt, daß
er für sich und seine Erben vom Kloster Neustift den Meierhof
zu Mühlbach um genannten Zins „bestanden" habe: Wår auch

---

[1]) Siehe unten S. 121 Anm. 2.
[2]) Kap. A. Brixen L. 4 n. 12½. Archivber. II n. 2213.
[3]) J. St. A. P. n. 1255.
[4]) lib. test. fol. 48b.
[5]) Kap. A. Brixen L. 9 n. 126½. Archivber. II n. 2289.

ob er vorgenanter Chunrat oder dehainer seiner erben von dem
lande wolden varen in herren dienst oder durch ir selbers nutz
wegen, so sülle si disälben pawrecht enphelben einem pider-
manne und derselbe sol dem vorgenanten probst zinsen als si
selber; wâr auch ob er vorgenanter Chunrat oder sein erben
die vorgeschriben pawrecht wolden verchauffen, so süllent si
sey des ersten anpieten dem vorgenanten probst und allen seinen
nachchomen und süllent in die näher geben zehen phunt perner
danne anders iemant[1]).

1371. Gaudenz von Partschins bekennt, daß er Laurenz
dem alten Tyrgarter zu Mais, dessen Frau und Erben einen
Weingarten zu Palleit[2]) um Zins von vier Yhren Weines verliehen habe: und auch mer, ob daz waer, daz der obgenennt
Lawrentzze oder sein wirtin und sein erben ze dehainen zeiten
und iaren irew recht verchauffen oder hingeben wolten . . .
daz schüllent si mir . . . und all mein erben vôr ain monat
an pieten, ob wirs chauffen wellen, so schüllent si uns ains
phunt perners naeher geben end andern läwten; wer aber daz
wirs nicht chauffen wolten, wen der monat vergangen ist, so
mügen sy und schüllent irew recht verchauffen und hingeben,
wem si wellent auzgenûmen gaistleichen, edeln und aygen
lawten und so getan läwten, davon wir an unserm zins und
güter môchten peswaert werden[3]).

1383. Niklas, Propst von Neustift, sowie Dekan und
Konvent des Klosters treffen mit ihrem Baumann Niklas dem
Chefferspüchler und seiner Frau ein Übereinkommen betreffs
Umwandlung eines Ackers aus dem Hofe zu Chefferspühel[4]) in
einen Weingarten: Wenn sie (die Bauleute) iren pawrecht verkauffen wellend, so sullend si die in anpieten und fünf phunt
perner nêher geben dann yemand andern[5]).

1393. Konrad Hausmann von Arzl verleiht dem Konrad
Vischer, Bürger zu Innsbruck, einen Baumgarten „in dem Val-
pach“ bei Innsbruck nach Hausgenossenrecht: Ouch ist ze

---

[1]) Arch. Neust. X 30 (im Neust. UB. n. 583 sehr lückenhaft ediert).
[2]) wohl bei Mais.
[3]) J. St. A. P. n. 721.
[4]) In der Umgebung von Brixen.
[5]) Arch. Neust. AA. 36.

wizzen, ob si ire recht an dem egenant hinlazzen von eehafter
not wegen verkouffen müsten, die sullen si mich oder mein erben des
ersten anpieten und nechner geben, denn andern lewten, wolten
wir si aber nicht kouffen, so mügent si ire recht geben, wem
si wollent, an geverd, doch unsers zinses und recht unvertzigen [1]).

1397. Nikel der Tengler von Wildermieming [2]), Katharina
seine Frau, Lienhard sein Sohn und Gertrud seine Frau bekennen,
daß sie von Abt und Konvent des Klosters Stams „ze erbtschaft
bestanden haben in pawmansrechten" zwei Höfe zu Wildermieming gegen Zins von 14 Pfund Berner von jedem Hofe:
Und woiten wir nachmals ünsriu pawrecht der vorgenant höfe
verchauffen, die sullen wir si vor aller mänichleichen anpieten
und aines guldeins näher geben dann andern läuten, wolten sy
die nicht chauffen, so mügen wir die verchauffen, wem wir
wellen, auzgenomen edlen läuten und chloster läuten [3]) [4]).

Läßt sich also der Nachweis führen, daß im 14. Jahrhundert
tatsächlich in der Mehrzahl der Fälle das Recht des Baumannes auf Kosten jenes des Grundherren so erstarkt war, daß
ersterer hinsichtlich Verfügungsfreiheit dem südtirolischen Erbpächter nicht mehr nachstand, so darf deswegen noch keineswegs angenommen werden, daß eine derartige freiheitliche Entwicklung ausnahmslos bei sämtlichen freien Erbleihen Platz gegriffen habe. Eine einheitliche Regelung ward in dieser Richtung erst durch die Landesordnung von 1404 durchgeführt.
Letztere räumt dem Baumann die Befugnis ein, sein Baurecht
vorbehaltlich der grundherrlichen Rechte zu verkaufen, wem
er will, falls nur der Erwerber eine persona habilis ist oder,
wie die genannte Landesordnung sich ausdrückt, ein Baumann,
„der gut ist als er" (der Verkäufer) [5]).

Auch die Landesordnungen von 1526 und 1532 sprechen

---

[1]) J. St. A. P. n. 575.

[2]) Dorf westlich Telfs im Oberinntal.

[3]) Arch. Stams M. 18 . 43.

[4]) Als weitere Beispiele mögen dienen Beil. n. V (1323), n. VIII (1339),
n. XV (1381). Vergl. f. Tir. Weist. IV S. 15 Z. 23 (Tegernsee 2. Hälfte
14. Jahrh.).

[5]) Beil. n. XVII P. 2.

dem Baumann die Befugnis zu, sein Recht am Baugute zu verkaufen [1]).

Mit der Veräußerungsbefugnis hängt eng zusammen die
Freizügigkeit des Baumanns. Kann demselben ohne weiteres
die Erlaubnis versagt werden, das Leiheverhältnis zwischen
sich und dem Grundherren durch Veräußerung des Leiherechtes
zu lösen, so würde von einer freien Leihe nicht gesprochen
werden können. Denn da nach der Landesordnung von 1404
der Baumann einerseits nur dann vom Gute ziehen durfte, falls
er dem Grundherren einen Gewährsmann stellte [2]), andererseits
aber der Leiherr zu einer Veräußerung des Leiherechtes seine
Zustimmung hätte verweigern können, so wäre der Baumann
gezwungen gewesen, auf dem Gute sitzen zu bleiben, der freie
Zug wäre ihm verschlossen gewesen.

Da der Baumann berechtigt war, sein Baurecht zu verkaufen, so war jene Vorschrift betreffs Stellung eines Gewährsmannes im Grunde genommen überflüssig. Es war doch kaum
anzunehmen, daß der Baumann das Gut im Stiche lassen und
so auf den Gewinn, den er durch Verkauf des Baurechtes erzielen konnte, verzichten werde [3]). Erklärlich ist diese Verordnung der Landesordnung von 1404 als Reminiszenz an die
den Bauleuten ungünstigen Bestimmungen der Landesordnung
von 1352, auf die wir nunmehr zu sprechen kommen.

Wenn früher behauptet wurde, daß im 14. Jahrhundert
bereits in der Mehrzahl der Fälle, dem Erbpächter die Befugnis
zur Veräußerung seines Pachtrechtes zustand, so scheint dies
mit den Verfügungen der Landesordnung von 1352 in unlös-
barem Widerspruch zu stehen. Letztere läßt nicht nur das
Veräußerungsrecht des Baumanns unerwähnt, sondern spricht
außerdem allen Bauleuten des Landesfürsten und anderer Grundherren das Recht des freien Zuges ab und macht die Bewilligung
des Abzuges ganz vom Belieben des Grundherren abhängig [4]).

---

[1]) Landeso. 1526 Buch I Teil VI fol. 39, Landeso. 1532 Buch V Tit. IV
Bl. 56.

[2]) Beil. n. XVII P. 2.

[3]) Vergl. Brentano in der Beil. zur Allgem. Zeitung n. 5 S. 3.

[4]) Schwind Dopsch, Urkunden S. 185 Z. 18 ff.

Welche Gründe nun mochten jene Anordnungen hervorgerufen
haben, deren Durchführung dem Institut der Erbleihe den
Todesstoß versetzt hätte?

Die Landesordnung von 1352 ist ausschließlich durch den
allgemeinen wirtschaftlichen Notstand hervorgerufen worden,
der als Folge einer Reihe von Elementarereignissen, insbesonders
der gewaltigen, fast ganz Europa verheerenden Seuche von 1348
anzusehen ist. Markgraf Ludwig weist in der Einleitung zur
Landesordnung selbst darauf hin, daß dieselbe erlassen worden
sei: von des grozzen gebrechen wegen der uns und maenichlichen
ueberai in dem lande anligend ist von todes wegen, der in
dem lande ist gewesen [1]).

Die begreifliche Folge der Pest war hier in Tirol wie
anderwärts [2]) eine Verödung des Landes, die einzelne Zeitgenossen mit düsteren Farben schildern [3]). Eine so plötzliche
Verringerung des vorhandenen Menschenmaterials mußte die
Neubesetzung der Baugüter mit tauglichen Bauleuten äußerst
erschweren. Aber nicht blos der „schwarze Tod", sondern auch
die verminderte Arbeitslust, die eine notwendige Begleit-
erscheinung des in jener Schreckenszeit sichtbar werdenden
sittlichen Nieder ganges [4]) war, mußte die Zahl der verfügbaren
Arbeitskräfte mindern.

In der Tat läßt sich auch die eingetretene Bauleutenot
urkundlich erhärten. So muß z. B. Konrad von Villanders,
Burggraf und Pfleger zu Haberberg im Pustertal, im Jahre 1349
einen Eigenmann zur Übernahme eines vom Hochstift Freising
zu Erbleihe ausgetanen Gutes nötigen. Als der Pfleger die
Erben des letzten Baumannes aufgefordert hatte, auf die Hube

---

[1]) Schwind, Dopsch a. a. 0. S. 185 Z. 12ff. Die Annahme Rapp's (a. a. 0.
S. 76) und Jäger's (landständ. Verfass. 1 S. 566), daß dem Übelwollen des
Herzogs von Teck, tirolischen Landeshauptmanns, die harten Bestimmungen
der Landesordnung zuzuschreiben seien, ist unerwiesen.

[2]) Vergl. v. Luschin, Reichsgesch. 224.

[3]) Daß in einzelnen Gegenden Tirols die Bevölkerung auf ein Drittel,
ja sogar auf ein Sechstel des bisherigen Standes herabgemindert wurde
(vergl. Egger, Geschichte Tirols I S. 585, Chron. Marienberg S. 135), mag
wohl eine Übertreibung der Zeitgenossen sein.

[4]) Vergl. Egger a. a. 0. I S. 385, 386.

anfzuzieben: do woldeu si ir nicht und mocbtens auch nicht
verwesen und gaben mirz auf ledichleich als ain gut, daz
dem gotzhaus ledick waz worden, do goczgewalt waz und
der leut sterb[1]).

Die Grundherren wurden durch die obwaltenden Umstände
begreiflicherweise in eine ungünstige Lage gegenüber den freien
Bauleuten gedrängt. Wollten sie die von der Seuche verschonten
auf ihren Gütern festhalten und andererseits erledigte Güter
mit Bauleuten neu besetzen, so blieb nichts anderes übrig, als
denselben möglichst günstige Bedingungen zu gewähren. Bei
dieser Lage der Dinge sollte nun im Wege der Gesetzgebung
die Stellung der Grundherren dadurch günstiger gestaltet werden,
daß man die bisherige freiheitliche Entwicklung der Erbleihen
zurückzuschrauben und alle Bauleute ohne Ausnahme des freien
Zuges zu berauben versuchte.

Es frägt sich nun, ob die Landesordnung von 1352 im
stande war, einen nachhaltigen Einfluß auf die Gestaltung der
Erbleiheverhältnisse auszuüben. Die Durchführbarkeit einer
derartigen Notstandsverordnung war von vorneherein umso un-
wahrscheinlicher, als gerade durch die Pest das Angebot an
Arbeitskräften ungemein vermindert und die Nachfrage nach solchen
gesteigert ward. Gegen die daraus folgende Wertsteigerung der
menschlichen Arbeitskräfte[2]) und ihre Folgen mußte dies Gesetz

[1]) Fontes XXXV n. 697. Ähnliche Beispiele Beil. n. IX (1351), ferner
Arch. Neust. A 46 (1359): Johannes decanus Inticensis ecclesie ad universorum
noticiam cupit pervenire, quod ... dominus Nicolaus prepositus totusque
conventus monasterii Novecellensis sibi contulerunt curiam suam armentariam
sitam in dem Sexten, que propter preteritam pestilentiam et
defectum hominum et pecorum hucusque mansit penitus deso-
lata sub condicionibus infrascriptis videlicet, ut prescriptam curiam de novo
cum colono et pecoribus instituat. Ebend. N 40 (1368): Andreas von Mühlbach „vergicht, daz er ze Raes (Dorf auf der Höhe ob dem Kloster Neustift) an dem gericht saz ... do chum für in Jacob dez probst amptman
von der Newnstift und chlagte an des probstes stat, ez wer ain gut in demselben gerichte ze Viumbes (Viums gegenüber Rodeneck an der Rienz) ...
daz wer iar und tach öde gelegen, also daz seinem herren davon nicht
gedint würde und daz noch erber noch gelter darzu nicht cheren wolten. Ähnliche Klage vor dem Richter zu Völs 1384 (Arch. Neust. OO 39).
[2]) Wie sehr die Seuche von 1348 den Wert der Arbeitskraft in einem
großen Teil von Europa gesteigert hatte, geht aus den vielen Klagen der

ebenso vergeblich ankämpfen, wie im 16. Jahrhundert all
die Vorkaufsverbote und ähnliche auf Niederhaltung der
Lebensmittelpreise gerichteten Verordnungen deren Steigen
nicht zu behindern vermochten. Um wie vieles klarer beurteilte
doch in dieser Hinsicht Herzog Rudolf IV. (der Stifter) von
Österreich die Lage der Dinge, der den volkswirtschaftlich
nachteiligen Folgen der Pest in der Richtung zu begegnen
suchte, daß er die Grundherren zu zeitweiligem Verzicht auf
die grundherrlichen Abgaben von neu besiedelten Huben zu bestimmen suchte und dabei selbst mit gutem Beispiel voranging[1]).

Die Undurchführbarkeit der Landesordnung und der geringe
Einfluß, den ihre Bestimmungen auf die weitere Entwicklung
der freien Erbleihe genommen, zeigt sich am besten darin, daß
die in der Folgezeit abgeschlossenen Leiheverträge dem Baumann nach wie vor die Veräußerungsbefugnis zusicherten[2]).
Dementsprechend konnte die Landesordnung von 1404 das Veräußerungsrecht des Baumanns mit Recht als altes Herkommen
bezeichnen[3]).

Wenn im Vorstehenden wiederholt von einer „freien" Veräußerungsbefugnis des Leihemanns gesprochen wurde, so ist
darunter nicht eine schrankenlose Freiheit zu verstehen. Vielmehr war das Veräußerungsrecht in zwiefacher Richtung beschränkt, erstens darin, daß häufig gewisse Kreise physischer
und juristischer Personen von der Erwerbung des Leiherechtes
ausgeschlossen waren, zweitens in der Hinsicht, daß es dem
Grundherren frei stand, von seinem Vorkaufsrecht Gebrauch
zu machen, um einen unliebsamen Erwerber auszuschließen.

Einschränkungen ersterer Art waren bei den locationes
perpetuae allgemein üblich[4]) und wurden aus diesen fast wörtlich in einzelne deutschtirolische Erbleihen übernommen, so vor
allem in jene des Vintschgaues, wo überhaupt der Einfluß der

Arbeitsherren über Habgier und böswillige Verabredung der Arbeiter hervor.
Vergl. Roscher, Volkswirtschaft I ** S. 516; vergl. f. die Vorschriften der
Landeso. 1352 über Arbeitslöhne, Schwind, Dopsch a. a. O. S. 186 Z. 21.

[1]) v. Luschin, österr. Reichsgesch. S. 225.
[2]) Siehe oben S. 114 ff.
[3]) Beil. n. XVII P. 13.
[4]) Siehe oben S. 52.

locationes perpetuae sich besonders stark geltend macht[1]).
Jene Personen, welchen das Leiherecht nicht verkauft werden
darf, werden hier wie dort in gleicher Weise beschrieben, es
sind dies vor allem: Geistliche, Adelige und Unfreie. In anderen
Leiheverträgen wird der Erwerb des Leiherechtes kurzweg nur
auf Freie beschränkt[2]), während wieder in anderen nur Adelige
und Klostergeistliche vom Erwerb des Leiherechtes ausgeschlossen
werden[3]). Daneben fehlt es endlich nicht an Leiheverträgen,
die keinerlei nähere Angaben in dieser Hinsicht enthalten.

Eine eingehendere gesetzliche Regelung erfuhr die Erbleihe
hinsichtlich dieser Seite des Veräußerungsrechtes erst durch die
Landesordnung von 1526. Jene von 1404 bestimmt nur im
allgemeinen, daß der Baumann dem Grundherrn „rätlich uund
aufzunemen sei ungeverlich" [4]). Eine gesetzliche Festsetzung
derjenigen Personen, welchen nicht veräußert werden durfte,
bringt erst die Landesordnung von 1526. Macht der Grund-

---

[1]) Siehe oben S. 115, Beil. n. XX (1484).

[2]) In mehreren Erbleihen, vor allem jenen des Brixner Domkapitels,
wird den Beliehenen gestattet, das Leiherecht nur an Personen zu veräußern,
die ihrer (der Beliehenen) „genõzschaft" angehören (siehe oben S. 114, ferner
Beil. n. VI (1327)). Unter „genõzschaft" ist hier nicht die Vereinigung
der Hausgenossen (Schmeller, bayr. Wörterbuch I Col. 1762), sondern vielmehr die Gesamtheit der Standesgenossen (Lexer, mittelhochd. Handwörterb. I
Col 863) zu verstehen. Denn wenn beispielsweise in einer Erbleihe von 1383
(Kap. A. Brixen L. 4 n. 12½ Archivber. II n. 2559) der Stadtrichter von
Brixen als Leihemann erscheint und ihm und seinen Erben vorgeschrieben
wird, das Leiherecht nur in seiner „genõzzschaft" zu verkaufen, so darf doch
nicht daran gedacht werden, daß der Richter zu den unfreien Hintersassen
des Domkapitels gehört habe, vielmehr kann „genõzzschaft" hier nur im
Sinne von Standesgenossenschaft verstanden werden. Als Standesgenossen
des Stadtrichters können aber in jener Zeit nur Freie gedacht werden. Wenn
im Jahre 1334 ein Grundstück des Domkapitels zu Afterbaurecht „nach
freyer lewte recht" verliehen wird, mit der Bedingung, es nur innerhalb der
„genõzzschaft" zu veräußern (Kap. A. Brixen L 9 n. 126½ Archivber. II
n. 2289), so weist dies jedenfalls darauf hin, daß der Beliehene und dementsprechend seine Genossen dem Stande der Freien angehörten. Vergl. f.
Beil. n. VI: Die Bauleute dürfen ihr Recht nur „in solben genaschaft"
verkaufen „dz dem capittel der zins unbechummert beleibe".

[3]) Über ähnliche Vorschriften bei den Erbleihen in Straßburg vergl.
Jäger, Grundbes. in Straßburg S. 35.

[4]) Beil. n. XVII P. 2.

herr von seinem Vorkaufsrecht keinen Gebrauch, so mag der
Pächter sein Pachtrecht geben, wem er will, „doch ausgeslossen
mechtigen, gaistlichen, ergebnen oder aigenleuten sunder so
gethanen personen, die dem grundtherren zu pawleuten anzunemen
sein"[1]). Diese Bestimmungen wurden dann vollinhaltlich, zum
Teil wortgetreu in die Landesordnung von 1532 übernommen,
nur wird in letzterer auch Verkauf eines Baurechtes an Juden
untersagt[2]).

Wie bei den locationes perpetuae stand auch bei vielen
Erbleihen Deutschtirols dem Grundherren ein Vorkaufsrecht zu.
Machte der Grundherr von demselben Gebrauch, so mußte ihm
das Baurecht gewöhnlich um eine bestimmte Summe billiger
überlassen werden, als das vom Kauflustigen gemachte Angebot
betrug. Die Höhe dieser Summe schwankt zwischen 1 Pfund
und 50 Pfund Berner und zeigt bei weitem nicht jene Gleichmäßigkeit, die wir bei den locationes perpetuae beobachten
konnten.

Unter Einwirkung letzterer wird die Deliberationsfrist des
Grundherren auf einen Monat ausgedehnt, häufig finden sich
aber keinerlei Bestimmungen, innerhalb welcher Zeit sich der
Grundherr über Ausübung seines Vorkaufsrechtes entscheiden
mußte.

In den Erbleiheurkunden des 13. und der ersten Hälfte
des 14. Jahrhunderts geschieht des grundherrlichen Vorkaufsrechtes seltener Erwähnung[3]), wie ja in jener Zeit überhaupt
nur die hauptsächlichsten Vertragspunkte schriftlich fixiert
wurden, während im übrigen das Landrecht, das ist das allgemein geltende Gewohnheitsrecht[4]), den Inhalt bestimmte.
Seit der Mitte des 14. Jahrhundert wird jedoch mehr und mehr
das grundherrliche Vorkaufsrecht unter Einwirkung der locationes
perpetuae schriftlich ausbedungen, bis dann endlich in sichtbarer
Anlehnung an letztere die Landesordnungen von 1526[5]) und

---

[1]) Buch I Teil 6 fol. 39.
[2]) Buch V Tit. 4 Bl. 56.
[3]) Den Erbleihen des Klosters Wilten ist ein derartiges grundherrliches
Vorkaufsrecht überhaupt unbekannt.
[4]) Siehe oben S. 82.
[5]) Buch I Teil 6 fol. 39.

1532 [1]) das grundherrliche Vorkaufsrecht gesetzlich für alle Erbleihen festlegen. Der Baumann ist demgemäß verpflichtet, bei Veräußerung das Leiherecht dem Grundherren um ein Pfund Berner billiger zum Kaufe anzubieten, als von Dritten für dasselbe geboten wurde. Der Grundherr aber hat sich binnen Monatsfrist über Annahme oder Ablehnung des Anerbietens zu entscheiden. Nach Ablauf dieser Frist mag der Leihemann sein Recht unbehindert verkaufen, falls nur der Erwerber eine persona habilis im Sinne der früheren Ausführungen ist.

Die Veräußerung des Leiherechtes kann in verschiedener Form vollzogen werden: 1) Der bisherige Leihemann läßt das Gut dem Grundherren auf und dieser verleiht es dem Kaufliebhaber; 2) die Mitwirkung des Grundherren beim Veräußerungsgeschäft beschränkt sich auf die Erteilung seines Konsenses; 3) die Veräußerung wird ohne jede Mitwirkung des Grundherren, blos mit Vorbehalt seines Zinses vorgenommen.

Die erste und die letzte Form der Veräußerung lassen sich in Deutschtirol während des ganzen Mittelalters neben einander beobachten. Die erste derselben zeigt sich bei folgenden Beispielen:

1329. Meister Aebel der Zimmermann von Schefs [2]), seine Frau und seine Söhne verkaufen Ulbrich dem Hager, seiner Frau und seinen Erben das Baurecht der Hube zu Scbefs, lassen dasselbe Niklein dem Meier an Stelle des Domkapitels von Freising auf und bitten ihn, das Baurecht dem Käufer zu verleihen [3]).

1336. Fritzo von Hülben, früher Zöllner in der Töll [4]), und seine Frau bekennen, daß ihnen und ihren Erben Bischof Albert von Brixen um den bisherigen Zins verliehen habe: mansum censualem et proprium dicte Brichsinensis ecclesie situm in Algunda [5]) subtus ecclesiam barrochialem ibidem sibi (dem Bischof) libere resignatum per Laurencium fabrum de Algunda Dȳmůdim uxorem suam et Ůlricum eorum filium pro

---

[1]) Buch V Tit. 4 Bl. 56.
[2]) Wahrscheinlich der Weiler Tschövas im Gerichtsbez. Klausen.
[3]) Beil. n. VII.
[4]) Zollstätte an der Etsch am Eingang des unteren Vintschgau.
[5]) Algund, Dorf bei Meran.

se et omnibus eorum heredibus, qui tamquam coloni super ipsum
mansum hactenus residebant et cum nobis tamquam rem censualem petiverunt conferri ... Nostra etiam (des Fritzo
und seiner Frau) instrumenta publica nostreque convenciones, quas pro dicto manso contra dictos Laurencium,
Dymůdim uxorem suam et Ůlricum eorum filium habuimus
preiudicare non debent dicto nostro domino domino Alberto
episcopo [1]).

1394. Oswald, Petzmanns Sohn, von Velthurns bekennt,
daß er von Matheis dem Sumerecker das Baurecht der Sumereck-
hube gekauft habe und „das der erber unser lieber herre her
Berchtbold von Nauts chorherre und custer ze Brichsen die
egenant hub mit aller pezzerung und zugehorung von dem
egenaut Matheisen aufgenomen hat und hat die mir vor-
genaut Oswalten Margreten meiner wirtin und allen meins obgenant Oswalts erben oder wem ich die mit seinem oder seiner
nachkomen willen und wissen schaff oder gib redleichen verlihen
nach laut des briefs, den er uns daruber geben hat[2]).

1365. Jörg im Turn zu Lienz und Ulrich sein Sohn verkaufen Ulrich dem Swablein, Bürger zu Lienz, seiner Frau und
seinen Erben einen Anger hinter der St. Michaelskirche zu
Lienz um 15 Mark Aglaier Pfennige: und haben den obgenanten anger ledikchleich aufgeben dem erbern Ulreichen
Degenhart die czeit richter ze Lůncz und haben in gepeten,
das er in das verlihen hat als man purkchlehen aufgeben,
inantwürtten und verleihen schol[3]).

1419. Abt Heinrich von Wilten verleiht dem Andreas
Haller, Bürger von Innsbruck, seiner Frau und seiner Deszendenz einen Baumgarten bei Innsbruck gegen Zins von 8
Kreuzern: den benanten pawmgarten hat vormals von uns (dem
Abt) ze lehen gehabt Ulreich der Swâgerl von Insprugg, der
uns den ledichleich aufgeben hat und bat uns dimütich-
leich, daz wir den benanten pawmgarten geruchen ze verleihen dem vorgenanten Andre Haller[4]).

[1]) J. St. A. Brixner A. n. 2160.
[2]) J. St. A. Brixner A. n. 454.
[3]) J. St. A. Pest A. I n. 368.
[4]) Kop. Wilten fol. 355.

1476. Hans Widman zu Vomp[1]) und seine Frau verkaufen Kristan Tänzl zu Schwaz ein Gut zu Vomp um
350 Gulden Rheinisch und einen Frauenrock: vorbehalten uff
genanten gruntherren und gotshaws alzitt ihre zins und
herligkayt darauf, auch vorbehalten anderen herren vogtey
und cupelfueter darauf.

1476. Abt und Konvent von St. Georgenberg verleihen
Kristan Tänzi und seinen Erben ein Gut zu Vomp um genannten Zins.

1476. Kristan Tänzi bekennt, daß ihm Abt und Konvent
zu St. Georgenberg ein Gut zu Vomp verliehen haben[2]).

Allen diesen angeführten Beispielen ist das eine gemeinsam, daß das Veräußerungsgeschäft mit Mitwirkung des Grundherren sich vollzieht. Eine andere Frage ist nun freilich die,
ob es in der Macht des Grundherren stand, seine Mitwirkung
zu versagen und damit das Veräußerungsgeschäft unmöglich zu
machen. Darüber aber entschieden in erster Linie die im Leihevertrag vereinbarten Bestimmungen über das Maß von Ver-
äußerungsfreiheit, welches der Leihemann besitzen sollte. In
älterer Zeit waren, wie früher dargelegt wurde, die grundherrlichen Machtbefugnisse in dieser Richtung viel ausgedehnter.
Zu einer Zeit aber, wo das freie Veräußerungsrecht des Leihemanns ganz allgemein als altes Herkommen bezeichnet werden
kann[3]), stand es gewiß nicht mehr im Belieben des Grundherren, den Verkauf zu behindern. Wenn also in jenen angeführten Georgenberger Urkunden von 1476 der Leihemann
offenbar zur Auflassung des Leiheobjektes an den Grundherren
verpflichtet erscheint, so war dieser seinerseits dazu verhalten,
die Leihe zu Gunsten des Erwerbers zu vollziehen, falls derselbe nur eine persona habilis war.

Arnold[4]) und Gobbers[5]) überschätzen entschieden die Bedeutung der Form, in welcher sich das Veräußerungsgeschäft
vollzieht, wenn sie die Mitwirkung des Grundherren bei letzterem

---

[1]) Dorf bei Schwaz.
[2]) Kop. Georgenberg: donationes (unfol.).
[3]) Vergl. Landeso. 1404 in Beil. n. XVII P. 13.
[4]) a. a. O. S. 258 ff.
[5]) a. a. O. S. 205 ff.

als charakteristisch für Stärke und Umfang des grundherrlichen Rechtes betrachten und dementsprechend die verschiedenen Formen, in welchen sich die Veräußerung des Leiherechtes vollzieht, als Kriterien für die einzelnen Entwicklungsstufen der Erbleihe ansehen.

Wie unstatthaft es ist, aus der Mitwirkung des Grundherrn beim Veräußerungsgeschäft auf ein kräftigeres grundherrliches Recht und ein schwächeres Recht des Beliehenen zu schließen, zeigt gerade die Landesordnung von 1532. Zu einer Zeit, wo das Recht des Grundherren nicht mehr weit davon entfernt ist, zu einem bloßen Rentenbezugsrecht herabzusinken, verhält dieselbe — offenbar auf Grund bereits bestehender Übung — den Käufer eines Baurechtes dazu, dasselbe binnen sechs Monaten nach Abschluß des Kaufvertrages vom Grundherren zu bestehen[1]). Waren Auflassung an den Eigentümer und darauffolgende Verleihung durch denselben im 13. und zum Teil noch im 14. Jahrhundert der wahre Ausdruck eines starken Rechtes des Grundherren gewesen, der nach Gutdünken einer vorgenommenen Veräußerung des Leiherechtes seine Zustimmung versagen konnte, so sanken sie in späterer Zeit zur bloßen Form herab, die nur noch insofern praktischen Wert hatte, als sie das grundherrliche Eigentum davor bewahren sollte, ganz der Vergessenheit anheimzufallen.

Besser als in der zuletzt beschriebenen Form der Veräußerung kommt die Verfügungsfreiheit des Baumanns dort zum Ausdruck, wo das Baurecht vorbehältlich des grundherrlichen Konsenses oder vorbehältlich des dem Grundherren zu reichenden Zinses veräußert wird.

Veräußerungen mit Vorbehalt des grundherrlichen Konsenses lassen sich unseres Wissens erst in jüngerer Zeit nachweisen. Im 17. und 18. Jahrhundert kehrt in den Verfachbüchern ständig die Formel wieder: N. N. verkauft mit Vorbehalt des grundherrlichen Konsenses die Baurechte u. s. w.

Nicht selten werden hingegen bereits im 14. und 15. Jahrhundert Veräußerungen bloß mit Vorbehalt des grundherrlichen Zinses vorgenommen ohne jegliche Mitwirkung des Grundherren:

---

[1]) Landeso. 1532 Buch V Tit. IV Bl. 56.

1379. Mehrere genannte Personen verkaufen Jakob dem Tschawfeser und seiner Frau ihre Baurechte an dem Hof zu Unter-Tschawfes in Villnös[1]): den man iarichlichen verdien sol dem widem ken Albeins[2]) . . . dez obigen widem von Albeins dienst zu allen zeitten unverczigen[3]).

1382. Kunz der Tschafitle zu Brixen und seine Frau verkaufen Heinrich dem Laeukler, Bürger zu Brixen, einen Weingarten oberhalb Brixen um 13 Mark, aus welchem Weingarten dem Kloster Neustift halber Wein zu reichen ist: desselben gotshaus aigenschaft zins und recht alweg unvertzigen[4]).

1393. Peter der Geiger zu Neustift verkauft seine „pawrecht der wisen mitsampt den nuspawmen" gelegen in Pisackh[5]) dem Lienhard in Prunnen zu Neustift um 14 Pfund Berner, welche Baurechte „man ierichlich verzinst dem gotshaus zu der Newnstift, desselben gotshaus aigenschaft, zins und recht unverzigen"[6]).

1408. Oswald von Pedratz, Meier zu Albeins, verkauft seinem Bruder Nikus von Kuln, Bürger zu Brixen, das Baurecht des Meierhofes zu Albeins und ein Lehengut daselbst um 326 Mark Berner, welche Güter Eigentum des Bistums Brixen sind: desselben gotshaus aigenschaft dinst zinß und recht an dem benanten hof und auch der lehenschaft an den benanten lehen alzeit ze behalten und ausgenomen[7]).

1423. Anna, Witwe nach Kaspar dem Dorn, verkauft Heinrich dem Pütterlein, Bürger zu Innsbruck, und seiner Frau einen Anger[8]) von 1½ Joch bei Innsbruck: und ist (der Anger) ze leben von dem wirdigen gotshause ze Wiltein, dahin er auch iärleich zinset droyssig perner Meraner münß[9]).

---

[1]) Dorf zwischen Brixen und Klausen.
[2]) Dorf südwestl. Brixen.
[3]) J. St. A. P. n. 325.
[4]) Arch. Neust. CC 23.
[5]) Vielleicht Pizak, zur Gem. Villnös gehör. Weiler.
[6]) Arch. Neust. Y 27, 2.
[7]) Brixner Lehenb. I Teil I, eingeschaltenes Bl. zwischen fol. 51 und 52.
[8]) Eingefriedetes Grundstück, vergl. Schmeller a. a. O. I Col. 106.
[9]) J. St. A. P. n. 1189.

1434. Petle zu Huben[1], deren Tochter, und Schwiegersohn verkaufen Heinrich von Huben die Baurechte der halben
Hube, genannt „in der Hülben", um 10 Mark Berner: und verzinst man die egnant paurecht der halben buehen dem erberen
Jacoben dem Peysser ze Prigchsen desselben Peyssers
aigentschaft dyenst zins und rechten ausgenomen und
hindann gesetzt[2])[3]).

Während also ein Teil der Leiheherren an der alten Ver-
äußerungsform der Baurechte festhielt, und eine Auflassung des
Leihegutes zu ihren Händen auch dann noch forderten, als der
Baumann bereits hinsichtlich seines Veräußerungsrechtes von
ihnen unabhängig geworden war, hat sich in den zuletzt angeführten Beispielen die Form der freiheitlichen Umgestaltung
des Rechtes angeschmiegt. Das grundherrliche Eigentums- und
Zinsbezugsrecht wird zwar anerkannt, von einer Mitwirkung
des Grundherren bei der Veräußerung ist aber keine Rede
mehr. Am stärksten verblaßt zeigt sich das Recht des Grundherren bei jener Wiltner Urkunde von 1423, wo nur die Zinsleistung erwähnt wird, während ein ausdrücklicher Vorbehalt
der grundherrlichen Rechte offenbar nicht mehr für nötig gehalten wurde.

Hinsichtlich der Verfügungsfreiheit des Leihemanns zeigt
sich eine nicht unbedeutende Verschiedenartigkeit der Entwicklung
bei den städtischen und bei den bäuerlichen Erbleihen. In den
Städten hat der Leihemann viel früher und in viel vollständigerem
Maße die Befugnis zu freier Verfügung über sein Leiherecht
erlangt. In Köln beispielsweise verfügt derselbe vielfach bereits im 14. Jahrhundert gleich unabhängig über das Leihegut

---

[1]) Weiler zur Gem. Lüsen östl. Brixen gehörig.
[2]) Brixner Lehenb. I Teil I fol. 75[2].
[3]) Man könnte vielleicht vermuten, daß auch bei den hier angeführten
Veräußerungen eine nachträgliche Belehnung des Baumanns erforderlich war
und daß die betreffenden Leihebriefe verloren gegangen seien. Dagegen
sprechen aber die in den Brixner Lehenbüchern eingetragenen Stücke. Wäre
eine derartige Verleihungsurkunde zu Händen des neuen Erwerbers ausgestellt worden, so würde sicherlich diese und nicht der Kaufbrief ins Lehen-
buch eingetragen worden sein, das ja in erster Linie zur Eintragung von
Lehen- und Baurechtsbriefen bestimmt war.

wie über Eigen [1]), während bei den bäuerlichen Erbleihen in
den Rheinlanden das Veräußerungsrecht des Beliehenen sich
viel langsamer entwickelte [2]). Die bäuerliche Erbleihe in Tirol
hat im allgemeinen jenen Grad von Verfügungsfreiheit nie gekannt, welcher bei den Kölner Leihen bereits im 14. Jahrhundert durchaus üblich war. Im 16. Jahrhundert noch hat
der tirolische Grundherr ein Vorkaufsrecht bei allen Veräußerungen
des Leiherechtes durch den Baumann und in späterer Zeit ist
wenigstens der grundherrliche Konsens, der allerdings nicht
verweigert werden konnte, ein Erfordernis für einen rechts-
kräftigen Verkauf des Leiherechtes.

Die Gründe für diese Verschiedenheit der Entwicklung in
Stadt und Land sind zum Teil in der Bedeutung der vom
Leihemann auf und an dem Leihegute vorgenommenen Besserung
zu suchen. Während in älterer Zeit das einfache städtische
Haus einen geringeren Wert darstellt als das Grundstück, auf
dem es stand, hat sich das Verhältnis später, als die Häuser
mit größerer Sorgfalt und mehr Kapitalaufwand gebaut wurden,
umgekehrt. Nunmehr hat das Haus größeren Wert als der
Bauplatz, auf dem es errichtet ist. Je größer aber der Wert
der Besserung im Vergleich zu jenem des Leiheobjektes wurde,
desto gesicherter war der Zinsanspruch des Leiheherrn. Da
dem Grundherren bei Zinssäumnis das Recht zur Privation des
Beliehenen zustand und der Zins meist sehr gering war, blieb
auch letzterer nicht so leicht mit dem Zinse im Rückstand.
Der Zinsherr aus der städtischen Erbleihe hatte daher weniger
Interesse an der Person des Zinsmannes und konnte ohne Gefahr auf eine Mitwirkung bei Veräußerungen des Leiherechtes
verzichten [3]).

Ganz anders steht es in dieser Hinsicht bei der bäuerlichen
Erbleihe. Das Verhältnis von Besserung und Leihegut ist hier
nicht das gleiche wie in den Städten. Selbst in jenen Fällen,
wo der bäuerliche Pächter erst ein Haus auf dem verliehenen
Gute errichten muß, ist der Wert des Leiheobjektes, d. i. der

---

[1]) Gobbers a. a. O. S. 211 ff.
[2]) von Schwind a. a. O. S. 33. Vergl. f. Lamprecht, Wirtschaftsleben I/2
S. 942.
[3]) Vergl. Arnold a. a. O. S. 179.

verliehenen Grundstücke, ein viel größerer als der des Gebäudes, welches vom Leihemann zu errichten war[1]). Dementsprechend konnte der Grundherr nicht hoffen, bei Zinssäumnis in der dem Leihemann gehörigen Besserung eine ausgiebige Befriedigung seines Zinsanspruches finden zu können. Für ihn war daher die Persönlichkeit des Leihemannes von viel größerer Bedeutung als für den städtischen Leiheherren.

Vor allem aber konnte der bäuerliche Leihemann durch schlechte Wirtschaft das Leiheobjekt viel mehr entwerten als der städtische. Mochte letzterer auch das auf dem geliehenen Grunde stehende Haus vernachlässigen, das Grundstück selbst verlor dadurch nicht an Wert. Dieser war ja von Lage und Umfang des Bauplatzes abhängig. Der bäuerliche Pächter hingegen konnte durch schlechte Wirtschaft das Gut so herabbringen, daß es dem Herren schwer werden konnte, einen neuen Pächter für Übernahme des Gutes zu gewinnen, zumal in einer Zeit, wo Mangel an Arbeitskräften herrschte.

Es ist daher begreiflich, daß bei Bauerngütern der Grundherr sich nicht jeden beliebigen Leihemann gefallen lassen wollte und sich das Einspruchsrecht gegen Veräußerungen, die der Pächter eigenmächtig vorgenommen, zu erhalten suchte oder wenigstens durch sein Vorkaufsrecht die Möglichkeit sich zu wahren trachtete, unliebsame Erwerber auszuschließen.

Während die Grundherren ihren Erbpächtern Veräußerung des Leiherechtes am ganzen Gute seit der zweiten Hälfte des 14. Jahrhunderts ziemlich allgemein gestatteten, wehrten sie sich viel nachdrücklicher gegen Veräußerung einzelner Gutsteile durch den Beliehenen.

So verleiht 1334 das bayrische Kloster Biburg dem Niklein von Garte eine Hube zu Valnezz[2]) zu Erbrecht: ob si auz

---

[1]) Die Besserung durch Rodung bisher unkultivierten Landes kann hier nicht zum Vergleich mit der Besserung des städtischen Leihegutes durch Hausbau herangezogen werden. Erstere besteht in einer Umwandlung der Substanz des Leihegutes und läßt sich nicht getrennt vom Leiheobjekt betrachten. Bei der Zinsbemessung für Rottland wird im Gegensatz zu dem bei der städtischen Leihe herrschenden Brauch der Wert der Besserung bereits in Anschlag gebracht. So wird zum Beispiel in Tirol häufig von Weingärten, die auf Rottland angelegt werden, halber Wein gefordert.

[2]) Villnös (?) südl. Brixen.

dem vorgenanten zinsgut icht verchauften oder an wurden an
des gotzhaus willen und wort, so sullen si awer von allen iren
rechten geschaiden sein[1]).

1336. Fritzo von Hûlben, Zöllner in der Töll, bekennt,
daß ihm und seinen Erben Bischof Friedrich von Brixen einen
Hof in Allgund verliehen habe: Nos etiam nichil de dicto manso
vendere et alienare debemus sine domini voluntate et si. quid
de ipso manso foret absque scitu domini alienatum, debemus
pro posse nostro remota fraude curare, ut istud idem ad mansum redeat supradictum[2]).

1455. Heinrich Huber zu Tils[3]) bekennt, daß ihm Herr
Kristan von Freyberg, Domherr zu Brixen und Augsburg, eine
Hube zu Tils zu Erbrecht verliehen habe. Bei Veräußerung
des Baurechtes am ganzen Leiheobjekt durch den Zinsmann
behält sich der Leiheherr nur ein Vorkaufsrecht vor. Hingegen
soll der Baumann: die vorgenanten pawrecht der hüben mit-
sambt den benanten stuckchen ains von dem andern noch
daraus nicht verseczen, verchauffen noch verchumern in
chaynerlay weyse an des vorgenanten custer oder siner nachkommen gunst, wissen und willen[4]).

Während die Landesordnung von 1404 dem Leihemann ein
im Wesen freies Veräußerungsrecht zuspricht, verbietet sie aufs
nachdrücklichste unbefugte Veräußerung einzelner Stücke des
Leiheobjektes[5]). Die Landesordnung von 1532 wiederholt in
dieser Sache wortgetreu die Bestimmungen der Landesordnung
von 1404[6]). Der ablehnende Standpunkt der Grundherren
gegenüber Teilung des Leiheobjektes, den wir schon früher
beobachten konnten[7]), erklärt sich vor allem aus dem Streben,
Komplikationen bei der Zinsentrichtung, wie sich solche bei
Teilung des Leihegutes und Vermehrung der zinspflichtigen
Subjekte ergeben mußten, zu vermeiden. Andererseits mochten

---

[1]) J. St. A. P. n. 1376.
[2]) J. St. A. Brixner A. n. 2169.
[3]) Bei Brixen.
[4]) J. St. A. Brixner A. n. 442.
[5]) Vergl. Beil. n. XVII P. 5.
[6]) Buch V Tit. VII Bl. 57b.
[7]) Siehe oben S. 111.

die Grundherren mit Recht befürchten, daß bei allzu kleinen
bäuerlichen Wirtschaften der Baumann nicht bestehen und den
Zins nicht mehr reichen könne.

Im Zusammenhang mit den bisherigen Ausführungen über
das Maß der dem Pächter zustehenden Verfügungsfreiheit muß
auch an die Lösung der Frage herangetreten werden, in wieweit der Leihemann berechtigt war, das Leiheobjekt mit Schulden
zu belasten. In einer Zeit, wo das bäuerliche Kapitalbedürfnis
gewöhnlich im Wege des Rentenkaufes und der Pfandsatzung
befriedigt wurde, wird es sich vor allem darum handeln, ob
der Erbpächter das Recht besaß, eine Rente aus dem Pacht-
objekt zu verkaufen, bei deren Ausbleiben dem Rentengläubiger
ein Griff auf letzteres zugestanden wäre, oder dasselbe als
Pfand einzusetzen.

Es kann von vorneherein nicht zweifelhaft sein, daß der
Grundherr eine derartige Konkurrenz eines fremden Rechtes
mit seinem Zinsbezugsrecht zu erschweren suchte oder wenigstens
bestrebt war, seinen Forderungen ein Vorzugsrecht gegenüber
jenen des Renten- oder Pfandgläubigers zu sichern.

Dies Streben kommt vor allem in einer Urkunde von 1397
zum Ausdruck:

Niklaus, weiland Peters des Schusters Sohn von Mühlbach,
bekennt, daß ihm Alheid die Zöllnerin zu Mühlbach einen Rain
dortselbst zu Erbrecht verliehen habe um Zins von 18 Zwanzigern
Meraner Münze, 2 Hünern und 20 Eiern: „Ez sol auch die vorgnant Alhait die Zolnerin und alle ir erben dez vorgenannt zins
gewis und habhaft sein vor menichlich auf der vorgnannt
paurechten des rainß" [1]).

Lassen sich auch aus Leihebriefen keine weiteren Belege
für den Vorrang des grundherrlichen Zinsanspruches gegenüber
den Forderungen des Rentengläubigers anführen, so kann doch
der Natur des Erbleihevertrages nach kein Zweifel obwalten,
daß der Zinsherr in erster Linie Anspruch auf Befriedigung
hatte [2]). Das geht auch aus der Landesordnung von 1404 her-

---

[1]) J. St. A. P. n. 1097.

[2]) Über das privilegierte Pfandrecht, welches die Trientner Statuten
dem Verpächter an den Früchten des Pachtgutes einräumen, vergl. v. Voltelini, Statuten von Trient a. a. O. S. 198.

vor, wenn dieselbe zwar erlaubt, das Baurecht zu „versetzen",
d. h. es als Unterpfand für die Forderung eines Dritten gegen
den Baumann einzusetzen, dabei aber vorschreibt, daß eine
derartige Belastung des Grundstückes den grundherrlichen
Rechten keinen Abbruch tun dürfe[1]).

Um zu verhindern, daß das Leiheobjekt vom Beliehenen
willkürlich mit Schulden belastet oder für Schulden desselben
verpfändet werde, verbot der Grundherr, dasselbe ohne sein
Vorwissen ganz oder zum Teil zu „versetzen".

1339. Propst, Dekan und Konvent von Neustift verleihen
Agnes, Tochter weiland Heinrichs des Kellerknechtes, ein Gut
bei Neustift zu Erbrecht: Ez ist auch ze wizzen, daz die vorgenante Agnes die vorgeschriben stuche nicht verchauffen noch
versetzen süle an genaiuen der in măzleich sei als zu ainem
pawmann[2]).

1383. Hans, Stadtrichter zu Brixen, bekennt, vom Kapitel
den Meierhof in der Runkade zu „rechten pawrechten" erhalten
zu haben, mit der Bedingung, bei Strafe des Verlustes seines
Rechtes nichts davon ohne Vorwissen des Kapitels zu verkaufen
oder zu „versetzen"[3]).

1467. Wolfgang Lehner und seine Frau bekennen, daß
ihnen Abt und Konvent von Georgenberg Hofstatt und Garten
zu Vomp zu Erbrecht verliehen haben: Wår aber sach, das ich
obgemellter Wolfgang oder Kathrein mein hawsfraw all unser
erben und nachkomen die pawrecht versetzen oder verkaufen
wollten, so sollen wir dem bemellten gotshaus das ersten antragen, und ob sy die nicht kaufen oder darauf leyhen
wollten, als dann mögen wir die anderswo versetzen oder
verkaufen an ir unde ir nachkomen irrung[4]).

1518. Ulrich Albnan verkauft Ulrichn am Erch und dessen
Frau einen Zins von 3 Star Roggen aus dem Merderhof zu
Purdaun[5]) um 6 Mark und 6 Pfund Berner: ist Jacob Jechl

---

[1]) Beilage n. XVII P. 13.
[2]) Arch. Neust. AA 30.
[3]) Kap. A. Brixen L. 12 n. 4½, Archivber. II n. 2559.
[4]) Kop. Georgenberg: Vomp fol. 46.
[5]) h. Pordaun, Weiler im Tal Ratschinges, südl. Seitental des Ridnaun-
Tales.

grundherr mit desselben wissn und willn der kauf beschehn, desselbn grund und zins vorbhaltn [1]).

Im großen ganzen läßt sich also, was das Recht des Leihemannes betrifft, sein Gut mit Schulden zu belasten, ein ähnlicher Entwicklungsgang beobachten, wie hinsichtlich des Veräußerungsrechtcs. Wie letzteres erst in späterer Zeit sich freier gestaltete, so gilt dies auch von ersterem. Hier wie dort tritt die den Bauleuten günstige Wendung besonders in der Landesordnung von 1404 [2]) zu Tage, welche dem Baumann, wie bereits erwähnt, gestattet, sein Baurecht zu veräußern wie zu versetzen, vorbehaltlich der Rechte des Grundherren.

Wie Veräußerungen in der Mehrzahl der Fälle mit Vorwissen des Grundherren zu geschehen hatten, so durften auch Afterverleihungen nur mit Wissen und Willen des Grundherren vorgenommen werden:

Hans der Mändle zu Flons [3]) bekennt, daß ihm Friedrich der Chöller, Bürger zu Sterzing, einen Acker aus dem Geltendrüzzlinhof bei Flons zu Erbrecht verliehen habe, der den „Herren" von Wilten gehört „mit der will und wort ich daz vorgenant acherlo gedingt und pestanden han, als mir und meinen erben ein guter versygeltew hantfest dar umb laut und sagt [4]).

1395. Stephan von Tils bekennt, daß ihm Niklaus am Bach und seine Frau „mit der erwirdigen ... herren der chorherren und irs capitels günst wort und willen" einen dem Kapitel gehörigen Weingarten zu Erbrecht verliehen haben [5]).

Afterverleihungen, sei es nun des ganzen Leiheobjektes oder nur eines Teiles desselben, die der Leihemann eigenmächtig vorgenommen, entbehren der Rechtskraft, und haben außerdem für den Leihemann Verlust seines Rechtcs zur Folge [6]).

[1]) J. St. A. Verfachbuch Sterzing 1518 fol. 11.
[2]) Vergl. Beil. n. XVII P. 13. Die Landeso. von 1526 und 1532 enthalten keine Bestimmungen über die Befugnis des Leihemanns, das Leibegut mit Schulden zu belasten.
[3]) Heute Plans bei Sterzing.
[4]) Kop. Wilten fol. 149.
[5]) Kap. A. Brixen L. 11 n. 158, Archivber. II n. 2650.
[6]) Vergl. Landeso. 1404 (Beil. n. XVII P. 6) und Landeso. 1532 (Buch V Tit. VII Bl. 57b).

Während in den Städten die Einholung des grundherrlichen Konsenses bei Afterleihen schon frühzeitig wegfällt[1]), ist dieselbe, soweit es sich um bäuerliche Erbleihen handelt, viel länger erforderlich geblieben[2]). Der Grund ist auch hier wiederum in dem verschiedenen Interesse zu suchen, das der städtische und der ländliche Grundherr an der Person und der wirtschaftlichen Tüchtigkeit desjenigen hatten, der jeweilig auf dem Leiheobjekte saß[3]).

Als Entgelt für die Nutzung des Gutes hatte der Leihemann dem Grundherren einen Zins zu entrichten. Derselbe setzt sich entweder aus Geld oder Naturalleistungen zusammen, oder besteht nur aus ersteren oder letzteren ausschließlich[4]).

Neben dem Grundzins im engern Sinne, der kurzweg als „Zins", „census" bezeichnet wird, unterscheiden die Quellen häufig eine Abgabe, die „für die weisôd" oder „ze weisod" gegeben wird. Dieses Weisot oder Weisat begegnet nicht nur in Tirol, sondern auch im südlichen und südwestlichen Deutschland[5]) sehr häufig, wird aber verschieden erklärt. Arnold hält die in den Städten auftretende „Weisung" für eine Abgabe, die dem Herrn zu entrichten war, wenn er das Leiheobjekt auf seine Instandhaltung hin besichtigte, bezweifelt jedoch selbst, ob die Weisung immer zu diesem Zweck gegeben wurde[6]). Th. Knapp[7]) versteht unter Weisat, Wisat u. s. w. Abgaben, die gelegentlich der Weisung oder Öffnung des Hofrechtes gegeben wurden.

Diese Erklärungen erscheinen uns nicht durchaus zutreffend. Weisat wird noch heute in Tirol, Bayern, Salzburg im Sinne von „Geschenk" verwendet. So ist es bei der Landbevölkerung

---

[1]) Vergl. Arnold a. a. O. S. 154, Rosenthal, Gesch. des Eigentums in Würzburg S. 50.

[2]) Vergl. Lamprecht, Wirtschaftsleben I/2 S. 942.

[3]) Siehe oben S. 130 ff.

[4]) Über die Qualität des Zinses vergl. Beil. n. XXII—XXIV.

[5]) Vergl. Schmeller, Wörterbuch II Col. 1028; Th. Knapp, Beiträge S. 352, 417.

[6]) Arnold a. a. O. S. 70.

[7]) a. a. O. S. 417.

vielfach üblich, daß die Verwandtschaft der Wöchnerin ein „Weisat" gibt. Dementsprechend verstehen wir unter Weisaten Gaben, welche im früheren Mittelalter die Unfreien ihren Herren besonders an hohen Festen, wie Weihnachten und Ostern, zu entrichten hatten. Waren diese Gaben in älterer Zeit vielleicht freiwillig geleistet worden, worauf die Bezeichnung Weisat, d. i. Geschenk, hinzudeuten scheint, so haben sie sich doch bald in einen obligaten Zins verwandelt, den die Pflichtigen als Zeichen ihrer Unfreiheit reichen mußten[1]).

Daß das Weisat in der Tat als Kopfzins der Leibeigenen anzusehen ist, dafür spricht vor allem der Umstand, daß es häufig ganz oder teilweise in Hühnern entrichtet wird[2]). Hühner aber· „bildeten die gewöhnlichste Abgabe, die zum Zeichen der Leibeigenschaft entrichtet wurde"[3]).

Demzufolge ist das Weisat seiner juristischen Natur nach jenem enxenium gleichzustellen, welches wir bereits bei Besprechung der locationes perpetuae kennen gelernt haben. Auch enxenium hat ursprünglich die Bedeutung von Geschenk, wird aber in der Folge zur Bezeichnung jener Zinse verwendet, welche die spätrömischen Kolonen als Zeichen ihrer persönlichen Abhängigkeit zu leisten hatten[4]). Auch das enxenium wird nicht selten in Hühnern entrichtet[5]).

Soweit sich nun Weisat und enxenium in Leiheurkunden nachweisen lassen, sind sie bereits aus persönlichen zu dinglichen, d. i. auf dem Gute des Verpflichteten liegenden Lasten, geworden. In dieser Umgestaltung nun begegnen sie auch bei freien Erbleihen. Ihr Vorkommen bei letzteren läßt sich leicht

---

[1]) Vergl. Zingerle, Urbare von Sonnenburg S. 112; Egger in den tir. Weist. IV S. 945.

[2]) Vergl. Beil. n. XXII n. 33, Beil. n. XXIII n. 18, 21, 31. Vergl. fern. Tir. Weist. IV S. 629 Z. 19: Die weisater: kitz, biener und air sollen albegen zu ostern gegeben werden. Über Bezeichnung von Hühnerzinsen als Weisung vergl. Arnold a. a. O. S. 71.

[3]) Arnold a. a. O. S 35; vergl. f. Th. Knapp, Beiträge S. 352.

[4]) v. Voltelini in Acta II S. XCV.

[5]) Vergl. v. Voltelini in Acta II S. XCV Anm. 8; J. St. A. P. n. 925 (1303): Der Erbpächter hat unter andern zu entrichten „enxenia omni annuatim in festo . . . duos bonos capones etc.; J. St. A. P. n. 660 (1329): pro enxeniis unam carnem porcinam et capones duos.

daraus erklären, daß eine Reihe früher unfreier Leiheverhältnisse unter Einfluß der oben geschilderten Umstände in freie umgebildet wurde.

Für die Ablieferung der Zinse sind meist Termine nicht Fristen festgesetzt. Besonders beliebt sind in Tirol die- Feste der Heiligen Michael und Gallus. Daneben erscheinen noch zahlreiche andere Termine. Sehr häufig wird nicht der ganze Zins an einem Tage abgeliefert, sondern auf zwei bis drei Termine verteilt. Auch die Weisaten werden zu verschiedenen Terminen gegeben, so um Weihnachten, um Ostern, in der Fastnacht u. s. w. Für Ablieferung der Weinzinse ist nicht ein bestimmter Tag festgesetzt, sondern die Zeit der Weinlese [1]).

Der Zins durfte vom Grundherren nicht einseitig erhöht werden, was sich aus der Natur des Erbleihevertrages von selbst ergibt, da ja dessen Bestimmungen sowohl die Rechtsnachfolger des Pächters wie des Verpächters binden sollten [2]). Auch bei Verkauf des Leiherechtes durch den Beliehenen durfte

---

[1]) Vergl. oben S. 39.

[2]) Häufig wird das Verbot einer einseitigen Zinserhöhung in den Leibeverträgen noch eigens betont, so Arch. Neust. KK 39 (1369, schlechter Abdruck Neust. UB. n. 532): sol der selbe zins nimmer mer gehöhert werden; J. St. A. Brixner A. n. 448 (1367): daz fins (den Bauleuten) der vorgeschriben zins niht gehöhert noch gemert werde; J. St. A. P. n. 295 (1416): und sullen (der Grundherr und seine Rechtsnachfolger) ... den zins nicht höhern im noch seinn erben; ähnlich Kop. Wilten fol. 332b (1460) u. a. Aus einem Vergleich der über einzelne Höfe vorhandenen Leiheurkunden des Brixner Kapitelarchivs ergab sich, daß die Leistungen der Erbpächter vom Ausgang des 14. Jahrhunderts bis herauf ins 16. Jahrhundert in der Regel unverändert blieben. Eine von mir vorgenommene eingehende Untersuchung der Urbare der Herrschaft Taufers (J. St. A. Urbare L. 5 lit. r, t, u, w) hatte gleichfalls ähnlichen Erfolg, indem sich zeigte, daß im 15. und 16. Jahrhundert nur ausnahmsweise die Leistungen einzelner Höfe eine Veränderung erfahren haben. Eine Ausnahme von der Regel bilden n. 21, 27, 29 und 35 in Beil. n. XXII. Diese Gleichmäßigkeit der urbarialen Leistungen ist auch anderwärts beobachtet worden. So weist Hössler (Entstehungsgesch. des Bauernkrieges in Südwestdeutschland S 17 ff.) aus Zinsrodeln des Klosters Amtenhausen nach, daß die Abgaben der zinspflichtigen Bauern durch das 14. Jahrhundert hindurch unverändert blieben. Th. Knapp ist zu dem Ergebnis gekommen (Beitr. S. 410), „daß seit 1478 bis ins 18., 19. Jahrhundert die Getreidegült nicht erhöht" wurde.

der Leihehcrr den Zins nicht zu Ungunsten des neuen Erwerbers erhöhen[1]).

Grundzinse im engern Sinn sowie Weisaten sind durchaus
Reallasten[2]). Erstere wie letztere sind periodische Leistungen,
welche derart an eine Sache geknüpft sind, daß jeder Besitzer
der Sache verpflichtetes Subjekt wird. Der ursprüngliche
Charakter des Weisat als einer persönlichen Last ist gänzlich
in Vergessenheit geraten. Leiheverträge wie Urbare fassen
dasselbe durchaus als eine unveränderliche, auf Grund und Boden
liegende Last auf.

Auch hier wiederum drängt sich die Frage auf, ob der
Leihemann für den Zins nur mit dem Leiheobjekt oder darüber
hinaus mit seinem ganzen Vermögen, also persönlich, haftet.
Lassen wir einige Beispiele sprechen:

1286. Propst Ingramm von Neustift verleiht dem Heinrich
Scherven, Bürger von Brixen, und seinen Erben ein Stück
Ackers bei Brixen mit der Bedingung, nach Ablauf von fünf
Jahren alljährlich 2 Yhren Weines zu zinsen: Item alia condicio est adiecta, quod si censum unius anni persolvere neglexerint, secundo anno duplicabunt et si tunc duplicata solucione
sibi non prospexerint, tercio anno suum ius penitus amiserunt
et neglectum censum nichilominus persolvent integre
ac precise[3]).

1299. Propst Albert von Neustift verleiht dem Heinrich,
genannt Slûzler, und seiner Gattin Hailca ein Gut, genannt
Freyn, gelegen unterhalb des Schlosses Wolkenstein (in Gröden),
zu Erbzinsrecht: Et si uno anno hunc censum dare neglexerint,
anno secundo ipsum duplicabunt, si autem anno tercio dare
neglexerint, totum censum ante neglectum persolvere tene-
buntur et nichilominus a iure suo ceciderunt amitentes
omnia edificia et impensas seu etiam melioraciones, quas fecerint
predio memorato[4]).

1391. Ulrich Kuen und seine Gattin Gertrud bekennen,
daß ihnen Abt und Konvent von Stams einen Hof zu Imst als

---

[1]) Vergl. oben S. 123 (1336), S. 127 ff., sowie S. 37 ff.
[2]) Vergl. oben S. 43.
[3]) Arch. Neust. lib. don. n. 104 fol. 58 b.
[4]) Arch. Neust. lib. test. fol. 50.

„Erblehen" verliehen haben. Zinsen sie nicht zu rechter Zeit, so hat der Grundherr das Recht zur Pfändung. Wird durch letztere der grundherrliche Anspruch nicht gedeckt, so fällt das Gut dem Kloster heim: und **ob wir in dannoch zinse schuldig wären, der sullen wir se bezalen an allen schaden**[1]).

1397. Niklaus, weil. Peters des Schusters Sohn von Mühlbach, bekennt, daß ihm und seinen Erben Albeid die Zöllnerin zu Mühlbach die Baurechte eines Rains zu Mühlbach gegen genannten Zins verliehen habe: und **ob ir oder iren erben daran (am Zins) ichtt ab get, daz sullen si haben darnach auf allem dem gut und hab, das ich vorgnannt Nikel und alle mein erben ietzund indert haben oder noch gewinnen ez sey varnds oder unfarndz gut**[2]).

1402. Niklas von Kadrůn und seine Gattin bekennen, daß ihnen und ihren Erben die Brüder Jörg und Bartholomäus von Gufidaun einen Weingarten und ein Neuraut in der Pfarre Lajen „ze rechten pawrechten" um genannten Zins verliehen haben: und welherlay schaden sy (die Grundherren) von dez egenant zins wegen nemen, wi si schaden genemen mügen, daran nicht auzzenemen, ir ains slechter worten darumb zw gelawben an all beweisung, dy selben schaden all mitsampt dem abgank und alls daz, daz in von uns (den Bauleuten) an dem prief verschriben stet, schullen sy für allrmenichleich haben auf uns vorgenant payden wirtlewten Niclasen und Anguesen und auf all unsern erben unverschydenleich, darzw auf all der hab, dye wir und all unser erben ubir kurcz und ubir lang ubir all iezunt iendert haben und furbaz ewichleich gewynnen, ez sey varnde oder unvarnde hab daran nicht auzzenemen[3]).

1446. Abt Johann von Wilten verleiht Martin dem Ortner zu Innsbruck, dessen Frau und Erben einen Anger bei Innsbruck gegen jährlichen Zins von 30 Bernern: welhes iars sye des nit tetenn, so sullent sye uns den zins an dem dritten sant Gallen tag drispilden geben, versaumpten sy das aber, so

---

[1]) Beil. n. XVI.
[2]) J. St. A. P. n. 1097.
[3]) J. St. A. P. n. 631.

sein sye geschayden von allenn iren rechten, dye sie auff dem obgenanten anger haben ... und sint unns dannocht dye versessnenn zins schuldig ze geben und auszurichten[1])[2]).

Aus diesen Beispielen ergibt sich mit Sicherheit, daß wenigstens bei einem Teil der Erbleihen dem Leiheherren das Recht zur Personalexekution gegen den säumigen Zinsschuldner vertragsmäßig zustand. Wie stand es aber in jenen zahlreichen Fällen, wo bei Zinssäumnis nur Heimfall des Gutes als Strafe angedroht wird, oder nähere Bestimmungen überhaupt nach dieser Seite hin fehlen? Für das 13. Jahrhundert läßt sich diese Frage nicht mit Bestimmtheit beantworten. Für die spätere Zeit gibt die Landesordnung von 1404 einigen Aufschluß. In letzterer kommt die gewohnheitsrechtliche Entwicklung der vorhergehenden Zeit zum Abschluß. Ihre Bestimmungen bringen, soweit sie sich mit Regelung des Erbleiherechtes befassen, nichts Neues, sondern fixieren nur das Institut der Erbleihe in der Form, wie es sich vielerorts im Lande entwickelt hat.

Die Landesordnung nun gestattet dem Grundherren ausdrücklich, falls das Leiheobjekt zur Deckung seines Zinsanspruches nicht hinreicht, auf dem „Zugute" des Leihemannes zu pfänden. Unter „Zugut" jedoch ist ein Gut zu verstehen, das dem Leihemann nicht vom pfändenden Grundherren verliehen worden ist, sondern welches er kraft Eigentumsrechtes oder kraft Leihevertrages mit einem Dritten innehat. Darf nun der Grundherr zur Befriedigung seines Anspruches auch auf das Zugut greifen, so muß demnach der Zinsmann dem Zinsherren nicht nur dinglich, das ist mit dem Leiheobjekt, sondern auch persönlich, das heißt mit seinem ganzen Vermögen haften.

Findet also das Prinzip persönlicher Haftung des Leihemannes in der Landesordnung von 1404 unzweideutige Anerkennung, so ist es sehr wahrscheinlich, daß bereits in der

---

[1]) J. St. A. P. n. 99.

[2]) In einer Gerichtsurkunde von 1388 wird ein Gut im Gerichte Steinegg wegen dreijähriger Zinssäumnis des Beliehenen dem Grundherren zugesprochen, ihm jedoch ausdrücklich weitere Verfolgung seiner Ansprüche gegen den Leihemann vorbehalten. Neust. UB. n. 640.

unmittelbar vorhergehenden Zeit dieses Prinzip beim Großteil der Erbleiheverträge zu Recht bestanden hatte[1]).

Während die Mehrzahl der früher angeführten Beispiele und viele weitere Leiheverträge in deutlicher Anlehnung an die locationes perpetuae die strafweise Verdoppelung beziehungsweise Verdrei- und Vervierfachung des Zinses sowie Heimfall des Gutes bei Zinssäumnis während zwei beziehungsweise drei Jahren festsetzen, tritt nach anderen Leiheverträgen der Heimfall des Leiheobjektes sofort ein. Diese härteren Bestimmungen mögen zum Teil darin ihre Ursache haben, daß es sich hier um ursprünglich unfreie Leiheverhältnisse handelt.

In allen jenen Fällen, wo dem Leiheherren der Griff auf das ganze Vermögen des Leihemannes zusteht, hat der Heimfall des Leihegutes die Bedeutung einer Strafe für den Pächter und bezweckt dementsprechend nicht die Befriedigung des zinsherrlichen Anspruches. Je mehr aber das grundherrliche Recht an Intensität zu Gunsten jenes des Beliehenen einbüßte, desto mehr mußte dieser strafweise Heimfall des Gutes als unbillige Härte empfunden werden.

Aber auch bei jenen Erbleihen, die eine persönliche Haftung des Leihemannes nicht kannten, wo also der Heimfall bei Zinssäumnis in erster Linie zur Befriedigung der grundherrlichen Forderungen dienen sollte, mußte die Einziehung des Leiheobjektes unbillig erscheinen. Ist im 12. und 13. Jahrhundert zur Zeit einer starken Rodetätigkeit und einer mehr extensiven Bodenkultur der Wert der Leiheobjekte vielfach ein geringer gewesen, so war in der Folgezeit durch intensivere Bodenbearbeitung und Vornahme zahlreicher Meliorationen der Bodenwert bedeutend gestiegen und übertraf daher den Betrag der Zinsschuld, auch wenn er sich aus den Zinsen mehrerer Jahre summiert hatte, erheblich.

---

[1]) Wenn in einer Gerichtsurkunde von 1384 (Neust. UB. n. 614) die Witwe eines Zinsschuldners durch Auflassung des Leihegutes offenbar von weiterer Haftung für die Zinsschuld befreit wird, so ist dies im ehelichen Güterrechte begründet. Es entspricht der in Deutschtirol herrschenden Verwaltungsgemeinschaft, daß das Frauenvermögen für die Schulden des Ehemannes nicht haftet, wenn die Frau sich nicht mit dem Manne zugleich verpflichtet hat (v. Voltelini, ehel. Güterrecht in Tirol a. a. O. S. 32).

Andererseits ist die Abmeierung des Erbpächters meist eine zweischneidige Waffe für den Grundherren, falls dieser das Gut nicht in der Absicht einzieht, es selbst zu hewirtschaften. Eigenwirtschaften wurden aber von den damaligen Grundherren nur in geringem Umfang betrieben. Daraus dürfte auch zum Teil zu erklären sein, daß die Grundherren keineswegs in allen Fällen vom Rechte zur Abstiftung des Zinsschuldners Gebrauch machten, sondern Milde walten ließen[1]. Nicht selten mögen wohl auch ethische Beweggründe zumal geistliche Grundherren zur Nachsicht gegen die Bauleute bewogen haben[2].

Der Härte des grundherrlichen Privationsrechtes gegenüber bedeutet es einen großen Erfolg der Bauleute, daß seit der zweiten Hälfte des 14. Jahrhunderts die strengen Bestimmungen über Heimfall des Zinsgutes bei Zinssäumnis mehr und mehr verschwinden. An deren Stelle tritt das Recht des Grundherren, den säumigen Zinsschulder zu pfänden, d. h. Fahr-

---

[1] 1323: Friedrich genannt Luffat aus Heder (= Gader, Enneberg) bekennt, er habe „von dem herbern herren dem probst von der Niwnstift und allem dem convent daselbs ainen hof, von dem er in gachen sold alle iar vier pfunt perner ze zins. Den zins verhabt er in umbillich sechs iar, darumb fur er zů in gen der Niwnstift und begert sich mit in beschaidenlich verrihten. Daz ward verriht, daz si im abliessen der sechs nůtz, die er vor versessen het, vier nůtz, also daz er furpaz sold in ze sand Marteins tag geben vier phunt perner" (Arch. Neust. S 14). 1392: Wir Johanes von Chiens techant und daz capitel zů Brixen . . . bechenen . . . daz uns Pauls ab dem Puhel . . . mit rechter raittung schuldig beliben ist . . . aindlef fuder und vir urn weins Brixner mazz versessens zinses und virzich mutt rokken auch versessens zinses, darumb er uns iecz und vor mänigen iarn verffallen ist von seinen paurechten dez hofs genant der Hunt gelegen auf dem puhel zu Aichach (Weiler bei Schabs am westl. Eing. des Pustertales) . . . Nu haben wir angesehen dez vorgenant Paulls . . . sein notichait und auch chranchait und haben in von besundern gnaden die obgeschriben versezzen zins . . . gancz und gar lauterleich durch got abgelazzen und haben dem genant Pauls . . . und allen sein eleichen leiberben . . . die vorgenant pawrecht . . . gelazzen und verlihen (Kap. A. Brixen L. 12 n. 164. Archivber. II n. 2620). Über seltene Anwendung des grundherrlichen Privationsrechtes bei Zinssäumnis vergl. Jäger, Grundhes. in Straßburg S. 21.

[2] Vergl. Tirol. Weist. IV S. 15 Z. 17 (Kloster Tegernsee): . . . man sol alweg gnaden begern und nemen, vorauss die geistlichen oder die klöster.

habe desselben zur Befriedigung grundherrlicher Forderungen wegzunehmen, wie folgende Beispiele zeigen:

1352. Die Dorfleute von Kematen bekennen, daß ihnen das Kloster Wilten den Berg Senders zu Erbrecht gegen jährlichen Zins von 26 Pfund Bernern verliehen habe: welhes iars wir oder unser erben dez nicht täten, so habent uns dy egenant herren von Wilten und ir nachkomen und ir poten gewalt ze phenden darumb als dinstrecht ist und waz in an ainem abgiet, daz get im an dem anderm auf[1]).

1365. Abt und Konvent von Wilten verleihen Hans dem Schaller und seinen Erben eine Mühle zu Hötting gegen 6 Zwanziger Zins: wir und unser poten mûgen und sullen iärichleich umb den vorbenant dienst phenten als diensts recht ist[2]).

1369. Die Gerhaben der Kinder weiland Michels von Plätsch verleihen Heinz dem Chezzler, dessen Frau und Erben nicht näher bezeichnete Wiesen und Alpen gegen Zins von 15 Pfund Berner und genannte Weisaten. Geben die Bauleute den Zins nicht zu rechter Zeit: so mag man sein daruber pfenden und benôten als ein iglich herre seinen pauman umb seinen versezzen zins ze reht pfenden und benôten sol und mach nach landes reht[3]).

1397. Paul der Schuster von Terenten[4]) und seine Frau bekennen, daß ihnen und ihren Erben Alheid die Zöllnerin zu Mühlbach ein kleines Gut zu Terenten um genannten Geld- und Naturalzins verliehen habe: und welhes iars wir vorgenant wirtleut oder unser erben der vorgenant Alhaiten . . . den vorgenant zins nicht zinseten . . . iärichlich auf die vorgenant frist, so mag si uns wohl darumb pfenten und penôten alz ein iegleiche fraw umb iren zins nach zinsrecht und nach landzrecht[5])[6]).

---

[1]) Kop. Wilten fol. 243 b.
[2]) Kop. Wilten fol. 84 b.
[3]) J. St. A. P. n. 1255.
[4]) Dorf im Pustertal, westl. Bruneck.
[5]) J. St. A. P. n. 890.
[6]) Vergl. f. Mon. Boi. VII S. 182 n. 101 (1390): Bei einer Erbleihe um ein Gut des Klosters Benediktbeuern bei Sterzing wird dem Leiheherrn das Recht zugestanden, den Zinsschuldner zu pfänden „und mit den pfandten

Die Befugnis, den säumigen Zinsschuldner zu pfänden, muß demnach bereits in der ersten Hälfte des 14. Jahrhunderts vielen Grundherren Deutschtirols zugestanden sein, weil in der zweiten Hälfte dieses Jahrhunderts bereits ganz allgemein von einer Pfändung nach Dienstrecht oder Landrecht gesprochen wird.

In der Landesordnung von 1404 fand das Pfändungsrecht des Zinsgläubigers eine eingehendere Regelung: Bei Zinssäumnis sollte in erster Linie die auf dem Leiheobjekt befindliche Fahrhabe gepfändet werden, in zweiter Linie Fahrhabe auf dem Zugute des Baumanns. Erst wenn die vorgenommene Pfändung nicht hinreicht, die grundherrlichen Forderungen zu decken, soll zum Verkauf des Baurechtes geschritten werden. Geht schon daraus die häufige Anwendung des Pfändungsrechtes hervor, so lehrt auch ein Blick auf die Leiheverträge des 15. Jahrhunderts, daß mehr und mehr das grundherrliche Privationsrecht bei Zinssäumnis durch das Pfändungsrecht verdrängt wird. Im Süden des Landes freilich bleiben unter Einwirkung der locationes perpetuae die alten strengen Folgen der Zinssäumnis länger erhalten als im Norden. Zu Ausgang des 15. Jahrhunderts aber ist die Pfändungsklausel selbst in solche Leiheurkunden eingedrungen, die im übrigen eine weitgehende Anlehnung an die locationes perpetuae aufweisen [1]).

Während die Landesordnung von 1526 dieser Entwicklung entsprechend ein grundherrliches Kaduzitätsrecht bei Zinssäumnis nicht erwähnt und dem Grundherren nur die Wahl läßt, ob er nur die Fahrhabe oder gleich von Anfang an die zinspflichtigen Grundstücke in Exekution ziehen wolle [2]), stellt es die Landesordnung von 1532, beeinflußt von der als Folge der Revolution von 1525 auftretenden bauernfeindlichen Reaktion, dem Grundherren anheim, ob er dem Baumann bei dreijähriger

---

(zu) gefarn als samleicher zinse und der grafschaft recht ist ze Tyrol. Vergl. f. Tir. Weist. IV S. 259 Z. 13 ff. (Villanders, 2. Hälfte 14. Jahrb.); ebend. IV S. 99 Z. 45 ff. (Passeier 1395).

[1]) Vergl. Beil. n. XX (1484). Vergl. f. eine Verordnung Kaiser Max I. von 1496 betreffend die Pfändung um Zins. Rapp, vaterländ. Statutenwesen in den Beitr. zur Gesch. u. s. w. V S. 157.

[2]) Buch I Teil II fol. 15.

Zinssäumnis das Baurecht entziehen oder sich mit Pfändung des Zinsschuldners begnügen wolle [1]).

Es scheint jedoch nicht, daß der Grundherr öfters von diesem Privationsrecht Gebrauch machte. Wörz [2]) wenigstens bemerkt: „Daß ... ein Grundherr dieses Recht (auf Kaduzität) je ausgeübt habe, soll in den deutschen Landesgegenden (Tirols) nicht mit einem einzigen Beispiel belegt werden können, weswegen die Rechtsansicht entstand, daß das genannte Heimfälligkeitsrecht durch eine unvordenkliche Gewohnheit gleichsam aufgehoben wurde".

Den locationes perpetuae ist diese Pfändungsklausel durchaus unbekannt. Nach wie vor halten dieselben an dem Heimfall des Leiheobjektes bei mehrjähriger Zinssäumnis fest [3]). Die Pfändungsklausel hat sich vielmehr zweifellos innerhalb des deutschen Rechtsgebietes entwickelt. Kannte schon das altdeutsche Recht die Pfändung um Schuld, so war die Ausbildung jenes grundherrlichen Pfändungsrechtes nur die Anwendung eines allgemein geltenden Prinzips auf bestimmte Kategorien von Schuldverhältnissen.

Bereits in fränkischer Zeit ist Pfändung ohne Mitwirkung des Gerichtes verboten worden, welches Verbot im spätern Mittelalter noch öfters wiederholt wurde [4]). Es bestanden jedoch gewisse Ausnahmen von demselben. So war vor allem dem Grundherren außergerichtliche Pfändung gegen den Zinsmann für versessene Zinse gestattet.

Was nun das Gebiet vorliegender Untersuchung anbetrifft, so ist einmal festzustellen, daß jegliche Anhaltspunkte fehlen, welche zur Annahme eines außergerichtlichen Pfändungsrechtes des Grundherren veranlassen könnten. Weiters aber liefert

---

[1]) Buch V Tit VII Bl. 58.

[2]) Gesetze und Verordnungen II S. 428; vergl. ebend. S. 432. Nur zu Gunsten der landesfürstlichen Urbare wurde das Recht auf Kaduzität beibehalten. Kbend. S. 429.

[3]) Z. B. J. St. A. Trient A c. IX n. 233 (1479): ... et si primo anno non solverit dictum affictum indupletur et si secundo anno non solverit redupletur et si tercio anno non solverit redupletur et illico cadat ab omni suo iure presentis locationis solvendo tamen afictum retentum super aliis suis bonis presentibus et futuris.

[4]) Vergl. Heusler a. a. O. II. S. 207.

eine Urkunde des tirolischen Landesfürsten, Markgrafen Ludwig
von Brandenburg vom Jahre 1358 den positiven Beweis, daß
die Grundherren zur Vornahme der Pfändung gegen säumige
Bauleute der Mitwirkung gerichtlicher Organe bedurften[1]).

Während die Landesordnung von 1404 in dieser Richtung
keinen Aufschluß gewährt, geht aus Verordnungen, welche
Kaiser Maximilian I. im Einverständnis mit den tirolischen
Ständen 1496 erlassen hatte, hervor, daß die richterliche Ge-
nehmigung zur Vornahme der Pfändung auch dann erforderlich
war, wenn es sich um „bekenntliche" Schulden handelte[2]).
Ebenso ist auch den Landesordnungen von 1526[3]) und 1532[4])
Pfandnahme um Schuld ohne richterliche Mitwirkung unbekannt.

In den vorhergehenden Ausführungen wurde dargetan, daß
der Leihemann wenigstens in der großen Mehrzahl der Fälle
mit seinem ganzen Vermögen für die Zinsschuld haftete. Es
erübrigt nunmehr zu untersuchen, wie weit der Rechtsnachfolger des Leihemannes für die Zinsschuld seines Vorgängers
haftete.

Was die Rechtsnachfolge im Erbgang betrifft, so muß der
Umstand, daß der Beliehene und seine Erben nach der Formu-
lierung des Leihevertrages gleichsam als ein Rechtssubjekt dem
Leiheherrn gegenüberstehen, es nahelegen, daß die Erben für
Zinsleistungen, die unter dem Erblasser fällig geworden, soli-
darisch hafteten[5]). Wechselt das Leiherecht im Wege Kaufes
seinen Inhaber, so mußte wohl, wenn hierüber keine besonderen
Vereinbarungen getroffen waren, der Käufer die Zinsschuld

---

[1]) Vergl. Beil. n. XII.

[2]) Umb gychtige schuld söll ain richter dem anrüffenden von stundan
vergünden zu phenden auff ain mal umb gantze summ, so ainer gephendt hat
umb ligends oder varends als umb zynnss oder ander bekantlich
schuld, sol das phand stilligen vierzehn tag etc. Rapp in den Beiträgen
zur Gesch. u. s. w. V S. 157; Brandis a. a. O. S. 332.

[3]) Umb bekanntliche gichtige oder umb zuerkennte beweißte schulden
und zynnß soll ain richter dem anrüeffenden on verziehen . . . zu phenndten
vergünnen. Buch I Teil II fol. 15.

[4]) Buch II Tit. LXIII Bl. 21.

[5]) Vergl. die oben S. 139 angeführten Leiheverträge von 1397 und
1402. Vergl. f. über analoge Verhältnisse bei den rheinischen Erbleihen
v. Schwind a. a. O. S. 66 ff.

seines Vorgängers übernehmen, da andererseits dem Zinsherren die nötige Sicherstellung seines Zinsanspruches gemangelt hätte, wie sie ihm aus dem Leihevertrag zustand.

Die Leiheverträge enthalten nur selten Bestimmungen, in welchen Fällen der Grundherr einen Zinsnachlaß zu gewähren habe. Vor Erlaß der Landesordnung von 1404 mochte es wohl gewöhnlich im Belieben der Grundherren liegen, ob er Nachsicht üben wolle oder nicht. In den meisten Leiheverträgen fehlen jegliche Angaben nach dieser Richtung hin [1]).

Nach der Landesordnung von 1404 hat ein Nachlaß dann einzutreten, wenn die Substanz des Gutes durch Brand, Hochwasser oder Lawinen geschädigt wurde, nicht aber in solchen Fällen, wo der Schaden nur die Früchte betrifft. Die Einschätzung des Schadens ist durch eine Kommission von Unparteiischen vorzunehmen [2]). Diese Bestimmungen gingen auch in die Landesordnung von 1526 [3]) und 1532 [4]) über und wurden ferner in einzelne Weistümer aufgenommen [5]).

Wenn die Landesordnung von 1526 noch weiter geht und einen Zinsnachlaß für alle „überzinsten" Güter in Aussicht stellt [6]), so ist dies auf den einseitigen Einfluß zurückzuführen, den die Bauern auf die Abfassung derselben genommen hatten [7]). In die Landesordnung von 1532 wurde letztere Vorschrift nicht aufgenommen. In einem Punkte geht jedoch sowohl die Landesordnung von 1526 wie jene von 1532 über die Landesordnung von 1404 hinaus, indem erstere auch bei Fehljahren den Grundherren zu einem teilweisen Zinsnachlaß zu Gunsten des Baumanns verhalten [8]).

---

[1]) Vereinzelt kommen jedoch derartige Bestimmungen bereits im 13. Jahrhundert vor. Vergl. Kap. A. Brixen L. 15 n. 230 (1288), Archivber. II n. 2176: Si autem communis defectus seu grando generalis totam terram occupaverit, tunc illo anno fiet eis aliqualis remissio iuxta graciam dominorum.

[2]) Beil. n. XVII P. 3 u. 4. Über ähnliche Bestimmungen hinsichtlich Einschätzung des Schadens bei den moselländ. Leihen vergl. Lamprecht I/2 S. 952.

[3]) Buch I Teil VI fol. 38.

[4]) Buch V Tit. I Bl. 55.

[5]) Tirol. Weist. IV S. 670 Z. 34 ff. (Thurn an der Gader, Mitte 16. Jahrh.).

[6]) Buch I Teil VI fol. 38.

[7]) Wopfner, Landtag 1525 S. 148.

[8]) Landeso. 1526 Buch I Teil VI fol. 41, Landeso. 1532 Buch 5 Tit. XXV Bl. 63.

10*

Neben dem Grundzins als ordentliche Abgabe erscheint als außerordentliche Abgabe eine Handänderungsgebühr, die in den Quellen als „geding" oder auch als „bestandgeld" bezeichnet wird [1] [2].

Das „geding" war ursprünglich eine Abgabe, die nicht nur bei Änderungen des beliehenen Subjektes infolge Kaufes [3] oder Erbganges [4] zu entrichten war, sondern überhaupt bei jeder Erneuerung des Leiheverhältnisses, wie eine solche nicht selten vertragsmäßig jedes Jahr oder nach Ablauf bestimmter Perioden zu geschehen hatte [5].

Im 15. Jahrhundert ist bei Übergang des Leiherechtes auf den Erben eine Handänderungsgebühr nur selten mehr zu entrichten [6], was damit im Zusammenhang steht, daß der Erbe das Leiherecht ohne jegliche Mitwirkung des Leiheherrn erwirbt. Bei Verkauf des Baurechtes hat sowohl der abziehende Baumann als der aufziehende eine Abgabe zu reichen, die dementsprechend als Abstand beziehungsweise Anstand bezeichnet wird [7].

Der Betrag dieses laudemium ist in Deutschtirol sehr ver-

---

[1] Über das anderweitige Vorkommen dieser Abgabe vergl. Arnold a. a. O. S. 73 ff., Maurer, Fronhöfe III S. 21, Th. Knapp, Beitr. S. 400.

[2] Die Landesordnungen und verschiedene Beschwerdeartikel der Bauern erwähnen nicht selten einen „Schaltjahrzins". Unseres Erachtens ist darunter ein „geding" zu verstehen, das jedes vierte Jahr (nach mittelalterlicher Zählweise jedes fünfte Jahr) entrichtet werden mußte. Siehe oben S. 108 f. Beilage n. XX (1484).

[3] Vergl. z. B. Tir. Weist. IV S. 15 Z. 12 ff. (Tegernsee, 2. Hälfte 14. Jahrh.).

[4] Auch alz oft es (das Baurecht) nach meins vorgenant Hansens tode ze schulden kümt, so sol ye ainer meiner erben . . . die pawrecht . . . enphaben und ain geding geben nach gnaden und des capitels alten gewonhaiten. Kap. A. Brixen L. 4 n. 12½ (1383). Archivber. II n. 2559.

[5] Siehe oben S. 108 f.

[6] Vergl. Landeso. 1532 Buch V Tit. VI Bl. 57: So lang auch ain güt in der erbschafft von ainem erben auf den anndern untzt in die fünfft lini und sipsal fallt, kaufft, getailt, gewechselt wirdt oder in annder weg bey der freundtschafft bleibt, so laung söllen dieselben erben als bawlewt dem grundtherren kain bestanndgeld zugeben schuldig sein.

[7] Vergl. z. B. Tir. Weist. IV S. 15 Z. 15. Über ähnl. Gebühren im südwest. Deutschland vergl. Th. Knapp, Beitr. S. 400, in niederösterreich. Städten v. Hess, Burgrecht S. 770.

schieden und vielfach der Ertragfähigkeit oder dem Umfang des Leiheobjektes angepaßt, so wird z. B. im Weistum
von Passeier (Ende 14. Jahrh.) vorgeschrieben, daß bei Kauf
oder Tausch von einem ganzen Hofe dem Grundherren 5 Pfund,
von einem halben Hofe 3 Pfund entrichtet werden sollen[1]), in
anderen Fällen konnte das Bestandgeld die Höhe eines Jahreszinses erreichen[2]). Gegen Ende des Mittelalters erreichte diese
Abgabe eine bedeutende Höhe, indem 10% des Kaufpreises
dem Gutsherren „für Auf- und Abzug" zu überlassen waren[3]).

Einer derartigen Belastung der Bauleute gegenüber suchte
die Landesordnung von 1526 dadurch Abhilfe zu schaffen, daß
sie dem Grundherren nur dann gestattet, ein laudemium zu
fordern, wenn der Kaufpreis des Baurechtes mehr als 50 Gulden
beträgt. Weiters bestimmt sie, daß dasselbe nicht mehr als
1 Pfund Pfeffer betragen dürfe[4]). Soweit ging nun freilich die
Landesordnung von 1532 in der Einschränkung der grundherrlichen Rechte nicht. Doch verfügt auch sie, daß bei einer
Kaufsumme von 50 Gulden oder weniger die Reichung einer
Handänderungsgebühr zu entfallen habe. Von einer Kaufsumme
von 51—100 Gulden sollten jedoch 3·33% (nämlich von der
Mark 4 Kreuzer), von höheren Kaufsummen 1·6% (von der
Mark 2 Kreuzer) als Handänderungsgebühr entrichtet werden.
Käufer und Verkäufer sollten diese Last in gleicher Weise
tragen. Auf den landesfürstlichen Gütern jedoch sollte es hinsichtlich Entrichtung dieser Abgabe beim bisherigen Brauch
verbleiben[5]).

Seiner rechtlichen Natur nach ist das „geding" zweifellos
eine Reallast[6]). Daß es eine auf dem Leiheobjekt ruhende

---

[1]) Tirol. Weist. IV S. 101 Z. 20.

[2]) Tirol. Weist. IV S. 15 Z. 16.

[3]) Nachdem hievor, so die pawleut ire pawrecht durch verkauffung oder
in annder weg auf ewig verwenndt, der verkauffer und kauffer oder in anndern contracten baid der abstenndig und angeendig pawleut dem grundtherren von yeder marck (= 10 Pfund) ain phund perner für auf-
und abzug . . . haben geben und betzalen müssen etc. Landeso. 1532
Buch V Tit. VI Bl. 56b—57.

[4]) Buch I Teil VI fol. 39b.

[5]) Landeso. 1532, Buch V Tit. VI Bl. 56b—57.

[6]) Vergl. Arnold a. a. O. S. 78.

Last ist, zeigt sich schon darin, daß sich sein Ausmaß vielfach nach dem Werte des belasteten Gutes richtet.

Eine weitere außerordentliche Abgabe, die sich zuweilen bei freien Erbleihen findet, wird als Todfall oder Besthaupt bezeichnet. Dieselbe war ursprünglich eine Erbschaftstaxe, welche der Herr von seinen Unfreien forderte.

Setzten die meisten niederdeutschen Hofrechte fest, daß dem Herrn beim Tode eines Hörigen das auf dem Gute desselben vorhandene Vieh zur Hälfte, der Vorrat an Hausgeräten und Kleidungsstücken jedoch ganz zukommen solle, so werden im südlichen Deutschland die Ansprüche des Herren auf das Erbe seines Hörigen bereits frühzeitig in viel bedeutenderem Maße eingeschränkt, indem die Erben desselben nicht mehr die Hälfte der Herde, sondern nur mehr das beste Stück derselben, das Besthaupt, abliefern müssen [1]).

Häufig findet sich der Todfall, der auch kurzweg „Fall" genannt wird, bei hofrechtlichen Leiheverhältnissen Tirols. Bei freien Leihen vermögen wir nur ein einziges Mal sein Vorkommen nachzuweisen [2]). Offenbar handelt es sich hier um ein freies Leiheverhältnis, das aus Umbildung einer unfreien Leihe hervorging.

Der Todfall trägt ursprünglich den Charakter einer rein persönlichen Abgabe, wird jedoch später auf das Gut des Pflichtigen radiziert [3]). Bei einer freien Erbleihe ist diese Ab-

---

[1]) Eine Urkunde des Klosters Sonnenburg im Pustertal von 1209 (Hormayr, Beitr. II n. 77, Orig. J. St. A. Schatz A. Lade Sonnenburg) zeigt den Übergang von der Strenge des älteren Rechtes zu milderem Brauche besonders deutlich. Die Hörigen des Klosters beschweren sich nämlich über das grundherrliche Teilrecht, demzufolge nach dem Tode des Hörigen die Hälfte seines Vermögens an das Kloster fällt. Da dies grundherrliche Recht dem allgemeinen Landesbrauche widerstreite, will sich die Äbtissin künftighin mit dem besten Haupt aus der Herde des verstorbenen Hörigen zufrieden geben.

[2]) Jakob der Naennehofer Chorherr zu Freising und Weinpropst im Gebirge verleiht „nach Vreysinger rechte" Herrn Berchtold von Gufidaun und seinen Erben drei Huben zu Tanirz (am rechtsseitigen Talhang des Grödentales) um den gewöhnlichen Zins: und ist auch ze wizzen, wenne der vorgenante her Perchtold oder seine erben oder her, wer daz gut erben wil, nicht enbäre, so süllent si ye vierzich phunt perner geben von den drein güten dem gotshause ze Vreysingen für den val. J. St. A. P. n. 423.

[3]) Heusler a. a. O. I S. 141.

gabe selbstverständlich nur als dingliche Last denkbar, wie
dies denn auch für unsern Fall in der Ausdrucksweise der
Urkunde ersichtlich wird [1]).

Daß dem Pächter neben den genannten ordentlichen und
außerordentlichen Abgaben zuweilen noch gewisse Arbeits-
leistungen zu Gunsten des Grundherren auferlegt werden [2]),
steht mit dem Wesen der freien Erbleihen keineswegs in
Widerspruch [3]), wenn es auch wohl auf einen hofrechtlichen
Ursprung der betreffenden Leiheverhältnisse hinweist [4]).

Als weitere aus dem Leihevertrage entspringende Leistung
des Baumanns an den Grundherren muß erwähnt werden, daß
ersterer nicht selten verpflichtet war, den Grundherren selbst
oder seine Beamten und Diener zu beherbergen, zuweilen auch
zu verpflegen [5]).

Der Leihemann muß das Leiheobjekt in gutem Stand erhalten. Zu Meliorationen ist er nur dann verpflichtet, wenn
solche im Leihevertrag durch besondere Klausel ausbedungen
wurden, in welchem Falle dann der Grundherr sich meist ver-
bindlich macht, dem Leihemann einen Beitrag zur Vornahme
derselben zu leisten [6]).

---

[1]) Vergl. Anm. 2 S. 150.

[2]) Heinrich Pockstarfer, Hauptmann zu Thaur, verleiht 1390 Hans
dem Trettenlechner und seinen Erben Güter bei Baumkirchen zu Hausgenossenrecht um genannten Zins: dazu söllen sy uns in dem iar ainen
frontag dienen (J. St. A. P. 932). Das Kloster Georgenberg bedingt sich bei
freien Erbleihen häufig neben dem Zins die Leistung bestimmter Fronden aus.

[3]) Vergl. Rietschel, Erbleihe S. 200.

[4]) Dafür spricht der Umstand, daß Fronden gerade bei den Leihen zu
Hausgenossenrecht und bei den Georgenberger Leihen gefordert werden, die
sich aus unfreien Leihen entwickelt haben dürften. Siehe oben S. 84.

[5]) 1390. Heinrich, „der alt Chraentzler" von Tuins, bekennt, daß er
für sich und seine Erben vom Abt von Tegernsee ein Gut bei Sterzing um
genannten Zins bestanden habe: Ob das also geschäch, daß ir chnecht drey
oder vir inder iarsfrist, wenn das wär in des obgenanten sälbigen closters
dienst herain oder herwider aus wollten gen, so sollten wir sy peherbergen
und in des ze essen und ze trinken geben, des pawlewt in irem haws lebent
(Mon. Boi. VII S. 183). Vergl. f. Beil. n. XVI (1391), n. XVIII (1435).

[6]) Über Zinsnachlässe bei bedeutenden Meliorationen vergl. Lamprecht,
Wirtschaftsleben I/2 S. 907—908.

Derartige vertragsmäßig festgesetzte Besserungen bestehen besonders häufig in der Umwandlung von bisherigem Ackerland in Weingärten. Hier einige Beispiele:

1292. Petrus, Propst von Neustift, verleiht dem Gotschalk Stuveler, Bürger von Brixen, dessen Frau und Erben einen Acker bei Brixen: ut infra spacium octo annorum sibi continue succedencium in eodem agro vineam nobis plantent et ipsi pro suis laboribus et expensis usque ad finem octo annorum singulis annis recipient a nobis duos modios siguli mensure Brixinensis et ilium modium, quem ante istam concessionem dictus ager pro censu solvebat per antedictum octo annorum spacium nichilonimus retinebunt, quibus finitis medietatem vini in ipsa vinea crescentis ecclesie nostre sunt ammodo semper nomine census fideliter et integre soluturi[1]).

1319. Propst Berchthold von Neustift verleiht dem Dionysius, Bürger von Brixen, dessen Frau und Erben einen Weingarten, einen größeren Acker und drei kleinere Äcker bei Brixen um halben Wein und 1 Mut Roggen: Swan si aber den acher ... ze wingarten machen weilen, daz sol Dionysie tůn und sein erben und sullen si (Propst und Konvent) im darzů helfen nach piderber leut rat und auch so vil zins abslahen, daz der acher getragen mag[2]).

Nicht selten kommt es ferner vor, daß der Leihemann vertragsmäßig dazu verhalten wird, auf dem Leiheobjekt Gebäude aufzuführen, zu welcher Besserung ihm gleichfalls der Leiheherr eine Beisteuer gewähren muß:

1396. Dielhel, der Zimmermann von Schalders, und seine Frau verpflichten sich gegenüber dem Brixner Domkapitel: daz wir zymeren und pawon und machen sullen in den nasten chunftigen funf iaren, die yeczund schierist nach einander choment, auf iren (des Kapitels) aigen swaighof gelegen auf Schallers[3]), ist gehaissen ze Pradel, den si uns zu ewigen pawrechten gelassen ... namleich dez ersten acht gůt gadem[4])

---

[1]) Arch. Neust. lib. test. fol. 56 b.
[2]) Arch. Neust. lib. don. n. 127, fol. 75.
[3]) Heute Schalders, Tal nordwestl. Brixen.
[4]) Kammer.

an allen geverde, ain stůben und ain chichen und zway gadem und ain cheller und daran sy uns ze stewr und ze
hilf geben haben ... siben march gut Meraner müncz[1]).

Falls der Baumann sein Leihegut verwüstet, verliert er
sein Recht an demselben. Die Entscheidung, ob er seinen
Verpflichtungen betreffs Instandhaltung des Gutes nachgekommen
oder nicht, steht jedoch nicht dem Grundherren zu, sondern
einer Kommission von Sachverständigen.

So heißt es z. B. in einem Leihevertrag von 1376 betreffend
Weingärten zu Nais: Ob sich ze dehain zeiten derfund mit
der warhait mit erbern läuten, den darzů chunt wer;
daz er (der Baumann) die weingarten verasaumt ... so sölt
er geschaiden sein von allen sein rechten[2]).

Durch die Tiroler Landesordnung von 1404 ward diese
Angelegenheit gleichfalls in dem Sinn geregelt, daß nicht der
Grundherr darüber zu entscheiden habe, ob das Gut in gehöriger Weise bewirtschaftet werde, sondern eine Kommission
von drei „gemain Mann", die vom Richter dazu mit Vorwissen
des ersteren ernannt werden soll. Wenn durch dieselbe erkannt wird, daß das Gut durch Schuld des Baumanns geschädigt
worden sei, so hat letzterer in einer von der Kommission von
Fall zu Fall festzusetzenden Weise dem Grundherrn Sicherstellung zu leisten, daß er die verschuldeten Mängel beheben
werde[3]). Ein Heimfall des Gutes trat demnach wohl erst dann
ein, wenn die gerügten Mängel nicht behoben wurden.

Die Landesordnung von 1532 verfügt zwar dem gegenüber,
daß der nachlässige Baumann sein Recht verliere, falls er nach
vorhergegangener Mahnung durch den Grundherren den Schaden

---

[1]) Kap. A. Brixen L. 10 n. 144, Archivber. II n. 2652. Vergl. f. Beil.
n. XVI (1391).

[2]) J. St. A. P. n. 891. Ähnliche Angaben in einer Wiltner Urkunde
von 1407: Kont sey getan ... daz der ersam erber herr her Jost der apt
von Wiltein cham gen dem Newenhaws und peschauet da einen seinen hof
... und nam auch darzu erber lawt und nam auch darzu die nachgeschriben
paulaut, die den genanten hof haben (Kop. Wilten fol. 38b). Vergl. f. Tir.
Weist. IV S. 259 Z. 23 ff. (Villanders, 2. Hälfte 14. Jahrh.), S. 762 Z. 32 ff.
(Schenna 1513?).

[3]) Beil. n. XVII P. 7.

nicht behebe[1]), doch ist nicht anzunehmen, daß der Leiheherr die Einziehung des Leihegutes ohne gerichtliche Ermächtigung vornehmen konnte; denn auch in der Folgezeit trat der Heimfall des Gutes erst nach vorausgegangener gerichtlicher Erkenntnis ein[2]).

Welches Recht nun stand dem Baumann an der von ihm vorgenommenen Besserung zu? War die Besserung vertragsmäßig festgesetzt worden und hatte der Grundherr zu deren Vornahme einen Beitrag geleistet, so ist begreiflicherweise von einem eigenen Rechte des Baumanns an der Besserung keine Rede[3]). Aber auch in jenen Fällen, wo der Leihemann auf eigene Faust oder, zwar vertragsgemäß, jedoch ohne Unterstützung seitens des Leiheherrn zur Vornahme der Besserung schritt, kann von einem Rechte des Baumanns an der Besserung, das von dem Rechte an der verliehenen Sache zu unterscheiden wäre, nicht gesprochen werden. „Sein Recht an der Besserung ist ein Bestandteil seines Rechtes am Objekt"[4]). Das Recht des Baumanns an der Besserung hätte sich dem Grundherrn gegenüber entweder darin äußern können, daß bei strafweisem Heimfall des Gutes letzterer den Wert der Besserung hätte ersetzen müssen, oder darin, daß dem Leihemann ein größeres Maß von Verfügungsfreiheit über die Besserung zugestanden wäre als über das Hauptgut, soweit erstere überhaupt einer getrennten rechtlichen Behandlung zugänglich war. Aber weder das eine noch das andere läßt sich in den Quellen beobachten.

Nicht durch die Leiheverträge, wohl aber durch die Landesordnungen von 1404 und 1532 wird der Baumann zur Edition der sein Recht betreffenden Leihebriefe verhalten, falls der Grundherr in dieselben Einsicht nehmen wollte[5]).

Schließlich ist noch die Frage zu erörtern, ob der Baumann die Lasten der Sache, vor allem die aus dem Leiheobjekt

---

[1]) Buch V Tit. VII Bl. 58.
[2]) Wörz a. a. O. II Abteil. II S. 712.
[3]) Vergl. Beil. n. XVI (1391).
[4]) Gobbers a. a. O. S. 158; v. Schwind S. 35.
[5]) Vergl. Beil. n. XVII P. 15, Landeso. 1532 Buch V Tit. XVI Bl. 60b.

zu entrichtenden Steuern[1]), zu übernehmen hatte oder nicht. In den Leiheverträgen findet sich darüber keine Andeutung. Wenn aber, wie Kogler[2]) dartut, die Hintersassen und Eigenleute der verschiedenen Herren zur ordentlichen Steuer herangezogen wurden, so darf füglich nicht bezweifelt werden, daß auch die freien Zinsleute die auf dem Leiheobjekt lastende Steuer zu entrichten hatten und nicht etwa die Grundherren.

II. Bei der Besprechung der dem Leiheherrn zustehenden Rechte können wir uns kurz fassen, da sich dieselben mit den gegenüberstehenden Pflichten des Leihemannes decken. Wie sich aus den früheren Ausführungen ergibt, ist das Verhältnis zwischen Leiheherrn und Beliehenen ein rein vermögensrechtliches. Nur ganz ausnahmsweise wird durch den Leihevertrag ein gewisses Treueverhältnis des Leihemanns gegen den Beliehenen begründet[3]).

Der Untersuchung bedarf jedoch vor allem die Frage, welche Zwangsmittel dem Herrn gegenüber dem vertragsbrüchigen Leihemann zustanden. Das wirksamste und üblichste Zwangsmittel, das dem Herrn vertragsmäßig für den Fall zustand, daß der Baumann das Leiheobjekt ohne Vorwissen des Grundherren veräußert, es teilt, es nicht in gutem Stand erhält oder endlich mit dem Zins im Rückstand bleibt, war die Einziehung des Leiheobjektes, die Privation des Leihemannes.

---

[1]) Vergl. Kogler a. a. O. S. 543: „Die ordentliche Steuer hatte schon zu Ende des 13. Jahrhunderts den Charakter als Personallast vollständig abgestreift und war zu einer reinen Realsteuer geworden".

[2]) a. a. O. S 553. Vergl. v. Sartori, landschäftliches Steuerwesen S. 16. Über Heranziehung der Bauleute zu Landessteuern vergl. ferner Egger in den tir. Weist. IV S. 522 Anm. und Schwind Dopsch a. a. O. S. 299 Z. 8 (tir. Landeso. von 1406). Betreffs Überwälzung der Steuerlast auf den Pächter im Moselland vergl. Lamprecht, Wirtschaftsleben I/2 S. 948.

[3]) Abt und Konvent von Georgenberg verleihen 1440 dem Ulrich von Petting, dessen Frau und Erben einen Viertelhof im Kufsteiner Gericht „zw ainem rechten ewigen erbelehen und zinßlehen ... Er (der Baumann) hat uns auch für sich und alle sein erben gelobt und versprochen mit seinen guten trewen an aydestat uns unseren nachkomen und dem gotshawss nüczen und frummen furderen, recht ze melden, schaden zw wenden etc. (Kop. Georgenberg: donaciones).

Der Heimfall des Leihegutes trat jedoch nicht als unmittelbare Folge des Kontraktbruches, sondern erst nach gerichtlicher Entscheidung ein[1]). Vor dem Landgericht, in dessen Bezirk das Gut lag, beziehungsweise dem Hofmarksgericht, mußte der Grundherr die Klage auf Privation des Leihemanns erheben[2]). Auch dann, wenn das Gut zeitweise unbesetzt war, durfte dasselbe nicht ohne gerichtliche Mitwirkung vom Grundherrn eingezogen werden, es kam vielmehr zu einem Aufgebotsverfahren vor dem Landgericht[3]), durch welches alle diejenigen, welche ein Recht am Gute hatten oder zu haben vermeinten, also vor allem die Erben des letzten Baumanns, zur Geltendmachung ihrer Ansprüche aufgefordert wurden. Blieb das Aufbietungsverfahren ohne Erfolg, so ward das Gut „zu fürbann" getan, d. h. der Richter wirkte Bann und Frieden über das Gut und versprach damit, den Leiheherrn im Besitz des Gutes zu schirmen[4]).

---

[1]) Im Gegensatz hiezu tritt der Heimfall der Leihe an den Leiheherren im Mosellande nur äußerst selten unter gerichtlicher Mitwirkung ein. Vergl. Lamprecht, Wirtschaftsleben I/2 S. 954.

[2]) Privationsklagen wegen Zinssäumnis des Leihemanns liegen vor in Beil. n. XIII (1371), Neust. UB. n. 640 (1388), n. 707 (1418); wegen unbefugter Veräußerung seitens des Leihemannes in Beil. n. XI (1355). Vergl. f. Kop. Georgenberg: Vomp. Schwaz etc.: Wir Gaspar abt . . . bruder Erhard prior . . . bekennend . . . nach dem sich ain schrittigkayt gehalten hat zwischen unser an ainem und Hansen Kolhauffen und Margreten seiner elichen würtin am anderen tayl von wegen unsers aygen gutes genannt Pranndt gelegen auf dem Wererperge in Frewntspercher gericht, also das wir vermaynten, das uns das vellige mitt recht herkannt werden sollt, darumbe das das selbe gutt nitt pawlich gehalten wäre auch on unser all der grunt- und zinsherren wissen und willen verendert, das uns auch nitt geczinst warden wäre . . . habent sy also umb sölichs für gericht erfodern lassen. In einem Falle (Beil. n. XIII) hat der Grundherr zwar das Recht, dem zinssäumigen Baumann das Leihegut ohne gerichtliche Mitwirkung zu entziehen, doch wird ersterem dieses Recht nur über sein Ansuchen durch Gerichtsspruch eingeräumt, da der Baumann sich schon zu wiederholten Malen kontraktbrüchig gezeigt hatte. Über analoge Vorschriften bei städtischen Leihen vergl. v. Jiess, Burgrecht S. 772 f.

[3]) Über ähnliche Verhältnisse bei der Erbleihe in den deutschen Städten vergl. Arnold a. a. O. S. 152, Gobbers a. a. O. S. 188.

[4]) Vergl. Beil. n. IX (1351), Neust. UB. n. 588 (1380), n 614 (1384), n. 691 (1410). Über analoges Verfahren bei städtischen Erbleihen vergl. Arnold a. a. O. S. 293.

Nicht bei allen Fällen von Kontraktsverletzung seitens des Leihemannes kommt jedoch das grundherrliche Privationsrecht zur Anwendung. So wurde schon früher hervorgehoben, daß bei Zinssäumnis häufig an Stelle desselben das Recht zur Pfändung des Zinsschuldners tritt.

Zur größeren Sicherstellung einzelner, besonders wichtiger, oder auch sämtlicher Vertragspunkte forderte der Grundherr vom Baumann zuweilen Bürgenstellung. Z. B.:

1394. Die Bauleute des Brixnerschen Küchenmeierhofes zu Latzfons setzen für Einhaltung sämtlicher Bedingungen ihres Leihevertrages dem Bischof von Brixen auf die Dauer von fünf Jahren „ze rechten pürgen ... die erber unser gute freund Gotfriden den Plawer und Hainreichen den iungen Gazzer von Laczvans" [1]).

1396. „Ez ist zu wizzen, daz getädingt ist worden ... zwischen dez convents zu Willentein und zwischen Hans Regnolt ... daz der egnant herr Hainreich procurator (des Konvents) solt leichen dem vorgnant Hansen Regnolt dez convents hof, der da gelegen ist in der pharr zu Eppan und haizzt der Plozzen hof zu erbrecht ... als lech der vorgnant procurator den vorgnant hof dem obgnant Hansen ... doch in der peschaydenhait, daz der egnant Hans soll gewissât tun, daz er fünf iar gut pauman sey nach dem landrechten." Der Prokurator des Klosters ermächtigt nun Hans den Trautsun, an Stelle des Klosters die Bürgschaft entgegenzunehmen: Als ist für mich vorgnant Hans (den Trautsun) chomen der egnant Hans Regnolt und hat mir darumb zu rechten pürgen gesaczt Jacob Weysenpacher, Ulreich Regnolt, Ulreich Ponli von Missan, Wernher von Missan [2]).

1416. Lienhard Veyal, Prokurator des Klosters Frauenchiemsee, verleiht einen Hof zu Obermais dem Lienhard, des Tolde Schwager, und seinen Erben um genannten Zins: für das alles ist also der egenant Tolde, sein swager zusampt im nach landes sit und recht borge [3]).

---

[1]) J. St. A. Brixner A. n. 1560.
[2]) Kop. Wilten fol. 29 b.
[3]) J. St. A. P. n. 117.

In einem Falle wird zur Sicherung des grundherrlichen Zinsanspruches ein Haus des Zinsschuldners nach Art der sogenannten jüngeren Satzung als Pfand bestellt [1]). Dieses Pfandrecht hatte den Charakter eines accessorischen Rechtes: Wird dem Grundherrn der Zins aus dem Leiheobjekt nicht völlig entrichtet, so kann er sich aus dem verpfändeten Objekt bezahlt machen. Eine derartige Pfandsetzung war für den Leiheherrn auch dann von Vorteil, wenn der Leihemann für den Zins persönlich haftete. Obgleich letzerer in diesem Falle mit seinem ganzen Vermögen für die Entrichtung des Zinses haftete, so konkurrierten doch die etwa vorhandenen Forderungen anderer Gläubiger mit der Zinsforderung des Grundherren, soweit letzterer über das Leiheobjekt hinaus auf das anderweitige Vermögen des Zinsschuldners griff. Durch die Pfandsetzung aber erlangte der Grundherr gegenüber den anderen Gläubigern des Zinsschuldners auch für den Fall ein Vorzugsrecht, daß er Befriedigung seines Zinsanspruches außerhalb des Leihegutes suchen mußte.

Die wichtigste Pflicht des Leiheherrn gegen den Baumann war selbstverständlich die, letzterem die Nutzung des Gutes zu gestatten. Entsprechend der Natur des Erbleihevertrages erstreckte sich diese Verpflichtung nicht nur auf die Person des Leihenden, sondern auch auf die nachfolgenden Eigentümer des Leiheobjektes, wie denn auch vielfach der Grundherr die Leibe nicht nur in seinem Namen, sondern auch in dem seiner Frau und seiner Erben vornimmt. Das Recht des Leihemanns war von jedem Wechsel in der Person des Leiheherrn unabhängig, sei es nun, daß derselbe im Erbgang eintrat oder im Wege einer Veräußerung des leiheherrlichen Rechtes [2]).

---

[1]) Neust. UB. n. 583 (1379). Über ähnliche Maßregeln zur Sicherung des grundherrlichen Zinsanspruches in Würzburg und Köln vergl. Rosenthal, Gesch. d. Eigent. S. 47, Gobbers a. a. O. S. 151. Über Pfandsatzung von Liegenschaften bei der bäuerlichen Erbleihe im Moselland vergl. Lamprecht, Wirtschaftsleben I,2 S. 955 ff.

[2]) Zuweilen bestimmen die Leibeverträge eigens, daß der Grundherr sein Recht am Leiheobjekt nur mit ausdrücklichem Vorbehalt des Baumannsrechtes veräußern dürfe. Vergl. Beil. n. VI (1327), Kop. Wilten fol. 236

Die gleiche Festigkeit besitzt auch das Recht des After-
leihemanns, soweit er zu erblichem Recht auf dem Leihegute
sitzt. Auch dessen Recht wurde durch Veränderung in der
Person des Afterleiheherrn nicht alteriert [1].

Wird das Recht des Baumanns angefochten, so ist der
Grundherr zur Währschaftsleistung verpflichtet [2], falls der
Baumann nicht etwa das Recht von einem Dritten, z. B. durch
Kauf, erworben hat, in welchem Falle dieser in erster Linie zur
Währschaftsleistung verhalten war.

Falls der Grundherr seine Verpflichtungen gegenüber dem
Baumann nicht einhält, hat der Richter jenes Bezirkes, in
welchem der Baumann sitzt, die Pflicht, letzterem zu seinem
Rechte zu verhelfen [3].

Da die bäuerliche Erbleihe bisher nur innerhalb weniger
deutscher Territorien eingehender untersucht worden ist, so
fehlt es an ausreichendem Vergleichsmaterial zur Feststellung,
ob dieses Institut allenthalben im Wesen gleichmäßig zur Ausbildung gekommen ist.

Ein Vergleich mit den Erbleihen des Rhein-Mosellandes,
über die wir durch die Arbeiten Lamprechts und Schwinds gut
unterrichtet sind, hat — worauf schon bei Untersuchung der
einzelnen Bestimmungen der tirolischen Erbleihe hingewiesen
wurde — dargetan, daß in vielen Punkten zwischen den bäuerlichen Erbleihen Deutschtirols und jenen des nordwestlichen

---

(1365): Konrad der Stöchel verleiht Konrad dem Hudler und dessen Erben
eine Hofstatt zu Kematen: und ob daz waer, daz ich meiniu recht des vorgeschriben guts verchaufen wolt, in welher weis daz waer oder wer daz
waer, so sol ich den vorgeschribnen Chunrat und seinen erben iriu recht vor
auzdingen, daz si dapei peleiben als vorgeschribeu stet. Vergl. f. Neust. UB.
n. 778 (1450). Über Anwendung des Grundsatzes, daß Kauf Miete nicht
bricht, auf die Erbpacht des Mosellandes vergl. Lamprecht, Wirtschaftsleben I/2
S. 943.

[1]) Verliert z. B. der Afterleiheherr sein Recht infolge Zinssäumnis, so
tritt der Afterleihemann nunmehr mit dem Grundeigentümer in direkte Verbindung. Vergl. Neust. UB. n. 640 (1388).

[2]) Vergl. z. B. Beil. n. VI (1327), n. XX (1484), ferner Landeso. 1532
Buch V Tit. XVIII Bl. 61.

[3]) Vergl. Beil. n. XVII P. 12, Landeso. 1532 Buch V Tit. XVIII Bl. 61.

Deutschland weitgehende Übereinstimmung besteht. Andererseits ist jedoch zu betonen, daß gerade in zwei sehr wichtigen Punkten sich eine sehr bedeutsame Verschiedenheit zeigt.

Vor allem ist in Tirol ein verhältnismäßig freies Veräußerungsrecht des Erbpächters früher als in jenen Territorien anzutreffen. Kommt schon darin zum Ausdruck, wie sehr in Tirol das Recht des Leihemanns zu Ungunsten des grundherrlichen Rechtes an Intensität zugenommen, so wird dieser letztere Umstand auch in der Richtung deutlich erkennbar, daß in Deutschtirol der Grundherr das Leiheobjekt in keinem Falle ohne richterliche Mitwirkung einziehen durfte, während der moselländische Grundherr zu einer außergerichtlichen Privation des Leihemanns befugt war. Die Bedeutung dieses Unterschiedes bedarf keiner weitern Erörterung.

Warum gerade in Deutschtirol sich der Erbleihemann einer so günstigen Stellung erfreute, darauf soll noch an anderer Stelle eingegangen werden.

VIII.
Wirtschaftliche und soziale Bedeutung des Erbleihevertrages.

Nach der wirtschaftlichen Seite hin liegt die Bedeutung der bäuerlichen Leihe vor allem darin, daß durch dieselbe die Möglichkeit gegeben ward, die Schäden des Latifundienbesitzes aufzuheben[1]). Einem Großteil der Landbevölkerung, der nicht kapitalkräftig genug gewesen wäre, Grundeigentum durch Kauf zu erwerben, bot sich durch Vermittlung der verschiedenen Leiheformen Gelegenheit, eine relativ selbständige Existenz und Anteil an der Grundrente zu erlangen.

Zumal die Erbleihe schloß große wirtschaftliche Vorteile nicht nur für den Leihemann, sondern für die Landwirtschaft im allgemeinen in sich. Die Bedeutung der Erbleihe für die innere Kolonisation und den Ausbau des Landes wurde bereits

---

[1]) Vergl. Rabe, Bedeut. der Pacht S. 19.

früher nachdrücklichst hervorgehoben. Außerdem liegt in dem Erbleiheverhältnis im Gegensatz zu zeitlich begrenzten Leihen für den tüchtigen Leihemann ein Ansporn zur Vornahme von Meliorationen, deren Ertrag bei festem Zins ihm und seinen Erben zufallen mußte.

Von den einzelnen Pflichten und Rechten, die der Leihevertrag begründet, ist zweifellos die Zinspflicht des Leihemanns beziehungsweise das gegenüberstehende Zinsbezugsrecht des Leiheherrn wirtschaftlich am bedeutsamsten. Die Höhe des zu entrichtenden Zinses mußte in erster Linie darüber entscheiden, ob das Leiheverhältnis sich für den Leihemann günstig gestaltete oder nicht.

Sehr zum Vorteil der Zinsleute gereichte es, daß aus zahlreichen Gütern, insbesonders solchen, auf denen hauptsächlich Viehzucht betrieben wurde, Geldzinse zu geben waren [1]). In diesem Falle hatte der Erbpächter von dem raschen Sinken des Geldwertes, wie dasselbe als Folge der fallenden Silberpreise insbesondere im 16. Jahrhundert eintrat, großen Nutzen [2]). Das Streben der Bauleute, den Grundherren zur Annahme von Geldzinsen an Stelle von Naturalzinsen zu vermögen [3]), läßt deut-

---

[1]) So wird z. B. bei den hoch gelegenen Baugütern im Landgericht Sterzing fast durchwegs nur Geld gezinst. Vergl. Beil. n. XXIII und XXIV.

[2]) Gerade in Tirol mußte sich in Anbetracht der großen Silberproduktion seit Ausgang des 15. Jahrhunderts (vergl. darüber v. Wolfskron, Tiroler Erzbergbaue S. 10, 35 u. s. w.) die Geldentwertung besonders fühlbar machen.

[3]) 1390. Heinrich „der alt' Kränzler" bekennt, daß er und seine Erben von dem Kränzlerlehen im Landgericht Sterzing 24 Pfund Berner und 10 Star Futter geben sollen: und was des alten zinses nach yer (des Abts und Konvents von Benediktbeuern) pücher und reygister sag ist gewesen vormaln her, das ist im alles zu einander geslagen und das sullen wir für es alles das geben (Mon. Boi. VII S. 182). 1394. Oswald von Velthurns bekennt, daß ihm Berthold von Natz, Chorherr und Kuster zu Brixen, eine Hube bei Brixen (?) zu Erbrecht verliehen und ihm gestattet habe, „für korn und für all ander dienst" 9 Pfund Berner, 1 Kitz, 3 Hühner und 30 Eier zu geben (J. St. A. Brixner A. n. 454). 1442. Ulrich und Margret, Bauleute der Frauenkirche und der St. Michaelskirche zu Brixen, haben die Chorherren der Frauenkirche und den Kirchprobst von St. Michael „gar trewleichen gepeten, das sy (die Grundherren) ... den obgenanten rokgen wayczen und gerstengelt uns obgenanten wirtlewten Ulreichen und Margreten und ünsern erben also zu gelt anslügen". Die Grundherren erfüllen diese Bitte und ver-

lich erkennen, daß die Zinsleute die Vorteile einer derartigen
Umwandlung wohl erkannten. Andererseits ist begreiflich, daß
die Grundherren den Bauleuten nicht immer zu Willen waren [1]),
wenn auch der Geldzins unter Umständen selbst für erstere
manches verlockende hatte, da die Einhebung desselben zumal
bei großer Ausdehnung und Streulage des grundherrlichen Besitzes leichter zu besorgen war, als die Einsammlung von
Naturalgiebigkeiten.

Das Verhältnis des Zinses zum Rohertrag wie zum Rein-
ertrag des Leiheobjektes läßt sich für die ältere Zeit nicht
feststellen. Dazu fehlen vor allem die Mittel zur Berechnung
der Produktionskosten. Andererseits mangelt es an den nötigen
Vorarbeiten, welche gestatten würden, die Preise der einzelnen
Bodenprodukte zu ermitteln. Immerhin kann jedoch der Beweis
geführt werden, daß bei der Mehrzahl der freien Erbleiheverhältnisse der Kanon niedrig genug war, um eine erfolgreiche
Wirtschaft des Pächters zu ermöglichen.

Vor allem ergibt sich dies aus dem Umstande, daß der
Baumann in der Lage war, einen namhaften Kaufpreis für sein
Baurecht zu erzielen [2]). Wenn ferner, wie oben dargetan
wurde, der Zins spätestens seit dem 14. Jahrhundert unverändert geblieben ist, während die Ertragsfähigkeit des Bodens
wie der Wert der Bodenprodukte gestiegen war, so war selbstverständlich das Verhältnis von Gutsertrag und Zins ein dem
Leihemann günstiges. An der gesteigerten Grundrente war der
Grundherr nur dann beteiligt, wenn der Zins in Form einer
Ertragsquote entrichtet wurde. Derartige Ertragsteilungen
zwischen Leiheherrn und Leihemann kommen jedoch hauptsächlich nur in Südtirol bei Weingütern vor. Aber auch hier
wirkte der Umstand zu Gunsten des Leihemannes, daß letzterem
neben den Weingütern, aus welchen eine Ertragsquote zu ent-

---

pflichten die Bauleute, daß sie „zinsen dienen raychen und antwurten sullen
gen Brichsen für die obgenanten dreissig ster rokgen, zehen ster wayczen
und fünf ster gersten nemlichen, zway und dreissig phunt perner Meraner
müncz (J. St. A. Brixner A. n. 2725).

[1]) Vergl. Tirol. Weist. II S. 74 (Ötztal, 1462) Z. 42, IV S. 754 (Fassa,
1550) Z. 41.

[2]) Siehe oben S. 93, ferner Beil. n. XXIV.

richten war, noch andere Güter verliehen wurden, aus welchen
entweder kein Zins oder nur eine Abgabe von geringer Höhe
gefordert wurde[1]), um so den Zinsmann dafür schadlos zu
halten, daß er aus dem Weingut einen relativ hohen Zins
reichen mußte.

Im einzelnen dürfte sich allerdings das Verhältnis vom
Wert des Leiheobjektes zum Grundzins verschieden gestaltet
haben, wie sich auch aus der Tabelle in Beilage n. XXIV ergibt. Bei Geldzinsen hängt diese Verschiedenheit vor allem
davon ab, ob die Umwandlung des Naturalzinses in einen Geldzins bereits frühzeitig oder erst gegen Ausgang des Mittelalters erfolgt ist.

Da der ordentliche Grundzins in der Tat nicht als drückende
Last empfunden wurde, so werden zur Zeit des Bauernkrieges
von 1525 wenig Klagen darüber laut[2]), obwohl wir gerade in
Tirol über die bäuerlichen Beschwerden in zahlreichen Be-
schwerdeschriften unterrichtet werden[3]).

Von bedeutender Höhe war jedoch nicht selten — wie
bereits erwähnt — die außerordentliche Abgabe, welche bei
Auf- und Abzug des Baumanns zu entrichten war[4]). Besonders widerwillig wurden von den Bauleuten ferner die
Schaltjahrzinse sowie die verschiedenen Mortuargebühren getragen, weshalb denn auch die Landesordnung von 1526 die
Bauleute adeliger Grundherren von der Entrichtung ersterer[5])
und sämtliche Zinsleute mit Ausnahme der landesfürstlichen
von der Reichung letzterer befreite[6]). Die Landesordnung von

---

[1]) Vergl. Beil. n. XXII n. 19, 22, 32, 38, 51; ferner oben S. 36.

[2]) Nicht über die Höhe des Grundzinses, sondern über die Art seiner
Einhebung lassen sich Klagen vernehmen, indem die Bauleute mancherorts
sich beschweren, daß die Hohlmaße, nach welchen der Getreidezins zu reichen
war, von den Grundherren widerrechtlich geändert worden seien. Vergl.
Tir. Weist. IV S. 561 (Heunfels 1500) Z. 22 ff., Brandis a. a. O. S. 419.

[3]) Ich hoffe in nicht allzu ferner Zeit bei Herausgabe der Akten zur
Geschichte des tirolischen Bauernkrieges die zahlreichen bäuerlichen Beschwerdeartikel publizieren zu können.

[4]) Siehe oben S. 149.

[5]) Buch I Teil VI Tit.: schaltiarzynns nit mer ze geben (fol. 41).

[6]) Buch I Teil VI Tit.: zwispilig und valzinns sollen absein (fol. 41).

1532 führte jedoch in dieser Richtung wieder den status quo zurück[1]).

Klagen werden endlich auch über gewisse Mißbräuche laut, die im Zusammenhang mit dem bereits erwähnten[2]) Rechte der Grundherren stehen, zur Beaufsichtigung des Baumanns bei der Weinlese Vertreter, sogenannte Pröpste, abzuordnen. Da der Baumann vertragsgemäß für Unterhalt des Weinpropstes und seiner Gehilfen während der Dauer der Lese aufkommen mußte, so nützte letzterer diese Befugnis in der Richtung aus, daß er mit einer größeren Anzahl Personen zur Lese erschien, als die Not erforderte. Gegen solche Bedrückungen nahmen nun die Landesordnungen von 1526 und 1532 den Baumann in Schutz[3]).

Von großer Bedeutung für die Erhaltung eines wirtschaftlich kräftigen Bauernstandes mußte der Umstand sein, daß den Bauleuten das Recht zu freier Teilung ihres Baugutes benommen war[4]), wenn auch die Erhaltung großer Bauerngüter sicherlich nicht durch ein derartiges Teilungsverbot allein bewirkt worden wäre[5]). Gerade was die Teilung von Gütern betrifft, die zu Erbpacht verliehen waren, offenbart sich ein bedeutsamer Unterschied zwischen Deutschtirol und dem italienischen Süden, wo die Teilung emphyteutischer Güter keiner Behinderung seitens des Grundherren unterworfen war[6]). Das im italienischen Süd-

---

[1]) Buch V Tit. XXI Bl. 62.

[2]) Siehe oben S. 39.

[3]) Item welcher pawman von ainem hof oder stuckh halben wein oder die drit ürn gibt und dem grundt und zinßherren ainen brůbst im wymmat halten soll, dieweil deßhalben vil beswerungen fürkomen sein, das etwa ain brůbst selbdrit oder vierdt kumbt unnd auf des pawman costen ligen will, ist unnser will und mainung, das hinfüro die pawleut, wo man mer personen dann ain brůbst halten soll, nit mer schuldig sein sollen, dann ain brůbst und noch ain person ... in seinem des pawmans zimlichen costen zu halten etc. Landeso. 1526 Buch I Teil VI fol. 43; ähnlich Landeso. 1532 Buch V Tit. XXXI Bl. 64 b.

[4]) Siehe oben S. 109 ff.

[5]) In Südwestdeutschland ist es trotz Widerstrebens der Grundherren zur Teilung vieler Baugüter gekommen. Vergl. Th. Knapp, Beiträge S. 431—432.

[6]) Statuten von Trient c. 102 S. 92, herausgegeben von Gar.

tirol bereits früh zur Geltung gelangte Prinzip freier Teilbarkeit der Bauerngüter[1]) und die damit zusammenhängende Ausbildung von Zwergwirtschaften hat auf die Lage des dortigen Bauernstandes nur allzuschlimmen Einfluß genommen.

Wenn ferner dem Baumann untersagt war, ohne Vorwissen des Grundherren das Baugut mit Schulden zu belasten[2]), so mag eine derartige Bevormundung des Bauern vielfach wohltätig gewirkt und unbesonnenes Schuldenmachen verhütet haben.

Für die soziale Lage des tirolischen Bauernstandes hat die freie Erbleihe eine viel größere Bedeutung erlangt als für die wirtschaftliche, ist doch dieses Leiheverhältnis eine der wesentlichsten — wenn auch gewiß nicht die einzige — Ursache gewesen, daß in Deutschtirol die Zahl der freien Bauern auch im 16. und 17. Jahrhundert weitaus die der unfreien überwog. Da ja, wie schon zu wiederholten Malen erwähnt, dasselbe der Freiheit des Erbleihemannes in keiner Weise Eintrag tat, so stand letzterer in keiner Weise hinter dem freien, auf Eigen sitzenden Bauern zurück. Wie dieser erfreute er sich der Freizügigkeit, wie dieser nahm und gab er Recht vor dem ordentlichen Gericht. Auch was die Ausübung politischer Rechte betrifft, läßt sich kein Unterschied bemerken zwischen dem Erbzinsmann und dem freien Eigentümer.

Daß die Zahl der freien Erbleihen groß genug war, eine nachhaltige Einwirkung auf die sozialen Verhältnisse der Bauerschaft auszuüben, läßt sich nicht in Abrede stellen. Wenn auch leider für Tirol die nötigen Angaben und Vorarbeiten fehlen, welche das Verhältnis der zu Erbrecht ausgetanen und der zu anderem Recht besessenen Bauerngüter erkennen ließen, so darf gleichwohl an einem äußerst zahlreichen Vorkommen freier Erbleiheverhältnisse nicht gezweifelt werden.

Die in den Beilagen zusammengestellten Tabellen[3]) über das Vorkommen der Erbleihe bei einzelnen geistlichen Grundherrschaften sprechen laut genug dafür, daß bereits im 14. Jahr-

---

[1]) Vergl. Staffler, Tirol und Vorarlberg I S. 183.
[2]) Siehe oben S. 132.
[3]) n. XXII und XXIII.

hundert ein Großteil von Grund und Boden zu Erbrecht ausgetan war. Wenn in dem einen Jahre 1518 innerhalb der
Grenzen des Land- und Stadtgerichtes Sterzing 17 auf Erb-
leihegüter sich beziehende Käufe angeführt werden [1]), so darf
man sich wohl kaum der Ansicht verschließen, daß auch der
Zahl nach die Erbbaurechte eine große Rolle spielten. Die
eingehende Regelung endlich, welche die Baurechtsverhältnisse
in der Landesgesetzgebung fanden, wäre bei einem seltenen
Vorkommen derselben schwer zu erklären.

Die Ursachen, denen zufolge das freie Erbleiheverhältnis in
Tirol auch in der Neuzeit sich erhalten hat, fallen vielfach mit
jenen zusammen, welche für Erhaltung bäuerlichen Grundbesitzes
überhaupt wirksam waren [2]). Sind nämlich die Umstände der
Ausbildung großer grundherrlicher Eigenbetriebe nicht günstig,
so sieht sich der Grundherr auch weniger veranlaßt, das bäuerliche Besitzrecht zu verschlechtern oder gar die Bauleute abzustiften.

Ein großer Eigenbetrieb bedarf zahlreicher Arbeitskräfte.
Der Gutsherr im deutschen Osten suchte sich dieselben
dadurch zu beschaffen, daß er dem abhängigen Bauern mehr
und mehr Fronen aufhalste [3]). „Je mehr Fronen, desto mehr
kam die bäuerliche Wirtschaft in die Enge, desto schwerer
wurde es dem Erben sie anzutreten, desto genauer mußte der
Gutsherr darauf sehen, daß nur ein leistungsfähiger Erbe antrat.
Daher gutsherrliche Auswahl unter den Erben" [4]). War der
Inhaber des Bauerngutes nicht mehr fähig, die geforderten
Dienste zu leisten, so wurde er abgesetzt. Je häufiger diese
Absetzung vorkam, desto mehr erlangte die Auffassung des
Grundherren gewohnheitsrechtlich Geltung, daß das bäuerliche
Recht am Gute kein erbliches sei. Obwohl auch im Osten
Deutschlands der Bauer noch zu Ende des Mittelalters Erbrecht

---

[1]) Vergl. Beil. n. XXIV.
[2]) Über die Ursachen der Erhaltung bäuerlichen Grundbesitzes vergl.
Brentano, warum herrscht in Altbayern bäuerlicher Grundbesitz, ferner vor
allem den ungemein lehrreichen Aufsatz von Below, der Osten und der
Westen Deutschland in „Territorium und Stadt" S. 1 ff.
[3]) Vergl. G. F. Knapp, Bauernbefreiung S. 41.
[4]) Ebend. S. 48.

am Baugute besessen hatte [1]), so hat hier doch die spätere Entwicklung des bäuerlichen Besitzrechtes gerade die entgegengesetzten Bahnen eingeschlagen wie in Tirol.

In dem Umstande, daß es in Tirol nicht zur Ausbildung großer grundherrlicher Eigenbetriebe kam, daß sich hier nicht die Grundherrschaft in die Gutsherrschaft verwandelte, ist also eine der hervorragendsten Ursachen der Erhaltung freier Erbleihen sowie bäuerlichen Grundbesitzes zu erblicken. Daß aber den Grundherren in Tirol der Antrieb zur Ausbildung großer Eigenwirtschaften fehlt, ist teilweise in der Bodenbeschaffenheit begründet. Diese mußte, von wenigen Gegenden abgesehen, einem landwirtschaftlichen Großbetrieb bedeutende Schwierigkeiten entgegensetzen, wie denn auch die Besiedelung des Landes mit Ausnahme einiger breiterer Talsohlen fast durchaus nach dem Hofsystem sich vollzogen hatte. Immerhin würde man jedoch den Einfluß der Bodengestaltung überschätzen, wollte man annehmen, daß letztere große Eigenbetriebe unmöglich gemacht habe [2]). Ein Betrieb der Viehzucht im großen wäre gewiß möglich gewesen, wie solcher denn auch tatsächlich in den Alpenländern für das frühere Mittelalter nachweisbar ist [3]).

Mehr als die Bodenbeschaffenheit hat die Streulage der einzelnen grundherrlichen Besitzungen einen großen Eigenbetrieb erschwert. Außerdem brachte es die mittelalterliche Lehens- und Kriegsverfassung mit sich, daß der adelige Grundherr wenig Lust und Zeit hatte, die Rolle des Landwirtes zu spielen.

Es darf uns daher nicht Wunder nehmen, wenn alle Anhaltspunkte fehlen, aus welchen erschlossen werden könnte, daß die tirolischen Grundherren in mittelalterlicher Zeit umfangreichere Eigenbetriebe eingerichtet hätten. Es ist vielmehr anzunehmen, daß in Tirol wie allenthalben im südlichen und westlichen Deutschland der bäuerliche Betrieb bis zum Ausgang

---

[1]) G. F. Knapp, Bauernbefreiung S. 32, 45; Fuchs, Untergang des Bauernstandes S. 54—55.

[2]) „Die Tendenz auf eine bestimmte Gestaltung des Besitzes, die in den Bodenverhältnissen zu liegen scheint, (wird) in ihren Wirkungen unendlich oft durch andere Faktoren erfolgreich gekreuzt". v. Below, Territorium und Stadt S. 39.

[3]) Vergl. v. Inama a. a. O. II S. 241.

des Mittelalters die fast ausschließlich vorkommende Wirtschafts-
form bildet.

Daß die adeligen Grundherren im Osten Deutschlands bereits im Mittelalter die Bildung großer Eigenbetriebe anstrebten,
hat vor allem darin seinen Grund, daß hier bereits frühzeitig
umfangreichere Hofländereien vorhanden waren, als im Westen
und Süden Deutschlands [1]), weshalb ihren Herren auch leichter
der Gedanke kommen konnte, größere Gutskomplexe selbst zu
bewirtschaften. Das Vorwiegen einer bestimmten Besitzesform,
mag es sich nun um bäuerlichen Besitz oder Großgrundbesitz
handeln, übt nur allzuleicht eine gewisse assimilierende Wirkung
aus: „Wir machen ja die Beobachtung, daß eine Form des
Besitzes, die in einem gegebenen Kreise eine bedeutende
Stellung einnimmt, die Tendenz hat, sich weiter auszudehnen.
Ist in einer Gegend der Großgrundbesitz stark vertreten, so
strebt er darnach, vollkommen die Herrschaft zu gewinnen.
Tritt er gegenüber dem bäuerlichen sehr zurück, so wird er
von diesem bald vollständig aufgesogen [2])".

Gleichwohl machte sich in Tirol zu Ausgang des Mittelalters mancherorts das Streben geltend, Baugüter behufs Einrichtung größerer Wirtschaftsbetriebe aufzukaufen und einzuziehen. Da ist es nun von der allergrößten Wichtigkeit,
daß die Landesordnungen von 1526 und 1532 solchen Tendenzen
entschieden entgegentraten. Die Landesordnung von 1532 trifft
in dieser Richtung folgende Verfügungen: Nach dem in disem
unserm land, herrschafften und gebieten vil güter, in sunders
in gebirgen und thälern ligen (darauf sich vil personen wol
neren und underhalten mügen) durch die vermüglichen personen
und underthanen erkaufft, ausgeödet und zů zügütern gebraucht
werden und derhalben unbesetzt beleihen, daraus uns als
regierendem herren und landsfürsten an unser fürstlichen oberkait, dergleichen den gerichtsherren an irer eehafft mangel erscheint, darzů die manschafft gemyndert wirdt, das uns kains
wegs verrer zu gestatten leydenlich sein will: Demnach setzen
und ordnen wir, daß nyemand gestattet werden soll, die güter

---

[1]) Vergl. v. Below, Territorium und Stadt S. 26.
[2]) v. Below, Territorium und Stadt S. 26.

in diesem lannd obgeschribner massen anszuoden oder zû zû-
gûttern zu machen noch zu gebrauchen, sunder sôllen die ge-
richtsoberkaiten allenuthalben vleissig aufsehen haben und mit
ernst daroh halten, das diesselben gûter besetzt und mit in-
wonern versehen und inen von den grundtherren darinn hilff
und beystanndt und kain verhinnderung ⟨bei schwârer unser
straff⟩ bewisen werde [1]).

Durch dieses Gesetz ward allerdings nur dritten Personen
das Aufkaufen und Zusammenlegen von Baugütern verboten,
nicht aber dem Grundherren selbst das Bauernlegen untersagt [2]).
Die Begründung dieser Vorschriften unternimmt die Landesordnung selbst. Finanzielle und militärische Gesichtspunkte
waren bei Erlaß dieses Gesetzes maßgebend gewesen. Der
Landesherr fürchtete an seiner „oberkait“, vor allem, am
Steuerertrag geschädigt zu werden [3]). Ebenso hätte bei der infolge solcher Gütereinziehung eintretenden Abnahme der Be-

---

[1]) Buch V Tit. II Bl. 55 b. Analoge Bestimmungen in der Landeso. 1526
Buch I Teil VI fol. 38 b.

[2]) Die Landesordnung von 1532 sieht ausdrücklich den Fall vor, daß
der Grundherr erkaufte Baurechte nicht weiter verleiht. Siehe unten S. 172.

[3]) Bedeutung hatte in jener Zeit nur noch die landschäftliche Steuer.
Diese wurde auf die beiden ständischen Gruppen, Prälaten und Adel einer-
seits, Bürger und Bauern andererseits, so umgelegt, daß die Grundlage der
Steuerbemessung bei ersterer vorzugsweise die kapitalisierte Grundrente
bildet, während bei letzterer jedes Steuerobjekt einzeln eingeschätzt und zur
Versteuerung gebracht wurde (v. Sartori, landschäftliches Steuerwesen S. 10).
„Die Zinsbauern oder Bauleute versteuerten ebenfalls ihren Besitz, nach Ab-
rechnung der darauf liegenden Lasten, unmittelbar in den Anschlag der
Städte und Gerichte“ (v. Sartori a. a. O. S. 16). Wurde also ein Baugut eingezogen und unbesetzt gelassen, so wäre die bisher vom Baumann entrichtete
Steuer weggefallen. Es bestand allerdings bereits seit 1500 die Vorschrift,
derzufolge alle Güter bei dem Stande versteuert werden sollten, bei welchem
sie im Jahre 1500 in Anschlag gekommen (v. Sartori a. a. O. S. 15). Bei Befolgung derselben wäre verhindert worden, daß durch Einziehung von Baugütern die Steuerleistung vermindert werde. Da aber die zur Durchführung
dieser Bestimmung erforderliche Evidenzhaltung der jeweiligen Besitz-
veränderungen sehr viel zu wünschen übrig ließ, so blieb die genannte Vorschrift vielfach unausgeführt (vergl. v. Sartori a. a. O. S. 16). Es mochte
daher dem Landesfürsten sowohl im eigenen Interesse, als auch im Interesse
der beiden unteren Stände die Einführung eines derartigen Leihezwanges
empfehlenswert erscheinen.

völkerungszahl der Gerichtsherr an seinen Gerechtigkeiten [1]),
vor allem an seinen Gerichtsgefällen Einbuße erlitten.

Daß auch vom militärischen Standpunkt aus eine Ent-
völkerung des Landes für schädlich erachtet wurde, hat in der
tirolischen Wehrverfassung seinen Grund. Durch das Landlibell
von 1511 ward verfügt, daß bei unversehenen Einfällen des
Feindes in das Land alle waffenfähigen Männer des zunächst
bedrohten Landesteiles zum Schutze desselben ausrücken mußten [2]).
Gerade die Kriege Kaiser Maximilian I. mit den Eidgenossen und
Venedig mußten das Bedürfnis nach starkem Aufgebot fühlbar
machen, da die Werbung der nötigen Söldner bei jähem Ein-
bruch des Feindes kaum mit der nötigen Schnelligkeit besorgt
werden konnte. Das Volksaufgebot war gerade in Tirol von
besonderer Wichtigkeit, da dieses Land fast ganz von nicht
habsburgischen Territorien umschlossen war. Dazu kam, daß
seine Fürsten gerade zu Ausgang des 15. und in der ersten
Hälfte des 16. Jahrhunderts mit ihren Nachbarn auf gespanntem
Fuße standen, man denke nur an Maximilian I. Krieg mit den
Eidgenossen, an den großen Kampf desselben mit Venedig, an
die Kämpfe Karls V. in Italien, in die auch sein Bruder
Ferdinand, Maximilians Nachfolger in Tirol, hineingezogen
wurde u. s. w.

Während die Gutsherren im Osten Deutschlands die zu
großen Eigenbetrieben nötigen Arbeitskräfte, wie bereits erwähnt, durch Erhöhung der Fronen sich verschafften, ja vielfach sogar mit Zustimmung der Staatsgewalt die gemessenen
Dienste in ungemessene verwandelten [3]), zeigen sich auch in
dieser Hinsicht in Tirol abweichende Verhältnisse. Hier bestimmt die Landesordnung von 1532 ausdrücklich, daß der
Forderungsberechtigte sein Recht auf Leistung von Fronen
urkundlich oder durch 40jährige Gewere erweisen müsse [4]).

---

[1]) Ehaft = Gerechtigkeit, vergl. Schöpf, Idiotikon S. 99.
[2]) Brandis, Landeshauptleute S. 414, Tiroler Almanach 1802 S. 72.
[3]) G. F. Knapp, Bauernbefreiung S. 41.
[4]) Die robaten sollen von nyemannd gevordert noch aufgelegt werden
dann von denjhenen, die darumb urbar oder brief und sigel oder ein
viertzigjärige gewör und prauch gebebt haben (Buch V Tit. XXVIII Bl. LXIII b.)

Eine willkürliche Vermehrung der Dienste ward hierdurch ausgeschlossen [1]).

In den bisherigen Ausführungen wurde eine Reihe von
Umständen namhaft gemacht, welcher der Ausbildung großer
Eigenbetriebe hindernd gegenüberstanden und dementsprechend
einer auf Kosten des bäuerlichen Besitzes sich vollziehenden
Ausdehnung des grundherrlichen Hoflandes entgegenwirkten.
Ist damit wohl erklärt, warum in Tirol nicht, wie im Osten
Deutschlands, an die Stelle der Grundherrschaft die Gutsherr-
schaft getreten ist, so bleibt andererseits noch die Frage zu
beantworten, warum das gute Besitzrecht der deuschtirolischen
Bauleute sich auch in der Neuzeit erhalten und nicht nach dem
Vorgang in andern deutschen Territorien eine Verschlechterung
erlitten hat.

Aus der Umwandlung des erblichen Besitzrechtes in ein
Recht auf Lebensdauer des Baumanns oder gar in ein Zeit-
pachtverhältnis wären dem Grundherren mancherlei Vorteile
erwachsen. So wäre ihm auf diese Weise ermöglicht worden,
nach Ablauf der Pachtfristen beziehungsweise nach dem Tode
des Baumanns den Zins zu erhöhen, höhere Handänderungs-
gebühren zu fordern und dergleichen [2]).

Im angrenzenden Bayern läßt sich eine derartige Tendenz
auf Beseitigung der Erbleiheverhältnisse deutlich erkennen [3]).
Ein derartiges Unterfangen wurde hier den Grundherren dadurch erleichtert, daß die Erblichkeit der Leiheverhältnisse
vielfach nur faktisch, nicht aber rechtlich anerkannt worden
war. Im östlichen Deutschland ist den Bauleuten der gleiche
Umstand· verhängnisvoll geworden. So erklärt es sich, daß
beispielsweise die „erweiterte und erklärte Bauer- und Schäfer-
ordnung" für das Stettinsche Pommern von 1616 bestimmen
konnte, daß die Bauern im Herzogtum keine Emphyteutae,

---

[1]) Hohe und ungemessene Frondienste kommen nur ausnahmsweise vor,
so Tir. Weist. II (Stams, 1538) S. 57 Z. 43.

[2]) Vergl. beispielsweise die Angaben bei Th. Knapp, Beiträge a. a. O.
S. 404 über die Erhöhung des Handlohnes bei den Fallgütern, d. h. den
Gütern, die nur auf Lebenszeit verliehen wurden.

[3]) Vergl. Hausmann S. 29, 31.

Erbzins- oder Erbpachtleute, sondern Leibeigene seien[1]). In
Deutschtirol jedoch verbürgt die unter Einwirkung der locationes
perpetuae allgemein üblich gewordene schriftliche Abfassung
der Erbleiheverträge dem Baumann gegenüber dem Grundherren
die Anerkennung seines Besitzrechtes als eines erblichen.

Eine Verschlechterung des bäuerlichen Besitzrechtes hätte
jedoch auch in der Weise eintreten können, daß der Grundherr heimgefallene oder durch Kauf erworbene Baugüter in
Form von Zeit oder Vitalpacht ausgetan und so die Zahl der
erblichen Baurechte vermindert hätte. Ein Verbot, das den
Grundherrn an solchem Vorgehen gehindert hätte, bestand
nicht. Gleichwohl fehlen alle Anhaltspunkte, welche eine derartige Verminderung der erblichen Besitzrechte vermuten ließe.
Wir dürfen vielmehr annehmen, daß Güter, die durch eine
längere Reihe von Jahren hindurch zu Erbbaurecht besessen
worden waren, bei Rückfall an den Grundherren oder Ankauf
durch letzteren nur wieder zu Erbrecht verliehen werden konnten.
Dementsprechend sieht die Landesordnung von 1532 nur die
Alternative vor, daß der Grundherr ein Baugut, das er durch
Kauf zurückerworben, entweder selbst behält, oder wiederum
zu Erbrecht austut[2]).

Eines der wichtigsten Momente, aus welchem die vorteilhafte Lage des tirolischen Bauernstandes zu erklären ist,
dürfen wir in der Politik der tirolischen Landesfürsten gegenüber diesem Stande erblicken. Die Stellung der Staatsgewalt
zum Bauernstande war überhaupt in Tirol eine wesentlich andere
als in den östlichen deutschen Territorien. Hier war der
Landesfürst in starke Abhängigkeit von den adeligen Groß-
grundbesitzern geraten, die am Landtag den entscheidenden
Einfluß besaßen, in Tirol nahm bereits im 15. Jahrhundert die

---

[1]) Fuchs a. a. O. S. 71—72.
[2]) Buch V Tit. V Bl. 86b: Wann aber der grundtherr die pawrecht . . .
an sich nymbt, so soll er schuldig sein, die pawrecht (wo er die nit selbs
behalten, sunder widerumb verkauffen will) des erben oder freündt-
schafft darvon er die an sich genomen hat, anzutragen. Da nun der Verkauf eines Baurechtes durch den Grundherren gleichbedeutend ist mit der
Verleihung zu Erbrecht (siehe oben S. 93), so ist tatsächlich die erwähnte
Alternative gegeben.

Bauerschaft als vierter Stand ihren Platz in der Landstube
neben Geistlichkeit, Adel und Bürgerschaft ein. Das hat nicht
am wenigsten dazu beigetragen, daß der Bauer Deutschtirols
die Verbindung mit dem Landesherren aufrecht erhalten
konnte, die sein Standesgenosse im deutschen Osten verloren
hatte [1]).

Während hier der adelige Gutsherr eine Reihe staatlicher
Hoheitsrechte, vor allem die niedere Gerichtsbarkeit an sich
gebracht hatte [2]), ist in Tirol, wie schon erwähnt [3]), der Grundherr nur in der Minderzahl der Fälle, und auch hier nur für
einen Teil seiner Besitzungen, zugleich Gerichtsherr. Die freien
Bauleute unterstehen durchaus dem Landgericht, bei Streitigkeiten zwischen Grundherren und Baumann ist ausschließlich
das Landgericht kompetent, nur unter Mitwirkung des letzteren
darf der Herr das Baugut einziehen.

Da es den deutschtirolischen Grundherren nicht gelungen
war, zwischen Bauer und Landesfürst zu treten, so ward
diesem in höherem Grade die Möglichkeit geboten, eine Wirksamkeit zu Gunsten des Bauernstandes zu entfalten. Eine Reihe
von Umständen bot nun in der Tat den Anlaß, eine bauern-
freundliche Politik des Landesfürsten einzuleiten.

Die Mißerfolge, welche die Habsburger im 14. und 15. Jahrhundert im Kampf gegen die Eidgenossen erlitten hatten, das
aggressive Vorgehen letzterer, zeigten nur allzudeutlich, welch
gefährlicher Gegner der Bauer werden konnte. Andererseits
haben die Erfolge der Schweizer nicht ermangelt, das Selbst-
bewußtsein ihrer benachbarten Standesgenossen in Tirol zu
heben [4]). Der Anschluß der Tiroler Bauern an die Schweizer
stand noch zu Anfang des 16. Jahrhundert als Schreckgespenst
vor den Augen der tirolischen Regierung [5]). Auch die schlechten

---

[1]) v. Below, Territorium und Stadt S. 12.
[2]) v. Below a. a. O. S. 11, G. F. Knapp, Bauernbefreiung S. 33, Fuchs
a. a. O. S. 51.
[3]) Siehe oben S. 79 f.
[4]) Vergl. Jäger, landständ. Verfassung II/1 S. 240.
[5]) Die Innsbrucker Regierung hat um das Jahr 1519 von einem Herren
von Sibenberg erfahren: das er, als er ytz in Sweitz gewesen sey, glaublich
vernomen habe, das die pawrn an der Etsch in etwas handlung und practicken

Beziehungen, welche zwischen Herzog Friedrich (1406—1439) und dem tirolischen Adel bestanden [1]), haben auf das Verhältnis dieses Landesfürsten zum Bauern- und Bürgerstand im günstigen Sinne eingewirkt. Auf den Landtagen, die unter seiner Regierung stattfanden, spielten diese beiden Stände eine große Rolle [2]).

Die Bauern Deutschtirols sahen daher in der Folge in dem Landesfürsten ihren Beschützer, nicht ihren Bedrücker wie zahlreiche süddeutsche Standesgenossen. Am besten offenbart sich dies zur Zeit des Bauernkrieges von 1525. Während in zahlreichen süddeutschen Territorien die Bewegung sich besonders gegen den Landesfürsten richtete [3]), kehrte dieselbe in Tirol ihre Spitze nicht gegen Erzherzog Ferdinand selbst, sondern gegen dessen Diener sowie gegen den geistlichen und weltlichen Großgrundbesitz [4]).

Als erste Frucht einer den Bauernstand begünstigenden Politik des Landesfürsten ist die Landesordnung von 1404 anzusehen, bei deren Abfassung alle vier Stände beteiligt waren [5]). Wenn dieselbe ihrem Wesen nach nichts anderes als eine gesetzliche Festlegung des für die Erbleiheverhältnisse im allgemeinen geltenden Gewohnheitsrechtes ist, so liegt eben darin ein großer Vorteil für die Erbzinsleute, denn durch Fixierung des bisherigen Gewohnheitsrechtes wurde den Grundherren eine Verschlechterung des bäuerlichen Besitzrechtes erschwert. Gerade der Mangel genügenden Rechtsschutzes ist dem bäuerlichen Besitz und der bäuerlichen Freiheit im Osten Deutschlands so verderblich geworden [6]).

---

mit denselben Sweitzern steen und das inen auch dieselben Sweitzer solich hanndlung gefallen lassen. J. St. A. Pest A. II 381 (gleichzeit. Aufzeichnung über eine Beratung zwischen dem Innsbrucker Regierungskollegium und kaiserlichen Kommissären zu Augsburg 1519).

[1]) Vergl. Jäger, landständ. Verfassung II/1 S. 357 ff.
[2]) Vergl. Jäger, landständ. Verfassung II/1 S. 368 ff.
[3]) Vergl. v. Below, Territorium und Stadt S. 67.
[4]) Vergl. Wopfner, Innsbrucker Landtag 1525 S. 90.
[5]) Vergl. Beil. n. XVII zu Anfang, ferner Huber-Dopsch, österreich. Reichsgesch. S. 78.
[6]) Vergl. v. Below, Territorium und Stadt S. 14.

Unter vorwiegendem Einfluß des Bauernstandes und unter
dem Eindruck der Empörung im Jahre 1525 ist die Landesordnung von 1526 entstanden. Da viele der Zugeständnisse,
welche dieselbe der Bauerschaft, vor allem den Bau- oder Erb-
zinsleuten gemacht hatte, von den geistlichen und weltlichen
Grundherren nur widerwillig und aus Angst vor weiteren bäuerlichen Gewalttaten gemacht worden waren [1]), konnte es der nach
dem Bauernkrieg einsetzenden Reaktion gelingen, die Aufhebung
dieser Landesordnung heim Landesfürsten durchzusetzen. An
ihre Stelle trat die Landesordnung von 1532, die im Wesen
bis ins 18. Jahrhundert herauf in Kraft blieb. Begünstigt
letztere nicht mehr in so einseitiger Weise wie die Landesordnung von 1526 den bäuerlichen Stand, so ist doch auch
durch sie keine Verschlechterung des bäuerlichen Besitzrechtes
angebahnt worden. Die Bestimmungen des freien Erbleihevertrages werden hier neuerdings in einer Weise kodifiziert,
wie sie sich entsprechend der bisherigen, dem Baumann günstigen,
gewohnheitsrechtlichen Entwicklung herausgebildet hatten.

Ein Komplex von vielfach verknüpften Ursachen hat seine
Wirksamkeit zu Gunsten der Lage des tirolischen Bauernstandes im allgemeinen sowie der Erhaltung eines guten bäuerlichen Besitzrechtes im besondern geltend gemacht. Auf diese
Weise ist es möglich geworden, daß sich die freie Erbleihe
auch während des 16. Jahrhunderts und der Folgezeit zum
großen Nutzen der Bauern Deutschtirols erhalten hat. Während
viele ihrer Standesgenossen zumal im Osten Deutschlands in
der Neuzeit Freiheit und Besitz verloren, haben die Bauern
Deutschtirols erstere wie letzteren sich gewahrt.

Als die Reste des Instituts der Erbleihe durch die Grundentlastungsgesetze des Jahres 1848 und der Folgezeit beseitigt
wurden, hat freilich niemand mehr daran gedacht, welch großen
Vorteil dieses Institut einst dem Bauernstand gebracht. Die
Verpflichtungen, die dasselbe auferlegte, erschienen jetzt als unerträgliche Lasten. War ursprünglich das Recht des Baumanns
als Recht an fremder Sache erkannt und behandelt worden,

---

[1]) Vergl. Wopfner, Innsbrucker Landtag 1525 S. 97, S. 142 ff.

so hatte sich nunmehr das Verhältnis verkehrt. Nicht mehr
das Recht des Leihemannes, sondern das des einstigen Leiheherrn erschien jetzt als Recht an fremder Sache, das ist am
Gute des Leihemanns. Das grundherrliche Recht war zu einem
Rentenbezugsrecht herabgesunken, das Recht des Baumanns
aber rentenbelastetes Eigentum geworden.

Beilagen.

Nr. I.

1164 Februar 27.

Otto genannt Bochone investiert in Vertretung der Brüder Heinrich und Wasgrim von Gardolo[1]) den Otto genannt Carazo, dessen Gattin (?) und Erben mit einem Stück Weingarten in Piè di Castello bei Trient gegen Zins von 8 solidi.

Orig. Perg. J. St. A. Schatz A. II 459.

Die iovis qui fuit ii die a fine mense februarii, in domo Otto qui dicitur Bochonę, presencia bonorum hominum, quorum nomina subter l(eguntur). Per cartam, quam in sua tenebat manu, Otto qui dicitur Bochone de ista civitate investivit per loquilam dominus Enricus et Wascgrimo germani fratres de Gardole Otto qui dicitur Carazo et Sibilia [et]ª) sui heredes de ista civitate nominative de pecia una de terra vidata et cum arboribus iuris nostri, iacet a Pe de castro, cui coheret ei a mane sancti La[urentii]ª)²), a maeridie fluvio, a sera sancti Laurentii a montibus sancti Laurentii, cum quanto infra has coherencias inveniri potest in integrum. Quam autem eo videlicet modo fecit hanc investituram, ut deinde ipsi Otto et Sibilia et sui heredes aut cui ipsi dederint predictam terram vidatam et cum arboribus perpetualiter habere et [tener]eᵇ) debet et ex ea quicquid oportunum fuerit facere secundum usu terre [et]ᵇ) solvere exinde debet singulis annis in die kalendarumᶜ) marcii

---

ª) Durch Feuchtigkeit unleserlich geworden.
ᵇ) Loch im Pergament.
ᶜ) Im Orig. geschr. „cakbarum" mit Kürzungsstrich durch k und b.
¹) Gardolo, Dorf bei Trient.
²) Güter der Abtei san Lorenzo bei Trient.

viii solidos octo diebus antea vel octo postea aut in ipsa die
sine occasione, dato et consignato predicto ficto per se ipsum
Ottonem et Sibiliam suosque heredes vel per suum [missum] iam
dicto domino Enrico et domino Wasgrimo fratres eiusque heredibus vel suo misso, alia super imposita de ipsa terra eius fieri
non debet. Penam vero inter se posuerunt, ut quis eorum et
suorum heredum omnia ut dictum est non adimpleverit, obligaverunt componere pars ^a) parti fidem servanti nomine pene
fictum in duplum et post penam solutam maneat hoc breve in
sua firmitate ut supra et promisit se iam dictus dominus Enricus
et Wasgrimo iam dictam terram ab omni homine defensare sub
pena dupli et ob hanc investituram ^b) professus ^c) est se iam
dictus dominus Enricus et Wasgrimo accepisse a iam dicto
domino Otto et Sibilia argenti denariorum bonorum Veronensium
libras iii   . Actum. Signa † ^d) manuum suprascriptorum domino
Enrico et Wasgrimo, qui hoc breve fieri rogaverunt ut supra.
Signum manibus.   Anno ab incarnacione domini nostri Jehsu
Christi millesimo clxiiii^{to} indicione xii. Dominus Berardus
clericus, Ambrosius Camerlego, Bertoldo frater Rambaldo de
mercato Archo, Otto de Aicarda, Witaclino, Witho, Copastorna,
Enricus filius Alberto medico, Brachacorta.   Rogati testes.

Ego Enricus notarius sacri palacii rogatus hoc breve scripsi
et conplevi.

Nr. II.

1198 Februar 19. Albiano ¹).

Riprandin verleiht dem Martin von Sulona ²) *gegen genannten
Naturalzins einen Mansus in Sulona zu Erbpacht.*

Orig. Perg. J. St. A. P. n. 1001.

Anno domini millesimo c. nonagesimo viii indicione prima
die iovis x exeunte febr(uario) in Albiano in platea que est

^a) Orig.: par.

^b) Orig.: ivestituram.

^c) Im Orig.: „sum“ vor „est,“ welches erstere wohl aus Versehen nicht
getilgt wurde.

^d) 5 senkrechte und 3 darüber gezogene wagrechte Striche.

¹) Pfarrdorf in der Nähe von Trient (gegen Cembra).

²) Vielleicht das heutige Lona im Cembratal.

ante eclesia sancti Petri. In presencia Ropreti et Federici
filiorum condam domini Hregenardi et Enrici filii Copastorne
et aliorum rogatorum testium. Ibique dominus Riprandinus
fiiius condam domini Odolrici Ottonis Richi nomine locacionis
in perpetuum investivit Martinum de Sulona de uno manso,
qui iacet in Sulona, cum omni eo, quod ei mansi pertinet,
coheret ei mansui ab uno latere aquua, que dicitur Avisso[1]),
ab alio latere Ruffigello. Tali vero pacto supradictus dominus
suprascriptam investituram fecit, quod ipse conductor suisque
heredes[a]) in perpetuum habeant et teneant suprascriptum mansum
a predicto locatori et suis heredibus ad fictum redendum anu-
atim locatore suisque heredibus in festo sancti Michael octo
diebus ante vel octo postea ii modios blave unum milii et
unum siliginis quod mensura Tridenti; quod fictum si eo termino
solutum non fuerit, debet induplari, alia super inpossita inter
eos fieri non debet. De quibus vero penam inter se possuerunt,
ut si iam dictus locator vel sui heredes tollere voluerit aut si
iam dictus conductor vel suo eres dimitere voluerit et cen(sum)
ut supra legitur in integrum adimplere noluerit[b]), obligaverunt
inter se mendare pars parti pactum servanti pena c sol(idorum)
denar(iorum) Ver(onensium), pena soluta in suprascripto pacto
stare debet et promiserunt inter se vicissim ita atendere per
omnia ut supra legitur ot manifestus fuit ipse locator se accepisse
a suprascripto conductore xl sol. denar. Ver. pro suprascripta
locatione et· re(nuntians) exceptione non numerate pecunie[2]).
actum est hoc in suprascripto loco.

Ego Florianus domini Conradi Tridentini episcopi notarius
rogatus interfui et scripsi.

Nr. III.

1270 November 30. Keller[3]).
Heinrich in Fugen[4]) und genannte Mitcigentümer verleihen

---

a) Orig.: eherdes.
b) „noluerit" steht im Orig. zweimal.
[1]) Avisio, durchfließt das Cembratal.
[2]) l. 14 Cod. 4, 30.
[3]) Untergegangene Ortschaft bei Bozen (vergl. Acta II Ortsregister S. 618).
[4]) Ortschaft bei Bozen.

*dem Diether und dem Jakob von Bozen sowie dem Seibelin und
deren Gattinen ein Stück Rottland bei Bozen zu Erbpacht.*

Orig. Perg. J. St. A. P. n. 1161.

Anno domini millesimo cclxx. indictione xiii die dominico
ultimo exeunte novembri apud Keller in Fossato. In presencia
Frizii de Vilanders, Frizii filii condam domini Ortolfi de Bozano,
Haincii Hovelarii, Jakobi filii condam Haincii Marleindarii,
Haincii filii Muretscharii de Keller et aliorum r(ogatorum)
testium. Ibique Haincius in dem Vagen et filius suus
Dietherus una cum domino Gotschalco de Valwenstain presente
volente et consenciente atque sua manu inposicione et ipse
dominus Gotschalcus per se suamque uxorem dominam Mahthil-
dam et eciam per heredes omnes filios et filias condam domini
Wolfheri de Valwenstain, presente eciam domino Ottone de Vorst
iure et nomine locacionis perpetualis et quilibet eorum in totum a
se suisque heredibus ad habendum et detinendum perpetualiter id
est donec mundus iste durabit, investiverunt Dietherum de Bozano
recipientem sibi et uxori sue Hemine et Jacobum de Bozano olim
servientem Haincii Maierlini recipientem sibi et sue uxori Chunc-
gunde de Bozano atque Seibelinum recipientem sibi et uxori sue
Oxerze de quadam pecia terre grezive iacentis ad Scavers subter
Vagen, cui coheret ab uno latere filie condam Egelolfi, ab alio
latere dominus Haincius de sancto Georio et heredes condam
Dietheri de Bozano, a superiori capite dominus Eberhardus de
Bozano, ab inferiori capite suprascriptus dominus Haincius de
sancto Georio filius condam Plarerlini et Concius de Scafers
et forte alii sunt coherentes, ut decetero suprascripti coniugales
omnes per se suosque heredes habeant teneant et conducant
terram predictam ad bene laborandam ad meliorandam et non
peiorandam, ad vites implantandas et hinc ad proximum festum
sancti Michahelis et inde ad sex annos conpletos ex dono habendi, finitis predictis sex annis ad censum annuatim dandum
et solvendum ipsi coniugales conductores et eorum heredes
eisdem Haincio et suo filio et eorum heredibus medietatem vini,
quod deus dederit in ipsa vinea, et cum partem vini dare in-
ceperint, tunc debent eciam dare omni anno in nativitate domini
duas carnes porcinas et dictum Haincium vel filium aut unum
eorum nuncium providere in expensis in vindimio, donec pars

vini in ipsa vinea fuerit data et quod babeant et teneant ipsam
terram locatam una cum introitu et exitu superiore et inferiore
cum aqueductu et alluvione omnibusque suis pertinenciis confi-
nibus et servitutibus in integrum et cum plena potestate vendendi donandi pro anima et corpere iudicandi et totam eorum
utilitatem exinde faciendi quicquid voluerint sine ulla locatorum
et suorum heredum contradictione seu repeticione excepto eo,
si aliquo tempere ius eorum vendere voluerint, vendant locatoribus et eorum heredibus xl solidis Veronensium parvulorum
ad minus quam alicui alii emere volentibus; sin autem facta
denunciacione ante per mensem, vendant postea cui velint excepto militibus hominibus propriis militum ecclesiis viris religiosis
et exceptis talibus personis, qui locatores impediant in eorum
iure. Quod si hoc fecerint, amittant ius eorum in dicta locaci-
one et econverso, si ipsi locatores vel eorum heredes aliquo
tempore ius eorum vendere voluerint, vendant conductoribus
et eorum heredibus similiter xl solidis Veronensium parvulorum
ad minus quam alicni alii emere volentibus; sin autem facta
denunciacione ante per mensem, vendant postea cui velint, salvo
tamen iure dictorum conductorum. Promiserunt quoque et con-
venerunt sepedicti locatores et quilibet eorum in totum stipulacione per se et eorum heredes ipsis conductoribus et eorum
heredibus omnia suprascripta et singula suprascriptorum warentare
et defendere ab omni persona cum racione sub pena dupli de
eo, quod nunc valet aut pro tempere meliorata fuerit sub ex-
stimacione bonorum virorum in consimili loco sub obligacione
omnium suorum bonorum et reficere omnes expensas, quas
facient in curia vel extra curiam in defensione dicte terro locate,
renunciantes in hoc ipsi dominus Gotschalcus Haincius et
Dietherus epistole divi Adriani[1]) et legi dicenti, quod non
possint dicere seu uti, quod pro parte debiant conveniri et
warentare seu defendere vel quod alter seu alteri sit vel sint
presens seu presentes[a]) et warentando atque defendendo et
quod electio unius non liberet alium in totum vel pro parte
nec eundem pro alia parte et nove ac veteri constitutioni et

---

[a]) Orig.: preser.
[1]) § 4 J de fideiuss. 3, 20; l. 26 D eod. 46, 1 (vergl. Windscheid,
Pandektenrecht *II § 293, § 479).

ipse dominus Gotschalcus promisit insuper ipsis conductoribus, quod faciet eis laudare et confirmare suprascriptam locacionem et omnia pacta locacionis predicte suam uxorem dominam*) [Mahthildam] et omnes pueros condam domini Wolfheri, quandocunque ab eis fuerit petitum et dicti pueri pervenerint ad legitimam etatem, dantes eciam ipsis conductoribus licenciam et parabolam eorum auctoritate tenutam intrandi.

Ego Conradus imperialis aule notarius interfui rogatus et scripsi.

Nr. IV.

1283 August 20.   Brixen.

Propst Ingramm von Neustift verleiht nach Marktrecht dem Ulrich von Meurlin und seinen Erben mehrere Zehenten, die ihm Kristan, Sohn weiland des Heinrich genannt Witekge, aufgelassen hatte, gegen jährlichen Zins von drei Talenten Pfeffers, worauf der Beliehene einen halben Zehent dem Propst wieder aufläßt, der denselben der Diemut, Witwe nach Heinrich Ries von Reuental nach Marktrecht verleiht.

Orig. Perg. Arch. Neustift GG 21, 1, zwei Siegel an Pergamentstreifen. Auszug Neust. UB. n. 350 (nach lib. don.).

In nomme domini amen. Cum Cristanus filius quondam Heinrici qui dicebatur Witecge decimas de curiis infra scriptis scilicet Underpach, Wisen et Schale necnon et de agris, quorum unus dicitur in Lohe alter in Panthu, aliasque decimas quascunque idem Cristanus et pater suus predictus in parrochia Latfons ab ecclesia Novecellenci iure officialis feudi tenuerant, ad manus venerabilis domini Ingrammi eiusdem ecclesie prepositi libere resignasset, idem prepositus nomine ecclesie sue de communi fratrum consilio et consensu Ulrico de Meurlin suisque heredibus in perpetuum iure forensi taliter contulcrunt, ut idem Ulricus vel quicunque heredum suorum in decimas succcedet predictas, tria talenta piperis in festo purificacionis sancte Marie annis singulis Novecellensi ecclesie inde persolvant et si in aliquo anno census iste solutus non fuerit, in duplum solvi debeat anno sequenti et si nec hoc factum fuerit, in tercio anno

---

*) Folgt freigelassener Raum von 2 cm.

census idem solvatur in triplum et nichilominus censuarius a
iure suo cadet et decime ipse pleno vacacionis iure ad predictam
ecclesiam revertentur. Post hunc vero contractum initum idem
Ulricus dimidiam decimam in Schale, quas inter alias a preposito receperat memorato, eidem libere resignavit, quem idem
prepositus cum fratrum suorum concensu Diemudi relicte Heinrici
Gygantis de Riwental similiter iure forensi contulit eiusque
heredibus sub annuo censu in perpetuum possidendam. Huius rei testes sunt domini Chunradus archidiaconus de Unst,
Heinricus de Ruvein, Gotschalcus de Tsets, Heinricus de Rischon,
canonici Brixinenses. Laici vero Heinricus filius domine Gese,
Erhenpoldus et Heinricus filii eius, Ulricus Weise, Tegeno,
Perchtoldus de Rese et alii quam piures. Nos quoque Heinricus
prepositus Augiensis et Heinricus hospitalarius de Clausen
rogati sigilla nostra presenti scripture appendimus protestantes
nos omnia prescripta ita sicut scripta sunt presentialiter
audivisse pariter et vidisse. Actum in paradyso maioris ecclesie
Brixinensis anno domini m° cc° lxxx°iii° indictione undecima
x°iii° kl. septembr.

Nr. V.

1323 Mai 10.

*Abt Hermann von Georgenberg verleiht dem Haimo von Volders[1])
und seinen Erben ein Haus gegen jährlichen Zins von 10 Schilling.*

Kop. Georgenberg: Volders fol. 16.

Wir Herman von gots genaden abt, Heinreich prior und
aller convent auf sand Jörgenberg in dem Intal veriechen und
tůn chunt an disem brief, das wir mit gemaynem ratt Haymen
von Vollers und allen sein erben, dy is von recht erben süllen,
lassen haben ain hawß mit gemäwr und mitte holze, diu uns
angehört, umbe zechen schilling perner zw den zbayen pfunden,
dẏ eʒ uns vor gegeben hat von ainer pewent und soll er unde
sein erben der selben hofstat unverstössen sein, dy weyl er
ůns dẏ zechen schylling geyt und wår aber, das wir dẏ
pewent yemant fůr in liessen, so sol im und seinen erben dẏ
hofstat beleyben umb den zynss als vor geschriben stett. Wår

---

[1]) Dorf östl. Hall im Inntal.

aber das er des hauses wollt an werden oder sein erben, so
sol er is ůns anbyeten, gǎben wîr im darumb das ym ander
lǎwt gehen wellent, so soll er ůns sein gůnnen. Wellen wir
des nicht tůn, so sôll er seinen frum damit schaffen und
sůllen wir in nicht daran engen. Des sint geczewgen
herr Jacob der Cholbe kchorherre zw Brichssen und pfarrer ze
Tawr, herr Hainr. der Awer pfarrer ze Mûlles, Gewolff von
Pawnkirchen, Ch. der Merenstainer, Ullein Gewolfs sun, Gewolt
von Chefersvelt und Ulreich der probst von Stǎnns. Das in
das staet und unzebrochen bleib, geb wir in disen brief mit
unsserẽ zwain hangenden insigelen. Das ist geschechen do
von Christes gepûrd waren ergangen drewezehenhundert iar in
dem drewundzwainzigisten iar des eritages vor pfingsten etc.

Nr. VI.

1327.

*Hartmann Domkuster zu Brixen und das Kapitel dortselbst
verleihen dem Hadmar von Millan[1]) ein Gut zu Urczecz und den
Weingarten zu Spitzenpuhel zu erblichem Baurecht.*

Orig. Perg. Kap. A. Brixen L. 7 n. 69, Sieg. an Pergamentstreifen be-
schädigt.

Regest Archivber. II n. 2259.

Ich Hartman chorher ze Brichsen unde weilent custer und
allez capittel daselben vergehen an disem prief unde tůn
chunt allen den, die in lesent oder horent lesen, daz wier mit
gůtem willen unde mit gemainem rat Hadmaren von Millan
unde seiner hausfrawen frawen Dyemûtten unde allen iren
erben sunen und tohtern, die si mit anander haben oder noch
gewinnent, ze rechtem paurecht verlichiu unde gelazzen haben
unser gůot ze Urczecz unde darzue unsern weingarten ze
Spiczenpuhel genant, besuchtez unde unbesuchtez, erpawenz
unde unerpawenz, und mit allen den rechten, die darzu gehorent
mit solhem gedinge, daz uns der selbe Hadmar unde sein hausfraw unde ir erben ierichleich unde ewichleich von dem vorgenantem guete ze zinse geben sullen zwainczich phunt perner,
zehneu an sand Elen tach unde die anderen zechneu an aller
hailigen tach unde ainen mute roken unde ainen gersten an

---

[1]) Dorf südl. Brixen.

sande Larenczen tach, ze ostern ain chicze und dreizzich ayger
und snitweysode dreu huener unde dreizzich ayger und von dem
weingarten ze Spiczenpuchel halben wein, den got geit in dem
selben weingarten unde sullen unseren poten ze dem winmode
erleich halten alz gewonlich ist und ist auch ze wizzen, swelhes
iares Hadmare und sein hausfraw unde ir erben den zins ver-
siczent oder die gůt mit paw verasaumut mit pewerten sachen
oder daraus icht verchauften oder versaczten oder tailten, so
sullen si von allen den rechten geschaiden sein, die si ewichleichen an dem guote unde weingarten gehabt solten haben.
Wer auch dz dz capittel daz vor genante guote und weingarten
furpaz verchauften oder versaczten oder verwechsleten, so
sullen si Hadmaren unde seiner hausfrawen und iren erben ir
paurecht auzdingen. Wolt auch Hadmar unde sein erben ir
paurecht furpaz verchauffen, daz sullen si tůn mit des capittels
wille unde gunst und in solben genaschaft, dz dem capittel der
zins unbechummert beleibe unde swenne Hadmar an gotes gerichte
verdirbet, so sol ie der eltist erbe die gůt enphahen und mit
des capittels amtleuten nach gnaden taidingen. Daruber so
han ich Hartman vorgenanter und alles capittel gelobt Hadmaren und seiner hausfrawen unde allen iren erben rechte
gewern ze seinne des paurechtes auz dem vorgenantem gůt
unde weingarten vor geistleichem und weltlichem rehte unde
swo si sein bedurfent. Daz dicz stet unde unzerprochen
beleibe, daruber hab wir dem vorgenantem Hadmaren von
Millan und seiner hausfrawen und allen iren erben geben disen
prief triuleich versigelten mit unserem insigel, daz daran
banget. Dicz ist geschehen ze Brichssen do man zalt von
Cristes gebůrt dreuczehenhundert iar und darnach in dem sibeu-
undzwainczigestem iar.

Nr. VII.

1329 Mai 6 Lajen.

*Äbel der Zimmermann von Schefs[1] verkauft für sich, seine
Gattin und seine Söhne Ulreich dem Hager und seiner Frau das
Baurecht einer Hube zu Schefs.*

Orig. Perg. J. St. A. P. n. 324, Sieg. an Pergamentstreifen.

---

[1] Wahrscheinl. das heut. Tschövas, ein zur Gemeinde Lajen gehör. Weiler.

Chunt sei getan allen den die disen prief sehent oder lesen
hôrnt, daz ich maister Aebel der zimmerman von Schefs auf-
gegeben und verchauft han reht und redleich mit verdahtem
mût mit gûtaer gewizzen und durchslehtz ewichleichen fur
mich und fûr alle mein erben ellev mein paureht fûr in rehtez
lediges gût von maennichleichen, die ich gehabt han oder gehaben mohte und swie den benant sein, ez sei von gewonhaeit
oder von rehte oder von meiner herren wegen der chorherren
ze Freysing ze dem tûm auf der hûben ze Vitzud, die ze
Schefs gelegen ist in Laianaer pfarre in der mulgrey sand
Jacobes, Ûlreichen dem Hager, Haeilken seiner hausfrawen
und allen irn erben sûnne und tôhtaer, die si habent oder
noch gewinnent, umb zwounddzwainczich march perner Myranaer
gûtaer und gewonleichaer munso, der ich gar und gaencz-
leichen mich gewert rûffe und ist auch der chauf und die
aufgebung geschehen mit wille und mit worte und mit hanten
meiner hausfrawen Dymûden, di auch einen mutte rokken von
dem vorgenanten Ûlreichen enphangen hat, und Thomas und
Johanses und Ursen unsaer sûn, der ir igleicher ein roch auch
darumb enphangen hat und ich vorgenanter Aebel und Dyemût
mein hausfraŵ und Thomas und Johans und Urse ûnsaer sûn
haben die vorgenanten paureht der vorgeschriben hûben ze
Vitzud besuhten und unbesuhten, erpaŵn und unerpaun mit invart mit ausvart ze velde und ze dorfe mit wazzaer und mit
waid und etzung, di darin gehôrt habent oder noch gehôrn
mugent, swie si benant sein, die haben wir auf gegeben le-
dichleichen und umbedwungenleichen Niklein dem maiger von
Freysing an meiner herren stat der chorherren von Freysing
ze dem tuem und haben in gepeten, daz er die vorgenanten
hûb Vitzud und paureht verlihen hat dem vorgenanten Ûlreichen
dem Hager und allen seinen erben in allem dem rehte und gewonhaeit und siten alz andaern unsaern hausgenozzen, wan er
und sein erben sich verpunten habent zû allen den rehten, und
Freysingaer herren ze dem tûm haben sulnt und umb den
chauf der vorgeschriben paureht der hûben ze Vitzud pin ich
vorgenanter maister Aebel Dyemût mein hausfraŵ Thomas
Johans und Urse unsaer sûn und alle unsaer erben, swie die
benant sint, reht gewern nach landez reht dez vorgenanten

Ûlreiches dez Hagaers, Haeilken seiner hausfrawen und aller
ir erben an allaer der stat, da in sein not geschiht vor gaest-
leichem oder werltleichem geriht und hat auch Hainreich mein
prûdaer von Schefs von unsaer aller pet willen gelopt fûr sich
und fûr alle sein erben rehter gewer ze sein nach landez reht
und fûr Hilprantz chind von Vitzud, swie die genant sein.
So ist auch mer ze wizzen, daz ich Hainreich der alt Pûchvellaer und alle mein erben auch dez vorgenanten Ûlreiches
dez Hagaers Haeilken seiner hausfrawen und aller ir erben
rehter gewer pin umb den chauf der vorgenanten paureht der
hueb ze Vitzud, wan do pei zeiten diu selb hueb in meinem
nutze und gewer gewesen ist von maister Aebleins wegen und
aller seiner erben und auch rehter verchauffer mit Aeblein und
mit seinen erben gewesen pin. Ez sol auch der vorgenant
Ûlreich der Hager Haeilke sein hausfrawe und alle ir erben
die vorgenanten hûb und paureht ewichleichen niezzen und
haben und besetzen und entsetzen und wenden und chern und
allez daz damit tûn und lazzen, daz ein igleich man mit seinem
rehten zinslehen tûn und lazzen sol nach landesreht.
Ditzes chauffes und diser aufgebunge der paureht der vorgenanten hûb sint gezeug her Engelmar vikaerie von Laian, her
Seyfrit sein geselle, Chûnrat der maiger von Laian, Moaenel
uud Maenhart sein sun, Aebel der Laian, Dyetel und Aebel der
Piglaer, Albreht der Posaiaer, Nikkel von Schefes, Seyfrit der
Schreibaer, Johans der Schraeffel und ander frum laeut genûch.
Und daz diser vorgenant chauf also staet ewichleichen und
unczebrochen bleib, haben wir vorgenant Aebel, Thomas, Johans,
Urse mein sûn und Hainreich von Schefs und Hainreich der
alt Pûchvellaer gepeten hern Georien von Vilandaers ze den
zeiten rihtaer ze Kufdaun [1]), daz er sein insigel an disen prief
gebengt hat ze einer vestnung und urchunne der warhaeit.
Daz ist geschehen, do von Christes geburt ergangen warn,
dreutzehen hundert iar und dar nach in dem neunundzwaint-
zigistem iar dez naehsten samptztages vor sand Pangracii tag
ze Layan an der gazzen.

---

[1]) Heute Gufidaun, nordöstl. Klausen.

1339 August 28.

*Die Bürger von Innsbruck bekennen, daß ihnen Abt und
Konvent von Willen Grundstücke in einem „Auffang" im Saggen[1])
zu Erbzinslehen verliehen haben[2]).*

Orig. Perg. Stadtarch. Innsbruck n. 13, Sieg. an Pergamentstreifen.

Wir die purger alle ze Insprukk, die taile habent in dem
nachgeschriben newn aufvang des Sakken veriehen offenlich
an disem brief für uns und für alle ûnser erben allen den,
die disen brief sehent hôrent oder lesent, daz uns die erwirdigen gaystlichen herren abbt Johans des gotshauses ze
Willtein und der convent daselben ûberal verlihen habent
uns und ûnsern erben ebichlich ze rehtem zinslehen ir aygen,
daz gehaizzen ist der Sakk von der Plonschiltinne und der
Engelsschalchinne anger und von irem newraut ab auf daz In
und der praite von der alten pachrunst der Sûlle bincz an den
Vaeltsakken mit besûchtem mit unbesûchtem mit all den
rehten, die darzû gehôrent, als wir ez aufgevangen und
under uns getailt haben mit irem gûtem willen und swaz
iedem manne tails darauz gevallen ist, daz sol er und sein
erben den vorgeschriben herren von Wiltein und irem gotshause und ihren nachomen dienen und zinsen ie an sande Gallen
tag in allen den pûnten und rehten, als wir in ennenthêr und
auch noch die urbor in dem Vaeltsakken, die von in lehen
sint, gezinset haben und noch zinsen, doch in der beschaidenhait, welher under uns seinen tayl ze akcber lat ligen, der sol
in von dem ieuch ze dienst geben ain phunt perner iaerichlich
und den zehenten davon. Hat er mer oder minder danne ain
ieuch, so geb davon, daz im gepûr ze gebenne etdem ieuch
ain phunt perner ze raiten. Welher aber under uns seinen
tail ze grase lat ligen, der sol in iaerichlich ze dienst geben
von dem ieuch siben zwainziger und seinen zehenten von dem
althaewe, hat er minder oder mer danne ain ieuch, so geb davon,
daz im gepûr ze gebenne etdem ieuch siben zwainziger ze

---

[1]) Wiese zwischen Inn und Sill nordöstl. Innsbruck.

[2]) Der zu diesem Revers gehörige Verleihbrief liegt noch im Original
vor im Stadt-Arch. Innsbruck n. 766.

raitenne, wenne ez ze gras leit. Welher aber seinen tail ze
ainem mal ze akcher pawet, ob in der danne fûrbaz ze grase
wolt lazen ligen, so sol er dannocht ain phunt perner ze dienst
geben iaerichlich, als ob er ze akcher laege und seinen zehenten
von dem althaen. Welher aber seinen tail ze akcher nie
gepawen hat, dieweil der selb tail ze gras leit ungepawen, so
ist er newer gepunden davon ze dienst ze geben siben zwaint-
ziger und den zehenten von dem althaew als vorgeschriben
stet. Und swaz des vorgeschribenz ires aygens zwischen der
alten pachrunst der Sûlle und des Vaeltsakken noch aufgevangen pawleich und nûtz wirt, daz sûllen wir und ûnser
erben den egeschriben herren von .Wiltein irem gotshause und
iren nachchomen zinsen und dienen als vorgeschriben stet. Doch
wem daz griezz mit dem tail gevallen ist, daz da leit von irem
newrâwt und von der Plonschiltinne und der Engelschalchinne
anger ab bincz auf dez Velsers anger, den er newlich erzeugt
hat zwischen der grozen Sûlle und des mûlbazzers, daz sûllent
dieselben oder ir erben ze nutz pringen inwendikch fûmf-
zehen iaren, die schierist choment. Taeten si des nicht, so
sûllent si geschaiden sein von allen den rechten, die si
darauf haben solten oder machten und die vorbenantem herren
von Wiltein und ir nachchomen sûllent danne fûrbaz ires gotshauses nutz und frumen damit schaffen, als mit irem aygen
und ledigem gût. Ez sûllent auch die egenanten herren von
Wiltein und ir nachchomen diu Sûlle abfûren an ûnsern schaden,
verslahen und antwurten fûr iren newrâwt und von demselben irem newrawt ab hincz auf daz In sûllen wir und unser
erben uns selben fristen verwûrchen und verslahen an iren
schaden, als wir sein waenen geniezzen fûr den heutigen tach
immermer und damit sûllent si noch ire nachchomen nihtesnicht
ze schaffene haben, wann si ietz iedem manne seinen tail auz-
bezaigt habent und den dienst davon geschaetzt und benant.
Welher darûber under uns nu fûrbaz icht hin liezze rinnen
oder gen, daz sol dem egenanten herren von Wiltein irem gotshaus und iren nach chomen gegen demselben und gegen seinen
erben an dem dienste, der im ietz benant ist, unschedlich
sein und sûllent sein gen in chain enkaeltnûss haben, es waer
danne, daz daz hinrinnen beschaeh von so grozzer ehafter not

und von sölher gotes verhenchnûss, die unwendlichen waer,
daz erber laeut gesprechen machten an gevaerde, und wer
stadelstete auf dem egeschriben aufvaug hat oder noh aufvecht,
der sol die den egenanten herren und irn nachchomen zinsen
und dienen nach dem ieuche ze raiten ie von dem ieuch ain
phunt perner und weiber under uns seinen tail des egeschriben
aufvangs verchaufen wolte, dem süllent si dez gunden und
süllent in verleihen dem, der in chauft als sitleich und gewonlich ist, als si ennenther aekcher in dem Vaeltsaken, die
von in lehen sint, verlihen babent und noh verleihent. Ez sol
auch ûnser igleicher seinen tail enphahen von dem abbte dez
egenanten gotshauses hin umb sand Bartholomeus tach, der
schierst chûmt und welher ûnser des nicht taete, der sol nach
dem egenanten sand Bartholomeus tach geschaiden sein von
allen seinen rehten, die er auf seinem tail haben sôlt oder
macht und derselb tail sol danne daz egenante gotshaus
ze Wiltein ledichlich angevallen sein. Ez sol auch ûnser
iglicher umb daz, daz er enpheht des egenanten aufvangs,
von dem abbte und von dem convent ein hantfest nemen under
iren insigeln vor dem egenanten sand Bartholomeus tag pei
der pene als vorbenant ist. Si süllent auch uns ez leihen und
ûnser hantfest versigeln unverzogenlich, twenne sein ieder
man gêrt und süllent daz tûn in den rehten als sitleich und
gewonlich ist an gevaerde.   Und ze ainem urchûnd der
warheit des, swaz vorgeschriben stet, so geben wir fûr uns
und fûr ûnser erben dem egeschriben gaistlichen herren dem
abbt und dem convent ze Wiltein und allen iren nachchomen
disen offen brief versigelten mit ûnsrer stat insigel ze Insprukk.
Sein sint auch gezeuch: her Chûnrat der Helblinch von Straz-
frid, her Jacob der Narrenholczer, her Jacob der Mattrayer,
her Hans der Jaeger, Hannes der Speiser und ander erber
laeut. Daz ist geschehen nach Christs geburt driuczehen
hundert iar und darnach*) in dem naewnunddreizzigistem iar
an sand Augusteins tag.

---

*) Das r in „darnach“ von anderer Hand nachgetragen.

Nr. IX.

1351.

Konrad der Völser, Richter zu Völs, beurkundet, daß durch Gerichtsspruch dem Brixner Domkapitel zwei von ihm zu Baurecht ausgetane, derzeit aber unbesetzte Höfe als heimgefallen erklärt wurden.

Orig. Perg. Kap. A. Brixen L. 17 n. 32. Sieg. an Pergamentstreifen. Regest Archivber. II n. 2380.

Ich Chûnrat der Velser zu den selben zeiten richter ze Vels an mein selbers stat und an meiner prûder stat Rendleins und Eltleins und Hansen tuen ze wissen an disem brief allen den, di in sehent oder hôrend lesen, daz Ebel der Govenicz von Vels fûr mich cham, do ich ze gericht saz ze Vels, als ein gewisser pot und procurator und mit ainem guetem ûrchunde der chorherren von Brixen und cblagt mit vôrsprechen und gab fûr von der chorherren wegen, in legen zwen hof ôde, der ain haisset Funtŷnetsch, der ander baissz Paschul von gült wegen und von der erben wegen, di der paurecht erben wolten sein an den hofen und pat gerichtes. Do fragt ich Chûnrat der Velser Ebleins versprechen und darnach gemainleich an dem rechten ieden man auf sein ait, waz in recht noch Ebleins chlag und furgab taucht. Do ertailt Ebleins versprech auf sein ait und das in auch recht taucht, daz der scherig di nachsten drei suntag nocheinander vôr der pharrechirichen ze Vels solt berueffen, ob iemmand wer, der bincz den zwain hôfen icht ze sprechen hiet, daz der chem fûr daz recht und vôrantburt daz, is wer um gult oder um erbrecht oder um paurecht oder um welicher ansprach daz wer hincz den hofen, geschech dez nicht, daz niemmant noch den drein suntagen chem fûr recht und daz guet nicht versprech noch verantbûrt, so solten di zwen hoef den chôrherren von Brixen ledig und los sein fûr alle ansprach von mennichleich und solten di zwen hôfe beseczen und enscheczen (!) fûr ledigez und freiez urbor, swem oder swa si hin wolten und solt in dez daz gericht geholfen sein und solt seu auch nachmalen daran beschirmen als ein gericht vor recht tuen sol und ob sein Ebel gert ainez prifez an der chorherren stat*), daz in der richter sein prief

---

*) „stat" von anderer Hand saec. XIV. über die Zeile geschrieben.

solt geben under seinem insigel zu ainer waren gedenchnusse.
Darnach so fragt ich gemainleich an dem rechten ieden man
auf sein ait, waz in recht taucht. Do ertailt ieder man auf
sein ait, als vor geschriben stat und taucht si recht. Do sich
da di drei suntag vergangen waren, do cham Ebel[a]) der
Govenicz wider für daz gericht mit versprehen, do ich Chûnrat
ze gericht sazz ze Vels und pat gerichcz. Do fragt ich Leupolden, Ebleins vorsprechen, waz in recht taucht auf sein aitt.
Der ertailt auf sein ait, daz der scherig solt rueffen an dem
rechten ze drein malen, ob daz guet iemmant versprechen
oder vôrantbûrte wolt, daz der für daz gericht chem. Chem
iemmant, der dar daz guet versprechen wolt, do solt um geschehen, waz pilleich und recht wer[b]), chem aber niemmant,
der daz guet versprech, so solt den chôrherren daz guet ledig
und los sein von mennichleich und solt inn alles daz[c]) widervaren, waz vor frag und ûrtail pracht. Do fragt ich aber
gemainleich an dem rechten ieden man auf sein ait, waz in
recht taucht. Do ward Leupolden der ûrtail gemannichleich
gefoligt. Do rueft der scherig vor dem rechten dreistund nocheinander ob iemmant daz guet versprechen wolt, daz der für
daz recht chem und verantbûrtz, als er sein nachmalen geniessen wolt. Do cham aber niemmant, der daz guet verant-
bûrten wolt. Do pat Leupolt Ebleins versprech aber gerichtz.
Do fragt ich in auf sein ait, waz in recht taucht. Do ertailt
Leupolt auf sein ait, so lanchweil daz noch dez scherigen
rûffen niemant cbomen ist für und daz guet versprochen hat,
daz der scherig den chôrherren daz guet vor dem rechten be-
ruef für ain ledigez und freiz guet von mennichleich noch-
malen für alle ansprach und ob Ebel der Govenicz dez ain
prief gert an der chorherren stat von Brixen von mir Chûnrat
dem Velsor under meinem insigel, den solt ich im geben. Do
fragt ich ander erber leut gemainleich an dem rechten auf
iren ait, waz si recht taucht. Do voligten si gemainleich
Leupoldez ûrtail. Do wart den chorherren die vergenanten
zwen hofe ledig und los für alle ansprach und chlag werueft

---

a) Ebel im Orig. zweimal geschrieben.
b) „wer" von anderer Hand saec. XIV. über die Zeile geschrieben.
c) „daz" von anderer Hand saec. XIV. über die Zeile geschrieben.

vor dem rechten von mennichleich. Do gert Ebel der Govenicz
ainez prifes under meinem insigel au mich Chûnrat den Velser
an der chôrherren stat, als er in mit urtail gesprochen wart,
wie iz sich an dem rechtem ze ainer gedechnusse gehandelt
hiet. Den han ich Chûnrat der Velser im geben als im frag
und volig und urtail gesprochen hat. Dez sein zeugen und
sein auch an dem rechten gewesen Reinbrecht von Schenkenberch, Rendel der Velser, Bernher von Schenkenberch Eltel der
Velser, Engelbrecht von Valung, Chr. von Parczigal, Greimolt
der Rifer, Laurencz der Veltûrner, Hainczel der Grotner,
Gotschel sein pruder, Hâinr. der Pleterl von Alheins, Jekel
der Schârtner und darnach allez daz geding. Dicz ist ge-
scheben und verschriben ze Vels under der linden, do ich
Chûnrat der Velser ze gericht sas, do von Christes gehûrt
vergangen und gezalt waren dreuzenhundert iar, darnach in
dem ainundfumfzichistem iar dez nachsten suntagez noch sand
Bartholomus tag.

Nr. X.

1353 Juni 15.

*Genannte Sprecher tragen den Streit aus zwischen dem Kloster
Georgenberg und Konrad von Ställeneg, dessen Zinsmann, wegen
Zinssäumnis und Vernachlässigung der ihm verliehenen Mühle am
Volderbach* [1]*).*

Orig. Perg. Arch. Georgenberg-Fiecht Lade 27, Siegel an Pergamentstreifen.

Ich Chonr(ad) von Staelleneg, Gebhards suen [a]) von Fried-
perg vergich unnd tûn kuent allen den, die disen prieff an-
sehenndt oder hôrent lesen, daz ain krieg wazz zwischen
minez herren von sant Georgen abbt Chonr(ad) und min umb
ain mûl, die dez gotzhauzz ist und die ich von im han umb
ainen zinnß, den ich versaessen haet und im sin muel nit ge-
rechtverget haet alzz in genne unnd gaeb wer, alzz ich pilleich
getan haet. Des selbenn gennen wir hinder erber luet, die

<hr>

[a]) „suen“ ob der Zeile nachgetragen.
[1]) Durchfließt das Voldertal s. Hall.

hernach geschriben staent, die babent also gesprochen*), daz
ich uff den naechsten sant Michelzdag, der nuen schierst kuempt
minen herren von sant Georgen ain gaenne und gebe muel
haben sol mit gestain unnd mit alle diu darzů gehoert, daz
zwen muller mugen gesprechen, die mîn herr von sant Georgen
darzů nimt, daz siu genne und geb si. Taet ich dez niht,
swelchen schaden minn herr von sant Georgen naem, den er
uff sin gehorsam ingenemen möcht oder ainer seinez conventz
an siner stat, den sol er haben uff miner muel, die gelegen ist
in Volrer pach py dem staeg und soll die ofgenant muel inn
haben, biz daz er schaden und hawptguetz gewert werd gar
unnd gentzlich und im allzz daz vollfuert werd, daz vor geschriben staet.   Der rede und diser taeding sint spraecher
gewesen her Chonr(ad) von Friuentsperg, Chonr(ad) Maerer-
stainer, Hainrich Spiser, Chonr(ad) Stuemmelpech richter ze
Swatz, Chonr(ad) Niderkircher von Volrzz. Daz allez staet
und unzerbrochen belib, gib ich disen prieff versigellt mit dez
erbern herrn insigell her Chonr(ad) von Friuntsperg, der daz
angehanngen hat durche miner pet willen, im ane schaden.
Do daz geschach, do zalt man von Kristez gepuert driutzehen-
hundert iar darnach in dem driuunndfuennffzigesten iar an
sant Vitez tag.

Nr. XI.
1355 August 28.

*Jakob von Mulsetsch, Richter zu Villanders, beurkundet, daß
nach Gerichtsspruch das Gut „ze Brunn" wegen unbefugter Vornahme von Veräußerungen durch die Bauleute dem Brixner Domkapitel als Grundherren ledig geworden sei.*

Orig. Perg. Kap. A. Brixen L. 14 n. 217, Siegel an Pergamentstreifen.
Regest Archivber. II n. 2404.

Ich Jacob von Mulsetsch ab Vilanders bechenn mit disem
offenem brief, daz ich ze gerichte saz auf dem berge Vilanders
als ein gemainer richter von wegen hern Hansen von Hausen,
der ze den selben zeiten hauptman was auf Gufidaun, und daz
für mich chom an daz gerichte der erber herre her Niclaus

---

*) „die babent also gesprochen" im Orig. zweimal geschrieben.

ein priester und korherr auf dem tům ze Brixen mit einem
vorsprechen und mit vollem gwalt an des capitels stat von
Brixen und sprach, daz vorgenant capitel daz hiet ein gůt, daz
hiezze ze rechtem namen ze Brunn, aber ze übernamen hiezze
es von tausent tiufeln, und daz laege auf dem berg und in dem
gerichte ze Vilanders mit namen in der hirtschaft von Curvetsch,
daz selbe gůt, daz hieten pauwelent von in gehabt umb ierlichen
zins als lang, daz der pauweleuten etwie vil darab erstorben
weren, auch so lebten ir noch ettleiche und die hieten daz gůt
noch inne und daz were in auch etwie lang niht verzinset
worden, als man pilleichen getan soit haben und darzů weren
si chuntleichen underweiset und bieten ez mit ganczer warhait
ervaren, daz die paweleute daz gůt gebrochen bieten und hieten
in daz enpfrômdet an ettleichen stucken mit verchauffen und
auch mit todgeschaefte, die si darauz getan bieten und daz
bieten die pauweleute getan an allen irn willen und an ir
wizzen und an ir wort und von dez selben enpfromdens wegen
ward in daz gůt unnůcze und verluren daran ir rechtes aigen
urbor und ir gůt und daz chlagten si got und dem gerichte
und bat durch got eins rechten ze vragen, ob die pauweleute,
die daz gůt neuwer umb zins bestanden habent, dhainerlay
enpfrôndung mit verchauffen mit verseczen oder mit verschaffen
getůn môchten oder solten, daz chraft gehaben môchte an
dez vorgenanten capitels wizzen und an ir willen und wort.
Darumb vragt ich erber und weise leute an dem rechten, waz
recht were nach seiner chlag und nach seiner fůrgab, do wart
ertailt und wart behabt mit der merern menig nach volg und
nach vrag: der bruch und die undertailung und die enpfrôndung,
die von den pauweleuten an dem gůt geschehen weren, ez were
mit verchauffen, mit verseczen oder mit todgeschaeften oder
von welcherlay empfrôndung daz were, da die herren von dem
capitel ir willen, ir wort noch ir gunst niht zůgegeben bieten,
daz solte dem capitel gaenczlichen unschedleich sein und solt
niht chraft haben und daz capitel solte sich dez gůtes und seins
urbors underwinden und haimen und wider zesammenbringen
und daz gerichte solte ins wider einantwurten, wo si in sein
weisten und solte si seczen in nucz und in gewer und solte si
auch darauf schirmen nach landes rechte. Were danne, daz

iemant hincz dém gût icht ze sprechen oder ze vodern hiet,
von welherlay sache wegen daz gesein môchte, daz die herren
von dem capitel den selben, wer die weren, ein recht· taeten
und hielten und ir gût verspraechen an der stat, · do si ez
pilleich taeten und da si ander ir urbor verantwurttent und
versprechen und darzů wart ertailt, ich solte in einen brief
geben von gerichtes wegen under meinem ingesigel ze einem
urchůnd diser sache und also nach volg und nach vrag han
ich si mit frunbothen gesetzet in nucz und in gewer genczlichen
dez vorgnanten gûts und wil si darauf schirmen, so ich beste
mag an allen geverde und gib in disen brief von gerichtes
wegen mit meinem ingesigel besigelten ze einer staetichait direr
dingen doch mir an allen schaden.   An dem gerichte waren
Chûnrat von Pedratz, Manigolt von sant Valentein, Hainreich
Peyrer, Wernher von Trûnne, Michel von Plan, Valentein auz dem
Wald, Ûllein Manigolcz sun und vil andrer erbrer leuten. Datum
et actum anno dni. m.⁰ ccc lᵐᵒ quinto in crastino decollacionis
beati Johannis Babtiste.

Nr. XII.

1358 September 7 Brixen.

*Markgraf Ludwig von Brandenburg, Graf von Tirol, befiehlt
seinen Amtleuten, dem Brixner Domkapitel bei Eintreibung von
Zinsforderungen gegen dessen Zinsleute behilflich zu sein.*

Orig. Perg. J. St. A. Brixner A. n. 472, Sieg. von rotem Wachs rückw.
aufgedrückt, stark beschäd.

Wir Ludowig von gots gnaden marggraf von Brandenburg
und ze Lusitz, hertzog in Peyern und in Kerenten etc. enbieten
allen unsern amptläuten und richtern gemainleichen, den diser
brief gezaigt wirt, die ietzo sind oder fürbas werdent, unser
huld und alles gût. Wir wellen und gepieten ew alln gemainleichen und ewer iglichem besunder, daz ir ernstleichen schaffet
mit allen den, die in ewern gerichten sitzent und die den ersamen dem tûmprobst, dem techant und dem capitel ze Brixen
unsern besundern lieben zinsen und dienen sûllen, daz die selben
in iren dienst fürderleich und richtichleichen dienen und geben
und auch denselben korherren ewer diener und boten darzů

leibet, daz si ze rechter zeit umb ir dienst pfenden und nôtten, swenne oder an welhen under ew si des hegern. Môhtt in desselben von ew nicht widervaren, so mûsten wir in gûnnen, daz si mit gaistleichem rechten darumb benôten. Geben ze Brixen an unser frawen abend als sie geborn wart anno domini m^{mo} ccc^{mo} l^{mo} octavo.

Nr. XIII.

1371 Oktober 21.

Peter von Lichtwerth, Richter zu Brixen, beurkundet, daß dem Abt von Georgenberg von Gerichts wegen die Vollmacht zu außergerichtlicher Einziehung seiner Zinsgüter bei weiterer Zinssäumnis der Bauleute erteilt wurde.

Kop. Georgenberg: Brixen (unfol.).

Ich Peter von Liechtenwerde richter ze Prichsen vergich und tun chunt offenleich mit disem priefe allen den, dye in ansehent oder hôrent lesen, das ich mit vollem gewalt als ein richter von gerichts wegen pin gesessen ze Prichsen an dem rechten, do chom fûr mich der erwirdig herre abt Chunrat von sant Georienperge in dem indern Intal mit weyset und mit vorsprechen und pat gerichts und rechts hinz Leuklein an der chrewczstrazze ze Prichsen und Heinreich irem sûn, als hinz seinem und seins egenant gotshauses ze sant Georien zinsleuten umb seine versessen zins, der ŷm nicht gevallen wer als si in iärichleich ze recht zinsen uude geben solten von dem hause, hofstatt und pawmgarten gelegen an der egenant chreuczstrasse und darumbe er von in alle iare nû arbait unmût und schaden innâm und enpfieng mer danne von andern seinen zinslewten und pat durch gott und durch des rehten willen, einer urtail ze fragen, wie er gevaren solt, damit nu fûrbas iärichleich und richtichleich gezinset und gedient wirde als recht ist und ze rechter zeit. Darumbe fragt ich yeden man auf seinen ayt, was in darûber recht deuch. Do wart ertailt und behabt mit voig und frag und mit der merôrn meng, alle die weil und meinem egenanten herren von sant Georien seine egenant zinslewt richtleich iärichleich zinsent und dienent ze rechter dienstzeit, daran solt er sich lassen genûgen und welhes iars sy oder ir erben das versâssen und nicht entäten und im

seinen zinss wider seinen willen vorhieten, das er sich danne
des seinen an recht und an gerichts poten undewinden solt mit
vollem gewalt ungeengt und ungeirrt von allermännichleich
und måcht danne mit dem seinen schaffen, tûn und lassen,
das er wesst, das im nucz und gut wer, wanne si dann damit
von allen iren rechten und genaden, di sy an den vorgeschriben
pawrechten gehabt hieten nach seins briefs sag geschayden
wåren an widerrede gar und gånzleich und des ze ainem
urchund der warhait han ich obgenannter Peter als ein richter
von gerichts wegen als volg und frag geben hat, mein insigel
gehengt an disen brieve.   Des sint geczeug und dinchlewt,
die do an dem rechten enkagen waren die erbern leut Hans
der Probst purger ze Prichsen, Ch. Chumermle, Hainreich Ger-
hart, Oswalt von Padratz, Jacob von Eppan, Hainreich der
Weste, Engele der Vorspreche von Stufels und ander erber
lewt genûch.   Geschehen nach Christs gepurt drewtzehen-
hundert iare in dem ainenundsibenzigistem iare des naechsten
ergetages nach sant Gallen tage.

Nr. XIV.

1373 Jänner 6.

*Propst Konrad von Neustift verkauft „zu rechtem Baurecht"
Heinrich dem Schuster von Neustift und dessen Frau einen Wein-
garten, einen Acker und eine Leite[1]) zu Neustift um 21 Mark
Berner.*

Orig. Perg. Arch. Neust. B B 21, Sieg. an Pergamentstreifen beschåd.

Wir Chûnrat von gotz verhengnûsse probst dez gotzhaus ze der Newenstift veriehen offenleich an disem prief fûr
uns und alle ûnser nachhôm und tûn chunt allen den, die
in sebent oder hôrent lesen, daz wir recht und redleich
dûrslechtz und ewichleich hingeben und verchauft haben ze
rechtem paurecht unseren weingarten gehaizzen Cholber acher
gelegen ze der Newenstift in dem unteren dorfe, da ainhalben
anstôzzet Agnêsen der Chelrmaistrin acher, anderhalben ein
weingarten, der in Eisen gût gehört von Påch und unden
stôzzet daran der gemaine wêch, den man gein Prichsen get,

---

[1]) Grundstück an einem Berghang.

und ain acher daselben mit der leiten mit alle (!), die oben
dar an stôzzet, und stôzzet an denselben acher und leite ainhalben Dyethalmes gût, anderhalben Agnesen acher und leite,
besucht und unbesucht erpawen und underpawen mit auzvart
und mit invart mit allen den, und darzû gehôrt, und mit aller
pezzerung, und daran geschehen mach, nicht auz ze nemen,
Hainreich dem Schûchster von der Newenstift und Agnêsen
seiner hausfrawen und allen sein erben oder wem ers verchauft
schafft oder geit, um ainundzwaintzich march perner gûter
und gaeber Meraner mûnzz, der wir uns schôn rûffen gewert
sein mit gantzer zal. Auch hab wir vorgenant probst Chûnrat
den vorgeschriben weingart und acher mit der leiten mit alle
dem egenanten Hainreich und Agnêsen seiner wirtin und allen
sein erben verlihen und gelazzen mit dem gedinge, daz si
uns und unserem gotzhaus und allen ûnseren nachomen davon ierichleich und ewichleich dienen und zinsen sullen von
dem vorgeschriben weingart und acher in geleiche halben wein,
waz got darin geit, mit dem zehenten mit alle der in geleichen
tail gêt und von dem acher und von der leiten ierichleichen
ain phunt pheffer und sol in auch dez selben zinses nimmer
nicht gehôhet werden pei minre noch pei mer. Si sullen auch
den vorgeschriben weingart und acher in gûtem paw und
arbait behalten und nicht verasaumen und sullen weder versetzen, verchumeren noch verchauffen nicht an unser oder ûnser
nachôm willen und wizzen. Wer aver daz si dieselben ire
paurecht woiten oder mûsten verchauffen oder an werden, so
sullen sis uns oder ûnser nachôm dez ersten anpieten vor
aller maennichleich, chauf wir mit in danne, daz ist wol und
gût, chauf wir mit in nicht, so mûgen si dieselben ire paurecht verchauffen ainem in ir genozschaft, wem si weilen, der
uns zu einem pâuman fuegleich sei und da sulle wir sei engen
noch irren nicht an. Auch sulle wir obgenant probst Chûnrat
und alle ûnser nachôm dez egenanten Hainreichs und seiner
hausfrawen und aller seiner erben umb den vorgeschriben weingart acher und leiten ir rechte gewern sein gen allermaennich-
leich und auch vertreten und versprechen an aller der stat,
wa sein nôt geschicht vor geistleichem und vor wertleichem
gerichte und nach landez recht und umb die gewerschaft, welhen

schaden si dez naemen, den sulle wir in gar und gentzichleichen
ablegen und abtůn an alle widerrede. Daz daz also
stete und ewichleich pei seiner chraft peleibe hab wir ohge-
nante probst Chůnrat disen prief versigelt mit ůnserem an-
hangindem· insigel ze einem urchůnd der warhait. Dez sint
gezeugen her Herman ze den zeiten techant, her Niklaus der
Maytzog, her Ůlreich der pharrer und ander leute genuch.
Daz ist geschehen nach Christes geburt dreuczehenhundert iar
darnach in dem dreuundsybentzigisten iare an dem zwelften.

Nr. XV.

1381 Februar 2.

*Hans der Holer von der Piunt bekennt, daß ihm Herr Hans
von Starkenberg mehrere Güter zu Leins[1]), die letzterer von ihm
und anderen Personen gekauft hatte, zu ewigem Zinslehen verliehen habe.*

Orig. Perg. J. St. A. P. n. 573, zwei Sieg. an Pergamentstreifen.

Ich Hans der Holer von der Piunt vergich an disem offnen
prief für mich und für alle mein erben und tůn chunt allen
den, die disen prief ansehent oder hörent lesen, daz ich meinem
gnådigen herren hern Hansen von Starchenberg und allen seinen
erben von allen den gůten, die hernach geschriben stent, die
meins hern sint und ze der Piunt und ze Leines gelegen sint,
dez ersten daz gůt, daz mein herr chauft hat daz drittail von
der Piunt und ze Leines von Chůnrat dez sneiders saligen weib
und kinden, und von dem tail, daz Jåkleins dez Piuntners gewesen ist und von dem tail daz meins průders Mårchleins gewesen ist und daz ich selber meinem gnådigen herren ze chauffen
han geben und von dem gůt, daz mein herr von frawn Greten
von der Hůh chauft hat; disiu vorgnant gůt alliu sampt als
vorgeschriben stett, der tůn ich mich und all mein erben für-
zicht ewichleich, daz ich kainerlaig anspruch noch vingerzaigen
darauf nimmer gehaben sůllen noch mügen in dehainer weis
weder vor gaistleichem noch vor weltleichem rechten und waz
ich oder mein erben darumb anvingen von dez obgenant gůcz

---

[1]) Am Eingang des Pitztales.

wegen gen meinen gnådigen herren hern Hansen von Starchenberg oder hincz seinen erben, so sůlent sy gen uns alwegen
recht han und wir unrecht. Nu hat mir und meinen erben mein
obgenant herr hern Hans von Starchenberg sein gnad getan und hat
uns die obgenant gůt als obgeschriben stet mir und allen meinen
erben wider ingelazzen zů ainem ewigen zinslehen in sogetaner
beschaidenhait und mit geding, daz ich oder mein erben meinen
egenant herren hern Hansen von Starchenberg und seinen erben
von dem obgenant gůt jarichleich zinsen und geben sůlen ze
rechter dienst zeit fůmfzig schôt korn, drittail roggen und diu
zway tayl gersten und zwainzig phunt perner und ainen wagen
in daz lant und zwo schultren und vier pharden stellung und
wenn daz wâr, daz ich oder mein erben unsrew pawrecht auf
den obgenant gůte verkauffen woiten oder mûsten, von welhen
sachen daz wâr, so sůlen wirs dez ersten unsern gnådigen
herren hern Hansen von Starchenberg oder sein erben anpieten
und sůlen ins geben vor mânichleich. Gebent sy uns umb unsrew
recht, dez sy wert sint, daz ist wol und gůt, tåten sy dez
nicht, so mûgen wir unsrew pawrecht geben, wem wir weilen,
der uns allermaist darumb geit, aber in der beschaidenhait und
mit geding, daz derselb, wem wir unsrew vorgenant pawrecht
geben, auf den obgenant gůten, daz derselb unserm gnådigen herren
hern Hansen von Starchenberg und seinen erben den vorgenant
zins von den obgenant gůten iårichleichen geben sol nach
seins priefs sag. Und daz in daz allez also stât vest und
unzerprochen beleib, swaz vorgeschriben stet, darumb gib ich
vorgnanter Hans Holer und mein erben meinen obgenanten
herren hern Hansen von Starchenberg und allen seinen erben
disen offnen prief zů ainer unkund der warhait versigelten
unter dez erbern manns insigel Růdolfs von Prucz, richter ze
den zeiten ze Ůmbst und unter Werrenherrs dez Schallers
insigel, die si durch meiner fleizzigen pet willen an disen offnen
prief gehengt habent, in selber an schaden. Dez sint geziug
her Hans von Mûnichen, vicarii ze den zeiten ze Ůmbst, Peter
der Fůlsack und Hans der Kâiner von Ůmbst und ander erber
lewt genůg. Daz ist beschehen nach Christs geburt driuzehen
hundert iar und darnach in dem ainundachtzegistem iar an
unser frawen tag ze der Liechtmizz.

Nr. XVI.

1391 März 21.

Ulrich Kuen und seine Gattin Gertrud bekennen, daß ihnen Abt und Konvent von Stams einen Hof zu Imst zu Erblehen ver-liehen haben.

Orig. Pergam. Arch. Stams L 23. 7, Sieg. fehlt.

Ich Ulreich Chûnen sun von Ůmbst und ich Gerdraut sein eleichiu wirtin vergehen offenleich mit disem brief fur ůns und für alle ůnser erben und tůn khunt allen den, die in sehend, hôrend oder lesent, daz wir von den gaistleichen herren abbt Berchtold und von dem convent gemainichleich des chlosters ze sand Johans ze Stams bestanden haben ůns und allen ůnsern erben zu ainem rechten erblehen iren aigen hof ze Ůmbst, den vor der Mûlhauser von in und von irem gots-haus ze iaren gehabt hat, mit allen den rechten und nůczen, die darzu gehôrend, besuchts und unbesuchts erpawens und unerpawens ze holcz und ze velde ze wazzer und ze waide ze einvart und ze auzvart mit aller czugehôrde, als si der vor-genant Mûlhâuser gehabt hat, in sogetaner beschaidenhait und gedinge, daz wir oder unser erben denselben hof und waz darczu gehôrt ze alien zeiten in gutem paw sůllen haben und sůllen auch in und iren nachkomen iârichleich ze rechter dienstzeit davon ze zinse geben czwaiunddreizzig phund perner gûter und gåber Meraner mûnzz und·sechs schôt roggen und zwelf schot gersten und sullen nach staten, so wir schirist mågen, ain new haus und wonung zimmern[a]) und seczen, daz dem hof nůczleich sei und ůns erleich. Daran habend si ůns ze stiwer gelazzen die nåchsten vier iar halben zins an phenning und an chorn und, da got vor sei, ob nachmals dem haus und hof dhain ungeluk widerfůr, daz wår ůns geschehen und mochten darumb den hof und unsriu recht in nicht auf-geben noch davon sten, wir beten denn hinwider gezimmert und gepawt, daz in an dem vorgenanten zins nicht abge. Und wenn die vorgenant herren pei ůns sein, so sullen wir herren und chnechten ain mal raiten umb ainen czwaincziger an wein und visch und pheffer und saffran, daz sullen si selber haben

[a]) Orig.: zimmer.

und sullen auch des abbts phárden und ains probsts phárd,
wenn die pei úns sind, háu vergebens genúk geben an ge-
várde. Wár . aber, daz wir oder únser erben in und iren
nachkomen den vorgenant zins iárichleich ze rechter dienstzeit nicht gáben richtichleich, so habend si und ir poten gewalt,
úns darumb ze phenden nach lantsrecht, wár aber, daz wir
oder únser erben daz mit fraevel werten oder nicht phand-
mázzig wáren, oder haus und hof also missehandelten und sich
daz offenbar erfund, daz er den zins nicht macht getragen von
unczaf wegen, so sei wir und únser erben von allen únsern
rechten des hofes gánczleich vervallen und ob wir in dannoch
zinse schuldig wáren, der sullen wir se bezalen an allen schaden
und heten wir icht an haus und an hof gepezzert, des sind si
úns nicht gepunden ze widerlegen und ob daz wár, daz wir
wolten únsriu recht verchauffen, die suil wir sei vor aller-
mánichleich anpieten und ains phunt perner náher geben dann
andern láuten.   Und des alles ze ainem urchund der warhait gehen wir in und iren nachkomen disen offen brief versigelten mit des erbern mannes Rudolfen von Prútsch gesezzen
ze Úmbst anhangendem insigel, der ez daran gehenget hat
durch únsrer fleizziger pet willen im selber an schaden. Des
sind geziugen Hans Hendel von Úmbst, Hans Prancz smit von
Silcz, Chunrat Chornprobst wirt ze Stams und ander erber láut
vil. Daz ist geschehen nach Christs gepúrde dreizehen hundert
iar und darnach in dem ainundnáunczigistem iar an sand
Benedicten tag des heiligen abbtes.

Nr. XVII.

1404 Oktober 23 Gras.

*Herzog Leopold IV. von Österreich erläßt eine Landesordnung
für Tirol betreffend die Rechtsverhältnisse der Bauleute, die Ein-
fuhr fremder Weine, die Ausfuhr tirolischen Getreides sowie die
weltliche und geistliche Gerichtsbarkeit.*

Orig. Pergam. landschaftliches Arch. Innsbruck n. 8, Sieg. Herzog
Leopold IV (Sava, Sieg. der österr. Regenten Fig. 61) an Pergamentstreifen.
Schlechter Abdruck bei Hormayr, Arch. f. Süddeutschland I S. 146; Brandis,
Landeshauptleute S. 143 (ungenau).

Wir Leupolt von gots gnaden hertzog ze Osterreich ze
Steyr ze Kérnden und ze Krain graf ze Tyrol etc. bekennen

fur uns unser bruder und erben, daz fur ûns ª) kômen die ersamen und gaistleichen ûnser lieben andêchtig und unser lieben
getrewen all prelêten êpt dienstlêut herren ritter knecht
stett und gemainleich all landslêut ûnsers landes und der
grafschafft ze Tyrol und in dem Intal und batten uns mit die-
mûtiger begirde, daz wir in solh gross und merkleich gepresten,
die denn unserm land und in manigvoltikleich anligund wêren
von wegen der pawlêut daselbs und auch andern sachen ge-
ruchten ze wenden und darinne gnêdikleich ze bedenkhen und
ze statten ze kômen, das uns demselben unserm land und in
gross aufnemen und frumen brêcht. Also haben wir angesehen
ir gerecht und erber pett und auch bedacht die lauter stêtt
trew und lieb und darczu die willig und merkleich dînst, di sy
unsern vordern lobleicher gedêchtnuss und ûns offt und dikh
habent erczaigt und getan und ûns auch noch hinfur wol er-
czaigen und getûn mûgen und sollen, und haben darumb mit
guter vorbetrachtung und nach rat und erkanntnûss ûnser rêt
und den merern tail der landeslêut daselbs von sundern gnaden
und furstleicher macht ˌdenselben unsern prelêten êpten
dienstleuten herren rittern knechten stetten und gemainleich
allen landsleuten in demselben unserm land der herrschafft ze
Tyrol und in dem Intal dieselben ir gebrechen gewendet und
solh gnad getan und tun auch wissentleich mit krafft dicz
gegenwurtigen briefs als hernach geschriben steet.   [1]
Des ersten daz all pawlêut bey iren hôven und gûtern, es sein
zinsgûter weinhôf weingarten kornhôf wisen êkker oder wie
die gûter genant sein, nichts ausgenomen, die da tail oder
zinse gebent, beleihen sullen und davon nicht ziehen an irs
herren willen und wissen.   [2] Item wann das ist, daz ain
pawman ab ainem gut ziehen oder aufgeben wil, so sol er
ainen andern pawman, der gut ist als er, seinem herren an sein
stat seczen und der dem herren rêtleich und aufzenemen sey
ungeverleich und sol auch auf dem gute allwegen lassen, das
von alter und recht darczu gehôrt. Zeucht aber ain pawman
ab ainem gute an seins herren willen und setzet dem herren

ª) Im Original zwei schräg über einander gesetzte Punkte über u, die
aus dem übergeschriebenen e entstanden sind. Sie wurden bei diesem Abdruck durchweg durch übergeschriebenes e ersetzt.

nicht ainen andern pawman an sein stat, als vor geschriben
stect, so mag im der herre nachvolgen seinem leib und gute,
an welhen stetten oder gerichten er den begreiffen mag, und
den pawman vordern an den, hinder den er geczogen ist oder
an sein amptlêute, so sol im denn derselb in unverczogenleich
lassen. Têtt er aber des nicht, so ist er dem, der seinen
pawman vordert, als offt das beschicht, fûnfczig phunt perner
zu ainer peen vervallen und darnach mag er seinen pawman
aber vordern an den richter, in des gerichte er im empharen
ist, der sol im denn den pawman an all widerred antwurtten.
Têtt aber der richter des auch nicht, so ist er der herrschafft
vervallen fûnfczig phunt perner und sol der vordrêr seinem
pawman dennoch nachvolgen, wa er den begreiffet und sich
des undercziehen mit seinem leib und gûte an gericht, ûncz
er im seinen schaden abtut und darumb ist er der herrschafft
noch dem gerichte noch mênikleich nichts schuldig noch gepunden.   [3] Item ob ain gut die lênen oder wasser hin-
furt, also daz grunt und podem hingienge, oder ob ain gut ver-
prûnne an verwarlosen des pawmans angevêrde, so sol der
richter in dem gerichte, do das gut gelegen ist, drey gemain
man dartzu nemen mit des herren willen und wissen, die den
schaden beschêtzen und wie sy denn das bey iren trewen an
ayds stat erkennen, was ablas der herr dem pawman tun sol,
es sey ze iaren oder ze ewikhait, dabey sol es beleihen.
[4] Item welhes iars ain pawman gebresten leidet von pysêzz
oder von andern sêmleichen gebresten, daran ist im der herr
nichts gepunden, denn als verre der herr den pawman sein
gnad darinne tun wil.   [5] Item welher pawman an seins
herren willen und wissen aus seins herren hôve ichts verkaufft
ain stukh oder mer, zu welher zeit er das ervorschen und ge-
weisen mag mit lêuten oder mit brieven, so mag der herr sein
gut wol behaben und mag im dhain gewer daran kainen
schaden bringen und sol auch der pawman darumb von seinen
rechten gevallen sein, ob in der herre nicht lenger zu ainen
pawman haben wil.   [6] Item es sol noch mag dhain pawman seins herren gûter, daraus er zinsen ist, ainem andern
pawman nicht hinlassen oder leihen auf iar oder auf ewikhait
an seins herren willen und wissen. Tett er es darüber, so sol

es weder krafft noch macht haben und dem herren an seinen rechten unschedleich, wo aber das der pawman uberfûre, so sol er von allen seinen rechten geschaiden sein.   [7] Item wenn ain pawman ain gut ôdet oder verasant also, daz der pawman dem herren nicht fugleich ist, so sol der richter drey gemain man darczu geben mit des herren willen und wissen, die dieselben verasangen beschêczen und beschawen und was sy denn erkennen bey iren trewen an aydesstat, daz der pawman dem herren widerkeren sol, so sol der pawman dem herren das vergewissen nach derselben erber leut erfindung, damit dem herren von dem pawman genug beschicht. Wêr aber daz der pawman das nicht vergewissen wolt noch môcht, so mag in der herr zu seinen handen nemen und in darumb als lang haben, ûncz im benûg beschicht, gegen im uns dem gerichte und gen mênikleich unschedleich.   [8] Item wenn ain herr ainen weinhof hat, davon ain pawman von benanten stukhen weinczins geit, so machet der pawman aus ekkern oder wisen, so zu demselben hove gehorent ander weingarten, davon er dem herren dhain wein gibt und haltet dasselb in gutem paw oder das ander gut, davon er dem herren zinsen sol, darauf ist erfunden, daz kain pawman dhainen andern weingarten an seins herren willen machen sol, wêr aber, daz er darûber ichts machet, davon sol der pawman seinem herren halben wein geben als von andern seinen weingarten.   [9] Item es mag auch ain yegleich herr seinen aigen man, auf welhes gut er gesessen ist, ze rechten zylen abvordern und baymen und in auf sein selbs gut seczen, wenn er des bedarff und des sol im nyemand widersein, beseczet aber derselb aigen man dem herren mit ainem guten pawman als er selb ist angevêrde, das ist wol und gut, tut er aber desselben nicht, so ist der pawman von dem gut geschaiden und das mag denn der herr besetzen, mit wem er wil.   [10] Item wêr auch daz yemand erbrecht in dem land hiett an guten, der sol dieselben recht vordern und furbringen in dreyen vierczehen tagen nach dem, als im das der herr, von dem das gut ze lehen ist, ze wissen tut oder es offenleich in der kirchen auf der kanczel verkunden haisset; têtt er des nicht, so mag der herr sein gut furbas fûr ain lediges gut leihen, wem er wil. Wêr aber daz

kind und erben da wêren, die zu iren tagen nicht kômen
wêren, habent die yemand freunde, die sûllen derselben kind
und erben recht auch vordern und fûrbriugen als vor geschriben steet und sol der herre den freunden an derselben
erben stat ire recht leihen, ûncz sy zu iren tegen koment.
Beschêch aber des nicht, so mag der herr sein gut aber ledik-
lichen leihen, wem er wil.   [11] Item wenn zwen erben
auf ainem gute siczen oder mer, dieselben sullent das gut nicht
tailen an irs herren willen und wort, têtten sy es aber daruber,
so sol es weder krafft noch macht haben und dem herren an
seinen rechten unschedleich uud sind auch die pawleut darumb
von iren rechten geschaiden.   [12] Item es sol auch ain
yegleich herr gaistleich oder weltleich seinen pawman halten
bey allen seinen rechten, des er lâut brief kuntschafft oder
gewêr hat, sy sein geerbt oder gekaufft nach dem, als oben
geschriben steet. Wer aber daz ain herr seinem pawman icht
new oder invell darinn tun wolt, so sol der richter, under dem
er gesessen ist, den pawman bey seinen rechten halten und
schirmen.   [13] Auch mag ain pawman seine erbrecht oder
pawrecht verkauffen verseczen und verschaffen, als von alter
her kômen ist, doch ze behalten dem herren seine recht und
zinse, als oben geschriben steet.   [14] Item welher pawman ainen hof habe, do er kainen wein nicht von gebe, derselb pawman mag darauf weingarten machen als vil er wil,
doch seinem herren an seinen rechten und zinsen unschedleich.
      [15] Item wann der herre an seinen pawman begert sein
brief ze verhôren, es sey von erbrecht oder sûst, so sol im der
pawman gepunden und gehorsam sein all seine recht und brieve
ze verhôren.   [16] Item es mag auch ain yegleich herr
seinen pawman pfenden umb seinen zins und sol auch pfenden
auf verender habe, was varender hab sey, die man auf seinem
gute vindet, die sey wes sy welle und die treiben und tragen,
wo er hin wil, ynner landes der herrschafft ze Tyrol, als lang
er von seinem pawman gewert und gericht wirdet. Wêr aber
daz der herre sovil varender hab nicht fûnde, so mag der herr
seine pawrecht verkauffn in demselben gerichte. Wêr auch daz
der herre davon nicht beczalt môcht werden, so mag der herr
seinen pawman an seinem leibe angreiffen und in darczu halten

und in furen ynner landes, wo er hin wil, uncz er von im ausgericht werde, doch im gen ůns dem gerichte und gen měnikleich an
schaden. [*17*] Item welher pawman ain zugut hat, darauf er
nicht wesenleich sězze und der pawman dem herren ettleich zins
schuldig belibe, so mag in der herre wol pfenden auf dem zugut, ob er auf seinem gute sovil nicht fůnde, bis daz er betzalt werde. Wěr aber, daz bayde herren von den pawleuten
nicht betzalt wurden, so sol yegleicher herr seinen pawman
angreiffen an seinem leib und gut als oben geschriben steet,
uncz sy baide betzalt werden in baiden iren rechten und den
pawlěuten ungeverleichen. [*18*] Auch seczen wir, daz
nyemand er sey ritter oder knecht edel oder unedel burger
stette oder gerichte kainen frömden wein in das land fůren sol
und wer daruber frömden wein erlaubet ze fůren oder selb
fůret, derselb sol ůns zu ainer peen vervallen sein funfczig
phunt perněr und wes der wein ist, derselb sol den wein voraus verloren haben, es wěr denn, daz ain herr ritter knecht
oder ain ander edel man, der da frömden wein in sein haus
fůren wolt, ain beschaidenhait uud den er selber trinkhen oder
durch eren willen haben wolt und nicht verkauffte noch ver-
schankhte ungevěrleich, das mag er wol tun ausgenomen Oster-
wein und Swěbisch wein. [*19*] Auch ist erfunden worden,
daz nyemand dhain korn aus disem lande nicht fůren sol, wer
aber das daruber tette und es erlaubet auch aus dem lande ze
fůren, wie derselb genant wěre, als vor geschriben steet, der
ist uns zu ainer peen vervallen funfczig markh perněr und des
das korn ist, der ist auch funfczig phunt perner vervallen und
hat das korn voraus verloren, ausgenomen ob ain herr ritter
oder ain knecht von seinen urbarn icht korn eruberiget hett
und ob er das in dem lande nicht verwenden möchte, so mag
er das wol ausserthalb landes verkauffen doch allwegen mit
ůns und unsers haubtmans daselbs an der Etsch erlaubnuss
willen und wissen ungevěrleich. Auch mag ain yegleich lant-
man cboren kauffen inner landes, wo er wil, und mag das
in sein haus fůren an all irrung und nyderlegung zu seiner
notdurfft und nicht ze verkauffen. Aber welh korn kauffen
wolten ze fůr verkauffen, die tůn davon als von alter gewonhait
herkomen ist, aber wer da wil, der mag wol von fremden landen

korn in das land furen und hinwider aus, aus welhem land er
wil. [20] Item als grosser gebresten ist von den gerichten
besunder in dem Intal, wo das ist, daz ainer dem anderm, so
machent die leute grosse besammnunge, darauf grosse zerung
und swêre kost geet, das ûns umbilleich dunkhet, und darauf
haben wir gesetzet, wer zu dem andern ze sprechen hat, der
mag lêute darczu laden, wievil er wil, so sol der richter denn
aus yettwederm tail drey gemain leut vorschen, die da urtail
geben und nicht mer aus fromden gerichten und das uberig
mit seinen gerichtleuten ausrichten nach dem landesrechten
und darauf sol ain tail dem andern nicht mer schaden und
kostgelt raitten, denn als im purggrafampt recht und gewonleich ist. [21] Item umb vich[1]), es sey gros oder klain,
dabey sol es beleiben als es vor von alter her komen ist.

[22] Wir mainen auch, daz man mit dhainem gaistleichen
rechten kainen layen pannen sol noch mag umb kainerlay
sach, ausgenomen um zehent die kirchen angehorent und umb
selgerete und umb die ee, als solh sachen von alter herkomen
sind. Davon gebietten wir vestikleich unsern lieben getrewen unserm haubtman an der Etsch und unserm purggraven
auf Tyrol und darczu allen unsern amptleuten gegenwurtigen
künftigen, daz sy die egenant unser prelêt êpt dinstlêut herren
ritter knecht und gemainikleich all landesleut in denselben
unsern landen und gebotten gesessen all und ir yegleichem
besunder bey den egenant unsern gnaden und freyhaiten halten
und schirmen und nicht gestatten yemand ze tun dawider bey
unsern hulden und gnaden und bey den penen, die vorgeschriben
steent ungeverleich. Mit urkund dicz briefs geben ze
Grecz an phincztag nach der aindlef tausent mayde tag nach
Christs geburde in dem vierczehenhundertistem und dem vierden
iare, d(ominus) d(ux) in consilio.

---

[1]) Gemeint ist hier offenbar der Handel mit Groß- und Kleinvieh.

1435 Jänner 12.

Nr. XVIII.

Niklas Geisler und seine Frau bekennen, daß sie von Abt und Konvent von Georgenberg das Baurecht eines Hofes zu Habach[1]) um 7 Mark gekauft haben.

Kop. Georgenberg: Habach (unfol.).

Ich Niclas Geisler und Kathrein sein eleiche hawsfrawe bekennen offeuleich für uns und für all unser erben allen den, dy disen briefe sehen oder hörent lesen, das wir kauft haben erbe und pawrecht auf dem hoffe gelegen an dem Hawbach in Münstárr pfarr und in Rottenburcher gericht und mit ratt unser peyder frewnd von unserem genadigen lieben herren Niclas Schiferdegker dỷ zeyt abt auf sant Jörgenberge und von dem convent daselbs mit allem zugehören des selben obgenanten hoffs als von alter darzw gehört nichtz davon ausgenomen noch hindan geseczt. Darumb hab wir in beczallt und ausgericht an all ir schaden syben mark gůter und genger Meraner můnz also doh mit der beschaidenhayt, das wir obgeschriben wirtlewt und unser erben das obgenant gut süllen allzeyt pawleich legen mit zỷmmer mit zewn mit allen andern sachen und zugehorung zu velde und im dorf und sunderlich bewaren und besorgen vor dem wasser nach unserem vermůgen angevård als ander pawlewt pey dem wasser als lantzrecht ist. Tůt uns das wasser aber dawider schaden, da geschéche umb als andern pawlewten pey dem wasser angevárde als landsrecht ist. Wir süllen auch und unser erben unserm genådigen herrn sein nachkomen und all den iren alle iare vor weinachten, wann sy in die styfft gen Payren reyten ein marend geben angevárde, als von alter herkumen ist und auch, wenn sy oder die iren in dỷ stỷft gen Heubach kumen, so süllen wir ir mit der herberch zwe nacht warten und süllen in auch da das nachtmal gehen, als von alter her ist chumen. Wir und unser erben süllen in auch alle iar da selbs kumen in ir stỷfft oder wo sỷ uns in Rottenburcher gericht hin verkundt wirt, als ander ir pawlewt und süllen in da gehorsam erpieten mit aufgeben und mit widerenphahen und andern ir stỷfft gewonat. Wir süllen in auch alle iare

---

¹) Habach, Weiler bei Münster im Unterinntal.

iäricbleich iren zinss und vodrung von dem obgenanten hoff unverzogenlich geben und beczalen in der styft zehen pfunt perner. Wir süllen auch dye obgenant erbe und pawrecht nicht verkaufen noch versetzen oder taylen oder in ander weys verkumeren an ir oder ir nachkumen wissen und willen.

Des zw ûrkund der warbait geben wir obgenant wirt-lewt Niclas und Kathrein fûr ûns und fûr all unser erben unserm genâdigen herren abt Niclas und dem convent und irem gotshauss allen iren nachkumen dŷsen offen brief ûnder des edelen und vesten Jacob Faystner dŷ zeyt pfleger auf Rottenburch anbangenden insigel, das er daran gebengt durch unser vleissigen gepett willen im und all sein erben an schaden. Darunder verpindt wir ûns wir obgeschriben wirtlewt mit ûnserm guetem willen nnd trewen an ayde stat als das stêt und vest ze halten, das oben an dem brief geschriben stet und der pett umb insigel synd geczewgen der Matheis von Horlach, Drechsel von Hûepach, Martein Fritzinger etc. Geben nach Christi gepûrt vyerzehenhundert iar und darnach in dem fûmf-unddreysigsten iar am mittichen nach der heyligen drey kûnig tag.

Nr. XIX.

1459 Mai 20.

Hans Seeber, Bürger zu Brixen und Unterkuster des Doms daselbst, bekennt, daß das Kapitel zu Brixen ihm und seinen Erben einen Weingarten bei Brixen, den Sigmund Spekh wegen schlechter Kultur dem Kapitel hatte auflassen müssen, zu Baurecht verliehen habe.

Orig. Perg. Kap. A. Brixen L. 6 n. 46. Sieg. an Pergamentstreifen.

Ich Hanns Sêber purger und die zeit unttercuster auf dem tuem zu Brichsen bechenn und tûn chunt für mich und all mein erben mit disem offen brief allen den, die in hôren oder lesen, als der weingart genant der Werer gelegen ob der untern kreuczstrassen, den man verzinset meinen gnâdigen lieben herren von dem capitel daselbs durch Sigmunden Spekh, ge-sessen in der Runkad, merkleich verasaumet und pawfellig worden ist, darumb in das benant capitel mit recht anlangen wolt, also ist er demselben capitel der pawrecht desselben weingarten ledikleich abgetreten und die benant mein herren

von dem capitel mit gemainem rat gehen und ewikleichen zu
ewigen pawrechten verlichen und hingelassen haben mir und
mein erben die pawrecht des benant weingarten mit aller
seiner zugehörung, doch in solichem geding, das ich, mein
erben oder wer dieselben pawrecht nach mir inne hat, davon
iärlich ewikleich und an allen abgang zinsen und dienen süilen
zu rechter zinszeit in dem wymmad nämlich vier uren weins
mostmass, vorlas und chainen torkler nicht, der in dem selben
weingarten gewachsen ist oder andern als guten, ob da als vil
nicht würd, und welhes iars wir nicht zinseten zu rechter zeit,
so dann mügen sy oder ir nachkomen uns darumb nöten nach
ires capitels recht und gewonhait, und stosset an den obgenant
weingarten morgenhalb des Chappelers weingart, den er verzinset den chorhern von unser frawn ze Brichsen, gen mittemtag der Erhart Pernwertem weingart und gen mitternacht des
Jacob Payrs weingart genant der Dechant, die paid man verzinset meinen egenant herren von dem capitel und gen dem
abent oben heran des Plässen weingart, den er verzinset auf
sand Cassians altar in dem obgenant tum. Auch sullen die
benanten mein herren von dem capitel und all ir nachkomen
umb die benanten pawrecht und hinlaß mein und meiner erben
gewern, vertreter und versprecher sein nach des hochwirdigen
gotzhaws Brichsen recht und gewonhait und sol ich oder wer
die benanten pawrecht nach mir inne hat, die in güten paw
pringen, halten und nicht verasaumen noch an des capitels
willen und gunst verchauffen verchümern verseczen tailen
noch ichts davon entphrömden und ob wir das überfüren, sodann sey wir ze stund geschaiden von allen unsern rechten,
die wir vermainten an den benanten pawrechten ze haben und
sein darnach ledikleich gevallen an das benant capitel, das
mag dann damit handeln und tun als mit andern des capitels
aygnen gutern unß und mänikleiches von unsern wegen ungeengt und ungeirret und wann wir dieselben pawrecht verchauffen, hingeben oder sunst an weren weilen, die sullen wir
das obgemelte capitel vor mänikleichen anpieten und fümff
phunt perner nächner geben dann yemandt anderm. Wolte es
aber die nicht chauffen, sodann mugen wir sy verchauffen
oder anweren in unser genöschafft sollichen lewten, die in

nûczleich und râtleich wâren zu pawlewten und gen dem
capitel tuen mit entphaben in iares frist und geding geben nnd
mit allen sachen tuen als getrew pawlewt nach ires capitels
recht und gewonhait an geverde. Als oft es auch mit toden
ze schulden kumbt, so sol ye ainer meiner erben oder des, der
die pawrecht des benanten weingarten nach mir inne hat, in
iares frist fur das egenant capitel chomen und die obgenanten
pawrecht entphahen und da von ein erung geben nach unsers
capitels gewonhait alles pey der obgeschriben pen.   Und
des ze urkund der warhait han ich egenant Hans Seber fleissik-
lich gepeten den edeln und vesten Adolfen von Oberweinper
die zeit statrichter zu Brichsen, das er sein insigel an disen
brief gebengt hat im und seiner erben an schaden. Des sein
gezeugen die ersamen gaistlichen herren her Ewerhart Negeli
und maister Hans Galhaimer, payde chorhern zu unser lieben
frawen, und ander erber lewt. Das ist geschehen nach Christi
gepurd tausent vierhundert und in dem newnundfûmfczigisten
iar an dem sontag der heyligen drivaltikait.

Nr. XX.

1484 Dezember 27 (möglicherweise auch 1485 Juli 7).

*Prior und Konvent von Schnals[1]) verleihen dem Hans auf
Aschleid und seinen Erben den Nidermayrhof in der Pfarre Tschars[2])
zu Zinslehen.*

Kopiar des Klosters Schnals fol. 153 (J. St. A. Codex n. 396).

Ich bruder Bernhart die zeit prior des wirdigen gotshauss
auf Allerengelberg in Snals Carthuser ordens und wir der
ganzs convent daselbs in Churer bistumb bekennen offenlich
mit disem brief und thon kunt allermänigklich für uns unser
gotshaus und alle unser nachkomen, das wir recht und redlichen
zu pawrecht und zinslehen hingelassen und verlihen haben,
hinlassen und verleihen auch wissentlich in kraft dizs briefs
als es nach dem landsrechten und gewonhait der graffschaft
Tyroll allerpest krafft und macht haben soll und mag dem

---

[1]) 1782 aufgehobenes Karthäuserkloster im Tale Schnals (nördliches
Seitental des Vintschgaues).

[2]) Pfarre im untern Vintschgau.

erberen Hansen auf Aschleid Sigmund Strikmacher seligen elichen sun und allen sein erben unsern aigen hoff gelegen inn Tscharser pfarr, genant der Nidermayrhoff auf Foutan, und hat zue sechs iauch aker mynner oder mer ongeverde und zwainzig manmad wisen, der seind zehen früe und die zehen spat, mit pergmeder und mit all auch mynner oder mer ongevarlich und stosset daran morgenhalben aiu gemayner perg, gegen mittemtag das lehengut und zinst dem mayr zue Stäwben, abenthalben der Obermayrhoff auf Fontan, niderthalb der gemain wall, genant der Placzer wall, ze behalten dem benanten hoff aller anderer seiner coherenzen, rechten und zugehörungen und umblegungen, so waret wären und darann stossend, wunn und waid holz wäll weg und steg wasser und wasserlaitung wie die genant oder gehaissen sind, also das nu der bemelt Hans auff Aschleid empfaher und sein erben dem benanten verlihenn und hingelassenn hoff mit aller seiner zugehörung hinfür ewiglich in erbsrecht und zinslehensweise innhaben nuczen und nyessen, fridlich und rubiclich besiczen sollen und mogen auch damit handeln, wandeln, thon und lassen allen iren willen, nucz und fromen, als dann yeglich getrewe pawleut mit solichen iren verlihenn und hingelassenn pawrechten woll thon und lassen mag nach dem vorbemelten landsrechten. Wer aber das der vorgenant emphaher und sein erben die obgemelten ire pawrecht des bemelten hoffs zu kainen zeiten hingeben verkumbern versetzen verschaffen verkaufen oder in dhain weg verkern wolten, das sollen sy uns vorgenant prior, convent oder unser nachkomen anstat des bemelten unsers gotshauss ain monats frist vor verkunden, anpieten und zekaufen geben ains pfund perner naher vor mannigklich nach dem obgenanten landsrechten. Wer aber das wir obgenante prior, convent oder nachkomen anstat des bemelten unsers gotshauss soliche ire verlihen und hingelassen pawrecht des bemelten hoffs nach der egemelten verkundung anpietung und monatsfrist nicht kaufen oder haben wolten, so mugen sy die furbass nach der vorgenanten anpietung und monatsfrist woll verwenden und verkaufen, wem sy weilen, doch solichen personen und leuten, die uns, unserem gotshauss und nachkomen allzeit nüczlich rattlich fueglich tagenlich und nach den vorgenanten landsrechten auf-

zenemen sind, besander ausgenomen edeln mechtigen gaistlichen
aigen und ergeben lĕuten und personen, auch nicht solichen
lĕuten und personen, von den wir unser gothauss und nach-
komen· an unseren zinsen guetern rechten und herlichaiten in
dhainerlay weiss bekumert beswert betruebt gekrenkt oder
umbgetzogen mechten werden. Auch sollen der vorbenant emphaher oder sein erben den vorbestymbten verlihenn und hingelassen hoff mit aller seiner zugehorung, gepawen und
ongepawen besucht und onbesucht wunn und waid wäll weg
und steg wasser und wasserlaitung hauss stadel und hoff und
anderen gemächen allzeit in gutem fursichtigen wesenlichen
paw und besorgnus haben, pessern und nicht ergeru, auch sol
der dikgemelt Hans empfaher und sein erben uns unserm gotshauss
und allen unsern nachkomen von und aus dem verlihenn und hingelassen hoff iarlich und ewigklichen und yedes iars besonder
zinsen raichen und geben onverzogenlich on allen abgank in unser
haus gen Tschars albegen auf sant Marteinstag nach landes
und zinsrecht des obgemelten landsrechten namlichen achtzehen
mutel rôken und vierzehen mutel gersten und vier mutel waiczen
alles Meraner mass und ain kicz und dreissig ayr ze behalten
auch uns und unsern nachkomen albeg an dem funfteist iar
das ist zu den schalt iaren zehen phund perner geding ewiklich ze gehen auch guter gewondlicher Meraner werung und
munzs, ze behalten auch den von Slanndersperg ire recht aus
dem benanten Fontan hoff. Beschech aber des nicht, so mugen
wir obgenanten prior convent oder unsre nachkomen an stat
unsers bemelten gotshauss des bemelten Hansen empfaher und
seiner erben soliche ire pawrecht des bemelten hingelassenn und
verlihenn Niderfontan hoff darumb angreifen pfenden und mit
gefaren, wie landes- und zinsrecht ist des obgenanten landsrechten. Also geloben und verhaissen wir obgenante prior und
convent für uns unser gotshauss und alle unser nachkomen
umb die obgeschriben hingelassen und verlihen erb- und pawrecht
des obgenanten hoffs und umb alles und yeglichs, so in disem
brief begriffen und geschriben stet des benanten Hansen
empfaher und seiner erben rechte gewern schirmer und ver-
tretter darumb ze sein an allen enden und steten, da in des
notturft beschicht nach dem obgenanten landsrechten getreulich

und ungevarlich. Des ze urkund der warhait geben wir
obgenante prior und convent anstat des bemelten unsers gotshauss für uns und alle unser nachkomen dem benanten Hansen
empfaher und sein erben disen brief besigelt mit unsers convents und gotshauss aigen anhangenden insigel, der gehen ist
an erichtag nach sant Thomas tag des hailigen zweffboten *) nach
Cristi unsers herrn gepurd tausent vierhundert im funfund-
achzigisten iar.

Nr. XXL

1495 Juni 1.

Propst Lukas von Neustift verkauft dem Baptist in Villnös
die Baurechte an einer Wiese gelegen in der Malgrei[1]) St. Maria
Magdalena[1]) mit Vorbehalt der grundherrlichen Rechte um 5½ Mark
Berner.

Orig. Perg. Arch. Neust. L 4. 33, Sieg. fehlt.

Wir Lukas von gottes verhengnuß brobst ze der Newenstifft und comendator und administrator ze Walsee bekennen
mit dem offen brief fur uns und all unser nachkomen anstat
des bemelten gotshauß Newenstifft, das wir mit willen und
wissen unsers capitels daselbs wolbedacht durchschlechts, wie
es nach dem landsrechten der graveschafft Tyrol am allerpesten
krafft und macht haben sol kan und mag, für frei ledige un-
bekumerte paurecht verkaufft und hingehen haben Baptisten in
Vilnes im gericht Gufidaun in sand Peters mulgrei gesessen
und allen seinen erben nemlich die paurecht der wisen genant
die Gamp, die am Ort ligt, in sand Marie Magdalene mulgrei
gelegen, stost gegen morgen daran Vaschnalers wiß, die man
dem mair ze Albeins verzinst, gegen mittemtag die wiß Rabalt,
die Brafanter inbat, gegen ahent die groß Gasai, gen mitternacht die Mittergamp, wie sy dann mit porst umbfangen ist,
die bemelt wiß besucht und unbesucht erpauen und unerpauen
mit infart ausfart weg steig und steg und mit allen den eren
rechten nutzen und pesserung, die yetzund daran sind oder
kunpftigklichen daran beschehen, benentlich umb sechsthalb

---

a) sic.
[1]) Unterabteilung des Gemeindegebietes vom Villnös. Vergl. Egger,
die alten Benennungen der Dörfer u. s. w. S. 227, 267.

marckh perner gewonlicher Meraner munß, der wir uns anstat
des gedachten gotshauß rüffen gewert und schon bezalt sein
ze rechter zeit on allen schaden, von den bemelten paurechten
der benant Baptist all sein erben und nachkomen uns und allen
unseren nachkomen in das bemelt gotshaus Newenstifft ierlich
und ewigklichen ze rechter zinszeit on allen abgang zinsen und
raichen sullen als gruntzinß tzwai pfundt pernor guter gewonlicher Meraner munß, tzwai huner und tzwaintzig air. Es sol
auch furpas ein yeder, der den Zanntzhof innhat, alle stewr
und was von alter darauf gewesen ist nicht hindangesetzt, auß-
richten der bemelten wisen, nachdem sy vormals darein gehört
hat, on entgeltnuß, darumben soll der bemelt Baptist, sein erben
und nachkomen von wegen der bemelten wisen mit dem benanten Zanntzhof kain wun oder waid haben. Hierumb so ver-
zeihen wir fur uns und all unnser nachkomen der gedachten
paurecht wie oben begriffen ist und haben die ledigklichen ge-
antwurt auß unser und unsers gotshauß nutz und gwer in des
benanten Baptisten und seiner erben gewalt nutz und gwer,
die furpas inhaben nutzen und nyessen und alles das damit tun
und lassen, als ein yeder pauman mit seinen paurechten nach
den bemelten landsrechten und nach inhalt einer verschreibung
uns gegeben wol tun mag von uns und allen unseren nachkomen des berurten gotshauß ungeengt und ungeirret, doch
unsers bemelten gotshauß gruntzinß, dienst und gerechtigkait
daran unvergriffen. Wir verhaissen auch umb die bemelten
paurecht recht gut gebe furstandt und versprecher ze sein und
als offt inen des notturfft beschicht nach berurten landsrechten
und sullen sich solcher gewerschafft haben und halten auf
unsers benanten gotshauß hab und gut nicht ausgenomen
treulich ongeverde. Ze Urkunt der warhait haben wir be-
melter brobst fur uns und all unser nachkomen unser gewonlich insigel anstat unsers benanten gotshauß an disen brief ge-
hangen doch unsers bemelten gotshauß obberurten gruntzinß
und gerechtigkait on schaden. Beschehen an montag nach
Urbani als man zalt nach Cristi unsers herren gepurde tausent
vierhundert und in dem funffundnewntzigisten iars.

Freie Erbleihen betreffend Güter des

	Signatur	Zeit	Leiheobjekt
1	RR. 22	1265 März 22	Garten bei Bozen
2	lib. test. fol. 41 Neust. UB. n. 306	1277	Haus, Hofstatt und Acker (wo?)
3	lib. test. fol. 45 b	c. 1280 Sept. 3	Acker bei Elvas (bei Brixen)
4	lib. test. fol. 47	c. 1280	zwei Äcker bei Völs südl. Klausen
5	Beil. n. IV	1283 Aug. 20	zehenten in der Pfarre Latzfons
6	lib. don. fol. 74 b	1284 Jänner 21	Haus im Dorfe Neustift, Zehent von 14 Joch Ackers, Keller im Kloster
7	lib. don. fol. 58 b	1286 April 20	Acker in Brixen
8	lib. test. fol. 48	1287 April 14	predium . . . dictum Pachuf
9	lib. test. fol. 48 b	1289 Juni 29	Acker genannt Strazzacker bei Elvas
10	NN. 7 (Neust. UB. n. 371)	1292 Jänner 13	Hof (curia) Pirchach (wo?)
11	lib. test. f. 56 b	1292 März 14	Acker bei Brixen

¹) In Anbetracht der großen Zahl der Erbleiheverträge des 15. Jahrh.
²) Bei Weinzinsen wird ein Termin nie festgesetzt.

Nr. XXII.

Klosters Neustift bei Brixen 1265—1398 [1]).

Beliehenes Subjekt	Zins und Zinszeit
Wittego, Gattin u. Erben beider	Galete Öl am 2. Februar.
Bertoldus dictus de Raes ecclesie nostre servus, Gattin, Söhne und deren Erben	10 Pfund Berner und 1 Galete Öl (ohne Termin).
Petrus und seine Erben „qui tamen ecclesie nostre servi fuerint"	Gaiete Öl am 2. Februar.
Albert der Schmied und Nachkommen	1 Talent Wachs (ohne Termin).
Ulrich von Meurlin und seine Erben	3 Talente Pfeffer am 2. Febr.
Albert der Schmied und alle seine Erben	4 Galeten Öl zwischen Mariä Reinigung und Palmsontag.
Heinrich Scherven, Bürger von Brixen, und seine Erben	innerhalb der nächsten 5 Jahre je 3 Galveien Weizen, hernach 2 Yhren Wein [2]).
Heinricus dictus Kezzelinus servus monasterii nostri et omnes sui heredes	30 solidi am 29. Sept. (Michael), 1 Lamm und 30 Eier um Ostern.
Minhardus colonus de Elvas, Tochter Mathild und deren Erben	3 Hühner (ohne Termin).
Heinrich Pircher und eheliche Deszendenz	5 solidi Veronensium parvulorum circa festum s. Michahelis (29. Sept.).
Gottschalk Stuveler, Bürger von Brixen, seine Gattin und eheliche Deszendenz	nach Ablauf von 8 Jahren Hälfte des Weinertrages.

wurde diese Tabelle nur bis ans Ende des 14. Jahrh. geführt.

	Signatur	Zeit	Leiheobjekt
12	lib. test. fol. 50	1299 Juli 19	„predium" genannt „Freyn" unterhalb des Schlosses Wolkenstein (in Gröden)
13	GG. 1	1302 März 11	Weingarten „ze Chletzs" am Tinnebach bei Klausen
14	lib. don. fol. 12 Neust. UB. n. 410	1306 März 13	Weingarten (wo?)
15	KK 3	1308 Mai 29	Äcker und Weingarten bei Klausen
16	lib. don. fol. 75	1314 Sept. 8	1 Weingarten, 1 größerer Acker und 3 kleinere Äcker bei Brixen
17	RR 36	1315 März 3	2 Stück Weinland in der Pfarre Keller bei Bozen
18	lib. don. f. 75b	1320 August 8	2 Weingärten und 2 Äcker (wo?)
19	RR. 39	1321 Februar 1	2 Stück Weinland bei Gries (bei Bozen)
20	RR. 40	1327 Novbr. 10	eine „curia" an der Talfer bei Bozen, 3 Stück Weinland
21	RR. 41	1330 April 27	Stück Weinland in der Pfarre Keller bei Bozen
22	TT. 38 Neust. UB. n. 481	1331 Juli 13	Hof zu Schrambach nächst der Kirche (bei Klausen)
23	SS. 21	1334 Febr. 21	Stück Weinland bei Schreckbühel (bei Bozen?) und $1/_3$ Joch Acker
24	RR. 21, 3	1337 Dezbr. 5	Stück Weinland bei Bozen

Beliehenes Subjekt	Zins und Zinszeit
„discretus vin Heinricus dictus Slůzler", Gattin und Erben	4 Pfund Berner am St. Thomastag (21. Dez.).
Ulrich der Schneider und Erben	Hälfte des Weinertrages.
dominus Chůnzlinus de Reinlistein	2 Yhren Wein.
Heinrich der Chaetzel von Klausen und Erben	10 Yhren Wein Klausner Maß und 13 Schilling.
Dyonisius, Bürger zu Brixen, seine Gattin und Deszendenten beider Geschlechter	Hälfte des Weinertrages, 1 Mutt Roggen Brixner Maß; Handänderung 5 Pfund B. (auch von Erben) ohne Termin.
Ulrich genannt Chern, Bürger in Bozen und Erben	1 Karrade Wein Bozner Maß (= 8 Yhren).
Wilhelm der Laut, Gattin und Erben	Hälfte des Weinertrages, 1 Mutt Roggen Brixner Maß (kein Termin).
Frau Margaretha und Erben	1 Karrade Wein.
Jacobus de Mülstain, Gattin und Erben	Hälfte des Weinertrages.
Herr Veydelinus de Hůrlach von Bozen und Erben	4¹/₂ Yhren Wein.
Paul, Sohn weil. Adams von Schrambach und Gattin	20 Yhren Wein Brixner Maß.
Ullinus, Sohn weil. des Pôtzamus von Rentsch, s. Gattin	Hälfte des Weinertrages samt Praschlet (cum braseis) und außerdem 2 Yhren Wein von der Anteilsquote des Pächters.
Heinrich, Sohn weil. des Berchthold von St. Peter (bei Bozen), Heinslin, Sohn weil. des Seifrid von Bozen	innerhalb der nächsten 3 Jahre je 6 Yhren, dann 7 Yhren Wein.

	Signatur	Zeit	Leiheobjekt
25	RR. 43	1337 Dezbr. 5	mansus vinealis in der Pfarre Keller bei Bozen
26	AA. 30	1339 April 24	mehrere nicht näher beschriebene Güter bei Neustift, darunter ein von den Pächtern neu angelegter Weingarten
27	KK. 42	1341 Mai 17	Hof bei Klausen
28	FF. 39	1345 Jänner 16	Hof zu Schrambach nächst der Kirche (vergl. n. 22)
29	DD. 23	1345 Febr. 13	Weingarten und andere nicht näher bezeichnete Grundstücke (bei Brixen?)
30	FF. 40	1346 März 5	Hof zu Schrambach „den weil. pawet Pauls Adams sun" (vergl. n. 22 u. 28)
31	OO. 27, 3	1349 Febr. 21	Weingarten (bei Völs?)
32	SS. 26	1351 Novbr. 8	„medius mansus" bei Schreckbühel (bei Bozen?)
33	AA. 71	1355 Juni 15	Hof „ze Pach" im Dorf Neustift
34	KK. 39 Neust. UB. n. 532	1361 März 12	mehrere Stücke Weinlandes zu Nafen (bei Klausen)
35	L. 12 Neust. UB. n. 533	1361 Juni 24	Meierhof zu Mühlbach (bei Brixen)
36	FF. 43	1363 April 24	Hof zu Schrambach vergl. n. 22, 28 und 30

Beliehenes Subjekt	Zins und Zinszeit
Jäcklin von Bozen	Hälfte des Weinertrages
Agnes, Tochter weil. Heinrich, des Knechtes des Kellners von Neustift, Erben beider Geschlechter	nach Ablauf von 5 Jahren Hälfte des Weinertrages und 14 Galeten Öls um Mariä Lichtmeß (2. Febr.).
Niklaus weiland Friedrich des Zabelers Sohn	6 Yhren Wein Klausner Maß, 30 Schilling „urbar pfennige", 10 Schilling „für die weisôd".
Paul, Sohn weil. Adams von Schrambach	24 Yhren Wein Brixner Maß.
Albrecht, Heinrich des Chezzlers Sohn, von Stufels (bei Brixen), seine Gattin	Hälfte des Weinertrages, 50 Schilling B., letztere am St. Michelstag (29. Sept.).
Jakob der Schütz und Gattin (in einer Neustifter Urk. FF 42 von 1346 als Diener des Reimbrecht von Säben bezeichnet)	4 Fuder Wein Brixner Maß (= 20 Yhren).
Michel der Schuster	innerhalb der nächsten 5 Jahre 2 Yhren Wein Bozner Maß, dann Hälfte des Weinertrages.
Üllinus, Sohn des Nicellinus dictus Sax de Schrechpühel	Hälfte des Weinertrages, „pro enxeniis" $\frac{1}{2}$ Yhre Wein.
Niklaus der Hengst, s. Gattin	Hälfte des Weinertrages, Weinzehent, ze weizode 12 Hühner, 100 Eier, 1 Kitz und 1 Lamm.
Christian von Geräute	2 Yhren Wein Brixner Maß (ohne Termin).
Chûnrat der Haewzze von Mühlbach und alle Erben	10 Mutt Weizen, 2 Mutt Roggen, 1 Mutt Gerste neues Brixner Maß (ohne Termin).
Chûnrat von Culn Unterrichter zu Velthurns	Hälfte des Weinertrages.

	Signatur	Zeit	Leiheobjekt
37	X. 29	1365 Juni 15	Leben zu Grieß
38	AA. 16, 1	1368 Juli 9	kleines Gut in Neustift
39	BB. 21	1373 Jänner 6	Weingarten genannt „Cholberacher" sowie Acker u. „Leite" (Acker an einer Berglehne) zu Neustift
40	X. 30 Neust. UB. n. 583	1379 August 10	Hof genannt Colles bei Vahrn (bei Brixen)
41	CC. 49	1385 Jänner 15	1 Weingarten an der Kreuzstraße zu Brixen, 1 Acker, 1 Wiese, Schweige zu Gereut (bei Brixen)
42	FF. 44 Neust. UB. n. 629	1386 Jänner 7	Hof „ze Punigleyten" (wo?)
43	AA. 72	1386 Jänner 21	Baurecht des Pachhofes zu Neustift vergl. n. 33
44	BB. 23	1387 Juni 18	Haus, Keller und Garten zu Neustift
45	W. 44	1388 April 24	Hof „ze dem Peizzer" bei Neustift
46	RR. 44	1388 Juli 19	Stück Weinland bei Bozen
47	RR. 45	1388 August 2	unbebautes Stück Land bei Gries
48	BB. 39	1389 Febr. 22	Weingarten genannt „der Hülher" bei Neustift

Beliehenes Subjekt	Zins und Zinszeit
Heinrich, Gattin und alle Erben	„gewonleicher zins".
Lazarus von Neustift u. Gattin	1 Galete Öl (ohne Termin).
Heinrich der Schuster von Neustift und Gattin	Hälfte des Weinertrages, 1 Pfund Pfeffer.
Hans der Geltinger und alle Erben	1 Mutt Roggen zwischen St. Michelstag und St. Martinstag (29. Sept. und 11. Nov.), 1 Pfund B. am St. Martinstag.
Peter der Schreiber, Bürger zu Brixen	Hälfte des Weinertrages und 2 Yhren vom Anteil des Pächters, 3 Mutt Roggen, 15 Pfund B. am St. Michelstag.
Oswald von Punigleyt u. Gattin	Hälfte des Weinertrages und weitere 5 Yhren, 1 Schwein oder 3 Pfund B., 1 Kitz, 1 Lamm, 30 Eier, 1 Schweinfleisch, 200 Kitten, 100 Freisinger Äpfel (ohne Termin).
Niklaus der Cheverspuhler von Neustift, seine Gattin, sein Bruder und dessen Gattin	Hälfte des Weinertrages, Weinzehent, „ze weysöd" 12 Hühner, 100 Eier, 1 Kitz, 1 Lamm (ohne Termin).
Jakob, Hofschneider zu Neustift	1 Gaiete Öl um Lichtmeß (2. Febr.).
Martin der Peizzer und Gattin	20 Pfund B. am St. Martinstag.
Heinrich genannt Schritzenholzer in Bozen u. s. Gattin	Hälfte des Weinertrages.
Ullinus genannt Valser von Rentsch und Gattin	6 Pfund um Mittfasten.
Ulrich des Lürkus Eidam von Neustift und Gattin	Hälfte des Weinertrages.

	Signatur	Zeit	Leiheobjekt
49	JJ. 22	1393 Novbr. 25	Hof genannt „datz dem Chälblein" auf den Ritten
50	X. 12	1394	Hof zu Spilluck (Vahrn bei Brixen)
51	G. 21	1395	Hof „auf Aspach" bei Schöneck (westliches Pustertal)
52	BB. 25	1395 Juni 15	nicht näher beschriebenes Gut mit Haus und Baumgarten (bei Neustift?)
53	LL. 11	1398	Baurecht „ze Zantz" (wo?)
54	V. 13	1398 Mai 26	Meierhof zu Telfes (bei Sterzing)

Beliehenes Subjekt	Zins und Zinszeit
Heinrich der Cheif vom Ritten	12 Pfund B. am St. Martinstag oder 8 Tage vorher oder nachher.
Hans der Anräuter von Spilluck	innerhalb der kommenden 5 Jahre: 12 Pfund B., 1 Kitz, 60 Eier, 3 Hühner (ohne Termin). hernach: 15 Pfund B. am Allerheiligen (1. Nov.), 1 Kitz, 30 Eier.
Toms, Sohn des Berchthold des Niederläners von Aspach	16 Pfund B. am St. Gallustag (16. Oktober) und „in dem suit" 3 Hühner und 30 Eier.
Ulrich des Lurkus Eidam, seine Gattin	Hälfte des Weinertrages zur Zeit der Weinlese.
Ulrich „der Rumenayer", Martin „der Vergines", Kunz von Cusay und Mendel von Prags	nichts angegeben.
Friedrich der Gauch von Telfes	30 Pfund B.

Beilage

Erbleihen betreffend Güter des Klosters

	Blatt	Zeit	Leiheobjekt
1	91	1251	Gluirschhof bei Innsbruck
2	44	1267	Haus in Innsbruck, 1 Kammerland u. „predium" bei Natters (bei Innsbruck)
3	136	1273 Febr. 22	„mansus" in der Pfarre Villanders (bei Klausen)
4	271	1277 August 5	Schweige „in Riede [3])" (bei Natters)
5	137	1278 Sept. 16	„prediolum" in Flons bei Sterzing
6	142	1314 Februar 2	Gut an dem Tuifer
7	73	1321 Oktober 1	5 Äcker bei Wilten
8	Beilage n.VIII (Blatt 13 b)	1339 August 28	Teil der Saggenwiese n. Innsbruck
9	243 b	1352 Mai 29	Berg Senders s.-ö Kematen
10	84 b	1365 Juni 29	Mühle zu Hötting
11	72 b	1366 April 10	Joch Acker im Saggen

[1] Vergleiche oben Vorwort.
[2] Städtische Häuserleihen wurden in dieser Tabelle nicht berücksichtigt.
[3] Aus Angaben dieser Urkunde geht hervor, daß es sich hier um das

Nr. XXIII.

Wilten nach dem Wiltner Kopiar [1]) [2]).

Beliehenes Subjekt	Zins- und Zinszeit
Herr Friedrich Perchtinger und Erben	5 Pfund B. (kein Termin).
Ludwig Völsach, Gattin und beider Erben	15 Pfund B. am St. Martinstag (11. Nov.).
Jacobus, genannt Strobel von Villanders und Erben beider Geschlechter	census debitus et consuetus.
Meinhard, Graf von Tirol, und Erben	1 Pfund B. (kein Termin).
Konrad, Sohn weil. des Ortulf von Sterzing und Erben	kein Zins angegeben.
Heinrich Vasolt von Trins (südl. Sterzing), seine Gattin und eheliche Deszendenz	6 Pfund B. am St. Martinstag.
Brüder Bernhard und Hermann und Erben	5 Pfund B. und 8 Groschen am St. Gallustage (16. Okt.).
mehrere Bürger von Innsbruck	7 Zwanziger (= Groschen) vom Joch Wiese oder 1 Pfund Berner vom Joch Acker am St. Gallentag.
„die dorfleut gemaincbleich ze Chemnaten"	26 Pfund Berner am St. Gallustag, 6 Mark Berner „ze anvang".
Hans der Schaller, Bürger zu Innsbruck, seine Gattin und beider Erben	3 Pfund
Eberlein der Pöne, Bürger zu Innsbruck, seine Gattin und beider Erben	11 Zwanziger am St. Gallustag.

in n. 2 erwähnte „predium" handelt.

	Blatt	Zeit	Leiheobjekt
12	332	1366 Juni 29	Wiese auf dem Michelfeld (wo?)
13	75	1371 Jänner 21	Joch Acker im Saggen
14	119	1376 Jänner 27	zwei halbe Joch Ackers im Saggen
15	129	1381 August 23	Anger (eingezäunte Wiese) zu Wilten
16	72	1392 März 17	Anger im Saggen
17	131 b	1392 April 23	Anger zu Wilten
18	255 b	1397 April 16	Purenhof n. Innsbruck
19	95	1400 März 21	Viertelhube zu Wilten, halbes Egart, halber Gamshof, Garten und Anger bei Wilten
20	318	1402 Jänner 29	2 Joch Angers im Saggen
21	104 b	1402 Sept. 21	ein mit Sträuchern bestandenes Stück Land genannt „in der Öd" oberhalb der Gallwiese südwestl. Innsbruck, woraus 24 Joch Wiese gereutet werden sollen

Beliehenes Subjekt	Zins und Zinszeit
Agnes die Chaldsmidin, deren Sohn Hans und Erben beider Geschlechter	6 Hennen am St. Gallustag.
Eberhard der Pöne, Bürger zu Innsbruck, seine Gattin und Erben beider Geschlechter	3 Zwanziger am St. Gallustag.
Welle die Stemphlin, deren Enkel Elsbet und Heinrich und Erben	2 Zwanziger (kein Termin angegeben).
Kristan der Praust, Bürger zu Innsbruck, seine Gattin und Erben beider Geschlechter	12 Pfund Berner, 6 Zwanziger „ze rechter dienst zeit".
Hans von Hertenberg, Bürger zu Innsbruck, seine Frau und Erben beider Geschlechter	8 Kreuzer am St. Gallustag.
Kristan der Praust, seine Gattin und Erben	25 Pfund B. „ze rechter dienst zeit".
Lienhard von Rinn, seine Gattin und Sohn Eberhard und deren Erben	18 Pfund B., „ze weisod" 6 Hühner und 60 Eier (nach 10 Jahren Neubemessung des Zinses), kein Termin.
Hans Schawcz und Erben	10 Pfund B., 9 Kreuzer, 6$^1/_2$ Star Roggen, 6$^1/_2$ Star Gerste am St. Gallustag.
Lucas der Schreyber, Bürger zu Innsbruck, seine Gattin und beider eheliche Nachkommenschaft	2 Pfund B. am St. Gallustag.
Konrad der Felber, Richter zu Wilten, und Gemeinde Wilten	von jedem Joch 4 Kreuzer (Zwanziger) und „ze weysäd" 1 Huhn am St. Gallustag.

	Blatt	Zeit	Leiheobjekt
22	338b	1413 März 12	2 Joch Wiese (?) im Saggen
23	346	1414 Mai 18	Anger, Baumgarten, Garten
24	347b	1414 Novbr. 25	1 Joch Acker
25	348	1416 Jänner 24	$1^1/_2$ Joch am alten Saggen
26	351	1416 März 11	2 Joch Acker im Wiltner Felde
27	348b	1416 März 17	Mühle zu Igels s. Innsbruck
28	352	1416 März 17	$^1/_2$ Joch Acker „gelegen ze grase" im Saggen
29	358 a	1419 März 17	$1^1/_2$ Joch Anger im Saggen
30	357 a	1419 März 17	$1^1/_2$ Joch Anger im alten Saggen
31	352 a	1419 April 30	2 Kamerland an der Sill bei Wilten (?)
32	355	1419 Sept. 12	Baumgarten bei Innsbruck
33	358b	1420 Jänner 14	$^1/_3$ Joch Anger im Wiltner Feld

Beliehenes Subjekt	Zins- und Zinszeit
Sebastian der Gelter, Bürger zu Innsbruck, seine Gattin u. Erben beider Geschlechter	2 Pfund B. am St. Gallustag.
Niklas der Päwmkircher und alle ehelichen Leibeserben	8 Kreuzer am St. Gallustag.
Heinrich der Pawman von Nürnberg, Bürger zu Innsbruck, s. Gattin, beider Nachkommenschaft	durch 23 Jahre kein Zins, dann 5 Pfund B. am St. Gallustag.
Frau Agnes und deren Tochter, Bürgerinnen zu Innsbruck, deren Erben	18 Kreuzer am St. Gallustag.
Michel der Stoll, s. Gattin und eheliche Deszendenz	6 Pfund B. am St. Gallustag.
Cristi der Fürholczer u. Erben beider Geschlechter	5½ Pfund B., 1 Gans „ze recht dinst zeit".
Völkl Schuster, Bürger zu Innsbruck, s. Gattin u. eheliche Deszendenz	5 Zwanziger „ze rechter dienst zeyt".
Andreas der Haller, Bürger zu Innsbruck, s. Gattin und eheliche Deszendenz	18 Kreuzer am St. Gallustag.
Hans der junge Goltsmid, Bürger zu Innsbruck, s. Gattin und eheliche Deszendenz	18 Kreuzer am St. Gallustag.
Hans Körbler von Sülle, seine Gattin, beider Erben	12 Pfund B. u. 6 Kreuzer am St. Gallustag, 6 Hühner u. 50 Eier „zw weysad".
Andreas der Haller, Bürger zu Innsbruck, seine Gattin und eheliche Deszendenz	8 Kreuzer am St. Gallustag.
Heinrich der Völchlein, Bürger zu Innsbruck, s. Gattin und eheliche Deszendenz	3 Kreuzer am St. Gallustag.

	Blatt	Zeit	Leiheobjekt
34	359	1420 Jänner 14	¹/₄ Joch Anger im alten Saggen
35	359 b	1420 Jänner 14	1 Joch Anger im alten Saggen
36	360 b	1420 Februar 3	¹/₂ Joch Anger bei der Heidenmühle in Wilten
37	364 b	1420 Mai 21	Garten im Saggen
38	360 b	1420 Dezbr. 6	Garten zu Innsbruck
39	361	1421 März 25	1 Joch Anger im Saggen
40	366 b	1423 März 14	2 Gärten im Saggen
41	369	1423 März 27	1 Joch Acker samt darauf stehendem Hause, 2¹/₂ Joch Acker an verschiedenen Örtlichkeiten, 1 Mahd, 2 „Ängerle", 2 nicht näher bezeichn. „Stuck", alles bei Wilten (?)
42	366	1423 Mai 3	Baumgarten bei Innsbruck
43	370	1423 Juni 3	3 Joch Anger im alten Saggen
44	375	1432 Juni 12	1 Joch Anger (wo?)
45	377 b	1442 Oktober 8	¹/₂ Joch Anger (bei Innsbruck?)
46	376	1443 Jänner 29	2 Joch Anger bei Innsbruck
47	332 b	1460 Sept. 20	Acker bei Hötting n. Innsbruck

Beliehenes Subjekt	Zins und Zinszeit
wie n. 33	3 Kreuzer am St. Gallustag.
wie n. 33	1 Pfund B. am St. Gallustag.
Oswald der Pŭchperger, Bürger zu Innsbruck, s. Gattin und eheliche Deszendenz	6 Kreuzer am St. Gallustag.
Konrad der Puchler, s. Gattin und eheliche Deszendenz	7 Zwanziger am St. Gallustag.
Jörg der Hufschmied, Bürger zu Innsbruck, s. Gattin und eheliche Deszendenz	6 Kreuzer am St. Gallustag.
Stephan der Kirschner, s. Gattin u. eheliche Deszendenz	1 Pfund B. am St. Gallustag.
Kunz der Bader, s. Gattin u. eheliche Deszendenz	2 Kreuzer am St. Gallustag.
Ulrich des Knollen Eidam, s. Gattin u. Erben	27 Pfund B. am St. Gallustag, Fronarbeit in dem bei den Hintersaßen des Klosters Wilten üblichen Ausmaß.
Heinz der Hännlein, Bürger zu Innsbruck, s. Gattin u. eheliche Deszendenz	4 Pfund B. am St. Gallustag.
wie n. 32.	3 Pfund B. am St. Gallustag.
Hans der Plattner, s. Gattin u. eheliche Deszendenz	4 Pfund B. am St. Gallustag.
Jakob der Kramer, Bürger zu Innsbruck, s. Gattin u. eheliche Deszendenz	3 Groschen am St. Gallustag.
Konrad Pauer, Bürger zu Innsbruck, s. Gattin u. eheliche Deszendenz	3 Pfund B. am St. Gallustag.
Hans der Tarfner von Hötting, s. Gattin u. beider Erben	10 Kreuzer am St. Gallustag.

Verhältnis von Grundzins und Kaufpreis bei verschiedenen im
Jahre

Blatt	Kaufobjekt	Grundherr
1	Haus, Stadl, Stall, Gärtlein, Bad-stube samt Inventar	Spital zu Sterzing
4b	Hof zu Laymgrueben genannt Orthof	Herren von Freunds-berg
7	Wiese zu Gassegaud⁵)	St. Peter zu Stilfes
9b	das Rechtlehen zu Pfulters⁴) (Haus, Acker und Wiesland)	St. Martinskirche zu Mittenwald
10	Engeles Gut zu Telfes (Haus, Acker- und Wiesland, Be-holzungsrecht)	Friedrich in Ras (?)
22	Haus, Hofstatt und Stadel zu Sterzing	deutsches Haus
28	halbes Gut zu Welfenstein	Widum zu Stilfes
32b	Viertel aus dem Purgunnhof zu Pfitsch	Herr Barthol. von Fir-mian
35	Haus, Stadl und Garten zu Ster-zing	Spital zu Sterzing
35b	halber Hof zu Venn	Kloster Wilten
39b	Wiesmahd, 1½ Tagmahd groß, südlich Sterzing	St. Oswaldkirche zu Mauls
46b	Haus, Acker, Wiese, Wald zu Unterackern bei Sterzing	Herr Johann Tesser (?)
48	halber Grieshof am Brenner	Wolfgang Tschaker
48b	halber Hof zu Breitwies in Rid-naun	?

¹) Nach den im J. St. A. aufbewahrten gerichtlichen Verfachbüchern
²) Dies Verfachbuch unterscheidet genau zwischen Grundzins und
³) Weiler bei Mareit westl. Sterzing.
⁴) Weiler bei Stilfes südl. Sterzing.
⁵) 1 Huhn wird im Sterzinger Verfachb. von 1527 fol. 53 auf 1 Kreuzer
⁶) 10 Eier werden nach der Landesordnung von 1526 Buch I Teil VII

Nr. XXIV.

Land- und Stadtgericht Sterzing gelegenen Leiheobjekten im 1518[1]).

Kaufpreis	Grundzins[2])	Betrag des Grundzinses in Prozenten d. Kaufpreises
417 Gulden	27 Pfund	1.3
52 Mark 5 Pf.	17 Pf. 2 Kreuzer	3.3
32 Mark	5 Pf.	1.9
59 Mark 1 Gulden	12 Pf.	2
56 Mark 1 Gulden	14 Pf.	2.5
250 Gulden	10 Pf.	0.8
15 Mark	2 Pf. 6 Kr. 1 Huhn[5])	⊥
32 Mark	10 Pf. 9 Kr. 75 Stöcke von Lärchenholz	—
65 Mark	4 Gulden	3.1
100 Mark	4 Gulden	2
15 M. 2 Gl. 5 Pf.	2 Pf.	1.2
60 Mark	21 Pf. 8 Kr. 2 Hühner 20 Eier[6])	3.6
85 Mark	14 Pf. 6 Kr. 1 Kitz 1 Käse	—
460 Gl. 1 Stück Tuch	22 Pf. 6 Kr.	c.1

dieses Jahres.
anderen nicht aus der Grundherrlichkeit herzuleitenden Zinsen.

veranschlagt.
fol. 42 auf 1 Kreuzer bewertet.

Blatt	Kaufobjekt	Grundherr
49	Gurtler Hof und zwei Wiesen	„des Strewn erben"
65	Acker und Wiese, letztere 1 Tag-mahd groß	St. Jahanneskirche zu Flains
84	Wiesmahd und Grundstück, „Pach-traten" genannt, zu Thuins	St. Ursula-Kirche im Janfental, Herrn Im Kalchs Erben, Michl Gamp und Michl Mair [1])

---

[1]) Der Umstand, daß an einem Gute mehrere Personen grundherrliche des Grundzinses veräußert worden waren.

Kaufpreis	Grundzins	Betrag des Grundzinses in Prozenten d. Kaufpreises
380 Gulden	24 Pf. (nur vom Hofe)	—
55 Mark	10 Pf.	1.2
63 Mark 5 Pf.	5 Pf. 9 Star Roggen und Gerste, 2 Hühner 20 Eier	—

Rechte besitzen, findet darin seine Erklärung, daß nicht selten einzelne Teile

Verlag von M. & H. Marcus in Breslau, Kaiser Wilhelmstr. 8

Studien
zur Erläuterung des Bürgerlichen Rechts

herausgegeben von

Dr. Rudolf Leonhard

ord. Professor der Rechte an der Universität Breslau

1. Heft: **Das neue Gesetzbuch als Wendepunkt der Privat-Rechtswissenschaft** von Professor Dr. Rudolf Leonhard. Preis 2,— Mark.

2. Heft: **Die Bedeutung der Anfechtbarkeit für Dritte.** Ein Beitrag zur Lehre vom Rechtsgeschäft von Dr. Martin Bruck. Preis 3,— Mark.

3. Heft: **Die Haftung für die Vereinsorgane nach § 31 BGB.** von Gerichtsassessor Dr. Fritz Klingmüller. Preis 1,60 Mark.

4. Heft: **Der gerichtliche Schutz gegen Besitzverlust** nach römischem und neuerem deutschen Recht von Dr. Max Gaertner. Preis 5,40 Mark.

5. Heft: **Das Anwendungsgebiet der Vorschriften für die Rechtsgeschäfte.** Ein Beitrag zur Lehre vom Rechtsgeschäft von Professor Dr. jur. Alfred Manigk. Preis 10,— Mark.

6. Heft: **Der Begriff des Rechtsgrundes,** seine Herleitung und Anwendung, von Privatdozent Dr. Fritz Klingmüller. Preis 3,20 Mark.

7. Heft: **Der Eingriff in fremde Rechte als Grund des Bereicherungsanspruchs** von Dr. Rudolf Freund. Preis 2,— Mark.

8. Heft: **Die rechtliche Natur der Miete im deutschen bürgerlichen Recht** von Dr. jur. et phil. Albert Hesse. Preis 1,20 Mark.

9. Heft: **Die rechtliche Wirkung der Vormerkung nach Reichsrecht** von Wilhelm Othmer. Preis 3,20 Mark.

Buchdruckerei Maretzke & Märtin, Trebnitz in Schles.

Untersuchungen

zur

Deutschen Staats- und Rechtsgeschichte

herausgegeben

von

Dr. Otto Gierke
Professor der Rechte an der Universität Berlin

68. Heft

Die Einführung

der

deutschen Herzogsgeschlechter Kärntens in den slovenischen Stammesverband

Ein Beitrag zur Rechts- und Kulturgeschichte

von

Dr. jur. Emil Goldmann

Breslau
Verlag von M. & H. Marcus
1903

Die Einführung

der

deutschen Herzogsgeschlechter Kärntens in den slovenischen Stammesverband

Ein Beitrag zur Rechts- und Kulturgeschichte

von

Dr. jur. Emil Goldmann

Breslau
Verlag von M. & H. Marcus
1903

Vorwort.

Es ist eine der reizvollsten Rätselfragen der rechts-geschichtlichen Forschung, um deren Lösung sich die nach-folgenden Blätter bemühen. So viele Forscher bisher auch versucht haben, das Dunkel, das über der Kärntner „Herzogs-einsetzung" gebreitet liegt, zu bannen, so ist doch keinem des Rätsels Lösung gelungen. Ob mir geglückt ist, worum so viele vergebens geworben, wird die Kritik zu entscheiden haben. Sollte sie, was ich erhoffe, meinem Vorschlage zustimmen und es mir als Verdienst anrechnen wollen, das Problem der „Herzogs-einsetzung" klargestellt zu haben, so darf sie ein gut Teil dieses Verdienstes zu ihren Gunsten buchen; denn ohne die trefflichen Ausführungen Pappenheims, v. Jakschs, v. Wretschkos, Schönbachs, Rachfahls und Müllners zu Paul Puntscharts „Herzogseinsetzung und Huldigung in Kärnten" hätte meiner Untersuchung so mancher wichtige Stützbalken gefehlt. Wenn irgendwo, so war hier die Kritik produktiv, der Lösung des Problems förderlich. Dass mir bei meiner Arbeit die Unter-suchung Puntscharts selbst die trefflichsten Dienste leistete, bedarf keiner näheren Ausführung. Von dem Werte, der der verdienstvollen Leistung dieses Forschers zukommt, legt fast jedo der folgenden Seiten beredtes Zeugnis ab, mögen auch die Ergebnisse, zu denen ich gelange, den seinen direkt entgegen-gesetzt sein, mag auch auf positivem Wege der Nachweis er-

bracht worden sein, dass die wirtschaftsgeschichtliche Forschung
aus der Erörterung des Problems der „Herzogseinsetzung" keine
Förderung erfahren kann.

Einige wenige Worte möchte ich auch über die Entstehung
der vorliegenden Untersuchung und über die bei meiner Arbeit
befolgte Methode sagen. Eine derzeit noch unvollendete rechtsgeschichtliche Untersuchung nötigte mich, dem Problem der
„Herzogseinsetzung" näher zu treten. Bald wurde mir klar,
dass die Lösung dieser rätselreichen Frage nur auf dem in den
folgenden Blättern eingeschlagenen Wege gelingen könne. Ich
versuchte anfangs, meinen Lösungsvorschlag jener Untersuchung
in Form eines Exkurses einzugliedern, aber gar bald erkannte
ich, dass das Problem nach einer selbständigen Gestaltung
dränge, worauf mich auch der gütige Rat des Herrn Prof.
Dr. Max Pappenheim in Kiel hinwies. Die Methode, die ich
bei der Erforschung des an das Thema der „Herzogseinsetzung"
anknüpfenden Fragenkomplexes befolgte, besteht hauptsächlich
in der intensiven Verwertung der Ergebnisse der in den letzten
Jahren zu so grosser Bedeutung herangewachsenen Wissenschaft der Volkskunde, deren machtvolle Hilfe die rechtsgeschichtliche Forschung, sofern sie sich mit Rechtsschöpfungen
aus der Jugendzeit der indogermanischen Völker befasst, oftmals
nicht entbehren kann. Wohl mancher volkskundliche Forscher,
dem meine Untersuchung zu Gesichte kommen wird, mag finden,
dass ich manchmal der Beweise zuviel gehäuft habe; er möge
aber bedenken, dass der Analogiebeweis, der — sofern er nur
mit Mass und gebotener Vorsicht angewendet wird — in der
Methodik der Ethnologie und ihrer Schwesterwissenschaften eine
so grosse Rolle spielt, bei vielen Rechtshistorikern einer unver-
dienten Geringschätzung begegnet, so dass es ihnen gegenüber
oftmals angezeigt ist, den Analogienbeweis wuchtiger und ausführlicher zu gestalten, als es vor einem ethnologisch geschulten
Leserkreise notwendig wäre.

Eine Reihe von Forschern hat meiner Arbeit regstes Interesse entgegengebracht und meinen Bestrebungen Unterstützung oder aufklärenden Rat zuteil werden lassen. Ich sage hiefür Sr. Magnifizenz dem Rektor der Berliner Universität, Herrn Geb. Justizrat Prof. Dr. Otto Gierke, Herrn Prof. Dr. Max Pappenheim in Kiel, Herrn Prof. Dr. Ernst Freiherrn von Schwind in Wien, Herrn Hofrat Prof. Dr. Anton E. Schönbach in Graz, Herrn August Jaksch Ritter von Wartenhorst, Landesarchivar in Kärnten, zu Klagenfurt, Herrn Hofrat Prof. Dr. V. Jagić in Wien, Herrn Hofrat Constantin Hörmann, Direktor des bosn.-herceg. Landesmuseums in Sarajevo, Herrn Prof. Dr. Karl Štrekelj in Graz, Herrn Dr. Ernst Krause (Carus Sterne) in Eberswalde, Herrn Dr. phil. Fedor Schneider, Mitarbeiter der Monumenta Germaniae historica in Berlin, Herrn Prof. Dr. Hermann Vambéry in Budapest, Herrn Prof. Dr. F. Pichler in Graz, Herrn k. k. Gewerbe-Oberinspektor Dr. V. Pogatschnigg in Graz meinen herzlichsten Dank. Ebenso bin ich zu Danke verpflichtet dem Herrn Oberlehrer Ferdinand Werkl zu Lind bei Karnburg in Kärnten. Mit besonderer Dankbarkeit endlich gedenke ich an dieser Stelle der „Gesellschaft zur Förderung deutscher Wissenschaft, Kunst und Literatur in Böhmen" zu Prag, die meinen wissenschaftlichen Bestrebungen werktätige Unterstützung angedeihen liess.

Zum Schlusse möchte ich bemerken, dass mir bei der Revision der Citate eine grosse Reihe von Werken leider unzugänglich war.

Karlsbad, im Juli 1903.

Dr· Emil Goldmann.

Berichtigungen und Nachträge.

S. 16 Z. 5 v. u. (Note) lies „Indogermanische" statt „Indogermanische".

S. 17 Z. 8 v. u. (Note) lies „indische" statt „ndische".

S. 19 Z. 12 v. o. lies statt „die" „die,".

S. 22 Z. 5 v. u. (Text) lies „Polen, Ungarn⁴)" statt „Polen und Ungarn,⁴)".

S. 31 Z. 13 v. u. (Note) lies „gamle" statt „gande".

S. 60 Z. 13 v. u. (Note) lies „Hofrat" statt „Hofrat,".

S. 71 Z. 19 v. u. (Note) lies „147" statt „174".

S. 78 Z. 15 v. o. lies „Býčiskála" statt „Býčiscála".

S. 99 Z. 13 v. o. lies „Schottland⁴)." statt „Schottland⁴)".

S. 107 Z. 5 v. o. lies „dürfte¹)." statt „dürfte¹)".

S. 111 Z. 13 v. o. lies „Griechen" statt „Griechen,".

S. 117 Z. 5 v. u. (Text) lies „ἔδος" statt „ἰδός".

S. 117 Z. 14 v. u. (Note) lies „βασιλεύς" statt „βασιλεύς".

S. 127 Z. 10 v. u. (Note) lies „zu" statt „zn".

ad S. 134 fg.: Nach den Darlegungen von Alexander Brückner (Neuere Arbeiten zur slavischen Volkskunde, Zeitschr. d. Vereins für Volksk., Jg. 1903, S. 235), die erst nach Drucklegung der Seiten 134 fg. zu meiner Kenntnis gelangten, soll das auf Přemysl und Libussa bezügliche Sagenmaterial des Cosmas von Prag wertlos sein und keinerlei echte Sage enthalten. Sollte diese Behauptung richtig sein, dann wäre natürlich den Ausführungen der S. 134 fg., ebenso auch der Samo-Hypothese Schreuers jeder Halt entzogen. Es wird aber geraten sein, abzuwarten, ob Brückner den exakten Beweis für seine Behauptungen erbringen kann.

S. 134 Z. 2 v. u. (Note) lies „Hillebrandt" statt „Hillebrand".

S. 142 Z. 2 v. u. (Note) lies „der" statt „der,".

S. 148 Z. 11 v. u. (Note) lies „νέος" statt „νεός".

S. 150 Z. 7 v. o. lies „ἔδος" statt „ἰδός".

S. 155 Z. 6 v. u. (Note) lies „Fürstenstein" statt „Fürtenstein".

S. 156 Z. 10 v. o. lies „κάθαρσις" statt „καθάρσις".

S. 156 Z. 8 v. u. lies „ἔδος" statt „ἰδός".

S. 160 Z. 15 v. o. lies „ἔδος" statt „ἰδός".

S. 171 Z. 4 v. o. lies „ἔδος" statt „ἰδός".

S. 172 Z. 10 v. o. lies „μυῶν" statt „μυών".

S. 181 Z. 7 v. u. (Text) lies „Grunde," statt „Grunde".

S. 189 Z. 6 v. u. (Text) lies „aquae" statt „apuae".

S. 216 Z. 4 v. u. (Text) lies „verstellt" statt „verstellt,".

S. 216 Z. 10 v. u. (Note) lies „sater" statt „sater".

S. 217 Z. 1 v. u. (Note) lies „Schwally" statt „Schmolly".

Verzeichnis
der häufiger citierten Bücher, Abhandlungen und Zeitschriften.

„Am Urquell", früher *„Am Urdsbrunnen"*, seit 1891.

G. Freiherr von Ankershofen, Handbuch der Geschichte des Herzogtums Kärnten; Bd. 1 und 2, 1842—1859; Bd. 4, herausgegeben von Tangl, 1864—1874.

Bachmann A., Geschichte Böhmens, 1. Bd., 1899.

A. Bertholet, Die Stellung der Israeliten und der Juden zu den Fremden, 1896.

C. Boetticher, Die Tektonik der Hellenen, 2. Bd., 1877.

Carinthia I, Mitteilungen des Geschichtsvereins für Kärnten.

Friedrich Creuzer, Symbolik und Mythologie der alten Völker, 4 Bände, 1810—1812.

A. Diemand, Das Ceremoniell der Kaiserkrönungen von Otto I. bis Friedrich II. (Historische Abhandlungen, herausgegeben von Heigel und Grauert, 4. Heft), 1894.

Die österreichisch-ungarische Monarchie in Wort und Bild, seit 1886, 15 Bände.

Eckermann, Lehrbuch der Religionsgeschichte und Mythologie der vorzüglichsten Völker des Altertums.

J. Grimm, Deutsche Rechtsaltertümer, 4. Auflage.

J. Grimm, Deutsche Mythologie, 4. Auflage, herausgegeben von *Elard H. Meyer*.

Alfred Hillebrandt, Das altindische Neu- und Vollmondopfer in seiner einfachsten Form, 1879.

Alfred Hillebrandt, Ritual-Literatur. Vedische Opfer und Zauber, 1897. Grundriss der indo-arischen Philologie und Altertumskunde, herausgegeben von *G. Bühler*, 3. Band, 2. Heft.

August von Jaksch, Recension der Untersuchung Puntscharts in den „Mitteilungen des Instituts für österreichische Geschichtsforschung. 23. Band, S. 311—329.

F. S. Krauss, Sitte und Brauch der Südslaven, 1885.

A. Kuhn und *W. Schwartz*, Norddeutsche Sagen, Märchen und Gebräuche, 1848.

Adalbert Kuhn, Sagen, Gebräuche und Märchen aus Westphalen, 1859.

B. W. Leist, Altarisches Jus civile, 2 Bände, 1892—1896.

Emilian Lilek, Volksglaube und volkstümlicher Kult in Bosnien und der Hercegowina, Wissenschaftliche Mitteilungen aus Bosnien und der Hercegowina, Jg. 1896.

J. Lippert, Allgemeine Geschichte des Priestertums, 2 Bände, 1883.

J. Lippert, Culturgeschichte der Menschheit in ihrem organischen Aufbau, 2 Bände, 1886—1887.

W. Mannhardt, Mythologische Forschungen, herausgegeben von H. Patzig in „Quellen und Forschungen zur Sprach- und Culturgeschichte der germanischen Völker", 51. Band.

Mitteilungen der anthropologischen Gesellschaft in Wien.

Mitteilungen des Instituts für österreichische Geschichtsforschung, 1880 fg.

Mitteilungen, Wissenschaftliche aus Bosnien und der Herzegowina, 1893 fg.

Hermann Oldenberg, Die Religion des Veda, 1894.

Franz Palacky, Geschichte von Böhmen, 1. Bd., 1836.

Max Pappenheim, Recension der Untersuchung Puntscharts in der „Zeitschrift der Savigny-Stiftung für Rechtsgeschichte", Germanistische Abteilung, 20. Bd., S. 307—313.

Adolphe Pictet, Les origines Indo-Européennes, 2 Bände, 1859—1863.

L. Preller, Römische Mythologie, 3. Auflage, 1881—1883.

Paul Puntschart, Herzogseinsetzung und Huldigung in Kärnten, 1899.

Ida von Düringsfeld und *Otto Freiherr von Reinsberg-Düringsfeld,* Hochzeitsbuch, Brauch und Glaube der Hochzeit bei den christlichen Völkern Europas, 1871.

A. E. Schönbach, Der steirische Reimchronist über die Herzogshuldigung in Kärnten, Mitteilungen des Instituts für österr. Geschichtsforschung, 21. Band, (1900), S. 519 fg.

O. Schrader, Reallexikon der indogermanischen Altertumskunde, 1901.

Hans Schreuer, Untersuchungen zur Verfassungsgeschichte der böhmischen Sagenzeit. Staats- und socialwissenschaftliche Forschungen, herausgegeben von *G. Schmoller,* 20. Band, 4. Heft, der ganzen Reihe 91. Heft, 1902.

Leopold v. Schroeder, Indiens Literatur und Kultur, 1887.

W. Robertson Smith, Die Religion der Semiten. Aus dem Englischen nach der zweiten Auflage von *R. Stube,* 1899.

Carus Sterne, Das Sonnenlehen, Sonntagsbeilage zur Vossischen Zeitung, Jg. 1892, Nr. 13—15.

G. Waitz, Deutsche Verfassungsgeschichte, VI. Band, 2. Auflage, herausgegeben von *Seeliger,* 1896, VII. Band.

Albrecht Weber, Ueber den râjasûya, Abhandlungen der Berliner Akademie der Wissenschaften, 1893, S. 1—158.

M. Winternitz, Das altindische Hochzeitsritual nach dem Apastambîya-Grihyasûtra etc., Denkschriften der kaiserlichen Akademie der Wissenschaften zu Wien, phil.-hist. Cl., 40. Band, 1892.

A. v. Wretschko, Recension der Untersuchung Puntscharts, Göttingische gelehrte Anzeigen, Jg. 1900, S. 929—964.

H. v. Zeissberg, Hieb und Wurf als Rechtssymbole in der Sage, Germania, Bd. 13, S. 401—444.

Zeitschrift des Vereins für Volkskunde, seit 1891.

Zeitschrift für Ethnologie, seit 1869.

Zeitschrift für österreichische Volkskunde.

Zeitschrift für vergleichende Rechtswissenschaft, seit 1878.

Inhalt.

~~~~~~

Einleitung.

Die merkwürdigen Bräuche bei der Kärntner „Herzogsein-setzung" haben zwar seit jeher das Interesse deutscher und slavischer Rechtshistoriker, sowie der Erforscher der Kärntner Landes- und Verfassungsgeschichte erregt, aber über vage Ver-mutungen und flüchtig entworfene Hypothesen ist man lange Zeit hindurch nicht hinausgekommen. Erst die verdienstvolle Monographie Paul Puntschart's „Herzogseinsetzung und Huldigung in Kärnten"[1] (1899) hat hier einen Wandel geschaffen. In dieser Untersuchung[2] wurden zum erstenmale die von der Kärntner „Herzogseinsetzung" handelnden Quellenberichte gründlich durchforscht, verglichen und kritisch gewürdigt, wurde zum erstenmale eine eingehende, auf moderner rechtsgeschichtlicher Methode basierende Deutung des Brauches versucht. Für den quellenkritischen Teil seiner Arbeit wird man Puntschart nicht genug Dank wissen können, hingegen darf in Uebereinstimmung

---

[1] Puntschart hat seiner Untersuchung jüngst einen die Resultate seiner Forschungen zusammenfassenden, popularisierenden Aufsatz folgen lassen; vgl. Puntschart, Herzogseinsetzung und Huldigung in Kärnten, Zeitschr. d. deutschen u. österr. Alpenvereins, 32. Bd., S. 123—137.

[2] Hiezu erschienen wertvolle Recensionen von Pappenheim, Zeit-schrift d. Savigny-Stiftung f. Rechtsgesch., Germanist. Abt. 20. Bd., S. 307—313; v. Wretschko, Götting. gel. Anz., Jg. 1900, S. 929—964, Rachfahl, Literar. Centralbl., Jg. 1900, Sp. 189, 190; (vgl. auch die Aus-führungen desselben Autors in seiner Abhandlung „Zur Geschichte des Grundeigentums", Jahrbücher f. Nationalökon. u. Statist., Jg. 1900, S. 209, Anm. 5 u. S. 20. — Heldmann, Jahresberichte für Geschichtswissenschaft, 22. Bd., II, S. 580 f. pflichtet dem Urteile Rachfahls bei); A. v. Jaksch, Carinthia I., Mitteil. d. Geschichtsvereines für Kärnten, 92. Jg. (1902), S. 33—40; derselbe, Mitteil. d. Instituts für österr. Geschichtsforschung, 23. Bd., S. 311—329; Müllner, Argo, Zeitschr. f. Krainische Landeskunde, Jg. 7, Sp. 164—168, 179—184, 197—200, Jg. 8, Sp. 10—16; G. v. Below, Historische Zeitschrift, Jg. 1902, S. 514—516.

mit der Kritik konstatiert werden, dass der konstruktive Teil
seiner Untersuchung, sein Versuch, den Brauch als einen Reflex
altslavischer wirtschaftlicher Kämpfe darzustellen, missglückt ist.
Die Hauptthese seines Werkes, welche dahin lautet, dáss die
Form der „Herzogseinsetzung“ die Folge eines Sieges des
slavischen Kärntner Bauerntums über den gleichfalls slavischen
Hirtenadel der Supane sei, hat Puntschart nicht zu erweisen
vermocht. So wird denn nunmehr, wo durch Puntschart's
gründliche Arbeit erst eine tiefer greifende Untersuchung der
Bedeutung des Brauches ermöglicht wurde, wo anderseits die
Unhaltbarkeit der Puntschart'schen Hypothesen feststeht, die
Berechtigung eines neuen Versuches zur Aufhellung dieses rechts-
und kulturhistorisch so interessanten Problems nicht bestritten
werden können.

I.

„Herzogseinsetzung“ und „rājasūya“.

Was an den Riten der „Herzogseinsetzung“ vor allem auffällt, bisher aber gänzlich übersehen wurde, das ist die überraschende Aehnlichkeit zwischen dem kärntnerischen Brauche und
dem rājasūya“[1]), der Königsweihe der arischen Inder. Ueber
den rājasūya besitzen wir eine umfassende Untersuchung
Albrecht Weber's, die über den Gegenstand in erschöpfender
Weise orientiert, da sie sämmtliche vom rājasūya handelnden
altindischen Quellen heranzieht. Auf der Grundlage dieser
Untersuchung soll die nachfolgende Vergleichung der Bräuche
der „Herzogseinsetzung“ mit denen der indischen Königsweihe
gegeben werden.

Es wird zur Durchführung dieses Vergleiches zunächst erforderlich sein, eine Schilderung des kärntnerischen Brauches zu
geben, wie dieser zu jener Zeit geübt worden sein dürfte, aus
der unsere ältesten ausführlichen[2]) Berichte über die „Herzogs-

---

[1]) Vgl. Weber, „Ueber den rājasūya“, in den Abhandl. der Berl. Akad.
der Wiss., Jg. 1893, S. 1—158; ferner A. Hillebrandt, Ritualliteratur.
Vedische Opfer und Zauber (1897), Grundriss der indo-arischen Philolog. u.
Altertumskunde, hgeg. v. G. Bühler, III. Bd., 2. Heft, § 74, S. 143—147,
H. Oldenberg, Die Religion des Veda (1894), S. 471 fg., 491; Jul. Lippert,
Allgemeine Geschichte des Priestertums (1883), 2. Bd., S. 411—414;
Gobineau, Versuch über d. Ungleichheit d. Menschenrassen. Deutsch v.
Schiemann, 2. Aufl. (1902), 2. Bd., S. 205 f.

[2]) Wie A. E. Schönbach neuestens gezeigt hat (Studien zur Geschichte
der altdeutschen Predigt, Wiener Sitzungsber., phil.-hist. Cl. Jg. 1900,
S. 119 fg.), erwähnt bereits Berthold v. Regensburg die „Herzogseinsetzung“;
es kann also die österreichische Reimchronik nicht mehr unsere älteste
Quelle über den Brauch (vgl. Puntschart, S. 30) genannt werden; freilich
wird unsere Kenntnis des Ritus durch die kurze Bemerkung des Prediger-
mönches nicht bereichert.

einsetzung": die Erzählung der österreichischen Reimchronik und des Abtes Johannes von Victring, stammen.[1])

Der Herzog, der in Begleitung der Landeswürdenträger nach Karnburg gekommen war, wurde dort am Morgen des Huldigungstages von jemandem, der diese Funktion aus erblichem Rechte versah, mit der Tracht eines Kärntner Bauers bekleidet:[2]) mit einer strumpfähnlichen Beinbekleidung aus grauem Tuche, roten Schuhen mit starken Riemen, einem grauen, vorne offenen, hinten stark eingeschnittenen Rocke und einem aus einem Stück Tuch gefertigten grauen Mantel ohne Besatz; aufs Haupt setzte man ihm einen gewölbten Hut, an dem vier bemalte Kugeln angebracht waren; auch erhielt er einen Stock in die Hand. Ihm zur Seite wurde ein scheckiger Stier und eine schwarz und weiss gefleckte Stute geführt. Zwei Landherren, je einer auf einer Seite, geleiteten den Herzog; voraus schritt der Pfalzgraf von Kärnten mit dem grossen Banner des Herzogtums in Begleitung von zwölf kleineren Bannern. Die übrigen Würdenträger folgten dem Herzog. Dieser Zug begab sich zum sogenannten „Fürstenstein" bei Karnburg, auf dem — so verlangte es das alte Herkommen — vor dem Eintreffen des Herzogs und seiner Geleiter der „Herzogsbauer" in bäuerlicher Tracht Platz zu nehmen hatte. Ihn umgab das aus allen Teilen des Landes zusammengeströmte Volk. Sobald der Zug dem Steine genügend nahe war, hatte der Herzogsbauer in slovenischer Sprache drei Fragen zu stellen, welche die Geleiter des Herzogs zu beantworten hatten. Zuerst wurde gefragt, wer in so prächtigem Zuge einherschreite. Die Antwort lautete, es sei der Herzog; die zweite Frage ging dahin, ob er ein gerechter Richter, auf des Landes Wohl bedacht, freien Standes und voll Eifer für den christlichen Glauben sei. Darauf erging die Antwort, dass er dies sei und sein werde. Der Bauer wurde nun-

---

[1]) Ich gebe die nachfolgende Darstellung mit einigen wenigen, später zu verteidigenden Aenderungen im Anschluss an Puntschart, S. 100 fg.

[2]) Ich folge in der Schilderung der Tracht des Herzogs den Darlegungen A. E. Schönbach's (Der steirische Reimchronist über die Herzogshuldigung in Kärnten, Mitt. d. Inst. f. österr. Geschichtsforsch., 21. Bd. (1900), S. 621 fg.), welcher die der herzoglichen Gewandung gewidmeten Ausführungen Puntschart's in mehreren Punkten berichtigt hat.

mehr aufgefordert, dem Landesfürsten den Stein zu räumen. Diesem Verlangen setzte jener die Frage entgegen, womit die Räumung des Steines werde erkauft werden. Er erhielt zur Antwort, dass er 60 Pfennige, die beiden Tiere und die Bauerntracht als Entgelt erhalten, sowie Abgabenfreiheit erlangen solle. Hierauf gab der Bauer dem Herzog einen leichten Backenstreich und trug ihm auf, ein gerechter Richter zu sein. Dann verliess er den Stein. Der Herzog nahm nun auf dem Steine Platz und schwang sodann, nachdem er sich wieder erhoben und den Stein bestiegen hatte, ein entblösstes Schwert nach allen Richtungen, dem Volke seinen Willen kundgebend, ein starker Hort des Rechtes zu sein. Er tat auch einen Trunk frischen Wassers aus einem Bauernhute. Sodann verfügte sich der Herzog in die Kirche von Maria-Saal, wo im Beisein der hohen Geistlichkeit der Gottesdienst gehalten und der noch in die Bauerntracht gekleidete Landesfürst durch den Bischof von Gurk geweiht wurde. Nach Beendigung der kirchlichen Feier legte der Herzog prächtige Gewandung an und hielt ein feierliches Mahl, bei dem die Inhaber der Hofämter ihres Amtes walteten. Auf dieses Mahl folgte nachmittags die „Huldigung" beim „Herzogsstuhle" auf dem Zollfelde. Auf diesem Stuhle sitzend verlieh der Herzog die Lehen und empfing die Huldigung.

Es ist nun, um auf den rājasûya zurückzukommen, mangels jeglicher Nachricht über den Brauch in den ältesten Schriftwerken der arischen Inder und wegen des Auseinandergehens der uns vorliegenden Quellenberichte nicht möglich, das Ritual des rājasûya zu rekonstruieren, wie er in den ältesten Zeiten der indischen Geschichte geübt worden sein mochte; wir vermögen nur aus verhältnismässig späten Nachrichten, nämlich aus den Darstellungen der Königsweihe im sogenannten „weissen Yajus",[1] ein Bild zu gewinnen und müssen uns darauf beschränken, an dieses Bild die Schilderung des Brauches in den übrigen Quellen anzureihen.

---

[1] Auch die Texte des „schwarzen Yajus", die älter als jene des „weissen Yajus" sind (vgl. L. v. Schroeder, Indiens Literatur und Cultur 1887, S. 89.), handeln vom rājasûya; doch ist ihre Darstellung eine ganz ungeordnete; vgl. Weber, S. 6 fg. — Ueber den „weissen Yajus" s. v. Schroeder, a. a. O.

Der rajasûya, dessen Ritual — wie bei den Indern nicht
anders zu erwarten steht — ein ungemein kompliziertes und
überladenes ist, zerfällt nach den Texten des weissen Yajus in
eine Reihe von einleitenden Feiern, die, über einen grossen Zeitraum verteilt, für unser Thema ohne Belang sind, in den Haupt-
akt des abhishecanîya, der unserer Salbung entsprechenden „Begiessung" des Königs, und einigen diesem Hauptakte folgenden
Feierlichkeiten.

Die „Begiessung" findet beim Mittagsopfer[1] statt. Der
Opfernde, — eben der König — legt auf Geheiss des adhvaryu —
Priesters an Stelle der sonstigen Festkleidung eine andere
Gewandung an: zunächst ein linnenes Gewand, darüber ein
graues Wollengewebe; hierauf wirft er ein Oberkleid um und
befestigt einen Turban an der um den Hals hängenden heiligen
Schnur.[2] Dann wird ihm vom Priester ein Bogen mit drei
Pfeilen gereicht, mit dem Spruche: „ . . . Von allen Himmelsgegenden her schützet ihn[3]". So gekleidet und ausgerüstet
wird er nunmehr den Göttern vorgestellt, schliesslich auch ihm
zum Heile die bösen Elemente befriedigt.[4] Hierauf wird der
Opfernde zum Herrn über die Weltgegenden (behufs ihrer Er-
siegung: vijayâya) eingesetzt, indem ihn der adhvaryu nach
allen Himmelsgegenden hin einen Schritt tun lässt, unter
Sprüchen, die beweisen, dass er damit als die Weltgegenden
„ersteigend" gedacht wird.[5] Nunmehr schreitet man zum
eigentlichen Weiheakte. Vier Personen vollziehen die feierliche
Handlung: Der Priester vorn, die übrigen drei (ein Verwandter,
ein befreundeter rajanya, endlich ein Vaiçya, also ein Mann aus
der niedersten Volksklasse) hinten.[6] Nach Beendigung der
Weihe handelt es sich darum, den Kandidaten vor jedem Unheil zu schützen und seine Kraft zu stärken.[7] Da das Vieh
als Quelle der Kraft gilt, muss der Opfernde zu ihm eine

---

[1] Vgl. Weber, S. 41.
[2] Ueber die Einkleidung des Königs vgl. Weber. S. 44 fg.
[3] Weber, S. 45.
[4] Weber, S. 46.
[5] Weber, S. 47, 48
[6] Weber, S. 50, 51.
[7] Weber, S. 55.

speziele Beziehung suchen. Zu diesem Zwecke findet ein symbolischer Plünderungs- und Beutezug[1] statt, einer der charakteristischesten Bräuche des rājasūya-Rituals. Dieser Raubzug wird gegen die Herden der Verwandten des Königs gerichtet. Der Opfernde unternimmt ihn, geleitet von einem Wagenlenker.[2]

Nach diesem merkwürdigen Ritus folgt die feierliche Inthronisation[3]. Der Kandidat wird auf einen erhöhten Sessel gesetzt mit den Worten: „Setze dich auf die Geburtsstätte der Herrschaft"[4]; hierauf berührt der Priester des Königs Brust, händigt ihm für ein folgendes Würfelspiel fünf Würfel ein, und mit dem Spruche: „Hier diese fünf Himmelsgegenden mögen sich dir fügen," schlagen ihn die adhvaryu langsam, schweigend, von hinten mit Stöcken, die von opfermässigen Bäumen stammen.[5] Nach dieser Ceromonie der Schlägeerteilung wird der König mit den stolzesten Titeln begrüsst. „Unmittelbar an die Erniedrigung, die letzte, die ihm widerfahren soll, die letzte Probe gleichsam, die er zu bestehen hat, schliesst sich hiemit die grösstmögliche Erhöhung."[6] Nunmehr beginnt das Würfelspiel, ein augenscheinlich alter Bestandteil der Weihe. Hiemit ist die abhishecanīya-Ceremonie beendet. Es folgt eine Schlussfeierlichkeit, bei der der König seine Festgewandung den bei der Weihe fungierenden Priestern einhändigt.

An diese Ceremonie reiht sich, zeitlich von ihr getrennt, ein Sühnritus, die Darbringung der zehn saṃsṛipām havīṃshi,[7] hieran wieder eine daçapeya genannte Feierlichkeit: ein eigenartiger Brauch mit Ahnenprobe und Soma-Trinken. Hiemit ist der rājasūya, soweit es sich um die Texte des weissen Yajus handelt, abgeschlossen.

---

[1] Weber, S 60—61.

[2] Weber, S. 5×.

[3] Weber, S. 62. fg.

[4] Weber, S. 62, u. Anm. 3.

[5] S. 63.

[6] S. 64.

[7] S. 73 fg.

Wir wenden uns nunmehr zur Schilderung der „Salbungsfeier" im Aitareya brâhmana,[1]) das, wie Weber ausführt, zum
Unterschiede von anderen Ritualwerken, höchst altertümliche
Züge[2]) bewahrt hat. Das Ceremoniell des Aitareya brâhmana
hat nun im Gegensatz zu den übrigen Quellen die Bestimmung,
dass der König, bevor er vom Thronsessel herabsteigt, einen
Becher sûra in die Hand bekommt, den er austrinkt.[3]) Während
also nach den Texten des weissen Yajus das soma-Trinken des
Königs zeitlich vom abhishecanîya absteht, findet hier der solenne
sûra-Trunk des Opfernden noch vor dem Verlassen des Thron-
sessels statt.

Im Aitareya brâhmana findet sich auch noch ein Ritual
für eine zweite Art von Königsweihe, bei welcher der Priester
vom König einen Schwur fordert, der die Treue des Königs
gegenüber dem weihenden Priester garantieren soll.[4]) Erst
nach Ableistung dieses Treuschwurs geht die „Salbung"
vor sich.

Von besonderem Interesse ist die Nachricht, die sich im
Atharvaveda[5]) über den râjasûya findet. Hier ist die knappe
Darstellung des Vaitânasûtra[6]) heranzuziehen. Nach diesen
Vorschriften muss der König unter Recitierung eines Liedes
einen gepolsterten Sessel besteigen, worauf er „gesalbt" wird.
Zu diesem Liede hat nun das Kauçikasûtram[7]) folgende Vor-
schrift: Nachdem der Opferer mit dem weihenden Wasser be-
gossen worden, giessen sich König und purohita-Priester je ein
Gefäss voll Wasser ein und vertauschen es dann gegenseitig.
Weber[8]) bemerkt hiezu, dass man nun eigentlich die Angabe
erwarte, dass König und Priester dieses Wasser zur Bekräftigung
des folgenden Schwures austrinken mussten; davon sei aber nicht

---

[1]) S. 107.

[2]) S. 108, 113.

[3]) S. 112.

[4]) S. 115—116.

[5]) Ueber den Atharvaveda und dessen Alter vgl. v. Schroeder, S. 170.

[6]) Vaitânas. XXXVI., 1—13; Weber, S. 138.

[7]) Weber, S. 140.

[8]) S. 140, Anm. 7.

die Rede, es werde vielmehr für die Bekräftigung des Schwures dadurch gesorgt, dass der Priester den König eine Topfspeise essen lässt.

In welchen Punkten stimmt nun das Ritual der indischen Königsweihe mit der kärntnerischen „Herzogseinsetzung" überein? Die vergleichbaren Momente sind wohl folgende:

1. Nach indischem Ritus entledigt sich der König unmittelbar vor der „Salbungsfeier" seiner Festkleidung und zieht eine andere Gewandung an. Diese Kleidung legt er erst nach Beendigung der „Salbung" ab und händigt sie den ihn weihenden Priestern ein.

Bei der „Herzogseinsetzung" muss der Herzog vor dem Akte, der sich beim Fürstensteine abspielt, sein prächtiges Gewand ausziehen und eine vorwiegend graue,[1]) einfache Kleidung anlegen, der er sich erst nach Beendigung der Feierlichkeit und der sich hieran anschliessenden kirchlichen Ceremonie in Maria-Saal entledigen darf. Der „einsetzende" Bauer, in dem ich — wovon noch die Rede sein wird — den Nachfolger eines heidnisch-slovenischen Priesters erblicken zu dürfen glaube, erhält die einfache Gewandung des Herzogs.

2. Es wird nach indischem Brauche der zu weihende König gleich beim Beginne der „Salbung" durch einen Bogen und drei Pfeile, die man ihm einhändigt, zu den Weltgegenden in' Beziehung gebracht. Im weiteren Verlaufe der Feier wird er zum Herrn über die Weltgegenden eingesetzt, indem er nach allen Himmelsgegenden hin einen Schritt tut, um diese so zu „ersteigen".

Nach dem Berichte des Johannes von Victring stellt sich der Fürst, nachdem ihm der Herzogsbauer den Platz geräumt hat, auf den Stein. Er hält das entblösste Schwert in der Hand und wendet sich, dieses schwingend, nach allen Weltgegenden. „Hiedurch zeigt er an, dass er allen ein gerechter Richter sein werde."

---

[1]) Ein graues Wollgewand schreiben auch die Einkleidungsvorschriften des rājasūya vor; vgl. Weber, S. 44.

Wie nahe es liegt, das indische und kärntncrische Ritual in diesem Punkte zu vergleichen, beweist, dass Hillebrandt[1]), ohne die Schwertceremonie der „Herzogseinsetzung" zu kennen, bei der Erwähnung der indischen Ceremonie der „Ersteigung" der Weltgegenden das ungarische Krönungsceremoniell direkt in Parallele setzt, welches bestimmt, dass der König auf den Krönungshügel reiten und dort nach den vier Himmelsrichtungen Schwertstreiche führen solle. Mit diesem ungarischen Brauche ist aber, worauf v. Zeissberg[2]) längst hingewiesen hat, der kärntnerische Schwertritus wesensverwandt.

Die Aehnlichkeit dieses Ritus mit der entsprechenden indischen Ceremonie tritt noch in anderer Beziehung zutage. Johannes von.Victring deutet den Brauch dahin, dass der Herzog damit seinen Vorsatz, dem Lande ein gerechter Richter zu sein, bekundet habe. Die ungarischen Quellen glauben wiederum, dass der Ritus vom Könige vollzogen werde, zum Zeichen, dass er das Land gegen jeden Feind, aus welcher Gegend er auch komme, verteidigen werde.[3]) H. v. Zeissberg zeigt nun in glücklicher Beweisführung, dass dies die ursprüngliche Bedeutung des kärntnerischen und ungarischen Ritus nicht gewesen sein könne, sondern erweist, dass diese Ceremonien, wie andere von ihm angeführte, verwandte Bräuche anfänglich nur dem Zwecke gedient haben können, die Besitzergreifung der Herrschaft durch die Besitzergreifung der Himmelsgegenden rechtlich zu symbolisieren.[4]) Sonach würde der Schwertritus der „Herzogseinsetzung" und jener Brauch der indischen „Ersteigung der Weltgegenden" auch im treibenden Grundgedanken übereinstimmen.

3. Bei der indischen Königsweihe wird der Herrscher auf einen erhöhten Sessel, wie die Quellen sagen, auf die „Geburtsstätte der Herrschaft" gesetzt: bei den Kärntnern findet ein ähnlicher Brauch statt, sei es nun, dass sich der Herzog auf

---

[1]) vgl. Hillebrandt, Ritual-Literatur, S. 146.

[2]) vgl. Germania (begr. v. Pfeiffer), Bd. 13, S. 437—440; s. auch Grimm, Rechtsaltert., 1. Bd., S. 389 und Anm. 2.

[3]) v. Zeissberg, a. a. O., S. 437.

[4]) vgl. v. Zeissberg, S. 438, 439.

den Fürstenstein, den man allgemein als Herrschaftssymbol fasst, setzt oder stellt.

4. Bei den Indern wird der König nach der Inthronisation von den Priestern mit Stöcken geschlagen. Die Quellen deuten den Brauch in verschiedener Weise. Nach einem von Weber[1]) angeführten Spruche: „Deine Sünden schlagen wir fort, wir führen dich über den Tod hinweg", hätte das Schlagen entsühnend und heilverleihend gewirkt. Nach anderer Meinung würde durch die Schläge, die der „Gesalbte" erhielt, gesichert, dass er fortan nicht mehr geschlagen werden könne, nur selbst schlagen, strafen solle. Weber meint,[2]) dass dieser Schlag-ritus „für die zur Zeit seiner Entstehung geltende priesterliche Hoheit charakteristisch" sei. „Es liegt", fährt er dann fort, „im übrigen noch immer die Möglichkeit vor, dass es sich um eine gute, alte, volkstümliche Sitte handelte, die noch bis in unseren Ritterschlag fortgelebt hat, nur dass dabei der Vater oder ein Fürst es ist, der den Schlag erteilt, nicht der Priester."[3])

Nach **kärntnerischem** Brauche versetzt der Herzogs-bauer, bevor er vom Fürstensteine weicht, dem Herzog einen leichten **Backenstreich.** Man hat diesen Ritus in der ver-schiedensten Weise zu erklären versucht und ihn auch, was ja so nahe liegt, mit dem Ritterschlage verglichen: „Vertrage diesen und keinen mehr!"[4])

Wir können demnach hier eine bemerkenswerte Uebercin-stimmung des indischen und kärntnerischen Ceremoniells fest-stellen; auch die Versuche zur Erklärung dieser Schlagriten ähneln einander.

---

[1]) vgl. Weber, S. 63.

[2]) Oldenberg, Relig. d. Veda, S. 491 widerspricht Weber in diesem Punkte.

[3]) Weber, a. a. O. — In einer anderen Untersuchung spricht Weber, indem er auf diesen Schlagritus des rājasūya zielt, von „diesem Ritterschlage sozusagen"; vgl. Weber, Vedische Beiträge VI: Die Erhebung des Menschen über die Götter im vedischen Ritual u. d. Buddhismus, Berl. Sitz.-Ber. 1897, S. 597.

[4]) vgl. Wiener Jahrbücher der Literatur, Bd. 25, S. 206, Anm. 5, S. 208; Grimm, Rechtsaltertümer 1 Bd., S. 354, Anm.

5. Nicht nur das Ritual der „Herzogseinsetzung", sondern auch die indische Königsweihe kennt einen vom Herrscher vorzunehmenden solennen Trinkritus. Nach der Sitte der Kärntner hat der Herzog beim Fürstenstein einen Trunk frischen Wassers zu tun. Es ist zwar untunlich, diesen Gebrauch mit dem feierlichen soma-Trinken des Königs bei der oben erwähnten daçapeya-Ceremonie zusammenzustellen, da diese erst nach der „Salbungsfeier" stattzufinden hatte; hingegen liegt ein Vergleich mit dem sûra-Trunke, den nach dem Aitareya-brâhmana der König vor dem Herabsteigen vom Thronsessel tut, wohl näher. Wollte man daran Anstoss nehmen, dass der sûra-Trunk[1]) eine berauschende Flüssigkeit sei, während doch das Kärntner Ritual quellfrisches Wasser fordere, so könnte man behaupten, dass möglicherweise der oben geschilderte Austausch der Wassergefässe das Pendant zum Wassertrunke der „Herzogseinsetzung" bilde.

Wie bereits erwähnt wurde, hat Weber zutreffend bemerkt, dass man in dem vom Austausche der Wassergefässe handelnden Berichte die Angabe vermisse, dass nun auch das Wasser aus den vertauschten Gefässen getrunken wurde. Ich gehe soweit, zu vermuten, dass dies auch ursprünglich der Fall gewesen sein dürfte, und dass erst später an die Stelle des Wassertrunkes das gemeinsame Verzehren der Topfspeise trat, oder dass anfänglich zur Solennisierung des Treueschwurs gemeinsames Wassertrinken und Verzehren der Topfspeise üblich war, dass aber in späterer Zeit das Wassertrinken abkam und das „Ueberlebsel"[2]) des Austausches der Trinkgefässe zurückblieb. Man könnte demnach, ohne eine allzugewagte Hypothese aufzustellen, für die älteste Zeit ein gemeinsames Wassertrinken des Königs und des einsetzenden Priesters annehmen.

Um den kärntnerischen Brauch dem indischen völlig anzugleichen, müsste man dann supponieren, dass neben dem Herzog auch der „einsetzende" Bauer aus dem Hute getrunken habe.

----

[1]) Ueber d. sûra vgl. Oldenberg, S. 369.

[2]) vgl. zur Wahl dieses Ausdruckes Dargun, Mutterrecht und Raubehe (Gierke's Untersuchungen z. deutsch. Staats- u. Rechtsgesch., Bd. 16, 1883), S. 78, Anm. 1; s. auch Leist, Altarisches Jus civile, Bd. 1, S. 73, 292, A. 9.

Wenn man sich hiebei auch nicht auf die Darstellung Sebastian
Franck's[1]) berufen dürfte, der den Herzogsbauer den Wassertrunk tun lässt, so könnte man doch — immer natürlich im Hinblick auf den indischen Parallelfall — vermuten, dass auch bei
den Kärntnern der Bauer ursprünglich gleich dem Herzog den
feierlichen Wassertrunk vollziehen musste, dass jedoch in der
Zeit, aus der unsere ältesten Berichte stammen, dieser Zug der
Ceremonie bereits in Vergessenheit geraten sei.

Man könnte m. E. noch einen Schritt weiter gehen und,
nicht ohne eine gewisse Berechtigung, behaupten, dass auch
das indische Ritual nur ein Wassertrinken des Königs,
nicht auch des Priesters, gekannt habe. Es ist nämlich in
unseren Quellen gar nicht einmal ausdrücklich gesagt, dass zur
Bekräftigung des Schwurs auch der Priester von der Topfspeise
geniessen müsse, sondern es heisst nur: „Zur Bekräftigung des
Schwurs lässt er den König die Topfspeise essen". Hiezu
bemerkt Weber:[2]) „Und isst wohl auch selbst davon". Dies ist
eine Vermutung, die auch unzutreffend sein kann. Man könnte
nun annehmen, dass der eben supponierte, später etwa rudimentär gewordene und in Vergessenheit geratene Wassertrunk,
analog dem einseitigen Verzehren der Topfspeise durch den
König, einstens auch nur vom Könige vorgenommen worden sei,
und könnte sich zur Unterstützung vielleicht auf Aitareya
brāhmana berufen[3]), wo nur von einem Schwure, den der König
dem Priester zu leisten hat, die Rede ist, nicht auch von einem
Eide, den der Priester dem Herrscher zu schwören hat. „Denn
es muss zwar der Fürst dem Priester die Treue halten, das
Gegenteil ist aber nicht unbedingt erforderlich."[4])

Bei Berücksichtigung dieser Argumentation würde sich die
Aehnlichkeit zwischen dem kärntnerischen und dem indischen
Brauche nur noch erhöhen.

6. Es wurde soeben des Treuschwurs des Königs gegenüber dem einsetzenden Priester Erwähnung getan. Nach dem

---

[1]) vgl. Puntschart, S. 88, Anm. 4.
[2]) vgl. Weber, S. 141, Anm. 1.
[3]) Ait.-b. VIII, 15, vgl. Weber, S. 115, 116.
[4]) Weber, S. 142.

Aitar.-brähm. kann erst nach diesem Treueschwur die „Salbung"
vor sich gehen. Von einem Eidschwur des Herzogs erzählt
nun auch die österreichische Reimchronik. Diese berichtet:[1])
Nachdem die auf die Würdigkeit des Herzogs bezüglichen Fragen
des Herzogsbauers an die den Herrscher geleitenden Personen
zu seiner Befriedigung ausgefallen sind, muss jeder von ihnen
sogleich einen Eid schwören, dass seine Antwort wahr sei.
Jetzt erst räumt der Bauer seinen Platz. Hierauf muss der
Herzog, sobald er den Sitz des Bauers eingenommen, unver-
züglich schwören: Friede und Ruhe zu schaffen, gerecht zu
richten und am christlichen Glauben festzuhalten.

Bei dieser Gegenüberstellung darf freilich die inhaltliche
Verschiedenheit der indischen und der kärntnerischen Schwur-
formel nicht übersehen werden. Es kann aber, so dürfte man
vielleicht sagen, der indische Schwur ursprünglich einen ganz
anderen Inhalt, etwa auf die Würdigkeit des Königs bezüglich,
gehabt haben und erst später im Sinne der Priesterkaste geändert worden sein.

7. Es war oben von einem symbolischen Raubzuge,
welcher der Inthronisation des indischen Ceremoniells vorherzugehen hatte, die Rede. Hiemit liesse sich nun ein merkwürdiges,
an die „Herzogseinsetzung" anknüpfendes Recht in Verbindung bringen, nämlich das sogenannte „Plünderungsrecht der
von Rauber[2])". Es soll darin bestanden haben, dass die
v. Rauber, solange der Herzog auf dem Herzogsstuhle die Belehnungen erteilte und Recht sprach, beliebig im Lande plündern
und rauben konnten. Die frühesten Nachrichten über dieses
„Recht" tauchen erst bei Hansiz und v. Hormayr auf, also
in einer Zeit, wo man bereits das Problem der „Herzogsein-

---

[1]) vgl. Puntschart, S. 32.
[2]) s. Puntschart, S. 250, 251. — Es entgeht mir nicht, dass das
„Plünderungsrecht" auf den Zeitpunkt der Huldigung, nicht auf den der
„Herzogseinsetzung" bezogen wurde, wodurch jede Vergleichungsmöglichkeit
ausgeschlossen wäre; es könnte aber wahrscheinlich gemacht werden, dass
dieses Recht — falls es einst wirklich bestanden — sich anfänglich nur
auf den Termin der „Einsetzung" bezogen habe; denn das ähnliche „Brennrecht" der Portendorfer (Puntsch. S. 240 fg.) wurde ursprünglich auch nur
bei der „Einsetzung" ausgeübt, später aber missverständlich auf den Termin
der Huldigung übertragen. Vgl. v. Wretschko, S. 949, Anm. 2.

setzung" wissenschaftlich zu crörtern begann; die Quellen wissen
hierüber nichts zu vermelden. Man könnte nun im Hinblick auf
den symbolischen Plünderungszug des rājasūya-Rituals behaupten,
dass hier eine von den Quellen als unwesentlich übergangene,
aber in der Familientradition der von Rauber getreulich überlieferte Nachricht vorliege, die von einem einstmals, wenn auch
vielleicht nur symbolisch geübten Raubrechte dieses Geschlechtes
Zeugnis gebe. Es wäre dann wohl nicht schwer, die verbindende
Brücke zum indischen Brauche zu schlagen. Man brauchte nur
zu behaupten, dass ursprünglich der Herzog gleich dem indischen
König einen symbolischen Raubzug zu unternehmen hatte, dass
diese Vorschrift später missverstanden wurde, indem man diese
Plünderung nunmehr von einer andern, den Herzog anfänglich
hiebei wohl nur geleitenden Person vornehmen liess, bis endlich
diese ceremonielle Verpflichtung in ein inhaltloses „Recht" verwandelt wurde.[1]) — — — — —

Es erhebt sich nunmehr die Frage: Darf auf Grund der
eben hervorgehobenen Uebereinstimmungen zwischen den Bräuchen
der „Herzogseinsetzung" und denen des rājasūya auf eine Urverwandtschaft beider Ceremonien geschlossen werden?
Die Verlockung, diese Frage in bejahendem Sinne zu beantworten,
ist wegen der bezeichneten Parallelpunkte ungemein gross. Da
demnach eine Ablehnung der eben gestellten Frage a limine
gewiss nicht berechtigt wäre, so glaubte ich auf die grosse
Aehnlichkeit der Form beider Institutionen aufmerksam machen
und diese Frage zur Erörterung stellen zu müssen. Für dieses
Vorgehen musste der eine Umstand besonders massgebend sein,
dass slavische und indische Riten[2]) manchmal bis ins kleinste

<hr>

[1]) Am Schlusse dieser Parallelisierung der „Herzogseinsetzung" und
des rājasūya darf wohl auch noch auf den auffallend volkstümlichen
Character beider Ceremonien hingewiesen werden; das volkstümliche Element
tritt in jedem Zuge der „Einsetzung" klar zutage; auf die entsprechenden
Momente des rājasūya-Rituals macht Weber, S. 1, 3—5, aufmerksam.

[2]) Auch zwischen den Göttergestalten der Slaven und Inder besteht,
wie bereits Dobrowsky, Kollar, Hanusch u. a. ausgeführt haben, eine
grosse Aehnlichkeit; mögen auch viele der von diesen Autoren hervorgehobenen Parallelen von der modernen kritischen Richtung in der slavischen
Mythologie als unzutreffend erwiesen worden sein, so darf doch die These
von der Nahverwandtschaft der indischen und slavischen Mythologie auch
heute noch aufrecht erhalten werden; über den näheren Zusammenhang

Detail hinein übereinstimmen. So besteht eine auffallende
Aehnlichkeit zwischen den indischen und slavischen Hochzeits-
gebräuchen[1]), sowie eine überraschende Verwandtschaft der
indischen und slavischen Riten beim feierlichen Haarschneiden.[2])

Auf der anderen Seite dürfen aber die gewichtigen Bedenken,
die gegen eine Bejahung der oben aufgeworfenen Frage vorgebracht werden können, nicht ausser Acht gelassen werden. Vor
allem muss, um diesen Punkt allgemeiner Natur zunächst hervorzuheben, bei einer Vergleichung gerade indischer Bräuche,
Mythen, Rechtsinstitutionen mit denen anderer indogermanischer
Stämme die grösste Vorsicht befolgt werden. Welch' grosse
Zurückhaltung hier geboten ist, beweist das Schicksal der für
den ersten Blick anscheinend so festgefügten Prometheus-
pramantha-Hypothese Adalbert Kuhn's[3]), beweist sattsam
die Geschichte der vergleichenden indogermanischen Mythologie.
Es ist ferner beim üppig wuchernden Rankenwerke, mit dem
der indische Geist alle Vorstellungen und Bräuche umflicht, oftmals ganz unmöglich, das später Entstandene von dem aus
indogermanischer Zeit überkommenen Gute zu trennen. Auch
zeigt sich nur zu oft, dass Mythen und Bräuche, die den Eindruck erwecken, als stammten sie aus urindogermanischer Zeit,
sich bei eindringender Untersuchung als specifisch indisch erweisen.

Zu diesen allgemeinen Bedenken gesellt sich eine Reihe
von Einwänden specieller Natur. Vor allem wird man, was
die Parallele zwischen dem indischen und kärntnerischen Schwurritus betrifft, einwerfen können, dass die Uebereinstimmung

zwischen dem Götterglauben der Slaven und Iranier, die ja ihrerseits den
Indern so nahe stehen, vgl. Chantepie de la Saussaye, Lehrb. d. Religionsgeschichte (1897), 2. Bd., S. 471.

[1]) vgl. M. Winternitz, das altindische Hochzeitsritual nach dem Apas-
tambīya-Grihyasūtra etc., Denkschriften d. kais. Ak. d. Wiss. z. Wien, phil.
hist. Cl., 40. Bd. (1892), S. 62, 75.

[2]) vgl. J. Kirste, „Indogermanische Gebräuche beim Haarschneiden",
in d. Analecta Graeciensia, Festschr. z. 42. Versamml. deutsch. Phil. und
Schulmänner in Wien (1893), S. 55, 56.

[3]) vgl. Oldenberg, Die Religion d. Veda u. d. Buddhismus, Deutsche
Rundschau, Bd. 85, S. 196, 198 f.

gerade in diesem Punkte nicht so verwunderlich wäre, da ja
Eidesleistungen eines neuen Herrschers beim Regierungsantritte
gar nichts Seltenes seien[1]). Dieser Einwand wird ohne weiteres
als berechtigt anerkannt werden müssen. Auch bei der Neben-
einanderreihung des Rechtes der von Rauber und des Plünderungs-
zuges des rājasūya-Rituals ist ein grosses Mass von Behutsam-
keit am Platze. Puntschart[2]) ist der Meinung, dass das
„Recht" der von Rauber niemals bestanden habe, dass wir es
vielmehr mit einem in später Zeit frei erfundenen genealogischen
Märchen zu tun hätten. Ich glaube, man wird hier Puntschart's
Meinung vollkommen beipflichten müssen.[3])

Die Frage, ob die Aehnlichkeit zwischen dem rājasūya und
der „Herzogseinsetzung" auf Urverwandtschaft beruhe, dürfte
man wohl nur dann mit einiger Bestimmtheit zu bejahen wagen,
wenn sich feststellen liesse, dass im ur-indischen rājasūya-Ritual,
von dem uns natürlich keine Berichte vorliegen, folgende Bräuche
geübt worden seien:

1) Wechsel der Kleidung für die Einsetzungsfeierlichkeit.

2) Besitznahme der vier Himmelsgegenden.

3) Inthronisation auf einem Thronsessel.

4) Schlagen des Königs mit Ruten.

5) Trinken aus einem Wassergefäss seitens des Königs
zur Bekräftigung seines Treueschwurs gegenüber dem Priester.

Hievon darf man wohl nur die sub 2 und 3 angeführten
Bräuche als allen Berichten gemeinsam bezeichnen. Von diesen
Riten liesse sich also vielleicht mit einiger Berechtigung behaupten, dass sie bereits im ältesten Ritual der indischen Königsweihe vorkamen; dasselbe könnte man zur Not auch noch vom

---

[1]) Es darf übrigens auch bemerkt werden, dass die Schwurceremonie
des rājasūya mit den bei der Herrscherweihe anderer Völker gebräuchlichen
Eidesriten überhaupt kaum wird in eine Reihe gestellt werden dürfen. Der
indische Brauch ist augenscheinlich mit dem beim soma-Opfer geübten
Treueschwur des Opfernden und seiner Priester (Oldenberg, Rel. d. V.,
S. 330, 502) inhaltlich verwandt; deshalb kann eine Annahme, wie die
oben (S. 14) supponierte, dass der indische Treueschwur an die Stelle einer
Angelobung der Herrscherpflichten getreten sei, kaum auf Beifall rechnen.

[2]) vgl. Puntschart, S. 251.

[3]) Der gleichen Ansicht ist v. Jaksch, Mitt. d. Inst. f. oest. Gesch.
23. Bd., S. 325.

Einkleidungsritus annehmen. Hingegen wissen von einem Schlagritus nur die Yajus-Texte, die übrigen Quellen schweigen hierüber völlig; umgekehrt berichten wieder die Texte des weissen
Yajus nichts von einem Austausch der Wassergefässe oder gar
von einem Wassertrunke des Königs allein. Man müsste also
wegen des Auseinandergehens der Quellen den einen Bericht
aus dem andern zu ergänzen versuchen und annehmen, dass der
Schlagritus und die Wasserceremonie bereits im urindischen
Ritual vorgekommen seien, dass aber später die Vorschrift über
die Schläge in dem einen, jene über den Wasserritus in dem
anderen Teile der Quellen in Vergessenheit geraten sei.

Gegen diese Behauptungen lassen sich nun schwerwiegende
Bedenken erheben. So kann — und wird wahrscheinlich auch
— in der indischen Wasserceremonie ein Brauch vorliegen, der
erst einer verhältnismässig späten Zeit, der Periode des überragenden Priestereinflusses, angehört; so dürfte der Schlagritus
ein Brauch sein, der aus der nämlichen Epoche stammt und die
Unterordnung des Königtums unter den Priesterstand versinn-
bildlichen soll. Und selbst wenn man mit Oldenberg[1])
gegenüber Weber annimmt, dass dem Ritus kein „Beige-
schmack von Canossa" anhaftete, so kann er doch eine priesterliche Zutat sein, mit der man eine Lustration des Königs bezweckte.[2]) Ganz anders stünde es freilich um die Frage, ob
die Aehnlichkeit zwischen dem rājasûya und der „Herzogsein-

---

[1]) Oldenberg, Rel. d. Veda, S. 491, Anm. 6.

[2]) Ueber lustrierende Schlagriten vgl. Mannhardt. Mythologische
Forschungen. hgeg. v. H. Patzig, in „Quellen u. Forsch. z. Sprach- u.
Culturgesch. d. germ. Völker", Bd. 51, S. 81, 82, 113—153; Oldenberg.
a. a. O. — Für die Annahme, dass der Schlagritus des rājasûya-Ceremoniells
ein Lustrationsbrauch gewesen sei. spricht der Umstand, dass ausdrücklich
vorgeschrieben wird, die Schlaghandlung solle schweigend vollzogen werden.
Ueber das Requisit des Schweigens beim Opferakt vgl. statt vieler anderer
U. Jahn, Die deutschen Opfergebräuche bei Ackerbau und Viehzucht,
Germanistische Abhandlungen, hgeg. v. K. Weinhold, III. Bd., S. 27, 71,
119; Hermann, Lehrbuch d. gottesdienstl. Altertümer d. Griechen (1846),
S. 126. — Man beachte auch, dass die Stöcke, mit denen der König geschlagen wird, von „opfermässigen" Bäumen genommen werden mussten;
vgl. hierzu A. Kuhn, Die Herabkunft des Feuers und des Göttertranks,
zweiter Abdruck (1886), S. 159—169.

setzung" auf Urverwandtschaft beruhe, wenn uns vom Schlagritus und der Wasserceremonie in sämmtlichen indischen Berichten erzählt würde, von den übrigen Riten hingegen nur in
einigen von diesen. Man dürfte dann aus dem Umstande, dass
alle Quellen von jenen beiden Riten melden, vielleicht folgern,
dass sie bereits dem Ritual der urindischen Königsweihe angehörten und könnte nun sagen, dass der kärntnerische und der
urindische Ritus nicht bloss in Zügen, die gewissermassen aus
dem Charakter einer Einsetzungsfeierlichkeit sich von selbst ergeben, übereinstimmen, was noch nicht zur Annahme einer
Urverwandtschaft zwinge, sondern auch in ganz individuellen
Zügen, die nach unserer heutigen Anschauung wenigstens, nicht
aus dem Wesen einer Herrschereinsetzung resultieren. Dass
der Thronkandidat einen Sitz besteigt, dass er während der Ein-
setzungsceremonie eine eigene Feierkleidung trägt, oder dass
er einen Schwur zu leisten hat, scheint uns keineswegs verwunderlich, wohl aber, dass er Schläge erhält oder dass er just
einen Trunk Wassers tun soll. Das sind Gebräuche, die nicht
mit zwingender Notwendigkeit aus dem Gedanken der Herrschaftsübertragung herauswachsen, aber gerade bei ihnen besteht,
wie gezeigt wurde, der Verdacht, dass es sich um Riten einer
wenn auch altertümlichen, so doch nicht urindischen Zeit
handelt.

Hiezu fügt sich nun noch ein gewichtiges Moment, das
bisher bei der Erforschung der „Herzogseinsetzung" fast von
allen Autoren — auch von Puntschart — übersehen wurde.
Dieses Moment, das, wie sich zeigen wird, auch noch in anderer
Beziehung für die Untersuchung der Fürstenstein-Ceremonie von
grösserer Bedeutung sein dürfte, ist geeignet, die Wahrscheinlichkeit einer Urverwandtschaft zwischen dem rājasūya und der
„Herzogseinsetzung" noch weiter herabzumindern. Bekanntlich berichtet Johannes von Victring, dass der Herzog auf dem Fürstensteine mit entblösstem Schwerte nach allen Weltgegenden Streiche
geführt habe. Dieser Ritus ähnelt, wie schon erwähnt wurde,
sehr der indischen „Ersteigung" der Himmelsrichtungen und
kehrt in fast der nämlichen Weise im ungarischen Krönungsceremoniell wieder. Nun ist aber darauf aufmerksam zu machen,
dass jene Schwertceremonie nicht bloss bei der „Herzogseinsetzung" und der ungarischen Krönung eine Rolle spielte.

2*

Die Kenntnis dieser interessanten Tatsache vermittelt die
beachtenswerte Abhandlung H. v. Zeissberg's[1] „Hieb und
Wurf als Rechtssymbole in der Sage." Aus dieser Untersuchung
erfahren wir, dass von einem gleichen Ritus in einer an die
Person Cola Rienzi's geknüpften sagenhaften Erzählung die
Rede ist. Rienzi habe, so lautet die Sage, nachdem er in den
Ritterstand aufgenommen worden, den Titel eines Tribunus und
Augustus sich beigelegt und hierauf kraft der ihm übertragenen
Gewalt den Papst nach Rom vorgeladen. Sodann habe er das
Schwert aus der Scheide gezogen und zur Bezeichnung der drei
Weltteile drei Schläge in die Luft geführt, mit dem Ausspruche:
„Das ist mein, das ist mein und das ist auch mein".[2]
v. Zeissberg lenkt sodann die Aufmerksamkeit auf einen
spanischen Brauch, von dem hier wegen seiner offenkundigen
Verwandtschaft' mit dem kärntnerischen Schwertritus ausführlicher berichtet werden soll.[3] In einer spanischen Chronik des
14. Jahrhunderts wird über die Krönung Alphons IV. von
Aragon folgendes erzählt: „Bei der Krönungsmesse . . . . nahm
der König das Schwert . . . . und gürtete es sich selbst um;
hernach zog er es aus der Scheide und schwang es dreimal,
und indem er es das erstemal schwang, erklärte er allen Feinden
des katholischen Glaubens den Krieg, beim zweitenmale versprach er Waisen, Unmündige und Frauen zu schützen, beim
drittenmale verhiess er Gerechtigkeit sein Lebtag dem Höchsten
wie dem Niedrigsten." Im Anschluss an diesen spanischen
Ritus schildert v. Zeissberg die Schwertceremonie der ungarischen Königskrönung.[4] Schon während der Messe wird
dem König das Schwert gereicht, das er dreimal vor sich und
auf beide Seiten streicht . . . . Nach geschehener Krönung
. . . . besteigt der neue König ein Pferd und reitet den Krönungshügel . . . . . hinan. Dort . . . zieht er das Schwert : . . aus
der Scheide und, gegen Osten gewendet, führt er den ersten

---

[1] vgl. Germania, Bd. 13, S. 401—444; diese von der rechtshistorischen
und volkskundlichen Forschung fast ganz unberücksichtigt gelassene Untersuchung wird, obzwar sie einen sehr bemerkenswerten Versuch zur Deutung
der „Herzogseinsetzung" bringt, von Puntschart nirgends erwähnt.

[2] vgl. v. Zeissberg, S. 436.

[3] s. v. Zeissberg, S. 437.

[4] s. v. Zeissberg, S. 437 f.

Streich, gegen Westen den zweiten und so fort gegen Süden
den dritten und gegen Norden den vierten ....". Ein ähnlicher
Brauch fand, wie v. Zeissberg bemerkt, auch in Polen[1]) statt.
Hier reichte bei der Krönungsmesse der Erzbischof dem König
das Schwert, „womit dann derselbe erst gegen den Altar, darnach ..... gegen alle Teile der Welt ein Kreuz gemacht .....
Ganz entsprechend den Feierlichkeiten der ungarischen Krönung
verfügte sich der polnische König am folgenden Tage ......
nach dem Rathause, wo ihm der Magistrat von Krakau huldigte ....
Sodann nahm der König das blosse Schwert...., hieb damit
stehend gegen die vier Ecken der Welt, setzte sich wieder
nieder und schlug einige Bürger zu Rittern..... Schliesslich
bespricht v. Zeissberg noch den Schwertritus der kärntnerischen
„Herzogseinsetzung".[2])

Die Ausführungen v. Zeissberg's bedürfen nun noch einer
Ergänzung. Vor allem darf erwähnt werden, dass auch bei
der Krönung Karl's II. von Sicilien (29. Mai 1289) der Brauch
der drei Schwerthiebe geübt wurde.[3]) Sodann aber muss der
bei v. Zeissberg ganz übersehene Umstand in Erwägung gezogen werden, dass das Ceremoniell der mittelalterlichen Kaiserkrönung eine Schwertceremonie aufweist, die den geschilderten
Schwertriten, besonders dem spanischen und italienischen, sehr
ähnlich ist und wahrscheinlich der Urtypus aller angeführten
Bräuche, auch des kärntnerischen, sein dürfte.[4])

Diese Schwertceremonie der Kaiserkrönung ging folgendermassen vor sich: Der Papst nimmt von den auf dem Altar des

---

[1]) s. v. Zeissberg, a. a. O.

[2]) vgl. v. Zeissberg, S. 439 f.

[3]) vgl. L. H. Labande, Cérémonial Romain de Jacques Cajétan
(Bibliothèque de l'école des chartes LIV, 1893), p. 73. — Der Ritus wurde
auch bei der Krönung Friedrichs III. von Dänemark (1648) vollzogen;
s. Lünig, Theatrum ceremoniale, 1. T., (1719), S. 1385.

[4]) vgl. A. Diemand, Das Ceremoniell der Kaiserkrönungen von Otto I.
bis Friedrich II., 1894, (Historische Abh., hgeg. v. Heigel und Grauert,
4. Heft) S. 84. — v. Zeissberg (S. 441) bemerkt zwar, dass der Ritus
der Schwerthiebe bei der letzten römisch-deutschen Kaiserkrönung, bei jener
Karls V. zu Bologna, begegne, es ist ihm aber entgangen, dass der Brauch
schon einige Jahrhunderte früher bei den Kaiserkrönungen geübt wurde.

heiligen Petrus liegenden Insignien zuerst das entblösste Schwert, reicht es dem Kaiser, spricht das Gebet, steckt das Schwert dann in die Scheide und hängt es dem Kaiser um. Dieser zieht es sodann aus der Scheide, schwingt es dreimal kräftig[1]) und steckt es dann wieder in die Scheide.[2])

Wenn man bedenkt, dass das Ritual der Kaiserkrönung ganz von selbst — man möchte sagen: durch das eigene Schwergewicht — vorbildlich[3]) werden musste für das Krönungsceremoniell der übrigen christlichen Reiche, und wenn man andererseits die grosse Aehnlichkeit der bei v. Zeissberg angeführten Bräuche mit der Schwertceremonie der Kaiserkrönung sich vor Augen hält, so wird man zur Annahme gedrängt, dass wir es bei diesem Ritus mit dem Urbilde der oben geschilderten Bräuche zu tun haben. Nur so wird es verständlich, dass ein und die nämliche Ceremonie in der italienischen Rienzi-Sage, im Krönungsceremoniell der Spanier, Sicilianer, Polen und Ungarn,[4]) und bei der kärntnerischen „Herzogseinsetzung" uns entgegentritt. Auf diesem Wege der Entlehnung hat der Ritus in den einzelnen Ländern verschiedene Ausgestaltungen erfahren — man hat beispielsweise bei den Ungarn und Polen sozusagen eine Ver-

---

[1]) „viriliterque ter illum vibrat", wie der aus dem 14. Jh. (Diemand, S. 34) stammende, nach Diemand's allerdings nicht unbestrittener Annahme (S. 32) auf die Krönung Otto's IV. zu beziehende Ordo des Cod. Vat. 4748 sagt; vgl. Diemand, S. 84. Aehnlich die bei Diemand, S. 28 fg. angeführten Ordines 11, 12, 14; siehe auch die Worte Gottfried's von Viterbo, des Kanzlers und Notars Friedrichs I. bei Diemand, S. 91 und jene des Papstes Innocenz IV. ebendort, S. 84, Anm. 1.

[2]) Der Ritus der Schwerthiebe ist in nur wenig veränderter Form auch bei der späteren deutschen Kaiserkrönung geübt worden; vgl. H. v. Treitschke, Deutsche Gesch. im 19. Jh., Bd. 1., S. 9: „Noch immer schwenkt der Herold bei der Krönung das Kaiserschwert nach allen vier Winden, weil die weite Christenheit dem Doppeladler gehorche."

[3]) vgl. Diemand, S. 44 fg., S. 84, Anm. 1.

[4]) Von Rom schickte schon Silvester II. eine Krönungsformel nach Ungarn; vgl. Waitz, Formeln der deutschen Königs- u. d. römisch. Kaiserkrönung v. 10.—12. Jh.; Abh. d. kön. Ges. d. Wiss. zu Göttingen, Jg. 1873, S. 27, Anm. 1.

doppelung[1]) vorgenommen —, auf diesem Wege hat auch der Brauch Eingang gefunden ins kärntnerische Herzogsrecht.[2])

Dass die Schwertceremonie der „Herzogseinsetzung" ein entlehnter Ritus sei, darauf weist auch noch ein anderer Umstand hin: es bedeutet nämlich dieser Brauch einen Bruch im ganzen Gefüge des „Einsetzungsaktes". Man bedenke nur: vor der Ceremonie am Fürstenstein wird dem Herzog seine fürstliche Kleidung abgenommen und ihm die slavische Bauerntracht angelegt. Erst am Nachmittag, vor der Huldigung, darf er sich wieder im herzoglichen Gewande zeigen. Dass ihm mit der vornehmen Kleidung auch die Waffen weggenommen wurden, ist selbstverständlich. Und nun stelle man sich vor, dass der in die Bauerntracht gekleidete, einen Stock tragende Herzog, nachdem ihm der Bauer den Backenstreich verabreicht, ein Schwert ergreift und die ceremoniösen Streiche führt! Das bedeutet einen Misston im ganzen Gemälde, und auch deshalb ist es geboten, eine Entlehnung anzunehmen.

Wir dürfen vielleicht vermuten, dass jene Persönlichkeit, welche die Entlehnung veranlasste, die Notwendigkeit empfand, im Schauspiel der „Herzogseinsetzung" eine Ceremonie einzufügen, welche die im späteren Mittelalter manchen bereits lächerlich[3])

---

[1]) In Ungarn und Polen folgt der kirchlichen noch eine (in Ungarn fast, in Polen ganz gleiche) weltliche Schwertceremonie. In Kärnten fehlt der kirchliche Ritus ganz.

[2]) Darf man aus dem Umstande, dass die österreichische Reimchronik vom Schwertritus nichts vermeidet, schliessen, dass die Entlehnung nach der Abfassung dieses Berichtes (um d. J. 1301, s. Puntschart, S. 40) und vor der Niederschrift des Werkes des Joh. v. Victr. (1341, s. Puntschart S. 53) erfolgt sei, dass demnach bei der „Einsetzung" Otto's des Freudigen (1335) der Ritus zum erstenmal in Kärnten geübt worden sei? Auf jeden Fall aber kann die Ceremonie, da sie in kirchlichen Riten ihr Urbild hat, erst nach Befestigung der deutsch-christlichen Herrschaft in Kärnten und zwar, sofern die Ausführungen Diemands über das zeitliche Verhältnis der verschiedenen ordines richtig sind (vgl. jedoch Waitz-Seeliger, Deutsche Verfassungsgeschichte, VI. Bd., 2. Aufl., S. 234), nicht vor dem 12. Jahrh. entlehnt worden sein, da der Ritus des Schwertschwingens, wenigstens soweit ich sehe, bei der Kaiserkrönung vor dem 12. Jh. nicht nachweisbar ist. Im Gegensatz hiezu sind v. Wretschko (S. 939) und Puntschart (S. 273) geneigt, den Schwertritus in die slavische Zeit zurückzudatieren.

[3]) vgl. Puntschart, S. 78.

erscheinende Stellung des Herzogs bei der ganzen Handlung
verbessern sollte. Bei dieser Einfügung der Schwertceremonie
handelte es sich nun nicht um eine direkte Aenderung der alten
Bräuche, an denen die Kärntner so zähe festhielten, sondern
um eine Zutat, die sie sich um so eher gefallen lassen konnten,
als man, wie die Bemerkung des Johannes von Victring
beweist, in den Schwertstreichen eine symbolische Angelobung
der richterlichen Pflichten des Herzogs erblickte. — — —

Wenn sonach beim kärntnerischen Schwertritus ein Brauch
vorliegt, der erst in verhältnismässig später Zeit im Schauspiel der
„Einsetzung" Aufnahme fand, so fällt ein weiteres bedeutungs-
volles Moment hinweg, das die Annahme, rājasūya und „Herzogseinsetzung" seien urverwandt, hätte unterstützen können. Man
wird deshalb nunmehr ruhig behaupten dürfen, dass ein historischer
Konnex zwischen diesen beiden Ceremonien nicht bestehe.

Ein zweifacher Gewinn, so glaube ich, ergibt sich aus den
vorstehenden Ausführungen für die Erschliessung des Problems
der „Herzogseinsetzung". Wir haben erkannt, dass es einem
gefährlichen Irrlicht folgen hiesse, wollten wir das Rätsel der
kärntnerischen Ceremonie aus dem rājasūya-Ritual deuten. Zugleich ist es uns aber auch gelungen, im Bilde der „Herzogseinsetzung" einen Zug zu tilgen, der die Einheitlichkeit des Ge-
mäldes störte.

So bietet sich nunmehr die Gelegenheit dar, die eben von
einer späteren Zutat gereinigte Fürstenstein-Ceremonie unter
einem einheitlichen Gesichtspunkte betrachten zu können.

II.
Kritik der bisher vorgebrachten Lösungsversuche.

Es wurde bereits festgestellt, dass die Kritik die Hauptthese des Puntschart'schen Werkes mit ziemlicher Ent-
schiedenheit abgelehnt hat. Worin bestand diese These? Sie
suchte die seltsame Form der „Herzogseinsetzung" aus altkärntnerischen wirtschaftlichen Kämpfen zu erklären, man möchte
sagen: als einen geschichtlichen Niederschlag des von Puntschart
in enger Anlehnung an Peisker's wirtschaftsgeschichtliche

Forschungen[1]) angenommenen Kampfes zwischen dem slavischen
Bauerntume Kärntens und dem gleichfalls slavischen „Hirtenadel" der Supane. In diesem Ringen 'um Grund und Boden
waren nach Puntschart's Vermutung die Bauern siegreich geblieben, und die auf diesen Sieg gegründete Vormachtstellung
des Bauernstandes kam nun nach seiner Ueberzeugung in den
Vorgängen am Fürstenstein, die ihm die Einsetzung eines
„Bauernfürsten" bedeuten, zu dramatisch-lebendigem Ausdruck.
Diese von Puntschart mit soviel Scharfsinn und Kombinations-
gabe konstruierte Hypothese hat nun zwar, wie erwähnt wurde,
vor dem eindringenden Auge kritischer Ueberprüfer keine Gnade
gefunden, aber die Grundbasis seiner Hypothese, seine juristische
Auffassung vom Wesen der Ceremonie hat die Kritik — zumal
die rechtshistorische, die durch Pappenheim und v. Wretschko
repräsentiert wird — unangetastet gelassen, ja sie hat diese
vielmehr noch zu vertiefen, noch sicherer zu fundieren gestrebt.
Diese Grundauffassung, die übrigens auch sämmtliche vor dem
Erscheinen des Puntschart'schen Werkes aufgestellten Hypothesen zur Erklärung des Brauches beherrscht, geht dahin, dass
in den Vorgängen am Fürstensteine der Rechtsakt der Herrschaftsübertragung, der „Einsetzung" des Herzogs zu erblicken sei. Puntschart hat, wie dies bei seiner wissenschaftlichen Stellung nicht anders zu erwarten stand — er ist ja der
erste Rechtshistoriker, der sich mit diesen Bräuchen eingehend
beschäftigt hat — diese Grundauffassung juristisch aufs schärfste,
schärfer und klarer als alle seine Vorgänger, herauszuarbeiten
versucht und sich bei diesem Streben selbstverständlich auch
veranlasst gesehen, den Rechtsakt der „Einsetzung" von den
Vorgängen beim Herzogsstuhl, dem zweiten steinernen Denk-
mal des kärntnerischen Herzogsrechtes, strenge zu sondern.
Erschien ihm die Ceremonie am Fürstenstein als der Akt der
„Einsetzung", so sah er in den Geschehnissen beim Herzogsstuhl
die Rechtshandlung der „Huldigung". „Die Förmlichkeiten der
Einsetzung in Karnburg genügen noch nicht, damit der Herzog

---

[1]) vgl. J. Peisker, Zeitschr. f. Social- und Wirtschaftsgeschichte,
5. Bd., S. 329—380, der seinerseits wieder von Hildebrand's unhaltbaren
Theorien über den altgermanischen Hirtenadel beeinflusst ist; vgl. Rachfahl,
Liter. Centralbl., Jg. 1900, Sp. 189; derselbe, Jahrbücher f. Nationaloek. u.
Statistik, Jg. 1900, S. 202 fg.

die Lehen verleihe und Recht spreche, sondern es bedarf dazu
noch des Sitzens auf dem Lehn- und Richterstuhl des Landes.
Um Lehensherr und Richter zu sein, muss der Herzog in diesen
Funktionen vor dem Volke erscheinen."[1] Zur vollgiltigen Aus-
übung der Herrscherrechte ist nach Puntschart demnach die
Vornahme der Ceremonien am Fürstenstein und am Herzogs-

---

[1] Puntschart (S. 144) beruft sich bei seiner Behauptung, dass der
Herzog, um als rechtmässiger Lehensherr und Richter zu erscheinen, auf
dem Herzogsstuhle, dem Lehn- und Richterstuhl des Landes, sich in
feierlicher Weise niedergelassen haben müsse (der gleichen Meinung
v. Ankershofen, Archiv für vaterländische Geschichte und Topographie,
Klagenfurt 1856, 3. Jg., S. 49), auf Johannes von Victring (VI, 3), der
von Herzog Otto dem Freudigen sagt: „. . . . ut fluctuationes Karinthia-
norum dissolveret, qui dicunt nullum principem terre sue posse concedere
feoda vel judicia exercere, nisi in eo priscarum consuetudinum lex servetur,
ut scilicet super sedem suam sollempniter collocetur". Pappenheim (S. 313)
hält dafür, dass diese Aeusserung des Joh. v. Victr. auf die „Einsetzung"
am Fürstenstein zu beziehen sei, die von dem Abte auch an anderer
Stelle (Puntsch. S. 48) als „in sede poni" bezeichnet werde. Ich vermag
Pappenheim, dem v. Wretschko, S. 249, Anm. 2 folgt, hier nicht beizupflichten und meine, dass Puntschart die Worte des Abtes mit vollem
Rechte auf das Sitzen am Herzogsstuhl bezogen habe. Der Umstand, dass
Joh. v. Victring von der durch die solenne Stuhlbesteigung bedingten
Rechtswirksamkeit der Lehensverleihungen und der richterlichen
Tätigkeit des Herzogs spricht, beweist, dass er damit auf den Herzogsstuhl, der ja wirklich der Richter- und Lehensstuhl des Landes war,
gezielt habe. Das auf die „Einsetzung" bezügliche „in sede poni" kann
gegen Puntschart nicht ins Treffen geführt werden, da ja der Abt, wie
nur selbstverständlich, auch von dem Herzogsstuhl als „sedes tribunalis"
(vgl. die Boehmer'sche Ausgabe des Joh. v. Victr., Fontes rerum Germani-
carum, I. Bd., S. 320) spricht. Auch die Hinzufügung von „suam" zu
„sedem" zeugt für Puntschart's Auffassung. Der Fürstenstein (diese
Bezeichnung taucht erst 1632 auf, Puntsch., S. 16) wird nirgends als „des
Herzogs Stuhl" bezeichnet; er wird vielmehr geradezu „pauern stuell zu
Khernburg" (Bericht der Kärntner Landstände bei Puntschart, S. 95) genannt; hingegen lag es für den Abt viel näher, von dem Herzogsstuhle, den
er als „solium ducatus Karinthie" (VI, 11, Boehmer, S. 441) bezeichnet, als
einem dem Herzog zugehörenden Sitze zu reden. Dementsprechend sagt
denn auch der genannte Bericht der Landstände (Puntsch., S. 93) vom Herzog
mit Bezug auf den Herzogsstuhl: „Nochmalls reith er zu seinem stueli in
Saalfelt"; vgl. ferner den Lehenbrief Ernst's des Eisernen dd. St. Veit
1414 März 25 (bei Puntsch., S. 110, A. 5): „zu leihen auf unserm stul
bey Zol", den Lehenbrief von gleichem Datum (Puntsch., S. 111, A. 5
v. S. 110): „zu leihen auf unsserm stuel bey Zol", „so wür auf dem obgenanten unssern stuel gesetzt sein", endlich das für Martin Mordax ausge-

stuhl notwendig. Die „Einsetzung" für sich allein würde nicht
genügen.

Es ist bislang noch keinem Forscher beigefallen, die Trag-
fähigkeit der eben geschilderten Grundbasis aller bisher vorgebrachten Erklärungsversuche: dass nämlich in den Vorgängen
beim Fürstenstein die „Einsetzung" des Herzogs erblickt werden
müsse, zu bezweifeln; und doch hätte der Umstand, dass
keiner dieser Lösungsversuche zum Ziele geführt hat, allein
schon zur Aufwerfung der Frage führen müssen, ob denn jene
Basis überhaupt zuverlässig sei. Wenn man nun daran geht,
diese Frage ernstlich aufzurollen, so gelangt man zum Ergebnis,
dass die bisher gewählte Fundamentierung auf sehr schwankem
Untergrunde ruht. Es wird deshalb das Beginnen, diese Grund-
pfeiler auszuwechseln und auf einer gesicherteren Unterlage
eine erneute Lösung des Problems anzustreben, nicht als ein
überflüssiges, nutzloses angesehen werden können.

Was hat man eigentlich zum Beweise für die Richtigkeit
der eben skizzierten Grundannahme angeführt? Ich lasse hier
Puntschart das Wort, der ja bisher das Beste, was zu ihrer
Verteidigung gesagt werden kann, vorgebracht hat. Nach ihm
wird der Herzog vom Herzogsbauer, den er als einen Repräsentanten des Volkes auffasst, in den Besitz des Landes und
der Herrschaft eingesetzt. Wir werden auf diese Annahme
noch einmal im Laufe dieser Untersuchung zu sprechen kommen
und dort wie hier in Uebereinstimmung mit Pappenheim[1])
konstatieren müssen, dass der Behauptung, der Herzogsbauer
habe in der Rechtsstellung eines Stellvertreters des Volkes gehandelt, jeder Halt fehle. Puntschart kann hiefür aus den
Quellen einen überzeugenden Beweis nicht erbringen und muss
sich bloss auf die vermeintliche innere Wahrscheinlichkeit seiner

---

stellte Privileg ddo. St. Veit 1414 März 26: „als wir auf unsern stuel
bey Zoll sein gesessen" (Puntschart, S. 243). Im Lehenbrief Herzog
Leopold's III. ddo. Graz 1382 September 27 für Hermann Portendorfer (s.
Puntsch. S. 242) heisst es u. a.: . . . und das preenambt in Kherndten,
bei unsern stul, das darzue gehört". Dass unter diesem „stul" der Herzogs-
stuhl zu verstehen sei, kann nach den eben angeführten Belegen aus den
Lehenbriefen Ernst's des Eisernen nicht bezweifelt werden; vgl. v. Jaksch,
Mitt. d. J. f. oest. G., 23. Bd., S. 319.

[1]) vgl. Pappenheim, S. 311.

Annahme stützen. Er hat auch zum Beweise für die Richtigkeit seiner Auffassung von der Rechtsstellung des Herzogsbauers den Ritus des Backenstreiches heranziehen zu dürfen geglaubt. „Der Bauer erscheint darin als berechtigt zur Uebertragung der Gewalt an den Herzog, welche dadurch sinnenfällig als eine legitime dargestellt wird".[1] Es wird sich uns
zeigen, dass diese Deutung des Backenstreichritus aus Gründen,
die in der Natur der Sache liegen, nicht zutreffen kann. Ist
es also schon um diese Ausgangspunkte nicht sonderlich gut
bestellt, so erhöht sich die Unwahrscheinlichkeit der Hypothese
Puntschart's, wenn wir seine Behauptung vernehmen, dass
der Herzogsbauer dadurch, dass er den Fürstenstein dem Herzog
abtrete, diesen in den Besitz des Landes und in die Herrschaft
einsetze. „Der Besitz des Steines symbolisiert nämlich den Besitz des Landes."[2]

Welche Beweismomente vermag Puntschart für diese
eben angeführte Behauptung vorzubringen? Er meint: deshalb,
weil der treibende Rechtsgedanke im Akte am Fürstensteine
die Uebertragung des den Besitz des Landes symbolisierenden
Steines sei, sei auf ihm das Landeswappen eingehauen gewesen;
deshalb habe man auch gesagt, der Herzog „empfange vom
Bauer das Land" oder „das Recht", „erhalte" von ihm „das
Land zu Lehen" u. s. w.; „daher endlich sitzt der Bauer auf
dem Steine, bevor er ihn dem Herzog einräumt, und dieser
stellt sich auf ihn, nachdem er ihn empfangen."[3]

Diese eben angeführten Gründe können die Annahme, dass
der Besitz des Steines den Besitz des Landes symbolisiert habe,
keineswegs rechtfertigen. Der Umstand, dass auf dem Fürstenstein das Landeswappen eingegraben war, kann zu Gunsten
Puntschart's nicht in's Treffen geführt werden. Selbst wenn
das Wappen seit unvordenklichen Zeiten angebracht gewesen
wäre, so braucht man darum durchaus noch nicht anzunehmen,
dass diese Einmeisselung deshalb erfolgt sei, weil man den

---

[1] vgl. Puntschart, S. 142.
[2] vgl. Puntschart, S. 136; Pappenheim (S. 311) und
v. Wretschko (S. 955, A. 2) stimmen Puntschart hier vollkommen bei.
[3] vgl. Puntschart, a. a. O.

Stein als ein Herrschaftssymbol auffasste. Nichts natürlicher,
als dass man an einem so ehrwürdigen Objekte, an dem ein
so bedeutungsvoller, das ganze Land lebhaft interessierender
Akt stattfand, das Landeswappen anbrachte! Das Wappen auf
dem Fürstensteine kann uns nicht den geringsten Aufschluss
geben über den eigentlichen Zweck des Steindenkmals; überdies
ist es erst in ziemlich später Zeit eingemeisselt worden, wo
sich der ursprüngliche Rechtsgehalt des Aktes bereits verflüchtigt hatte.[1]

Was endlich die in unseren Quellen vorkommenden Redens-
arten vom Empfang des Landes aus der Hand des Bauers betrifft, so darf hierüber folgendes bemerkt werden. Wenn auch
unter den Autoren, die diese Wendungen gebrauchen, sich der
Reimchronist und Johannes v. Victring befinden, so kann
auch hierin ein zwingendes Argument nicht erblickt werden;
denn wenn wir schon den Angaben, die diese unsere besten
Quellen über die Einzelzüge der „Herzogseinsetzung" bringen,
mit kritischem Auge gegenübertreten müssen, wenn schon hier
ein gewisses Mass von Misstrauen geboten ist, um wie viel
mehr dort, wo wir erfahren, was jene Autoren oder ihre Zeit
über den Rechtsgehalt des Aktes gedacht haben![2] Dadurch,
dass wir wissen, welche Anschauung hierüber in jener Zeit, da
diese Quellen abgefasst wurden, herrschte, wird uns noch keine
sichere Kunde darüber, was Jahrhunderte früher, als der Ritus
noch in voller, lebendiger Uebung stand, als Rechtsgehalt der
Ceremonie angesehen wurde. Niemals darf sich die kritische
Forschung, wenn sie einen seltsamen Brauch, dessen Wurzeln
in eine graue Vorzeit zurückreichen[3], zu erklären versucht,
ohne weitere Prüfung mit jenen Deutungen zufrieden geben, die
die ersten Berichte über einen derartigen Ritus vermelden.

---

[1] Das auf dem Fürstenstein befindliche Wappen weist die erst seit
1269 übliche Form auf, kann also erst nach diesem Jahre angebracht worden
sein; vgl. Puntschart, S. 12, Anm. 1; v. Jaksch, Carinthia 1902, S. 36;
s. auch noch S. M. Mayer, Kärntnerische Zeitschrift, III. Bändchen (1821),
S. 156, der ebenfalls meint, dass das Wappen auf dem Fürstensteine aus
später Zeit stamme.

[2] vgl. v. Wretschko, S. 930.

[3] vgl. H. Schurtz, Altersklassen und Männerbünde (1902), S. 121 fg.

Das Wesen solcher Ceremonien ist meist nur aus dem Geiste
jener naiven Zeit zu verstehen, in der sie entstanden sind.
Wenn man einmal bereits daran geht, von einem solchen Brauche
der Nachwelt zu melden, wenn man ihn nicht mehr als etwas
Selbstverständliches, sondern als ein berichtenswertes Curiosum
auffasst, dann ist dies oft ein Zeichen dafür, dass dem Ritus
seine innere Berechtigung im Volksbewusstsein abhanden gekommen, mag er auch in zähem Konservativismus noch Jahrhunderte lang fortgeschleppt werden. Wurzelt nun der Brauch
nicht mehr lebendig im Volksbewusstsein, haben die Faktoren,
die zu seiner Entstehung geführt, zu wirken aufgehört, dann
ereignet es sich gar häufig, dass er umgedeutet wird. Aus
diesem Grunde, weil eben die Möglichkeit, dass die Ceremonie
in unseren Quellen bereits umgedeutet sei, nicht auszuschliessen
ist, darf ihrer Rechtsauffassung keineswegs unbedingte Zuverlässigkeit beigemessen werden.

Soviel zur Kritik der Beweismomente, die man bislang
für die herrschende Einsetzungstheorie — so darf man sie wohl
nennen — ins Treffen geführt hat. Ihr mögen sich zwei Argumente anreihen, die, wie ich glaube, direkt gegen die geltende
Lehre sprechen. Vor allem muss der eine Umstand befremden,
dass nach der herrschenden Auffassung das kärntnerische Herzogsrecht die feierliche Besitznahme zweier Steinobjekte — des
Fürstensteines und des Herzogsstuhls — zum rechtsgiltigen Er-
werbe der Regierungsgewalt gefordert hätte. Damit würde sich
das Recht der Kärntner Slovenen in einen auffälligen Gegensatz zu einer Reihe von indogermanischen und unter diesen
speciell von slavischen Rechten stellen, von denen für die
Feierlichkeit des Regierungsantrittes das solenne Besteigen eines
Steines oder Steinthrones, aber immer und ausnahmslos nur
eines einzigen Steinobjektes vorgeschrieben wird. So
mussten einstmals die schwedischen Könige vor dem Wahl-
akte sich auf dem Morastein bei Upsala dem versammelten
Volke zeigen.[1]) Die irischen Könige bestiegen bei der Königs-

---

[1]) vgl. hierüber vor allem Walter Schücking, Der Regierungsantritt
(1899), S. 8, 12 fg. Puntschart, S. 137; Grimm, Rechtsaltert., 1. Bd.,
S. 327 f., 353 (hier wird der Herzogstuhl verglichen), 598; Lippert,
Deutsche Sittengeschichte (1889), 1. Bd., S. 43, 46. — Nach Grimm,

weihe den Königsstein (lia fail), den „Stein des Schicksals".[1])
Möglicherweise bestand auch bei den Südgermanen eine ähnliche
Sitte, sofern nämlich Schreuer's[2]) Vermutung zutreffend ist,
dass der deutsche Brauch, bei verschiedenen Königsspielen den
„König" auf einen gestürzten Zuber zu setzen oder zu stellen,
vielleicht zur Annahme berechtigen könne, dass hier die Tonne
an die Stelle eines Steines getreten sei. Bei den Tschechen[3])
bestieg einstens der einzusetzende Fürst den „in medio civitatis"
unter freiem Himmel errichteten steinernen Hochsitz, das solium
paternum oder avitum (stol oten, st. děden). Einen solchen stol
oten (st. děden) — und wohl auch die feierliche Inthronisation auf
diesem stol — kannten auch die Russen.[4]) Auch bei den
Bewohnern der Bucharei, die allerdings nur zu einem geringen
Teile den Indogermanen zugerechnet werden können, lässt sich
der Brauch, den Herrscher beim Regierungsantritt auf einen
Steinsitz zu setzen, nachweisen. Zu Samarkand befindet sich ein

---

S. 337 (in Verbindung gebracht mit den eben citierten S. 327 f., 353) könnte
es allerdings scheinen, als ob die Schweden gleich den Kärntner Slovenen
zwei Steinsymbole für den feierlichen Regierungsantritt besessen hätten:
den Mora-Stein, vergleichbar dem Fürstenstein, und den „konûngsstôll",
ähnlich dem Herzogsstuhle. Grimm sagt S. 337: „Der schwedische
konûngsstôll lag bei Upsala", wobei er augenscheinlich an einen unter
freiem Himmel aufgerichteten steinernen Königsstuhl denkt. Aus der von
ihm zum Belege angeführten Stelle (Olafs saga helga in der Heimskringla
b. 2, c. 76) lässt sich jedoch die Existenz eines bei Upsala gelegenen
schwedischen Königsstuhles (Schücking, S. 29, A. 2 folgt hier Grimm)
nicht erweisen. Es heisst in der Heimskringla nur (ed. Gerh. Schoening 1778,
t. II., p. 98): „þar ero Uppsalir, þar er konûngsstôll, so þar er Erkibiskops-
stôll", woraus unzweifelhaft hervorgeht, dass „stôll" hier im Sinne von
„Residenz" gebraucht ist; vgl. J. Fritzner, Ordbog over det gande norske
Sprog, III. Bd. (1896), S. 561 s. v. stôll. 2 a, b. Dementsprechend erwähnt
auch v. Amira, Recht², S. 145, zwar den deutschen „Königsstuhl" und
den „bregostôl" der Angelsachsen, hingegen nicht den angeblichen konûngsstôll der Schweden.

[1]) vgl. Schücking, S. 8; Eckermann, Lehrbuch der Religionsgeschichte; III. Bd., 2. Abt., S. 68 fg. u. hiezu S. 53, 63; noch jetzt spielt
dieser Stein im englischen Krönungsceremoniell eine Rolle.

[2]) vgl. H. Schreuer, Kritische Vierteljahrsschrift, 3. F. 7. Bd., S. 188,
bei der Besprechung von Grimm, Rechtsalt., 1. Bd., S. 325.

[3]) vgl. H. Jireček, Das Recht in Böhmen und Mähren, 1. Bd.
1. Abt. (1865), S. 68; Palacky, Geschichte von Böhmen, Bd. 1., S. 164, 165.

[4]) Jireček, S. 69; 2. Abteilg. (1866), S. 46.

viereckiger Steinblock, auf dem sich der Khan der Bucharei bei der Inthronisation niederlassen muss.[1])

Es ist nun klar, dass bei der Erforschung der Bräuche des kärntnerischen Herzogsrechtes die eben angeführten indogermanischen Riten verwertet werden müssen, will man sich nicht von vornherein eines der wichtigsten Behelfe zur Deutung der kärntnerischen Ceremonien begeben. Hält man, diesem Leitsatze folgend, mit den genannten indogermanischen Parallelen diese Ceremonien zusammen, so muss, wie bereits konstatiert wurde, auffallen, dass in Kärnten zwei Steinobjekte verwendet werden, sonst aber ausnahmslos nur von. einem Steinsitze die Rede ist. Es erscheint unverständlich, warum in Kärnten für den Rechtsakt des Regierungsantrittes die an einunddemselben Tage erfolgende Besitznahme zweier Steinobjekte gefordert wird, während die Rechte der Germanen, Kelten, Russen und Tschechen es bei der feierlichen Besitznahme eines einzigen Steines bewenden lassen. Dieser Umstand, dass zwei Objekte verwendet werden, wo eines allein vollkommen ausreichend wäre, hat in der vor Puntschart's Untersuchung erschienenen Literatur über die „Herzogseinsetzung“ die eine allerdings recht charakteristische Wirkung gezeigt, dass sehr viele Autoren und sogar ein Teil unserer Quellenberichte die Vorgänge am Herzogsstuhl und am Fürstenstein in einen einzigen Akt zusammenziehen und nur von einem einzigen Steinobjekte, das den Mittelpunkt der ganzen Handlung bilde, sprechen. Hiebei liess man sich eben von der Erwägung leiten, dass die Verwendung zweier verschiedener Stein-Monumente etwas Ueberflüssiges sei und hielt sich deshalb

---

[1]) vgl. Pictet, Les origines Indo-Européennes, 2. Teil (1863), S. 395, unter Berufung auf Mayendorf, Reise v. Orenburg nach Buchara (1826), S. 160. In diesem Zusammenhange darf auch erwähnt werden, dass man das griech. βασιλεύς im Hinblick auf die geschilderten Riten als den „Steinbetreter“ (v. βαίνω und λᾶς) deuten wollte, eine Etymologie, die lautlich durchaus möglich ist; vgl. Kuhn. Indische Studien, hgeg. v. Weber, 1. Bd., S. 334, A. 1; Pictet, a. a. O.; gegen diese Deutung: Curtius, Grundzüge der griechischen Etymologie⁵, S. 362 mit sachlichen Bedenken; Brunnhofer. Vom Pontus bis zum Indus (1890), S. 3, 4. — Ueber den im römischen Inthronisationsritual zur Verwendung gelangenden Steinsitz vgl. Fustel des Coulanges, La cité antique, p. 208.

auch für berechtigt, die richtig überlieferte Tradition zu korrigieren.

Solchem Vorgehen[1]) ist nun durch Puntschart ein für allemal ein Riegel vorgeschoben worden. Damit haben sich aber auch die Hindernisse, die der Deutung der Ceremonien des Kärntner Herzogsrechtes im Wege stehen, in bedeutendem Masse vergrössert. Es gilt nunmehr auf der einen Seite, die Tatsache des Vorhandenseins zweier Steinobjekte festzuhalten, auf der anderen Seite die merkwürdige Erscheinung aufzuklären, dass der Herzog Fürstenstein und Herzogsstuhl besteigen musste. Eben um dieser Doppelforderung gerecht zu werden, nahm Puntschart an, dass die Fürstenstein-Ceremonie und der Act beim Herzogsstuhl gewissermassen als komplementäre Rechtshandlungen aufzufassen seien, die erst zusammen die Herrschergewalt des neuen Herzogs zu einer vollgültigen gestalteten. Diese Annahme kann jedoch nicht als befriedigend angesehen werden. Wer sie nämlich acceptiert, der schreibt damit den kärntnerischen Slovenen ein Talent und eine Liebe für juristische Distinctionen und Konstruktionen zu, die bei dem niedrigen Kulturgrade, in dem sich dieses Volk zur Zeit der Entstehung der in Rede stehenden Bräuche noch befand, nicht vorausgesetzt werden dürfen. Es wäre nicht einzusehen, was die Slovenen veranlasst haben könnte, einerseits in der Uebertragung des Besitzes an einem Steinobjekte die Uebertragung der Herrschergewalt symbolisch darzustellen, andererseits aber die erstmalige Ausübung der Herrscherrechte an einem andern und nicht dem nämlichen, die Herzogsgewalt angeblich förmlich verkörpernden Denkmale vornehmen zu lassen. Wozu diese örtliche und zeitliche Trennung zweier Rechtsakte, die eine primitive juristische Betrachtungsweise — und nur mit einer solchen dürfen wir hier rechnen — doch als so eng zusammengehörend auffassen musste, dass ihr die Dualität und damit die Trennbarkeit der beiden Vorgänge gar nicht einmal zum Bewusstsein kommen konnte?

---

1) Gegen Müllner, der in seiner Kritik der Puntschart'schen Monographie (vgl. Argo, Jg. 1900, Sp. 15) trotz den überzeugenden Ausführungen Puntschart's immer nur von einem Steinobjekte, dem Herzogsstuhle, spricht und somit wiederum beide Vorgänge in einen einzigen zusammenzieht, erhebt v. Wretschko, S. 963, Anm. 3, mit Recht Einspruch.

Gegenüber dieser eben als unzulänglich erwiesenen Hypothese von der komplementären Natur beider Rechtsakte behaupte ich nun auf Grund der vorhin angeführten indogermanischen Parallelen, dass auch nach dem Rechte der Kärntner Slovenen die Einsetzung auf einem einzigen Steinobjekte zur rechtsgültigen Uebertragung und Vollwirksamkeit der Regierungsrechte für ausreichend angesehen worden sein muss. Es kann also nur einer der beiden Rechtsakte, sei es der am Fürstenstein, sei es jener am Herzogsstuhl, der symbolischen Uebertragung der Regierungsgewalt gedient haben, der zweite Akt muss demnach eine andere Bestimmung gehabt haben.[1]) Damit sind wir vor die Frage gestellt, welche der beiden Rechtshandlungen jenen indogermanischen Parallelen anzureihen sei.

Wenn wir nicht bereits festgestellt hätten, dass der Schwertritus der „Herzogseinsetzung" in verhältnismässig später Zeit entlehnt worden sei, so würde die Beantwortung der eben bezeichneten Frage einigermassen Schwierigkeiten bereiten; denn ohne Berücksichtigung dieser Feststellung scheinen die Akte beim Fürstenstein und Herzogsstuhl im grossen und ganzen rechtlich wesensgleich zu sein. Hier wie dort die Besitznahme eines Steinobjektes, wenn auch dort durch Vermittlung des Herzogsbauers, hier durch selbstherrliches Handeln; hier und

---

[1]) Geht man einmal von der Annahme aus, dass die Vorgänge am Fürstenstein die Einsetzung des Herzogs bedeuteten, so erscheint, da die oben (S. 26, A. 1) citierten Worte des Joh. v. Victr. m. E. mit Puntschart unzweifelhaft auf das Sitzen des Herzogs auf dem Herzogsstuhle bezogen werden müssen, die Annahme von der komplementären Natur beider Rechtsacte als die logisch einzig mögliche. Hierdurch gelangt man aber wieder zu der in sich unwahrscheinlichen Behauptung, dass das kärntnerische Herzogsrecht die Besitznahme zweier Steinobjekte zum rechtsgültigen Erwerb der Regierungsgewalt gefordert hätte. Nimmt man nun mit Pappenheim an, dass Joh. v. Victr. in der erwähnten Stelle auf den Fürstenstein gezielt habe, dann wird freilich diese unwahrscheinliche Behauptung vermieden. Da nun aber die Interpretation Pappenheims wohl abgelehnt werden darf, so bleibt eben, um dieser widerspruchsvollen Situation zu entgehen, kein anderer Ausweg, als anzunehmen, dass es sich bei der Fürstensteinceremonie nicht um eine Einsetzung des Herzogs gehandelt habe.

— wie sich mit einigem Schein von Berechtigung behaupten liesse —
auch dort, anschliessend an diese Besitzergreifung, die solenne
erstmalige Ausübung von Regierungsrechten: am Herzogsstuhl
die Abhaltung des Gerichts und die Verleihung der Lehen als
erstmalige richterliche und lehensherrliche[1]) Handlung des Fürsten;
am Fürstenstein das Schwingen des Schwertes nach den vier
Himmelsgegenden, nach Puntschart's bestechender, aber un-
richtiger Deutung zum Zeichen der ersten symbolischen Betätigung der Executivgewalt.

Wenn man nun aber erwägt, dass der Schwertritus ein
späteres Einschiebsel ist, dass sich also ursprünglich an den
Akt der angeblichen Herrschaftsübertragung durch den Herzogsbauer keine Handlung anschloss, die man als symbolische Ausübung eines Herrscherrechtes zu bezeichnen sich versucht sehen
könnte, und wenn man auf der anderen Seite bedenkt, dass unmittelbar an die Besteigung des Herzogsstuhles sich die erstmalige Betätigung des nach slavischer Anschauung wichtigsten
Regentenrechtes, des Richteramtes[2]), reihte, so drängt sich
wie von selbst die Vermutung auf, dass in dem am Herzogsstuhl geübten Brauche das Korrelat zu den geschilderten
indogermanischen Parallelen vorliege, dass sonach der Ritus am
Fürstensteine nicht der Uebertragung der Regierungsgewalt gedient haben könne. Diese Vermutung wird gefestigt, wenn man erwägt, dass der Stuhl als Besitz-Symbol[3])

---

[1]) Dass auf dem Herzogsstuhle auch die Landeslehen verliehen wurden,
ist natürlich erst eine spätere Zutat aus der Zeit des entwickelten Lehen-
staates, wo auch Kärnten dem Verbande der Lehensorganisation eingegliedert
war; s. v. Wretschko, S. 961.

[2]) vgl. W. A. Macieiowski, Slavische Rechtsgeschichte, übersetzt
von Buss u. Nawrocki (1835) I., S. 77: „Die königlichen Pflichten:
Führung des Heeres, die Regierung und das Richteramt. Besonders diese
letzte Pflicht schien so wichtig zu sein, dass vornehmlich in Böhmen die
Ausdrücke sedzia (Richter) und Krol (König) lange gleichbedeutend waren";
Jireček, 1, S. 65, 66.

[3]) vgl. Grimm, Rechtsalt., I. Bd., S. 258, 356 fg.; Puntschart,
S. 144; Wladjimjirski-Budanoff, Geschichte des russischen Rechtes,
Zeitschr. f. vgl. Rechtsw., 14. Bd., S. 235: „So bedeutet (in der ältesten
Periode) das „Niedersetzen des Fürsten auf dem Throne" die Gesetzlichkeit
der Erwerbung der Gewalt."

im deutschen und im slavischen Rechte eine nicht unbedeutende
Rolle spielt. Es dürfte also das, was man ohne zureichende
Beweise vom Fürstensteine behauptet hat, dass nämlich der
Besitz dieses Steines den Besitz des Landes symbolisierte, gerade auf den Herzogsstuhl zutreffen. So war es auch
in Böhmen der Fall. Hier war die oberste Gewalt „an ein
einfaches Sinnbild und Unterpfand gebunden", an den Besitz
des Fürsten-Stuhles, eines grossen behauenen Felsblocks. „Jener
Přemyslide, der im Besitze desselben und somit auch der Haupt-
stadt des Landes war, galt dem Volke als der rechtmässige
Herrscher; daher wurde um ihn oft blutig gestritten und seine
Behauptung kostete dann vielen Tausenden das Leben."[1] Es
ist ein grosser, durch Bebauung eines Felsblocks hergestellter
Stein-Stuhl oder Stein-Thron (stol oten, st. děden), nicht ein
niedriges Steinobjekt wie der Fürstenstein, an den der Besitz
der tschechischen Fürstenwürde geknüpft erscheint. Mit diesem
Steinthron, dem wohl der stol oten der Russen ähnlich gewesen
sein dürfte, kann nur der Herzogsstuhl, nicht aber der Fürstenstein verglichen werden.[2] Der Herzogsstuhl ist ein grosses
Steindenkmal, das einen regelrechten Thronsitz mit Rücken- und
Seitenlehne, sowie mit einer Trittstufe darstellt. Er gleicht
ganz genau den ebenfalls unter freiem Himmel aufgerichteten
oder ausgemeisselten steinernen Richtersitzen serbischer und
croatischer Herzöge, auf die Müllner die Aufmerksamkeit gelenkt hat.[3] Somit werden wir nicht fehl gehen, wenn wir annehmen, dass die slavischen Stammeshäuptlinge seit den ältesten
Zeiten auf grossen, unter freiem Himmel aufgestellten, steinernen
Thronsitzen ihre wichtigste Herrscherpflicht, das Richteramt,
ausübten, und dass sich die Einsetzung in die Herrscherwürde,
weil eben der Regent vor allem als der oberste Richter angesehen wurde, bei allen Slaven in der feierlichen Inthronisierung
auf diesem Steinstuhle erschöpfte.

[1] vgl. Palacky, Geschichte von Böhmen, 1. Bd., S. 164 f.; wie der
eben (s. Wladjimjirski-Budanoff, a. a. O.) mitgeteilte terminus technicus der altrussischen Rechtssprache beweist, galt die gleiche Auffassung
in Russland.

[2] vgl. die Abbildungen bei Puntschart, S. 13, 18, 19, 21 fg.

[3] vgl. Müllner, a. a. O., Sp. 12—14 mit zahlreichen interessanten
Belegen.

Nichts selbstverständlicher, als dass der Fürst, nachdem er das Wahrzeichen seiner eigentlichen, der oberrichterlichen Würde in Besitz genommen hatte, nach diesem Akte der Besitzergreifung des sein Recht verkörpernden Symboles sogleich dies eben erworbene Recht in solenner Weise zum erstenmale ausübte. An den Rechtserwerb wird zur Manifestierung des vollzogenen Erwerbs sofort die Rechtsausübung gereiht.

Das zweite Argument, das m. E. gegen die herrschende Auffassung der Vorgänge am Fürstenstein spricht, liegt darin, dass der Herzog beim Fürstensteine gar nicht als Herzog erscheint, sondern als ein schlichter Mann aus dem Volke. Dies ist ja eben das Charakteristische und zugleich das Rätselhafte an der sogenannten „Herzogseinsetzung". Eben, weil der Herzog nicht als Fürst, sondern als ein schlichter Mann aus dem Volke auftritt, kann es sich nicht um eine „Herzogseinsetzung" gehandelt haben: es muss ein Rechtsakt ganz anderer Natur vorliegen. Man wird deshalb als Leitsatz für jeden Erklärungsversuch die Regel aufstellen dürfen, dass er diesem eben herausgearbeiteten Grundzuge der Fürstenstein-Ceremonie gerecht werden müsse, dass er also vor allem zu erklären habe, warum dem Herzog die Rolle eines gewöhnlichen Mannes aus dem Volke zugewiesen erscheint.

Man wird mir nun einwerfen wollen, dass ja gerade das Significante des Puntschart'schen Deutungsversuches in seinem Bestreben liege, zu erklären, warum der Herzog in der Rolle eines gewöhnlichen Bauers auftrete, dass demnach Puntschart dem eben aufgestellten Leitsatz vollkommen gerecht worden sei. Ich müsste einer solchen Ansicht widersprechen. Es ist zwar zutreffend, dass Puntschart vornehmlich zu erklären trachtet, warum der Herzog bei der „Einsetzung" als ein Bauer, als ein Angehöriger der Kernmasse des Volkes erscheint, aber ich bestreite, dass er damit schon jenem Leitsatze Genüge getan habe, weil er eben m. E. den eben präcisierten Grundzug der „Einsetzung" nicht vollkommen richtig erfasst hat.

Puntschart[1]) erblickt in dem Verhältnis des Herzogsbauers zum Herzog „eine drastische Ausprägung der demo-

---

[1]) vgl. Puntschart, S. 184.

kratischen Idee und der Ueberordnung ihres Vertreters über den vom deutschen König belehnten Herzog." „Der Bauer nimmt eine hohe, dem Herzog übergeordnete Stellung ein." Indem der Herzog als schlichter Bauer auftritt, „erscheint er als der echte primus inter pares in einem demokratischen Bauernstaate."[1] In diesen Ausführungen Puntschart's sind zwei Momente anfechtbar. Vom ersten war bereits die Rede. Puntschart sieht in der Person des Herzogsbauers mehr, als zu sehen erlaubt ist. Der Herzogsbauer ist eben einmal kein Vertreter der Bauernschaft, er agiert aber auch nicht, wie Pappenheim[2] dies will, einen „Bauernherzog"; deshalb darf von einer politisch übergeordneten Stellung dieses Bauers nicht gesprochen werden. Während nun Puntschart auf der einen Seite den Herzogsbauer gleichsam auf ein erhöhtes Postament stellt, sieht er auf der anderen Seite den Herzog erniedrigt.[3]

Der Sinn des ganzen Dramas ist nach Puntschart folgender: Es handelt sich um die Einsetzung eines neuen Fürsten durch die Bauernschaft. Es ist der in den nächsten Augenblicken mit der Landesregierung zu betrauende neue Herrscher, der in der Person des Herzogs vor dem Bauer steht; wenn er im bäuerlichen Gewande erscheint, so geschieht dies deshalb, um damit zu symbolisieren, dass er ein vom herrschenden Bauernstande gewählter oder doch mindestens anerkannter Regent sei, der sich nur als primus inter pares zu fühlen habe und die Vormachtstellung der Bauernschaft kraftvoll verteidigen müsse. Puntschart erblickt demnach in dem als Bauer verkleideten Herzog vor allem den Herrscher: der Herzog tritt beim Fürstenstein als zukünftiger Landesfürst auf, er muss sich aber, soweit die deutschen Herzöge in Betracht kommen, eine Erniedrigung gefallen lassen; er, der deutsche Reichsbeamte, muss den Fürsten der Bauernschaft, dem diese und nicht der deutsche König die Gewalt verleiht,

---

[1] s. Puntschart, S. 142.

[2] Pappenheim, S. 312.

[3] vgl. Puntschart, Zschr. d. d. Alpenv., 32. Bd., S. 128.

agieren. Vom Standpunkte der Bauernschaft aus stellt sich demnach nach Puntschart's Meinung das Auftreten des deutschen Herzogs als eine Fiktion dar. Nach der Aufrichtung der deutschen Vorherrschaft im Lande und dem Verluste des Rechtes, den Herrscher sich zu erwählen, hat sich die Bauernschaft Kärntens das Recht gewahrt, den vom deutschen König bestimmten Regenten vor dem Regierungsantritt auf seine Qualifikation zu prüfen und ihn sodann anzuerkennen. Auch jetzt noch hält die Bauernschaft zähe daran fest, dass in dem Akte der Herrschaftsübertragung der Gedanke klar zum Ausdrucke komme, dass der Herrscher des Landes ein Bauernfürst sei. Es wird in der aus dem Staatsrecht des slovenischen Bauernstaates herübergenommenen Ceremonie der Fortbestand des vor der Einführung der deutschen Centralgewalt bestandenen Zustandes fingiert, dass der Herzog, wenn auch ein Fürst, so doch nur ein primus inter pares sei, dass er ein Herrscher sei, hervorgegangen aus der Bauernschaft, mit der Verpflichtung zu wirken für die Bauernschaft.

Eben nun darin, dass Puntschart in dem als Bauer auftretenden Herzog in allererster Linie den Fürsten, und zwar den nur aus Gründen politischer Symbolik als Bauer, Bauernherrscher erscheinenden Fürsten zieht, liegt die Fehlerquelle, welche seine schiefe Auffassung der ganzen dramatischen Situation verschuldet.

M. E. sagt uns der Umstand, dass der Herzog als Bauer verkleidet auftritt, in ganz unzweideutiger Weise, dass wir, wollen wir die Stellung des Herzogs in dem rätselhaften Schauspiel verstehen, uns vor der Annahme zu hüten haben, dass es der Herrscher sei, der in der Person des Herzogs vor dem Herzogsbauer steht. Der Herzog erscheint als ein gewöhnlicher Mann aus dem Volke, daher darf er nur als ein solcher aufgefasst werden.

Man wird nun gegen die eben vorgetragene Auffassung einwenden wollen, dass sich die Unrichtigkeit dieser Ansicht sofort ergebe, wenn man die Frageprocedur der „Herzogseinsetzung", das „Prüfungsverfahren"[1]), wie es v. Wretschko

---

[1]) vgl. v. Wretschko, S. 939, Anm. 2.

nennt, zur Betrachtung heranzieht. In diesen Fragen sei, so wird man wohl sagen, ja ganz unzweifelhaft auf die Herrscherstellung des Herzogs Bezug genommen, es müsse also in erster Reihe der Herrscher gewesen sein, an den man bei der Ceremonie gedacht habe. Dieser Einwand wäre, wie die nachfolgenden Ausführungen erweisen sollen, unzutreffend.

Den Hauptbestandteil der Frageprocedur bilden die Fragen, ob der Herzog ein gerechter Richter, auf des Landes Wohl bedacht, freien Standes und voll Eifer für den christlichen Glauben sei. Vergleicht man nun diese Fragen mit den Formeln für die deutsche Königskrönung, die wahrscheinlich an eine allgemeine Formel anschliessen, die in Rom für die christliche Kirche des Abendlandes koncipiert worden sein dürfte, so beobachten wir, wie v. Wretschko[1]) nachgewiesen hat, eine merkwürdige Uebereinstimmung. Nach diesen Formeln sollte der König vor der Krönung feierlich geloben, den christlichen Glauben zu bewahren, die Kirche und deren Diener zu schützen, das Reich nach Gerechtigkeit zu regieren und zu verteidigen.[2]) Noch ähnlicher, bemerkt v. Wretschko, sind die Formeln, die späterhin ins pontificale Romanum für die Krönung aller Könige übernommen wurden. Man darf auf Grund der eben hervorgehobenen Uebereinstimmungen ruhig behaupten, dass, wenn auch nicht das Frageverfahren selbst, so doch der Formalismus dieser inquisitorischen Procedur im Anschluss an die

---

[1]) vgl. die Ausführungen von Wretschko's, a. a. O., Schönbach, Mittell. d. Inst. f. öst. Gesch., Bd. 21, S. 526; Carinthia, Jg. 1823, S. 108; J. v. Hormayr, Kleine historische Schriften und Gedächtnisreden (1832), S. 89. — Es darf hier erwähnt werden, dass auch bei der mittelalterlich-römischen Kaiserkrönung ein ähnliches Frageverfahren, das sogenannte Skrutinium, geübt wurde; vgl. Diemand, Ceremoniell d. Kaiserkrönungen, S. 73, 74: „Der Papst legt dem Kaiser verschiedene Fragen vor, deren Inhalt sich auf die Tugenden bezieben, die ein jeder Christ, vor allem aber ein Herrscher der Christenheit zu üben hat." Bei der Beantwortung dieser Fragen wird der Kaiser von zwei Geleitern, dem Archidiakon und dem Archipresbyter der Kardinäle, unterstützt. Man wird hier an die beiden Landherren der „Herzogseinsetzung", die den Herzog zum Fürstensteine geleiten und für ihn antworten, erinnert.

[2]) Die entsprechende Vorschrift der Formel lautet: „Finita letania erigant se episcopi sublevatumque principem interroget domnus metropolitanus his verbis: Vis sanctam fidem a catholicis viris tibi traditam tenere

für die Königskrönung üblichen Formeln entstanden ist. [1]) So
kann denn, da die Fragen des kärntnerischen Prüfungsverfahrens
vor dem Zeitpunkte dieser Beeinflussung ganz anders gelautet
haben können, aus diesen Fragen kein zuverlässiger Rückschluss
auf das ursprüngliche Wesen der Fürstenstein-Ceremonie gezogen werden. Deshalb darf auch dieses Frageverfahren nicht
zum Beweise für die Behauptung, dass in dieser Ceremonie von
Anfang an die Herrscherqualität des Herzogs betont worden
sei, herangezogen werden.

So drängt denn eine ganze Reihe von Umständen zur Annahme, dass der Akt, den Puntschart „Huldigung" nennt,
die eigentliche „Herzogseinsetzung" gewesen sei, hingegen die Ceremonie am Fürstenstein mit der Uebertragung der
Herrscherrechte nichts zu tun gehabt habe. — —

Wenn wir uns nunmehr, nachdem die notwendigsten Fundamente für eine neuerliche Untersuchung der merkwürdigen
Bräuche des kärntnerischen Herzogsrechtes aufgemauert erscheinen, die Frage nach der ursprünglichen Bedeutung dieser
Riten vorlegen, so ist es vorerst geboten, sich über die Methode,
die bei der Beantwortung dieser Frage anzuwenden sei, klar
zu werden. Da für unsere Untersuchung der Grundsatz zu
gelten hat, dass der eigentliche Rechtsgehalt der Vorgänge am
Fürstenstein nur zu ergründen sei, wenn man sich in den Geist
jener Zeit versetzt, in der diese Bräuche entstanden, einer Zeit,
die Jahrhunderte vor Abfassung unserer ältesten Quellen liegt,
so ist klar, dass bei dieser Methode die bisher zur Lösung des
Problems herangezogenen Quellen nicht genügen können. Es
wird vielmehr der Rechtshistoriker hier genötigt sein, die macht-

---

et operibus iustis observare: Resp.: Volo. Vis sanctis aeclesiis aecclesiarûm-
que ministris tutor et defensor esse? Resp: Volo. Vis regnum tibi a
deo concessum secundum justiciam patrum tuorum regere et defendere?
Resp.: In quantum .... valuero, ita per me omnia fideliter acturum esse
promitto"; vgl. Waitz, Abb. d. Götting. Ges. d. Wiss., Jg. 1873, S. 34.

[1]) Es scheint mir kaum denkbar zu sein, dass die Frageprocedur
der „Herzogseinsetzung" als solche in ihrer Gänze entlehnt worden sei,
so dass vordem die Fürstenstein-Ceremonie gar kein Prüfungsverfahren gekannt hätte. Die Frage-Ceremonie beansprucht den grössten Teil der für
die Feierlichkeit erforderlichen Zeit, bildet also einen Hauptbestandteil des
Aktes. Es ist deshalb wahrscheinlich, dass von allem Anfang an ein Frageverfahren zum Ceremoniell der „Herzogseinsetzung" gehörte.

volle Hilfe der Ethnologie und der vergleichenden Rechtswissenschaft anzurufen und eingehende Umschau zu halten im schier
unübersehbaren Bereiche der Volkskunde der indogermanischen
Stämme im allgemeinen, der südslavischen Gruppe im besonderen.

Erleichtert wird die Aufgabe dadurch natürlich nicht, aber
gerade bei dem vorliegenden Thema dürfte die Lösung des
Rätsels umso eher gelingen, je weiter die Gesichtspunkte sind,
unter denen man es betrachtet.

....

III.
Die Tischform des Fürstensteins.

Es ist einleuchtend, dass man beim Versuche, das in der
vorliegenden Untersuchung behandelte Problem zu lösen, nur dann
auf einen Erfolg hoffen darf, wenn es gelingt, über das Wesen
des Fürstensteines Klarheit zu gewinnen. Auf die Frage nach
der ursprünglichen Bedeutung dieses „Steines" hat sich daher
unsere Aufmerksamkeit zunächst zu konzentrieren. Dass die
Meinung, der Fürstenstein sei als ein Herrschaftssymbol aufzufassen, unzulänglich sei, wurde bereits erwiesen. Welche Erklärung darf nun dieser Deutung entgegengesetzt werden?

Um Wesen und Bedeutung des Fürstensteines zu erkunden,
ist es m. E. vorerst erforderlich, die ursprüngliche Gestalt dieses
Denkmals festzustellen. Erst dann wird es möglich sein, weitere
Zielpunkte festzulegen. Man werfe hier nicht ein, dass wir
über die Form des Fürstensteines hinreichend unterrichtet seien,
da uns ja dieser selbst erhalten sei; denn mag es auch gewiss
sein, dass das nunmehr im Landhause zu Klagenfurt[1]) aufbe-
wahrte Fragment einer jonischen Säule jenes Steinobjekt ist,
an dem sich das Schauspiel der sogenannten „Einsetzung" abspielte,
so darf doch wohl mit Recht gefragt werden, ob der Fürstenstein seit jeher so ausgesehen, wie er sich heute unseren Blicken
darstellt, und ob nicht früher noch irgend welche andere, im
Laufe der Zeit zerfallene oder verschleppte Bestandteile hinzu-
gehörten. Sind doch seit den ersten „Einsetzungen" sicherlich
mehr als 1000 Jahre vergangen!

---

[1]) vgl. Puntschart, S. 13.

Es erscheint, will man die ursprüngliche Gestalt des
Fürstensteines ermitteln, geboten, eine genaue Prüfung unserer
gesammten, auf die „Einsetzung" bezüglichen Ueberlieferung
vorzunehmen. Hier käme natürlich unsere älteste ausführliche
Quelle, die österreichische Reimchronik, in erster Reihe in Betracht. Indessen kann ihr Bericht aus Gründen, die in der
Natur der folgenden Ausführungen gelegen sind, erst später zur
Erörterung gelangen. Johannes v. Victring, der Herzogsstuhl und Fürstenstein scharf auseinanderhält, verwendet, um
diesen zu bezeichnen, die Ausdrücke: „lapis", „sedes"; eine
nähere Beschreibung fügt er nicht bei.[1]

Die Autoren der späteren Zeit gewähren ebenfalls keine
Ausbeute, da sie, wie Gregor v. Hagen, Thomas Ebendorfer
und Unrest die „Einsetzung" irrtümlich am Herzogsstuhl vor
sich gehen lassen, oder, wie Aeneas Silvius, nur von einem
„lapis" sprechen. Die Urkunde Ernst's des Eisernen dd. St.
Veit 1414 März 27[2] und der Bericht der Kärntner Landstände
vom Jahre 1564[3] nennen den Fürstenstein einen „stuel"; ein
Wort der näheren Schilderung ist in diesen beiden Fällen selbstverständlich nicht zu erwarten.

Während sonach die schriftlichen Quellen fast gänzlich zu
versagen scheinen, bietet uns die bildliche Ueberlieferung,
die traditionelle Darstellung der „Einsetzung" wertvolle Auf-
schlüsse dar.[4] Hier tritt uns nämlich der Fürstenstein ausnahmslos als ein tischförmiges Objekt entgegen, bei dem
auf eine Tischsäule eine grosse, runde Platte aufgelegt erscheint.
In dieser Gestalt begegnet uns der Fürstenstein in einer aus
dem Jahre 1669 stammenden Abbildung bei Valvasor, dem „sorg-
samen Beobachter"[5] slovenischer Sitten; ebenso in einer im

---

[1] s. Puntschart, S. 45 fg.
[2] vgl. Puntschart, S. 150; v. Schwind-Dopsch, Ausgewählte
Urkunden zur Verfassungsgeschichte der deutsch-österreichischen Erblande, n. 167, S. 314.
[3] s. Puntschart, S. 95.
[4] vgl. hierüber Puntschart, S. 17 fg., 95 fg.
[5] vgl. Usener, Rheinisches Museum, N. F. 30. Bd., S. 183; über
die Zuverlässigkeit des Historikers Valvasor vgl. A. Kaspret in den
„Mitteilungen des Musealvereins für Krain", 3. Jg. (1890), S. 3—40.

Anschluss an die Schilderung der „Einsetzung" bei Fugger
(1668) gegebenen Illustration. Auf einem im Landhause zu
Klagenfurt befindlichen Wandgemälde, das im Jahre 1740 ent-
worfen und gemalt wurde, ist der Fürstenstein abermals so
dargestellt, „als ob auf das Säulenstück eine runde Platte auf-
gelegen wäre." Auch eine Reihe von alten Landkarten Kärntens
weist den Fürstenstein in dieser Tischform auf. S. M. Mayer,[1]
ein zuverlässiger Beobachter, erwähnt, dass nicht bloss auf alten Ge-
mälden und Holzschnitten, sondern auch auf Kupferplatten,
welche die Feier der „Einsetzung" abbilden, einer Tischsäule
eine „ungemein grosse Steinplatte" als eigentlicher Tisch
aufgesetzt erscheine.

Darf auf Grund dieser Darstellungen angenommen werden,
dass der Fürstenstein ursprünglich ein Steintisch gewesen sei,
dessen Tischsäule erhalten geblieben, dessen Deckplatte aber
verloren gegangen sei? Ich glaube diese Frage im Gegensatz
zu Puntschart bejahen zu dürfen. Es darf nämlich zunächst
konstatiert werden, dass „seltsamer Weise Benennungen den
Fürstenstein auch als Tisch charakterisieren, indem er „Kaiser-
oder Herzogstisch" heisst.[2] Sodann aber muss nachdrücklichst darauf hingewiesen werden, dass nach S. M. Mayer[3]
„glaubwürdigen Versicherungen zufolge eine solche
Tischplatte" noch um das Jahr 1800 „an der äusseren
Mauer der Kirche" zu Karnburg angelehnt zu sehen war.

Diese Tatsache allein schon liefert m. E. den vollgültigen
Beweis dafür, dass, wie ja von vornherein präsumiert
werden darf, die angeführten Abbildungen historisch getreu
sind, dass sonach jene Steinplatte an der Karnburger
Kirche früher als Tischplatte zum Fürstensteine gehört habe.

Was Puntschart gegen die Glaubwürdigkeit jener Darstellungen, gegen den Bericht S. M. Mayer's und eine hierauf
sich etwa stützende Annahme vom ursprünglichen Tischcharakter
des Fürstensteines vorbringt, scheint mir nicht überzeugend
zu sein.

---

[1] vgl. S. M. Mayer, Kärntnerische Zeitschrift, hgeg. v. S. M. Mayer,
III., Klagenfurt (1821), S. 156.

[2] s. Puntschart, S. 16; Carinthia, Jg. 1871, S. 26.

[3] vgl. S. M. Mayer, a. a. O

Puntschart sagt[1]): „Wenn der Fürstenstein auch Tisch
heisst, so darf . . vielleicht beachtet werden, dass im Slavischen
das deutsche „stuol" einen Tisch bedeutet, wie Grimm hervorhebt." Diese Ansicht ist unzweifelhaft irrig. Aus einem sprach-
lichen Missverständnis kann die Bezeichnung „Tisch" für den
Fürstenstein nicht hergeleitet werden, da „stol" im Slovenischen
eben nicht „Tisch", sondern „Stuhl" bedeutet. Puntschart hat
sich denn auch genötigt gesehen, diese eben angeführte Tatsache
nachträglich zuzugeben.[2])

Wenn Puntschart ferner meint,[3]) der Umstand, dass der
Fürstenstein so oft als Tisch abgebildet wurde, könne in der
Ueberlieferung über Ingo's Gastmahl[4]) seine Erklärung finden,
so scheint auch diese Behauptung nicht stichhaltig zu sein.
Ingo war, so erzählt die Sage, der erste Herzog Kärntens von
fränkischem Geblüte. Unter seiner Regierung soll das gemeine
Volk dem christlichen Glauben bereits zugetan gewesen sein,
während der Adel noch zäh an den alten Göttern hing. Um
nun den Adel zu bekehren, liess Ingo, so wird berichtet, eine
drastische Scene aufführen. Er lud die heidnischen Herren und
ihre christlichen Untertanen zum Mahle; jenen gab er vor der
Türe wie Hunden ihr Essen und schlechte Becher zum Trinken;
die christlichen Knechte aber bewirtete er prächtig aus Geschirr
von edlem Metall. Die Tradition brachte nun die „Herzogseinsetzung" durch den Bauer mit der bei jenem sagenhaften
Gastmahl geübten Erhöhung des gemeinen Mannes in Zusammenhang.[5]) Es ist nun nach Puntschart eine Folge dieser traditionellen Verknüpfung gewesen, dass man den Fürstenstein als
einen Tisch bezeichnete und ihn als solchen auch abbildete.

Wenn es nun auch, mindestens seit dem 14. Jahrhundert, in Kärnten üblich war, von einem Konnex der Sage
von Ingo's Gastmahl und der Ueberlieferung über die Fürstenstein-Ceremonie zu sprechen, und es erklärlich erscheint, dass

---

[1]) s. Puntschart, S. 17.

[2]) vgl. Puntschart, S. 302.

[3]) s. Puntschart, S. 17.

[4]) vgl. Puntschart, S. 234.

[5]) vgl. Puntschart, S. 235.

man, um die merkwürdige „Einsetzung", diesen den bäuerlichen
Stand scheinbar bevorzugenden Ritus, irgendwie zu deuten, auf
jene Sage und die darin sich ebenfalls manifestierende Erhöhung
des gemeinen Volkes zurückgriff[1]), so kann doch die Darstellung
des Fürstensteines unter dem Bilde eines Tisches unmöglich
eine Folge dieser traditionellen Verbindung gewesen sein.
Puntschart hat es unterlassen, auch nur ungefähr anzudeuten,
wie man seiner Vorstellung nach zu dieser Folgerung kommen
konnte. Ein Versuch zur Konkretisierung seiner Annahme hätte
ihn aber auch notwendigerweise zur Ueberzeugung von ihrer
Unhaltbarkeit führen müssen. Wie immer man nämlich diese
von ihm unterlassene Substantiierung durchführt — es bleibt
unfassbar, wie man hätte auf Grund der im Mittelalter in Kärnten
üblichen Verquickung der Gastmahlsage und der Tradition über
die „Einsetzung" zur Erdichtung jener Tischform gelangen
können. Auf die meines Wissens nirgends auch nur angedeutete
Annahme, dass das Gastmahl Ingo's etwa beim Fürstensteine
stattgefunden habe, konnte man dabei unmöglich verfallen sein;
denn nirgends in den Erzählungen über dieses Mahl ist auch
nur der geringste Anhaltspunkt für eine derartige Behauptung
gegeben. Im Gegenteile, es wird ja bereits in der im 9. Jahrhundert verfassten Conversio Bagoariorum et Carantanorum
(c. 7) ausdrücklich gesagt,[2]) dass das niedere Volk in einem
geschlossenen Raume bewirtet wurde; ward doch dem Adel das
Essen „foris domum", gleichsam wie Hunden, hingestellt. Man
hätte sich also bei der Annahme, dass das Gastmahl beim
Fürstensteine veranstaltet wurde, in einen entschiedenen Widerspruch zu der in ihren Einzelheiten bereits im 9. Jahrhundert
feststehenden und wohl allgemein bekannten Erzählung von
Ingo's Bewirtung der Niederen gesetzt. Uebrigens wäre nicht
einzusehen, wie sich eine solche Behauptung hätte bilden können,
wenn der Fürstenstein wirklich immer nur aus dem uns erhalten
gebliebenen Säulenstumpfe bestanden hätte; hingegen wäre,
wenn man davon absieht, dass die feststehende, in allen Details
getreulich weiter überlieferte Tradition über die Gastmahlsage
dem entgegenstand, die Entstehung einer derartigen Annahme bei

---

[1]) vgl. v. Wretschko, S. 947.
[2]) s. Puntschart, S. 234, Anm. 3.

wirklich vorhandener Tischform des Fürstensteines viel eher möglich gewesen; denn hier konnte man dann versucht sein, an das reale Substrat der Tischgestalt ein ätiologisches Märchen — etwa von einem feierlichen Mahle, das an diesem Steintische stattgefunden — zu knüpfen. Durch eine andere Hilfsannahme nun, als die eben in ihrer Gebrechlichkeit geschilderte: Lokalisierung des Gastmahls auf die Stätte des angeblich seit jeher nur aus einem Säulenstumpfe bestandenen Fürstensteines — lässt sich m. E. die Behauptung, dass man die Tischform des Fürstensteines frei aus dem Nichts erfunden habe, überhaupt nicht stützen. Man darf sonach aus dem Märchen vom Fürsten Ingo, der das gemeine Volk gastlich bewirtet und zur Ehrung des dem christlichen Glauben ergebenen Bauernstandes die Ceremonie der „Einsetzung'' eingeführt haben soll, die Entstehung der oben besprochenen Abbildungen nicht ableiten.

Die Tatsache, dass noch am Beginne des 19. Jahrhunderts eine grosse Steinplatte an der Karnburger Kirche angelehnt zu sehen gewesen, kann nun Puntschart allerdings nicht bestreiten, ja er sieht sich gezwungen, zuzugeben, dass diese Tafel möglicherweise zum Fürstensteine, der doch ebenfalls in der Nähe der Karnburger Kirche seinen Standplatz hatte, gehörte; freilich schränkt er dieses Zugeständnis sofort wieder ein, indem er sagt,[1] es könne „die Meinung eine willkürliche sein, welche sie mit dem Fürstenstein in Verbindung bringt''. Er meint, dass die Platte, falls sie wirklich ein Zubehör des Fürstensteines war, zum Schutze des Steines auf ihn gelegt wurde, so dass das Ganze wie ein Tisch aussah. Diese rationalistische Annahme lässt sich m. E. nicht aufrechterhalten. Es ist nicht einzusehen, warum man hätte eine so überaus grosse und schwere Steinplatte zum Schutze des verhältnismässig kleinen und niedrigen Säulenfragmentes verwenden sollen, wo doch, falls man einen Schutz überhaupt für nötig erachtete, ein kleiner, rasch herzustellender und erforderlichenfalls rasch wieder zu beseitigender Ueberbau aus Holz diesen Zweck viel besser hätte erfüllen können. Der Hyper-Kriticismus, mit dem Puntschart die Angabe S. M. Mayer's wertet, ist m. E. nicht gerechtfertigt und

[1] s. Puntschart, S. 17.

nur verständlich, wenn man erwägt, dass er aus der scheinbaren
Unerklärbarkeit der Tischform des Fürstensteines die leicht
verzeihliche Folgerung ableitete, dass dieser Tischcharakter in
Wirklichkeit nie bestanden haben könne, oder dass die Platte
nur zum Schutze des Steines verwendet worden sei.

Ich bin an dieser Stelle auf den Einwand gefasst, dass die
Darstellung des Fürstensteines in H. Megiser's Chronik von
Kärnten (1612) den Stein als Säulenfragment[1]) und nicht in
der Tischform zeige. Diesem Einwande gegenüber ist nun
zunächst darauf aufmerksam zu machen, dass die Holzschnitte
bei Megiser „überhaupt nicht ganz zuverlässig"[2]) sind; sodann
gelangt, was die genannte Abbildung selbst betrifft, Puntschart
zu dem Ergebnisse, dass sie „für unrichtig"[3]) anzusehen sei,
weil das auf diesem Bilde am Fürstenstein erscheinende Wappen
nicht mit jenem übereinstimmt, das nach der ganzen Sachlage
erwartet werden sollte, nämlich mit dem seit Mitte des 13. Jahrhunderts in Kärnten üblichen Landeswappen, das, nach dem
Berichte der Kärntner Landstände zu schliessen, schon vor
dem Jahre 1564 in den Fürstenstein eingemeisselt worden sein
musste. Es sind dies Verdachtsmomente genug, um auch unserer-
seits die Zuverlässigkeit jener Abbildung ernstlich in Frage
zu stellen. Megiser dürfte sich, was ich für wahrscheinlicher
halte, nur auf fremde Angaben und Daten gestützt oder, wenn
er den Stein selbst besichtigt hat, ihn nur flüchtig aufgenommen
haben. In beiden Fällen konnte es ihm leicht entgehen, dass
jene Steinplatte, von der uns S. M. Mayer berichtet, ursprünglich
zum Fürstensteine als Tischplatte gehört habe. Nichts hindert
uns, anzunehmen, dass zu seiner Zeit — zweihundert Jahre
nach der letzten „Herzogseinsetzung" — jene Platte, von deren
einstmaliger Zugehörigkeit zum Stein die traditionelle bildliche
Darstellung der Ceremonie Zeugnis ablegt, schon von der Tisch-

---

[1]) vgl. H. Megiser, Annales Carinthiae, S. 482.

[2]) vgl. Puntschart, S. 12, Anm. 1.

[3]) s. Puntschart, a. a. O.; über die Unzuverlässigkeit Megiser's
vgl. die von Dürnwirth in der „Carinthia", Jg. 1902, S. 67 angeführten
Worte aus Merian's Topographia provinciarum Austriacarum, die 1649,
also wenige Jahrzehnte nach Megiser's Chronik, erschien.

säule getrennt war.[1]) Man werfe hier nicht ein, dass die genannten Bilder späteren Ursprungs seien als die Zeichnung des
Fürstensteines bei Megiser; denn aller Wahrscheinlichkeit
nach sind die Abbildungen bei Valvasor und Fugger
nicht die ersten, die dem Sujet der „Einsetzung" galten,
sondern nach bereits vorhandenen Vorlagen angefertigt worden.
Es wäre merkwürdig, wenn die Fürstenstein-Ceremonie zur Zeit,
da sie noch in Uebung stand — ich denke hier besonders an
die berühmten „Einsetzungen" Meinhard's und Ernst's des
Eisernen —, keine bildlichen Darstellungen gefunden hätte,
solche vielmehr erst 250 Jahre nach dem Erlöschen des Brauches
entstanden wären. So kann, meine ich, die Abbildung Megiser's
dem damaligen Zustande des Steines ungefähr entsprochen haben
und trotzdem im Hinblick auf die bildliche Ueberlieferung die
Ansicht aufrecht erhalten werden, dass der Fürstenstein ursprünglich wirklich einem Steintische geglichen habe.

Wir dürfen nunmehr an die Erörterung des Berichtes der
österreichischen Reimchronik schreiten. Die Oertlichkeit der
„Einsetzung" wird von Ottokar folgendermassen geschildert:[2])

„ . . ein velt, lit bi Zol,

daz ist ze guoter mâze wit,

dar ûf ein stein lît,

an dem steine muoz man schouwen,

daz dar in ist gehouwen

als ein gesidel gemezzen".

Puntschart[3]) glaubt, dass der Reimchronist mit diesen
Worten auf den Herzogsstuhl gezielt habe, sonach der Meinung

---

[1]) In einem Schreiben an den Landverweser Welzer und Leonhard
von Kollnitz vom Jahre 1506 spricht Max. I. seine Geneigtheit aus, den
Gebrauch, die Lehen von dem Bauer auf dem Zollfelde zu empfangen,
wiederum aufzurichten und meldet von einem Schreiben an seinen Vize-
domamtsverweser, „derselbe möge einen Stuhl dazu machen und
aufrichten lassen". Vgl. v. Jaksch, Mitt. d. Inst. f. ö. G., Bd. 23, S. 320).
Sollte diese gewiss auffallende Wendung darauf zurückzuführen sein, dass
bereits damals die Tischplatte vom Säulenstumpf des Fürstensteines getrennt
war und dass diese Tatsache Max. I. bekannt war, so dass er für die ge-
plante „Einsetzung" die Wiedervereinigung beider Bestandteile des Bauern-
stuhles anordnen zu müssen glaubte?

[2]) vgl. Mon. Germ., Deutsche Chroniken, V. 1, v. 19991 ff.

[3]) s. Puntschart, S. 41.

Goldmann, Einführung.

gewesen sei, „Einsetzung" und „Huldigung" hätten als unmittelbar
aufeinanderfolgende Akte bei diesem Steinobjekt stattgefunden.
Er stützt sich hiebei hauptsächlich auf den Umstand, dass
Ottokar den „stein" auf dem Zollfelde, auf dem ja der Herzogsstuhl heute noch steht, gelegen sein lässt, während der Standort
des Fürstensteines sich zu Karnburg oder in unmittelbarer Nähe
Karnburg's, demnach, wie er meint, nicht mehr auf dem Zollfelde, befunden habe. Ich vermag dieser Argumentation keineswegs beizupflichten. Es ist nämlich bemerkenswert, dass der
Reimchronist auf die Worte: „ein velt, lit bi Zol" den Satz:
„daz ist ze guoter mâze wit" folgen lässt. Schönbach[1]), dem
diese Worte aufgefallen sind, weist der Forschung den richtigen
Weg, wenn er sagt: „Ich notiere weiters, dass mir der Zusatz
19992: daz ist ze guoter mâze wit . . . . . . nicht als blosse
Füllung des Reimes wegen gilt. Indem der Chronist ausdrücklich
darauf hinweist, dass das Zollfeld ze guoter mâze = „ausserordentlich weit" sich erstrecke, lässt er m. E. die Möglichkeit
offen, auch den „Fürstenstein" (später?) zu Karnburg in seine
Auffassung der Oertlichkeit mit einzubegreifen." Schon diese
Interpretation, welche augenscheinlich von der Annahme ausgeht,
dass der Fürstenstein zur Zeit Ottokar's sich auf der Karnburger Anhöhe[2]) befunden habe, genügt, um die Annahme
Puntschart's, der Reimchronist habe mit seinem „stein" nur
den Herzogsstuhl meinen können, weil nur dieser auf dem Zollfelde zu sehen gewesen sei, als irrig zu erweisen; denn Karnburg gehört zu jenen Ortschaften, die das Zollfeld umrahmen,[3])
und konnte daher von Ottokar, der ja dieses Feld, wie er
hervorhebt, sich ausserordentlich weit erstrecken lässt, sehr wohl
als zum Zollfelde gehörend betrachtet werden.

---

[1]) vgl. A. E. Schönbach, Mitt. d. Inst. f. öst. Gesch., 21. Bd.,
S. 519.

[2]) Wie aus dem in Parenthese gestellten „(später?)" hervorgeht, hält
es übrigens Schönbach keineswegs für ausgeschlossen, dass der Fürstenstein ursprünglich in der Talebene der Glan stand.

[3]) vgl. Pichler in „Wanderungen durch Steiermark und Kärnten",
geschildert von Rosegger, Pichler und A. v. Rauschenfels, S. 190.
Vgl. auch noch „Die österreichisch-ungar. Monarchie in Wort und Bild",
Band „Kärnten und Krain", S. 37, 166.

Nun lässt sich aber m. E. sogar vermuten, dass der Fürstenstein ursprünglich nicht einmal auf dem Hügel zu Karnburg,
sondern in der Nähe dieses Ortes, in der am rechten Glan-Ufer
befindlichen Talebene, die bis an die Ostseite der Karnburger
Anhöhe heranreicht,[1]) stand. Diese Ebene stellt eigentlich nur
eine Fortsetzung des ungefähr in gleicher Höhe liegenden
Zollfeldes dar; es lag deshalb für Ottokar nahe genug, sie in
die Bezeichnung „Zollfeld" einzubeziehen und dieses Vorgehen
durch den Zusatz „daz ist ze guoter mâze wit", der sonst schwer
zu begreifen wäre, zu rechtfertigen. Dass der Fürstenstein anfänglich in ebenem Felde und zwar in der gleichen Ebene wie
der Herzogsstuhl stand, scheint mir aus dem Berichte des
Aeneas Silvius unzweifelhaft hervorzugehen. Dieser Bericht
ist um so wertvoller, als dieser Autor, mag er auch seine
Schilderung erst einige Jahrzehnte nach der letzten „Einsetzung"
verfasst haben, aller Wahrscheinlichkeit nach das Zollfeld und
seine nächste Umgebung aus eigener Anschauung kannte.[2]) Im
Eingange seiner Darstellung der Einsetzungs-Ceremonie erzählt
er[3]), dass in der Nähe der Trümmerreste der Römerstadt
Virunum „in pratis late patentibus" ein Marmorstein aufgerichtet
sei, auf welchem der den Akt vollziehende Bauer Platz zu
nehmen habe. Nun folgt die Beschreibung der Ceremonie in
Anlehnung an den Bericht des Johannes von Victring, hierauf
die Schilderung der kirchlichen Feier zu Maria-Saal und endlich
die Erwähnung des Inthronisationsmahles. Am Schlusse heisst
es sodann vom Herzog: „. . . . in prata revertitur. Ibique pro
tribunali sedens ius petentibus dicit . . . . .". Wer diesen Bericht unbefangen überprüft, wird zugeben müssen, dass kein
Grund zur Annahme vorliege, dass Aeneas Silvius die
herzogliche Gerichtssitzung an dem im Beginne seiner Erzählung
genannten Marmorsteine vor sich gehen liess. Puntschart,
der diese Behauptung verficht, vermag für sie keine triftigen
Gründe vorzubringen.[4]) Wenn Aeneas Silvius sagt, dass die

---

[1]) vgl. den Situationsplan bei M. F. v. Jabornegg - Altenfels, Kärntens
römische Altertümer (1870), Tafel I.

[2]) vgl. Puntschart, S. 79.

[3]) s. Puntschart, S. 80.

[4]) Puntschart, S. 81; v. Jaksch, Mitt. d. Inst. f. öst. G., 23. Bd.,
S. 317, glaubt ebenfalls, dass Aeneas Silvius die ganzen Vorgänge beim
Herzogsstuhle sich abspielen lässt.

„Einsetzung" an einem „in pratis late patentibus" befindlichen
Steine erfolge und am Ende seines Berichtes davon spricht,
dass der Herzog zum Zwecke der Gerichtssitzung „in prata
revertitur" und hier „pro tribunali sedens" Recht spreche und
Lehen verleihe, so berechtigt dieses „in prata revertitur" doch
nur zur Annahme, dass auf diesem weithin sich ausdehnenden
Felde sowohl jener Marmorstein als auch der Richtersitz des
Herzogs stand, unter keinen Umständen aber zur Behauptung,
dass der herzogliche Richterstuhl und der Marmorstein des
Einsetzungsaktes vom Verfasser der „Europa" irriger Weise
für identisch gehalten worden seien. Es lässt sich sonach mit
guten Gründen vermuten, dass Aeneas Silvius gleich
Johannes von Victring, an dessen Schilderung der Einsetzungs-
Ceremonie er sich ja aufs Engste anlehnt,[1] Fürstenstein
und Herzogsstuhl scharf von einander geschieden habe.
Wenn nun angenommen werden darf, dass er beide Steinobjekte
auseinandergehalten hat und er sie beide auf demselben weithin
sich dehnenden Wiesenplane befindlich sein lässt, so folgt, dass
zu seiner Zeit der Fürstenstein in der Talebene der
Glan stand.

War dies nun der Fall, dann muss man, um den Bericht
des Aeneas Silvius in Uebereinstimmung mit dem des
Johannes von Victring zu bringen — dieser meldet ja,[2]
dass der Fürstenstein in der Nähe der Karnburger Kircho zu
sehen sei — annehmen, dass der Stein in der östlich vom
Karnburger Hügel am rechten Ufer der Glan flussaufwärts sich
erstreckenden Talfläche aufgerichtet gewesen sei; dann konnte
man nämlich, um den Standort des Steines ungefähr zu bestimmen, recht wohl die Karnburger Kirche als Orientierungs-
punkt wählen, da diese auf einer „nicht gerade bedeutsamen,
jedoch immerhin die Umgebung beherrschenden Anhöhe"[3] erbaut
ist, und die bezeichnete Talfläche gewiss zur nächsten Umgebung
dieses Hügels gerechnet werden darf. Auf diese Weise lassen
sich die Berichte des Aeneas Silvius, des Reimchronisten

---

[1] s. Puntschart, a. a. O.
[2] Puntschart, S. 47.
[3] s. Puntschart, S. 14.

und des Victringer Abtes aufs Beste vereinen: die genannte Talfläche liegt in der Nähe der Karnburger Anhöhe, da sie bis unmittelbar an diese heranreicht, sie kann, wenn man das Zollfeld „ze guoter mâze wit" sich erstrecken lässt, zum Zollfelde gerechnet werden und darf endlich auch zu den „pratis late patentibus", die sich in der Nähe des ehemaligen Virunum ausdehnen, gezählt werden. Die Richtigkeit dieses auf kombinatorischem Wege gewonnenen Resultates, das sich auf die Angaben dreier Gewährsmänner stützt, von denen einer (Aeneas Silvius) das Zollfeld und Karnburg höchstwahrscheinlich, die beiden andern wohl ganz bestimmt gekannt haben, wird nun auch durch die Tradition bestätigt; denn diese bezeichnet „einen Acker im Blachfelde östlich von der Karnburger Höhe als den ursprünglichen historischen Standort des Fürstensteines".[1]

Wir haben sonach erkannt, dass deshalb, weil der Reimchronist die Ceremonie der „Einsetzung" an einem auf dem Zollfelde befindlichen Steine vor sich gehen lässt, nicht schon unbedingt gefolgert werden dürfe, dass mit diesem Steine der Herzogsstuhl gemeint sei. Es hat sich uns ferner gezeigt, dass der Zusatz „daz ist ze guoter mâze wit" vielmehr darauf schliessen lasse, dass Ottokar bei seiner Schilderung an den Fürstenstein gedacht habe, dass sonach der Vorwurf, der Reimchronist habe in den citierten Versen sich einen fundamentalen Irrtum zu schulden kommen lassen, nicht ausreichend begründet ist.

In der Annahme, dass unter dem „stein" der Reimchronik der Herzogsstuhl zu verstehen sei, geht nun Puntschart an die Interpretation der diesen Stein schildernden Verse. Er fasst ihren Inhalt in folgenden Worten zusammen: „Darauf befindet

---

[1] vgl. Puntschart, S. 15; Carinthia, Jg. 1871, S. 26. Vielleicht darf man als Zeugnis für die Richtigkeit dieser Ueberlieferung auch den Bericht Megiser's anführen; denn dieser sagt vom Fürstenstein, dass er zu Karnburg, ungefähr eine Meile unterwegs von Klagenfurt, „im Feld" stehe. Die Wendung „im Feld" scheint m. E. darauf hinzudeuten, dass Megiser hier an die an die Karnburger Anhöhe heranreichende Ebene gedacht hat. In ähnlicher Weise dürfte auch der Autor in der Carinthia, Jg. 1812. Nr. 28 die angeführten Worte Megiser's interpretiert haben.

sich ein Stein, in den ein Sitz gehauen ist".[1]) Auf Grund
dieser Deutung gelangt er dazu, gegen Ottokar einen neuerlichen
Vorwurf zu erheben. Da er nämlich der Ansicht ist, dass zur
Zeit, in der der Reimchronist schrieb, der gegen Osten gewendete,
in seinen Formen gefälligere Sitz des Doppelstuhles der Herzogssitz gewesen sei,[2]) so meint er, dass, wie ein Blick auf die
von ihm beigegebene Abbildung lehre, die Schilderung der Reimchronik auf diesen nicht zutreffen könne, wohl aber auf den
westlichen, den Pfalzgrafensitz, wie er heutigentags genannt
wird, augenscheinlich weil dieser eine schwache, muldenförmige
Vertiefung aufweist.[3]) Es habe also Ottokar den Herzogssitz
mit dem Pfalzgrafensitz verwechselt. Bei diesen Ausführungen
geht Puntschart von der Voraussetzung aus, dass das Wort
„gesidel" einen für eine einzige Person bestimmten Sitz be-
zeichne. Schönbach[4]) hat nun nachgewiesen, dass diese Voraussetzung irrig ist, da „gesidel" das Kollektivum zu „sedel"
(= „einzelner Sitz"), also eine Vereinigung von mehreren,
mindestens zwei Sitzen darstellt. Während sonach aus der
Puntschart'schen Interpretation sich kein weiteres schlag-
kräftiges Argument für seine Annahme ergibt, dass unter dem
„Steine", von dem der Chronist spricht, der Herzogsstuhl zu
verstehen sei — auch der Fürstenstein könnte bei seiner Auffassung des Wortes „gesidel" und seiner Anschauung über die
damalige Gestalt des Steines ein „gesidel" in seinem Sinne genannt werden — zeigt sich andererseits, dass die von Schönbach
gegebene Deutung des Wortes „gesidel" die Behauptung, dass
Ottokar mit seiner Beschreibung auf den Herzogsstuhl gezielt
habe, mächtig zu stützen scheint; denn der Herzogsstuhl, wie
er heute sich unseren Blicken darstellt, ist wirklich ein „gesidel",
ein Doppelstuhl mit gemeinsamer Rückenlehne. Deshalb sagt
auch Schönbach, der doch selbst der Meinung ist, dass der
Reimchronist sich durch den Satz „daz ist ze guoter mâze wit"
die Möglichkeit offen halten wollte, den Fürstenstein in seine

---

[1]) vgl. Puntschart, S. 31.
[2]) vgl. Puntschart, S. 41.
[3]) s. Puntschart, S. 23.
[4]) s. Schönbach. S. 250 f.

Auffassung der Oertlichkeit einzubeziehen: „Vom Fürstensteine
hätte der Chronist das Wort gesidel nicht gebrauchen können;
zum Herzogsstuhle passt der Ausdruck vortrefflich".[1]

So bestechend diese Ansicht Schönbach's auch sein mag,
so glaube ich doch sie ablehnen zu müssen. Es darf nämlich
einerseits behauptet werden, dass Ottokar die Bezeichnung
„gesidel" sehr wohl auf den Fürstenstein anwenden
durfte, andererseits bestehen gewichtige Gründe für die Annahme, dass der Herzogsstuhl zur Zeit, da der Reimchronist schrieb, noch gar kein Doppelstuhl gewesen
ist, sondern nur aus einem Sitze bestanden hat. — — —

Es wurde bereits ausgeführt, dass die Tatsache des Vorhandenseins jener steinernen Tischplatte an der Karnburger
Kirche im Verein mit der traditionellen bildlichen Darstellung
der „Herzogseinsetzung" zur Annahme berechtige, dass der
Fürstenstein einst ein tischförmiges Objekt mit einer grossen,
runden Tischplatte aus Stein gewesen sei. Auf dieser runden
Steintafel hatte nun der Herzogsbauer Platz zu nehmen. Wie
nun die uns erhaltenen Abbildungen und die Angaben
S. M. Mayer's über die Grösse jener Karnburger Platte beweisen, bot diese für weit mehr als eine einzige Person Sitzgelegenheit. Wenn nun der Fürstenstein „so beschaffen war,
dass mehrere Leute darauf sitzen konnten, dann passt
natürlich „gesidele" auch auf ihn."[2] Ich glaube nun

---

[1] s. Schönbach, a. a. O.

[2] Gefällige Mitteilung des Herrn Hofr. Prof. A. E. Schönbach an
den Verfasser. — Wenn Schönbach dieser Mitteilung den einschränkenden
Nachsatz hinzufügt: „Eine Vorstellung von einer tischförmigen Sitzgelegenheit habe ich allerdings nicht und meine, Tisch und Sitzplatz seien auch
in alter Zeit immer auseinandergehalten worden", so möchte ich dieser Bemerkung gegenüber an dieser Stelle, die eine eingehendere Erörterung dieses
Punktes nicht gestattet, nur auf folgendes hinweisen. Nach Lippert's
Darlegungen (Culturgeschichte, 1. Bd., S. 336—340) „waren die beiden
jetzt getrennten Stücke „Stuhl" und „Tisch" vordem in einem älteren vereinigt." (Lippert, a. a. O., S. 340). Vgl. auch Grimm, Deutsche Mythologie[3], 2. Bd., S. 895; „Der oberste Teufel sitzt in der Mitte auf einem
grossen steinernen Tisch, dem alle durch Knien und Küssen ihre Ehrfurcht
beweisen". Die Frage, weshalb der tischförmige Fürstenstein bei der
Herzogseinsetzung als Sitzobjekt diente, wird im 7. Abschnitt zur eingehenden
Erörterung gelangen.

nicht bloss aus einer Kombination der bildlichen Ueberlieferung mit dem Berichte S. M. Mayer's schliessen zu dürfen, dass der Reimchronist mit dem Worte „gesidel" auf den Fürstenstein gezielt haben könne, sondern vermeine auch einer Andeutung des Johannes von Victring entnehmen zu dürfen, dass der Fürstenstein für mehrere Personen Platz geboten habe, wodurch die Berechtigung der Wahl des Ausdruckes „gesidel" für den Fürstenstein durch ein zweites, von dem ersten unabhängiges Argument dargetan wäre.

Johannes von Victring[1]) berichtet, dass die Antwort auf die erste Frage des Herzogsbauers „a consedentibus" gegeben werde, nachdem er diesen als „super lapidem sedens" bezeichnet hat. Wie dieses „consedentibus" zu erklären sei, darüber herrscht Streit. Man hat geglaubt[2]), der Abt habe sich verschrieben (!) und „concedentibus" (von „concedere" — „accedere, incedere") schreiben wollen, also auf die Begleitung des Fürsten gezielt. Diese Verlegenheitshypothese scheint auch Puntschart „nicht undenkbar"[3]) zu sein, obzwar er ihr eine andere Deutung des Wortes vorziehen möchte. Auch er kann sich nämlich nicht dem Gewichte der m. E. jeden Zweifel ausschliessenden Tatsache entziehen, dass sowohl der Entwurf des Berichtes des Abtes, als auch die Reinschrift selbst ein deutliches „consedentibus" aufweisen. Er hält es deshalb für wahrscheinlicher, dass Johannes von Victring an sitzende Personen gedacht habe, und meint, dass in den ersten Reihen der Zuschauer durch Alter oder Ansehen bevorzugte Personen bäuerlichen Standes lagerten; von diesen sei die Antwort auf die Fragen des Herzogsbauers ausgegangen. Nun hat aber bereits Tangl[4]) darauf aufmerksam gemacht, dass dies Lagern von bäuerlichen Teilnehmern in den ersten Reihen wegen der grossen, von weit und breit zusammengeströmten Menschenmasse, die an dem Akte teilnahm, nicht möglich gewesen sei. Auch ich möchte meinen, dass die Schaubegierde bei dem so seltenen und merkwürdigen Drama notwendigerweise zu einem engen Zusammendrängen der vordersten Reihen führen musste, so dass

---

1) vgl. Puntschart, S. 64 fg.
2) s. Tangl bei Puntsch. a. a. O.
3) s. Puntschart, S. 65.
4) s. Tangl, a. a. O.

ein gemächliches Lagern dieser durch ihren Standplatz begünstigten Zuschauer von den Hintermännern wohl kaum geduldet worden wäre. Es bleibt deshalb m. E. nur übrig anzunehmen, dass die Antworter mit dem Herzogsbauer zusammen
auf dem Steine gesessen seien. In dieser Ansicht bestärkt
mich der Umstand, dass in dem Entwurfe der Handschrift dem
„consedentibus" noch ein „sibi" folgt.[1]) Hiedurch wollte m. E.
der Abt in einer jeden Zweifel bannenden Deutlichkeit darauf
hinweisen, dass die „consedentes sibi" mit dem „einsetzenden"
Bauer zugleich auf dem Fürstensteine gesessen seien. Da nun
aber der uns erhaltene Säulenstumpf nur einer einzigen Person
Raum zum Sitzen gewährt, so wird man zur Annahme gedrängt,
dass der Stein zur Zeit des Johannes von Victring eine
Form gehabt haben müsse, die das Sitzen mehrerer Personen
ermöglichte, dass er also damals noch ein „gesidel", eine
Sitzgelegenheit für mehrere Personen darstellte.

Man wird nun einwenden, dass die eben vorgetragene Behauptung sprachlich zwar vollkommen zutreffend sei und dem
Wortlaute des Berichtes aufs beste gerecht werde, dass ihr
aber sachliche Bedenken entgegenstünden. Man könnte sagen,
„der Herzogsbauer hätte auch beim Sitzen ausgezeichnet sein
müssen, und diese Prärogative wäre verloren gegangen, wenn
er mit den übrigen zusammen sich auf einer Sitzgelegenheit
befand.[2])" Dieser Einwand ist an sich gewiss erwägenswert,
sofern man annimmt, dass zur Zeit des Johannes von Victring
die alten Bräuche noch getreulich eingehalten worden seien.
Dies war nun aber, wie wir bestimmt wissen, nicht der Fall.
Der Abt berichtet nämlich von der „Einsetzung" Otto's des
Freudigen, aus der er augenscheinlich seine Kenntnis der
Ceremonie schöpfte: „Multa tamen in huius festi observatione sunt
improvide pretermissa quia oblivioni tradita......"[3]). Zu
diesen vielen Abweichungen von der alten Sitte kann auch der
Brauch gehört haben, dass die Antworter neben dem Herzogs-
bauer auf dem Steine Platz nahmen. Ob Johannes von Victring

---

[1]) s. Puntschart, S. 64.
[2]) Gefällige Mitteilung des Herrn Hofr. Prof. A. E. Schönbach an
den Verfasser.
[3]) s. Puntschart, S. 54.

mit diesen „consedentes" die den Herzog geleitenden Landherren gemeint hat, die nach der Reimchronik für ihn zu antworten hatten, oder ob er bäuerliche Antworter im Auge hatte, die zu seiner Zeit, im Widerspruch zu der früheren Uebung, an die Stelle der Landherren getreten waren, lässt sich natürlich nicht entscheiden. Uebrigens wäre noch zu bezweifeln, ob der Bauer durch den Umstand, dass die Antworter mit ihm auf demselben Sitze sassen, sonderlich viel an seiner bevorzugten Stellung eingebüsst hätte; denn neben dem Herzog blieb er ja auch bei dieser Situation die Hauptperson des Schauspiels. Sonach glaube ich die oben gegebene Interpretation des „a consedentibus sibi" aufrechterhalten und in diesen Worten einen Beweis für meine Behauptung erblicken zu dürfen, dass der Fürstenstein für mehrere Personen Sitzgelegenheit bot, dass deshalb das Wort „gesidel" auf ihn mit Recht angewendet werden konnte.

Ich habe bereits in kurzer Andeutung erwähnt, dass m. E. der Herzogsstuhl zur Zeit der Abfassung der österreichischen Reimchronik noch kein Doppelstuhl gewesen sei, dass man demnach damals ihn noch nicht hätte mit dem Worte „gesidel" bezeichnen dürfen.

Wäre diese Vermutung richtig, dann wäre selbstredend ein Zweifel an den eben vorgetragenen Ausführungen, die dahin gingen, dass Ottokar mit dem Worte „gesidel" auf den Fürstenstein gezielt habe, nicht mehr möglich; wäre diese Annahme hingegen unzutreffend, hätte demnach der Herzogsstuhl am Ende des 13. Jahrhunderts bereits einen Doppelstuhl dargestellt, so wäre damit m. E. noch keineswegs erwiesen, dass der Reimchronist mit der Bezeichnung „gesidel" nur den Herzogsstuhl gemeint haben könne, da ja, wie dargetan wurde, genügende Indicien dafür sprechen, dass auch der Fürstenstein diesen Namen verdiente. Die Behauptung nun, dass der Herzogsstuhl in jener Zeit, in der Ottokar schrieb, nur aus einem Sitze bestand, so befremdend sie vielleicht auch für den ersten Augenblick klingen mag, lässt sich, so vermeine ich, durch gewichtige Argumente stützen. Um dies zu erweisen, wird es einer längeren Ausführung bedürfen.

Der gegen Osten gewendete Stuhl, auf dem nach späten, erst aus der zweiten Hälfte des 16. Jahrhunderts[1])

---

[1]) vgl. Puntschart, S. 121, 123.

stammenden Nachrichten der Herzog sich niederliess, ist
offenkundig erst später errichtet worden als der westliche,
auf dem der Pfalzgraf von Kärnten bei der „Huldigung" Platz
genommen haben soll. Während nämlich das eigentliche Sitzobjekt des Pfalzgrafenstuhles ein unförmlicher, roher Steinblock ist[1]), hat der Sitzplatz des Herzogsstuhles „die Form
eines rohen Kapitäls mit einer auffallend hohen Platte, welche sich
schon mehr der Form eines „Kämpfers" nähert."[2]) Puntschart
kommt zum Schlusse, dass dieses Kapitäl nicht spätrömisch sein
könne, denn eine so hohe, plumpe Platte sei nicht antik. Es
könne daher „als solches auch nicht den Trümmern Virunum's
entnommen sein, wie dies bei den anderen Bestandteilen des
Herzogsstuhles wohl der Fall ist." Das Kapitäl zeige „vielmehr den Charakter des Verfalles zur Zeit des 7.—11. Jahrhunderts." Hieraus geht hervor, dass der Sitzblock des „Pfalzgrafenstuhles" älter ist als das kämpferartige Kapitäl der
Ostseite. Auch in den Stufen der beiden Sitze zeigen sich
bemerkenswerte Verschiedenheiten.[3]) Zum westlichen Stuhle
führt nur eine Trittstufe, zum östlichen hingegen zwei. Die
Stufe des Pfalzgrafenstuhles ist „ungleich roher gearbeitet" als
jene der Ostseite, „wenn man von einer Bearbeitung überhaupt
reden kann." Puntschart, der, wie aus den angeführten
Worten hervorgeht, den Altersunterschied der beiden Stühle
wohl erkannt hat, nimmt nun, um seine Behauptung[4]), dass der
Herzog seit den ältesten Zeiten auf der östlichen[5]) Seite
Platz genommen habe, aufrecht erhalten zu können, an, dass
der heute auf der Westseite befindliche Sitzblock ursprünglich
zum östlichen Sitze gehört habe und erst später mit dem Kapitäl

---

[1]) s. Puntschart, S. 23.
[2]) s. Puntschart, S. 20 f.
[3]) vgl. Puntsch., S. 25.
[4]) Puntschart, S. 274.
[5]) Augenscheinlich schwebte Puntschart bei dieser Annahme die
Tatsache vor Augen, dass nach germanischer, indischer und bithynischer
Sitte der Richter im Westen der Gerichtsstätte sitzen und gegen Osten
schauen solle; vgl. Grimm, Rechtsaltertümer[4], 2. Bd., S. 430 fg.; Usener,
Ueber vergleichende Rechts- und Sittengeschichte, Verb. d. 42. Versamml.
deutscher Philol. u. Schulmänner in Wien 1893, S. 27. Dieser Uebung ist
indes die keltische direkt entgegengesetzt. Nach den Gesetzen von Wales

vertauscht worden sei.[1]) Deshalb behauptet er auch, dass die
zweite Trittstufe des Ostsitzes möglicherweise erst in sehr später
Zeit hinzugefügt wurde.[2]) Wären diese Suppositionen richtig,
dann wäre natürlich der Herzogsstuhl der ältere, der Pfalz-
grafenstuhl der jüngere Teil des Steinobjektes, und man dürfte
dann auch annehmen, dass es bereits in der Zeit des selbständigen
slovenischen Staates so gehalten worden sei, wie bei der „Huldigung"
des Jahres 1564, dass nämlich der Herzog sich auf dem Ost-
sitze niederzulassen hatte. Gegenüber diesen — man darf wohl
sagen — gekünstelten Behauptungen, die jeder quellenmässigen
Begründung entbehren und das klar zutage liegende Alters-
verhältnis der beiden Stühle in das gerade Gegenteil verkehren,
nur zu dem Zwecke, um eine Uebereinstimmung zwischen einer
vermeintlichen Uebung der slovenischen Urzeit und dem Huldigungs-

---

soll der Richter der Sonne den Rücken kehren, um nicht von ihrem Scheine
gehindert zu werden (Grimm, a. a. O., S. 433). — Ich habe es zur Klar-
stellung der in Rede stehenden Detailfrage für notwendig erachtet, über die
Orientation der in Bosnien und in der Herzegowina aufgefundenen Gerichtsstühle Erkundigungen einzuholen. Herr Hofrat Constantin Hörmann,
Director des bosn.-herz. Landesmuseums in Sarajevo, hatte die Güte, mir
hierüber folgende Mitteilungen zu übermitteln: 1) Der „Herzogsstuhl" in
Kosor bei Blagoj unweit Mostar (im Volksmunde „Hercega Stjepana stolica"
genannt) war bei der Hebung gegen Süden orientiert, doch ist es sehr
fraglich, ob er ursprünglich so stand. Einige Anzeichen sprechen dafür,
dass der Stuhl durch natürliche Einsenkung oder durch menschliche Einwirkung (Schatzgräbersucherei!) die ursprüngliche Orientierung einbüsste.
2) Die zwei aus natürlichen Felsblöcken roh ausgehauenen Gerichtsstühle
des Vojvoden Stipan Miloradović bei Ošanić sind genau nach Osten
orientiert. 3) Der Gerichtsstuhl des Ivan Pavlović in Bukovica ist gleichfalls nach Osten orientiert. „Für unser Gebiet", schreibt Herr Hofrat,
Hörmann, hat bei unseren Gerichtsstühlen der Ostsitz Bedeutung und
entschieden mehr Anspruch auf höheres Alter als der Westsitz". Ich stehe
nicht an, zu bekennen, dass diese Mitteilungen zu Gunsten der von
Puntschart vertretenen Ansicht sprechen. indes darf nicht übersehen
werden, dass die Wertung der einzelnen Himmelsgegenden bei den indogermanischen Stämmen eine wechselnde ist. Während der Norden bei den
Indern vielfach als die Glücksrichtung bezeichnet wird (Negelein, Zschr.
f. Ethnologie, Jg. 1902, S. 87, Anm. 6), gilt er den ihnen doch so nahe
verwandten Persern (vgl. A. I. H. W. Brandt, Die mandäische Religion,
1889, S. 177) als die „böse Himmelsgegend".

[1]) s. Puntschart, S. 21, 274.
[2]) s. Puntschart, S. 28.

ceremoniell des endenden 16. Jahrhunderts zu erzielen, darf m. E.
ruhig behauptet werden, dass der westliche Sitz der ältere,
der östliche der jüngere sei, und dass mit der Hypothese
einer Vertauschung beider Sitze nicht operiert werden dürfe.
Daraus folgt, dass der von Puntschart als „Huldigung" bezeichnete Rechtsakt anfänglich am Westsitze vor sich ging.

In welcher Zeit wurde nun der Herzogsstuhl zum Doppel-
gestühl gestaltet? Puntschart gibt hierauf folgende Antwort:[1]
„Ich möchte nun meinen, dass der zweite Sitz nicht erst in
der Zeit des deutschen Herzogtums, sondern bereits zur Zeit
der slavischen Bauernfürsten und zwar gegen Ende des achten
Jahrhunderts aufgerichtet wurde. Denn, ist auch der ursprünglich
westliche Sitz in seiner Form gefälliger, als der ursprünglich
östliche, so weist doch auch er vielmehr auf die Epoche der
fränkischen Organisation, in welcher der deutsche Staat sich
noch den primitiven Zuständen eines rohen slavischen Bauernstaates anpassen musste, als auf die Zeit des deutschen Herzogtums, welches keinen slavischen Staat mehr kennt. Letzteres
dürfte somit den zweiten Sitz nur übernommen haben. Dann
aber ist in ihm ebenso ein Richterstuhl zu sehen wie im östlichen.
Und dann war er vielleicht für einen Königsboten als unmittelbaren Stellvertreter des fränkischen Königs „ad justitias faciendas"
bestimmt. Ueber den slavischen Bauernfürsten mochte er hier
zu Gericht gesessen sein". Aus diesen Ausführungen geht hervor,
dass Puntschart, obzwar er der Meinung ist, dass der „ursprünglich westliche Sitz" auch aus der nach ihm mit dem
Ende des 9. Jahrhunderts beginnenden Epoche des deutschen
Herzogtums stammen könne, doch die Hinzufügung dieses
Stuhles bereits in der Zeit Karl's des Grossen erfolgen lässt.
Puntschart war, wie mit Rücksicht auf den Rahmen dieser
Untersuchung hier nicht weiter ausgeführt werden kann, zu
dieser Annahme durch die Natur seines Deutungsversuches
förmlich gezwungen, da es ihm, wollte er das kunstreiche Ge-
füge seines Hypothesenbaues nicht gefährden, vor allem darauf
ankommen musste, von der Institution der spätmittelalterlichen
Pfalzgrafschaft von Kärnten aus über mehrere Jahrhunderte

---

[1] vgl. Puntschart, S. 280.

hinweg eine verbindende Brücke zu schlagen zu dem seines
Erachtens in karolingischer Epoche in Kärnten bestandenen
Königsboten-Amte. Er glaubte das Pfeilerwerk dieser in kühnem
Bogen geführten Verbindungsbrücke nur zu stärken, wenn er
annahm, der zweite Sitz sei bereits in der Zeit Karl's des
Grossen für die Königsboten aufgerichtet worden; denn dann
konnte er darauf hinweisen, dass der von ihm behauptete
historische Konnex zwischen den spätmittelalterlichen Pfalzgrafen
von Kärnten und den karolingischen Königsboten auch in der
Geschichte des Rituals der „Herzogshuldigung" zum Ausdrucke
komme: so wie nach einer aus der Mitte des 15. Jahrhunderts
stammenden Nachricht der Pfalzgraf von Kärnten bei der
„Huldigung" „ab alia parte" des Herzogsstuhles Platz zu
nehmen hatte[1]), so habe bereits 650 Jahre früher der missus
sich auf dem für ihn erbauten zweiten Stuhle niedergelassen.
Es wird sich uns nun aber im zehnten Abschnitte dieser Untersuchung zeigen, dass dieser geschichtliche Zusammenhang zwischen
den kärntnerischen Pfalzgrafen des endenden Mittelalter und
den Königsboten der Karolingerzeit nicht zu erweisen ist.
Durch diesen hier in seinen Resultaten vorweggenommenen
Nachweis entfällt jede Nötigung, den Zeitpunkt der Errichtung
des jüngeren der beiden Steinsitze in die Periode der fränkischen
Organisation zu verlegen. Nichts hindert uns nunmehr anzunehmen, dass er erst in viel späterer Zeit aufgerichtet worden
sei, wofür ja auch, wie das gefälligere Aussehen dieses Sitzes
beweist, die Vermutung von vorneherein spricht. Ich
sehe nun, um die Hinzufügung dieses zweiten Stuhles zum
ursprünglichen altslovenischen Herzogsstuhl in befriedigender
Weise erklären zu können, keine andere Möglichkeit gegeben,
als anzunehmen, dass auch der später aufgerichtete Stuhl ein
für einen Herzog bestimmter Sitz gewesen sei, kurzum, dass
der Ostsitz erst aus einer Zeit stammen könne, wo in Kärnten
bereits Doppelbelehnungen üblich geworden waren. Da im
Volke die Anschauung galt[2]), dass die richterliche und lehensherrliche Tätigkeit des Herzogs nur dann rechtlich vollwirksam

---

[1]) vgl. den Bericht Thomas Ebendorfers bei Puntschart, S. 78.
[2]) vgl. oben, S. 26.

sei, wenn der Herzog in feierlicher Weise auf dem Leben- und Richterstuhl des Landes Platz genommen habe, so musste die gleiche Anschauung auch für den Fall einer Doppelherrschaft zutreffen; hier musste die Rechtsauffassung des Volkes fordern, dass beide Fürsten sich auf dem Richterstuhle des Landes niederliessen. Da dieser aber nur für eine Person Raum bot, so musste oben ein zweiter Sitz hinzugefügt werden. Ich glaube, dass sich auf diese Weise die Doppelstuhlform des Herzogsstuhles am einfachsten erklären liesse, ohne dass es erst eines weitverzweigten Gerüstwerkes von Hypothesen und Hilfsannahmen bedürfte.

Der Fall, dass mehrere Personen sich in die Herrschaft des Landes Kärnten teilten, ereignete sich zum erstenmale im Jahre 1295[1]), als nach dem Tode des Herzogs Meinhard dessen drei Söhnen Otto, Ludwig und Heinrich die Regierung des Landes zufiel. Puntschart glaubt nun annehmen zu dürfen, dass Meinhards Söhne sich der Ceremonie der „Huldigung" nicht unterzogen hätten. Ich schliesse mich dieser Behauptung, die mir hinreichend gestützt zu sein scheint, an, hauptsächlich deshalb, weil Johannes von Victring, der doch in engen Beziehungen zu Herzog Heinrich stand, davon, dass die drei Nachfolger Meinhards die alten Huldigungsbräuche eingehalten hätten, nichts zu vermelden weiss.[2]) Es konnte sich somit im Jahre 1295, gerade zu jener Zeit, da der österreichische Reimchronist bereits mit der Niederschrift seines Werkes beschäftigt war, noch nicht die Nötigung ergeben haben, zum alten Herzogsstuhl einen neuen hinzuzufügen; deshalb konnte Ottokar, da der Herzogsstuhl damals nur aus dem nach Westen gerichteten Sitze des heutigen Doppelstuhles bestand, den Herzogsstuhl noch nicht ein „gesidel" nennen.

Wann der zweite Stuhl in der Folgezeit aufgerichtet wurde, lässt sich schwer bestimmen. Die Nachfolger der Söhne Meinhards waren Otto der Freudige und Albrecht der Lahme aus dem Hause Oesterreich[3]): also ein Fall der Doppelherrschaft.

---

[1]) vgl. Puntschart, S. 104 f.

[2]) vgl. jetzt auch v. Jaksch, Mitt. d. Inst. f. öst. Gesch., Bd. 23, S. 318.

[3]) vgl. Puntschart, S. 106.

Möglicherweise wurde damals, als man die Vorbereitungen zur
Vornahme der Inthronisationsbräuche traf, der Ostsitz errichtet;
doch möchte ich es für wahrscheinlicher halten, dass auch zu
diesem Zeitpunkte an der alten Form des Herzogsstuhles nichts
geändert wurde, da sich im Jahre 1335 nur Otto den Ceremonien
unterzog und nichts darauf hindeutet, dass damals die Teilnahme
A l b r e c h t s an der Ceremonie geplant war und nur im letzten
Augenblicke unterlassen wurde.   Im Jahre 1342 sah sich
A l b r e c h t veranlasst, genötigt durch das Vorgehen L u d w i g s,
des Sohnes K a r l s IV., der Ansprüche auf Kärnten erhob, an
die Vornahme der „Huldigung“ zu denken.[1]) Ich glaube nun
mutmassen zu dürfen, dass A l b r e c h t es war, der den
östlichen Sitz errichten liess. Es heisst nämlich von ihm bei
J o h a n n e s v o n V i c t r i n g: „Unde dispositis necessariis se et
unum de fratruelibus sublimare statuit in solium ducatus
Karinthie juxta consuetudinem ante dictam. Et cum
ad punctum fiendi negotium pervenisset, se ipsum ad thronum
huius glorie precipit elevari . . . . .“.[2]) Aus diesen Worten
des Abtes geht hervor, dass A l b r e c h t anfänglich die Absicht
hatte, sich und einen seiner Neffen auf das solium ducatus
Karinthie, d. i. eben den Herzogsstuhl, setzen zu lassen und
hiezu alle erforderlichen Vorbereitungen traf. Zu diesen Vorbereitungen muss, so meine ich, auch die Aufrichtung eines
zweiten Stuhles gehört haben, da der alte Herzogsstuhl
für zwei nebeneinandersitzende Personen wohl kaum Platz geboten hätte, und selbst wenn dies der Fall gewesen wäre, die
Feierlichkeit des Aktes durch dieses enge Nebeneinandersitzen
der beiden Inthronisanden bedenklich gelitten hätte. Als es
nun zur Ausführung seines Entschlusses kommen sollte, änderte
A l b r e c h t plötzlich knapp vor der Inthronisationsfeier
zur grossen Ueberraschung der Kärntner Stände seinen Plan[3])
und liess nur sich allein auf den Stuhl von Kärnten erheben.

Ausser dem eben gesetzten Falle hätte sich nur noch im
Jahre 1365 die Notwendigkeit der Errichtung eines zweiten

---

[1]) s. Puntschart, a. a. O.

[2]) s. Puntschart, S. 49.

[3]) s. Puntschart, S. 106 f.

Stuhles ergeben können. In diesem Jahre übernahmen nämlich Albrecht III. und Leopold III., die Brüder Rudolfs IV., gemeinschaftlich die Regierung von Kärnten[1]). Ob sie sich den Ceremonien der „Huldigung" unterworfen haben, wissen wir nicht, da uns jede ausdrückliche Nachricht hierüber fehlt. Hätten sie sich „huldigen" lassen, dann hätte, falls der Herzogsstuhl damals noch nicht die heutige Gestalt besessen hat, ein zweiter Stuhl aufgerichtet werden müssen. Doch darf man wohl wegen des Schweigens der Quellen mutmassen, dass sich die beiden Herzöge über die alte Gewohnheit hinweggesetzt haben[2]), dass sonach der Ostsitz des Herzogsstuhles nicht erst unter ihrerRegierung, sondern schon unter Albrecht dem Lahmen im Jahre 1342 aufgestellt worden sei.

Man wird gegen die Annahme einer so späten Entstehung des Ostsitzes vielleicht einwenden, dass, da das bei diesem Sitze verwendete kämpferähnliche Kapitäl der Kunst des 7.—11. Jahrhunderts zugehöre, auch der östliche Stuhl mindestens vor dem Ende des 11. Jahrhunderts errichtet worden sein müsse. Ich vermag dieses Gegenargument nicht als durchgreifend anzuerkennen. Geradeso, wie zum Westsitze Steine benützt wurden, die der vorslovenischen Periode Kärntens entstammen[3]), so konnte man auch bei der Aufstellung des neuen Stuhles ein einer früheren Kunstepoche angehörendes Objekt verwendet haben. Wollte man nicht ein krasses Missverhältnis zwischen der Gestalt des alten und des neuen Stuhles schaffen, so durfte man die Kunstformen des 14. Jahrhunderts überhaupt nicht zur Anwendung bringen. So wäre denkbar, dass die mit der Auf-

---

[1]) vgl. Puntschart, S. 109. — Die unmittelbaren Nachfolger Albrechts III. und Leopolds III. haben aus unserer Betrachtung auszuscheiden, da wir von ihnen bestimmt wissen, dass sie sich der Huldigung nicht unterzogen haben. Wilhelm, der älteste Sohn Leopolds III., stellte nämlich 1396 für sich, seine Brüder und seinen Vetter Albrecht einen Schadlosbrief wegen Nichtbeobachtung des alten Herkommens aus; s. Puntschart, S. 109 fg.

[2]) Auch in Steiermark „fahnden wir vergebens nach bestimmten Angaben über die Huldigungsnahme der Brüder und Nachfolger Rudolfs IV.; vgl. F. v. Krones, Landesfürst, Behörden und Stände des Herzogtums Steier 1283—1411, Forschungen z. Verfass.- und Verwaltungsgeschichte d. Steiermark, 4. Bd., 1. Heft, (1900), S. 24.

[3]) vgl. Puntschart, S. 20.

Goldmann, Einführung.

richtung des neuen Sitzes betrauten Personen das hiezu erforderliche Material irgend einem verfallenen Bauwerke, das der
vorhergegangenen Kunstperiode zugehörte, entnahmen.

Es erübrigt nunmehr nur noch, dem Berichte des
Thomas Ebendorfer, der uns ja als erster erzählt, dass der
Pfalzgraf bei der „Huldigung" „ab alia parte" des Herzogsstuhles Platz genommen habe, einige Erörterungen zu widmen.
Dieser Angabe darf m. E. für die ältere Geschichte der am
Herzogsstuhl stattfindenden Ceremonien kein Wert beigemessen
werden. Johannes von Victring, der als Abt eines in der
Nähe der Huldigungsstätte gelegenen Klosters, als einer der
höchsten Würdenträger des Landes, die Verhältnisse ungleich
besser kennen musste als der um ein Jahrhundert später wirkende,
dem Lande fremde, unkritische[1]) Thomas Ebendorfer, berichtet zwar in den beiden von ihm geschilderten Fällen der
„Huldigung", dass der Herrscher am Herzogsstuhle Gericht gehalten habe, er weiss jedoch kein Wort von einem
zweiten Sitze zu vermelden, ebensowenig davon, dass der
Pfalzgraf von Kärnten, dessen er doch bei der Schilderung der
„Einsetzung" erwähnt, zugleich mit dem neu inthronisierten
Herzoge Gericht gehalten oder Lehen geliehen habe. Wäre
dies damals rechtsüblich gewesen, so hätte der Abt davon
sicherlich erzählt und auch von der Existenz eines zweiten
Stuhles, falls derselbe zur Zeit Meinhards oder Ottos des
Freudigen schon bestanden hätte, berichtet. Es bleibt demnach
nur übrig anzunehmen, dass der Ostsitz erst nach dem
Jahre 1335 aufgerichtet wurde, ein Ergebnis, das mit
der oben ausgesprochenen Vermutung, dass der zweite Stuhl
im Jahre 1342 entstanden sei, im Einklange steht. So bleibt
denn bezüglich der Nachricht Ebendorfers, dass der Pfalzgraf auf dem zweiten Sitze sich niedergelassen und seine Lehen
verliehen habe, nur eine zweifache Annahme möglich. Entweder
hat diese Uebung in der Tat bestanden, dann kann sie jedoch
erst in der Zeit nach Johannes von Victring sich gebildet
haben, oder aber: die Nachricht des Thomas Ebendorfer beruht, sei es nun auf einem Irrtum oder Missverständnisse dieses

---

[1]) vgl. Deutsche Biographie. Bd. V., S. 528.

Autors, sei es auf der freien Erfindung eines seiner Gewährsmänner oder auf einer in damaliger Zeit in Kärnten kursierenden
ätiologischen Fabel, mit der man die. Doppelstuhlform des
Herzogsstuhles, die man sich nicht zu erklären wusste, zu
deuten versuchte. Nehmen wir an, dass Ebendorfers Mitteilung Glauben verdiene, so. kann m. E. nur beim Regierungsantritte Rudolfs IV. oder, was m. E. wahrscheinlicher ist,
Ernsts des Eisernen der Fall eingetreten sein, dass der Kärntner
Pfalzgraf einen der beiden Stühle des Herzogsstuhles einnahm;
denn in der Zeit, die zwischen der Abfassung. der Berichte des
Johannes von Victring und des Thomas Ebendorfer liegt,
scheinen, abgesehen von der „Huldigung" des Jahres 1342, bei
der sich der Brauch wohl kaum gebildet haben konnte[1]), nur
diese beiden Herzoge sich der Ceremonie unterworfen zu haben[2]).
Man müsste die Entstehung des Brauches sich dann derart vorstellen, dass der Pfalzgraf von Kärnten bei einer dieser
„Huldigungen" oder bei beiden Akten den einen der beiden
Stühle, der sonst unverwendet geblieben wäre, usurpiert hätte,
ein Abusus, der weiter nicht Wunder nehmen dürfte. Es ist
aber auch möglich, dass Thomas Ebendorfer (oder sein Gewährsmann) nur von einem zweiten Sitze gehört hatte und
irrtümlich meinte, die Nachricht, dass der Herzog auf seinem
Stuhle sitze und die Lehen verleihe, ohne weiters auch
auf die Pfalzgrafen ausdehnen zu müssen. Die Erzählung
Thomas Ebendorfers enthält nämlich auch sonst ganz bedeutende Irrtümer[3]) und zwar gerade dort, wo er, der den
Bericht des Johannes von Victring, oftmals wortwörtlich,
ausschreibt, von diesem abweicht. Trotzdem also, wie gezeigt,

---

[1]) Nach der oben vertretenen Annahme war ja der Ostsitz im Jahre 1342
für einen der Neffen Albrechts errichtet worden. Es ist wohl kaum
wahrscheinlich, dass bei der Huldigung des Jahres 1342 der Pfalzgraf von
Kärnten den neuen Stuhl, von dem damals jeder bei dem Akte Beteiligte
gewusst haben dürfte, für wen er bestimmt gewesen sei, bestiegen habe.

[2]) vgl. Puntschart, S. 107—111.

[3]) vgl. Puntschart, S. 77. — So lässt Ebendorfer alle Ceremonien
beim Herzogsstuhl auf dem Zollfelde stattfinden; auch lässt er den Herzog,
erst nachdem dieser den Backenstreich erhalten, mit der Bauerntracht
(u. z. jener des Herzogsbauers!) bekleidet werden. Endlich berichtet
er, dass der Bauer seine Tracht mit dem Herzogskleide vertauscht habe.

die Annahme sehr nahe liegt, dass hier ein Irrtum Ebendorfers vorliegt, ist es m. E. doch wahrscheinlicher, dass wir es hier mit einem ätiologischen Märchen aus der Zeit dieses Schriftstellers zu tun haben. Zu seiner Zeit, unter der Regierung Friedrichs III., der die alten Bräuche nicht einhielt[1]), mochte man sich in Kärnten gefragt haben, wozu denn der zweite Stuhl eigentlich bestimmt sei, und beim Versuche, diese Frage in halbwegs befriedigender Weise zu beantworten, auf den Gedanken verfallen sein, den zweiten Sitz dem Pfalzgrafen von Kärnten zuzuschreiben. Vielleicht waren es diese Pfalzgrafen selbst, die diese Fabelbildung begünstigten.

Sonach glaube ich denn, gestützt auf die vorstehenden Ausführungen, annehmen zu dürfen, dass zur Zeit, in der Ottokar schrieb, der Herzogsstuhl noch nicht ein „gesidel" genannt werden durfte. Unter der Voraussetzung, dass diese Vermutung zutreffend ist, würde sich dann in der Darstellung der österreichischen Reimchronik alles aufs beste zusammenfügen lassen. Der Chronist hätte sich dann durch den Zusatz „daz ist ze guoter mâze wit" nicht nur die Möglichkeit offen gelassen, den Fürstenstein in seine Auffassung der Oertlichkeit mit einzubeziehen, sondern ihn auch in den Mittelpunkt seiner Darstellung gerückt; andernfalls kämen wir dann zur unwahrscheinlich klingenden Annahme, dass Ottokar vom Fürstensteine sprechen wollte, dies aber dann wieder unterlassen hat.

Ich vermeine nunmehr erwiesen zu haben, dass man auch die österreichische Reimchronik als Zeugen für die Behauptung aufrufen darf, dass die Tischform[2]) des Fürstensteines einst in der Wirklichkeit und nicht in der Phantasie der den Akt der

---

[1]) s. Puntschart, S. 112 f.

[2]) Wenn man mit mir von der Annahme ausgeht, dass der Fürstenstein zur Zeit der Abfassung unserer ältesten Quellen über die Ceremonie die Tischform aufgewiesen habe, und bedenkt, dass diese Tischform dem mittelalterlichen Beschauer rätselhaft erscheinen musste, so entbehrt es nicht des Interesses, zu beobachten, dass Johannes von Victring sich bei der Wahl eines passenden Ausdruckes zur Bezeichnung des Fürstensteines in einiger Verlegenheit zu befinden scheint. Wie mir Herr Dr. Fedor Schneider in Berlin, der die Ausgabe des Johannes von Victring für die Monum. Germ. hist. vorbereitet, mitzuteilen die Güte hatte, heisst es im

„Einsetzung" abbildenden Künstler bestanden habe, eine Behauptung, die mir schon durch das Vorhandensein jener von S. M. Mayer erwähnten Tischplatte einerseits, der oben besprochenen Abbildungen andererseits, genügend gefestigt zu sein scheint.[1])

IV.

Der sakrale Charakter der Fürstenstein-Ceremonie.

Die Tischform des Fürstensteines lässt m. E. keinen Zweifel daran übrig, dass dieser ursprünglich ein heidnisch-

---

Cod. Monac. 22107 in dem den Backenstreichritus betreffenden Passus, der von Johannes selbst geschrieben ist (ich verdanke den Hinweis auf diesen Passus des Entwurfes dem Landesarchivar von Kärnten, Herrn Aug. v. Jaksch): „...... principi sedem prebet, et stans in sede princeps ... vertit se ...." Hingegen heisst es in der Reinschrift, die der Boehmer'schen Ausgabe zugrunde liegt: „.... principi locum prebet. Princeps stans super lapidem ....". Ich glaube nicht fehlzugehen, wenn ich dieser variierenden, unsicher tastenden Ausdrucksweise des Johannes einigen Wert für die Frage nach der Urgestalt des Fürstensteines beimesse.

[1]) Dass der Fürstenstein einem Tische ähnlich gesehen habe, sagt auch Hansiz, Analecta seu Collectanea pro Historia Carinthiae concinnanda, p. I. (1793), S. 258. Er spricht ausdrücklich von einem saxum, „quod in mensae figuram ..... in colle statutum est prope ecclesiam S. Petri apud Carnoburgum". Freilich nennt er seine Quelle nicht, was den Wert seiner Mitteilung einigermassen herabmindert. Auch K. Mayr, Geschichte der Kärntner (1785), S. 77 redet von einem „runden, steinernen Tische", ebenso der gewissenhafte Frölich (Specimen archontologiae Carinthiae, 1758, p. 88.) von einer „mensa lapidea". Die Schilderung der „Herzogseinsetzung" in dem Werke des Ossiacher Abtes Virgilius Gleissenberger, (Abt von 1725—1737) „De Boleslao Rege Poloniae Ossiaci poenitente," S. 114 gewährt für unsere Frage keine Ausbeute, da, wie Herr Aug. v. Jaksch, Landesarchivar in Kärnten, mir mitzuteilen die Güte hatte, Gleissenberger die „Herzogseinsetzung" am Herzogstuhl vor sich gehen lässt.

slovenisches Kultobjekt[1]) und zwar ein Altar[2]) gewesen sei.
Die Regel, welche die Archaeologen und Prähistoriker überall
befolgen, wo ihnen ein Steintisch, der sich nicht von vornherein
als ein Grabmal qualifiziert, begegnet: dass nämlich ein solcher

---

[1]) Diese Annahme ist keineswegs neu; bereits S. M. Mayer trägt sie
vor. Er sagt a. a. O.: „Wir können hier die Bemerkung nicht unterdrücken,
dass die Opfertische der Druiden die nämliche Form gehabt haben ...
Sollte vielleicht die Feierlichkeit der Einsetzung unserer Herzöge gerade
auf einem solchen Tische geschehen sein, um den Sieg des christlichen
Glaubens über das Heidentum in einem sprechenden Bilde auszudrücken?“;
vgl. ferner Hermann, Carinthia Jg. 1823, S. 106, Anm.

[2]) Der Gedanke, der Gottheit die Opfergabe auf einen Tisch wie einem
Menschen hinzustellen, findet sich bei einer grossen Reihe von Völkern; so
bei den Phoeniciern (vgl. W. Robertson Smith, Die Religion der Semiten,
S. 288), Hebräern (vgl. Smith, S. 152, 153), Arabern (Boetticher,
Tektonik der Hellenen, Bd. 2 (1877), S. 535), Babyloniern (Boetticher,
S. 541), Aegyptern (Boetticher, S. 535, Reisch in Pauly-Wissowas
Realencyclopädie d. class. Altert., s. v. „Altar“, Sp. 1659), bei den Urbe-
wohnern der Mittelmeerinseln (vgl. Evans, The Mycenaean Tree and Pillar
Cult etc. in The journal of Hellenic Studies, Vol. XXI. p. I. (1901), S. 115,
116; A. Mayr, Die vorgeschichtlichen Denkmäler von Malta, Abhandl. d.
bair. Akad. d. Wiss. 1. Cl., 21. Bd., 2. Abt. (1901), S. 684, 706, 711, 717),
den Griechen und Römern (Boetticher, S. 534—544, 548, 549), den Finnen
(vgl. Rhamm, Der heidnische Gottesdienst des finnischen Stammes, Globus,
Jg. 1895, S. 343; Eckermann, Lehrbuch der Religionsgesch. IV, 1.,
S. 119), wohl auch bei den Germanen (vgl. Schrader, Reallexikon der
indogermanischen Altertumskunde, S. 857: ags. weobed „Altar“ aus
wihabiuda-Tempeltisch, Rochholz, Schweizersagen aus dem Aargau, 2. Bd.,
S. 135; Grimm, Deutsche Myth., 1. Bd., S. 55, Anm., Grimm, Geschichte
der deutschen Sprache, 1. Bd., S. 114 fg.; Negelein, Zeitschr. f. Ethnol.,
Jg. 1902, S. 62, Anm. 6; Andree, Correspondenzblatt der deutsch. Gesellsch.
f. Anthrop., Ethn. u. Urgesch., Jg. 1888, S. 1; Hartmann, Zeitschr. f.
Kulturgeschichte, Jg. 1892, S. 49; Plesser, Blätter d. Ver. f. Landeskunde v. Niederösterreich, 24. Jg. 1890, S. 165); über Opfertische [?] der
nordamerikanischen Indianer vgl. Lubbock, Die vorgeschichtliche Zeit,
deutsch von A. Passow, 1. Bd., (1874), S. 260; auch das im Internationalen Archiv
für Ethnographie, Bd. 10, S. 17, 18 beschriebene und abgebildete afrikanische
Kultobjekt scheint einen Opfertisch (Kombination von Tisch und Priester-
sitz?) darzustellen. — — Es ist bei der Verwendung von Opfertischen die
anthropomorphische Vorstellung massgebend, dass die Gottheit sich an dem
Tische niederlasse und hier die dargebrachte Speise geniesse. Diese Vorstellung wurde jedoch keineswegs auf die Spitze getrieben, wie v. Fritze
zu W. Reichels Vorhellenischen Götterkulten, Rhein. Mus. N. F. Bd. 55,
(S. 593, 594) mit Beziehung auf die Griechen treffend ausführt

Tisch bis zum Beweise einer gegenteiligen Verwendung als ein Altar aufzufassen sei, muss auch auf unseren Fürstenstein zutreffen.

Die Behauptung, dass der Fürstenstein ein heidnisch-slovenischer[1]) Tischaltar[2]) gewesen sei, darf dahin erweitert werden, dass in ihm ein hervorragendes Kultobjekt dieses Volkes

---

[1]) Von einer Unterstützung der Annahme, dass der Fürstenstein ein tischförmiger Altar gewesen sei, durch Anführung jener tischähnlichen Opfersteine, die sich in den heute oder ehemals von Slaven bewohnten Ländern finden [— ein solcher Altartisch, vermutlich ein Grenzheiligtum (vgl. hiemit den vielleicht ebenfalls den Slaven zuzuschreibenden „steininentiske" einer altösterreichischen Grenzurkunde bei Müller, Blätter des Vereins für Landeskunde von Niederösterreich, N. F. 25. Jg. 1891, S. 316) wurde erst kürzlich wieder entdeckt; s. Mielke, Verhandl. d. Berl. Ges. f. Anthr. etc. 1902, S. 40 fg. —] muss abgesehen werden, da sich bei ihnen nur vermuten, aber nicht erweisen lässt, dass sie gerade den Slaven bei ihren gottesdienstlichen Verrichtungen gedient haben. Bei einem dieser Objekte, dem Steintisch auf dem Pleśivec in Böhmen, der inmitten einer aus Steinen hergestellten kreisförmigen Umfassung steht, scheinen jedoch der Umstand, dass heute noch im Volksmund das Märchen geht, dass im Pleśivec ein goldener Tisch verborgen sei, sowie die Funde von S— förmig endenden Ringen an dem nämlichen Orte, der Vermutung, dass dieser Tischaltar slavischen Ursprungs gewesen sei, einen hohen Grad von Wahrscheinlichkeit zu verleihen. Ueber diesen Altar und seinen mutmasslich slavischen Charakter handelt ausführlich Bŕet. Jelinek in d. Mitteil. d. Wiener anthropol. Gesellsch., Jg. 1882, S. 174—150 (vgl. a. a. O., S. 150, auch Woldŕichs Bemerkung zu Jelineks Ausführungen), Jg. 1896, S. 210—215, 234.

[2]) Wie lange sich solche heidnische Kultobjekte auch noch in christlicher Zeit und zwar als Zentrum notdürftig christianisierter heidnischer Gebräuche erhalten können, beweist die Rolle, welche die Steintische noch heute im Kirchweihbrauche thüringischer Dörfer spielen. Pfannenschmidt (Germanische Erntefeste, 1878, S. 271, s. ferner S. 291), schreibt hierüber: „In den thüringischen Dörfern findet der Kirchweihtanz auf dem Anger oder dem Mahl statt, einem erhöhten runden Platz, der sich gewöhnlich in der Mitte des Ortes, mit grossen Linden besetzt und mit hohen Steinen eingefasst, befindet. Unter der in der Mitte des Platzes stehenden Linde erhebt sich, auf einzelne kleinere Steine gesetzt, ein grosser runder Stein, der einem Tische ähnlich ist, auf welchem am dritten Kirchweibtage (in Thüringen stets ein Donnerstag) der Kirchweibhammel geschlachtet und abends verzehrt wird". Ueber den sakralen Charakter dieser Ceremonie vgl. Usener, Ueber vergl. Rechts- u. Sittengeschichte, a. a. O., S. 40. Sollten diesen thüringischen Steintischen ähnliche Objekte im sog. „Teidingtisch" in Oberalm bei Hallein (vgl. Weinhold, Zschr. d. Ver. f.

erblickt werden müsse. Diese Annahme wird durch zwei
Gründe nahegelegt. Der Umstand, dass dieser Opfertisch zum
Mittelpunkte einer für den gesammten Stamm so wichtigen
Rechtshandlung gemacht wurde, berechtigt für sich allein schon
zur Vermutung, dass sich an der Stätte des Fürstensteines der
Kultmittelpunkt der heidnischen Slovenen befunden habe. Sodann
aber ist zu beachten, dass Karnburg, in dessen unmittelbarer
Nähe der Stein stand, einst der Vorort der Kärntner Slovenen,
ihr politisches Zentrum gewesen ist.[1] Da aber der politische
und der sakrale Verband sich in der vorchristlichen Epoche der
slovenischen Geschichte zweifelsohne deckten, so kann füglich
damals das sakrale Zentrum des Stammes vom politischen nicht
getrennt gewesen sein.

Wenn nun der Fürstenstein als der Altartisch[2] der einst-
maligen Hauptkultstätte der heidnischen Slovenen aufgefasst

Volkskunde 1897, S. 404 fg., Abb. Tafel IV, 2), im Steintisch zu Bingenheim
(vgl. Florschütz, Zwei germanische Opfersteine, Correspondenzbl. d. dentsch.
Ges. f. Anthr. Eth. u. Urg. 1887, S. 42), in den „schaiblainden" Steintischen
der Gottscheer Deutschen (vgl. Hauffen, Die deutsche Sprachinsel Gottschee,
Quellen und Forschungen zur Geschichte, Cultur und Sprache Oesterreichs,
durch die Leo-Gesellschaft hgeg. v. Hirn und Wackernell, III. Bd. 1895,
S. 61 und die Lieder 15, 65, 121 u. a.) und im kreisrunden, in der Mitte
mit einem weiten Loch versehenen Steintisch zu Cavalese, dem Hauptorte
der Talgemeinde Fleims in Südtirol (vgl. H. Schmölzer, Mitt. d. k. k.
Central-Comm. f. Erf. u. Erh. d. Kunst- u. hist. Denkmale, 25. Bd. N. F.
1899, S. 189) vorliegen? Wurden doch auch an den thüringischen Steintischen noch im 18. Jahrh. die Gemeindeversammlungen abgehalten und hier
die herrschaftlichen Verordnungen verlesen; vgl. W. Reynitzsch, Ueber
Truhten und Truhtensteine (1802), S. 171 fg.

[1] vgl. Puntschart, S. 269 f.; G. v. Ankershofen, Handbuch der
Geschichte des Herzogtums Kärnten, 1. Abt., II. Bd., S. 112, 569.

[2] Die Annahme, dass der Fürstenstein ein Altarstein gewesen sei,
wird auch, abgesehen von den eben vorgetragenen Erwägungen, durch eine
eindringende Interpretation der Worte der österreichischen Reimchronik:
„an dem steine muoz man schouwen" und „als ein gesidel gemezzen"
(v. 19994 u. 19996) nahegelegt. Schönbach sagt über diese Worte
(Mitteil. d. Jnst. f. österr. Gesch., 21. Bd., S. 520): „Ferner macht der
Chronist darauf aufmerksam — und zwar durch die Phrase muoz man
schouwen mit gewissem Nachdruck —, dass in der Steinmasse etwas ausgehauen ist, das wie ein gesidel gestaltet ist oder aussieht". Aus dieser

werden darf, so ergibt sich aus dieser Erkenntnis notwendigerweise die Folgerung, dass der an die Oertlichkeit des Fürstensteines gebundene Akt der „Herzogseinsetzung" ursprünglich
eine sakrale Ceremonie gewesen sei oder zum mindesten
an eine solche angeknüpft haben müsse. Die Zuverlässigkeit dieses aus der Tischform des Fürstensteines er-
schlossenen Ergebnisses wird nun von einer anderen Seite her
durch eine Reihe gewichtiger Beweisgründe bestätigt.

Die österreichische Reimchronik berichtet, dass der Herzog
vor dem auf dem Fürstenstein sitzenden Herzogsbauer mit
einem buntscheckigen Stier und einer schwarzweiss-

Interpretation geht hervor, dass die Fügung „muoz man schouwen" besagt,
dass es dem den „stein" oberflächlich Betrachtenden auf den ersten Blick
gar nicht einmal auffällt, dass in der Steinmasse etwas ausgehauen ist, das
wie ein gesidel gestaltet ist oder aussieht, sondern dass man, um dies zu
sehen, den Stein „beschauen" müsse. Wenn man diese Interpretation berücksichtigt und sie bis in ihre letzten Konsequenzen verfolgt, so ergibt
sich, dass unter dem „stein", von dem der Reimchronist spricht, unmöglich
der Herzogsstuhl gemeint sein kann. Fürs erste gibt es ja, wenn man
von der schwachen, muldenförmigen Vertiefung des „Pfalzgrafenstuhles"
absieht — und man muss von ihr absehen, da der „Pfalzgrafensitz" ja nur
einen Teil eines gesidel, einen Einzelsitz, aber kein gesidel darstellt —
am Herzogsstuhl nichts Ausgehauenes; denn der Herzogsstuhl ist bekannter-
massen aus mehreren Steinplatten und Steinstücken zusammengestellt,
nicht aber aus einem mächtigen Felsblock herausgearbeitet. Fürs zweite
bedarf es nicht der geringsten Aufmerksamkeit, sondern ist auf den ersten
Blick auch dem oberflächlichsten Beschauer, ohne dass er auch nur einen
Augenblick zweifeln müsste, erkennbar, dass der Herzogsstuhl, wie er sich
unserem Auge heute darstellt, ein gesidel genannt werden muss. (Dass
der Herzogsstuhl zur Zeit, in der Ottokar schrieb, noch kein gesidel gewesen sei, wurde bereits ausgeführt). Es konnten also, selbst wenn der
Herzogsstuhl, was ich eben entschiedenst bestreite, zu des Reimchronisten
Zeit hätte ein gesidel genannt werden müssen, die Worte:

„an dem steine muoz man schouwen,
daz dar în ist gehouwen
als ein gesidel gemezzen"

unmöglich auf den Herzogsstuhl gemünzt gewesen sein. Wenn nun
diese eben citierten Verse auf den Fürstenstein bezogen werden müssen,
so fragt es sich, wie sie im Hinblick auf dieses Steinobjekt zu erklären
seien. Da bietet sich nun, so vermeine ich, in dem Worte „gemezzen" ein
willkommener Pfadweiser dar. M. E. bekundet dieses Wort, dass der Reimchronist
mit der Wendung „als ein gesidel gemezzen" sagen wollte: Es ist in dem

gefleckten Stute zur Seite erscheinen musste.[1]) Auch
Johannes von Victring spricht von einem „bos discoloratus"
und einer „equa eiusdem dispositionis."[2]) Es ist natürlich, dass
der Scharfsinn der Erforscher der Fürstenstein-Ceremonie sich
bereits um die Deutung dieser eigenartigen Farbenvorschrift

„stein" etwas ausgehauen, das meinem Ermessen nach nichts anderes als
ein gesidel sein kann. Er will mit seinen Worten — und zwar mit einem
gewissen Nachdruck — hervorheben, dass sich in dem „steine" eine der
näheren Betrachtung würdige grosse, durch Menschenhand hergestellte
merkwürdige Vertiefung befinde, die, wie er meint, füglich nichts anderes,
als ein gesidel, d. h. eine Sitzgelegenheit für mehr als eine Person, vorstellen könne. Mit dieser rationalistischen Erklärung des Reimchronisten
werden wir uns selbstverständlich nicht beruhigen dürfen, sondern wir
werden uns zu fragen haben, welchem Zwecke diese rätselhafte Vertiefung
ursprünglich eigentlich gedient haben könne. Die Antwort auf diese Frage
kann demjenigen, der mit der Bauart primitiver Opferaltäre vertraut ist,
nicht sonderlich schwer fallen. Ottokar hat m. E. eine in die Deckplatte
des Fürstensteines eingehauene „Opfermulde", wie wir deren ja so viele
auf vorgeschichtlichen Opferaltären nachweisen können, für ein gesidel gehalten, ja für ein solches halten müssen, da ihm eine andere Erklärung
nicht zu Gebote gestanden wäre. Zur Frage der Opfermulden vergl.:
Carus Sterne, Tuiskoland, der arischen Stämme und Götter Urheimat,
(1891) S. 370; Edw. B. Tylor, Anahuac or Mexico and the Mexicans etc.,
London, 1861, p. 223 fg.; Florschütz, Zwei germanische Opfersteine, a. a. O.
S. 41 fg. (Von einem dieser Opfersteine, genannt der „weilen Frä Gestaeuls",
Stuhl der wilden Frau, bemerkt Florschütz: „Das Volk konnte in den
(Opfer-)Näpfen, deren ursprüngliche Bedeutung ihm unklar war, nur Sitze
erblicken . . . . . ."; es zeigt sich sonach, und nicht bloss in diesem Falle,
dass der Reimchronist mit seiner irrigen Auffassung der Opfermulden nicht
allein steht). Vgl. ferner J. J. Ammann, Mitteil. d. Wiener anthrop. Ges.,
Jg. 1886, [56]—[58]; Plesser, Blätter des Vereins für Landeskunde von
Niederöst., 21. Bd., S. 416—424; Kiessling, Niederösterreichischer Landes-
freund, 5. Jg., S 40—44; Nagel u. Zeidler, Deutschösterreich. Literaturgeschichte, S. 57 fg.; hieher gehört wohl auch der oben erwähnte Steintisch zu Cavalese in Südtirol.
[1]) vgl. v. 20041 fg.: „in einer siner hende
        sol der helt zier
        ziehen einen vehen stier,
        in der andern hand sol er
        mit im ziehen her
        ein veltphert, das nicht darbe
        wiz und swarzer varbe."
[2]) vgl. Joh. Victoriensis ed. J. F. Böhmer, S. 320.

bemüht hat. Grimm[1] sagt, indem er auf sie zielt: „Offenbar
ein altertümlicher Zug" und fügt in einer Anmerkung hinzu:
„Im Büdinger Waldweistum kommt ein bunter Ochse als Busse
vor (sonst ein fahler); im Conzer Weistum ein weisser und
schwarzer Widder." Puntschart[2] wiederum meint an der
Stelle, wo er sich über das Ritual der „Einsetzung", wie es
vor der Niederlage des angeblichen Hirtenadels geübt worden
sein mochte, ausspricht: „Ob endlich wie später auch Tiere verwendet wurden, entweder zur Versinnlichung der wirtschaftlichen
Kraft des nomadischen Hirtenadels oder im Zusammenhang mit
religiös mystischen Vorstellungen, muss dahin gestellt bleiben".
Was er mit dieser Anspielung auf das religiös-mystische Moment
meint, erfahren wir aus folgenden Worten:[3] „Vielleicht ist die
Farbe der später bei der Bauernceremonie verwendeten Tiere
zu beachten. Das Scheckige steht in Beziehung zum
Dämonischen . . . . . . Weiss und Schwarz bezeichnen Glück
und Unglück . . . . . Die Farbe steht dann wohl im Zusammenhang mit dem Orakelwesen . . . .".

Puntschart hat mit diesen Bemerkungen den eigentlichen
Gehalt der genannten Farbenvorschrift nicht erfasst. Es kann
nämlich, so vermeine ich, keinem Zweifel unterliegen, dass diese
Vorschrift nicht mit dem Orakel- oder Zauberwesen, sondern
mit Opferriten in Verbindung gebracht werden müsse. Ich
glaube, dass auch Grimm, obzwar er an der angeführten Stelle
hievon nichts erwähnt, der gleichen Ansicht gewesen ist, denn
an einem anderen Orte[4] vermutet er, dass der Umstand, dass
bei alten Viehbussen und Zehnten des deutschen Rechtes oft
die bunte Farbe verlangt werde, auf Zusammenhang mit den
Opfern deuten könne. Mit solchen Farbenvorschriften der
deutschen Weistümer hat er nun aber, wie aus seinen oben
angeführten Worten hervorgeht, jene des Einsetzungsrituals in
Parallele gesetzt, so dass man wohl annehmen darf, dass er
auch hier an einen Konnex mit alten Opferregeln gedacht habe.

Es sei zur Unterstützung der eben vorgetragenen Deutung
der genannten Farbenregeln zunächst von der auf den Stier

[1] vgl. Grimm, Rechtsaltertümer, Bd. I., S. 355, u. Anm. 3.
[2] Puntschart. S. 266 f.
[3] Puntschart. S. 267, Anm. 1.
[4] vgl. Grimm, Deutsche Mythologie[4], 1. Bd., S. 44; s. auch S. 51 f.

bezüglichen Vorschrift die Rede. Dieser soll buntscheckig (vêh) sein. Scheckige Tiere, und unter diesen vor allem bunte Kühe und Stiere, spielen sowohl im Glauben und Sagenbereiche der indogermanischen Stämme, als auch in deren Opferrituale eine grosse Rolle.

Zunächst sind hier die arischen Inder[1]) zu nennen. Nach einem vedischen Mythus ist die „scheckige Kuh" die Freundin des Helden. Die heilige soma-Pflanze wird im Ṛgveda der „gefleckte Stier" genannt.[2]) Von mehrfarbigen Tieren ist auch in den Opfervorschriften[3]) öfters die Rede. Eine Gāthā-Strophe (Çat.-Brāhm. 13, 5, 4, 2) spricht von der Darbringung eines scheckigen Rosses. An einer anderen Stelle des Çatareya-Brāhmaṇa (13, 4, 2, 4) wird gefordert, dass das Opferross dreifarbig sei. Nach dem Çataptha-br. (13, 4, 2, 1) und nach Çaṅkhāyanaçrautasūtra (16, 1, 15) soll das Ross allfarbig, d. h. scheckig sein. Den Maruts[4]) wird eine gescheckte Kuh geopfert. — — — Nach deutschen Legenden erhalten beglückte Menschen von einem bunten Stiere Geschenke.[5]) In Norddithmarschen galten bunte Stuten als „weisende Tiere."[6]) Von dem mutmasslichen Zusammenhange der Farbenvorschriften der Viehbussen- und Zehntensatzungen der deutschen Weistümer mit alten Opferregeln[7]) wurde bereits oben gesprochen.

---

[1]) vgl. Angelo de Gubernatis, Die Tiere in der indogermanischen Mythologie. Aus d. Englischen übersetzt v. M. Hartmann, (1874), S. 11, 37, 57. — Die zwei Hunde der Göttin Saramā sind buntfarbig, vgl. W. Geiger, Ostiranische Kultur im Altertum (1882), S. 264.

[2]) Herm. Brunnhofer, Vom Pontus bis zum Indus, S. 106.

[3]) vgl. J. v. Negelein, Die volkstümliche Bedeutung d. weissen Farbe, Zeitschr. f. Ethnologie, Jg. 1901, S. 64 f.

[4]) vgl. Oldenberg, Rel. d. Veda, S. 358; nach Taitt. Samh. II, 1, 6, 2 (Oldenberg, a. a. O., Anm. 7) wird ein männliches geschecktes Opfertier gefordert.

[5]) vgl. Gubernatis, S. 172; Kuhn und Schwarz, Norddeutsche Sagen, S. 256, 501. Diese Sage gemahnt m. E. an die bunte Wunsch-kuh Çabalī der Inder; s. über diese Weber, Indische Studien, V. Bd, S. 438—443.

[6]) vgl. F. Norck, Mythologie der Volkssagen u. Volksmärchen in Scheibles Kloster, Jg. 1848, S. 97.

[7]) vgl. auch die altbayrische Redensart: „Jetzt hätt' ich bald eine scheckige Henne verlobt" bei Sepp, Die Religion der alten Deutschen

Auch im Glauben der Griechen scheinen ähnliche Vorstellungen vorhanden gewesen zu sein.[1]) Die Eingeweihten in
den höheren eleusinischen Mysterien hängten sich bunte Hirsch-
kalbfelle um (νεβρίζειν); aus diesem Grunde war es ihnen wohl
auch verboten, den γαλεός — eine gefleckte Haifischart, die
auch νεβρίας, Hirschkalbfisch hiess — zu geniessen, eine Vorschrift, die, weil sie totemistischen Charakter an sich trägt, in
der ältesten und tiefsten Schicht des griechischen Volksglaubens
wurzeln dürfte. Die Griechen kannten ferner ein Rätsel von
einem dreifarbigen Stier bei Minos' Herd; allerdings kann
hier auch ägyptisches Importgut vorliegen, da bei den Aegyptern
ein ähnlicher Mythus vom Onuphis-Stier, der mit dem Tageslicht seine Farbe wechselt, weit verbreitet war.[2])

In den heiligen Liedern der Kelten ist von einem „Ych brych,
brâs ei bewrhwy", dem „scheckigen Stier mit dem dicken Kopfe
oder Halsbande" die Rede.[3]) Er wird in Verbindung mit dem
berühmten Stonehenge - Heiligtum genannt. Nach britisch-
keltischen Vorstellungen ist eine gefleckte Katze Symbol des
Sonnengottes.[4]) Ob gefleckte Tiere im Opferritual der um
Hallstatt angesiedelten Kelten eine Rolle spielten, muss dahingestellt bleiben. Zwar findet sich an einem aus Hallstatt
stammenden Bronzebecken, das wahrscheinlich sakralen Zwecken
gedient hat, eine Kuh mit einer dreieckigen, aus Bein gefertigten
Stirnplatte,[5]) doch braucht darum mit dieser primitiven Darstellung eine Anlehnung an Opfervorschriften nicht beabsichtigt
gewesen zu sein. Hingegen scheint mir eine bewusste An-

(1890), S. 292; s. ferner Kuhn, Westfälische Sagen, 2. T., S. 181:
„Aufs letzte Fuder setzte man einen hölzernen, bunten Herbsthahn";
Pfannenschmidt, Erntefeste, S. 295, 590.

[1]) vgl. Creuzer, Symbolik und Mythologie, Bd. III, S. 459 f. in Verbindung mit Bd. IV, S. 571.

[2]) vgl. Creuzer. Bd. IV, S. 117, 118; dem Anubis wurden bunte
Hähne geopfert, vgl. Bastian, Das Tier in seiner mythol. Bed., Ztschr. f.
Ethnol., Bd. 1, S. 51.

[3]) vgl. Mone, Geschichte des Heidentums im nördlichen Europa,
Bd. II, S. 501.

[4]) vgl. Eckermann, Lehrb. d. Religionsgesch., Bd. III, 2, S. 106.

[5]) vgl. Wankel. Der Bronzestier aus der Byčiskála-Höhle, Mitteil.
d. Wiener anthropol. Ges., Bd. VII (1878), S. 129.

knüpfung an das Opferritual bei einem zweiten derartigen, einem keltischen Volke der Hallstattperiode zugeschriebenen Bronzeobjekt vorzuliegen, das in diesem Zusammenhange umso eher besprochen zu werden verdient, da nicht ganz ausgeschlossen ist, dass es ein Erzeugnis primitiv-slavischer Kunst darstellt. Ich meine die berühmte, jedem Prähistoriker wohlbekannte Stierfigur aus der Býčiskála-Höhle[1]) in Mähren. Es ist unzweifelhaft, dass mit diesem Bronzestier ein scheckiges[2]) Tier dargestellt werden sollte. Ebenso unzweifelhaft scheint es mir, dass er, wie die noch heute in vielen Gegenden gebräuchlichen, meistens dem heiligen Leonhard dargebrachten eisernen Tierbilder, als eine Votivgabe und zwar als ein Opfersurrogat gedacht war.[3]) Wäre die Meinung, dass dieses Abbild eines scheckigen Opferstieres slavisches Fabrikat sei, zutreffend, — der Name des Fundortes „Býčiskála“-„Stierfelsen“ und andere Momente können hiefür ins Treffen geführt werden — dann könnte dieses Bronzeobjekt ein gewichtiges, weil dem slavischen Vorstellungskreise entnommenes Zeugnis für die hier vertretene Auffassung der auf den Stier der Fürstenstein-Ceremonie bezüglichen Farbenvorschrift genannt werden. Aber auch wenn man den Bronzestier der Býčiskála-Höhle den Slaven nicht zuschreibt, so bleibt er m. E. immer noch ein dokumentarischer Beweis für die Annahme, dass im Opferbrauch

---

[1]) vgl. Wankels genannte Abhandlung; derselbe, Bilder aus der mährischen Schweiz (1882), S. 370 fg., 381, 385, 409—411; dors., Mitteilungen d. Wiener anthr. Ges. Jg. 1871, S. 331; 1872, S. 307—312; Jg. 1873, S. 106, 107; ferner J. Karabacek, Mitt. d. Wien. anthr. G. Jg. 1872, S. 325—327; Virchow, Verhandlungen der Berliner Gesellschaft f. Anthrop. Ethn. u. Urgeschichte, Jg. 1897, S. 341 fg.; Ed. Krause, ebenda, Jg. 1898, S. 595—598. Das Objekt ist vorzüglich abgebildet im Kunsthistorischen Atlas, hgeg. v. d. k. k. Centralkommission zur Erf. u. Erhalt. d. Kunst- u. hist. Denkm., I. Abt., redig. v. M. Much (1889), Tafel 75, Fig. 11.

[2]) vgl. Virchow, Verhandlungen der Berliner Gesellschaft für Ethnol., Urgesch. u. Anthropol., 5. Bd., S. 203.

[3]) vgl. H. Richly, Eiserne Opfertiere, Zschr. f. österr. Volksk., Jg. 1901, S. 58; M. Höfler, Volksmedizin u. Aberglaube in Oberbayerns Gegenwart u. Verg. (1888), S. 16 fg.; U. Jahn, Die deutschen Opfergebräuche bei Ackerbau u. Viehzucht, S. 49 fg.

der Indogermanen die Darbringung scheckiger Tiere nichts
Ungewöhnliches war; denn falls dieses Bronzeobjekt kein
slavisches Erzeugnis ist, so kann es — für diese Annahme hat
sich die herrschende Ansicht entschieden — füglich nur
keltischer Produktion entstammen.[1]

Was endlich die Slaven selbst betrifft, so begegnet uns auch
in ihren Sagen die den Menschen hilfreiche, wundertätige
scheckige Kuh.[2] Das Ross des südslavischen Nationalhelden
Kraljewic Marko, das den Namen Šarac („Schecke") führt,
ist gleich dem Heldenpferde Raksch der iranischen Sage
buntscheckig.[3]

Ich wende mich nunmehr zur Besprechung der die Stute
betreffenden Farbenvorschrift. Das „veltphert" soll, wie der
österreichische Reimchronist meldet, weiss- und schwarzfarbig sein. Auch hier wird die Tatsache, dass eine so genaue
auf die Farbe des Tieres bezügliche Regel überhaupt ausgesprochen werden konnte und so lange Zeit, nachdem man
ihren wahren Sinn vielleicht schon längst vergessen hatte, getreulich und mit peinlicher Sorgfalt geübt wurde, nur verständlich,
wenn man annimmt, dass diese Bestimmung ursprünglich eine
Vorschrift sakralen Charakters war.

Es sei zur Unterstützung dieser Annahme darauf verwiesen,
dass nach indischer Vorstellung die göttlichen Rosse Indra's
mit Ausnahme der weissleuchtenden Füsse schwarzfarbig sind[4];
nach jüngeren Sagenberichten ist das ersterschaffene Ross
glänzend weiss, hat jedoch einen schwarzen Schwanz.[5] Was

---

[1] Für den keltischen Charakter des Objektes Gundaker Graf
Wurmbrand, Archiv f. Anthropol., Bd. 11, S. 433; die Meinung, dass der
Byčiskála-Stier den Slaven zuzuschreiben ist, verficht Wankel, auf
Šafařiks Bojerhypothese fussend, in den oben citierten Publikationen.

[2] vgl. das 54. Märchen der Afanassief'schen Sammlung (VI. Buch)
bei Gubernatis, S. 138. — Bei den Ungarn gibt es ein Sprichwort „riska
tehen fia" — „der Sohn der scheckigen Kuh", d. h. „der Glückliche"; vgl.
Ipolyi, Beiträge zur deutschen Mythologie aus Ungarn, Zeitschrift f. deutsche
Mythologie, 1. Bd. (1853), S. 272. Sollte hier slavischer Einfluss vorliegen?

[3] vgl. W. Wollner, Indogermanische Forschungen, Bd. 4, S. 448.
449; Katona, Zschr. f. vgl. Literaturgeschichte, N. F. 1. Bd., S. 41.

[4] vgl. Gubernatis, S. 220.

[5] Gubernatis, S. 222.

die indischen Opferregeln betrifft, so führt das Çatareya-
brāhmana einen Bhāllabeya als Autorität an und lässt ihn
sagen: „Das Opferross soll zweifarbig sein, weiss-
und schwarzgefleckt, denn es entstand ja aus dem
Auge des Prajāpati und das Auge ist zweifarbig."[1]) Nach dem
Āpastambaçrautasūtra (2, 9) wird neben dem scheckigen und
rotbraunen Opferross auch das schwarz-weissgefleckte als
zulässig erklärt.[2]) In den Vorschriften über das Spiessrindopfer
ist von einem schwarzgefleckten (schwarzweissgefleckten?) Tiere
die Rede.[3]) In den deutschen Weistümern wird mehrmals für
das der Obrigkeit zu entrichtende Tier schwarzweisse Färbung
verlangt, was, wie bereits erwähnt wurde, auf alte Opfervorschriften zurückzudeuten scheint.[4]) Auch in den deutsch-
österreichischen Weistümern lassen sich solche Bestimmungen
nachweisen.[5]) In diesen Zusammenhang gehört ferner folgende
Mitteilung: In Gödewitz im Thüringischen befindet sich vor dem
Dorfe ein Hügel, welcher der „Bierhügel" heisst. Auf diese
Anhöhe muss am Himmelfahrtsmorgen aus jedem Hause ein Bewohner kommen, um ein nach alter Sitte an diesem Tage zu
begehendes Fest zu feiern. Wenn man dieses Fest fallen liesse,
geht die Sage unter den Leuten, so müsse der Obrigkeit der
Zehnten gegeben werden und dazu noch ein schwarzes Rind
mit weisser Blässe, ein Ziegenbock mit vergoldeten
Hörnern und ein Fuder Semmeln.[6]) U. Jahn weist mit Recht
darauf hin, dass in dieser Farbenvorschrift der Nachhall eines

---

[1]) v. Negelein, S. 64;

[2]) v. Negelein, a. a. O.

[3]) vgl. Hillebrandt, Ritualliteratur, S. 83.

[4]) vgl. Grimm, Rechtsaltertümer, Bd. 1, S. 355, Anm.; Gierke,
Der Humor im deutschen Recht[3] (1886), S. 71.

[5]) vgl. das Banntaiding der Dörfer Ober-Nondorf, Loschberg und
Roiten bei Zwettl, Oesterreichische Weistümer, Bd. VIII (Niederösterr.
Weistümer, 2. T.), S. 816, Zeile 12 f.

[6]) vgl. U. Jahn, a. a. O., S. 317. — Nebenbei sei bemerkt, dass nach
Schweizer Sagen die Ferkel der wilden Jagd schwarz-weiss gescheckt sind;
s. Rochholz, Schweizersagen aus dem Aargau, S. 214. — Auf den Wald-
wiesen des Böhmerwaldes gehen weissgezeichnete Rinder um. In der
Schönau geht ein weissgefleckter Stier vor dem Hüttenbauerhof bis zum
Stadel um; s. Bavaria, 2. Bd., S. 242.

uralten Hirtenopfer-Ritus vorliege: „Wird das Fest nicht gefeiert,
so tritt der uralte Opferbrauch wieder in seine Rechte ein: Die
beste Kuh der Gemeinde wird geschlachtet oder noch altertümlicher, ein schwarzes Rind mit weisser Blässe ...." Anderwärts meldet die Sage von einem Knaben, der einen schwarzen
Bock mit weissen Füssen und weisser Blässe über einem Schatze
schlachtet und sich mit dessen Blut besprengt.[1] [2]

Die hier vertretene Meinung, dass wir es bei dem Stiere
und der Stute, die der „einzusetzende" Herzog mit sich führen
soll, mit Tieren zu tun haben, die ursprünglich bei der Ceremonie
einem sakralen Zwecke zu dienen hatten, empfängt nun nicht
bloss durch die eben erörterten Farbenvorschriften, sondern auch
durch die Bezeichnung der schwarzweissgefleckten Stute als
„veltphert" eine gewichtige Stütze.

Puntschart hat aus diesem Worte gefolgert, dass der
Stier und die Stute „das Aussehen abgearbeiter Tiere
haben mussten."[3] „veltphert" ist ihm gleich „Feldpferd",
„Ackerpferd." Aus dieser Deutung leitet er die im Gefüge

---

[1] vgl. Grimm, Deutsche Myth.⁴, 3. Bd., S. 28; s. auch S. 27: ein
schwarzes Rind mit weissen Füssen und weisser Blässe wird geopfert.

[2] Vielleicht darf in diesem Zusammenhange auch an die slovenische
Bezeichnung für den Regenbogen „mavra, mavriza" erinnert werden; dieses
Wort bedeutet sonst eine schwarzgestreifte Kuh (s. Grimm, Deutsche
Mythol., 2. Bd., S. 611); dass Himmelserscheinungen mit Tieren identificiert
werden, ereignet sich nicht selten. — Möglicherweise gehören hieher auch
die „tref buf calersu" der iguvinischen Tafeln (calersu — lat. calidus =
„weiss-stirnig", vgl. Aufrecht u. Kirchhoff, Die umbrischen Sprach-
denkmäler, 2. Bd., S. 210), unter denen wir uns wohl schwarze Stiere mit
weissem Stirnfleck vorstellen dürfen.

[3] vgl. Puntschart, S. 133; s. auch Grimm, Rechtsaltertümer, 1. Bd.,
S. 362: „magerer Ackergaul"; Peisker, Carinthia I., Jg. 1899, S. 142,
spricht von einer „Schindmähre", Megiser, S. 478 von einem „mageren
ungestalten Feldpferdt." Es entbehrt angesichts der irrigen Behauptung
Puntscharts, dass Stier und Stute das Aussehen abgearbeiter
Tiere haben mussten, nicht eines gewissen Interesses, zu erfahren, dass
unter den im räjasûya-Ritual vorgeschriebenen Opferlöhnen auch eine „abgerackerte" Kuh genannt wird (vgl. Weber, S. 24). Besässen wir nicht
Schönbachs wertvolle Feststellungen über das Wort „veltphert", so
läge eine neue verführerische Lockung vor, einen geschichtlichen Zusammenhang zwischen dem räjasûya und der „Herzogseinsetzung" anzunehmen.

seiner Untersuchung eine ungemein wichtige Rolle spielende Behauptung ab, dass die Tiere beim Akte der „Herzogseinsetzung" gleichsam als Repräsentanten der schweren auf dem Bauernstande lastenden Feldarbeit verwendet wurden. Dieser Deutung und den auf ihr fussenden, weittragenden Folgerungen ist nun durch die überzeugenden Ausführungen Schönbachs[1]) über das Wort „veltphert" jeder innere Halt entzogen worden, und damit ist auch zugleich eines der Hauptargumente der Hypothese Puntscharts zusammengebrochen. Schönbach hat nachgewiesen, dass „veltphert" ganz und gar nicht das „Ackerpferd", die „abgearbeitete Stute" bedeute, sondern gerade im Gegenteil „eine Stute, die bisher noch auf der Weide gegangen ist", also ein Tier, das die Mühe der Ackerarbeit noch gar nicht kennen gelernt hat!

Im Gegensatz zu Puntschart behauptet nun Schönbach[2]), dass Stier und Stute schlechtweg die Viehzucht repräsentieren sollten. Dies kennzeichne schon der Geschlechtsunterschied. Ich vermag auch dieser Deutung, die der von Puntschart gegebenen direkt entgegengesetzt ist, nicht beizustimmen. Der Hinweis auf den Geschlechtsunterschied der Tiere wirkt nicht überzeugend. Dieser Unterschied kann ebensogut, wenn nicht mit noch grösserem Rechte, aus sakralen Vorschriften erklärt werden.[3]) Sodann darf man fragen: Wozu eine „Repräsentation" der Viehzucht? Warum nicht auch eine „Repräsentation" des Ackerbaues? Und wenn schon die Viehzucht allein zu Worte kommen sollte, warum gerade eine Repräsentierung durch scheckige Tiere? Die Farbe der Tiere musste doch in einem solchen Falle ganz gleichgiltig gewesen sein.

---

[1]) vgl. Schönbach, Mitteil. d. Inst. f. österr. Gesch., Bd. 20, S. 522 fg.; zustimmend v. Wretschko, S. 945, Anm. 3. — Von einer „abgebrauchten Stute" spricht zum erstenmale Aeneas Sylvius (s. Puntschart, S. 80). Er hat augenscheinlich das Wort „Feldpferd" missverstanden.

[2]) s. Schönbach, S. 524; ihm pflichtet v. Wretschko, a. a. O. bei.

[3]) vgl. Preller, Römische Mythologie[3], Bd. 2, S. 214, Anm. 1: Opfer eines taurus und einer vacca; Aufrecht u. Kirchhoff, II. Bd., S. 336: Bundesopfer von zehn föderierten umbrischen Städten, bestehend in einer Sau und einem Bock; im sakralen Ceremoniell der Städtegründung, das die Römer von den Etruskern entlehnten, wurde ein weisser Stier und

Dieser rationalistischen Deutung gegenüber behaupte ich,
dass in der Vorschrift. die Stute müsse ein „veltphert" sein.
ein deutlicher Fingerzeig auf die einstmalige sakrale
Rolle der beiden bei der „Einsetzung" verwendeten
Tiere gelegen sei. Die Bestimmung, dass die Stute bislang
noch auf der Weide gegangen sein müsse, also zur Feldarbeit
noch nicht verwendet worden sein durfte, ist m. E. in unmittelbaren Zusammenhang mit den bei vielen indogermanischen
Stämmen sich findenden Ritualregeln zu bringen, die für das bei
der sakralen Handlung verwendete Tier Unberührtheit von
jedweder Arbeit fordern.

So liessen die Inder[1]) beim Rossopfer vor der Opferung
das bis dahin von jeder Arbeit ferngehaltene Tier frei über die
Grenze laufen. Bei den Griechen[2]) durfte das Opfertier weder
zum Dienste eines Menschen noch zur Zucht gebraucht worden
sein, weshalb der Ackerstier durchgehends vor Opferung geschützt
erscheint. Bei den Römern war das wichtigste Opfertier der
junge, eben frisch von der Weide und der Mutter geholte,
noch von keiner Arbeit berührte Stier, der „juvencus".[3]) In

eine weisse Kuh verwendet und nach geschehenem Gebrauch geopfert, s.
K. O. Müller, Die Etrusker, 2. Bd. (1828), S. 142; Carus Sterne, Das
Sonnenlehen, Sonntagsbeilage zur Vossischen Zeitung, Jg. 1892, Nr. 13.
Beim Totenopfer schlachteten die Slaven einen Hahn und eine Henne; s.
Sepp, Das Heident. u. dessen Bed. f. d. Christent., Bd. 2, (1853), S. 296,
der jedoch keine Quelle angibt; die alten Preussen opferten beim Ozinek-
Feste einen Schafbock nebst der Schafmutter, einen Ziegenbock mit
der Ziege, Hahn und Henne etc., S. Sepp, S. 312; beim litauischen Ge-
treidefest wurde nach dem Berichte des Math. Praetorius (1664—1684)
ein schwarzer, weisser oder bunter Hahn und eine eben solche Henne
geopfert (Pfannenschmidt, Erntefeste, S. 295); vgl. auch Grimm,
Deutsche Myth[4]., 1. Bd., S. 44, Anm. 2. Ueber die Tendenz, das Opfertier dem Gotte im Geschlecht, aber auch in der Farbe etc. nachzubilden,
vgl. Oldenberg, S. 357; für die Griechen: Stengel P., Quaestiones
sacrificales (1879) S. 1 fg.

[1]) vgl. Negelein, S. 79; über einen ähnlichen turanischen Brauch
vgl. M. Jähns, Ross und Reiter (1872), 1. Bd., S. 439.

[2]) vgl. Hermann, Gottesdienstliche Altertümer der Griechen, S. 116,
S. 119, Anm. 19, S. 120, Anm. 20; Chantepie de la Saussaye, Lehrbuch der
Religionsgeschichte², 2. Bd., S. 298; Stengel, Quaestiones sacrificales,
S. 10 f.; Wochenschrift für klassische Philologie, Jg. 1903, Sp. 24.

[3]) s. Preller, Römische Mythologie³, 1. Bd., S. 213, S. 214, Anm. 1;
Hartung, Religion der Römer (1836), 1. Bd., S. 192.

6*

den Opfervorschriften der iguvinischen Tafeln[1]) ist von
„ivengo“, die den Göttern darzubringen sind, die Rede. Dieses
„ivengo“ entspricht dem lat. „juvenca“, bedeutet also das frisch
von der Weide gekommene junge Rind. Die keltischen
Druiden verwendeten beim Einholen der heiligen Mistel Stiere,
deren Hörner bei diesem Anlasse zum erstenmale gefesselt
wurden.[2]) Die Germanen züchteten, wie Tacitus berichtet,
in heiligen Hainen Pferde, „die nie und nimmer von unheiliger,
für Menschen bestimmter Arbeit entweiht“ werden durften.[3])
Dass die Germanen für das bei der sakralen Handlung verwendete Tier Unberührtheit von jeglicher Arbeit verlangten,[4])
lässt sich noch aus einer Reihe anderer Momente erschliessen.
Solche Tiere galten mit der Kraft der „Weisung“[5]) begabt, man
bediente sich ihrer ferner bei strafrechtlichen Sakralakten[6]) und
wohl auch bei Lustrationen.[7]) Auch bei den Slaven scheinen ähnliche
Vorschriften bestanden zu haben. In den thrakisch-bulgarischen
Hymnen an den Gott der Herden Vologa werden Stiere, welche
noch nie unter dem Joche waren, auch nicht geackert haben,
daher zur heiligen Handlung geeignet sind, „nedumeni“ genannt,
d. h. „nicht gebändigt“.[8]) Wenn nun auch in diesem Worte

---

[1]) vgl. Aufrecht und Kirchhoff, II., S. 247, 295; R. v. Planta,
Grammatik der oskisch-umbrischen Dialekte, Bd. II (1897), S. 561.

[2]) vgl. Grimm, Deutsche Mythol., Bd. 2, S. 1009, Anm. 1.; Eckermann,
Lehrb. d. Religionsg., Bd. 3, S. 70.

[3]) vgl. Tacitus, Germ. c. 10; A. Baumstark, Ausführliche Erläut.
d. allgem. T. d. Germania (1875), S. 471.

[4]) vgl. auch E. Dagobert Schönfeld, Der isländische Bauernhof und
sein Betrieb zur Sagazeit (Quellen und Forschungen z. Sprach- u. Kulturgeschichte der germ. Völker, 91. Bd. 1902), S. 163.

[5]) vgl. Quitzmann, Die Religion d. heidnischen Baiwaren (1860), S.
240 mit reichen Belegen; Panzer, Beiträge z. deutschen Mythol., 1. Bd.
(1848), S. 225 fg.

[6]) vgl. Grimm, D. Myth., Bd. 1, S. 45; Rechtsaltertümer, 2. Bd.,
S. 76.

[7]) Nach nassauischem Aberglauben darf das beim Hexenwerk verwendete Messer noch nicht gebraucht worden sein; s. Roth, Zschr. f.
Kulturgeschichte, Jg. 1890, S. 222. In Hessen wurde das Notfeuer mit
einem Wagenrade und noch nicht gebrauchter Achse erzeugt; s. Kuhn,
Herabkunft des Feuers, S. 42, Anm. 2.

[8]) vgl. Fligier, Neuere ethnologische Entdeckungen auf d. Balkan-
halbinsel, Mitteil. d. Wiener anthr. Ges., Jg. 1880, S. 204.

nach **Fligier** kein slavischer Ausdruck, sondern ein thrakisches Lehnwort vorliegt, so kann doch die zugrundeliegende Vorstellung eine slavische gewesen sein. Berichtet doch **Dusburg**[1]) von einem altpreussischen[2]) Brauche, bei Dankopfern Tiere zu schlachten, auf denen noch kein Reiter gesessen sein durfte.

Gestützt auf die eben angeführten Belege darf wohl ruhig behauptet werden, dass es ein von sakralen Vorstellungen beeinflusster Akt gewesen sein müsse, bei dem das „Feldpferd" zur Verwendung gelangte. Damit ist ein neuerlicher und gewichtiger Beweis für die Behauptung, dass die „Herzogseinsetzung" ursprünglich ein heidnisch - sakraler Akt gewesen sei oder zum wenigsten an einen solchen angeknüpft habe, geliefert.[3])

---

[1]) vgl. **Dusburg**, P. III., c. 5 bei **Eckermann**, Bd. IV, 2. S. 63.

[2]) Ueber die nahe Verwandtschaft zwischen den Preussen und Slaven vgl. **Brugmann**, Grundriss der vergleich. Grammatik der indogerm. Sprachen, 1. Bd., 2. Bearb., S. 18.

[3]) Gegenüber dem von der Kritik mit allem Nachdruck geltend gemachten Einwande, dass nicht das geringste Indiz dafür spreche, dass die bei der „Einsetzung" verwendeten Tiere das Aussehen abgearbeiteter Lasttiere haben mussten (vgl. neben **Schönbachs** oben erwähnten Ausführungen noch **Pappenheim**, S. 309), hält **Puntschart** auch in seinem in der Zeitschr. d. d. Alpenv. erschienenen Aufsatze (S. 125, 127) an der Meinung fest, dass Stier und Stute als „Arbeitstiere" aufzufassen seien. Es ist angesichts dieses Umstandes die Bemerkung v. **Jaksch**s, „**Puntschart** wolle mit aller Gewalt diese Tiere als abgearbeitete Feldtiere erweisen" (s. Mitt. d. I. f. öst. Gesch., 23. Bd., S. 313), nicht ganz ungerechtfertigt. Wenn **Puntschart** (a. a. O. S. 127) sagt, **Johannes von Victring** spreche „ausdrücklich von Tieren zur Feldarbeit", so ist diese Behauptung als unbegründet abzulehnen. Die Stelle, auf die sich **Puntschart** bezieht, lautet: „Jumenta discolorata incolas terre hiis animalibus terram laborantibus exprimunt, propter disparos mores a ceteris planis, laboriosam nichilo minus et fetosam." (Vgl. die **Boehmer**'sche Ausgabe des **Joh. v. Victring**, S. 319). Diese Stelle ist nach **Tangl**s richtiger Uebertragung (s. **Tangl**, S. 447) folgendermassen zu übersetzen: „Durch die scheckigen Haustiere werden die an Sitten verschiedenen Bewohner des Landes (Deutsche und Slaven) bezeichnet, welche mit solchen Tieren den zwar viele Anstrengungen fordernden, aber doch fruchtbaren Boden anbauen." Dass diese Worte für **Puntschart**s Ansicht nicht im geringsten beweisend sind, wird jeder, der diese Stelle vorurteilsfrei überprüft, zugeben müssen.

In der Reihe der für diese Annahme sprechenden Indicien darf wohl auch die Tatsache angeführt werden, dass noch zur Zeit des Johannes von Victring bei der „Herzogseinsetzung" die Gepflogenheit herrschte, mehrere Holzstösse in Brand zu setzen. Die auf diesen Brauch bezüglichen Nachrichten und der Ritus selbst erheischen eingehendste Berücksichtigung.

Mit der Kärntner „Huldigung" wurde ein seltsames Recht in Verbindung gebracht, das sogenannte „Brennrecht"[1]) der Portendorfer, das später in den Besitz der Familie Mordax überging. Es heisst in den Quellen „Brennamt in Kärnten", „Erbbrennamt", „Freiheit des Brandes"[2]); sein Inhaber führt den Namen „incendiarius", „Brenner"[3]). Nach späten Berichten[4]) (Unrest, Megiser) soll dieses Recht darin bestanden haben, dass der „Brenner", solange der Fürst auf dem Herzogsstuhle zu Zoll sass, überall im Lande „brennen" durfte, wofern sich der Betroffene mit ihm nicht abfand. Dieses „Brennrecht" spielt in der Literatur über die „Herzogseinsetzung" eine nicht geringe Rolle. Puntschart glaubt, „die Meinung, dass ein solches Recht" — nämlich das Recht, Häuser niederzubrennen — „im Mittelalter wirklich geübt wurde, wäre sicherlich falsch", und hält dafür, dass in jener Zeit, aus der unsere ältesten Berichte über die „Einsetzung" stammen, der Brenner nur noch symbolisch seines Amtes gewaltet habe.[5]) Er meint jedoch, dass der incendiarius Jahrhunderte vor der Abfassung unserer ältesten Quellen kraft eines ihm zustehenden Amtes in Wirklichkeit dazu berechtigt gewesen sei, unter gewissen Voraussetzungen Wohnstätten niederzubrennen.[6]) Er vermutet nämlich, dass der „incendiarius" anfänglich ein Vollstreckungsorgan gewesen sei, welches gegen solche Personen, die entgegen der allgemeinen Verpflichtung bei der „Einsetzung" des „Bauernfürsten" nicht erschienen, einzuschreiten hatte. Nichterscheinen zog eine

---

[1]) Ueber das „Brennrecht" handelt ausführlich Puntschart. S. 240—248.

[2]) s. Puntschart, S. 240.

[3]) s. Puntschart, a. a. O.

[4]) s. Puntschart, S. 242.

[5]) s. Puntschart, a. a. O.

[6]) Puntschart, S. 271.

Busse nach sich, in letzter Linie die „Friedlosigkeit", in welcher
der Hausbrand enthalten war. Wahrscheinlich, so meint
Puntschart, erhielt der Brenner einen Teil der Bussen. Das
„Brennamt" erinnert ihn an das Vorgehen gegen Infidelität im
Frankenreiche.[1])

Diese sinnreiche Vermutung Puntscharts ruht auf einer
ganz unzuverlässigen Basis. Er geht davon aus, dass den
Nachrichten bei Unrest und Megiser ein gewisser Wert nicht
abzusprechen sei, und glaubt mit diesen Autoren, dass der
Kern des Amtes im Rechte des Hausbrandes bestanden habe:
nur meint er, dass dieses Recht bereits zur Zeit des
Johannes von Victring nur noch symbolisch geübt worden
sei, ohne mit der wünschenswerten Klarheit auszusprechen,

---

[1]) Mit der Deutung des rätselhaften Brennrechtes hat sich auch
Brunner beschäftigt. Er möchte das Brennrecht auf die symbolische Anerkennung des allgemeinen bäuerlichen Rechtes der Brand-
wirtschaft zurückführen; vgl. Puntschart, Zschr. d. d. Alpenvereins,
32. Bd., S. 131. Aehnlich, so meint Brunner, liesse sich das „Mahdrecht", von dem weiter unten noch ausführlich die Rede sein wird, als
agrarwirtschaftliche Neuerung im Gegensatz zur ausschliesslichen Weide-
wirtschaft deuten. — Einer kurzen Besprechung wert ist, was L. A. Gebhardi
zur Erklärung des Brennrechtes vorbringt. Dieser Autor sagt in seiner
„Genealogischen Geschichte der erblichen Reichsstände in Teutschland"
(1785), 3. Bd., S. 408 bei der Erörterung der Fürstenstein-Ceremonie vom incendiarius: „ . . . . dass, so wie in Böhmen bei der Ankunft des Herzogs im
kaiserlichen Hoflager, der beamtete Mordbrenner einige Holzstösse an-
zündete . . . .". An einer anderen Stelle (Geschichte aller wendisch-
slavischen Staaten, 1790, I. Bd., S. 54) meint er: „Solange die Huldigungs-
feierlichkeit dauerte", durfte der Brenner im Lande brennen, wo er wollte.
„Ein gleicher Brauch findet sich bei dem Könige von Böhmen, der, wenn
er zum Kaiser kam, auf dem Wege Dörfer abbrennen durfte." Gebhardi
bezieht sich in diesen beiden Bemerkungen, von denen die erste sachlich
ganz, die zweite zum Teil unrichtig ist, auf ein Privileg der Könige von
Böhmen, von dem uns die Chronik des Benessius de Waitmile (vgl. Dobner,
Monumenta historica Boemiae, tom. IV, p. 53 f.) berichtet. Der Chronist
erzählt: „ . . . . Wenczeslaus IV . . . . adiit eandem civitatem (sc. Nuremberg)
. . . . et in suo introitu more suorum avorum . . . . fecit fieri ignem copiosum
in duobus locis, ut cunctis pateret adventus regis Bohemie; habent
namque ab antiquo principes et reges Bohemie, ut vocati ad curiam imperi-
alem, in flamma et igne veniant . . . .". M. E. ist es unzulässig, diese
böhmische Sitte der Signalfeuer mit dem Rechte des Brenners in Verbindung
zu bringen.

Worin diese symbolische Uebung seines Erachtens bestanden
habe. Bei diesen Annahmen stützt sich Puntschart, abgesehen von den Berichten bei Unrest und Megiser, auf folgende
Stelle in der von der „Einsetzung" handelnden Erzählung des
Johannes von Victring:[1] „Sicque incendiarius quem dicunt
ad hoc iure statutum, incensis aliquibus focis pro reverentia
principis, quod de adversa ortum est consuetudine, non de jure."
Puntschart fasst nun das „focis" dieses Satzes im Sinne von
„Herd = Feuerstätten", also von „Wohnräumlichkeiten", und meint
auf Grund dieser Interpretation, dass sich das Amt des incendiarius
nur auf das Niederbrennen bewohnter Häuser bezogen haben
könne. Es entgeht ihm nun zwar nicht, dass bereits einige
Autoren, wie Hermann und Friedenburg, unter den „focis",
von denen Johannes von Victring spricht, „Holzhaufen,
Holzstösse"[2] verstanden wissen wollten, und dass für diese
Ansicht auch das „pro reverentia principis" zu sprechen scheine,
er vermeint aber diese Deutung ablehnen zu dürfen. Es sind
drei ziemlich fragwürdige Argumente, mit denen er diese ablehnende Haltung rechtfertigt. Das erste gipfelt in der Frage:
„Allein soll man wirklich daran denken" — nämlich an Holzstösse — „wenn solches am hellen Tage veranstaltet wird?"
In zweiter Linie beruft sich Puntschart darauf, dass die
Deutung „foci": „Wohnstätten" mit der allgemeinen Anschauung
über das Amt des incendiarius im Einklang stünde. Schliesslich
hebt er noch hervor, dass das Anzünden von Huldigungs- oder
Ehrenfeuern sonst nirgends als zum Brennrecht gehörig erwähnt werde.

Demgegenüber muss vor allem nachdrücklich konstatiert
werden, dass das „pro reverentia principis" im Berichte des
Johannes von Victring eine Deutung im Sinne Puntscharts
vollkommen ausschliesst; diese Wendung lässt m. E. keinen
Zweifel daran übrig, dass der Abt hier an „Wohnstätten" nicht
gedacht haben könne.[3] Hausstätten, die zu Ehren des eben
in die Herrschaft „einzusetzenden" Fürsten entzündet und nieder-

[1] vgl. Puntschart, S. 241.
[2] vgl. Puntschart, a. a. 0.
[3] vgl A. Weiss, Kärntens Adel bis zum Jahre 1300 (1869), S. 116.

gebrannt werden sollen, — das ergäbe einen unauflösbaren
Widerspruch, dem gegenüber aller Scharfsinn und alle Kombi-
nationsgabe ohnmächtig bleiben muss. Nimmt man hingegen an,
dass „focis" hier im Sinne von „Holzstösse" zu nehmen sei, so
ist dieser innere Widerspruch völlig behoben.

Wenn Puntschart es für unmöglich hält, dass zu Ehren
des neuen Herrschers am hellen Tage Freudenfeuer entzündet worden seien, so ist diesem Einwande gegenüber rundweg
zuzugeben, dass Freudenfeuer, Ehrenfeuer, am Tage entzündet —
die „Einsetzung" findet ja in den Vormittagsstunden statt —,
entschieden eine Seltsamkeit, ein ganz sonderbarer Brauch gewesen wären. Aber es fragt sich eben: War das Entflammen
dieser Holzstösse von allem Anfang an „pro reverentia principis"
vorgenommen worden, oder verband man damit vielleicht
ursprünglich einen ganz anderen Zweck, der später völlig in
Vergessenheit geriet, so dass man den getreulich weiter-
geschleppten Brauch zur Zeit des Johannes von Victring
nur noch so sich erklären konnte, dass man annahm, die Holzstösse seien während der Ceremonie am Fürstenstein „zu Ehren"
des Herzogs in Brand gesetzt worden? So unwahrscheinlich
es ist, dass der Brauch von allem Anfang an den Charakter
einer Ehrung hatte, so wahrscheinlich ist es auf der anderen
Seite, dass er, nachdem einmal seine geschichtliche Wurzel vergessen worden war, nunmehr zu einer Ehrungsceremonie umgedeutet werden konnte. Das „pro reverentia principis" sagt uns
demnach zwar nichts über die Urgeschichte des Ritus, sondern
nur über seine Ausdeutung zur Zeit des Johannes von Victring,
es weist uns aber, indem es ausser Zweifel stellt, dass es sich
um Holzstösse gehandelt haben müsse, doch den Weg, auf dem
das ursprüngliche Wesen des Brauches erforscht werden kann.

Puntschart meint endlich, wie bereits erwähnt wurde,
dass seine Deutung mit der allgemeinen Anschauung über das
„Brennamt" in Einklang stehe. Dieser Satz ist ganz unanfechtbar, beweist aber m. E. gar nichts für die Richtigkeit
seiner Annahme. Wenn auch in Urkunden, Korrespondenzen
und sonstigen amtlichen Schriftstücken ziemlich oft vom „Brenn-
amte" die Rede ist, so erfahren wir doch daraus wenigstens
anfänglich gar nichts über den Inhalt des Amtes. Erst
späterhin taucht einmal eine Andeutung auf, die an den

Bericht von Unrest und Megiser anklingt.[1]) Diese Andeutung und diese deutlicheren Berichte stellen nun zwar ganz
ausser Zweifel, dass man ungefähr am Beginne der Neuzeit
glaubte, der Brenner habe, solange der Herzog auf dem Herzogsstuhle sass, das Recht gehabt, überall im Lande zu brennen,
wofern sich der Betroffene mit ihm nicht abfand — aber es
ist m. E. auch kein Zweifel mehr möglich an der Annahme,
dass man zu dieser späten Zeit erst dieses uns heute so merkwürdig erscheinende Recht des Hausbrandes ersonnen,
aus der Luft gegriffen hat, um nunmehr, wo der Akt der
„Herzogseinsetzung" schon so lange Zeit nicht mehr geübt
worden war, halbwegs erklären zu können, worin denn eigentlich
die Funktion der rätselhaften Persönlichkeit des „Brenners"
bestanden habe. In dieser Zeit muss sich auch die irrige
Meinung gebildet haben, dass das „Brennrecht" zeitlich an den
Akt der Herzogshuldigung gebunden gewesen sei,[2]) während
doch aus dem Berichte des Johannes von Victring klar
hervorgeht, dass man zu seiner Zeit das „Brennamt" mit dem
Akt der „Herzogseinsetzung" in Verbindung brachte.

Es handelt sich, so vermeine ich, bei dem Berichte Megisers
und Unrests um ein rechtsgeschichtliches Märchen ätiologischen
Charakters, das sich um den Namen des „Brenners" gesponnen
hat, gedichtet einzig und allein zu dem Zwecke, um diese
unverständlich gewordene Bezeichnung erklären zu können.
Eine solche Erscheinung, dass Märchen und Erzählungen nur
der Deutung eines Namens wegen ersonnen werden, kann man
häufig beobachten. Es lassen sich natürlich heute die einzelnen
Phasen des Zustandekommens dieses Märchens nicht mehr verfolgen; wir können nur mehr das fertige Produkt dieser spätmittelalterlichen Erfindung unter die kritische Sonde nehmen.

Da wir sonach festgestellt haben, dass in dem „pro reverentia
principis" nur ein Versuch des Abtes (oder seiner Zeitgenossen)
vorliege, den rätselhaft gewordenen Brauch zu erklären, und
da andererseits aus dieser Wendung gefolgert werden muss,
dass es sich bei diesem Ritus nur darum gehandelt haben kann,

---

[1]) vgl. Puntschart, a. a. O.
[2]) Dies ist auch die Ansicht v. Wretschko, S. 949, Anm. 2.

beim Akte der „Einsetzung" einige Holzstösse[1]) in Flammen zu setzen, so erwächst uns nunmehr die Aufgabe, zu untersuchen, wieso dieser Branch ins Ritual der „Herzogseinsetzung" Eingang finden konnte.

Wir haben, wenn wir dieser Aufgabe nähertreten, uns zunächst die Frage vorzulegen, ob nicht durch das, was v. Zeissberg über die Urbedeutung des Feuer-Ritus der „Herzogseinsetzung" vorgebracht hat, jede weitere Bemühung um die Aufhellung der Geschichte dieses Brauches überflüssig geworden sei. Dieser Autor hat nämlich geglaubt,[2]) den Ritus als einen Akt symbolischer Besitzergreifung durch Feuerzündung deuten zu dürfen. Er vermeint in der Ceremonie der „Einsetzung" eine Vereinigung von vier an die vier Elemente geknüpften Besitzergreifungssymbolen erblicken zu können: das Sitzen auf dem Herzogsstuhle — er identifiziert irriger Weise Fürstenstein und Herzogsstuhl — betrachtet er als eine symbolische Aneignung der Erde Kärntens durch den Herzog, den Trunk frischen Wassers als eine Besitznahme der Gewässer des Landes, der Schwertritus gilt seiner Auffassung nach dem Elemente der Luft, die Entzündung der Holzstösse dem Elemente des Feuers. Diese bestechende Deutung hält vor einer eindringenden Kritik nicht stand. Vor allem hätte doch wohl, wenn es sich wirklich um eine Besitzergreifung durch Feuerzündung gehandelt hätte, der Herzog oder zum mindesten einer aus seinem nächsten Gefolge die Holzstösse entflammen müssen; dies war aber ganz gewiss nicht der Fall, da ja dieses Amt dem „Brenner", der in keinem Berichte zum Gefolge des Herzogs gerechnet wird, zustand. Auch beim Wassertrunke wird es kaum möglich sein, in ihm ein Symbol der Besitzergreifung zu sehen. Es ist zwar ein naheliegendes Formmotiv, die Besitzergreifung eines Landes durch symbolische Okkupation der zu diesem Lande gehörenden Gewässer kundzutun — v. Zeissberg hat interessante Belege hiefür beigebracht[3]) —, aber nirgends können wir

---

[1]) Auch der Deutungsversuch Brunners hat zur Voraussetzung, dass der Ritus in einer Entzündung von Holzstössen, nicht von Hausstätten bestanden habe.

[2]) vgl. v. Zeissberg, S. 440.

[3]) vgl v. Zeissberg, S. 440, Anm. 1.

konstatieren, dass gerade das Trinken des Wassers Besitz-
ergreifungssymbol gewesen sei. Dass im Fürstensteine ein
Wahrzeichen der Herrschaft nicht erblickt werden dürfe, wurde
bereits erwiesen. Aber auch vom Herzogsstuhl, der doch
gewiss ein Herrschaftssymbol darstellte, wird man kaum behaupten dürfen, dass, wer sich auf ihm feierlich niederliess,
damit just als Erwerber des Bodens des Landes angesehen
wurde. Das Niederlassen auf dem Herzogsstuhle galt als Akt
der Uebernahme der Regierungsgewalt schlechtweg. Der Besitz
des Stuhles symbolisiert den Besitz der obersten Richterwürde
und damit der höchsten Herrschergewalt, nicht aber in erster
Reihe den Besitz des Grundes und Bodens. Hätte man beabsichtigt, die Okkupation der „Erde" Kärntens bildlich darzustellen, so hätte man doch in erster Linie zu dem bei so vielen
Völkern — auch bei den Slaven — sich findenden Rechtssymbole der Erdscholle[1]) greifen müssen. Was endlich den
Schwerthieb als die bildliche Besitznahme des Elementes der
Luft betrifft, so liesse sich diese Deutung immerhin verteidigen,
es ist aber m. E. doch wahrscheinlicher, dass der Brauch von
allem Anfang an in Kärnten jene Bedeutung hatte, welche ihm
Johann von Victring beimisst; dass er nämlich vorgenommen
worden sei zum Zeichen, dass der Herzog allen Bewohnern
des Landes ein gerechter Richter sein werde.

Der Versuch v. Zeissbergs, die Feuerceremonie der
„Herzogseinsetzung" zu erklären, ist sohin als gescheitert zu
betrachten. Nicht bloss die Deutung im speziellen, sondern
auch der Rahmen, in den sie eingefügt erscheint, erweist sich
als unzuverlässig. Es ist demnach der Weg für einen neuen
Versuch zur Erforschung des Brauches frei.[2])

Es kann nach den bisherigen Ausführungen des vorliegenden
Abschnittes kein Zweifel mehr obwalten, in welcher Richtung

---

[1]) vgl. Grimm, Rechtsaltertümer, 1. Bd., S. 154—168.

[2]) Da bereits nachgewiesen wurde, dass zwischen dem indischen râjasûya
und der Fürstenstein-Ceremonie keinerlei Verwandtschaft bestehe, so brauchen
wir uns an dieser Stelle nicht mehr mit der Frage zu beschäftigen, ob das
Brennrecht vielleicht mit der möglicherweise beim râjasûya geübten Sitte
zusammenhängen könne, das Feuer auf der vom König zu unterhaltenden
χοινή ἰστία zu entflammen. Vgl. Hillebrandt, Vedische Mythologie,
1. Bd., S. 120, Anm. 1, S. 120 fg.

wir vordringen müssen, um zu einer befriedigenden Deutung
der rätselhaften Ceremonie zu gelangen. Ich meine, dass dieser
Brauch nur verständlich wird, wenn man von der Annahme
ausgeht, dass das heidnisch-sakrale Moment beim Akte der
„Herzogseinsetzung" ursprünglich eine grosse Rolle spielte,
und glaube behaupten zu dürfen, dass das Feuer, welches der
„incendiarius" zu entflammen hatte, als das „Ueberlebsel"
eines bei der Fürstenstein-Ceremonie einstmals zu
sakralen Zwecken verwendeten Feuers betrachtet
werden müsse.

Dass bei den Sakralakten der Slaven dem Feuer eine besondere Bedeutung beigemessen wurde, scheint mir ausser
Zweifel zu stehen.[1]) Dann aber darf wohl auch angenommen
werden, dass bei den Slaven die Schichtung, Entzündung und
Unterhaltung des geheiligten Feuers nach genau bestimmten
Ritualregeln erfolgte, deren Kenntnis sorgsam gehütetes Ge-
heimgut gewisser bevorrechteter Geschlechter war, und deren
Ausübung deshalb auch nur Angehörigen solcher Geschlechter
zustand.[2]) Unter der Voraussetzung, dass diese Supposition
richtig ist, darf man nun m. E. weitergehend behaupten, dass
jenes Geschlecht, in dem sich das „Brennrecht" vererbte, Jahrhunderte vor der Abfassung unserer ältesten Quellen, in heidnisch-
slovenischer Zeit, ein solches Feuerpriester-Geschlecht gewesen
sei, von dessen Vorrechten in christlicher Epoche nur das Recht,
bei der „Herzogseinsetzung" mehrere Holzstösse in Flammen
zu setzen, übrig blieb. Man könnte mit diesem Geschlechte
die indischen Priesterfamilien der Bhṛgu, Angirasen und Atharvanen, die sich als Bringer, Holer und Zünder des heiligen
Feuers bezeichneten, vergleichen.[3])

---

[1]) Das Zauberfeuer und der Feuerkultus scheint bei den Indogermanen
bereits in die Zeit vor der Trennung der einzelnen Stämme zurückzureichen;
vgl. Oldenberg, Religion des Veda, S. 102.

[2]) Ueber heilige Familien und Sippen, die sich im Besitze besonders
wirksamer Zauberformeln, Opfer und Gebete befanden, vergl. Schrader,
Reallexikon, s. v. „Priester", S. 640.

[3]) vgl. Kuhn, Herabkunft des Feuers, Register, s. v. „Bhṛgu,
Angiras, Atharvan".

Mit dem Amte des incendiarius dürfte man jenes des indischen „agnidh"[1]) in Parallele setzen, eines priesterlichen Funktionärs, dessen Name, ähnlich dem des incendiarius, den „Feuerschürer"[2]) bezeichnet. Dieser „agnidh" hat eine Reihe von Verrichtungen vorzunehmen, die auf das heilige Feuer, dessen Reinigung, auf die Zulegung von Brennholz und dergleichen Bezug haben.[3]) Aber auch bei den Iraniern bestand eine ähnliche Institution[4]). Der Feuerpriester wird im Avesta „âthrawa" genannt, welches Wort von „âtare"- „Feuer" abzuleiten ist und dem Namen eines der wichtigsten indischen Priestergeschlechter, den bereits erwähnten „Atharvanen", genau entspricht. Es kann deshalb, wie L. v. Schroeder[5]) bemerkt, kaum einem Zweifel unterliegen, dass das Wort „atharvan" in die Periode der indopersischen Einheit zurückreicht und dort den Feuerpriester bezeichnete. Durch diese Feststellung, dass bereits die „arische" Epoche für den Feuerdienst bestimmte priesterliche Funktionäre gekannt hat, erhöht sich nun auch wegen der unbezweifelbaren Nahverwandtschaft zwischen den „arischen" Stämmen und den Slaven die Wahrscheinlichkeit, dass auch bei den Slaven die Institution der Feuerpriester bestanden habe.[6])

Wenn man die hier vorgetragene Auffassung von der Geschichte des rätselhaften „Brennamtes" acceptiert, so erklärt sich natürlich die auffallende Tatsache, dass die Holzstösse, von denen Johannes von Victring spricht, am hellen Tage entzündet werden mussten, in der einfachsten Weise: wenn

---

[1]) Bei den Creek-Indianern wird der Priester „Feuermacher" genannt, welcher Name dem des agnidh und unseres incendiarius vollkommen entspricht; s. Lippert, Kulturgeschichte. 1. Bd., S. 273.

[2]) vgl. Oldenberg, S. 384 fg., 389.

[3]) s. Hillebrandt, Neu- und Vollmondsopfer, S. 32, 82, 135;

[4]) vgl. Geiger, S. 464.

[5]) s. L. v. Schroeder, Indiens Literatur und Kultur, S. 24, 25; Geiger, a. a. O. — Oldenberg, S. 385 vergleicht den avestischen Ätarevakhsha, den „Feuerpfleger", mit dem vedischen Agnidh, dem „Feuerentflammer."

[6]) Auch bei den Kelten ist es ein besonderer priesterlicher Funktionär, welcher die Feuerbereitung übte; s. Lippert, Kulturgeschichte 1. Bd., S. 273.

nämlich der „Brenner" ursprünglich eine Sakralperson gewesen ist, so konnte der Akt der „Herzogseinsetzung", bei dem er mehrere Holzstösse zu entflammen hatte, anfänglich nur eine sakrale Handlung gewesen sein: der Brauch jedoch, eine die Gegenwart des heiligen Feuers erfordernde sakrale Ceremonie am Tage vorzunehmen, war der indogermanischen Auffassung nichts Fremdes, galt ihr vielmehr als eine Selbstverständlichkeit. So, glaube ich, darf man denn auch das „Brennamt" als ein Zeugnis dafür betrachten, dass die „Herzogseinsetzung" ein von heidnisch-sakralen Vorstellungen stark durchsetzter Akt gewesen sei.

Für diese Behauptung darf man wohl auch die Nachricht, der Herzog habe den Fürstenstein dreimal umkreisen müssen, ins Treffen führen. Von diesem Brauche wird uns in zwei Handschriften des Schwabenspiegels, einer St. Gallener und Giessener, vermeldet. Diese erzählen ganz übereinstimmend folgendes:[1]) Nachdem der Herzog eingekleidet worden, „wird er auf ein Feldpferd gesetzt und zu einem Stein geführt, der zwischen Glanegg und Maria-Saal liegt. Um diesen Stein wird er dann unter wendischen Gesängen dreimal herum- geführt. Die ganze Volksmenge, klein und gross, Frauen und Männer lobten in diesem Gesange Gott, ihren Schöpfer, dass er ihnen und dem Lande einen Herrn gegeben nach ihrem Willen."

Bevor ich nun darangehe, den eminent sakralen Gehalt des in diesem Berichte überlieferten Umwandlungs-Ritus aufzu- zeigen, wird es notwendig sein, sich mit P u n t s c h a r t, der die Glaubwürdigkeit dieser Erzählung in Frage stellt, ausein- anderzusetzen.

P u n t s c h a r t s Behauptung[2]), dass es sich bei den An- gaben jener Handschriften im grossen und ganzen um eine willkürliche Erfindung eines sehr „oberflächlich orientierten Autors" handle, wird von ihm folgendermassen begründet: „. . . . . auch von der Herzogseinsetzung weiss er eigentlich

---

[1]) vgl. P u n t s c h a r t, S. 67 fg.
[2]) vgl. P u n t s c h a r t, S. 70 fg.

nichts; denn ihm sind sogar der Bauer[1]) und seine Funktionen, sowie die Schwertceremonie[2]) offenbar unbekannt. Dagegen hat er augenscheinlich gehört, dass ein Feldpferd dabei in Verwendung kam. Aber wie lässt er es verwendet werden! Es hält schwer, ernst zu bleiben, wenn man davon liest, und er hätte sich selbst sagen müssen, dass sich ein deutscher Ritter wohl schwerlich dazu hergegeben hätte, auf einem Feldpferde um einen Stein dreimal herumzureiten. Weil zudem sonst nirgends derartiges berichtet wird, so muss diese Angabe vom Autor oder seinem Gewährsmann willkürlich ersonnen worden sein. Sie erklärt sich, wie ich meine, so, dass einerseits von einem Ritte des Herzogs in die Oertlichkeit der Einsetzung und Huldigung, andererseits von der Verwendung eines Feldpferdes zu hören war. Aus beiden machte nun der Autor oder sein Gewährsmann einen Ritt des Herzogs auf einem Feldpferde. Das machte sich recht seltsam und schien schon deshalb in den Akt zu passen, der als etwas ganz Absonderliches, einzig Dastehendes weit und breit bekannt war."

Puntschart glaubt demnach die Zuverlässigkeit dieses Berichtes hauptsächlich darum anfechten zu müssen, weil sich seiner Ansicht nach ein deutscher Ritter wohl schwerlich zu der hier geschilderten Ceremonie hergegeben hätte. Man darf dieser Meinung nachdrücklichst widersprechen. Wenn der Herzog es sich gefallen lassen musste, in ein Bauerngewand gesteckt zu werden und von einem einfachen Landmanne eine

---

[1]) Diese Behauptung Puntscharts ist m. E. nicht ganz zutreffend. Nach dem Berichte der beiden Handschriften wählen die „fryen geburen" in Kärnten „ainen Richter vnder jnen selber", der unter den versammelten Bauern Umfrage halten soll, ob sie den angekündigten Herzog annehmen wollen oder nicht. (Vgl. F. v. Lassberg, Anzeiger für Kunde der teutschen Vorzeit. 1836—1837; Sp. 138). Es ist m. E. unzweifelhaft, dass mit diesem „Richter" der Herzogsbauer gemeint ist; s. G. L. v. Maurer, Einleitung z. Gesch. der Mark-, Hof-, Dorf- und Stadtverfassung und der öffentlichen Gewalt, 2. Aufl. v. H. Cunow, 1896, S. 52.

[2]) Wenn die beiden Handschriften von der Schwertceremonie nichts zu melden wissen, so kann sich dies daraus erklären, dass ihr Autor seinen Bericht aus einer Quelle schöpfte, die vor der Einführung der Schwertceremonie ins Ritual der „Herzogseinsetzung" niedergeschrieben wurde

Ohrfeige hinzunehmen, so hätte er sich wohl auch dazu verstehen
können, auf einer, wie Puntschart glaubt, abgearbeiteten
Mähre einen Stein dreimal zu umreiten. Nun bestand aber
jenes den Herzog angeblich lächerlich machende Moment, wie
wir bereits erkannt haben. in Wirklichkeit gar nicht. Da
„veltphert" eben nicht das von der Feldarbeit abgerackerte
Pferd, sondern eine Stute, „die bisher noch auf der Weide gegangen ist", bedeutet, so schwindet in dem Berichte
der beiden Handschriften der letzte Zug von
Lächerlichkeit. Der Herzog auf einer Stute, die bisher
noch keine Arbeit verrichtet, noch niemand auf ihrem Rücken
getragen, dreimal um den Fürstenstein reitend — das wäre ein
Ritus, bei dem es, um Puntscharts Worte zu variieren,
schwer halten dürfte, eine Lächerlichkeit zu entdecken. Nichtsdestoweniger glaube auch ich, dass die Nachricht, der Herzog
sei auf dem „veltphert" geritten, einen Irrtum enthalte, da nach
dem Berichte der österreichischen Reimchronik die Stute neben
dem Herzog einhertrabte. Darum braucht aber noch keineswegs angenommen zu werden, dass die Erzählung, der Herzog
habe den Fürstenstein dreimal umkreist, auf freier Erfindung
des Verfassers oder seines Gewährsmannes beruhe. Hatte
einmal der Verfasser irriger Weise — ein Irrtum, der leicht
erklärlich und verzeihlich wäre — angenommen, dass der Herzog,
auf dem bei der Fürstenstein-Ceremonie verwendeten „Feldpferde" reitend, auf dem Schauplatze der „Einsetzung" erschienen
sei, so konnte er hiedurch sehr leicht zur irrigen Meinung gelangen, dass der Herzog, über den ihm die Nachricht vorliegen
mochte, dass er den Fürstenstein dreimal umkreisen musste,
diese Handlung auf dem „Feldpferd" sitzend vollzogen habe.
Es muss deshalb, weil der Bericht, dass der Herzog auf der
Stute geritten sei, unzutreffend ist, noch nicht die Erzählung
von der dreimaligen Umkreisung des Fürstensteines durch den
Herzog aus der Luft gegriffen sein. Die Einkleidung der Nachricht kann falsch, ihr wesentlicher Kern richtig sein. Es wäre
auch schwer einzusehen, was den Verfasser des Berichtes hätte
veranlassen können, diese Angabe über den Ritus der dreimaligen
Umwandlung des Fürstensteines frei zu erfinden.

Der Umstand, dass der Reimchronist und Johannes
von Victring von diesem Ritus nichts zu vermelden wissen, lässt

sich m. E. in befriedigender Weise erklären. Sie können ihn entweder als unwesentlich übergangen haben oder er kann ihnen bei der Niederschrift ihrer Werke wieder aus dem Gedächtnis entschwunden sein.[1]) Es sind Puntscharts Ausführungen zum Berichte unserer beiden Handschriften selbst, die mich in der Annahme bestärken, dass das Schweigen Ottokars und des Johannes von Victring noch keineswegs beweise, dass der Ritus der dreimaligen Umkreisung des Fürstensteines nie geübt worden sei. Puntschart hat sich nämlich durch den Umstand, dass nur in den beiden erwähnten Handschriften von der feierlichen Begrüssung des Fürsten durch wendische Volksgesänge berichtet wird, mit Recht nicht abhalten lassen, anzunehmen, dass dieser Punkt der Erzählung zutreffend sei.[2]) Er fasst ihn auf als ein Zeugnis „des treuherzigen Sinnes und der Sangesfreudigkeit, wie sie noch heute das kärntnerische Volk charakterisiert." Es ist nicht einzusehen, warum in dem einen Falle dem ganz vereinzelten Berichte der beiden Handschriften Glauben beigemessen werden solle, in dem anderen — nämlich bei der Erzählung über den Ritus der Umkreisung — hingegen nicht, wo zudem der Nachweis erbracht werden kann, dass der Brauch, einen zu sakralen Zwecken dienenden oder sonstwie zu verehrenden oder sakral zu bannenden Gegenstand dreimal zu umkreisen,[3]) bei allen indogermanischen Stämmen, besonders aber bei den Slaven, geübt wurde und vielerorts noch heute geübt wird.

---

[1]) vgl. Tangl, Handbuch der Geschichte des Herzogtums Kärntens, IV. Band, S. 439.

[2]) vgl. Puntschart, S. 71. — Es ist dies nicht der einzige Punkt, den Puntschart in der Darstellung der beiden Handschriften gelten lässt. So hält er ihre Angabe, dass die Kärntner Bauern das Recht gehabt hätten, den vom deutschen König bestellten Herzog gegebenenfalls ablehnen zu dürfen, für wertvoll und geeignet, als Basis weitgehender Folgerungen zu dienen. Aber gerade hier wäre, so vermeine ich, gegenüber der Erzählung der beiden Handschriften ein grosses Mass von Vorsicht geboten.

[3]) Ueber den Ritus im allgemeinen vgl. Carus Sterne, Das Sonnenlehen, Sonntagsbeilage zur Vossischen Zeitung, Jg. 1892, Nr. 13, 14, 15; M. Haberlandt, Der Bannkreis, Korrespondenzblatt d. deutschen Gesellsch. f. Anthrop., Ethnol. u. Urgesch., 21. Jg. (1890), S. 9—12; vgl. noch M. Winternitz, Anzeiger für indogerm. Sprachwiss. und Altertumsk., Bd. 8., S. 36 über den urindogermanischen Charakter des Umkreisungsritus.

Was zunächst die Inder[1] betrifft. so würde eine erschöpfende Aufzählung und Besprechung der von ihnen geübten Umwandlungsbräuche eine eigene Abhandlung erfordern. Der Ritus wird derart ausgeführt, dass der zu verehrende Gegenstand dreimal nach rechts herum oder dreimal nach links herum umschritten wird, je nachdem es sich um einen Akt des Götterkultes oder des Manendienstes handelt.[2] Bei den Kelten[3] begannen und endeten die meisten religiösen Handlungen der Priester damit, dass sie den geheiligten Steinkreis und den Steinaltar dreimal von Ost nach West, also dem Laufe der Sonne folgend, feierlich umkreisten. Manche von diesen Gebräuchen herrschten noch im vorigen Jahrhundert in Schottland[4] Schwangere umwandelten dreimal Kapellen; Kranke umschritten in gleicher Weise Objekte, denen seit altersher Heilkraft zugeschrieben wurde und die in heidnischer Zeit wohl sakralen Zwecken gedient hatten.

Auch die Italiker kannten den Brauch. Von den Vejentischen Rossen, die aus den Spielen nach Rom liefen, wird erzählt, sie hätten das Kapitol durch dreimalige Dextration lustriert.[5] Bei den grossen Opfern der Suovetaurilien, aber auch im ländlichen Privatgottesdienst der Römer wurden die Opfertiere dreimal um den Acker, die Stadt herumgeführt; der gleiche Brauch wurde bei der nach dem Abschlusse des Census stattfindenden sakralen Feierlichkeit geübt.[6]

---

[1] vgl. die reichen Belege bei B. W. Leist, Altarisches Jus civile Bd. 1, S. 138, 139; ferner A. Pictet, Les origines Indo-Européennes, 2. Bd. (1863), S. 499, 500.

[2] Für die Perser vgl. Zachariae, Zeitschr. d. V. f. Volksk. Jg. 1902, S. 110 fg.; für die Armenier s. Lehmann, Archiv f. Religionsw., Bd. 3, S. 11: dreimaliges Umwandeln eines heiligen Steines.

[3] vgl. Pictet, S. 500—503; Eckermann, Lehrbuch der Religionsgesch., Bd. 3, 2. Abt., S. 118 fg., Lubbock, Die Entstehung der Civilisation, deutsch v. Passow (1875), S. 247, 258; Eugène Monseur, Revue de l'histoire d. religions, 31. Bd., S. 300 mit weiteren Literaturangaben.

[4] vgl. die Nachweise bei Kuhn u. Schwartz, Norddeutsche Sagen, Märchen u. Gebr. (1848), S. 470.

[5] K. O. Müller, Die Etrusker, 2. Abt. (1828), S. 144.

[6] vgl. Preller, Römische Mythologie³, 1. Bd., S. 420 f. Es steht nach den angeführten Belegen zu erwarten, dass der Brauch auch

Erwähnt zu werden verdient, dass auch die umbrischen Sakralvorschriften[1]) von dem Brauche der dreimaligen Umwandlung vermelden.

Bei den Griechen lässt sich der Ritus ebenfalls nachweisen. Dem entseelten Helden wird durch dreimaliges feierliches Umreiten Verehrung bezeigt.[2]) Der zu opfernde Verbrecher hat den Altar jener Gottheit, der er dargebracht werden soll, dreimal laufend zu umkreisen.[3])

Was die Germanen betrifft, so liesse sich eine fast unübersehbare Reihe von Belegen für die Uebung des Brauches anführen. Auf die Deutschen bezügliches Material hat, ohne natürlich Anspruch auf Vollständigkeit zu erheben, Wuttke[4]) zusammengestellt. Ihm war es nur um die Uebung des Ritus, sofern er im Aberglauben der Deutschen eine Rolle spielt, zu tun. Die Ceremonie lässt sich aber auch noch in festlichen Volkssitten unserer Zeit nachweisen. In den thüringischen Dörfern wird beim Kirchweihfeste der Tanzplatz, in dessen Mitte sich der steinerne Opfertisch für den Kirchweihhammel befindet, durch dreimaliges feierliches Umschreiten der Fest-

---

im Aberglauben der Römer wiederkehrt, denn „Aberglaube ist die aus dem lebendigen religiösen Bewusstsein herabgesunkene und gewissermassen erstarrte Vorstellung vom Uebersinnlichen und seine Kultübung.“ (s. Riess in Pauly- Wissowas Realencyclopädie, s. v. Aberglaube, Sp. 29). Die Tatsachen bestätigen diese Erwartung. Gegen Behexung: man trage eine lebende Fledermaus dreimal um das Haus (Riess, Sp. 70); gegen Hundebiss: man trage dreimal den „Wurm“ junger Hunde ums Feuer und gebe ihn den Gebissenen (Riess, Sp. 73); gegen Geschwüre: man bewege eine Spitzmaus dreimal um die erkrankte Stelle (Riess, Sp. 80); bei Wurmkrankheit des Viehs trug man einen Tauber dreimal um das Tier (Riess, ebenda).

[1]) vgl. Aufrecht u. Kirchhoff, Umbrische Sprachd. 2. Bd. S. 260, 273: „triuper amprehto“ — „ter ambito“; Planta. Gramm. d. oskisch-umbr. Spr., Bd. 2, S..560.

[2]) vgl. Pictet, 2. Bd. S. 517 f.; Jähns. Ross und Reiter, 1. Bd. (1872), S. 449.

[3]) vgl. Boetticher, Tektonik der Hellenen, 2. Bd., S. 561; Lasaulx, Studien d. class. Altert., S. 215. — Für die Neugriechen vgl. Weinhold, Zur Geschichte des heidnischen Ritus, Abh. der Berl. Akad. d. Wiss., Jg. 1896, S. 49.

[4]) vgl. Wuttke Deutscher Volksaberglaube, 3. Auflage. hgeg. v. E. H. Meyer, Register s. v. „Dreimal herumgehen“ und „Herumgehen“.

teilnehmer geweiht.¹) Beim Metzgersprung in München²), dessen geschichtliche Wurzeln wohl in eine ferne Vorzeit zurückreichen, gehen die „Lehrner" dreimal auf dem Rande des Fischbrunnens herum.

Das Umreiten des Heiligtums, sowie das karoussel-artige Rennen an geweihter Stätte, das für die Sachsen und die Langobarden bezeugt erscheint, dürfte wohl auch in dreimaliger Umkreisung bestanden haben.³) Schliesslich mag noch erwähnt werden, dass der Brauch auch bei den Nordgermanen nachweisbar ist.⁴)

Unter den Slaven sind es besonders die südslavischen Stämme, bei denen sich der Ritus bis auf unsere Tage erhalten hat. So steht der Brauch noch heute in lebendiger Uebung bei den bosnischen Serben. Kommt hier am Christtag der Polaznik (ein bestellter Christtagsbesucher, der in die Funktion eines heidnischen Priesters eingetreten zu sein scheint), so geht er, bevor er die ihm obliegende sakrale Handlung mit dem Christblock vollzieht, zuerst zum Herd und umschreitet ihn dreimal.⁵) Um ein krankes Pferd zu heilen, leitet es der Bosnier dreimal um die Ruhestätte der Verstorbenen.⁶) Zur Heilung eines stummen Kindes soll ein vollständig schwarzer Hahn mit dem Kinde zusammen in einen Sack gesteckt werden und drei Tage nacheinander vor Sonnenaufgang

¹) s. Pfannenschmid, Germ. Erntefeste, S. 287.

²) vgl. O. v. Reinsberg-Düringsfeld, Das festliche Jahr etc. (1863), S. 49. — Der Brauch, bei gewissen festlichen Gelegenheiten die Kirche oder den Altar dreimal zu umkreisen, ist ebenfalls verbreitet; vgl. A. Birlinger, Volkstümliches aus Schwaben. 2. Bd., S. 20, 81; Jähns, 1. Bd., S. 313, 426 u. a. a. O.; Kuhn und Schwarz, S. 430, 470; Max Schmidt, Der Leonhardsritt, S. 277 u. v. a.

³) vgl. Kuhn u. Schwartz, Norddeutsche Sagen, S. 470; Jähns, 1. Bd., S. 448 fg.

⁴) Liebrecht, Zur Volkskunde (1879), S. 363; f. Dänemark: Grimm, Deutsche Mythol., 2. Bd., S. 851, für Norwegen vgl. v. Negelein, Das Pferd im Seelenglauben etc., Zschr. d. Ver. f. Volksk.. Jg. 1902, S. 14. Viel Material bietet H. Feilberg, Zwieselbäume nebst verwandtem Abergl., Zschr. d. V. f. Volksk., Jg. 1897, S. 42—53, Jg. 1901, S. 327.

⁵) s. Lilek, Wissenschaft. Mitteil. aus Bosnien u. d. Hercegovina, Jg. 1896, S. 431.

⁶) s. Lilek. a. a. O.. S 487.

dreimal ums Haus getragen werden.[1]) Auch die dreimalige
Umwandlung eines von heiligender Kraft erfüllt gedachten
S t e i n e s wird uns bezeugt. „Am Wege von Gradačac nach
Gračanica .... ist ein Stein zu sehen, zu welchem kranke
Männer und Frauen kommen, um sich zu heilen und zwar
folgendermassen: sie gehen zuerst dreimal um den Stein, dann
setzen sie sich oder legen sie sich darauf. Beim Weggehen
lassen sie Geld zurück."[2]) Auch in S e r b i e n übt man den
Brauch der dreimaligen Umkreisung. So geht der Hirt, um die
Herde zu schützen, dreimal um dieselbe herum.[3]) Es trifft sich
gut, dass der Ritus der dreimaligen Umkreisung auch bei den
S l o v e n e n nachgewiesen werden kann. Zu St. Stephan
im Gailtale, das von Slovenen bewohnt wird, steht in der Mitte
des Kirchplatzes eine mächtige Linde. Nur am Kirchtage darf
unter ihr getanzt werden. Unter den feierlichen Tänzen bildet
den Schlussakt der hüpfende „hohe Tanz", der dreimal wiederholt wird, augenscheinlich eine Umbildung einer altsakralen,
feierlichen dreimaligen Umhüpfung des geheiligten Baumes.[4])
Am St. Stephanstage wurden noch vor wenigen Jahren unter
dieser nämlichen Linde die Pferde der von weit und breit zusammengeströmten Züchter aufgestellt, vom Ortspfarrer gesegnet
und darauf dreimal um die Linde herumgeführt.[5]) Beim Faschings-
feste der Slovenen wird der „pust" („Fasching") dreimal um
den brennenden Scheiterhaufen herumgezerrt[6]) und dann
verbrannt.

---

[1]) s. L i l e k, S. 486.

[2]) vgl. Lilek, Familien- u. Volksl. in Bosn. u. in d. Herceg., Zschr.
f. österr. Volksk., Jg. 1899, S. 168; ders., Wissensch. Mitteil., Jg. 1896,
S. 434. — Ueber weitere Fälle aus Bosnien vgl. Lilek, Wiss. Mitteil.,
Jg. 1896, S. 457, 482 u. a. a. O.; L u k a G r g j i č - B j e l o k o z i č, Wiss.
Mitt., Jg. 1899, S. 624.

[3]) vgl. Petrowitsch, Globus, Bd. 30, S. 94; s. ferner F. S. K r a u s s.
„Am Urquell", Jg. 1890, S. 147.

[4]) Ueber Umwandlung des Umkreisungsritus in einen Hüpftanz, vgl.
C a r u s S t e r n e. Das Sonnenlehen, Sonntagsbeil. d. Vossisch. Zeit., Jg. 1892,
Nr. 14.

[5]) vgl. F. F r a n z i s z i, Kärntner Alpenfahrten, Landschaft und Leute etc.
(1892), S. 124—129, bes. S. 128; ein ähnlicher Brauch herrschte im Lavant-
tale, vgl J ä h n s. 1. Bd., S. 388.

[6]) vgl. K l u n. Die Slovenen, Ausland. Jg. 1872, S. 469. — Ueber einen
Umkreisungsritus, der den Kärntner Slovenen mit den Deutschen Kärntens

Aus den eben angeführten Parallelen[1]) geht hervor, dass
die beiden erwähnten Handschriften sehr wohl die Wahrheit berichten können, wenn sie melden, der Herzog sei dreimal um
den Fürstenstein herumgeführt worden. Ich glaube ebendeshalb
— zudem nicht einzusehen ist, was den Verfasser des Berichtes
zur Erdichtung jener Angabe hätte veranlassen sollen — annehmen zu dürfen, dass der Ritus der dreimaligen Umkreisung
des Fürstensteines zum Ceremoniell der „Einsetzung" gehört
habe. Dann aber ist in ihm ein neuerlicher Beweis für die
oben vorgetragene Behauptung, dass die Fürstenstein-Ceremonie
ursprünglich ein sakraler Akt gewesen sei oder doch zum
mindesten an einen solchen unmittelbar angeknüpft habe, zu erblicken, da der Brauch der dreimaligen Umkreisung ein eminent
sakraler genannt werden darf und in keinem der mannigfaltigen Anwendungsfälle seine sakrale Herkunft völlig verleugnet.
Durch diese Feststellung wird jedoch auch die von uns bereits
gewonnene Erkenntnis von der Sakralqualität des Fürstensteines
bestätigt. Da es nämlich immer ein von übernatürlichen, sei
es nun heilverleihenden oder unheildrohenden Mächten erfüllt
gedachtes Objekt ist, dem der Umkreisungsritus gilt, so muss
man einstens auch dem Fürstensteine eine solche übersinnliche
Kraft zugeschrieben haben, woraus sich natürlich eine neuerliche
Unterstützung für die Annahme, dass der Fürstenstein ein Altartisch gewesen sei, ergibt. Zudem lässt sich in einer grossen
Zahl von Fällen feststellen, dass das durch die dreimalige Umschreitung verehrte Objekt ein Altar ist.

gemeinsam ist, vgl. R. Waizer, Kultur- und Lebensbilder aus Kärnten
(1882), S. 75; der von R. Reichel, Mitteilungen d. hist. Ver. f. Steiermark. Bd. XX, 1873, S. 24 beschriebene steirisch-slovenische Umwandlungs-
ritus ist wohl genuin slovenisch.

[1]) Bezüglich der übrigen Slaven vgl. für die Russen: Krauss,
Mitteil. d. Wiener anthrop. Ges., Jg. 1883, S. 163. fg., für die Ruthenen:
Barwinskij in „Die österr.-ung. Monarchie in Wort und Bild", Bd. Galizien
(1898), S. 398, 418; R. F. Kaindl, Mitteil. d. geogr. Gesellsch. in Wien,
Jg. 1896, S. 423; für die Polen: Schiffer. „Am Urquell", Jg. 1892,
S. 149 fg.; Matusiak, Die österr.-ung. Mon., Bd. Galizien, S. 318; für die
Tschechen: v. Reinsberg-Düringsfeld, Festkalender aus Böhmen
(1862), S. 216, 262; für die Bulgaren: Stransz. Ethnologische Mitteilungen
aus Ungarn, Jg. 1893—94, S 226 fg.: derselbe, die Bulgaren (1898), S. 358,
400, 407 u. a. a. O

Wenn sonach nunmehr nachgewiesen erscheint, dass die „Herzogseinsetzung" als ein heidnisch-sakraler Akt oder doch wenigstens als die Umbildung eines solchen aufzufassen sei, dann muss der Herzogsbauer, der ja die Hauptperson des ganzen Dramas ist, in die Rolle eines sakralen Funktionärs, also eines Priesters, eingetreten sein. Ich vermeine, dass, wer den Ausführungen dieses Abschnittes beipflichtet, dieser Folgerung seine Billigung nicht wird versagen können.

Exkurs über das „Mahdrecht."

Wenn auch nicht im Rahmen des eben geführten Nachweises, so darf doch wenigstens im Anhange zu diesem Beweise das sogenannte „Mahdrecht" der Gradenecker, ein Seitenstück zum „Brennrechte", einer ausführlicheren Erörterung unterzogen werden.[1])

Der Inhalt dieses „Rechtes" wird dahin angegeben, dass dessen Inhaber, der „mäder", die Befugnis hatte, während der Herzog auf dem Herzogsstuhle sass, wo immer zu mähen, sofern man sich mit ihm nicht abfand. Von diesem sonderbaren Rechte meldet zum erstenmale der Chronist Unrest.[2]) Megiser rechnet den „mäder" gleich dem „Brenner" und dem Herzogsbauer den hohen Landeswürdenträgern zu. Bei Johannes von Victring geschieht des Mahdrechtes keine Erwähnung, was jedoch noch keineswegs besagen muss, dass es zu seiner Zeit nicht existiert habe; spricht doch Unrest, der in der zweiten Hälfte des 15. Jahrhunderts schrieb, von ihm als einem schon seit altersher geübten Rechte. Es kann daher das Mahdrecht zu Lebzeiten des Johannes von Victring möglicherweise bestanden haben, von ihm aber bei seiner Darstellung der „Einsetzungs"- und Huldigungs-

---

[1]) vgl. über das Mahdrecht Puntschart, S. 249 f.

[2]) Unrest berichtet: „.... bahn die Gradneyker von alter gerechtigkait und gewalt, was sy wysmad dieweil mügn abmän, das ist das hew ir, wer das nicht von in loset." ⸱. Puntschart, S. 249

ceremonien, als ihm unwesentlich erscheinend, übergangen worden
sein. Dass die österreichische Reimchronik von diesem Rechte
nichts zu melden weiss, dürfte weiter nicht Wunder nehmen:
erzählt sie doch auch kein Wort vom Rechte des „Brenners".
Bei diesem Stande der Quellen,[1] der es in gleicher Weise als
möglich erscheinen lässt, dass das Mahdrecht einen uralten Bestandteil der in der vorliegenden Untersuchung besprochenen
Ceremonien bilde, wie, dass es erst in verhältnismässig später
Zeit nach Analogie des Brennrechtes frei erfunden worden sei,
ist es ein, auch von Puntschart und Weiss[2] befolgtes
Gebot der Vorsicht, jedem Versuche zur Erklärung dieses
Rechtes die Einschränkung beizufügen, dass hier möglicherweise
auch ein erdichtetes[3] Recht vorliegen könne. Es ist
deshalb auch angezeigt, an einen etwaigen Erklärungsversuch
keine weittragenden Folgerungen zu knüpfen. Dies ist der
Grund, weshalb ich die nachfolgenden Erörterungen in einen
besonderen Exkurs verwiesen habe. Puntschart hält, falls
das Recht wirklich ein altüberkommenes und kein erfundenes
war, nur die eine Erklärung für möglich, dass es, gleich dem

---

[1] Der Umstand, dass kein Privileg, kein Aktenstück existiert, welches
auf das Mahdrecht Bezug nimmt, ist nicht unbedingt beweisend dafür, dass
das Mahdrecht keine reale Grundlage hatte. „Urkunden sind ein Sieb, durch
das leicht durchfällt, was nicht Regel und alltäglich ist" (Gierke bei
Stutz, Zschr. d. Sav.-St. f. Rechtsgesch. G. A. Jg. 1900, S. 119). Dies
gegen Puntschart (S. 250), der sich ja auch trotz des Schweigens der
Urkunden m. E. mit Recht nicht hat abhalten lassen, anzunehmen, dass
Rudolph der Stifter sich der „Einsetzung" unterzogen habe; vgl. Puntsch.,
S. 109.

[2] vgl. A. Weiss, Kärntens Adel, S. 69.

[3] Puntschart und Weiss (a. a. O.) meinen, dass den Anlass zur
Erfindung des Mahdrechtes der Umstand gegeben haben könne, dass die
Gradenecker eine Sense im Wappen führten. Diese Vermutung kann richtig
sein, es kann aber umgekehrt ebenso leicht möglich sein, dass das Mahdrecht
der Gradenecker das prius, die Sense in ihrem Wappen aber erst das
posterius war, dass sie also die Sense in ihr Wappenbild aufnahmen, weil
sie die Inhaber des Mahdrechtes waren. Sphragistisch ist die Sense im
Wappenbild der Gradenecker zum erstenmal belegt aus d. J. 1253; vgl.
Steiermärk. Wappenbuch von Zacharias Bartsch, 1567. Facsimile-Aus-
gabe v. J. v. Zahn u. A. Ritter Anthony v. Siegenfeld (1893), S. 45,
Nachwort S. 33; doch war die Sense im Wappenbild der Gradenecker bereits im Jahre 1220 in Kärnten wohl bekannt; s. v. Siegenfeld, a. a. O.

Brennrechte, ursprünglich der Exekution gegen solche
Supane diente, welche unentschuldigt bei der Wahl und Einsetzung des Bauernfürsten ausgeblieben waren. Die Exekution,
so denkt sich Puntschart[1]), mochte vielleicht nicht bloss
an den Haus- und Hofstätten der Supane, der Mitglieder des
angeblichen slovenischen Hirtenadels, sondern auch an ihrem
wichtigsten Vermögensgute, den Weiderevieren[2]), vorgenommen
worden sein. Dieser Erklärungsversuch Puntscharts bedarf, da der von Peisker und ihm konstruierte Gegensatz zwischen Supanen und Bauernschaft sich als ein trügerisches
Gebilde erwiesen hat, keiner weiteren Widerlegung.

Wenn ich nun darangehe, von dem in dieser Untersuchung
gewählten Standpunkte aus eine Erklärung des Mahdrechtes zu
geben, so will ich nur dartun, dass der nachfolgende Deutungsversuch an sich, wenn man von der Grundfrage, ob das Recht
von altersher bestanden habe, absieht, eines gewissen Masses
innerer Wahrscheinlichkeit nicht entbehrt und sich dem Rahmen
meiner Gesammthypothese ungezwungen einfügen lässt.

Ich glaube wahrscheinlich gemacht zu haben, dass der
„Brenner" ursprünglich für die rituelle Schichtung und Entzündung der zur rechtsgültigen Vornahme der „Einsetzung"
erforderlichen Holzstösse zu sorgen hatte. Es kann daher das
Amt des Mähders, wenn es überhaupt je geübt wurde, auch
nur auf eine mit der Fürstenstein-Ceremonie in Zusammenhang stehende rituelle Handlung sich bezogen
haben. Die Quellen nennen zwar das Mahdrecht nur in Verbindung mit den Vorgängen am Herzogsstuhl, es spricht aber
bei dem zwischen Brennrecht und Mahdrecht unleugbar vorhandenen Parallelismus eine gegründete Vermutung dafür, dass,
sowie ursprünglich das Brennrecht zum Ceremoniell der „Einsetzung" gehörte und erst später missverständlich mit der
„Huldigung" in Beziehung gebracht wurde, das Nämliche beim
Mahdrechte der Fall gewesen sei.

---

[1]) vgl. Puntschart, S. 272, 286.
[2]) Puntschart hätte sich hier auch auf eine Exekutionsbestimmung
des friesischen Rechtes berufen können: Das Haus des bestochenen
Asega soll niedergebrannt und nachwachsendes Gras ausgestochen
werden; s. Grimm, Rechtsaltert., Bd 2, S. 329, Anm.

Ich gehe, wie eben erwähnt wurde, bei meinem Erklärungsversuche von der Erwägung aus, dass, da der „Brenner" ursprünglich eine sakrale Funktion auszuüben hatte, wohl auch der Mähder Träger einer sakralen Obliegenheit gewesen sein dürfte[1]) Gleichwie nun das Amt des incendiarius in der Entzündung von Holzstössen bestand, so kann die Aufgabe des Mähders sich in erster Reihe nur auf das Mähen von Gras bezogen haben. Es erhebt sich nun die Frage: kann in dem Mähen von Gras eine sakrale Funktion erblickt werden? Damit werden wir zur weiteren Frage geführt, ob bei den Slovenen das Gras sakralen Zwecken gedient haben konnte. Ich glaube nun mit Rücksicht auf das nachfolgende Beweismaterial diese Frage bejahen und auch weitergehend sagen zu dürfen, dass die Beschaffung dieses zur sakralen Handlung erforderlichen Grases als eine eminent sakrale Handlung galt. Dass aus dieser sakralen Tätigkeit der Grasbeschaffung sehr wohl ein besonderes sakrales Amt[2]) sich entwickeln konnte, wird schwerlich bestritten werden können.

Die sakrale Verwendung des Grases lässt sich bei einer Reihe von indogermanischen Völkern direkt erweisen, bei anderen mit einem hohen Grade von Wahrscheinlichkeit vermuten.

Den meisten Aufschluss über den sakralen Gebrauch des Grases gewähren uns, wie von vornherein zu erwarten steht[3]), die indischen Quellen.[4]) Der indische Altar, d. i. die Stätte, wo dem Gotte das Opfer vorgesetzt wird und wo er, um dessen Kraft sich anzueignen, sich niederlässt, ist die Vedi, eine

---

[1]) Nach Weiss, a. a. O. bestand das Amt des „mäder" darin, vom Orte der Einsetzungsfeier nötigenfalls das hohe Gras zu entfernen; das „hohe" (?) Gras konnte doch von Bauern nicht als störendes Hemmnis empfunden werden!

[2]) Man denke nur an den avestischen āsnatare („Wäscher"); dieser ist einer der acht Priester des altiranischen Somaopfers; seine Funktion erschöpft sich im Waschen und Sieben des Soma; ihm entspricht der vedische potar („Reiniger"); vgl. Oldenberg, S. 385.

[3]) vgl. P. Kretschmer, Einleitung in die Geschichte der griechischen Sprache (1896), S. 87.

[4]) vgl. H. Oldenberg, Religion des Veda, S. 341—345; derselbe, Deutsche Rundschau, Bd. 85, S. 210; Hillebrandt, Rituallit., S. 5, 14; ders., Neu- und Vollmondopfer, S. 19, 20, 92; Kuhn, Zschr. f. Ethn.,

schwach vertiefte Bodenfläche, die ihren heiligen Charakter
durch die Aufstreuung eines weichen, die ganze Fläche aus-
füllenden Graspolsters, des sogenannten „barhis" erhält.
Das für diesen Grasteppich erforderliche Gras, das zur Vornahme der Opferhandlung unentbehrlich ist, wird nun keineswegs
formlos gemäht, herbeigeschafft und aufgestreut. Der Priester
ist es, der das Gras für den „von mystischer Kraft
erfüllten weichen Sitz" zu mähen hat. Er muss hiebei —
so verlangen es die Opfervorschriften — sich eines „asida",
d. h. einer Art Sichel[1]) bedienen oder eine Pferd- oder Kuh-
rippe dazu nehmen. Der Priester soll das Gras frühmorgens
im Osten rupfen. Es wird genau vorgeschrieben, an welchem
Punkte der Opferfläche die Streuung zu beginnen, an welchem
sie zu enden hat, nach welcher Himmelsgegend die Grasspitzen
zu liegen kommen müssen u. s. w.

Das Opfergras kannten nicht nur die Inder, sondern auch
die ihnen zunächst verwandten Perser[2]), so dass bereits für
die sogenannte „arische" Periode die sakrale Verwendung des
Grases angenommen werden darf. Herodot erzählt, dass die
Opfergabe bei den Persern auf zartes Gras, am liebsten Klee,
gebreitet wurde. Auch das „baresman"[3]) des Avesta — Bündel
von Opferzweigen, die der Priester bei der sakralen Handlung
in der Hand zu halten hat — hängt unzweifelhaft mit dem

Jg. 1870, S. 171. Es darf hier wohl erwähnt werden, dass auch bei nicht-
indogermanischen Stämmen die Sitte, den Opferplatz oder den Göttersitz
mit Gras, Laub u. dgl. zu bestreuen, nachweisbar ist; vgl. für die Lappen:
Mone, Gesch. d. Heident., 1. T., S. 27, ferner S. 24; s. auch Rhamm,
Der heidnische Gottesdienst des finnischen Stammes, Globus, Jg. 1895,
S. 344: Bestreuen des Opferplatzes mit Fichtennadeln oder Laub.

[1]) Vielleicht darf an dieser Stelle an die vielen in Oesterreich und
Dentschland gefundenen Bronzesicheln aus prähistorischer Zeit erinnert
werden, die möglicherweise sakralen Zwecken gedient haben können; vgl.
über den mutmasslichen Sakralcharakter dieser Objekte M. Kalina
v. Jäthenstein, Böhmens heidnische Opferplätze und Altertümer, Abh.
d. königl. böhm. Ges. d. Wiss., Jg. 1886, S. 181 f.

[2]) s. Oldenberg, Rel. d. Veda, a. a. O; vgl. Herod. I. 132;
Strabo XV, 3, 13, 14.

[3]) Ueber das baresman vgl. Edv. Lehmann in Chantepie de la
Saussaye's Lehrbuch der Religionsgesch.[2], 2. Bd., S. 187, Darmsteter,
Le Zend-Avesta, vol. I., p. LXXIII fg.; p. 114, 185, 189, 409, 411 etc.

vedischen barhis sprachlich und sachlich zusammen.[1]) Dieses baresman, später „barsom" genannt, musste genau so wie das indische Opfergras vom Priester, unter Recitation heiliger Sprüche, zu bestimmter Zeit, mit einem besonderen Messer,[2]) das Antlitz gegen die Sonne gerichtet, abgeschnitten werden. In geradezu unglaublichen Mengen von Bündeln wurde es in die Tempel eingeliefert.

Dass ähnliche Bräuche auch bei den Germanen wiederkehren, haben Kuhn und Liebrecht gezeigt[3]). In Deutschland, England, Frankreich und Schweden herrschte früher und besteht wohl mancherorts auch jetzt noch der Brauch, bei feierlichen Gelegenheiten den Fussboden der Zimmer oder Kirchen mit Stroh oder Binsen zu bestreuen. So wurde, um nur einige der vielen hieher gehörigen Bräuche zu erwähnen, noch zu Shakespeares Zeit die Bühne in England mit Binsen bestreut; dasselbe geschah bei der Aufführung der Mysterien.[4]) Unter den Vorbereitungen, welche Königin Asta zum feierlichen Empfang ihres Sohnes Olafs des Heiligen trifft, wird aus-

---

[1]) Oldenberg hat den historischen Zusammenhang zwischen dem persischen Opfergras und dem baresman einerseits, dem barhis der Inder andererseits ausser jeden Zweifel gestellt (vgl. Oldenberg, S. 342, Anm. 2; s. auch L. v. Schroeder, Indiens Literatur u. Kultur, S. 25, Anm. 2). Zu den von Oldenberg vorgebrachten Beweisgründen darf wohl auch die im Texte hervorgehobene Uebereinstimmung zwischen den bei der Beschaffung des barhis und des baresman üblichen Riten hinzugefügt werden.

[2]) Dieses Messer hiess „Karde Barsomtschin"; es musste ganz aus Metall hergestellt sein; vgl. F. Liebrecht, Des Gervasius von Tilbury otia imperialia (1856), S. 103, Anm. 3.

[3]) vgl. Ad. Kuhn, Sagen. Gebräuche u. Märchen aus Westphalen (1859), 2. T., S. 110; F. Liebrecht, Gervasius von Tilbury, S. 60 s. v. „Weihnachtsstroh"; derselbe, Zur Volkskunde, S. 493 fg. — Vgl. hiezu die reichen Belege bei Troels Lund, Das tägliche Leben in Skandinavien während des 16. Jahrhunderts (1882), S. 212 fg.; A. Schultz, Höfisches Leben zur Zeit der Minnesinger, 1. Bd., S. 64 fg.

[4]) vgl. Jahrbuch für roman. u. engl. Literatur, hg. v. Ebert, Jg. 1859, S. 67; s. ferner Shakespeare, Heinrich IV, 2. T. Akt 5, Scene 5: Richard II, Akt 1, Scene 3; Romeo u. Julie, 1. Akt, Scene 4. In England ging man noch im J. 1589 so weit, dass der Saal im Schlosse Greenwich, wenn Königin Elisabeth Audienz erteilte, mit Heu bestreut wurde; s Ausland. Jg. 1889, S. 1022.

drücklich erwähnt: „tveir karlar baro halminn a golfit."[1]
Liebrecht fügt dieser Nachricht die m. E. treffende Bemerkung hinzu, dass es sich bei diesem Brauche wahrscheinlich
um Reste eines heidnischen Opferritus handle. Die Sitte, in
den Kirchen Binsen oder Stroh zu streuen, ist durch eine lange
Reihe von Zeugnissen belegt.[2] Es ist deshalb nicht ungerechtfertigt, wenn Kuhn über diese Gebräuche sagt:[3] „Das alles
zeigt die Heiligkeit des alten Gebrauches: das gestreute Stroh
diente wahrscheinlich dazu, um die Opferspeisen und Götterbilder daraufzustellen, ganz wie bei den Indern ein Lager von
Kuça-Gras für die Opfer an die Götter bereitet wird; dadurch
wurde das Stroh geweiht und erhielt so seine Bedeutung für
den allgemeinen Gebrauch."

Die sakrale Verwendung des Grases findet sich nun auch,
worauf Kuhn und Liebrecht, aber auch Oldenberg zu verweisen unterlassen haben, im römischen und griechischen
Opferritual.[4] Was die Römer betrifft, so sind hier vor allem
zu nennen die sogenannten arae gramineae oder caespiticiae.
Servius sagt s. v. „aras gramineas": „. . . . Romani moris
fuerat caespitem arae superimponere et ita sacrificare." Andere
Berichte melden von Altären, welche bloss aus Erde und darüber
gelegten Rasenstücken bestanden.[5] Noch in anderer Beziehung

---

[1] Liebrecht, Gerv. v. Tilbury, a. a. O.

[2] vgl. Du Cange, s. v. Juncare, Jonchare, Jonchura etc.,
Liebrecht a. a. O.

[3] s. Kuhn, a. a. O., vgl. auch Grimm, Gesch. d. deutschen
Sprache. 1. Bd., S. 115. Wenn es auch bei den angeführten Gebräuchen
nicht gerade Gras (vgl. übrigens Lund, S. 213) ist, das zur Verwendung
gelangt, sondern Binsen, Stroh oder Blumen, so sind diese Riten doch im
Wesen identisch mit den indischen und persischen. — Auf welch' hohes
Alter diese germanischen (und man darf vielleicht mit Rücksicht auf die
Belege aus Frankreich und England auch sagen: keltischen) Gebräuche
Anspruch machen können, beweist eine noch zu Ende des 18. Jh. in gewissen Bergdistrikten Norwegens geübte Sitte (vgl. Tylor, Die Anfänge der
Kultur, deutsch v. Spengel u. Poske, 2. Bd., S. 167). Dort pflegten
die Bauern runde Steine aufzubewahren, jeden Donnerstag· Abends zu
waschen, vor dem Feuer mit Butter zu bestreichen und auf frisches Stroh
zu betten.

[4] s. Reisch in Pauly-Wissowas Realencyclopädie s. v. „Altar",
Sp. 1646, 1670; Serv. Aen. XII. 119; Cod. Theod. 16, 10, 12.

[5] vgl. Reisch, Sp. 1670.

gelangte das Gras im sakralen Brauch der Römer zur Verwendung. Beim Abschlusse von Bündnissen spielte neben anderen heiligen Symbolen auch das **vom Priester vom Tempelraume eigens herbeigeschaffte Gras** eine wichtige Rolle.[1] Die höchste aller militärischen Auszeichnungen war die Graskrone, corona graminea[2]), ein Symbol, das m. E. an die sakrale[3]) Funktion des Grases anknüpft. Bei den Griechen hinwiederum streute man einer bei Porphyrios erhaltenen Nachricht des Theophrast zufolge der Hestia zuerst und sodann den übrigen Göttern grüne Gräser auf den Altar.[4])

Die angeführten Parallelen, welche den sakralen Gebrauch des Grases oder grasähnlicher Pflanzen bei den Indern, Persern, Germanen, Römern, Griechen, und wohl auch bei den Kelten erweisen, reichen m. E. an sich schon aus, um die Annahme zu rechtfertigen, **dass auch bei den Slaven das Gras im Opferritual eine wichtige Rolle gespielt haben müsse.** Diese Annahme wird nun in bedeutendem Masse gefestigt, wenn man in Erwägung zieht, welche Bedeutung dem Grase noch heute im Glauben und Brauch der Slaven beigemessen wird.

Es ist mir selbstverständlich bei der ungeheuren Fülle der auf die slavische Volkskunde bezüglichen Publikationen nicht möglich und mit Rücksicht auf den Rahmen dieser Abhandlung auch nicht angezeigt, die Zeugnisse über die Rolle des Grases in den slavischen Volksbräuchen hier erschöpfend vorzuführen. Dies würde eine besondere Abhandlung erfordern. Deshalb

---

[1]) vgl. H a r t u n g , Rel. d. Römer (1836), Bd. 2, S. 10; G r i m m , Rechtsaltert., Bd. 1, S. 156; der Priester (fetialis) hat „ex arce graminis herbam p u r a m" zu holen. d. h. „reines, heiliges" Gras; G r i m m vergleicht damit das fränkische chrenecruda.

[2]) vgl. P r e l l e r , Römische Mythologie[3], 2. Bd., S. 350; die dort vorgetragene Deutung scheint mir zu weit hergeholt zu sein. — Nach Z a n d e r (Andeutungen zur Geschichte des römischen Kriegswesens, 1. Forts., S. 17 f. bei H a c h l e r in Pauly-Wissowas Realencyclopädie s. v. corona, Sp. 1637) ist der Umstand, dass diese corona aus Gras geflochten wurde auf die Bedeutung, die bei den Römern der Kult des Feldgottes Mars hatte, zurückzuführen.

[3]) s. die oben citierte Bemerkung K u h n s .

[4]) vgl. Theophr. bei Porphyr. de abst. II, 5 p. 106 Rhoer nach Creuzer, Symbolik u. Myth., Bd 2, S. 419.

sollen nur einige Belege Platz finden, die m. E. für den hier angestrebten Zweck vollkommen ausreichend sind.

Der Gebrauch des Weihnachtsstrohs und des Weihnachtsheu's, welches Kuhu mit uralten Opferriten in engsten Zusammenhang gebracht hat, lässt sich bei mehreren slavischen Stämmen nachweisen. Bei den Ruthenen[1]) wird zur Weihnachtszeit der Tisch mit Heu bedeckt. Ueber das Heu breitet man ein Tischtuch und stellt zwei Kuchen oder Brote darauf, welche durch die ganze Weihnachtszeit hier stehen bleiben.[2]) Dieses Heu, so sagen die Ruthenen, erinnert an die Geburt Christi im Stalle. Das ist natürlich nur eine Umdeutung des Brauches; beweisen ja doch schon, ganz abgesehen von den ausserslavischen Parallelen, die auf den mit Heu bestreuten Tisch gestellten und der Berührung entzogenen Brote, dass hier der letzte Rest eines heidnischen Opferkultes vorliegt. Der Tisch des Hauses wird durch die Bestreuung mit Heu zum Altar gewandelt und auf diesem Altar der Gottheit die Opfergabe hingestellt.[3]) Von grossem Interesse sind die ent-

---

[1]) vgl. R. F. Kaindl, Zschr. f. österr. Volksk., 1900, S. 229; ders.. Der Festkalender der Rusnaken und Huzulen, Mitteil. d. k. k. geogr. Gesellsch. in Wien (1896), S. 403 fg.; Barwinskij im Bande „Galizien" v. „Die öst. ung. Mon. in Wort u. Bild", S. 414—417. — Verfehlt scheint es mir zu sein, wenn Kaindl (a. a. O. S. 403) in dem unter das Tischtuch gebreiteten Stroh eine „Personifikation des bösen winterlichen Gottes" sieht; das Weihnachtsstroh wird nicht verbrannt, weil es die böse Gottheit darstellt, sondern weil es bei der Opferhandlung verwendet wurde; so werden ja auch bei den Indern die Gegenstände, welche bei sakralen Riten vom „Kontagium heiliger oder heimlicher Mächte afficiert worden sind", darunter auch die Opferstreu, verbrannt; vgl. Oldenberg, S. 345.

[2]) Aehnliche Bräuche herrschen bei den Polen; vgl. Matusiak im Bande „Galizien", S. 306, 310; für die Rumänen in der Bukowina, die den Ritus von den Slaven entlehnt haben dürften, vgl. Dan, Zschr. f. öst. Volksk., Jg. 1898, S. 214; — s. auch Mone, Gesch. d. Heident. im nördl. Eur., 1. T., S. 88 über das Ozinek-Fest (russ. = Ende der Ernte, poln. dozynek): Ein Tisch wurde mit Heu gedeckt, Brode darauf gelegt und an beiden Enden Bier hingestellt; hierauf sprach der Priester ein Gebet. Auch in diesen Fällen verdient die Altarfunktion des Tisches hervorgehoben zu werden.

[3]) Dass es sich bei diesen Bräuchen um einen Akt ähnlich den lectisternia der Römer handelt, hat Sepp. Rel. d. alt. Deutschen, S. 9 f. richtig gesehen.

sprechenden Weihnachtsbräuche der Serben in Syrmien.[1]) Hier
wird am Festabend vor dem Anzünden ein Mann in den Hof
geschickt, der das Stroh in das Haus tragen soll. Diese mit
dem Holen der Streu betraute Person wird sodann mit Getreide
überschüttet, ein Brauch, der unzweifelhaft sakralen Ursprungs
ist. Das Stroh wird nun in allen Zimmern und in der Küche
herumgestreut und auch der Tisch damit bedeckt, wo es einige
Tage liegen bleiben muss. Nach Ablauf dieser Frist wird es
in die Obstgärten getragen und zwischen die Baumäste gelegt,
ein Ritus, der beweist, dass man dem Weihnachtsstroh eine
segenwirkende Kraft beilegt. Eine ähnliche Sitte mag vorliegen,
wenn bei den Slovenen bei der Sonnenwende Vorhaus und
Zimmer mit Blumen bestreut werden, die bis zum Morgen des
nächsten Tages liegen bleiben müssen.[2])

Soviel über die Sitte des Weihnachtsstrohs bei den Slaven.
Es mögen nun noch einige Zeugnisse für die slavische
Volksanschauung von der unheilwehrenden Kraft des Grases
angeführt werden. Bei den Huzulen wird am St. Johannes-
tage das Vieh vor dem Einflusse der Hexen durch Rasenstücke
geschützt, die man auf die Säulen der Eingangstore legt.[3])
Dem entspricht es, wenn man im südslavischen Gebiete
(Warasdin), um die Hexen zu beobachten, Rasenstücke auf den
Kopf legt.[4]) Man hat vermutet, der Zweck des Brauches
sei, die Hexen glauben zu machen, man befände sich unter der

---

[1]) vgl. Kajacsich, Leben, Sitten und Gebräuche der im Kaisertum
Oesterreich lebenden Südslaven (1873), S. 124; über ähnliche Bräuche der
Serben im Banat ebenda, S. 118, 119. Ueber das Weihnachtsstroh bei den
südungarischen Bulgaren, vgl. G. Czirbusz im 11. Bd. des Sammel-
werkes „Die Völker Oesterreich-Ungarns", S. 373.

[2]) vgl. R. Waizer, Kulturbilder u. Skizzen aus Kärnten, S. 75.

[3]) vgl. Raim. F. Kaindl, Die Huzulen (1894), S. 78, 88; ähnliche
Bräuche bei den Rumänen in d. Bukowina; vgl. Dan, S. 214, No. 495; für die
Tschechen vgl. Sobotka „Die österr. ung. Mon. etc.", Bd. „Böhmen",
1. Teil, S. 444.

[4]) vgl. F. S. Krauss, Südslavische Hexensagen, Mitteil. d. Wiener
anthr. Gesellschaft, Jg. 1884, S. 19.

Erde.[1]) Näher liegt es wohl anzunehmen, dass man den Rasenstücken aus dem Grunde zauberische, unheilwehrende Kraft
beilegte, weil das Gras einstmals im Opferbrauch von grosser
Bedeutung war und deshalb als mit göttlicher Kraft erfüllt
angesehen wurde. Uebrigens wird nicht bloss Rasenstücken,
sondern auch dem Grase allein bei den Südslaven eine unheilwehrende Kraft zugeschrieben.[2])

Wenn man die Reihe der oben vorgeführten indogermanischen
Belege überblickt und hiemit die eben geschilderten slavischen
Bräuche zusammenhält, so wird man sich schwerlich der An-
nahme verschliessen können, dass im Opferritual der heidnischen
Slaven die Vorschrift bestanden haben müsse, den Opferplatz
und das Objekt, welches die Opfergabe zu tragen hatte, mit
Gras, Heu o. dgl. zu bestreuen, dass sonach auch bei den
Slaven das Opfergras, die Opferstreu als „Haupt-
element von Opfer und Heiligkeit"[3]) gegolten habe.
Wenn man nun weiters erwägt, dass bei den den Slaven so
nahe verwandten Iraniern und Indern das „baresman" und das
„barhis" unter genauer Befolgung sakraler Vorschriften beschafft
werden musste, deren frappante Aehnlichkeit darauf hinweist,
dass solche Bestimmungen bereits der „arischen" Epoche angehörten, so wird man keine haltlose Vermutung wagen, wenn
man annimmt, dass auch bei den Slaven das Opfergras
in genau vorgeschriebener, solenner Form gemäht, ge-
sammelt und gestreut werden musste. Diese Funktionen
konnten dann wohl auch hier wie bei den Indern und Iraniern
nur von Priestern versehen worden sein — und hierin
darf vielleicht die geschichtliche Wurzel des Mahdrechtes erblickt werden.[4])

---

[1]) Auch die von **Kuhn**, (Norddeutsche Sagen, S. 512) gegebene Erklärung eines ähnlichen norddeutschen Brauches (**Kuhn**, S. 378, No. 47),
dass der Rasen wohl deshalb auf den Kopf gelegt werde, damit der etwa
geübte Zauber sich auf ihn ableite, scheint mir nicht zutreffend zu sein.

[2]) vgl. **Krauss**, S. 36.

[3]) vgl. **Oldenberg**, S. 343, Anm. 2 von S. 342.

[4]) Der Aufmerksamkeit der Sprachforscher empfehle ich den Namen
„Grallmäher", der uns für die Gradenecker überliefert ist; s. K. **Mayr**,
Geschichte der Kärntner (1785), S. 80, der leider seine Quelle nicht angibt;
doch kann dieser Autor den Namen nicht erfunden haben, sondern muss ihn,

V.

Die Fürstenstein-Ceremonie — eine Umbildung der altslovenischen Stammesweihe.

Das Ergebnis der bisher vorgetragenen Ausführungen lautet dahin, dass die „Herzogseinsetzung" ursprünglich eine am Kultmittelpunkte der heidnischen Slovenen vorgenommene sakrale Handlung gewesen sei, oder zum mindesten die Umbildung eines solchen Aktes darstelle.

Worin hat nun, so darf nunmehr gefragt werden, das Wesen dieser sakralen Handlung eigentlich bestanden?

Es liegt, wenn wir uns zur Beantwortung dieser Frage anschicken, die Verlockung ungemein nahe, die Behauptung, dass es sich beim Akte am Fürstenstein nicht um eine „Ein-

---

sei es aus der Tradition, sei es aus einer unterdessen in Verlust geratenen Quelle geschöpft haben. (An einen Druckfehler „Grallmäher" für „Grasmäher" ist nicht zu denken, denn auch das Register hat „Grallmäher"). Die Existenz einer zweiten Bezeichnung für die Gradenecker, mag dieselbe wie immer etymologisch erklärt werden, scheint mir ein Zeugnis dafür zu sein, dass das Mahdrecht nicht einer blossen Erfindung sein Dasein verdankte, sondern einst wirklich einen realen Inhalt besass. Was die etymologische Erklärung des Namens selbst betrifft, so wird natürlich zu untersuchen sein, ob der Bestandteil „Grall" aus dem deutsch-kärntnerischen Dialekte oder aus dem Slovenischen stammt. Das „Kärntner. Wörterbuch" v. M. Lexer (1862) weist kein „Grall", nur „Gralle" = „Koralle" auf; hingegen kennt die Mundart der Kärntner Deutschen ein kral m. = „Riss, Kratz", krále f.: = „Werkzeug zum Kratzen". Lexer vergleicht damit ahd. krewil, mhd. krewel: „Werkzeug zum Krauen"; Grimm, Deutsch. Wb. s. v. Kräuel belegt für dieses Wort auch die Bedeutung „Rechenwerkzeug". Der Name „Grallmäher" wird wohl hieraus schwerlich erklärt werden können. An das slov. kral = „König", „Herrscher" (vgl. die Worte: „Buge waz prími, gralva Venus", mit denen der Kärntner Fürst am ersten Maimorgen 1227 den deutschen Minnesänger Ulrich begrüsste; s. Weiss, Kärntens Adel, S. 44; vgl. auch Seemüller in seinem Glossar zur österr. Reimchronik, s. v. „Gral") wird man wohl kaum denken dürfen. Liegt vielleicht Verwandtschaft mit dem slov. krojiti — „zuschneiden", tschech. krajeti, krajeni = „Schnitt", krajedlo „Schneidewerkzeug" (s. Miklosich, Etymol. Wb. d. slav. Spr. S. 139) vor? Zum Wandel von k zu g vgl. den Flurnamen graliza, der aus krog — „Kreis" zu erklären ist; s. Scheinigg, Carinthia, Jg. 1892, S. 65. Das letzte Wort ist hier natürlich den Slavisten zu lassen.

setzung" gehandelt haben könne, preiszugeben und anzunehmen, dass die uns überlieferten Ceremonien Trümmerreste einer heidnisch-slovenischen sakralen Herrscherweihe seien. Man könnte behaupten, dass es der Kirche unmöglich gewesen sei, diese sakralen Weihebräuche auszurotten, dass sie vielmehr nur vermocht habe, diese Riten ganz oberflächlich zu christianisieren und ihnen eine konkurrierende kirchliche Feierlichkeit an die Seite zu stellen.[1]) Man könnte dann weitergehend versuchen, den Zusammenhang dieser altheidnischen Feierlichkeit mit den am Herzogsstuhl stattfindenden Ceremonien derart zu erklären, dass man behauptete, dass die „Herzogseinsetzung" als die Weihe durch den vornehmsten Priester der ersten Kultstätte des Landes die unerlässliche Vorbedingung gebildet habe zur feierlichen Besitzergreifung der Herrschaft am Herzogsstuhl. Am Fürstenstein habe der sakrale, am Herzogsstuhl nach der legitimierenden priesterlichen Weihe der politische Teil der Solennitäten des Regierungsantrittes stattgefunden.

Es sind zwei Irrlichter, die hier vor dem mit ethnologischen Problemen Vertrauten auftauchen. Auf der einen Seite liegt die Versuchung nahe, die Fürstenstein-Ceremonie aus dem Gedankenkreise des „Könighirtentums", auf der anderen sie aus der Idee des „Fetischkönigtums" zu erklären.

Es liesse sich vorerst behaupten, bei der angeblichen sakralen Herrscherweihe am Fürstensteine sei der Herzog in bäuerlicher Gewandung und nicht im Herzogskleide aufgetreten, um so anzudeuten, dass er eigentlich ein Hirte sei und seine Herde das Volk, dass er sonach als Hirte seines Volkes die priesterliche Weihe entgegennehme.

Diese Vermutung liesse sich durch eine Reihe interessanter Parallelen belegen. Es ist nämlich eine bei vielen Völkern verbreitete Auffassung, dass das Königtum ein „Volkshirtentum" sei.[2]) Man könnte nun meinen, dass auch den Slovenen diese Anschauungsweise nicht fremd gewesen sei, und dass sie diese Vorstellung bei der Schaffung des Einsetzungs-Ceremoniells auch

---

[1]) Gemeint ist der in Maria-Saal vom Bischof von Gurk zu vollziehende Weiheakt; s. Puntschart, S. 101.

[2]) vgl. J. v. Held, Königtum und Göttlichkeit, Am Urquell, Bd. 3, S. 119—124, bes. S. 123; bei den Chinesen heisst der Kaiser pastor

in reales Leben umgesetzt hätten. Man dürfte sich hiebei auf den Stab in der Hand des Herzogs, der als Hirtenstab gedeutet werden könnte, endlich auf den Stier und das just von der Weide geholte veltphert, welche Tiere der Herzog mit sich führen soll, berufen.[1]

Die zweite lockende Deutung wäre die, anzunehmen, die vermeintliche sakrale Weihe am Fürstenstein habe sozusagen in der „Einleitung" und „Einbetung"[2] des Herrschergeistes in das „Gefäss" des Herzogs durch den Priester bestanden, es sei also bei den heidnischen Slovenen der Gedanke des „Fetischkönigtums" lebendig gewesen. Nach dieser eigenartigen Auffassung des Herrschertums ist der Fürst ein Fetisch, ein Objekt, in das durch Vermittlung der priesterlichen Macht der Geist der Gottheit eingeleitet wird. Der Herrscher wird Sitz, ἰδὸς der Gottheit.[3]

Man könnte nun in Ausführung dieser Annahme, dass die sakrale Handlung am Fürstenstein die Weihe eines „Fetischfürsten" gewesen sei, mehrere Einzelheiten dieser Ceremonie in anscheinend ganz befriedigender Weise erklären. So vor

---

hominum; Homer nennt den König ποιμὴν λαῶν; im Beowulfsliede wird der König als „Folkes Hyrde" bezeichnet. Die eranische Idee des Königtums als Volkshirtentum findet sich nachgewiesen bei F. Spiegel, Eranische Altertumskunde, Bd. 3, S. 597 fg., S. 640; für die Semiten vgl. Schrader, Keilinschriften und altes Testament, S. 291; Spiegel, Arische Studien, Heft 1. (1874), S. 57. Zimmermann (s. Bezzenbergers Beiträge zur Kunde der indogerm. Sprachen, Bd. 26, S. 231 sucht den römischen Eigennamen Poplicola als „Völkerhirt" zu erklären; Sepp, Das Heidentum etc., Bd. 1, S. 361 deutet βασιλεὺς etymologisch als „Hirt des Volkes"; die erste dieser beiden Etymologien ist stark angefochten, die andere wohl ganz indiskutabel.

[1] Auch die bei Puntschart, S. 133 angeführten Berichte, welche die Kleidung des Herzogs direkt als Hirtengewandung bezeichnen, dürfte man sich freilich hiebei nicht stützen, da diese Berichte aus einer viel zu späten Zeit stammen, um für zuverlässig gelten zu können.

[2] Zu diesem Ausdrucke vgl. Bötticher, Tektonik, 2. Bd., S. 430.

[3] Ueber das Fetischkönigtum vgl. Lippert, Geschichte des Priestert., 1. Bd., S. 86 fg., 133—139, 179, 307, 345 fg., 489, 492; Bd. 2, S. 61, 411 fg., ders., Deutsche Sittengeschichte, Bd. 1, S. 46, Bd. 2, S. 26 fg.; derselbe, Der Seelenkult in sein. Bez. zur althebr. Relig. (1881), S. 85; derselbe, Kulturgesch. der Menschheit in ihrem organischen Aufbau, Bd. 2, S. 463 fg., 488, 492 fg.

allem das Auftreten des Herzogs in der Stellung und Gewandung
eines einfachen Mannes aus dem Volke, und den Ritus des
Backenstreiches. Die Priesterschaft — so könnte man aus der
das Fetischkönigtum beherrschenden Grundidee folgern — wollte
durch das Fürstenstein-Drama dem Fürsten andeuten, „dass er
an sich nichts sei, eine verhältnismässig wertlose Hülle; was
er werde, werde er als ein Gefäss des in ihn eingeleiteten
Gottes.“[1]) Dass solche Anschauungen im Bereiche des Fetischkönigtums herrschen und zur Bildung von Riten, ähnlich dem
Einkleidungsbrauche und der Backenstreich - Ceremonie der
„Herzogseinsetzung“ führen konnten, beweisen Beispiele aus
Afrika, deren Kenntnis A. Bastian zu danken ist. Dieser
Forscher[2]) berichtet über die Herrscherweihe zu Bomma: Vor
der Inthronisation hat der Jaga („Fürst“) in ärmlichen
Kleidern zu erscheinen, und der Fürst am Gabun muss sich
in solchen Fällen sogar Schmähungen gefallen lassen. Es
liegt die Versuchung[3]) sehr nahe, den Backenstreichritus und den
Einkleidungsbrauch der „Herzogseinsetzung“ ebenfalls als Akte
ostentativ geringschätzender Behandlung des Fetischstoffes aufzufassen. Auch die Frageceremonie der „Herzogseinsetzung“
liesse sich in die vorgetragene Deutung einfügen: Der Priestermittler prüft aus eigener Machtvollkommenheit die Qualifikation
des Kandidaten, er untersucht die Tauglichkeit des für den
göttlichen Geist bestimmten „Gefässes“. Ebenso könnte man
den Umstand deuten, dass der Herzog sich den Zutritt zum
Fürstensteine erst vom Herzogsbauer erkaufen muss: der Priester
lässt sich seine Mittlertätigkeit erst entlohnen, ehe er den Zutritt
zum Heiligtum, vor dem die Umschaffung des Kandidaten zum
Fetisch stattfinden soll, freigibt.

Trotz diesen eben gegebenen Ausführungen glaube ich
dennoch, dass das Ceremoniell der „Herzogseinsetzung“ weder
aus der Idee des Könighirtentums, noch aus jener des Fetisch-

---

[1]) vgl. Lippert, Gesch. d. Priestert., Bd. 1, S. 87.

[2]) s. Bastian, Die deutsche Expedition an der Loangoküste, Bd. 2 (1875), S. 69 fg.

[3]) Dieser Versuchung ist Bastian an der eben citierten Stelle erlegen, indem er den afrikanischen Brauch mit dem kärntnerischen in
Parallele setzte.

königtums erklärt werden dürfe. Was zunächst die Deutung
unter dem Gesichtspunkte des Könighirtentums betrifft, so
blieben hier markante Bräuche des Schauspiels der „Einsetzung“,
beispielsweise der Ritus des Backenstreiches und des Wassertrunkes, unerklärt und meines Erachtens auch unerklärlich.
Zudem lässt sich ernstlich bezweifeln, ob die Idee des Könighirtentums genuin indogermanisch[1]) ist. Auch gegen die
Deutung der Fürstenstein-Ceremonie aus dem Gedankenkreise
des Fetischkönigtums lassen sich gewichtige Bedenken entwickeln. Vor allem ist der Brauch, dem Königsfetisch vor der
Einleitung des göttlichen Geistes ostentativ Verachtung zu be-
zeigen, seine Gefässqualität in drastischer Weise zu illustrieren,
im Bereiche des Fetischkönigtums doch so selten, dass
man auf den angeführten afrikanischen Parallelen allein den
Bau einer Neudeutung der Kärntner Bräuche aufzuführen nicht
wagen dürfte. Auch scheint es mir überhaupt fraglich zu
sein, ob den Indogermanen die Vorstellung des Fetischkönigtums
vertraut war. Ich glaube, dass Lippert, der bei einer Reihe
von indogermanischen Stämmen die Idee des Fetischkönigtums
nachweisen zu können vermeint, in der Deutung der von ihm
für seine Behauptungen herangezogenen Nachrichten viel zu
weit gegangen ist.[2]) Endlich ist zu bemerken, dass auch bei
dieser zweiten Deutung ein ungelöster Rest zurückbliebe. So
müsste, um nur eines hervorzuheben, der Ritus des Wassertrunkes als unerklärlich bezeichnet werden.

So glaube ich denn, unbekümmert um die beiden eben geschilderten Deutungsmöglichkeiten, an der Annahme festhalten
zu dürfen, dass bei der sakralen Ceremonie der „Herzogseinsetzung“ der Herzog nicht in seiner Eigenschaft als zukünftiger
Herrscher, sondern als ein einfacher Volksgenosse

---

[1]) vgl. Spiegel, Arische Studien, a. a. O.

[2]) vgl. Lippert, Kulturgesch., 2. Bd., a. a. O. — Die von Lippert
für seine Ansicht ins Treffen geführte mittelalterliche Vorstellung von der
wunderwirkenden Heilkraft gewisser Herrschergeschlechter kann auch aus
einem anderen Ideenkreise erwachsen sein. Der Gedanke von der Heiligkeit des Herrschers (Waitz, Deutsche Verfassungsgesch., Bd. VI., S. 155;
W. Sickel, Götting. gel. Anz., Jg. 1901, S. 387 fg.) und dem heiligenden
Charakter der Salbung (Sickel, S. 389) scheint hier mit im Spiele gewesen
zu sein.

auftrat. Es liegt kein zwingender Grund vor, von der im zweiten Abschnitte festgelegten Richtungslinie abzubiegen.

Je öfter und eingehender man nun, in dieser neuerdings als zuverlässig erkannten Richtung vorwärts dringend, die seltsamen Einzelzüge des Rituals der „Herzogseinsetzung" ins Auge fasst, desto mehr muss sich, so vermeine ich, dem Betrachtenden die Ueberzeugung aufdrängen, dass der in seiner Form so ganz ausserordentliche und immer für ein rechtshistorisches Unikum angesehene Akt einer ganz ausserordentlichen Sachlage sein Dasein verdanken müsse. Wenn man nun den rechtlichen Sachverhalt überblickt, so kann diese aussergewöhnliche Situation m. E. gewiss nicht in dem Umstande gefunden werden, dass am Tage der „Herzogseinsetzung" ein neuer Herrscher die Zügel der Regierung ergriff. Das Aussergewöhnliche des ganzen Herganges liegt vielmehr darin, dass es ein Stammfremder ist, der die Herrschaft übernimmt: ein deutscher Reichsbeamter, der über die vorwiegend slovenische Bevölkerung Kärntens herrschen soll. Dieser Umstand ist es, der mich zur Behauptung führt, dass das Ceremoniell der sogenannten „Herzogseinsetzung" ursprünglich den Zweck gehabt habe, den stammfremden deutschen Herrscher in den Volksverband der Kärntner Slovenen einzuführen.

Wenn ich diese Behauptung aufstelle, so entgeht mir keineswegs, dass sie für den ersten Blick scheinbar im Widerspruch steht zu der im vorhergehenden Abschnitt vertretenen Ansicht, dass die Herzogseinsetzung", die ich von nun an mit Berücksichtigung der eben ausgesprochenen Grundthese der vorliegenden Untersuchung als „Herzogseinführung"[1]) bezeichnen will, ursprünglich ein von heidnisch-sakralen Vorstellungen getragener Akt gewesen sei. Die Christianisierung der Slovenen und die Durchführung der deutschen staatsrechtlichen Organisation in Kärnten fallen zeitlich ungefähr zusammen. Vor dieser

---

[1]) Ich übersehe keineswegs, dass der Terminus „Herzogseinführung" den oben ausgesprochenen Grundgedanken meiner Abhandlung nicht mit aller wünschenswerten Bestimmtheit (vgl. auch unten Abschnitt XI.) zum Ausdruck bringt, da ja das Wort auch im Sinne von „Herzogseinsetzung" verwendet werden könnte und auch verwendet worden ist; indes lässt sich eine passendere, gleich knappe Bezeichnung wohl kaum finden.

Epoche der Christianisierung und vor der mit ihr gleichen
Schritt haltenden Aufrichtung der deutschen Verfassungsorganisation lebten die Kärntner Slovenen unter der Herrschaft
einheimischer Fürsten. Als der erste deutsche Herrscher ins
Land kam, war das Christianisierungswerk bereits im Gange.
Da sich aber erst zu dieser Zeit die Notwendigkeit, das Ritual
der „Herzogseinführung" zu schaffen, ergeben konnte, so konnte,
wird man wohl sagen, diesem Ritual ein heidnisch-sakraler
Charakter nicht mehr zugekommen sein.

Diesem Einwande gegenüber darf folgendes bemerkt werden:
gewiss geht die Aufrichtung der deutschen Vorherrschaft in
Kärnten und die Verbreitung des Christentums in diesem Lande
zeitlich ziemlich parallel, aber es kann doch kein Zweifel
darüber möglich sein, dass die Christianisierung auch hier,
wie überall bei den Slaven[1]) und Germanen, in den ersten Jahrzehnten — ja man darf ruhig sagen, in den ersten Jahrhunderten —
nur ganz oberflächlich gewesen sein kann. Das Christentum war hier anfänglich überall nur eine Hülle, unter der die
früheren religiösen Vorstellungen und Bräuche, wenn auch schon
mit dem Keime des langsamen Todes behaftet, noch geraume
Zeit hindurch fortbestanden. Es wäre deshalb gar nicht verwunderlich, wenn man zur Zeit, als der erste deutsche Herrscher
ins Land kam und sich die Notwendigkeit ergab, ihn in den
Volksverband aufzunehmen, bei der Schaffung des Rituals dieser
Aufnahme noch stark mit heidnisch-sakralen Elementen und
Vorstellungen operiert hätte und wenn man insbesondere darauf
verfallen wäre, den Akt dieser Aufnahme noch am alten
sakralen Mittelpunkte des Landes, am Fürstensteine, vorzunehmen. Dies konnte umso leichter der Fall sein, als ja die
bei allen primitiven Völkern und nicht nur bei diesen allein,
sondern auch bei einer grossen Reihe von Kulturvölkern[2]) ein
Grundaxiom des öffentlichen Lebens bildende, im Volksbewusstsein

---

[1]) vgl. Stefanović-Vilovsky, Die Serben im südlichen Ungarn, in
Dalmatien, Bosnien und in der Herzegowina (Die Völker Oesterreich-
Ungarns, 11. Bd.), 1884. S. 186 f.

[2]) vgl. E. Szanto, Untersuchungen über das attische Bürgerrecht
(1892), S. 5; ferner O. Müller, Unters. z. Gesch. d. attischen Bürger- u.
Eherechtes; Neue Jahrb. f. Philol. u. Päd., Suppl. N. F., Bd. 25, S. 774;
Fustel des Coulanges, La cité antique. S 232.

tief verankerte Auffassung von der absoluten Kongruenz
der politischen und der sakralen Gemeinschaft auch
bei den Slovenen zur Zeit des Vordringens des Christentums
noch bestanden haben muss. Diese Fundamental-Auffassung des
öffentlichen Lebens konnte die römische Kirche nicht mit einem
Schlage aus der Welt schaffen, umsoweniger als ihr zentralistischer
Charakter[1]) eine solche Betrachtungsweise nicht vertrug, und
daher gerade hier eine das Eindringen der neuen christlichen
Idee erleichternde Umbildung der alten Anschauungen, etwa
durch Schaffung ähnlich gestalteter christlicher Denkformen,
unmöglich war. Man konnte deshalb zur Zeit, als zum erstenmale ein deutscher Fürst die Regierung über das zum grössten
Teile von Slovenen bewohnte Land ergriff, sehr wohl noch an
der Auffassung festgehalten haben, dass die Aufnahme des deutschen
Herrschers in den politischen Verband des Stammes dort zu
geschehen habe, wo in der heidnischen Zeit der sakrale und
deshalb auch politische Mittelpunkt des Landes war: beim
Fürstenstein, unter Verwertung jener Kultformen der alten
Sakralgemeinschaft, die sich eben unter den geänderten Verhältnissen noch aufrecht erhalten liessen. Nun war es aber
zur Zeit, da der erste deutsche Fürst in Kärnten sich an-
schickte, die Zügel der Regierung zu ergreifen, sicherlich nicht
vonnöten, das Ritual der „Herzogseinführung" frei aus dem
Nichts zu gestalten. Wäre dies notwendig gewesen, dann liesse
sich vielleicht immerhin noch behaupten, dass der zurück-
weichende alte Volksglaube nicht mehr die Kraft zur Gestaltung
neuer Riten gehabt haben könne. Es war jedoch, wie eben
betont wurde, eine Neuformung überflüssig, weil man an Vor-
handenes bequem anknüpfen konnte. Es musste bereits
in heidnisch-slovenischer Zeit, lange vor dem Entscheidungs-
kampfe zwischen Deutschen und Slovenen, ein Verfahren bestanden haben, das die Aufnahme stammfremder Personen in

---

[1]) s. auch Stefanović-Vilovsky, S. 187 f. Eine ganz andere
Stellung nimmt die orthodoxe griechische Kirche ein. Der orthodoxe Serbe
bringt mit Vorliebe Religion und Nationalität zusammen und erkennt nur
den der orthodoxen griechischen Kirche angehörenden Serben als solchen
an; vgl. Stefanović-Vilovsky, S. 131.

den slovenischen Stammesverband zum Gegenstande hatte.
Bei allen primitiven Völkern — und nicht nur bei diesen
allein — finden wir trotz der schroffen Exklusivität der politischen
Verbände Rechtsbestimmungen und Institutionen, welche die
Einbürgerung stammfremder Personen ermöglichen.[1]) Solche
die Impatriierung regelnde Vorschriften müssen demnach auch
bei den heidnischen Slovenen vorausgesetzt werden. Es konnte
sich daher bei der ersten Herzogseinführung nur um
eine Anwendung des längst ausgebildeten Verfahrens
bei Aufnahme stammfremder Ausländer handeln. Da
nun, wie bereits konstatiert wurde, in heidnisch-slovenischer
Zeit absolute Identität des sakralen und des politischen Verbandes
bestanden haben musste, so muss dieses Verfahren einen
eminent sakralen Charakter an sich getragen haben.
Als nun das Christentum nach Kärnten kam, konnte es wegen
seiner universalistischen Tendenzen diesem sakralen Impatriierungsverfahren nicht, wie in so ungezählten anderen Fällen, eine
konkurrierende kirchliche Prozedur zur Seite stellen. Es musste
sich daher wohl, da die der Rechtsinstitution der Einbürgerung
zugrunde liegende Auffassungsweise zu tief wurzelte, um mit
einem Ruck aus dem umgebenden Erdreiche gerissen werden
zu können, damit begnügen, das Verfahren vorderhand bestehen
zu lassen und in ihm nur die auffälligsten und anstössigsten
heidnischen Züge auszutilgen. In dieser Form mag der Ritus
bei den ersten Herzogseinführungen geübt worden sein, um dann,
nachdem seine Lebenswurzeln langsam abgestorben waren, nur
noch in zähem Konservativismus Jahrhunderte hindurch fortgeschleppt zu werden. So, glaube ich, lässt sich die auffallende

---

[1]) vgl. für die Hottentotten Kohler, Zeitschr. f. vgl. Rechtswiss.,
Bd. 15, S. 357; für die Bantu in Ostafrika vgl Kohler, ebenda, S. 74;
f. d. Papuas (Neu-Guinea) s. Kohler, Zschr. f. vgl. R., Bd. 14, S. 389;
f. d. Herero (Südwestafrika) a. a. O., S. 318; f. d. Marschallinsulaner
(Polynesien), a. a. O., S. 449, 450; s. auch Bd. 12, S. 452; bezügl. d.
nordamerik. Indianer vgl. Kohler, a. a. O., S. 390; — vgl. ferner Lippert,
Sozialgeschichte Böhmens in vorhussitischer Zeit, Bd. I. (1896), S. 85;
derselbe; Kulturgesch., Bd. 2, S. 83, 355; für die Griechen vgl. O. Müller,
a. a. O., S. 663; Szanto, S. 5, 12; f. d. Juden s. A. Bertholet, die
Stellung der Israeliten und der Juden zu den Fremden (1896), S. 101;
Saalachütz, Das mosaische Recht, (1853), S. 685 fg.

heidnisch-sakrale Färbung des Ceremoniells der Herzogseinführung
in Einklang bringen mit der Tatsache, dass zur Zeit der ersten
Herzogseinführung die Christianisierung Kärntens bereits im
Gange war.

Wie lässt sich nun, da uns doch keine Kunde über
das Impatriierungsverfahren der heidnisch-slovenischen Epoche
vorliegt, die Behauptung, dass die Fürstenstein-Ceremonie ein
Akt der slovenischen Stammesweihe gewesen sei, erweisen?
Auf diese Frage sollen die folgenden Abschnitte dieser Abhandlung eine Antwort zu geben versuchen. Es wird aus ihnen
hervorgehen, dass die Fürstenstein-Ceremonie eine unver-
kennbare Aehnlichkeit aufweist mit den von den indogermanischen Stämmen geübten initiatorischen
Bräuchen der verschiedensten Art, nämlich mit den
Ceremonien der Jünglingsweihen,[1] der Freilassungen[2],
mit den bei der Aufnahme in Mysterienverbände und sonstige
religiöse und politische Genossenschaften gebräuchlichen
Solennitäten, sowie endlich mit jenen Riten, die bei der Einführung der Braut[3] und sonstiger Neulinge in die Haus-
oder Geschlechtsgenossenschaft üblich waren.

---

[1] Zur Literatur über d. Jünglingsweihen vgl. O. Schade,
„Ueber Jünglingsweihen", im Weimarischen Jahrbuch, hgeg. v. Hoffmann
v. Fallersleben und O. Schade, 6. Bd., Jg. 1857, S. 241—416 (die erste
Untersuchung über dieses Thema); A. Bastian, Zur naturwissenschaftl.
Behandlungsweise der Psychologie (1883), S. 128—155; Lippert, Kultur-
geschichte, 2. Bd., S. 339—362; derselbe, Gesch. d. Priestertums, Bd. 1,
S. 70 fg., 89, 127—131, 236 f., 318 f.; Bd. 2, S. 315, 418 f.; H. Schurtz,
Urgeschichte der Kultur (1900) S. 119—122, 193; derselbe, Altersklassen
und Männerbünde (1902); Kohler, Zschr. f. vgl. Rechtsw., Bd. V, S. 431,
VII., S. 357, 358, 374; XIV, S. 360 fg.; Robertson W. Smith, Relig.
d. Semiten, S. 251 fg.

[2] Jede Freilassung, nicht bloss die Freilassung zu vollem, sondern
auch jene zu minderem Rechte, ist ein initiatorischer Akt; bei der Freilassung zu minderem Rechte wird der Freigelassene in den Verband der
Hausgenossenschaft aufgenommen; vgl. für das altgermanische Recht Sohm,
Zschr. d. Savigny-St. G. A. Jg. 1900, S. 21 fg.; f. d. alttschechische Recht
s. Jireček, Das Recht in Böhmen und Mähren, Bd. 1, 1. Abt., S. 72 f.; 2. A.,
S. 40.

[3] Ueber das initiatorische Moment in den Hochzeitsceremonien
vgl. vor allem Lippert, Kulturgeschichte, 2. Bd., S. 145 fg.; derselbe,

Indem wir dieses Ergebnis der in den folgenden Abschnitten vorgeführten Untersuchungen an dieser Stelle vorwegnehmen, dürfen wir aus ihm mit voller Beruhigung die Folgerung ableiten, dass darum auch die Fürstenstein-Ceremonie ein initiatorischer Akt gewesen sein müsse. Wenn wir uns nun die Frage vorlegen, welchem Personenverbande der Herzog durch das initiatorische Fürstenstein-Drama eingegliedert werden sollte, so kann, meine ich, die Antwort auf diese Frage nicht schwer fallen. Man wird mir wohl zugeben müssen, dass schon von vornherein die grösste innere Wahrscheinlichkeit dafür spricht, dass, wenn die sogenannte „Herzogseinsetzung" ein initiatorischer Akt gewesen ist, diese initiatorische Ceremonie nur der Einführung des stammfremden deutschen Herzogs in den Stammesverband der Slovenen gegolten haben kann, da nicht abzusehen ist, welchem Verbande sonst der deutsche Herzog durch das initiatorische Fürstenstein-Drama hätte zugeführt werden sollen. Zudem wird sich uns zeigen, dass bei dieser Deutung der Fürstenstein-Ceremonie als einer Einführung des deutschen Herzogs in die slovenische Volksgenossenschaft sich sämmtliche Teilriten der sogenannten „Herzogseinsetzung", ohne dass ein ungelöster Rest bliebe, erklären lassen, sowie, dass sämmtliche dunkle Punkte in der Tradition über die Fürstenstein-Ceremonie ihre Aufhellung finden. Damit erscheinen alle Ansprüche, die man an eine wissenschaftlich begründete Hypothese zur Erklärung des rätselhaften Fürstenstein-Schauspiels wird stellen dürfen, befriedigt.

Bevor ich nun den angekündigten Beweis dafür antrete, dass die Riten der Fürstenstein-Ceremonie mit den initiatorischen Gebräuchen der Indogermanen wesensverwandt seien, wird es nötig sein, einem Bedenken, das während der vorstehenden Ausführungen wohl manchem aufgestiegen sein mag, entgegenzutreten. Man wird, so erwarte ich, die Frage aufwerfen: wozu dieses Einbürgerungsverfahren? Wozu die Aufnahme des deutschen Herzogs in den slovenischen Stammesverband? Die Aufwerfung

---

Christentum, Volksglaube etc., S. 489, 540 u. a a. O. seiner Werke; an Lippert anknüpfend Samter, Die Familienfeste der Griechen und Römer (1901), S. 8; s. auch bez. der Hebräer Schwally, Zschr. f. alttestam. Wissenschaft., Bd. 11, S. 181 f.

dieser Frage ist berechtigt; doch glaube ich sie dahin beantworten
zu dürfen, dass die damals geltende Rechtsauffassung sehr wohl
verlangt haben konnte, dass sich der Herzog in den Volksverband der Kärntner Slovenen aufnehmen lasse, und meine
andererseits vermuten zu dürfen, dass der deutsche Fürst allen
Anlass gehabt haben konnte, sich diesem Aufnahmeritus zu
unterziehen.

Es war bereits von der Exklusivität der politischen und
sakralen Verbände in vorchristlicher Zeit die Rede. Die
Völker der vorchristlichen Epoche erkennen dem Fremden
keinerlei wie immer geartete politische Berechtigung zu.[1])
Rechtssubjekt ist nur der Stammesgenosse; der Stammfremde,
der Angehörige eines anderen politischen und sakralen Stammesverbandes, ist rechtlos, vogelfrei. Ihm gegenüber gilt keinerlei
sittliche Verpflichtung und für Verletzungen, die ihm zugefügt
werden, keinerlei Verantwortlichkeit vor der Gottheit. „Es
ist einer Gott verantwortlich für Unrecht, das er einem
Gliede seines eigenen Geschlechtes oder des politischen Gemein-
wesens antut, aber einen Fremden mag er betrügen, berauben,
töten, ohne sich gegen die Religion zu vergehen; die Gottheit
kümmert sich nur um ihre eigenen Leute.“[2]) Diese Anschauung
ist nicht nur, wie Robertson W. Smith und andere erwiesen
haben[3]), bei den Semiten nachzuweisen, sie ist auch bei den
indogermanischen Stämmen lange Zeit in Geltung gewesen.[4])
Diese Auffassung hat in vorchristlicher Zeit zweifelsohne auch
bei den Slaven gegolten.[5]) Sie ist für einen slavischen Stamm,

---

[1]) Zum folgenden vgl. vor allem die Untersuchung von A. Bertholet,
Die Stellung der Israeliten und der Juden etc., bes. S. 9—12.

[2]) vgl. Smith, Religion der Semiten, p. 53 d. engl. Ausg. bei
Bertholet, S. 11.

[3]) s. Smith, Kinship and Marriage in early Arabia (1885), p. 215;
Stade, Geschichte Israels, 1. Bd. 1, S. 5, 10; Wellhausen, Jahrb. d.
Theologie, 21 (76), S. 399.

[4]) vgl. Schrader, Reallexikon, s. v. „Gastfreundschaft“; L. Brentano,
Münch. Sitz.-Ber. phil. hist. Cl., Jg. 1902, S. 161.

[5]) Wie lange sich der exklusive Charakter der politischen Verbände
bei den Südslaven auch noch in christlicher Zeit erhalten hat, scheint m. E.
folgende, von Hoernes (Urgeschichte d. Menschen nach d. heut. Stande
d. Wiss., S. 503, derselbe, Dinarische Wanderungen, S. 335) mitgeteilte,

die Russen, sogar quellenmässig belegt. Ein arabischer Bericht-
erstatter erzählt, dass kein Fremder das Gebiet der heidnischen
Russen betreten durfte, ohne augenblicklich das Leben zu verlieren.[1]) Man wende demgegenüber nicht ein, dass uns viele
Quellen von einer geradezu ausschweifenden Gastfreundlichkeit
slavischer Stämme berichten.[2]) Fremdenfeindlichkeit und Gastfreundlichkeit sind keineswegs einander ausschliessende Begriffe;
beide können neben einander bestehen, ja sind in gewissem
Sinne korrelate Erscheinungen.[3]) Die Gastfreundschaft ist
zeitlich sehr enge beschränkt: bei längerem Verweilen tritt der
Grundsatz von der vollkommenen Rechtlosigkeit des Fremden
wieder in seine Rechte: „Twa night gest, thrid night agen",
wie ein angelsächsischer Rechtssatz sagt.[4])

Für alle diese exklusiven Verbände gilt nun der Satz, den
Smith mit Beziehung auf die Semiten treffend folgendermassen
gefasst hat: „Niemand kann mit einem anderen in absolut
verbindliche Beziehung treten, auch nicht für einen zeitweiligen
Zweck, ohne dass dieser für die Zeit ihrer Verbindung die
Stellung eines Stammesgenossen einnähme."[5]) Wir werden
deshalb auch für die heidnischen Slovenen annehmen dürfen,

---

mittelalterliche Grabschrift aus der Herzegowina zu beweisen: „Hier
liegt...., verflucht sei, wer hier begraben wird, ausser von seinem Stamm."

[1]) vgl. C. M. Frähn, Ibn-Foszlan's u. anderer Araber Berichte über
d. Russen älterer Zeit (1823), S. 51 nach O. Schrader, Linguistisch-
historische Forschungen zur Handelsgeschichte u. Warenkunde, S. 6.

[2]) vgl. Krek, Einleitung in die slavische Literaturgeschichte[2], S. 357 fg.
mit Quellenbelegen; über die Gastfreundlichkeit d. heutigen Südslaven s.
Krauss, Sitte und Brauch d. Südslaven, S. 644—658.

[3]) vgl. Bertholet, S. 13 fg., S. 21 fg, 27; dieser Punkt scheint m. E.
in der Diskussion über die indogermanischen Sitten der Gastfreundschaft
übersehen worden zu sein.

[4]) Der Gast geniesst im arabischen Hause die Privilegien der Gastfreundschaft nur drei Tage und vier Stunden; bleibt er länger, so muss er
in der Wirtschaft mithelfen; vgl. Kohler, Ueber d. vorislam. Recht d.
Araber. Zschr. f. vgl. Rechtswiss. Bd. 8, S. 251.; hieher gehört wohl
auch die deutsch-mittelalterliche Sitte, den Gast nach ein- bis dreitägigem
Verweilen mit bösem Blicke zu verfolgen und ihm den pilleus hospitalitatis
wegzunehmen; vgl. Schönbach, Studien zur Gesch. d. altd. Predigt, 2. Stück,
Wiener Sitz.-Ber., Jg. 1900, S. 111.

[5]) vgl. Smith, Relig. d. Semiten, S. 208.

dass sie sich einem Ausländer gegenüber rechtlich und sittlich nur dann verpflichtet fühlten, wenn dieser, sei es für die Dauer des betreffenden Rechtsverhältnisses, sei es für immer, die Stellung eines Stammesgenossen einnahm.

Und nun stelle man sich einmal vor, dass einem Volke, das bisher solch' exklusiven Anschauungen gehuldigt hat, plötzlich ein Herrscher aufgedrängt wird, der einem anderen Stammesverbande, dem Volke der verachteten, als rechtlos betrachteten Deutschen angehörte! Bislang hatten nationale Herrscher regiert, sei es nun die Angehörigen eines Dynastengeschlechtes, sei es zur Herrscherwürde durch Wahl berufene Volksgenossen. Nun, mit einemmale diese fundamentale Veränderung! War es da nicht begreiflich, dass sich bei den Slovenen, die noch immer an der Auffassung von der Rechtlosigkeit der Fremden festhielten, allüberall der Wunsch geltend machte, dass der Herrscher, mochte er schon kein eingeborener Slovene sein, sich doch wenigstens dem slovenischen Stammesverbande eingliedern lasse? Wäre es zu verwundern, wenn man damals danach gestrebt hätte, die alte Rechtsanschauung, für die das nationale Herrschertum eine Selbstverständlichkeit war[1]), wenigstens im Wege der Fiktion aufrechtzuerhalten?

Man wird nun sagen: zugegeben, dass auf slovenischer Seite das geschilderte Bestreben bestand — was konnte aber die deutsche Politik in Kärnten veranlassen, diesem Streben entgegenzukommen? Es ist nun, so meine ich, gewiss, dass für den Beamten des machtvollen deutschen Königs keine zwingende Veranlassung vorlag, sich dem Akte der „Herzogseinführung" zu unterziehen. Die Slovenen hätten sich seine Herrschaft auch dann gefallen lassen müssen, wenn er es vorgezogen hätte, diesen Akt an seiner Person nicht vornehmen zu lassen. Etwas anderes ist es aber, ob nicht die Gebote der Herrscherklugheit, Erwägungen der Regierungsraison die deutschen Fürsten veranlasst haben könnten, die slovenische Stammesweihe anzustreben, um so ihre Stellung an den Grundpfeilern der damals geltenden Moralanschauungen zu verankern. Eine kluge Regenten-

---

[1]) vgl. L. A. Gebhardi, Geschichte aller wendisch-slavischen Staaten (1790), 1. Bd., S. 102.

politik handelt, mag auch eine. noch so grosse Macht ihr
Fundament sein, nie aus purem Trotz den allgemein herrschenden
politischen und moralischen Grundanschauungen entgegen, sucht
sich vielmehr diesen anzupassen und aus ihnen neue Stützpunkte
für die Festigung der Herrschaft zu gewinnen. Diese Maxime
wird dort in erhöhtem Masse geboten sein, wo der Herrscher
dem Lande, über das er regieren soll, nicht eingeboren ist.
Hier wird es erst recht am Platze sein, die im Volke bestehenden
Anschauungen und Sitten zu respektieren, soweit dies nur angeht. Ein solcher Fall lag aber in Kärnten vor. Deshalb
behaupte ich, dass die deutsche Politik in Kärnten allen Grund
hatte, an diesem Punkte die geltenden Anschauungen zu schonen,
und dass es nur zur Festigung der deutschen Vorherrschaft[1])
beitragen konnte, wenn der Fürst durch einen feierlichen Akt
bekundete, dass er nicht als stammfremder, rücksichtsloser
Usurpator, sondern als ein durch die Herrschergewalt über alle
anderen Stammesbrüder weit erhöhter Volksgenosse herrschen
wolle. Dadurch, dass der stammfremde deutsche Fürst sich
am alten sakralen Mittelpunkte des Landes, am Fürstensteine,
in den Stammesverband der Slovenen einführen liess, schuf er
die moralische Grundvoraussetzung für den von ihm beanspruchten
Gehorsam. Die Slovenen wiederum mochten in dem Umstande,
dass sich die deutschen Herrscher der Stammesweihe unterzogen, ein preisenswertes Vorgehen erblicken, womit die Härten
der Fremdherrschaft, wenn auch nicht dem Wesen, so doch
wenigstens der Form nach beseitigt erschienen.

Hiemit glaube ich die oben gestellte Frage nach dem
Zwecke der „Herzogseinführung" in befriedigender Weise beantwortet zu haben. Wir dürfen nunmehr den Beweis für die
These, dass die Riten der Fürstenstein-Ceremonie mit den von
den Indogermanen geübten Initiations-Solennitäten wesensgleich
seien, antreten.

---

[1]) Treffend sagt v. Wretschko, S. 959: „Da mochte bei dem, bekannten zähen Festhalten des Volkes an althergebrachten Sitten und Gebräuchen die Macht und das Regiment eines Herzogs von Kärnten in der
ersten Zeit nicht allein auf seinen Beziehungen zum Reiche, sondern ebenso
auf jenen zur einheimischen Bevölkerung beruhen."

. VI.

Der Einkleidungs-Ritus der Fürstenstein-Ceremonie.

Dass es sich bei der Fürstenstein-Ceremonie um die Einführung des deutschen Fürsten in den slovenischen Stammesverband gehandelt hat, tritt am klarsten im **Einkleidungsritus** der Herzogseinführung zutage. Dadurch, dass sich der Herzog seine Tracht — die eines deutschen Ritters — abnehmen lässt, gibt er kund, dass er aus der Volksgenossenschaft, der er bisher angehört hatte, austrete. Er manifestiert andererseits durch die Anlegung der slovenischen Tracht[1]) seinen Willen, von nun an ein Slovene sein zu wollen. Es liegt diesem Brauche die bei allen primitiven Völkern verbreitete volksphysiologische Vorstellung[2]) zugrunde, dass das Kleid ein Teil der Persönlichkeit sei, und dass man durch Aenderung der Kleidung das Wesen seiner Persönlichkeit ändern könne. Der Herzog zieht, so könnte man mit einem nicht übertreibenden Worte diese Auffassung formulieren, **den Deutschen aus und den Slovenen an.**

Obzwar die vorstehenden Behauptungen m. E. eines näheren Nachweises gar nicht bedürfen, wird es sich doch, um jeden Zweifel zu bannen, empfehlen, ihre Richtigkeit durch Heranziehung einiger dem indogermanischen Quellengebiete entnommener, analoger Bräuche darzutun.

---

[1]) Dass es die slovenische Volkstracht war, in die der Herzog, sei es nun in Karnburg, sei es, was ich für das Wahrscheinlichere halte, in der Nähe des Fürstensteines, gekleidet wurde, ist ziemlich allgemein, so auch von Puntschart und Schönbach, anerkannt. Aus einer Bemerkung El. H. Meyers (Deutsche Volkskunde, S. 94) scheint zwar, wenn ich Meyer nicht missverstanden habe, hervorzugehen, dass er die bäuerliche Gewandung des Herzogs für eine solche deutschen Charakters hält; es wäre aber diese Meinung dann ganz unzweifelhaft irrig.

[2]) vgl. Kohler, Zeitschr. f. vgl. Rechtsw., Bd. 15, S. 40; L. Tobler, „Haus, Kleid, Leib", Germania, Bd. 4, S. 176 fg.; M. Höfler, Am Urquell, Jg. 1897, S. 133; v. Negelein, Zeitschr. f. Ethnol., Jg. 1902, S. 49; Smith, Religion d. Semiten, S. 260. Bei den Gilbert-Insulanern wird die Erstgeschwängerte auf einen Kreuzweg geführt, entkleidet und ihr ein anderes Gewand angelegt: es wird ihr gesagt, dass sie mit dem alten Kleide auch ihre Kindheit abgelegt habe; s. Parkinson, Internat. Archiv f. Ethnogr., Bd. 2, S. 33.

Zuvörderst wären hier die Einkleidungsriten zu erwähnen, die die Römer bei der Initiation in den Stammesverband übten. Im alten Rom legte der mannbar gewordene Jüngling — er wird bezeichnenderweise „vesticeps" — „Kleidnehmer" gegenannt —, bevor er in die Bürgerliste eingetragen wurde, die Gewandung der Knabenjahre ab und nahm am Festtage der Liberalia, wo er liber, volkfrei wurde, in solenner Weise die Nationaltracht der Römer[1] Bei der altrömischen Freilassung erhielt der Freigelassene den pileus, den Hut der Freien.[2] Dieser Ritus findet seine Erklärung darin[3], dass man bei den Römern die Freilassung als die Aufnahme des bisher stammfremden Unfreien in den Volksverband[4] auffasste und daher für die Rechtsform der Freilassung Formmotive der Jünglings-

---

[1] vgl. Marquardt, Privatleben der Römer, S. 125 f.

[2] s. Leist, Altarisches Jus civile, Bd. 1, S. 291, 292 mit reichen Quellenbelegen.

[3] Eine interessante, jedoch unzulängliche Deutung hat der Brauch durch Bachofen (s. Versuch über die Gräbersymbolik d. Alten. 1859, S. 191, Mutterrecht[1], S. 71, 135) gefunden. — Nicht übereinstimmen kann ich in der Erklärung des Brauches ferner mit Samter (Der pileus der römischen Priester u. Freigelassenen, Philologus, Jg. 1894, S. 535—543; derselbe, Familienfeste d. Griech. u. Röm. S. 33 fg.), der meint, dass der Ritus aus einer zu Lustrationszwecken vorgenommenen velatio capitis sich entwickelt habe. So sehr ich Samter darin beipflichte, dass die römischen Freilassungsbräuche ursprünglich religiöse Ceremonien (Philologus. a. a. O., S. 542) gewesen seien, so glaube ich doch mit Blümner (Berliner philolog. Wochenschr., Jg. 1902, S. 142 f.), dass Samter hier viel zu weit gegangen ist.

[4] Es widerspricht dieser Auffassung keineswegs, dass die Freigelassenen zu Rom nur geminderte politische Rechte besassen und ihnen der Eintritt in das Patriciat verschlossen blieb. Die Gesammtheit der Patricier ist eben nicht identisch mit dem römischen Volksverband; dieser umfasste von allem Anfange an auch die Plebejer; vgl. L. Holzapfel, „Die drei ältesten römischen Tribus", in den Beiträgen z. alten Geschichte, hgeg. v. C. F. Lehmann, 1. Bd., 1901, S. 254; Ed. Meyer, Gesch. d. Altert. 2. Bd., S. 513. — Wenn der Freigelassene auch nach der Manumission noch in einem gewissen Abhängigkeitsverhältnis zum dominus steht, so konnte er dessenungeachtet doch freier Volksgenosse sein; der filiusfamilias, der am Tage der Liberalia in den Volksverband aufgenommen wurde, blieb dennoch unter der patria potestas; bei den Langobarden wurde der Freigelassene, trotzdem er fulcfree, „Volksgenosse" geworden, damit noch nicht „amund", muntfrei; es bedurfte hiezu erst eines besonderen Rechtsaktes, s. Edict. Roth, c. 224.

weihe verwendete. Freilich ist hier der Einkleidungsbrauch der römischen Jünglingsweihe bis auf die feierliche Bekleidung mit dem altertümlichen Filzhute rudimentär[1]) geworden. Genau in der nämlichen Weise erscheint der Einkleidungsritus der römischen Jünglingsweihe bei einer anderen Ceremonie in rudimentärer Rückbildung. Wenn nämlich ein Römer in die Kriegsgefangenschaft eines anderen Stammes geraten war, so galt seine Zugehörigkeit zum römischen Volksverbande als beendet, was sich auch in dem Erlöschen der bisher bestandenen rechtlichen Beziehungen des Kriegsgefangenen äusserte. Gelang es nun dem Gefangenen, in die Heimat zurückzukehren, so musste er, um seiner früheren Stellung und seiner früheren Rechtsbeziehungen teilhaftig zu werden, einen eigenartigen Brauch üben. Er musste sich das Haar scheren lassen und sodann in solenner Weise den pileus nehmen.[2]) Augenscheinlich machten hier die Römer mit ihrer Anschauung, dass der in die Kriegsgefangenschaft Geratene seine Stammeszugehörigkeit eingebüsst habe, vollen Ernst. Der Zurückgekehrte war kein Römer mehr, er musste erst wieder ein Römer werden, und dies konnte er nur, indem er sich neuerlich in den Stammesverband einführen liess. Deshalb liess er sich das Haar kürzen, gleichwie dem Freigelassenen zu Rom und zu Praeneste, den Initianden bei der indischen, griechischen und germanischen Jünglingsweihe geschah, deshalb musste er auch den Einkleidungsritus der römischen Jünglingsweihe üben. Von diesem Einkleidungsbrauche ist aber auch hier nur die Bekleidung mit dem pileus übriggeblieben, wie umgekehrt wieder bei der Jünglingsweihe die feierliche Aufsetzung des pileus in Vergessenheit geriet.[3])

---

[1]) vgl. Samter, Philol., a. a. O., S. 540: „.... scheint es naheliegend, den pileus der Freigelassenen als einen Ueberrest der alten Volkstracht aufzufassen".

[2]) vgl. Liv. 30, 45; 34, 52 fin.; Quint. decl. 9, 20; Val. Max, 5, 2 u. 5, 6; Plut. Fort. Al. 2. — Ein ähnlicher Brauch wird geübt, wenn bei den Indern der fälschlich Totgesagte wieder zurückkehrt. Er muss eine symbolische Wiedergeburt durchmachen; hierauf werden an ihm noch die Geburts-, Tonsur-, Einführungs- und andere Sakramente verrichtet; s. W. Caland, Am Urquell, Jg. 1898, S. 192 f.

[3]) Noch in einer anderen Beziehung sind die eben besprochenen Bräuche für unser Thema von Interesse. Es zeigt sich bei diesen Einkleidungsriten,

Auch bei der indischen Jünglingsweihe dürften ähnliche Bräuche geübt worden sein. Die Riten der indischen Stammesweihe sind uns zwar nicht mehr in ihrer Ursprünglichkeit erhalten, sondern nur noch in einer priesterlichen Umbildung, dem upanayana, wir können jedoch, wie Lippert[1]) gezeigt hat, aus diesem Brauche der Schülereinführung mit ziemlicher Sicherheit auf das Ritual der urindischen Jünglingsweihe zurückschliessen. Bei dieser sakramentalen Feierlichkeit wurde nun der Initiand folgendermassen bekleidet:[2]) er musste ein Antilopenfell, einen Schurz, ein Kleid und die heilige Schnur,[3]) das Stammeszeichen der „zweimalgeborenen" Inder anlegen und erhielt, wie bei der Fürstenstein-Ceremonie der Herzog, einen Stock[4]) in die Hand. Es wird uns auch berichtet, dass der Priester, der den Jüngling initiiert, als Lohn für die heilige Handlung das empfängt, „was

dass hier die Volkstracht, mag sie auch im Alltagsleben längst nicht mehr so getreulich festgehalten werden, immer noch in der alten Weise zur Verwendung gelangt. Der pileus, der im gewöhnlichen Leben, ja selbst bei der Jünglingsweihe, schon in den Hintergrund getreten war, hier, bei der Initiation der Freigelassenen und der aus der Kriegsgefangenschaft Zurückgekehrten, spielte er noch eine wichtige Rolle. Einen ähnlichen Vorgang können wir auch in Kärnten beobachten. Bei Beschreibung des herzoglichen Hutes sagt der Reimchronist:

„die selben hüete kluoc,
niulich man datz Kernden truoc."

Es wird also bei der Fürstenstein-Ceremonie die alte Huttracht, von der man zu Ottokars Zeiten bereits abgekommen war, noch peinlich festgehalten.

[1]) s. Lippert, Kulturgesch., 2. Bd., S. 349 fg.; Lipperts Anregung wurde weiter ausgeführt von Oldenberg, Rel. d. V., S. 466 f.; ihnen folgen in dieser Auffassung des upanayana Hillebrandt (Altindien, S. 78, 86 f.; Ritualliteratur, S. 7); Jolly, Jahrbuch d. internat. Vereinig. f. vgl. Rechtswissenschaft u. Volkswirtschaftslehre, 2. Bd., S. 582 f.; Winternitz, Anzeiger f. indog. Sprach- u. Altertumsk., 8. Bd., S. 35.

[2]) Näheres über diese Einkleidung bei Hillebrandt, Rituall., S. 51.

[3]) Ueber die heilige Schnur als Stammeszeichen der arischen Inder vgl. Lippert a. a. O.

[4]) Der Stab in der Hand des Herzogs lässt von dem hier gewählten Standpunkte aus eine zweifache Deutung zu. Man darf ihn vielleicht als einen Bestandteil der altslovenischen Volkstracht auffassen. Krauss (Sitte u. Brauch d. Südslaven, S. 442) berichtet zwar, dass der Südslave überhaupt für gewöhnlich keinen Stock trage; es kann jedoch dieser Teil

der Knabe bei der Einweihung an hat."[1]) Aehnlich war es
in Kärnten; hier erhielt der den Herzog in den Stammesverband
einführende Bauer neben anderen Gaben auch die bäuerliche
Gewandung, die der Herzog bei der Einführung trug.

Nicht nur aus dem Rechtsbereiche der eben genannten
indogermanischen Völker, sondern auch aus dem slavischen Quellengebiete selbst glaube ich einiges Beweismaterial schöpfen zu
können für die in Rede stehende These, dass der Einkleidungsritus der „Herzogseinführung" die Aufnahme des stammfremden
Herzogs in den Volksverband der Kärntner Slovenen vermitteln
sollte. Es darf, so meine ich, in diesem Zusammenhange vielleicht an eine Erzählung erinnert werden, die Fredegar[2]) von
dem slavischen Fürsten Samo, der in der conversio Bagoariorum
et Carantanorum — mit Unrecht allerdings — sogar ein Karantane
genannt wird, berichtet.

Zu Samo kam, entsendet vom König Dagobert, ein
fränkischer Gesandter Sycharius, um von ihm wegen der Er-
mordung fränkischer Kaufleute durch die Tschechen Genugtuung
zu heischen. Samo, so erzählt uns der Chronist, „nolens

der Volkstracht in unserer Zeit in Vergessenheit geraten sein. Der im
17. Jh. lebende J. W. v. Valvasor konnte gerade von den Slovenen
Unterkrains noch berichten: „In den Händen tragen sie kleine und dünne
Stäblein" (Valvasor a. a. O., S. 289). Auch die Bilder 3, 9, 17, bei
B. Hacquet (Abbildung und Beschreibung der südwestlichen und östlichen
Wenden, Illyrer und Slaven), darstellend einen Krainer, Dolenzen und
Kroaten, weisen Stöcke in den Händen der Abgebildeten auf. Ueber den
Stock als Bestandteil der irischen Nationaltracht s. Eckermann, 3. Bd.,
z. Abt., S. 85; der mündige deutsche Bauernjunge trug einen Stab; s.
Ploss, Das Kind³, 2. Bd., S. 449; über den Stock als Zierde der Gesellen
s. Schade, Weimar. Jahrb., Bd. 4. (1856), S. 257. — Man kann den Stab
in der Hand des Herzogs auch als einen Wanderstab erklären. Ueber
Reisehüte und Wanderstäbe der Epheben vgl. Creuzer, 3. Bd., S. 550;
Steuding, Wochenschrift für klassische Philol., 1903, Sp. 373. Bastian,
Naturwissenschaftl. Behandl., S. 209; s. auch über die scheinbare Reise
des indischen Schülers nach Benares und seine Rückkehr mit dem
Wanderstabe: Zschr. f. vgl. R., Bd. 11, S. 172. Dies erinnert an die drei
„Reisen" bei der Initiation in den Freimaurerverband; s. Schauberg.
Vgl. Handbuch d. Symbol. d. Freim., 1. Bd., S. 473; an einen Wanderstab
denkt auch Puntschart, S. 133.

[1]) s. Hillebrand, Ritualliteratur, S. 54.

[2]) vgl. Fredegar, Mon. Germ., SS. rer. Merovingic., t. II., c. 78.

Sicharium videre, nec eum ad se venire permittere, Sicharius
vestem indutus ad instar Sclauorum, cum suis ad conspectum
pervenit Samonis universa, quae injuncta habueret eidem
nuntiavit". Es ist streitig, wie diese Stelle aufzufassen sei.
Der eine Teil der Autoren meint offenbar, dass Sycharius, um
trotz der Weigerung des Samo vor diesen zu gelangen, zur List
griff, slavische Kleidung anlegte und so, von den Wachen nicht
behindert, vor Samo erschien, der sodann, förmlich überrumpelt,
dem Franken Rede stand. Diese Ansicht wird u. A. von
Palacky[1]) in seiner „Geschichte Böhmens" vertreten. Andere
Autoren glauben wiederum, dass Samo den Sycharius deshalb
nicht empfangen wollte, weil er in der deutschen Tracht an
das Hoflager gekommen war. Samo habe als Bedingung für
die Gewährung einer Audienz gefordert, dass der Franke in
slavischer Gewandung vor ihm erscheine. Dieser Anschauung
huldigt Muchar; auch Palacky interpretierte die Stelle, wie
es scheint, in der nämlichen Weise in seiner vor der „Geschichte
Böhmens" erschienenen Untersuchung über Fredegar und Samo.
Krek dürfte Muchars Ansicht teilen, wenn er sagt, dass am
Hofe Samos die altslavische Sitte in dem Masse geherrscht
habe, dass Dagoberts anmassender Bote nicht anders als in
slavischer Kleidung vor Samo erscheinen konnte.[2])

Welche Ansicht ist nun die richtige? Ich glaube, dass der
an zweiter Stelle angegebenen der Vorzug einzuräumen sei.
Es ist nicht einzusehen, was Samo, wenn er den Gesandten
unter keinen Umständen vorlassen wollte, veranlasst haben
könnte, auf das seinen ausgesprochenen Willen missachtende
Verkleidungskunststück des Sycharius einzugehen und ihm nunmehr doch Rede zu stehen. Viel annehmbarer erscheint es mir,

---

[1]) vgl. Palacky, a. a. O., 1. Bd., S. 78; F. Fasching, König Samo,
2. Jahresber. d. Staatsoberrealschule in Marburg, Jg. 1872, S. 5. — Vor-
sichtig, ohne Partei zu nehmen: Bachmann, Geschichte Böhmens, 1. Bd.,
S. 86.

[2]) vgl. Muchar, Steiermärkische Zeitschrift, Jg. 1827, S. 112 f.
Jg. 1825, S. 22; Palacky, Jahrbücher d. böhmischen Museums, Jg. 1830,
S. 399, 403; Oelsner in der „Deutschen Biographie", s. v. „Samo";
L. Schlesinger, Mitteil. d. Ver. für Geschichte d. Deutschen in Böhmen,
4. Jg. (1866), S. 109; Krek, Einleitung in die slav. Literaturgesch.[3],
S. 321.

mit Palacky[1]) davon auszugehen, dass Samo „eine Art ge-
regelten Hofstaates" hielt und dass es gewissermassen eine
Etikettevorschrift am Hofe dieses Fürsten war, dass man nur
in slavischer Gewandung vor dem Herrscher erscheinen durfte.
Erst nachdem der stolze Franke sich diesem ihn gewiss
demütigenden Brauche gefügt, konnte er „ad conspectum Samonis
pervenire".

Angenommen nun, dass dieser Interpretationsversuch richtig
sei, so erhebt sich sogleich die Frage nach dem eigentlichen
Entstehungsgrunde dieser Etikettevorschrift. Diese Kleider-
regel kann sich von vornherein natürlich nur auf Stammfremde
bezogen haben, da sie für die Stammesgenossen eine Selbstverständlichkeit war. Es ist nun m. E. keineswegs in erster
Linie die Absicht, den Fremden zu demütigen, die in dieser
Massregel zum Ausdruck kommt, wobei ich nicht bestreiten
will, dass diese Vorschrift von den Fremden als demütigend
angesehen werden mochte. Jene Massregel ist vielmehr, so
meine ich, eine Erscheinungsform des bereits besprochenen
Gedankens der absoluten Exklusivität des Stammesverbandes,
eines Gedankens, der den heidnischen Tschechen des 7. Jahrhunderts sicherlich wohl vertraut war.[2]) Auch der Angehörige
des tschechischen Stammes kann zu dieser Zeit nur eine Klasse
von Rechtspersönlichkeiten gekannt haben: seine Stammesbrüder.
Welcher Stammesfremde immer nun mit ihm, sei es auch nur
für einen vorübergehenden Zweck, rechtlich verkehren will,
muss, zum mindesten für die Dauer dieser rechtlichen Beziehung,
Volksgenosse werden. Dieser Satz muss auch für die Gesandten
fremder Fürsten gegolten haben. Von der unverklausulierten
Anerkennung eines Gesandtschaftsrechtes ist noch keine Rede.
Man verhandelt zwar mit dem Gesandten, aber nur dann, wenn
er als eine Person, der gegenüber man sich sittlich und rechtlich

---

[1]) s. Palacky, a. a. O., S. 403.

[1]) vgl. Jul. Lippert, Socialgeschichte Böhmens in vorhussitischer
Zeit, 1. Bd. (1896), S. 85: „Der Fremdling lieferte einen Teil seines Gutes
an die öffentliche Gewalt des Stammes und wird für die Zeit seines Aufent-
haltes im Stammesgebiete aus dem Ungenossen ein Genosse".

verpflichtet fühlt, kurz, wenn er als Stammesgenosse auftritt.[1]) Dieser geforderten Fiktion wird nun äusserlich durch die Anlegung der fremden Tracht seitens des Gesandten Genüge geleistet. Unter der Voraussetzung, dass der eben entwickelte Gedankengang richtig ist, würde man jene am Hofe Samos geltende Regel zum Beweise für die in dem vorliegenden Abschnitte vertretene Deutung des Einkleidungsbrauches der kärntnerischen „Herzogseinführung" heranziehen dürfen.

Ich kann es mir nicht versagen, noch einer zweiten aus dem Quellengebiete der alttschechischen Geschichte geschöpften Vermutung Raum zu gewähren, die mir in diesem Zusammenhange einer näheren Erörterung wert erscheint, der ich aber wegen ihres hypothetischen Charakters — wer könnte bei Erforschung der Geschichte der heidnischen Tschechen ohne Hypothesen auskommen? — den Wert eines überzeugenden Argumentes für die in diesem Abschnitte verfochtene These nicht beimessen mag.[2])

Bekanntlich erzählt der tschechische Chronist Cosmas, der um 1100 lebte, dass zu seiner Zeit noch in der Fürstenkammer auf dem Wyschehrad ein Paar Schuhe aus Lindenbast aufbewahrt worden seien, die der Sage nach der erste Herrscher des Tschechenvolkes, Přemysl, getragen und zur ewigen Erinnerung an seine und seiner Nachfolger niedrige, bäuerliche Herkunft als heilige Reliquie zu hüten befohlen habe.[3]) Wie haben wir dieses bei der Zuverlässigkeit des

---

[1]) **Palacky** (a. a. O.) weist mit gewissem Stolze darauf hin, dass „das beleidigte Volk sich an der Person des Sycharius nicht vergriffen habe und somit das Völkerrecht nicht verletzt habe". Nach der hier vorgetragenen Auffassung ist diese Handlungsweise des Volkes nicht weiter verwunderlich, da ja der Gesandte, der während der Ausführung seiner Mission als Volksgenosse galt, unter dem Schutze des Volksfriedens stand.

[2]) Ich brauche auf dieses Argument und auf auf die eben erörterte Fredegar-Stelle umsoweniger ein entscheidendes Gewicht zu legen, als m. E. die universelle Verbreitung des Einkleidungsritus der Jünglingsweihen an sich schon die Richtigkeit meiner Deutung des entsprechenden Brauches der „Herzogseinführung" zu erweisen vermag.

[3]) vgl. **Lippert**, „Die tschechische Ursage und ihre Entstehung", Sammlung gemeinnütziger Vorträge, herausgeg. vom Deutschen Ver. z. Verbreitung gemeinnütziger Kenntnisse in Prag, Nr. 141, S. 17.

Cosmas unanzweifelbare, merkwürdige Faktum: die Aufbewahrung
der Bastschuhe und ihre Verbindung mit der Person des sagenhaften Přemysl zu erklären?

Ich glaube, dass unter den vielen Vermutungen, die man
zur Deutung dieses Berichtes vorgebracht hat, jener der Vorzug
zu geben sei, die Lippert in einem Aufsatze[1] „Die tschechische
Ursage und ihre Entstehung" vorgetragen hat. Lippert schreibt
dort: „Es ist uns wahrscheinlich, dass sich die Sage von dem
„Ackersmann" Přemysl an dieses Leibzeichen — jene Bastschuhe — anknüpfte, denn dass durch sie nicht etwa der
Ackerbau geehrt und erhoben, sondern eine niedere Herkunft
bezeichnet werden sollte, dafür spricht der Geist jener Zeit".
Wenn man also annehmen darf, dass durch die genannte Auf-
bewahrungsvorschrift nur die Erinnerung an die niedrige Herkunft des ersten Trägers dieser Bastschuhe und nicht an seine
angebliche bäuerliche Herkunft aufrechterhalten werden sollte,
so darf man nunmehr sich die Frage vorlegen, von welchem
Makel niedriger Herkunft diese Schuhe Zeugnis ablegen sollten.

Lippert hat diese Frage an der eben citierten Stelle offen
gelassen. Ich glaube, sie liesse sich in ziemlich befriedigender
Weise beantworten, sofern man wirklich annehmen darf, was
zum erstenmale A. v. Gutschmid[2] behauptet und ausführlich
zu begründen versucht hat, dass nämlich der sagenhafte Přemysl
mit dem bereits genannten tschechischen Fürsten Samo identisch
sei. Diese Annahme hat den Beifall Büdingers[3] gefunden,
der von diesen Behauptungen v. Gutschmids sagt, sie seien
„nicht ganz ohne Wahrscheinlichkeit". Auch Dudik[4] in seiner
„Geschichte Mährens" wertet diese Hypothese in ähnlicher
Weise. Nun weist zwar Bachmann[5] in seiner „Geschichte
Böhmens" diese Annahme kurzweg ab, es darf aber gegenüber
Bachmann darauf hingewiesen werden, dass durch die vor-

[1] s. oben, S. 137, Anm. 3.

[2] vgl. A. v. Gutschmid, Kritik der polnischen Urgeschichte des
Vincentius Kadlubek, Arch. f. österr. Gesch., 17. Bd., S. 324 f.

[3] s. Büdinger, Oesterr. Geschichte bis z. Ausg. d. 13. Jh., 1. Bd.
(1858), S. 305.

[4] vgl. B. Dudik, Mährens allgemeine Geschichte, 1. Bd. (1860),
S. 58, Anm. 1.

[5] s. Bachmann, Geschichte Böhmens, 1. Bd., S. 88 f.

züglichen Ausführungen Schreuers[1]) in dessen „Untersuchungen
zur Verfassungsgeschichte der böhmischen Sagenzeit" die Richtigkeit der Gleichung „Samo-Přemysl" durch überzeugende
Argumente endgültig ausser Zweifel gestellt wurde.

Darf man nun mit Beruhigung auf dem Fundamente dieser
Gleichung weiterbauen, so liesse sich annehmen, dass die Sage
von Přemysls niedriger Herkunft auf der historischen Tatsache
beruhe, dass Samo ein Fremdling ohne jede Verbindung im
Lande war. In Samo dürfen wir nämlich, „wenn wir nicht in
der geschichtlichen Forschung auf sichere Ergebnisse überhaupt
verzichten wollen"[2]), in Uebereinstimmung mit fast allen deutschen
Forschern[3]), die der Frage näher getreten sind, und mit einer
Reihe slavischer Historiker[4]), die sich hier von nationalen

---

[1]) s. H. Schreuer, Untersuchungen zur Verfassungsgeschichte der
böhmischen Sagenzeit (Staats- und sozialwissenschaftliche Forschungen,
hgeg. v. Schmoller, 20. Bd., 4. Heft, d. ganzen Reihe 91. Heft. (1902),
S. 3, Anm. 7, S. 12 fg.; rückhaltlos zustimmend J. Lippert in seinen
Anzeigen der Schrift Schreuers, Deutsche Literaturzeitung, Jg. 1902,
Sp. 1717; Mitteil. d. Ver. f. Gesch. d. Deutschen in Böhmen, Jg. 1902,
S. 19—21; vgl. auch Hanel, Zschr. d. Sav.-St. f. Rechtsg., Germ. Abt.,
23. Bd., S. 334—338. Wenn Rachfahl (Jahrb. f. Nationalök. u. Stat.,
Jg. 1903, S. 83) gegen Schreuers Samo-Přemysl-Hypothese einwendet, dass
Samo als ein fränkischer Kaufmann geschildert werde, während die
Sage Přemysl als einen slavischen Bauer auftreten lasse, so möchte ich
doch meinen, dass eine Umdichtung des fränkischen Kaufherren in einen
slavischen Bauer nicht zu verwundern braucht. Eine spätere Zeit, der der
Gedanke von der Exklusivität des Stammesverbandes nicht mehr geläufig
war, machte eben aus dem fremden einen einheimischen Paria.

[2]) vgl. Goll, Mitteil. d. Instit. f. österr. Geschichtsforschung, 11. Bd.,
S. 443.

[3]) vgl. Bachmann, Geschichte Böhmens, 1. Bd., S. 85; Büdinger,
Oesterr. Geschichte, S. 75, K. v. Hauser, Die alte Geschichte Kärntens
von der Urzeit bis Kaiser Karl dem Grossen (1893), S. 121; Holub F.,
Das Reich Samo's, 4. Jahresber. d. Unterrealschule in der Leopoldstadt in
Wien (1879), S. 11—13; Loserth, Mitteil. d. Ver. f. Gesch. d. Deutschen
in Böhmen, 23. Jg., S. 2 fg.; Ranke, Weltgeschichte, V, 1, S. 253 fg.;
Schlesinger, Mitteil. d. V. f. G. d. Deutsch. in Böhmen, 4. Jg., S. 107;
Th. Schiemann, Russland, Polen und Livland bis ins 17. Jh. (Oncken'sche
Sammlung, 2. Hauptabteil.; 10. Teil), S. 21. — Ausnahme: Fasching,
a. a. O., S. 8.

[4]) vgl. Tomek, Apologie d. ältesten Geschichte Böhmens, Abhandl.
d. königl. böhm. Ges. d. Wiss., V. Folge, 13. Bd., S. 39; Ossolinski J. M.,

Vorurteilen freigehalten haben, einen **Franken** von Geburt erblicken, den die Tschechen zur Herrscherwürde beriefen. Da der Fremdling, der Nicht-Stammesgenosse der damaligen Zeit als ein Paria erschien, so würde sich die Sage von Přemysl-Samos niedriger Herkunft aufs ungezwungenste erklären lassen.[1])

Wenn nun aber Samo, der später ein so grosses, macht-volles Slavenreich gründen sollte, als fränkischer Kaufmann nach Böhmen kam, so lässt sich bei der damals unzweifelhaft herrschenden exklusiven Natur der politisch-sakralen Verbände bei den Tschechen kaum annehmen, dass der Uebertritt Samos in den tschechischen Stammesverband oder in den Verband eines tschechischen Teilstammes formlos erfolgt sei. Auch hier bei den Tschechen musste man an der Anschauung festgehalten haben, dass zur Umschaffung eines Stammesfremden in einen Volksgenossen, zur Erhöhung des bislang als Paria Betrachteten ein eigener feierlicher Akt vonnöten sei, auch hier musste ein Einbürgerungsverfahren ausgebildet gewesen sein, das Samo nicht erspart bleiben konnte, wenn er es bei seiner notorischen Klugheit und Welterfahrung überhaupt als eine lästige Procedur ansah.

Dieses Einbürgerungsverfahren der heidnisch-tschechischen Epoche muss nun, so meine ich, ebenso wie das slovenische einen Einkleidungsritus gekannt haben. Die gleichen Gründe, die für das Vorhandensein eines derartigen slovenischen Brauches zeugen, sprechen auch für die Existenz einer korrelaten tschechischen Ceremonie: der Initiand muss auch hier feierlich in die nationale Tracht eingekleidet worden sein. Ist es nun eine Vermessen-heit anzunehmen, dass Samo, jener schlaue Franke, der ostentativ

---

Vincent Kadlubek, Deutsch v. Sam. Gottlob Linde, Warschau, 1822, S. 49; Dudik, 1, S. 58; Jireček, Oesterr. Gesch. II. S. 62; — der entgegengesetzten Ansicht: F. M. Pelzel, Abhandl. über den Samo, Abhandlungen einer privaten Gesellschaft in Böhmen, z. Druck bef. v. d. Edl. v. Born, 1. Bd., 1775, S. 223 fg.; Palacky, Ueber den Chronisten Fredegar, S. 399; Šafařik, Slavische Altertümer, 2. Bd., S. 416 fg.

[1]) vgl. Bertholet, S. 12: „Unter solchen Umständen heisst eben „als Fremder gelten" geradezu soviel als: „einer inferioren Beurteilung und Behandlungsweise ausgesetzt sein".

slavischen Brauch und Sitte aufs strengste beobachtete[1]), befahl, die Kleidung, die er bei seiner Erhöhung zum tschechischen Stammesgenossen getragen (oder einen signifikanten Bestandteil dieser Gewandung), zum Andenken an diese Erhebung aus niedriger, bemakelter Herkunft für ewige Zeiten aufzubewahren? Läge nicht hierin die klug berechnende Massregel eines Mannes, der seinen neuen Volksgenossen zeigen will, wie sehr er diese Erhöhung zu schätzen wisse, wie fremd, wie niedrig ihn seine früheren Stammesgenossen dünken und wie er alle Bande, die ihn mit seinem Vaterlande vereint, zerrissen habe? Bewiese dies nicht einen geschickten Schachzug, der in das Bild, das wir sonst von der Politik des seinem Vaterlande abtrünnig gewordenen Franken gewinnen, aufs trefflichste sich einfügt? Und könnten nicht jene Bastschuhe, die noch Cosmas sah, ein Teil jener Kleidung gewesen sein und, sei es nun am längsten der Aufbewahrung für wert erachtet worden sein[2]), sei es nun dem zerstörenden Einflusse der Zeit am längsten getrotzt haben?

So viel zur positiven Unterstützung der Behauptung, dass der deutsche Fürst mit der slovenischen Volkstracht deshalb bekleidet worden sei, um damit seinen Eintritt in den slovenischen Stammesverband symbolisch zur Darstellung zu bringen.[3]) Es wird nunmehr nur noch nötig sein, einem Einwande, der möglicherweise im Hinblick auf einen angeblichen Einkleidungsritus der alttschechischen Fürsteneinsetzung gegen die eben vorge-

---

[1]) vgl. Schreuer, Untersuchungen z. Verf. etc., S. 47; Bachmann, S. 86; Holub, S. 19; Loserth, S. 3; Schlesinger, S. 108; F. Skalla, Der erste Přemyslide, 18. Jahresber. der Oberrealschule in Znaim f. d. Schuljahr 1889, S. 12.

[2]) vgl. Sartori, Der Schuh im Volksglauben, Ztschr. d. Ver. f. Volkskunde, 4. Bd., S. 176: „In China werden die Schuhe wackerer Oberbeamter aufgehoben." — Uebrigens wird manchmal bei den Einkleidungsfeierlichkeiten der Jünglingsweihe auf die Schuhe ein besonderer Nachdruck gelegt; vgl. Bastian, Kulturländer des alten Amerika, 1. Bd., S. 542 f.

[3]) Die Sitte, den Jüngling bei der Initiation in den Stammesverband mit der nationalen Tracht zu bekleiden, wurde und wird natürlich auch von nichtindogermanischen Stämmen geübt; vgl. statt vieler Beispiele nur Kohler, Zschr. f. vgl. R., Bd. 7, S. 358 (f. d. Australneger); Ploss, 2. Bd., S. 436, 447.

tragene Deutung des Einkleidungsbrauches der Fürstenstein-Ceremonie erhoben werden könnte, zu begegnen.

Man behauptet[1]) nämlich, dass bei der alttschechischen Fürsteneinsetzung der Fürst in der ärmlichen Kleidung des gemeinen Mannes vor dem Volke erscheinen musste und dass ihm erst hierauf das fürstliche Gewand angetan worden sei. Wäre diese Ansicht richtig, dann läge natürlich eine gewisse Aehnlichkeit zwischen den Vorgängen beim stol oten der Tschechen und jenen beim kärntnerischen Fürstenstein vor. Es würde dadurch die Frage, ob uns nicht hier urverwandte Bräuche vorliegen, in den Vordergrund gerückt, und damit natürlich die Annahme, dass es sich bei der Fürstenstein-Ceremonie gleichwie in Böhmen um eine Einsetzung des Fürsten in die Herrschaft gehandelt habe, neuerlich zur Diskussion gestellt. Es ist deshalb wohl gerechtfertigt, der eben gestellten Frage eingehende Aufmerksamkeit zu widmen.

Es ist neben der bereits berührten Sage von Přemysls Bastschuhen[2]) eine einzige Quellenstelle, auf die man sich bei der Annahme des oben bezeichneten Einkleidungsritus der tschechischen Fürsteneinsetzung stützt, nämlich der Bericht Thietmars von Merseburg[3]) über die Inthronisation Jaromirs. Dieser Chronist meldet: „Crastina antem die Jaromirus adveniens populis jura veniamque commissi poscentibus ante portam (castri Pragensis) dedit, illicoque intromissus pristinis honoribus magna jucunditate inthronizatur, ac tunc depositis vilibus indumentis pretiosioribus ornatur." Aus diesen Worten glaubt man nun folgern zu dürfen, der tschechische Fürst sei vor dem Inthronisationsakt in ärmliche Kleider gesteckt worden, die er sodann nach vollzogener Inthronisation mit dem Fürstenkleide vertauscht habe. Ich vermag den Worten Thietmars eine solche Deutung nicht zu geben und kann in ihnen nicht mehr finden als die Angabe, dass Jaromir, nachdem er seine gewöhnliche[4]), ein-

---

[1]) vgl. Tomek, Apologie der ältesten Geschichte Böhmens, Abh. d. kgl. böhm. Gesellsch. d. Wiss. V. Folge, 13. Bd., S. 45; derselbe, Geschichte Böhmens, S. 14.

[2]) Peisker, Carinthia I., Jg. 1899, S. 14.

[3]) vgl. Thietmari Chron. lib. VI. c. 9; Mon. Germ. SS. III. p. 808.

[4]) Die gleiche Meinung vertritt Loserth, Die Krönungsordnung der Könige von Böhmen, Archiv für österreichische Geschichte, 54. Band (1876)

fache Gewandung, seine Alltagstracht, abgelegt hatte, mit
dem kostbaren Fürstengewand bekleidet worden sei. Es liegt
m. E. kein Grund vor, der zur Annahme berechtigen könnte,
als wäre Jaromir vor dem Inthronisationsakte ad hoc in ärmliche
Kleider gesteckt worden. Hätte Thietmar uns dies berichten
wollen, dann hätte er wohl auch ausdrücklich dieses Einkleidungsritus Erwähnung getan.

In der Tat erzählt denn auch kein zuverlässiger tschechischer
Chronist, vor allem auch Cosmas nicht, der den Hergang bei
der Inthronisation zweier Tschechenfürsten schildert[1]), von einem
derartigen Einkleidungsbrauche. Cosmas hätte wohl sicherlich
von einer solch' merkwürdigen Ceremonie vermeldet, wenn sie
wirklich geübt worden wäre.

Aehnliche Erwägungen wie die eben vorgetragenen mögen
es denn auch gewesen sein, die Palacky[2]) abgehalten haben,
von diesem angeblichen Einkleidungsritus der tschechischen
Fürsteneinsetzung Notiz zu nehmen. Er sagt in vorsichtiger
Zurückhaltung: „Die bei der Angelobung und Huldigung üblichen
Gebräuche sind jedoch längst nicht mehr bekannt." Auch
Bachmann[3]) übergeht die vermeintliche Einkleidungs-Solennität
mit Stillschweigen. Bachmann sagt an der Stelle, wo er von
den alttschechischen Inthronisationsbräuchen spricht, treffend:
„Von der Art und Weise einer altböhmischen Thronbesteigung
gibt uns der Chronist Cosmas, wie es scheint, nach dem Berichte eines Augenzeugen . . . . . ein anschauliches Bild . . . .
Dass Cosmas nichts von alten Gebräuchen, wie solche etwa
bei den Kärntnern vorkamen, sondern nur von dem christlichen
Spruche . . . . zu melden weiss, zeigt, dass die ganze Ceremonie
erst aus der christlichen Zeit stammt . . . . .". Demnach scheint
auch Bachmann den oben angeführten Worten Thietmars

S. 11; auch J. Strebitzki in seiner Uebersetzung des Thietmar (Die Ge-.
schichtsschreiber der deutschen Vorzeit, 11. Jh., 1. Bd., 1879, S. 191) überträgt die Wendung „depositis vilibus indumentis" durch: „. . . nach Ablegung
seiner einfachen, täglichen Gewandung. . . .".

[1]) vgl. Jireček, a. a. O.

[2]) s. Palacky, Geschichte von Böhmen, 1. Bd. (1836), S. 164.

[3]) vgl. Bachmann, Geschichte Böhmens, 1. Bd., S. 202.

144

keinerlei Bedeutung für die Frage nach der Form der alt-böhmischen Inthronisationsbräuche beizumessen.

Im Anschluss an die eben erörterte Nachricht des Thietmar von Merseburg vermutet nun Tomek[4]), dass die Bastschuhe des Přemysl, welche, wie bereits erwähnt wurde, noch zu Cosmas Zeiten in der Fürstenkammer auf dem Wyschehrad aufbewahrt wurden, ein Teil jener ärmlichen, zur tschechischen Inthronisations-Ceremonie seit uralter Zeit gebrauchten Kleidung gewesen seien. Es ist nun zwar bei der Zuverlässigkeit des Cosmas unbezweifelbar, dass diese Schuhe in der Tat noch zu seinen Zeiten als eine Reliquie gehütet wurden, es ist aber m. E. ganz ungerechtfertigt, aus dieser Tatsache zu folgern, dass diese Bastschuhe ein Teil jener ärmlichen Gewandung gewesen seien, welche die tschechischen Fürsten bei der Thronbesteigung angeblich zu tragen hatten. Für diese Hypothese lässt sich auch nicht der Schatten eines Beweises beibringen.

Wir dürfen nunmehr wieder zum Ausgangspunkte dieser Ausführungen, zum Einkleidungsritus der kärntnerischen Herzogs-

---

[4]) vgl. Tomek, a. a. O.; Peisker, Česky časopis historicky, Jg. 1898, S. 49; derselbe, Carinthia, a. a. O.: „In Böhmen scheint eine sehr ähnliche, wenn nicht dieselbe Ceremonie (wie in Kärnten) geübt worden zu sein, allein die königlichen Nachkommen des Bauern Přemysl schämten sich ihrer niedrigen Herkunft, und so blieb von der Ceremonie nichts mehr übrig, als dass Přemysls Bastschuhe und Basttasche auf dem Vyšehrad aufbewahrt und dem Könige den Tag vor der Krönung die Schuhe gewiesen und die Tasche umgehängt wurde." Peisker begeht hier den Fehler, die Fabeleien späterer Chronisten (vgl. Lippert, Die Wyschehradfrage, Mitteil. d. Ver. f. Gesch. d. Deutschen in Böhmen, Jg. 1894, S. 223; derselbe, Die tschechische Ursage und ihre Entstehung, S. 2) für bare Münze zu nehmen. Cosmas, der für die Erforschung der tschechischen Ursage in erster Reihe in Betracht kommt, weiss nichts von einer Basttasche und noch viel weniger natürlich von einer Bekleidung des Fürsten mit dieser. (Diese Tasche taucht m. W. erst im Berichte Neplachs, des Abtes von Opatowitz, der um 1360, ungefähr 250 Jahre später als Cosmas, schrieb, auf; Lippert, die Wyschehradfrage, a. a. O). Auch davon, dass dem König vor der Krönung die Schuhe Přemysls gewiesen werden sollten, vermeldet Cosmas nichts. — Auch die polnische Piast-Sage, die Erzählung von Piasts Schuhen aus Lindenbast (vgl. Norck, Scheible's Kloster, Jg. 1848, S. 610) und von Lestko II. der bei feierlichen Gelegenheiten im Bauernkittel auf den Thron stieg, während der Purpur auf dem Schemel lag etc. (s. A. v. Gutschmid, Kritik d. poln.

einführung, zurückkehren. Es hat sich uns, meine ich, gezeigt, dass dieser Brauch nicht deshalb geübt wurde, um einem die Fürstenstein-Ceremonie angeblich beherrschenden demokratischen Gedanken Genüge zu tun, nicht um dem Herrscher zu zeigen, dass er eigentlich nur ein Bauer unter Bauern sei, sondern einzig und allein, um damit zum Ausdrucke zu bringen, dass er ein Slovene geworden sei. Die bäuerliche Tracht wird deshalb gewählt, weil sie den Typus der Volkstracht[1]) darstellt. Die Bauernschaft ist die Kernmasse der Volksgemeinschaft, der Bauer daher der Typus des gemeinfreien Slovenen.

Hätte man im Einkleidungsbrauche der Herzogseinführung eine vom demokratischen Gesichtspunkte aus geschaffene Ceremonie erblickt, durch die der Herrscher zum Bauer degradiert werden sollte, so wäre nicht recht einzusehen, was die Herzoge, die deutschen Königsbeamten, hätte veranlassen können, in die Vornahme eines sie und ihren königlichen Herrn demütigenden Brauches einzuwilligen. War der Brauch hingegen so gedacht, wie dies in den vorstehenden Ausführungen behauptet wurde, dann konnten ihn die deutschen Fürsten Kärntens, ohne ihrer Stellung das mindeste zu vergeben, über sich ergehen lassen.

Urgesch. d. Vincentius Kadlubek, Archiv f. österr. Gesch., Bd. 17, S. 303), darf zur Erklärung des Einkleidungsritus der Fürstenstein-Ceremonie nicht herangezogen werden, da m. E. der Verdacht einer Entlehnung dieser auf die Bauerntracht des Fürsten bezüglichen Erzählungen aus tschechischen Quellen nicht abzuweisen ist; vgl. über die hier berührten Beziehungen zwischen der polnischen und der tschechischen Königssage: A. Brückner im Bulletin international de l'academie d. sciences d. Cracovie, Jg. 1898, S. 14—17; derselbe, Archiv f. slav. Philol., Jg. 1901, S. 223; v. Gutschmid a. a. O., S. 319, 323 fg.

[1]) Nach der hier vorgetragenen Deutung ist demnach die Tracht, die der Fürst beim Akte der Herzogseinführung zu tragen hatte, seit jeher die slovenische Volkstracht gewesen. Wer annimmt, dass die Fürstenstein-Ceremonie eine „Einsetzung" in die Herrschaft dargestellt habe, muss hier, sofern er nicht Puntscharts Theorie vom kärntnerischen Bauernstaat und Bauernfürsten acceptiert, zu der unwahrscheinlich klingenden Hypothese seine Zuflucht nehmen, dass im Laufe der Zeit „aus der Tracht des alten Volksherzogs die Bauerntracht des vom Reiche eingesetzten Reichsbeamten geworden sei"; so v. Wretschko, S. 946, Anm. 1.

VII.
Der Sitzritus der Fürstenstein-Ceremonie.

Der das Schauspiel der Herzogseinführung beherrschende Grundzug liegt in dem Bestreben des Herzogs, den Zutritt zum Fürstensteine zu erlangen. Gleich am Beginn der dramatischen Handlung, in der Exposition sozusagen, erfahren wir, dass der Fürst vom Herzogsbauer, der gewissermassen das retardierende Moment bildet, die Räumung des Steines verlangt. Sobald der Bauer den „stuoi" freigibt, hat das Drama seinen Höhepunkt erreicht. Wenn nun das Streben, zum Fürstensteine zu gelangen, der Punkt ist, um den der Akt sich eigentlich bewegt, so fragt es sich: wieso konnte diese Absicht zum Nerv der ganzen dramatischen Handlung, zu dem sie gestaltenden und gliedernden Grundmotiv werden? Ich glaube diese Frage im Sinne der Grundthese dieser Abhandlung folgendermassen beantworten zu dürfen: da der Fürstenstein als der Altartisch des Kultmittelpunktes der heidnischen Slovenen betrachtet werden darf, als jene Stätte, wo die Gottheit des Stammes, sei es nun ständig wohnt,[1] sei es, vom Priester am Beginne der Sakralhandlung gerufen, sich niederlässt, um die darzubringende Opfergabe zu geniessen, so qualifiziert sich das Streben desjenigen, der im Verlaufe des Opferganges an diesen Altartisch herantreten will, als die Absicht, zur Stammesgottheit in unmittelbare Beziehung zu treten. Das Recht, sich auf diesem Wege die heiligende Kraft des göttlichen Geistes anzueignen, steht wegen des Zusammenfallens der Kult- und Stammesgemeinschaft nur dem Stammesgenossen zu. Der Stammfremde ist, da er andern Göttern opfert, von dem Heiligtum des Stammes und der Gemeinschaft mit den Stammesgöttern ausgeschlossen; ihm darf der Priester den Zutritt wehren, ja ihn als einen frevelnden Eindringling töten.[2] Umgekehrt muss wie bei so vielen anderen Völkern auch bei den heidnischen Slovenen der Grundsatz ge-

[1] Ueber Altäre mit Fetischcharakter vgl. Reisch, a. a. O., Sp. 1642.

[2] vgl. Lippert, Gesch. d. Priestert., 1. Bd., S. 78, 79, 2. Bd., S. 145: In Westafrika gilt der Glaube, dass die Geister der Malstätte

golten haben, dass der Nichtgenosse, der den Eintritt in die
Kultgenossenschaft anstrebt, und dem der Zutritt zum Heiligtum aus freien Stücken gestattet wird, damit auch zugleich der
Stammesmitgliedschaft teilhaftig wird. „Der Vollbürtigkeit in
religiöser und kultischer Beziehung folgt auf dem Fusse die
politische Gleichstellung“.[1]) Aus diesem Grunde musste der
Fürstenstein der örtliche Mittelpunkt des sakralen Einbürgerungsverfahrens der heidnisch-slovenischen Epoche werden, und so
wird es verständlich, dass der Fürstenstein auch im Drama der
Herzogseinführung der Mittelpunkt blieb.

Es wurde eben behauptet, dass der Stammfremde dadurch,
dass er die Kultstätte des Stammes betreten darf, der
Mitgliedschaft am Stammesverbande teilhaftig wird. Die Vorstellung, von der sich das primitive Denken hiebei leiten
lässt, ist nun nicht etwa die, dass man die Denkform der
Fiktion anwendet. Der Fremdling wird nach der geschilderten
Anschauungsweise nicht etwa dadurch, dass er an der Kultstätte so handeln darf wie der dem Stamme eingeborene Genosse,
zum Stammesmitglied. Die zugrunde liegende Auffassung ist
viel sublimer, man muss, um sie zu erkunden, tiefer
greifen. Es ist nicht so sehr die Gleichstellung im sakralen
Handeln, die die innere mystische Umwandlung des Stammfremden zum Stammesgenossen bewirkt, sondern der Kontakt
mit der Gottheit. Durch diesen Kontakt mit dem Gotte wird
zunächst eine enge persönliche Verbindung mit ihm hergestellt,
dadurch aber auch ein sakralrechtlicher und deshalb auch
politischer Nexus mit allen jenen, die bereits in engem, persönlichen Verbande mit dieser Gottheit stehen. Das Kindschaftsverhältnis zur Gottheit ist die primäre, das Bruderschaftsverhältnis zu den Kultgenossen die sekundäre

---

jeden mit dem Tode bestrafen, der, ohne durch das Kultbundzeichen als der
Ihrige sich ausweisen zu können, diesen geheiligten Ort betritt. — Der
Eintritt in den inneren Vorhof des Tempels zu Jerusalem war unter An-
drohung der Todesstrafe allen Fremden untersagt; vgl. B e r t h o l e t,
S. 311; s. a. Virg. Aen. III, 404 f.: „Ne qua inter sanctos ignes in honore
deorum — Hostilis facies occurrat, et omina turbet“. s. hiezu F u s t e l d.
Coul., p. 247, B ö t t i c h e r, Tektonik. 2. Bd., S. 476 f.

[1]) vgl. B e r t h o l e t, S. 173.

Folge jenes Kontaktes. Die Gottheit ist demnach das Medium, durch dessen Vermittelung die Verkettung mit den Kultgenossen, die Aufnahme in den Volksverband sich vollzieht.[1])

Wie wird nun der zum Erwerb der Mitgliedschaft am Stammesverbande erforderliche Kontakt mit der stammväterlichen Gottheit hergestellt? Er kann nach primitiver Vorstellung nur herbeigeführt werden durch Berührung. „Die Heiligkeit ist ein Fluidum, das durch Berührung übergeht."[2]) Was Smith über die Kultsteine der Semiten sagt: „dass, wer immer sie berührte, mit der Gottheit in unmittelbaren Kontakt kam"[3]), muss auch für unseren Fall zutreffen. Auch hier kann die persönliche Verbindung mit der Gottheit nur erfolgt sein auf Grund der Berührung eines vom göttlichen Geiste erfüllt gedachten Objektes — und dies war eben der Fürstenstein, die Stätte, wo dem Stammesgotte der Slovenen das Opfer dargebracht wurde und wo er es entgegennahm.

---

[1]) Dieser eigentümliche Umweg, die Eingliederung in den Stammesverband durch das Medium der stammväterlichen Gottheit herbeizuführen, findet, wie Lippert (Geschichte der Familie, S. 204—212) m. E. überzeugend nachgewiesen hat, eine markante Ausprägung bei den Blutriten der Jünglingsweihe. Dadurch, dass der Jüngling sein eigenes Blut oder das Blut eines stellvertretenden Opfertieres der als stammväterlich gedachten Gottheit darbringt, gibt er sich dieser Gottheit zu eigen, wird mit ihr gewissermassen zu eins; hiedurch wird er aber auch mittelbar verbunden und verwandt allen jenen Personen, die bereits die Unifizierung mit dieser Gottheit vollzogen haben: er wird Kultgenosse und damit Mitglied des Stammes. Eine ähnliche Auffassung beherrscht das Initiationsritual gewisser griechischer Mysterienverbände. Man wird hier Mitglied des Kultverbandes nur dadurch, dass man durch den Priestermittler in das γένος der Mysteriengottheit aufgenommen wird. Der νέος μύστης tritt durch einen adoptionsähnlichen Akt in engste verwandtschaftliche Beziehung zur Gottheit, hiedurch wird er aber auch γεννήτης aller jener, die dem Mysterienbunde bereits zugehören, d. h. Mysterien-Mitglied; vgl. die anziehenden Ausführungen Rohdes, Psyche, Seelenkult und Unsterblichkeitsglaube der Griechen², II. Bd., S. 421—423.

[2]) vgl. Smith, Relig. d. Semiten, S. 155; Anm. 301; Oldenberg, Rel. d. Veda, S. 498 f.; s. Urbas, Aberglaube der Slovenen, Zschr. f. österr. Volksk., Jg. 1898, S. 151: Bei der Einsegnung wird mit dem Kopfe des Kindes der Altar berührt, damit es nicht an Kopfschmerzen leide.

[3]) Smith, S. 155.

Man wird hier nun folgendes einwenden: zugegeben, dass
die eben entwickelten Gedanken über das Wesen und die Entstehung der Stammesverwandtschaft richtig sind, so kann doch
in unserem Falle eine auf den persönlichen Verkehr mit der
Gottheit abzielende Berührung des Fürstensteines nicht beabsichtigt gewesen sein, da ja der Herzog sich nach den Feststellungen Puntscharts auf den Fürstenstein stellt, und in
dem Stehen auf diesem Objekte wohl nicht eine heiligende
Berührung von der eben geschilderten Art erblickt werden kann.

Dieser Einwand ist m. E. nicht stichhältig. Angenommen
vorerst, dass es seit jeher so gehalten worden sei, wie es nach
dem Berichte des Johannes von Victring bei der Fürstenstein-Ceremonie geschah, dass nämlich der Fürst den Stein be-
trat[1]), so kann nach naiver Auffassung auch in dem Stehen
auf einem von heiligender Kraft erfüllt gedachten Objekte ein
tauglicher Modus der Aneignung dieser Kraft gegeben
sein. Bereits Puntschart hat, als er zu erklären versuchte,
warum das Ceremoniell den Herzog anwies, den Fürstenstein
zu betreten, auf einen indischen und einen wohl von den Indogermanen vor dem Zeitpunkte der „Trennung" entlehnten
esthnischen Hochzeitsritus verwiesen,[2]) demzufolge die Braut
sich auf einen Stein stellen musste. Durch diesen Brauch, der
einen wesentlichen Bestandteil des Hochzeitsceremoniells darstellt, soll, wie die bei der Ausübung des indischen Ritus gebräuchlichen Sprüche besagen, die physische Festigkeit und
Widerstandsfähigkeit der auf dem Steine stehenden Braut gefördert werden. Die Festigkeit des Steines soll sich der Person,
die ihn betreten hat, mitteilen. Dieser Brauch des Steinbetretens
kehrt, wie Puntschart entgangen zu sein scheint, auch beim
Initiationsakte des upanayana wieder[3]), das, wie bereits erwähnt
wurde, eine Umbildung der urindischen Jünglingsweihe darstellt.
Der Ritus ist nun nicht bloss auf Indien beschränkt. Zu
Guisborough in England steht ein Stein[4]), den jede Braut be-

1) vgl. Puntschart. S. 101.
2) s. Puntschart, S. 137.
3) vgl. Hillebrandt, Ritualliteratur, S. 52. — Ueber sonstige indische
Anwendungsfälle des Ritus vgl. Winternitz, Hochzeitsritual, S. 62.
4) vgl. W. Crooke, The Lifting of the Bride, in der Zeitschrift „Folk-
Lore", Transactions of the F.-L. Society, Vol. 13, p. 234.

steigen muss, wahrscheinlich um während des Aktes des Stehens die heiligende, fruchtbarmachende[1]) Kraft des wohl einstmals zu sakralen Zwecken dienenden Steines in sich überströmen zu lassen, vielleicht aber auch, da ja ursprünglich Heiraten innerhalb des Geschlechterdorfes[2]) ausgeschlossen gewesen sein dürften, um den zur Initiation in die Dorfgenossenschaft erforderlichen innigen Kontakt mit dem ἑδὸς der Schutzgottheit des Verbandes herzustellen. Mit diesem Brauche aufs engste verwandt ist der merkwürdige englische Hochzeitsritus des „jump over the petting stone“.[3]) Die Braut muss, auf jeder Seite von einem jungen Burschen unterstützt,[4]) über einen aus drei Steinen errichteten altarähnlichen Aufbau springen. Diese Riten, auf die Crooke neuerdings die Aufmerksamkeit gelenkt hat, ähneln, was Crooke entgangen ist, sehr einem in der Oberpfalz und Deutschböhmen, sowie bei den deutschen Bewohnern des Marchfeldes und den Tschechen verbreiteten Hochzeitsbrauche:[5]) die Braut muss über den Tisch schreiten.[6]) Alle diese Ceremonien sind ihrem Wesen nach identisch. Das Steigen und Schreiten über das geheiligte Objekt oder das Stehen auf diesem sind gleichwertige Mittel zur Aneignung der dem Sakralobjekte innewohnenden heilverleihenden Kraft.[7]) Es liesse sich sonach, wie aus den angeführten Belegen, deren

---

[1]) vgl. hiezu Crooke, p. 234—241.

[2]) vgl. Abschnitt X.

[3]) s. Crooke, p. 227—231.

[4]) Man erinnere sich hier der beiden den Herzog geleitenden Landherren, die den Fürsten bei der Besteigung des Steines unterstützten; s. Puntschart, S. 99.

[5]) vgl. F. Schönwerth, Aus der Oberpfalz, 1. Th. 1857, S. 109, 124; Bayerl, Zschr. f. österr. Volkskunde, Jg. 1901, S. 67 (nur die jungfräuliche Braut darf über den Tisch schreiten, ein Indiz für den altsakralen Charakter des Brauches); Die österr.-ung. Monarchie etc., Bd. „Böhmen“, I, S. 458; Wurth, Blätter des Vereines für niederösterr. Landeskunde, 1. Jg. 1865, S. 136 fg.

[6]) Mit diesen Bräuchen darf auch die bei der Initiation der Lehrlinge gebräuchliche Sitte, den Initianden über einen Tisch springen zu lassen, verglichen werden; s. Schade, Vom deutschen Handwerksleben etc., Weimarisches Jahrbuch, 4. Bd., 1856, S. 291.

[7]) vgl. Crooke, p. 237 u. a. a. O.

Zahl sich wohl noch aus volkskundlichen Quellen wird vermehren lassen, hervorgeht, die Annahme, dass der zum Erwerb der Stammesmitgliedschaft erforderliche unmittelbare Kontakt mit der Stammesgottheit der Slovenen durch das Betreten[1]) des ihr geweihten Altartisches[2]) hergestellt worden sei, aufs beste verteidigen.

Nun ist es aber m. E. überhaupt ein Irrtum, zu glauben, dass die Vorschrift, die den Herzog anwies, den Fürstenstein zu betreten, ein alter Bestandteil des Rituals der Fürstenstein-Ceremonie gewesen sei. Ich glaube vielmehr behaupten zu dürfen, dass der Herzog sich ursprünglich nur auf den Fürstenstein zu setzen hatte, dass also die Uebung, den Fürstenstein vom Herzog betreten zu lassen, erst ein aus der Spätzeit des Brauches stammender Abusus sei.

Ich stütze mich bei dieser Annahme in erster Reihe auf den Bericht der österreichischen Reimchronik, unserer ältesten ausführlichen Quelle über die Fürstenstein-Ceremonie. Ottokar sagt ausdrücklich, dass der Herzog, nachdem der Herzogsbauer sich vom Steine erhoben, den Sitz des Bauers eingenommen habe:

„dû solt im......
disen stuoi rûmen
Und lâz in sitzen dâ“.[8])

---

[1]) Dass die Ansicht, man könne sich die heiligende, schutzverleihende Kraft eines Objektes durch die Betretung desselben aneignen, den Deutschen nicht unbekannt gewesen sein kann, scheint mir u. a. auch folgender von Zingerle (Zschr. f. deutsche Mythol., 2. Bd., S. 62) aus dem Vintschgau berichteter Brauch zu beweisen: wenn die Kinder von Burgeis zum erstenmale auf die Alpe gehen wollen, so müssen die Neulinge auf eine mit einem Kreuz bezeichnete Steinplatte treten; sonst brechen sie sich beim Herunter-gehen den Fuss.

[2]) Es wird einer besonderen Untersuchung vorbehalten bleiben müssen, zu entscheiden, ob der bei den Griechen übliche Brauch, dass der gewisser-massen sich selbst freilassende Sklave auf einen Altar stieg und dort seine Freilassung verkündete (s. Wallon, Histoire de l'esclavage dans l'antiquité², 1. Bd., S. 337 mit Belegen) auf die gleiche Entstehungsursache zurück-geführt werden darf. Vielleicht darf auch vermutet werden, dass es bei den Griechen üblich war, den in die Phratrie einzuführenden Knaben beim sakralen Initiationsakte auf den Altar des Gottes zu stellen; s. Benndorf, Griechische und sizilische Vasenbilder, S. 56; Reichel W., Ueber vor-hellenische Götterkulte, S. 46.

[8]) vgl. v. 20067 fg.

Und an einer zweiten Stelle heisst es:

„swen der herzog ist gesezzen,
dâ der gebûre saz......"[1])

Der Einwand, dass der Reimchronist bei den angeführten Worten an das Sitzen des Herzogs auf dem Herzogsstuhle gedacht und irrigerweise einen Detailzug des Rituals der sogenannten „Huldigung" in das Ceremoniell des Fürstenstein-Dramas eingeführt habe, kann wohl nach den im dritten Abschnitte dieser Untersuchung vorgetragenen Ausführungen nicht mehr erhoben werden. Ottokar lässt, so glaube ich dargetan zu haben, die Herzogseinführung nicht am Herzogsstuhl, sondern am Fürstenstein vor sich gehen, folglich liegt kein Grund mehr vor, die Richtigkeit seiner Angabe, der Herzog habe sich auf dem Platze, auf dem zuvor der Bauer gesessen sei, niederlassen müssen, zu bezweifeln.[2])

Dem Berichte der österreichischen Reimchronik tritt nun noch ein gewichtiges urkundliches Zeugnis zur Seite, das umso grössere Beachtung beanspruchen darf, als es von einem Herzoge herrührt, der sich selbst der Fürstenstein-Ceremonie unterzogen hat. Ich meine die Urkunde Herzog Ernsts des Eisernen ddo. St. Veit 1414, März 27.[3]) In diesem für den Herzogsbauer Gregor Schatter ausgestellten Dokumente heisst es: „Als uns der beschaiden Gregory Schatter der edlinger ainer aus dem nidern ambt zu Stain uns auf den stuel zu Khärnburg hat gesetzt nach alter gewohnhait und rechten die darzue gehören und auch als das von alters ist herkomben.....". Diese Urkunde stellt m. E. ausser jeden Zweifel, dass Herzog Ernst der Eiserne auf dem Fürstensteine gesessen sei. Der Herzogsbauer hat ihn auf den Stein „gesetzt" nach alter Gewohnheit und altem Rechte.

---

[1]) s. v. 20 107 f.

[2]) Die Zuverlässigkeit dieser Angabe der österreichischen Reimchronik darf umso höher bewertet werden, als ja Ottokar aller Wahrscheinlichkeit nach eine Aufzeichnung kirchlichen Ursprungs über die Bräuche benützt hat; vgl. v. Jaksch, Mitt. d. Inst. f. öst. G., 23. Bd., S. 313; Schönbach, Mitt. d. J. f. öst. G., 21. Bd., S. 525.

[3]) vgl. v. Schwind-Dopsch, n. 167, S. 314.

Schliesslich sei noch erwähnt, dass ein wegen Nichteinhaltung der alten Ceremonien ausgestellter Schadlosbrief Leopolds I.[1] dd. 2. Sept. 1660 die Wendung: „des gewöhnlichen aidts und des siczens am stuel zu Karnburg und Zollfeldt" enthält. Wenn nun auch dieser Urkunde der Wert eines für die hier vorgetragene Auffassung entscheidenden Argumentes nicht beigelegt werden kann, da dieser Schadlosbrief bereits der Neuzeit entstammt, so muss doch immerhin die Möglichkeit ins Auge gefasst werden, dass man sich bei der Formulierung dieser Urkunde auf uns verloren gegangene Quellen und Urkunden oder auf die damals wohl noch lebendige Tradition im Lande gestützt haben kann.

Wie lässt sich nun mit dem Berichte der österreichischen Reimchronik und der oben angeführten Urkunde Ernsts des Eisernen die Erzählung des Johannes von Victring vereinen, der vermeldet, dass der Herzog, nachdem er den Backenstreich erhalten, auf den Stein gestiegen sei und die Schwertceremonie[2] vorgenommen habe? Man kann, um diese Erzählung des Abtes in Einklang zu bringen mit den eben besprochenen Quellenzeugnissen, die von einem Sitzen des Herzogs auf dem Fürstensteine melden, einen zweifachen Weg einschlagen. Man könnte fürs erste annehmen, dass bei jener Herzogseinführung, die dem Abte bei seiner Schilderung der Ceremonie vor Augen zu schweben scheint — es ist dies die sogenannte „Einsetzung" Ottos des Freudigen aus dem Hause Habsburg (1335) —, der

---

[1] vgl. Puntschart, S. 129.

[2] An dieser Stelle möge noch einer Vermutung über die Schwertceremonie, die aus inneren Gründen im ersten Abschnitt nicht vorgetragen werden konnte, Raum gegeben werden. Es ist nämlich m. E. möglich, dass das Ceremoniell der „Herzogseinführung" vor der Einschiebung der Schwertceremonie einen vom herzoglichen Initianden vorzunehmenden, auf die vier Weltgegenden bezüglichen Ritus enthielt, der dann leicht zur Recipierung der Schwertceremonie Anlass geben konnte. In Slavonien gibt man der Braut beim feierlichen Einzug in das Haus des Bräutigams einen Spinnrocken und eine Spindel in die Hand. Sie spinnt ein wenig und dann schlägt sie mit der Spindel auf alle vier Wände der Stube; vgl. Krauss, Sitte u. Brauch d. Südsl., 399 fg. (s. auch S. 451 über einen ähnlichen bulgarischen Brauch); Rajacsich, Das Leben, die Sitten u. Gebr. der im Kaisert. Oest. leb. Südslaven, 1873, S. 146. Für die Rumänen vgl. Mannhardt, Mythologische Forschungen, S. 362.

Sitzritus in der alten Weise geübt worden sei und erst im
Anschlusse an ihn die Schwertceremonie, dass aber Johannes
von Victring den Umstand, dass der Herzog sich auf dem
Steine niederzulassen hatte, zu erwähnen verabsäumt habe, sei
es, weil ihm dieser Detailzug bei der Niederschrift seines Berichtes wieder aus dem Gedächtnis entschwunden war[1]), sei es,
weil er — was m. E. immerhin nicht ganz ausgeschlossen ist —
die Fürstenstein-Ceremonie aus eigener Anschauung gar nicht
kannte[2]) und, abgesehen von seinen schriftlichen Quellen, auf
die Meldungen von Augenzeugen angewiesen war, die ihm diesen
Detailzug zu berichten vergessen hatten oder ihn als berichtens-
wert nicht ansahen. Es ist aber auch fürs zweite die Möglichkeit in Betracht zu ziehen, dass der Sitzritus der Fürstenstein-
Ceremonie im Jahre 1335, entgegen der Uebung der früheren
Zeit, überhaupt nicht geübt wurde. Wir werden uns hier
der Bemerkung des Abtes zu erinnern haben, dass bei der
Feierlichkeit des Jahres 1335 vieles entgegen den alten Vorschriften geschehen sei: „multa tamen in huius festi observatione
sunt improvide pretermissa...."[3]). Möglicherweise gehörte es
zu den vielen Abweichungen von der alten Gewohnheit, dass
damals die Schwertceremonie zum erstenmale geübt wurde und
dass der Herzog deshalb, weil diese Ceremonie wohl nur im
Stehen auszuführen war, unmittelbar nachdem er den Backenstreich erhalten, den Stein bestieg, statt sich, wie es früher
gebräuchlich gewesen sein mochte, auf ihn zu setzen. Schliesst
man sich der Meinung an, dass der Sitzritus auch im Jahre
1335 eingehalten worden sei — ich glaube, dass diese Annahme
die grössere Wahrscheinlichkeit für sich hat — dann bedarf
natürlich die Tatsache, dass der Ritus auch von Ernst dem
Eisernen befolgt wurde, keiner weiteren Erklärung. Entscheidet
man sich jedoch für die Annahme, dass der Brauch im Jahre

---

[1]) vgl. Tangl, S. 439.

[2]) Wir können nur vermuten, aber keineswegs mit voller Bestimmtheit
behaupten, dass Johannes von Victring an einer Einführungsfeierlichkeit
teilgenommen habe. Anderer Meinung F. Schneider, Studien zu Johannes
von Victring, Neues Archiv der Gesellschaft für ältere deutsche Geschichts-
kunde, 28. Bd., S. 154, 180.

[3]) vgl. Puntschart, S. 54.

1335 nicht geübt worden sei, so lässt sich der Umstand, dass
man in den Tagen Ernsts des Eisernen wieder zur alten Sitte
zurückkehrte, wohl am ungezwungensten erklären, wenn man
annimmt, dass Ernst, der im Lande als der Erneuerer der alten
Bräuche[1]) galt, sorgfältige Nachforschungen über die frühere
Uebung der Fürstenstein-Ceremonie anstellen liess.

Wenn man nun davon auszugehen hat, dass die ursprüngliche
Vorschrift des Rituals der Fürstenstein-Ceremonie dahin lautete,
dass der Herzog auf dem Steine Platz nehmen solle,[2]) so haben
wir uns nunmehr die Frage vorzulegen, ob man jenem Sitzakte
die Kraft zuschreiben konnte, den Kontakt mit der Gottheit
und hiedurch mit den dieser Gottheit bereits verbundenen Kultgenossen herzustellen. Ich vermeine diese Frage auf Grund
der nachfolgenden Ausführungen bejahen zu dürfen.

Es lässt sich nämlich aus vielen Beispielen der Beweis
dafür erbringen, dass bei den indogermanischen Völkern die
Auffassung verbreitet war, man könne sich durch das Sitzen
auf einem von heiligender Kraft erfüllt gedachten Objekte
dessen segenwirkende Macht aneignen. Das überirdische Fluidum,
so stellte man sich augenscheinlich bei der Uebung dieser
Bräuche vor, strömt während des Sitzens aus dem Sitzobjekte
in den Körper des Verehrenden über. Wir haben bereits einen
südslavischen Brauch dieser Art kennen gelernt. Wer sich
nach dreimaliger Umkreisung auf den Fetischstein zwischen
Gradačac und Gradanice in Bosnien setzt, der erlangt Heilung
von seinem Siechtum.[3]) Auch bei den Kelten galten ähnliche
Anschauungen. Keltische Sagen berichten von einem mystischen
Stuhle, der die Kraft besass, dem, der auf ihm sich niederliess,
sei es nun eine Wunde zuzufügen oder ein Wunder zu zeigen.[4])

---

[1]) vgl. Puntschart, S. 111, Anm. 2.

[2]) Dass der Herzog auf dem Fürstensteine Platz nahm, wird bereits
von Hormayr (Kleine histor. Schriften und Gedächtnisreden, Herzog
Luitpold, 1832, S. 89) und Krek (Einleit. in d. slav. Literaturg., S. 602)
angenommen. Beide Autoren wissen den Fürtenstein und den Herzogsstuhl
wohl von einander zu scheiden; vgl. Puntschart, S. 4, Anm. 1; Krek,
a. a. O.

[3]) vgl. oben S. 102.

[4]) s. Eckermann, 3. Bd., 2. Abt., S. 98; vgl. hiemit Crooke, a. a. O.,
S. 234.

In der Kirche von St. Wast in Arras befindet sich ein wunderwirkender Stein. Sind die Kinder träge, so setzt man sie auf diesen Stein und sagt dann dreimal zu Ehren des M. St. Wast, indem man auf den Namen des Steines anspielt: Va, va, va.[1]

Wohlbekannt waren solche Bräuche auch den Griechen. Hier wurde dem Sitzen auf geheiligten Objekten entsühnende, lustrierende Kraft zugeschrieben. Orestes erlangt, auf einem heiligen Steine sitzend, Sühnung von schwerer Blutschuld[2]. Das Ritual gewisser Mysterien verlangte, dass der Initiand sich zur καθάρσις auf einen heiligen Schemel, den ἱερὸς σκίμπους niedersetze[3]. Zur Erhöhung dieser kathartischen Wirkung wurde auf diesen Schemel manchmal noch ein Widderfell gebreitet. Auch Orakelsuchende und Mörder, die nach Entsühnung strebten, mussten sich auf einem Widderfelle niederlassen[4]. Für den römischen Brauch ist die Stelle des Macrobius zu vergleichen: „huic deae sedentes vota concipiunt terramque de industria tangunt"[5]. Schliesslich darf auch noch auf die bei mehreren indogermanischen Stämmen sich findende Sitte verwiesen werden, dass die Braut oder das Brautpaar, augenscheinlich, um sich die heilverleihende Kraft des der Gottheit zum Opfer gebrachten Tieres anzueignen, auf einem Felle Platz nimmt.[6]

Diesen Riten treten nun, was in diesem Zusammenhange von der grössten Wichtigkeit ist, auch solche zur Seite, wo

---

[1] s. Eckermann, a. a. O., S. 41; vgl. hiemit den in Thüringen, Schlesien, in der Altmark u. in Ostpreussen üblichen Brauch, sich mit den Säuglingen, um sie zu entwöhnen u. ihnen steinharte Zähne zu sichern, auf einen Stein (oftmals einen Kreuzstein) zu setzen (Weinhold, Zur Geschichte d. heidn. Ritus, Abhandl. d. Berl. Akad., Jg. 1896, S. 41; Haas, Am Urquell, Jg. 1896, S. 172, 203).

[2] vgl. Boetticher, Baumkultus der Hellenen, S. 35; Overbeck, Das Kultusobjekt bei den Griechen in seiner ältesten Gestaltung, Sitz.-Ber. d. sächs. Ges. d. Wiss., Jg. 1864, S. 144. Overbeck weist nach, dass der entsühnende Stein als ein ἱδρύς des Zeus gegolten habe; s. auch Reisch, Realencyclopädie, s. v. Ἀργοὶ λίθοι", Sp. 725; derselbe, s. v. „Altar", Sp. 1689 f.

[3] vgl. Dieterich, Rheinisches Museum, N. F. 48. Bd., S. 275 f.

[4] vgl. H. Diels, Sibyllinische Blätter, S. 70, 71; Anrich, Mysterienwesen, S. 28.

[5] vgl. Macrob., Sat. 1, 10, 21 bei Diels, S. 71.

[6] vgl. Winternitz, Altind. Hochzeitsritual, S. 4.

Personen, die einem Verbande neu zugeführt werden
sollen, sich auf einem zum Sitzen geeigneten Gegenstande in
feierlicher Weise niederlassen müssen, nicht etwa, um durch
diesen Sitzakt lustriert zu werden, sondern um dadurch, wie
es den Anschein hat, erst des angestrebten initiatorischen
Effektes teilhaftig zu werden. Hiedurch gewinnt die Annahme, dass das Streben des Herzogs, auf dem Fürstenstein
Platz zu nehmen, gleichbedeutend sei mit der Absicht, hiemit
einen eminent initiatorischen Akt zu vollziehen, an erhöhter
Wahrscheinlichkeit.

Ein solenner Sitzritus dieser Art spielt noch heute im
Hochzeitsceremoniell der Serben in der Herzegowina (Mostar)
eine Rolle. Hier muss die Braut, nachdem sie in das neue
Heim eingetreten ist, zunächst zum Herde schreiten. Dort
hat sie sich auf einem neben dem Herde stehenden Sack
mit Früchten niederzulassen und das Herdfeuer dreimal anzu-
schüren.[1] In Slavonien wiederum findet die neue Haus-
genossin, wenn sie an den Herd herantritt, neben diesem
den Vater des Bräutigams sitzend und muss sich sodann auf
seinem Schosse niederlassen. An manchen Orten setzt sie sich
gleich auf einen Sessel.[2]

Vom grösstem Interesse sind die entsprechenden Bräuche
des lithauischen Hochzeitsceremoniells.[3] Jede lithauische Wirtschaft besitzt ein Nebengebäude, Klete genannt, eine Art Speicher,
der das Wertvollste der Hausgenossenschaft in sich schliesst,
„gewissermassen das Heiligste des Gehöftes." Hier empfängt
die Schwiegermutter, auf einem Stuhle sitzend, die Braut und
lässt sich erst nach vielen Vorstellungen bewegen, ihr
den Platz abzutreten. Nach einigen weiteren Ceremonien hebt

---

[1] vgl. F. S. Krauss, Sitte und Brauch der Südslaven, S. 430.

[2] s. Krauss, S. 399.

[3] vgl. Reinsberg-Düringsfeld, Hochzeitsbuch, S. 18. — In
Russisch-Lithauen wird die Braut, nachdem sie vor dem neuen Heim angekommen, aus dem Wagen gehoben und auf einen Sessel gesetzt. Steht die
Braut auf, um in die Küche und um den Herd geleitet zu werden, so trägt
ihr der Fuhrmann den Stuhl nach, damit sie sich noch einmal auf ihn setzen
könne, um sich die Füsse waschen zu lassen; s. Reinsberg-Düringsfeld,
S. 19 f.

die Schwiegermutter die junge Frau vom Stuhle und diese wird nun von ihrer neuen Familie, in die sie jetzt aufgenommen ist, herzlich begrüsst.

Aehnliche Riten finden sich auch im Hochzeitsritual der Deutschen. In Bockum bei Kaiserswerth wird die junge Frau im Hause des Bräutigams auf einen Stuhl gesetzt,[1] worauf man unter den Stuhl eine Schaufel glühender Kohlen wirft. In Westphalen[2] wurde die Braut mancherorts auf einem Sessel in das Haus und feierlich dreimal um den Herd getragen, in manchen Dörfern sogar an den Herd gesetzt. Es hat den Anschein, als ob die ursprüngliche Uebung bei allen diesen Riten darin bestand, dass die Braut am Herde, dem geheiligten Centrum der Hausgenossenschaft, Platz nahm,[3] um in innigste Berührung mit den an die Oertlichkeit des Herdes gebundenen Gottheiten des Hauses zu treten. Der Brauch, dass sich die Braut auf einem Stuhle niederliess, wäre nach dieser Annahme erst eine spätere Weiterbildung des Ritus.

Was die initiatorische Institution der **Freilassung** betrifft, so können wir sowohl bei den Nordgermanen, wie bei den Italikern eine in einem Sitzritus gipfelnde Freilassungs-Ceremonie nachweisen. Bei den alten Norwegern bestand der Brauch, den Freizulassenden auf die „Kiste" zu setzen.[4] Es ist streitig, welches Objekt unter dieser Bezeichnung zu verstehen sei. Man hat an den Reliquienschrein (cista) gedacht, andere haben behauptet, es sei damit der Kasten gemeint, der hin und wieder unter dem Hochsitz des altnorwegischen Hauses ange-

---

[1] vgl. S c h e l l , Zschr. d. Ver. f. Volksk., Jg. 1900, S. 430.

[2] vgl. K u h n , Sagen, Gebräuche und Märchen aus Westphalen, 2. Teil, S. 37 f., 104 f.

[3] Wenn bei den Südslaven das Mädchen verabredetermassen auf eigene Faust in das Haus des Burschen, den sie liebt, entflieht, so setzt sie sich, dort angekommen, schweigend auf den Herd und schürt im Feuer herum, zum Zeichen, dass sie sich unter den Schutz dieser Familie begeben habe; vgl. K r a u s s , Sitte und Brauch, S. 270. Bei den Deutschen in Böhmen wird die Braut im Hause des Bräutigams an den Herd gesetzt; vgl. „Die österr.-ung. Monarchie etc.", Bd. Böhmen, 1. T., S. 522.

[4] s. K. M a u r e r , Die Freigelassenen nach altnorwegischem Rechte, Münchener Sitz. Ber., phil.-hist. Cl., Jg. 1878, S. 27.

bracht war. v. Amira wiederum vermutet[1]), dass diese „Kiste"
mit der sogenannten „Bankkiste" identisch sei. Ich wage
vorderhand noch nicht zu entscheiden, ob dieser nordgermanische
Freilassungsritus mit den eben erwähnten Sitzriten des Hochzeitsceremoniells der Südslaven und gewisser Gegenden Deutschlands
wesensverwandt sei, ob also er in erster Linie dem Zwecke
diente, einen Kontakt des Initianden mit den Schutzgottheiten
des Hauses und hiedurch mit den Hausgenossen herzustellen,
oder ob nicht vielmehr die der Ceremonie zugrunde liegende
Idee eine andere war.

Auf einer m. E. gesicherteren Grundlage bewegen wir uns,
wenn wir vermuten, dass der bei der altsakralen Freilassung
eines latinischen Stammes geübte Sitzritus[2]) eine eminent
initiatorische Ceremonie war, dazu bestimmt, den Initianden in
einen engen persönlichen Nexus zu seinen neuen Verbands-
genossen zu bringen. Zu Tarracina befand sich ein Heiligtum
der Feronia, der „dea libertorum", die Kuhn[3]) als eine Feuer-
göttin deuten zu dürfen geglaubt hat. In diesem Heiligtum
stand ein sedile lapideum, also ein steinernes Sitzobjekt, auf
dem die Worte zu lesen waren: „benemeriti servi sedeant, surgant
liberi". Es scheint also die Ansicht bestanden zu haben, dass
während des Sitzens auf diesem Steine und daher wohl auch
durch diesen Akt des Sitzens[4]) sich die geheimnisvolle
Umwandlung in der Person des Sitzenden, sein Frei-Werden,

---

[1]) vgl. v. Amira, Nordgermanisches Obligationenrecht, 2. Bd.,
S. 676; hiezu s. Troels Lund, Das tägl. Leben in Skandinavien etc., S. 180 fg.

[2]) vgl. Leist, Altarisches Jus civile, 1. Bd., S. 290—292; Bücheler,
Rhein. Mus., Bd. 41, S. 1; Serv. comm. a. Aen. VIII, 564 ex Varrone.

[3]) s. Kuhn, Herabkunft des Feuers², S. 30, 32; Feronia galt als die
stammütterliche Gottheit der pränestinischen Latiner; ihr Sohn Herilus
scheint als der erste König von Präneste angesehen worden zu sein; der erste
König ist aber gleichbedeutend mit dem ersten Menschen (s. Kuhn, a. a. O.;
vgl. auch J. G. Müller, Geschichte der amerikanischen Urreligionen
(1855), S. 133 fg.) Die Auffassung, dass die Feronia eine stammütterliche
Gottheit sei, dürfte an allen Stätten, wo sie Verehrung genoss, gegolten
haben, geradeso, wie wohl in allen ihren Heiligtümern die fas-rechtliche
Manumission, die zu Tarracina geübt wurde, gebräuchlich war (Leist, a. a. O.).

[4]) Treffend bezeichnet Bücheler (a. a. O.) diese Manumission als
„haec per sessionem in libertatem vindicatio."

seine Aufnahme in den sakralen Verband der Feronia-Verehrer
vollziehe. Gemäss dieser Deutung erscheint die im Haine der
Feronia geübte Freilassung nicht als ein nüchterner, schablonen-
hafter Rechtsakt, sondern als eine feierliche religiöse Handlung,
die auf die Neuschaffung einer Rechtspersönlichkeit abzielt.
Diese Wirkung, so darf man wohl behaupten, konnte nach
primitiver Auffassung nicht durch profanes menschliches Handeln,
sondern nur durch das Walten göttlicher Kräfte erzeugt werden..
Es darf deshalb, so vermeine ich, diese seltsame Freilassungsform derart erklärt werden, dass man annimmt, die diesen
Brauch Uebenden hätten einer in diesem sedile lapideum waltenden
göttlichen Kraft die Fähigkeit zugeschrieben, die innere mystische
Umwandlung des Unfreien zum Freigelassenen herbeizuführen.
Das sedile lapideum muss als Sitz einer Gottheit und zwar als
ἕδος der Feronia gegolten haben.[1]. Durch das Sitzen auf diesem
Fetischsteine der Feronia tritt der Unfreie in einen engen ver-
wandtschaftlichen Nexus zur Göttin und damit auch zu allen
jenen, die dieser Gottheit bereits zugehören: der Sklave ist
durch jenen kultischen Sitzakt ein Genosse der freien Feronia-
Verehrer und damit ebenfalls ein Freier geworden.

Aehnliche Sitzriten lassen sich auch im Initiations-Ceremoniell
gewisser griechischer Mysterien nachweisen[2]. Bei der τελετή
τῶν Κορυβάντων, die den Höhepunkt der bei der Einführung in
die Κορυβάντων μυστήρια üblichen Feierlichkeiten bildete, wurde
der merkwürdige Gebrauch beobachtet, den Initianden auf einen
θρόνος zu setzen. Man nannte diese Ceremonie θρόνωσις,
θρονισμός; sie scheint, wenn auch nicht bei den Eleusinien, so
doch noch bei anderen Mysterien geübt worden zu sein. Bei

---

[1] In ähnlicher Weise fasst B a c h o f e n (Mutterrecht, S. 135) das
sedile lapideum als einen steinernen θρόνος der Feronia. B ü c h e l e r a. a. O.
glaubt die griechische verstümmelte Inschrift bei R o e h l (No. 72), die auf
einem in Laconien befindlichen sedile lapideum heute noch zu sehen ist, nach
dem Vorbilde des auf dem Steinsitz zu Tarracina eingemeisselten Spruches
ergänzen zu dürfen. Wäre diese Konjektur richtig, dann dürfte man annehmen, dass initiatorische Sitzriten auch im Freilassungszeremoniell der
G r i e c h e n eine Rolle spielten.

[2] vgl. L o b e c k , Aglaophamus (1829), 1. Bd., S. 116, 368 f.; R o h d e ,
Psyche, 2. Bd., S. 48, Anm. 1.

diesem θρονισμός schlossen die bei der Feier anwesenden Priester und Mysten einen Kreis um den Novizen, indem sie sich bei den Händen fassten, und führten unter Absingung von Hymnen einen Rundtanz um ihn auf. Man hat nun — so besonders Dieterich und Rohde[1]) — diese θρόνωσις mit der oben erwähnten Ceremonie des Sitzens auf dem ἱερὸς σκίμπους in eine Reihe gestellt und in ihr einen kathartischen, lustrierenden Ritus erblicken wollen, ohne m. E. zureichende Gründe für diese Behauptung vorbringen zu können. Der θρονισμός wird bei der τελετή, die ja bereits einen Akt der eigentlichen Mysterienweihe, der Einführung in den Verband der Mysten, darstellt[2]), vollzogen und nicht in den ersten Stadien der Initiationsfeierlichkeit, wo kathartische Riten eher am Platze wären. Sodann ist es ein θρόνος, auf dem der Novize sich niederlassen muss, also nicht ein niedriges, den Initianden dem entsühnenden Erdelemente nahe bringendes und daher dem Lustrationszwecke adaequates Sitzobjekt wie der „heilige Schemel", sondern wohl, wie wir mit Rücksicht auf die Hymnen und die feierliche Umkreisung[3]) des auf dem θρόνος sitzenden Mysten vermuten dürfen, der Altarsitz der Mysteriengottheit. Indem der Novize sich auf den Altarsessel der Gottheit setzt, gibt er seine ganze Persönlichkeit ihr zu Eigen (vgl. τεθρονισμένος τοῖς θεοῖς = „den Göttern geweiht", Londoner Zauberbuch, Z. 747)[4]); durch diese Selbstweihe wird zwischen dem Initianden und dem Gotte ein inniger verwandtschaftlicher Verband hergestellt und hiedurch die Aufnahme in den Kreis der Mysteriengenossen vollzogen.

Von einem ähnlichen Grundgedanken getragen scheint der griechische Brauch zu sein, dass Schutzflehende, um vor feindlichen Angriffen Zuflucht zu finden, sich auf einen Altar setzten.

---

[1]) vgl. Dieterich, a. a. O., S. 276; Rohde, a. a. O.

[2]) vgl. Edwin Hatch, Griechentum und Christentum, deutsch v. E. Preuschen (1892), S. 211; Münz, Der Katholik, Jg. 1869, 1. Teil, S. 52.

[3]) Marquart (Internationales Archiv f. Ethnogr. 14. Bd., S. 134) vergleicht die Tänze, die die Priester und Mysten vor dem sitzenden Novizen ausführen, mit Recht mit den Fetischtänzen der Neger.

[4]) vgl. Kenyon, Greek Papyri in the Brit. mus. (1893), S. 108 (zitiert nach Rohde, 2. Bd., S. 48, Anm. 1).

Reichel[1]) hat m. E. diese Uebung zutreffend erklärt, wenn er sagt: „Wenn sich der Schutzflehende also auf den Altar und damit auf des unsichtbaren Gottes Schoss setzt, so wird er förmlich der Geschlechtsgenossenschaft desselben einverleibt: wird er nun verletzt, so muss der Gott für ihn die Blutrache übernehmen wie der älteste Agnat einer irdischen Familie für den Beschädigten seiner Sippe." Diese Ausführungen, vermeine ich, verlieren nichts an ihrer Richtigkeit, wenn man, wie bisher behauptet wurde, die Tischform, und nicht, wie Reichel irrigerweise glaubt, die θρόνος-Form als den Urtypus des griechischen Altars annimmt. Wir dürfen vielleicht sogar, den Gedanken Reichels weiterführend, vermuten, dass man mit dem θρονισμός der Korybantenweihe, mit dem Sitzritus der im Heiligtum der Feronia geübten Freilassung, sowie mit jenem der kärntnerischen Herzogseinführung, die Vorstellung verband, dass der von dem Initianden angestrebte verwandtschaftliche Nexus mit der Gottheit dadurch hergestellt werde, dass der Einzuführende sich in des unsichtbaren Gottes Schoss[2]) setzte. Diese Auffassungsweise würde vor der oben von mir entwickelten: dass man nämlich geglaubt habe, durch das Sitzen auf dem Altarsteine der Gottheit vollziehe sich eine Unifizierung mit dieser, eine Imprägnierung mit der geheiligten Substanz des vom göttlichen Geiste erfüllten Objektes — den Vorzug grösserer sinnlicher Prägnanz besitzen.

Ob bei den Jünglingsweihen der Indogermanen ähnliche Sitzriten gebräuchlich waren, lässt sich bei der Spärlichkeit des uns überlieferten Quellenmaterials nicht mit Sicherheit entscheiden. Doch scheinen mir gewisse Indizien dafür zu sprechen, dass der Brauch, den Initianden auf einen Altar zu setzen, auch bei diesem wichtigsten der initiatorischen Akte geübt wurde. Bei der upanayana-Ceremonie der heutigen Inder ist es Sitte, den feierlich geschmückten Knaben unter Absingung von Hymnen auf einen auf den Altar gestellten Schemel zu setzen.[3]) Ist nun auch von dieser Ceremonie in den alten,

---

[1]) s. W. Reichel, Ueber vorhellenische Götterkulte (1897), S. 46.
[2]) vgl. auch Eckermann, 3. Bd., 2. Abt., S. 179.
[3]) vgl. J. Jolly, Jahrbuch der internationalen Vereinigung für vergl. Rechtswiss. u. Volkswirtschaftslehre, 2. Bd., S. 579.

gerade hier so überaus knappen Ritual-Texten keine Rede, so
kann doch hier ein in unseren altindischen Quellen mit Stillschweigen übergangener Brauch vorliegen. Wir werden uns
hiebei erinnern müssen, in welch' überraschender Reinheit sich
die Feierlichkeiten des upanayana bis auf unsere Zeit erhalten
haben.[1] Es darf als ein zweites Indiz für die oben ausgesprochene Vermutung bezeichnet werden, dass uns in deutschen
Landen ähnliche Sitzriten, wie die eben erörterten, auffallend
häufig bei den Aufnahmefeierlichkeiten der Gesellenverbände,
bei den Depositionsakten des studentischen Lebens und bei
sonstigen initiatorischen Ceremonien begegnen.[2] Diese Bräuche
weisen nun aber wohl, wie hier nicht näher ausgeführt werden
kann, sei es nun mittelbar oder unmittelbar, auf einen Sitzritus
der germanischen Jünglingsweihe zurück.

Wenn wir nun nach diesem Rundblicke über die von den
Indogermanen bei initiatorischen Anlässen geübten Sitzriten zu
dem entsprechenden Brauche der Herzogseinführung zurückkehren, so darf, glaube ich, auf Grund der auf diesem Rundgange
gewonnenen Erkenntnisse behauptet werden, dass auch die Sitz-
Ceremonie der Herzogseinführung als ein initiatorischer Ritus
aufzufassen sei.

- ◆◆◆ -

---

[1] vgl. Jolly, S. 582 fg.

[2] vgl. Schade, Weimarisch. Jb., Jg. 1856, S. 263 fg.: der in den Verband der Büttnergesellen Einzuführende wird dreimal um den Tisch herumgeführt u. muss sich sodann auf einen auf dem Tisch befindlichen
Stuhl setzen, worauf dann der Initiator, der „Schleifpfaffe", das „Schleifen",
den eigentlichen Einführungsakt, vornimmt; vgl. auch den bei Schade,
S. 300 besprochenen Ritus des Gesellenmachens, wo der Geselle auf einen
Schemel mit drei Füssen gesetzt wird. — s. ferner Brüder Grimm, Altdeutsche Wälder, 1. Bd., S. 99: bei den Schmiedegesellen wird derjenige,
der in ihren Verband aufgenommen werden soll, auf den „Gesellenstuhl"
gesetzt u. hierauf der Einführungsakt vollzogen; s. auch H. A. Berlepsch,
Chronik der Gewerke, 7. Bd., „Chronik der Feuerarbeiter", S. 49 f. Ueber
ähnliche Riten bei der akademischen Deposition und bei der Aufnahme der
klösterlichen Novizen vgl. Fabricius, die akadem. Deposition, S. 13 fg.,
S. 37. — s. auch Andree, Braunschweigische Volkskunde[1], S. 238;
Schütte, Das Hänseln im Braunschweigischen, Zschr. d. Ver. f. Volksk.,
Jg. 1901, S. 333 über entsprechende Bräuche bei der Aufnahme der „Enken"
(Pferdejungen) unter die Knechte.

VIII.
Der Backenstreich-Ritus der Fürstenstein-Ceremonie.

Johannes von Victring erzählt, dass der Herzogsbauer, nachdem ihm das Entgelt für die Räumung des Fürstensteines versprochen worden, dem Fürsten einen leichten Backenstreich gegeben habe; erst hierauf sei er von dem Steine gewichen. Aehnliches melden auch einige spätere Berichte. Auf Grund dieser Nachrichten nehmen nun alle Autoren — und dies mit vollem Rechte — an, dass der Backenstreich, mag auch die österreichische Reimchronik nichts von dem Brauche zu melden wissen, zum Ritual der Herzogseinführung gehört habe. Zur Erklärung der Ceremonie liegt eine lange Reihe von Lösungsversuchen vor.[1] Hermann dachte an einen slavischen Schwurritus, andere Autoren an eine Entlehnung aus dem deutschen Rechtsbereich, so augenscheinlich auch Grimm, der in kurzer Bemerkung das Ohrzupfen more Bajoariorum,[2] den Ritterschlag und einen langobardischen Ohrfeigenritus zum Vergleiche heranzog. v. Moro nahm an, dass eine altslavische Angelobungs- und Bestätigungsceremonie vorliege. Peisker spricht von einem „diffamierenden" Brauche. Die auf die eben genannten und einige andere Deutungsversuche bezügliche Literatur hat Puntschart in dankenswerter Weise zusammengestellt.

Soweit ich zu sehen vermag, ist ihm nur ein Versuch zur Erklärung des rätselhaften Brauches entgangen, der an dieser Stelle um so eher erwähnt werden darf, als er dem von Puntschart gegebenen Deutungsversuche ziemlich nahe kommt. Oskar Schade hat in seiner Untersuchung „Ueber Jünglingsweihen" auch in Kürze der Ohrfeigen-Ceremonie am Fürstensteine gedacht, ohne aber, wie ich hervorheben möchte, in diesem Ritus oder gar in dem ganzen Drama einen Akt der Stammes-

---

[1] vgl. Puntschart, S. 138 f.

[2] Die Sitte, bei Grenzsteineinsetzungen den anwesenden Kindern Ohrfeigen zu verabreichen, war den Kärntner Deutschen die ja zum bajuvarischen Stamm gehören, bekannt; vgl. Carinthia, Jg. 87, S. 123; das Ohrzupfen wurde auch bei den slavischen Wipachern in Krain geübt; s. Valvasor, S. 474.

weihe erblicken zu wollen. Er sagt über den Brauch[1]): „Noch im 13. und 14. Jahrhundert erhielt der Herzog von Kärnten bei der Erbhuldigung ...... einen Backenstreich, um damit symbolisch auszudrücken, der neue Herr müsse Land und Recht erst vom Volke durch seinen Stellvertreter empfangen." Nach Puntschart[2]) haben wir es hier mit einem national-slavischen Ritus zu tun und in ihm „die Versinnlichung der Ausübung der Gewalt des Bauers u. z. der letzten Ausübung" zu sehen. „Der Bauer erscheint darin als berechtigt zur Uebertragung der Gewalt an den Herzog, welche dadurch sinnenfällig als eine legitime dargestellt wird." Selbstverständlich reklamiert er auch in energischer Weise den Brauch für das von ihm so häufig betonte „demokratische Moment", das seiner Meinung nach in der Fürstenstein-Ceremonie so klar zutage tritt. Dieser Erklärungsversuch Puntscharts hat die ausdrückliche Billigung v. Wretschkos[3]) gefunden, und auch Pappenheim scheint gegen diese Deutung keinen Widerspruch erheben zu wollen.

Der hier zu erörternde Deutungsversuch geht von der Erwägung aus, dass dem Backenstreich im germanischen und slavischen Rechtsleben die Bedeutung eines occupatorischen Rechtssymbols zukommt. Er wird hier angewendet, wenn es sich um die Einführung einer freien oder unfreien Person in einen herrschaftlichen Personenverband handelt. Bevor ich aus diesem Umstande die Nutzanwendung für die Erklärung des Ohrfeigenritus der Herzogseinführung ableite, wird es erforderlich sein, zunächst die Belege für das Vorkommen des eben genannten occupatorischen Symbols im germanischen und im slavischen Rechtsbrauch geordnet vorzuführen.

Was vorerst das germanische Rechtsgebiet betrifft, so ist hier in erster Reihe ein langobardischer Ritus zu erwähnen, den bereits Grimm und Puntschart zur Erklärung des kärntnerischen Ohrfeigenbrauches herangezogen, jedoch in eine mehr als äusserliche Verbindung mit der kärntnerischen Ceremonie

---

[1]) vgl. Schade, a. a. O., S. 278.
[2]) vgl. Puntschart, S. 141 f.
[3]) vgl. v. Wretschko. S. 944. Anm. 5.

nicht zu bringen vermocht haben. Dieser langobardische Ritus[1])
bestand nach der Novaliciensischen Chronik darin, dass ein
langobardischer Spielmann von den durch Karls des Grossen
Gunst seiner Herrschaft zugefallenen Leuten durch Verabreichung
von Ohrfeigen solenn Besitz nahm: „dabat ille mox colafum,
dicens: tu, inquit, es meus servus."[2]) Den nämlichen Brauch
kennt auch das dem langobardischen so nahestehende sächsische
Recht. Nach dem Sachsenspiegel setzt sich der Herr durch
eine Ohrfeige in den Besitz des Leibeigenen: „Svenne he ine
vertücht hevet, so sal he sik sin underwinden mit rechte, mit
enem halslage of he wel."[3])

Bei den Slaven lässt sich der occupatorische Ritus
des Backenstreiches im Hochzeitsceremoniell nachweisen.
F. S. Krauss berichtet über die Hochzeitsgebräuche der
Kroaten[4]): „Die Braut trägt auf ihrem Gange zur Trauung
.... eine Perlenschnur; die wird der Braut von ihrem Vater
oder seinem Stellvertreter aufgesetzt, wobei er ihr einen
leichten Schlag auf die Wange gibt. Der Bräutigam gibt
der Braut eine Ohrfeige ...... Offenbar will der Bräutigam
der Braut durch diese Handbewegung andeuten, dass er von nun
an ihr Herr sein wird." Bei den mohammedanischen Bosniern
gilt folgender Vermählungsbrauch[5]): die Braut wird zur Tür-
schwelle ihres neuen Heims geführt, wo sie der Bräutigam mit
ausgestrecktem Arm erwartet; sobald sie unter seiner Hand
hindurchschreitet, gibt er ihr mit der Hand einen kleinen
Schlag auf den Kopf, um damit anzudeuten, dass sie sich von
nun an in seiner Mundschaft befinde. In Bulgarien[6]) schreitet

---

[1]) vgl. Chronicon Novaliciense, lib. III, c. 14., Mon. Germ. SS.
VII, S. 101; Puntschart, S. 139. Grimm, Rechtsalt., 1. Bd., S. 107.

[2]) Zu weit zu gehen scheint mir v. Zeissberg, wenn er den von
ihm (S. 419) erwähnten, einem Markgrafen von Schweidt zugeschriebenen
Schwank (s. Kuhn und Schwartz, Norddeutsche Sag., S. 38 f.) „eines
der schönsten Beispiele für die besitzergreifende Bedeutung des Schlages
nennt.

[3]) vgl. Ssp. B. 3, Art. 32, § 9. (Hom.³, S. 325); Schade. a. a. O.

[4]) s. Krauss, Sitte und Brauch der Südslaven. S. 385.

[5]) vgl. Lilek, Zschr. f. österr. Volksk., Jg. 1900, S. 58.

[6]) s. Strauss, die Bulgaren, S. 325. — In manchen Gegenden Bul-
gariens ist es üblich, die drei Schläge gegen die Schulter der Braut zu
führen; s. Krauss, Sitte und Brauch, S. 447.

die Braut, ein Wasserbecken langsam ausgiessend, zur Stube,
wo sie der Bräutigam erwartet, der sie nun dreimal auf
die Stirne schlägt. Wenn es sich nun auch bei diesem
bosnischen und bulgarischen Brauche nicht gerade um einen
Backenstreich, sondern um Schläge, die auf den Kopf oder
die Stirn der Braut geführt werden, handelt, so können
doch diese Riten von der kroatischen Backenstreich-Ceremonie
nicht getrennt werden. Das Gleiche wird man von einem bei
den Südslaven in Syrmien geübten Brauche behaupten dürfen.
Hier wird die Braut, während sie über die Schwelle schreitet,
vom Bräutigam mit einem Stocke sanft geschlagen.[1]) Auch die
Nordslaven üben ähnliche Sitten. Sobald bei den Huzulen
die Brautleute die Kirche verlassen haben, streicht der Bräutigam
die Braut dreimal mit der Reitpeitsche, zum Zeichen, dass er
jetzt ihr Herr geworden sei.[2]) Bei den Weiss-Russen geht
der Vater des Bräutigams, sobald die Braut vor dem Hause der
Schwiegereltern angekommen ist, ihr entgegen, ergreift eine
Peitsche und einen Gefässdeckel, schlägt damit sanft die Braut
und sagt dabei: „Gehorsam sein und keine Klatschereien im
Dorfe verbreiten!"[3]) Im Kasimowsker Kreis in Russland wird
die junge Frau, wenn sie nach der Trauung in das Haus ihres
Gatten kommt, viermal leicht mit einer Peitsche auf den Rücken
geschlagen, damit sie sich ihrer Eltern entwöhne und den Mann
fürchte.[4]) Anderwärts in Russland herrscht wiederum folgender
Brauch: vor dem Schlafengehen muss die Braut als Zeichen
ihrer Unterwürfigkeit dem Bräutigam den Stiefel ausziehen,
weshalb dieser in den rechten Geld, in den linken eine kleine
Peitsche legt. Nimmt die Braut den linken Stiefel zuerst, so
zieht der Bräutigam die Peitsche heraus und schlägt sie damit,
ergreift sie den rechten, so reicht er ihr das Geld.[5])

---

[1]) vgl. Rajacsich, Leben Sitten u. Gebr. d. im Kaisert. Oesterreich
wohnenden Südslaven (1873), S. 159; Stefanović-Vilovsky, Die Serben
im südlichen Ungarn etc., S. 182.

[2]) vgl. R. F. Kaindl, Die Huzulen, S. 18.

[3]) s G. Kupczanko, Hochzeitsgebräuche der Weissrussen, Am Urquell, 2. Bd. (1891), S. 162.

[4]) vgl. Reinsberg-Düringsfeld, Hochzeitsbuch, S. 27.

[5]) s. Reinsberg-Düringsfeld, S. 28.

Der Grundgedanke der eben angeführten slavischen Hochzeitsgebräuche liegt klar zutage. Es handelt sich in allen diesen
Fällen darum, symbolisch anzudeuten, dass die junge Frau nunmehr der hausherrlichen Gewalt ihres Gatten oder seines Vaters
unterworfen sei. Der gegen die Braut geführte Backenstreich
oder Peitschenhieb versinnbildlicht den Eintritt der neuen Haus-
genossin in den Herrschaftsbereich des Hausvorstandes. Dass
diese Auffassung richtig ist, beweist fürs erste die Erwägung,
dass es für eine naive Denkweise kein treffenderes Symbol für
den Erwerb der herrschaftlichen Gewalt über eine Person geben
kann als der gegen die erworbene Person in solenner Form
geführte Schlag. Diese Erwägung findet in den angeführten
Parallelen aus dem langobardischen und sächsischen Rechtsbereiche, denen ähnliche von nichtindogermanischen Völkern geübte Bräuche[1] an die Seite gestellt werden können, ihre
Rechtfertigung. Fürs zweite darf darauf hingewiesen werden,
dass den vom Bräutigam oder von seinem Vater geübten Schlägen
im slavischen Hochzeitsceremoniell oftmals ein von den Eltern
der Braut bei der Entlassung aus ihrem Hause zu vollziehender
Schlagritus zur Seite tritt: die Eltern üben ihr Herrschaftsrecht
in symbolischer Weise aus, um damit anzudeuten, dass die
Tochter nunmehr aus dem herrschaftlichen Verbande der ihrem
Vater unterstehenden Hausgenossenschaft ausscheide und in
einen neuen herrschaftlichen Verband, den des Bräutigams oder
des Vaters des Bräutigams, eintrete. So wird, wie bereits erwähnt wurde, bei den Kroaten die Braut nicht nur vom
Bräutigam, sondern auch vom Vater der Braut geohrfeigt. In
einigen Gegenden Russlands heisst der Vater am Morgen vor
der Hochzeit die Braut ein Bündel Ruten hereintragen und
versetzt ihr damit einige leichte Hiebe, indem er bemerkt, dass

---

[1] Bei den **Fullah** in Afrika wird die Braut bei der Vermählung von
ihrem Vater geschlagen, worauf der Bräutigam das Gleiche tut. „Es ist
nicht zu verkennen", sagt **Lippert** (Geschichte der Familie, S. 104), auf
diesen Brauch der Fullah zielend, „dass damit die Strafgewalt und somit
überhaupt jede Gewalt von dem Muntinhaber dem Bräutigam eingeräumt
werden soll." — Von den Somali in Ostafrika erzählt uns Burton, dass
auch bei ihnen die Braut durch eine Tracht Prügel in ihr neues Verhältnis
eingeführt wird; vgl. **Lippert**, a. a. O.

er sein Züchtigungsrecht von nun an an ihren zukünftigen Mann abtrete.[1]) In diesem Zusammenhange darf auch auf eine Ceremonie des russischen Verlobungsrituals hingewiesen werden.[2]) Nach Fertigstellung des Ehevertrages und nachdem die Braut in Gegenwart des Bräutigams die Frage des Vaters, ob sie den Werber heiraten wolle, bejaht hatte, ergreift der Vater eine neue Peitsche und gibt der Tochter einige Streiche mit den Worten: „Diese letzten Streiche erinnern dich an die Vatergewalt, unter der du bisher gestanden. Diese Gewalt hört jetzt insofern auf, als sie in andere Hände übergeht. Wenn du dem Manne nicht folgst, wird er dich statt meiner züchtigen." Dann überreicht der Vater dem Bräutigam die Peitsche, der sie anzunehmen und aufzubewahren erklärt. Sobald er die Peitsche in den Gürtel gesteckt, gilt die Verlobung als rechtsförmlich geschlossen. An einigen Orten Galiziens[3]) ist es wiederum die Mutter der Braut, die dieser einen leichten Schlag auf die Wange verabreicht, worauf das Mädchen unter Gesang zu ihrem Lager geleitet und von nun an als Frau betrachtet wird. Die offen zutage liegende Korrespondenz beider Ceremonien, des im Heime der Braut und des im Hause des Bräutigams geübten Schlagritus beweist, dass es sich bei dem Schlage, den der Bräutigam gegen die Braut zu führen hat, um ein occupatorisches Rechtssymbol handelt. Es war notwendig, dies ausser Zweifel zu stellen, weil W. Mannhardt in seinen „Wald- und Feldkulten" die Vermutung ausgesprochen hat[4]), dass die Schlagriten des slavischen Hochzeitsceremoniells auf die Vorstellung, dass man damit die Austreibung der das Wachstum und die Fruchtbarkeit hindernden Dämonen bewirken könne, zurückzuführen seien. Ich will nicht bezweifeln, dass derartige

---

[1]) s. Mannhardt, Wald- und Feldkulte, 1. Teil, S. 301.

[2]) vgl. Puntschart, S. 141.

[3]) vgl. Reinsberg - Düringsfeld, S. 212. — Ueber ähnliche Bräuche bei den Esthen vgl. L. v. Schroeder, Verhandl. der gelehrten esthnischen Gesellsch., Bd. 13, S. 296—299.

[4]) s. a. a. O., S. 301; derselbe, Mythologische Forschungen (Quellen und Forschungen zur Sprach- und Kulturgesch. der germanischen Völker, 51. Bd.), S. 358; Sartori, Der Schuh im Volksglauben, Zschr. d. V. f. Volksk., 4. Bd., S. 171.

Ceremonien auch bei den Hochzeiten der Slaven geübt wurden
und noch geübt werden. Wenn man bei den Katholiken des
polnischen Ermlandes gleich nach der Hochzeit mit fichtenen
Stöcken nach den beiden sich entfernenden jungen Ehegatten
zu schlagen pflegt,[1] oder wenn bei den Kroaten[2] die Braut
vor dem Beilager mit dem Stiefel einen Streich auf den Kopf
des Bräutigams führt, so sind dies zweifelsohne Bräuche, die
die Fruchtbarkeit befördern sollen.[3] Es ist aber m. E. ebenso
offenkundig, dass uns in den zuerst erwähnten Riten Ceremonien
vorliegen, die seit jeher nur in der Absicht vollzogen wurden,
den Uebertritt der Braut aus dem Gewaltbereiche ihres Vaters
in den ihres Gatten symbolisch anzudeuten. Eine erst später
erfolgte Umdeutung dieser Bräuche ist m. E. völlig ausgeschlossen.

Wir dürfen nunmehr, nachdem festgestellt erscheint, dass
der Schlagritus, der bei der Aufnahme der slavischen Braut in
die Hausgenossenschaft des Mannes geübt wurde, ein Symbol
occupatorischen,[4] zugleich aber auch initiatorischen Charakters
darstellt, versuchen, diese Bräuche zur Erklärung des Ohrfeigenritus der Fürstenstein-Ceremonie heranzuziehen. Zu diesem
Zwecke bedarf es nur der Annahme, dass der Backenstreich,
den der Herzogsbauer dem Herzog verabreicht, aus dem
Ceremoniell des sakralen Impatriierungsverfahrens der heidnischen
Slovenen in das Ritual der Herzogseinführung herübergenommen
worden sei. Unter dieser Voraussetzung lässt sich die Ohrfeigen-
Ceremonie der sogenannten „Herzogseinsetzung" in völlig ungezwungener Weise als ein Brauch deuten, der die Aufnahme
des stammfremden deutschen Herzogs in den Volksverband der
Kärntner Slovenen bewirken sollte. Es wurde bereits bei der
Erörterung der Sitzceremonie des Fürstenstein-Dramas aus-
geführt, dass nach primitiver Denkweise die Mitgliedschaft am
Stammesverbande durch das Medium der stammväterlichen Gott-

---

[1] s. Mannhardt. Wald- und Feldkulte, S. 299.
[2] vgl. Krauss, S. 461; auf diesen Brauch spielt wohl Puntschart
(S. 141) an; für die istrischen Slaven vgl. Valvasor, S. 332: der
Bräutigam wird mit einem Kolazh auf den Kopf geschlagen.
[3] Ueber das Schlagen mit dem Schuh zur Beförderung der Fruchtbarkeit vgl. Sartori, a. a. O., S. 51.
[4] vgl. auch noch Leist, Altarisches Jus civile, 2. Bd., S. 116.

heit vermittelt wird. Das Kindschaftsverhältnis zur Gottheit
ist die primäre, das Bruderschaftsverhältnis zu den dieser Gottheit zugehörenden Kultgenossen die sekundäre Folge des vom
Initianden mit dem ἰδός des Gottes hergestellten persönlichen
Kontaktes. Nach dieser Auffassungsweise ist der Stammesverband ein herrschaftlicher Verband, sozusagen eine Gross-
Hausgenossenschaft, mit dem stammväterlichen Gotte als Haus-
vorstand an der Spitze[1]). War man einmal zu dieser — übrigens
so natürlichen — Anschauung gelangt, dann musste es für
Naturmenschen, die uns Kompromissmenschen der Zivilisation
ja allüberall durch die unbeugsame Konsequenz ihrer Logik
überraschen[2]), eine Selbstverständlichkeit sein, die symbolischen
Ceremonien, die bei der Aufnahme eines Neulings in den
herrschaftlichen Verband der Hausgenossenschaft in Uebung
standen, auch dort in sinngemässer Weise anzuwenden, wo es
sich um die Einführung eines Stammfremden in den Stammesverband, d. h. um die Aufnahme eines Neulings in den haus-
väterlichen Machtbereich des Stammesgottes handelte.
Der die Gottheit stellvertretende Priester hat also nach dieser
Vorstellung gegenüber dem Initianden in der nämlichen Weise
zu handeln, wie der Vorstand einer gewöhnlichen Hausgenossenschaft gegenüber einer Person, die diesem Verbande zugeführt
werden soll. Sowie nun nach langobardischer und sächsischer
Sitte der Herr sich in den Besitz des Leibeigenen durch eine
Ohrfeige setzt oder nach slavischem Brauch der Bräutigam das
Muntschaftsrecht über die ihm angetraute Frau in symbolischer
Weise durch einen Backenstreich oder einen Peitschenhieb erwirbt, so ergreift, darf man sagen, der Priester des stammväterlichen Gottes der Slovenen, an dessen Stelle später, im
Ceremoniell der Herzogseinführung, der Herzogsbauer trat, für
die Gottheit[3]) durch einen Backenstreich in solenner Form Besitz

---

[1]) vgl. hiezu L e i s t, Altarisches Jus civile, 1. Bd., S. 64—87, bes.
S. 85 fg.; L i p p e r t, Geschichte des Priestertums, 2. Bd., S. 386.

[2]) vgl. L i p p e r t, Die Kulturgeschichte in einzelnen Hauptstücken,
2. Abt. (1886), S. 70.

[3]) Der Priester tritt ja oft für den Gott handelnd oder leidend auf;
vgl. R o h d e, Psyche, 2. Bd., S. 118, Anm. 2; E c k e r m a n n, 3. Bd.,
2. Abt., S. 154; H i l l e b r a n d t, Vedische Mythologie, 1. Bd., S. 217;
R e i c h e l, Vorhellenische Götterkulte S. 19.

an dem die Aufnahme in den Stammesverband (d. h. in den der Herrschergewalt des Stammesgottes unterstehenden Kreis seiner Verehrer) anstrebenden Initianden. Wir dürfen sogar weitergehend in dieser Backenstreich-Ceremonie nicht nur einen Occupationsakt, sondern wohl auch eine adoptionsähnliche Handlung erblicken. Es wird durch den Backenstreich des sakralen Impatriierungsverfahrens der heidnischen Slovenen ein Kindschaftsverhältnis begründet: der Initiand wird von der Stammesgottheit durch Vermittlung des Priesters gewissermassen adoptiert, so wie etwa der μυών den νέος μύστης in das göttliche Geschlecht einführt[1]) oder bei den zur Sioux-Gruppe gehörigen Omahas die Angehörigen der priesterlichen Donnergens die Knaben der Omahas durch Abschneiden der Haarlocken für den Donnergott adoptieren und sie auf diese Weise zu anerkannten Mitgliedern des Stammes machen.[2])

Bevor ich diese dem Backenstreich-Ritus der Herzogseinführung gewidmeten Ausführungen abschliesse, will ich nicht unerwähnt lassen, dass auch Puntschart zur Erklärung dieses Brauches die Schlagriten des slavischen Hochzeitsceremoniells herangezogen hat. Ich halte es für geboten, den gegensätzlichen Standpunkt, den ich gegenüber Puntschart in der Verwertung der Schlagriten des slavischen Hochzeitsrituals zur Deutung der kärntnerischen Backenstreich-Ceremonie einnehme, in Kürze zu präzisieren.

Puntschart beruft sich hauptsächlich auf den oben bereits erwähnten Schlagritus des russischen Verlobungs-Ceremoniells, indem er, an dessen Schilderung anknüpfend, sagt:[3]) „Hier erscheint das symbolische Schlagen als Ausübung der väterlichen Gewalt und zwar der letzten Ausübung. Der Vater erscheint als berechtigt zur Gewaltübertragung und diese erhält so sinnenfällig ihre rechtliche Grundlage." Indem er neben diesen Brauch den kärntnerischen Ritus stellt, sagt er von diesem fast mit den nämlichen Worten: „Der Bauer erscheint darin als

---

[1]) vgl. Rohde, S. 421—423.

[2]) vgl. Schmidt über Miss Alice Fletcher, The significance of the Scalplock. A Study of an Omaha ritual. Archiv f. Anthropologie, Jg. 1900. S. 1093.

[3]) s. Puntschart, a. a. O.

berechtigt zur Uebertragung der Gewalt an den Herzog, welche
dadurch sinnenfällig als eine legitime dargestellt wird." In der
Deutung des russischen Brauches trifft Puntschart nun gewiss
das Richtige, hingegen scheint es m. E. ganz unangebracht, ihn
in Puntscharts Weise zur Erklärung des Backenstreich-
Ritus der Herzogseinführung zu verwenden.[1]) Der Grundfehler
Puntscharts liegt darin, dass er, ausgehend von der irrigen
Meinung, es läge in den Vorgängen am Fürstenstein eine „Einsetzung" des Herzogs in die Herrschaft vor, annimmt, es habe
sich beim ganzen Akte im Wesen um die Uebertragung der
Gewalt an den Herzog gehandelt. Wäre dies der Fall gewesen und hätte die Absicht bestanden, diese Gewaltübertragung
in einer Schlagceremonie symbolisch zum Ausdruck zu bringen,
so hätte die rechtliche Situation eine ganz andere Gestaltung
dieser Ceremonie gefordert. Es hätte auf keinen Fall der
Herzog, auf den ja angeblich die Regierungsgewalt übertragen
werden sollte, einen Backenstreich erhalten dürfen, gerade-
sowenig wie der Bräutigam nach slavischer Sitte vom Brautvater einen Schlag erhält, was ja auch ganz widersinnig wäre,
da ja der Bräutigam der Rechtsnachfolger in der Herrschafts-
gewalt über die Braut wird. Ganz folgerichtig ist es in allen
oben von mir angeführten Fällen die Braut, das Gewalt-
Objekt, die, sei es nun vom Brautvater, sei es vom Bräutigam,
sei es von beiden, geschlagen wird. Es hätte also müssen, falls
es sich bei der kärntnerischen Ceremonie wirklich um einen
Akt der Gewaltübertragung gehandelt hätte, etwa einem Bauer
als Symbol der Beherrschten vom Herzogsbauer als dem sup-
ponierten zeitweiligen Träger der Volkssouveränität ein Backenstreich verabreicht worden sein und dieser Bauer, an dem
der Herzogsbauer auf diese Weise seine souveräne Gewalt
zum letztenmale in symbolischer Form ausgeübt hätte, hätte
sodann dem Herzog übergeben werden müssen, gleichwie die
vom Brautvater geschlagene Braut dem Bräutigam. Dieser
Bauer hätte dann wohl nach der Uebergabe an den Herzog

---

[1]) vgl. auch v. J a k s c h , Mitt. d. Inst. f. Öst. G., 23. Bd., S. 321:
„Ob die Peitschenstreiche, welche bei den Russen die Tochter nach ihrer
Verlobung von ihrem Vater empfängt, eine Analogie des Backenstreiches
bilden, lassen wir dahingestellt."

von diesem zum Zeichen des Erwerbes der Gewalt neuerlich einen Backenstreich erhalten müssen, wie ja auch, was eben **Puntschart** ganz entgangen ist, die Braut bei den Russen, Huzulen und Kroaten nach vollzogener Uebergabe an den Bräutigam von diesem einen Schlag erhält. Da also der Herzog nicht selbst schlägt, sondern geschlagen wird, so kann es sich nicht um die Uebertragung der Regierungsgewalt an den Herzog, sondern nur um die Ausübung eines Gewaltrechtes an seiner Person gehandelt haben.

Welcher Art dieses Gewaltrecht gewesen ist, haben wir bereits erkannt. Es wird mit dem Backenstreich des Herzogsbauers nicht, wie **Puntschart** meint, die letztmalige Ausübung einer ihm zustehenden Gewalt zur sinnbildlichen Darstellung gebracht, sondern — gerade im Gegenteil — die erstmalige Ausübung eines herrschaftlichen Rechtes; es soll die feierliche Besitznahme der Person des in den Stammesverband einzuführenden Initianden für den stammväterlichen Gott sinnenfällig zum Ausdruck kommen.

Der Herzog befindet sich also bei der Backenstreich-Ceremonie des Fürstenstein-Dramas in einer Rechtsstellung, die keineswegs mit der des Bräutigams bei den Schlagriten des slavischen Hochzeitsceremoniells, sondern, so überraschend dies auch für den ersten Blick scheinen mag, nur mit der der **Braut** verglichen werden kann.

--*--·*-- — —

IX.

Die Einführung des Herzogs in die aquae et ignis communio der Kärntner Slovenen.

Wir haben erkannt, dass der Brauch, bei der Herzogseinführung vom incendiarius mehrere Holzstösse in Flammen setzen zu lassen, deutlich darauf hinweise, dass die Fürstenstein-Ceremonie von heidnisch-sakralen Vorstellungen beeinflusst gewesen sei und in ihren Wurzeln in die vorchristliche Epoche Kärntens zurückweisen müsse. Mit dieser Konstatierung erscheint mir jedoch die Bedeutung des vom „Brenner" geübten Brauches noch nicht genügend tief erfasst zu sein. Ich glaube nämlich weitergehend sagen zu dürfen: die Entzündung der Holzstösse wurde bei der Herzogseinführung nicht bloss darum geübt, weil das sakrale Einbürgerungsverfahren, aus dem die Fürstenstein-Ceremonie ja hervorging, wie jede andere sakrale Handlung die Gegenwart des heiligen Feuers erforderte — dieses Feuer wurde entzündet, nicht allein deshalb, weil es sich bei der altslovenischen Impatriierungs-Solennität um den Sakralakt der Stammesweihe, sondern auch, weil es sich um den Sakralakt der Stammesweihe handelte. Zwischen dem Feuerritus der Fürstenstein-Ceremonie und der das Ritual dieses Einführungsaktes beherrschenden initiatorischen Grundidee besteht demnach meiner Meinung nach noch ein ganz besonders enger Konnex. Der Nachweis dieses Zusammenhanges und damit die erschöpfende Deutung des Feuerritus der Herzogseinführung erfordert eine eingehendere Untersuchung.

Diese Untersuchung hat mit folgender Frage einzusetzen: wieso ist es zu erklären, dass diese Feuerceremonie den christianisierenden Tendenzen nicht zum Opfer gefallen ist, wo doch die Kirche einen eminent heidnischen Brauch, der in keiner Weise an einen ähnlichen christlichen angelehnt werden konnte, vor sich sah? Der Umstand, dass die Ceremonie der Einführung in den Stammesverband als sakraler Akt die Gegenwart des flammenden Feuers erforderte, erklärt noch nicht zur Genüge, wieso der Ritus im Gefüge des Fürstenstein - Dramas vor der Ausrottung bewahrt bleiben konnte. Hätte nur diese Ritualvorschrift allgemeinen Charakters allein nachgewirkt, so wäre m. E. der Brauch bereits bei den ersten Herzogseinführungen in den Hintergrund gedrängt worden und in Vergessenheit geraten. Es muss ein ganz anderer Faktor gewesen sein, der diesen Ritus vor dem gänzlichen Absterben bewahrte. Will man diesen Faktor erkunden, dann ist es das Nächstliegende, zu vermuten, dass die Anwesenheit des zum Himmel lodernden Feuers gerade im Ritual des Einbürgerungsverfahrens ein besonders wichtiges, zur Versinnbildlichung des treibenden Grundgedankens unbedingt notwendiges Formerfordernis war. Bei dieser Annahme lässt sich viel leichter verstehen, wieso der Ritus dem kirchlichen Einflusse zu trotzen vermochte.

Um nun zu erkennen, wieso die Slovenen dazu gelangen konnten, dem flammenden Feuer eine besondere Wichtigkeit für das Ritual des Einbürgerungsverfahrens zuzuschreiben, ist es notwendig, sich vor Augen zu halten, dass dem Indogermanen „Centralbegriff aller rechtlichen Gemeinschaft" die sakral geeinte ignis communio ist.[1]) Dies gilt nicht nur für die Kernzelle des öffentlichen Lebens, die Hausgenossenschaft, sondern auch für die aus diesem Zellstoff aufgebauten Geschlechter, Phratrien, Stämme und Stammesverbände.[2]) Auch diese Verbände vermag der Indogermane nur unter dem Bilde einer ignis communio zu erfassen, d. h. einer sakralen Vereinigung von Menschen, die in einem göttlich verehrten Herdfeuer den örtlichen Mittelpunkt ihres Verbandes erblicken.

Am deutlichsten tritt diese Auffassungsweise bei der Hausgenossenschaft zutage; sie hat sich hier bei einigen indogermanischen Stämmen bis auf unsere Zeit erhalten. Die Hausgenossenschaft ist der Urtypus der ignis communio, das beständig lodernde Herdfeuer ihr geheiligtes Centrum. Wer dem Verbande des Hauses angehört, hat Anteil an der Flamme des Herdes, er ist, wie die Griechen sagten, ein ἐφέστιος[3]) oder in Beziehung zu seinen Genossen ein ὁμόκαπνος. Deshalb muss derjenige, der der Hausgenossenschaft nicht zugehört und ihr eingegliedert werden soll, feierlich in die ignis communio des Hauses aufgenommen werden.

Dies geschieht, wie die folgende Zusammenstellung, die keineswegs Anspruch auf Vollständigkeit erheben will, lehrt, dadurch, dass der Initiand beim erstmaligen Betreten des Hauses in dreimaliger feierlicher Umkreisung um den lodernden Herd

---

[1]) vgl. L e i s t, Altar. Jus civile, Bd. 1, S. 43, 80 f., 148 f., 269, 294 u. a. a. O.; L i p p e r t, Kulturgeschichte, 1. Bd., S. 259—268.

[2]) vgl. H ü l s e n in Pauly-Wissowas Realencyklopädie, s. v. „curia". Sp. 1816 über den Herd der Curien; L e i s t, S. 149 f., über die ἑστία κοινὴ τῶν φρατριῶν; s. ferner H i l l e b r a n d t, Vedische Mythologie, 2. Bd., S. 122—126; G e i g e r, Ostiranische Kultur im Altert., S. 472; P r e u n e r bei R o s c h e r, Lexikon der griechischen u. röm. Mythol., s. v. „Hestia". Sp. 2630 fg.

[3]) vgl. P r e l l e r, Griech. Mythol.[4], S. 424; (ἐφέστιον = Familie); s. auch R. M e r i n g e r, Studien zur germanischen Volkskunde, Mitteil. d. Wiener anthr. Ges., Jg. 1891, S. 148: ags hīrēd-„Familie" . . . . ist dann der „Feuerrat", die um den Herd Versammelten, die Hausbewohner.

geleitet wird. Eine rudimentäre Verkümmerung des Brauches ist es zu nennen, wenn mancherorts der Neuling nur an den Herd geführt wird oder wenn man ihn ein anderes, im täglichen Leben der Hausgenossenschaft besonders wichtiges Objekt umkreisen lässt. Zuweilen wird mit diesen auf das Herdzentrum bezüglichen kultischen Akten eine Opferspende an die Schutzgottheit des Herdes verbunden.

Was zunächst die Slaven betrifft, so lassen sich die eben geschilderten Riten sowohl bei den Süd- wie bei den Nordslaven nachweisen. In Serbien und Kroatien wird die Braut im neuen Heim dreimal um den Herd geführt.[1]) Dies ist die ältere Form des Ritus; die jüngere stellt die slavonische Uebung dar: die Braut wird nicht mehr um den Herd, sondern zum Herde geleitet, um in die Glut ein Geldstück zu opfern.[2]) Aehnlich ist die Sitte der Slovenen. Hier schreitet die Braut nach der feierlichen Begrüssung durch die Hausgenossen zum Herde und wirft ein grosses Gebäckstück ins lodernde Feuer.[3]) In Bosnien und in der Hercegovina lässt sich die ältere und die jüngere Form des Brauches nebeneinander nachweisen.[4]) Der Gedanke, dass der Eintritt in die Hausgenossenschaft durch die feierliche Zuführung zum Herdfeuer bewirkt werde, hat sich demnach gerade bei den Südslaven bis auf unsere Zeit in voller Ursprünglichkeit erhalten. Unter den Nordslaven sind in erster Reihe die Elbwenden in Hannover[5]) zu nennen. Bei ihnen wurde die Braut noch in alter Weise feierlich dreimal um den Herd geleitet. Bei den Tschechen findet sich nur noch die Zuführung zum Herde.[6]) Indes muss auch hier einstens die dreimalige Umkreisung des Herdfeuers geübt worden sein. Wenn nämlich der Bauer ein neues Huhn kauft, so trägt er es nach dem Brauche mancher tschechischer Gegenden[7]) in die

[1]) vgl. Krauss, S. 386, 436.

[2]) vgl. Krauss, S. 400.

[3]) s. Reinsberg-Düringsfeld, S. 88.

[4]) vgl. Lilek, Wissenschaftl. Mitteil. aus Bosnien u. d. Hercegov., Jg. 1900, S. 303, 307, 322, 332.

[5]) vgl. Vieth, Archiv f. slavische Philologie, Jg. 1900, S. 118.

[6]) s. Lippert, Christentum, Volksgl. etc., S. 489; derselbe, Kulturgesch., 2. Bd., S. 147.

[7]) vgl. Grohmann, Aberglauben und Gebräuche aus Böhmen und Mähren, S. 142.

Stube; dort steckt er seine Beine unter den Tisch an das Tisch-
gestell und zieht das Huhn dreimal durch die hiedurch entstandene Oeffnung. Hier hat sich noch der alte Umkreisungsritus erhalten, nur ist an Stelle des Herdes der Tisch getreten.[1])
Bei den Polen wird die Braut im neuen Heim dreimal um den
Kamin geleitet.[2])

Wie bei den Slaven, lässt sich der Brauch auch bei den
ihnen so nahe verwandten Litauern nachweisen. Hier wird
das von der Taufe heimgebrachte Kind an den Ofen oder unter
den Ofen gelegt.[3]) Nach dem Berichte des Johann Lasicius
wurde die litauische Braut im Hause des Bräutigams dreimal
um den Herd geleitet.[4])

Was die Germanen betrifft, so seien hier folgende Belege
angeführt. Im friesischen Saterlande, im Brandenburgischen,
im Westphälischen und bei den Deutschen in Siebenbürgen wird
die Braut dreimal um den Herd oder um den Kesselhaken geführt.[5]) Der Kesselhaken ist natürlich erst im Laufe der Zeit
an die Stelle des Herdes getreten. Mancherorts muss nicht nur
die Braut, sondern auch neu einziehendes Gesinde feierlich den
Herd oder den „Helhaken" dreimal umschreiten[6]). Auch neuerworbene Haustiere werden — und zwar sowohl bei den Nord-
wie bei den Südgermanen — der gleichen Uebung unterworfen.[7])

Bei den Römern herrschten ähnliche Sitten. War die
Braut in das Haus ihres Gatten eingetreten, so wurde eine auf

---

[1]) In anderen tschechischen Dörfern ist es üblich, das Geflügel unter
den Rauchfang zu stellen und dort um den linken Fuss zu drehen;
Grohmann, S. 231 f.

[2]) vgl. Mannhardt, Mythol. Forsch., S. 356; Samter, Familienfeste
der Griechen und Römer (1901), S. 3.

[3]) vgl. Schleicher, Sitz.-Ber. d. Wiener Akad. d. Wiss., Jg. 1852,
S. 532 nach Lippert, Christentum, S. 485 f.

[4]) vgl. Schrader, Reallexikon, S. 356.

[5]) s. Elard H. Meyer, Deutsche Volkskunde, S. 67 f., S. 179.

[6]) vgl. vor allem Lippert, Kulturgeschichte. 2. Bd., S. 146 fg.; E. H.
Meyer, S. 67; Wuttke, Der deutsche Volksaberglaube der Gegenwart,
3. Aufl., S. 403 f.

[7]) s. v. Negelein, Zschr. d. Ver. f. Volksk., Jg. 1902, S. 14, Anm. 5: das
neuerworbene Pferd wird, um es an das Haus zu gewöhnen, nach nordischer
Sitte dreimal um das Herdfeuer geführt. — Für die Deutschen vgl. Haupt,
Zschr. d. Ver. f. Volksk. Jg. 1895, S. 415 (Fränkischer Brauch); Wuttke,
a. a. O., S. 433.

das Herdfeuer bezügliche Ceremonie vorgenommen, über deren
Einzelheiten wir jedoch nicht genügend unterrichtet sind.[1]
Nach Plutarchs Bericht hätte die Braut das Herdfeuer berühren müssen. Dass die Ceremonie auch bei den Römern ursprünglich in einer dreimaligen Umkreisung des Herdes bestanden
habe, scheint mir aus folgendem römischen Brauche hervorzugehen.
Aelian berichtet: „Um einen neuen Hahn beim Hofe zu halten,
führe man ihn dreimal um den täglich benutzten Esstisch herum."
Hier ist, wie Riess[2] treffend ausführt, der Tisch an die Stelle
des Herdes getreten.

In den Kreis der angeführten Riten gehört, wie Mannhardt
vermutet und Samter jüngst erwiesen hat[3], der griechische
Brauch, beim Feste der Amphidromien mit dem neugeborenen
Kinde nackt um den Herd zu laufen. Es handelt sich um einen
initiatorischen Akt. Das Kind wird durch diese Ceremonie
feierlich in die ignis communio des Hauses aufgenommen. Auch
die griechische Braut muss zum Herde geführt worden sein[4]
Von einer dreimaligen Umkreisung des Herdes durch die Braut
erfahren wir jedoch nichts. Deshalb dürfte die neugriechische
Sitte, die Braut dreimal um den Herd zu leiten, auf slavischen
Einfluss zurückzuführen sein.[5]

Auch die östlichen Indogermanen haben den Brauch
bewahrt. Bei den Armeniern[6], Osseten[7] und Indern[8]
schreibt das Hochzeitsceremoniell die feierliche dreimalige Umkreisung des Herdes im Hause des Bräutigams durch die Braut vor.

Aus den eben angeführten Parallelen ist wohl zur Genüge
klar geworden, dass es nach indogermanischer Auffassung zur
rechtsgültigen Einführung in den Verband der Hausgenossenschaft
unbedingt erforderlich war, dass der Initiand in feierlicher Weise
das geheiligte Zentrum des Hauses, das lodernde Herdfeuer,

---

[1] vgl. Rossbach, Untersuchungen über die römische Ehe, S. 361 f.
[2] s. Riess, a. a. O., Sp. 30.
[3] vgl. Samter, S. 62.
[4] vgl. v. Schroeder, S. 289.
[5] s. Hillebrandt, Ritualliteratur, S. 4.
[6] vgl. Manuk Abeghian, Der armenische Volksaberglaube, Jenaer
Inaugural-Dissertation, 1899, S. 69.
[7] vgl. Darinsky, Zschr. f. vgl. Rechtsw., 14. Bd., S. 203;
L. v. Schroeder, S. 277.
[8] vgl. v. Schroeder, S. 275.

dreimal umschritt. Nun gelten aber, wie bereits erwähnt wurde,
nach indogermanischer Anschauung nicht nur die Hausgenossenschaft, sondern auch die der Hausgenossenschaft übergeordneten
Geschlechter und Geschlechterverbände, die Stämme und Stammesverbände als „ignis communiones"; folglich sollte zu erwarten
stehen, dass auch bei der Initiation in diese höherorganisierten
Herdgenossenschaften ähnliche Riten wie bei der Einführung
neuer Hausgenossen in die ignis communio des Hauses zur Anwendung kamen. Es muss deshalb für den ersten Augenblick
überraschend wirken, dass sich ausser in Griechenland, wo in
gewissen Städten die neuen Epheben bei ihrer Einschreibung in
die Bürgerlisten auf der Hestia am Prytaneion opferten („ἐν τῷ
πρυτανείῳ, ἐπὶ τῆς κοινῆς ἑστίας τοῦ δήμου")[1]), m. W. nirgends sonst
bei den Indogermanen die Gepflogenheit nachweisen lässt, bei der
Initiation in die höher organisierten Verbände des öffentlichen
Lebens etwaige den herdgenossenschaftlichen Charakter
dieser Gemeinschaften betonende Ceremonien zu üben. Worauf
ist diese merkwürdige Erscheinung zurückzuführen? Sollen wir
den Umstand, dass uns von derartigen Riten nichts vermeldet
wird, der Lückenhaftigkeit unseres Quellenmaterials zuschreiben,
oder dürfen wir annehmen, dass der eben erwähnte griechische
Ritus eine recente Bildung sei, dem bei den übrigen indogermanischen Stämmen eine ähnliche Uebung nicht entsprochen
habe? Obzwar ich das Gewicht der Gründe, welche sich für die
erste Behauptung vorbringen liessen, keineswegs verkenne,
glaube ich doch, mich für die zweite Annahme entschliessen zu
müssen, dies hauptsächlich geleitet von der Erwägung, dass
die Uebung derartiger, den herdgenossenschaftlichen Charakter
der höheren politischen Verbände betonenden Initiationsceremonien
bei den Indogermanen in der Regelzahl der Fälle eine rituelle
Ueberflüssigkeit gewesen wäre. Ich glaube nämlich behaupten zu dürfen, dass es gar nicht noch besonders notwendig
war, bei der Aufnahme eines dem Stamme eingeborenen Knaben
in den Verband des Geschlechtes oder des Volkes eine solenne
Zuführung des Initianden zum heiligen Herdzentrum der

---

[1]) vgl. Corp. inscr. Att. II. 470; Reisch in Pauly-Wissowas Realencycl.,
s. v. „Altar", Sp. 1648.

Genossenschaft vorzunehmen, weil eben der Novize, sofern er nur dem Stamme eingeboren war, schon seit seiner frühesten Kindheit Teilhaber nicht nur der ignis communio des Hauses, sondern auch jener des Geschlechtes, des Geschlechtsverbandes und des Stammes war. Das Feuer des häuslichen Herdes ist nämlich bei den Indogermanen kein originäres, im Hause selbst erzeugtes, sondern ein vom Herde der höheren Verbände feierlich geholtes.[1]) Die Flamme am häuslichen Herd ist sonach wesensgleich mit dem am Herdzentrum der politischen Gemeinschaft lodernden Feuer. Aus diesem Grunde braucht derjenige, der bereits an dem ignis einer Hausgenossenschaft Teil hat, nicht noch besonders in die Herdgemeinschaft des Stammes aufgenommen zu werden.

Gänzlich anders musste sich die Sachlage gestalten, wenn es sich darum handelte, einen stammfremden Ausländer in den Verband des Volkes aufzunehmen. Dieser war keiner Hausgenossenschaft des Stammes zugehörig, er war daher auch in dem Augenblicke, wo er in die Volksgemeinschaft eintreten sollte, noch nicht, wie etwa der wehrhaft gewordene Jüngling, Mitglied der ignis communio des Stammes. Hier ergab sich demnach die Notwendigkeit, den Initianden auch in die ignis communio des Volkes solenn einzuführen. Aus diesem Grunde vermeine ich behaupten zu dürfen, muss im sakralen Einbürgerungsverfahren der heidnisch-slovenischen Zeit die Zuführung des zu impatriierenden Stammfremden zum Zentral-Focus der slovenischen Volksgemeinschaft eine bedeutende Rolle gespielt haben. Worin dieser Feuerritus des heidnisch-slovenischen Impatriierungsverfahrens des näheren bestand, lässt sich selbst-

---

[1]) vgl. für die Kelten Bastian, Zeitschr. f. Ethnologie, 1. Bd., S. 420; Eckermann, 3. Bd., 2. Abt., S. 121; Lippert, Kulturg. 1. Bd., S. 273; für die Perser Geiger, Ostiran. Kultur, S. 257; für die Inder Hillebrandt, Vedische Mythologie, 2. Bd., S. 96, Anm. 1; für die Germanen Lippert, Christentum, S. 487; Jahn, Die deutschen Opfergebräuche etc., S. 130; Waizer, Kulturbilder und Skizzen aus Kärnten, S. 49; für die Armenier vgl. Manuk Abeghian, S. 72 fg.; für die Slaven vgl. Urbas, Abergl. d. Slovenen, Zschr. f. öst. V., Jg. 1898, S. 149; die Sitte findet sich auch bei nicht-indogermanischen Völkern, s. Kohler, Z. f. vgl. R., 14. Bd., S. 315.

redend heute mit voller Sicherheit nicht mehr bestimmen; doch
spricht die grösste Wahrscheinlichkeit dafür, dass diese Solennität
den Ceremonien geglichen haben dürfte, welche die Südslaven
bei der Aufnahme hausfremder Personen in die ignis communio
der Hausgenossenschaft übten. Da dieser Ritus bei den
Südslaven ursprünglich überall, wie bei allen anderen indogermanischen Stämmen, in der feierlichen dreimaligen Umkreisung
des häuslichen Herdfeuers gegipfelt haben muss, so dürfte auch
der Feuerritus des slovenischen Einbürgerungsverfahrens in einer
dreimaligen solennen Umschreitung der κοινή ἱστία der slovenischen
Volksgemeinschaft bestanden haben. Man darf vielleicht sogar
vermuten, dass der von den beiden oben besprochenen Handschriften des „Schwabenspiegels" erwähnte Ritus der dreimaligen
Umkreisung des Fürstensteines eigentlich eine dreimalige Umwandlung des gesamten Schauplatzes der Ceremonie, d. h. nicht
allein des Steines, sondern auch der in seiner Nähe lodernden
Holzstösse dargestellt habe.

Es ist nunmehr wohl klar geworden, weshalb man beim
Akte der Herzogseinführung solange an dem Brauche festhielt,
durch den „Brenner" einige Holzhaufen entflammen zu lassen.
Zur Zeit, als die deutsche Gewalt und mit ihr das Christentum
ins Land drang, muss sich in nächster Nähe des Fürstensteines,
des Kultheiligtums der Kärntner Slovenen, auch das heilige Herdzentrum dieser Volksgenossenschaft befunden haben. Als sich
nun zum erstenmale die Notwendigkeit einer Herzogseinführung
ergab, mochte man zwar den Herdcharakter der alten Kultstätte
äusserlich, durch Einstellung des heidnischen Feuerdienstes, bereits ausgetilgt haben, aber damit konnte die tiefeingewurzelte
Auffassung, dass der Volksverband eine ignis communio sei, und
dass, wer diesem Verbande zugeführt werden solle, auch Mitglied
dieser ignis communio werden müsse, noch keineswegs aus-
gerottet worden sein. So leicht man auch die sinnlichen Wahrzeichen eines Kultes mit Hilfe der Gewalt zu vernichten vermag,
so schwer ist es, die an diese Symbole geknüpften Anschauungen
zu bekämpfen. Wir werden deshalb vermuten dürfen, dass man
sich in damaliger Zeit in Kärnten, mochte auch das Herdzentrum
der Volksgenossenschaft zerstört gewesen sein, eine solenne
Aufnahme in den Stammesverband nicht ohne die Gegenwart
des flammenden Feuers denken konnte. So mag es denn ge-

kommen sein, dass man beim Akte der ersten Herzogseinführung
der Stätte, an der sich der Fürstenstein befand, durch Entzündung mehrerer Holzstösse temporär, für die Dauer der
Initiationsceremonie, den alten Herdcharakter verlieh. Die
Kirche konnte den Brauch in dieser rudimentären Verkümmerung
ruhig dulden, umsomehr als eine Uebung des alten Feuerdienstes
nicht mehr möglich war, und auch der christliche Herzog
brauchte an der Sitte keinen Anstoss zu nehmen.

Die Richtigkeit der in diesem Abschnitte bisher gewonnenen
Resultate wird m. E. bestätigt, wenn man den Trinkritus der
Fürstenstein-Ceremonie schärfer ins Auge fasst. Bekannter-
massen wurde bei der Herzogseinführung der Brauch geübt, dass
der Fürst aus einem Bauernhute, der mit frischem Wasser ge-
füllt war, einen Trunk tun musste. Ich glaube diesen Trinkritus, der einen der interessantesten Züge des Fürstenstein-
Dramas darstellt, als ein Seitenstück zur Feuerceremonie
der Herzogseinführung bezeichnen zu dürfen und behaupte, dass
durch diesen Brauch der stammfremde Herrscher in die aquae
communio der Kärntner Slovenen aufgenommen werden sollte.

Wir haben oben ausgeführt, dass dem Indogermanen
Zentralbegriff aller rechtlichen Gemeinschaft die ignis communio
gewesen sei. Dieser Satz bedarf einer nicht unwichtigen Ergänzung.
Jede ignis communio ist nämlich nach indogermanischer Auf-
fassung zugleich auch eine aquae communio. Wir werden des-
halb, um das innerste Wesen des indogermanischen
Genossenschaftsbegriffes mit aller nur wünschenswerten
Präzision definieren zu können, mit Leist sagen dürfen: Dem
Indogermanen ist Grundbegriff aller rechtlichen Gemeinschaft die sakralgeeinte aquae et ignis communio.[1]
Dies gilt nicht allein von der Hausgenossenschaft, sondern auch
von allen der Hausgenossenschaft übergeordneten Verbänden.
Aus diesem Grunde steht zu erwarten, dass die Indogermanen
bei der Initiation in diese Verbände den Initianden durch ent-
sprechende Riten nicht nur zum Teilhaber der ignis communio,

---

[1] vgl. Leist, 1. Bd., S. 294, ferner S. 268 fg., S. 43, 46, 154,
159 fg. — Ueber den Begriff der aquae et ignis communio vgl. noch
Lippert, Kulturgeschichte. 1. Bd., S. 268; 2. Bd., S. 7.

sondern auch zum Genossen der aquae communio der betreffenden Gemeinschaft machten. Wenn wir nun, von dieser Präsumtion ausgehend, die quellenmässige Ueberlieferung durchforschen, so bietet sich uns ein ähnliches Ergebnis dar, wie bei der Erörterung der Frage, ob die Indogermanen den Gedanken, dass jede rechtliche Gemeinschaft eine ignis communio sei, auch bei allen initiatorischen Akten zum Ausdruck gebracht haben.

Auch hier können wir vorerst konstatieren, dass eine grosse Reihe indogermanischer Völker bei der Initiation in die Hausgenossenschaft Ceremonien übt oder geübt hat, welche die Aufnahme des Neulings in die aquae communio des Hauses andeuten sollen.

Unsere Rundschau über die zum Beweise der vorstehenden Behauptung anzuführenden Riten mag zunächst wiederum mit der Betrachtung der südslavischen Parallelen einsetzen. Bei den orthodoxen bosnischen Serben gilt an manchen Orten folgender Hochzeitsbrauch[1]): wenn die Braut vor dem neuen Heim angelangt ist, zieht sie aus dem vor dem Hause stehenden Wasserfasse mit den Zähnen den Seitenstoppel heraus, so dass das Wasser herausrinnen kann und legt auf das Fass als Opfergabe eine Silbermünze. Hierauf wird sie ins Haus und zwar zuerst zum Herde geleitet. Anderwärts in Bosnien tritt die junge Frau über ein kupfernes, mit Wasser gefülltes Gefäss in des Bräutigams Haus.[2]) Eine Modifizierung dieses Brauches scheint es zu sein, wenn man an manchen Orten der Braut eine Schüssel Wasser vor die Füsse giesst oder wenn sie selbst mit den Füssen die zwei Wassergefässe, die man vor das Haustor gestellt hat, umstösst.[3]) Auch findet sich die Sitte, das die mlada (junge Frau) bei ihrem Einzug ins Haus zwei mit Wasser gefüllte Kupfergefässe an den Herd trägt.[4]) In Slavonien reicht die Schwiegermutter der Braut vor dem Eintritte ein Glas Wasser und ein Glas Wein.[5]) Der Wein

---

[1]) vgl. L i l e k, Wissensch. Mitt. aus Bosnien u. d. Herc., Jg. 1900, S. 303.

[2]) L i l e k, S. 332.

[3]) L i l e k, a. a. O.

[4]) L i l e k, a. a. O.

[5]) vgl. K r a u s s, S. 398.

dürfte hier wohl erst eine spätere Zugabe sein. Zu Kukuš
in Bulgarien herrscht die Sitte, der Braut, nachdem sie vor
dem neuen Heim vom Wagen gehoben worden, einen Behälter
mit jenem Wasser zu übergeben, mit dem sich der Bräutigam
in der Frühe das Gesicht nach dem Barbieren gewaschen.[1])
Hier hat der altheilige Brauch schon eine komische Umdeutung
erfahren.

Nicht zu trennen von diesen Bräuchen sind ähnliche bei
den Kroaten und Slovenen geübte Ceremonien. An manchen
Orten Kroatiens begibt sich der Hochzeitszug zum Dorfbrunnen.
Die Brautleute gehen dreimal um den Brunnen herum und beim
dritten Umgang werfen sie einen mit Kupfermünzen bespickten
Apfel hinab.[2]) Bei den Krainer Slovenen „führt man die Braut
zum allgemeinen Brunnen des Dorfes; allda sie dem Umstande
einen Trunk Wassers zutrinkt und in das Geschirr oder Gefäss
einige Münzen wirft.“[3]) In diesen Fällen ist es nicht das
Wasser der Hausgenossenschaft, sondern der Dorfbrunnen,
dem die Braut zugeführt wird. Diese kroatischen und slovenischen
Bräuche stellen einen Nachklang aus jener Zeit dar, wo die
südslavische Dorfgemeinschaft noch exogam war, wo also jede
Braut dorffremd (= geschlechtsfremd) war und daher auch erst
in den Verband des Geschlechterdorfes[4]) aufgenommen werden
musste. Besonders hervorgehoben zu werden verdient natürlich
der Umstand, dass just bei den Slovenen der initiatorische
Wasserritus des Hochzeitsceremoniells im Trinken[5]) des Wassers
gipfelt.

Was die Deutschen betrifft, so können wir auch bei ihnen
die solenne Zuführung der Braut zur aquae communio des
Hauses nachweisen.

---

[1]) s. Krauss, S. 447; Strauss, Die Bulgaren, S. 325.
[2]) vgl. Krauss, S. 386; Leist, Altar. Jus Civile, 2. Bd., S. 117;
Leist bemerkt zu diesem Brauche richtig: „slavische Darstellung der aquae
et ignis communio“. Ueber ähnliche bulgarische Bräuche vgl. Krauss,
S. 450 fg.
[3]) vgl. Valvasor, S. 314; der Brauch herrscht noch heute, s.
Reinsberg-Düringsfeld, S. 92.
[4]) An eine Einführung in den „Bezirk“ denkt auch Samter, S. 26.
[5]) In gleicher Weise wird der Ritus bei den Neugriechen geübt:
s. Reinsberg-Düringsfeld, S. 59.

Im deutschen Egerlande[1]) herrschte vormals folgender
Brauch: wenn der Hochzeitszug vor dem Hause des Bräutigams
ankam, reichte die Mutter des Bräutigams der Braut ein Glas
Wasser zum „Willkommentrunk". das die Braut mit einem
Zuge leerte und hinter sich warf. Hiedurch, so deutete man
sich den Brauch, bekundet die Braut ihre Bereitwilligkeit, auch
bei schlechter Kost und einfachem Trank im Hause ihres Mannes
vorlieb zu nehmen. Bei den Deutschen im südwestlichen
Mähren erhält die Braut, bevor ihr die Tür des neuen Heims
geöffnet wird, ein Glas Wasser, dann Wein, den sie mit dem
Bräutigam austrinkt[2]). Bei den Sachsen in Siebenbürgen muss
das Brautpaar vor dem Tore des Bräutigamhauses über ein
mit Wasser gefülltes Gefäss springen.[3])

Voll ausgeprägt findet sich der Gedanke, dass die Braut
der aquae communio der Hausgenossenschaft zugeführt werden
müsse, bei den Römern.[4]) War die Braut ins neue Heim
eingetreten, so wurde eine Ceremonie vorgenommen, welche die
Römer mit „aqua et igni accipi" bezeichneten. Aus den uns
über diesen Brauch vorliegenden Berichten geht hervor, dass
der Ritus in seinen Einzelheiten bereits ins Schwanken geraten
war. Plutarch erzählt, dass die Braut neben dem Herdfeuer
auch das Wasser habe berühren müssen, andere Quellen melden,
dass die Braut mit reinem Wasser besprengt worden sei. Mag
dem wie immer sein, so tritt doch der initiatorische Charakter
des Brauches in vollster Deutlichkeit hervor.

Schliesslich sei noch erwähnt, dass auch bei den alten
Indern eine Aufnahme der Braut in die aquae communio der
Hausgenossenschaft geübt worden sein dürfte.[5])

---

[1]) vgl. Michael Urban, Zu den älteren Hochzeitsbräuchen im
Egerlande. Zschr. f. österr. Volksk., Jg. 1898, S. 111; ein ähnlicher Ritus
findet sich in der Oberpfalz: wenn in der Gegend um Amberg die Braut
heim Bräutigam eintritt, reicht man ihr einen Trunk Wassers. damit sie
nicht übermütig wird; vgl. F. Schönwerth, Aus der Oberpfalz, 1. Teil,
S. 76 f., 94.

[2]) vgl. Vrbka, Zschr. f. öst. Volksk., Jg. 1896, S. 168.

[3]) Weinhold, Die deutschen Frauen[3], 1. Bd., S. 380.

[4]) vgl. Leist, Alt. Jus Civ. 1. Bd., S. 154 fg.; Rossbach,
S. 361—367.

[5]) vgl. Schrader, Reallexikon, S. 356. Für die Litauer vgl. Eckermann,
4. Bd., 1. Abt., S. 96: An des Mannes Grenze trat der Braut ein Mann

Soviel über die solenne Initiation in die aquae communio der indogermanischen Hausgenossenschaft. Was die der Haus- und Geschlechtsgenossenschaft übergeordneten Verbände, die man sich ja unter dem Bilde von Gross - Hausgenossen- schaften und daher auch als aquae et ignis communiones vorstellte, betrifft, so können wir, wie bereits oben ange- deutet wurde streng genommen nur in einem einzigen Falle konstatieren, dass bei der Initiation in diese höheren Ver- bände eine solenne Zuführung zur aquae communio statt- fand, u. z. sind es wiederum die Griechen[1]), die einen derartigen Brauch[2]) übten. Antiphanes lässt eine Sklavin sagen: „Wenn ich das und das nicht tue, μηδέποθ' ύδωρ πίοιμι ἐλευθέριον“, d. h. „will ich den Wassertrunk der Freiheit nicht tun.“ Diese Redensart ist uns durch weitere Quellen be- legt, so durch die Angabe des Atticisten Pausanias bei Eusthatius: „ἐν Ἀργει Κυνάδρα κρήνη, ἐξ ἧς ἔπιον οί ἐλευθερούμενοι.....“ Aus derselben Ueberlieferung schöpft Hesych die Glosse „ἐλευθέριον ύδωρ. Ferner berichtet uns Pausanias der Perieget: „Μυχήνων δὲ ἐν ἀριστερᾷ πέντε ἀπέχει καὶ δέκα στάδια τὸ Ἡραῖον· ῥεῖ δὲ κατὰ τὴν ὁδὸν ύδωρ Ἐλευθέριον καλούμενον......“ M. E. lässt sich dieser merkwürdige Freilassungsritus am ungezwungensten erklären, wenn man annimmt, dass der Sklave durch den Trunk aus der heiligen Quelle in die aquae communio jenes πόλις — Ver- bandes, dem das Heiligtum jener Quelle zugehörte, aufgenommen werden sollte.

--

entgegen, in der einen Hand einen lodernden Feuerbrand, in der andern ein volles Trinkgefäss (mit Wasser?) haltend...., aus dem sie trinken muss... Nachdem sie ins Haus geführt worden, trinkt sie zum zweitenmale und wird sodann an den Herd geführt; vgl. den in Meyer's Konvers.-Lexikon s. v. „Hochzeitsgebräuche“ besprochenen preussischen Hochzeitsritus; ferner Carus Sterne, Das Sonnenlehen. Sonntagsbeilage zur Vossischen Zeitung, Jg. 1892, Nr. 14.

[1]) vgl. oben S. 180.
[2]) s. U. v. Wilamowitz-Möllendorf, Ἐλευθέριον ύδωρ, Hermes, 19. Bd., S. 463—465; Bachofen, Versuch über d. Gräber- symbolik d. Alten, S. 198, Mutterrecht[1], S. 137. Es darf in diesem Zu- sammenhange wohl auch daran erinnert werden, dass die Römer den Zustand der Knechtschaft mit den Worten „aquam servam bibere“ bezeichneten und von einem „aquam liberam gustare“ der Freigelassenen sprachen (s. Loon,

Mag man nun das Fehlen fast jeglicher Nachricht[1]) über
ähnliche, bei der Initiation in die höherorganisierten Verbände
geübte Wasserriten wie immer erklären — mag man der lückenhaften Ueberlieferung die Schuld beimessen oder, wie ich vermeine annehmen zu dürfen, supponieren, dass der dem Stamme
Zugeborene bereits durch die feierliche Aufnahme in die Hausgenossenschaft Mitglied der aquae communio des Stammesverbandes geworden sei[2]), so ist doch klar, dass bei der

---

De manumissione, 1685, S. 105 f.). Ferner darf hier die eigentümliche, von
S e n e c a angewendete Freilassungsform (s. B a c h o f e n , Gräbersymbolik,
S. 193, Mutterrecht, S. 136 f.) erwähnt werden. S e n e c a übte nämlich
im Tempel des Zeus Libertas Manumission durch Besprengung mit warmem
Wasser. Im Besprengen liegt eine Mitteilung des Wassers; vgl. die
Hochzeitsgebräuche, wo die Braut mit dem ihr entgegengebrachten Wasser
besprengt wird; ferner H e r m a n n , Lehrb. d. gottesdienstl. Altert. d.
Griechen (1846), S. 126: „. . . . Sämtliche Anwesende wurden . . . . mit
geweihtem Wasser besprengt, dessen Mitteilung als Symbol der Teilnahme
an der gottesdienstlichen Gemeinschaft galt."
    [1]) Ob der Κυκεών der Eleusinienweihe, ein aus Wasser, Mehl und anderen
Ingredienzien bereiteter Mischtrank (vgl. H a t c h , Griechentum und Christentum, S. 213, A n r i c h , Mysterienwesen, S. 29) und ein ähnlicher bei den
Mithras-Mysterien verwendeter Trank (s. C r e u z e r , Symbolik u. Mythol., 2. Bd.,
S. 213) mit den oben angeführten Trinkriten des indogerm. Hochzeitsrituals in
eine Reihe gestellt werden dürfen, muss näherer Untersuchung vorbehalten bleiben.
An dieser Stelle immerhin erwähnenswert sind folgende Bräuche: in Poitiers
wurde niemand in die Matrikel verzeichnet, d. h. also in den Universitäts-
verband initiiert, der nicht vorher aus der f o n t a i n e c a b a l l i n e zu
Croustelles g e t r u n k e n und auf dem p i e r r e l e v é e sich u m g e s c h a u t hatte
(vgl. F a b r i c i u s , Die akademische Deposition, S. 25, Anm. 17). In
W i t t e n b e r g mussten noch im 19. Jahrh. alle angehenden S t u d e n t e n
a u s d e m L u t h e r b r u n n e n t r i n k e n (s. F a b r i c i u s , S. 25). Bei
den indischen Sikhs, die allerdings auf reines arisches Blut keinen Anspruch
mehr erheben dürfen (vgl. T r u m p p , Mitteilung. d. Wiener anthr. Ges.,
Jg. 1872, S. 293), werden bei der Jünglingsweihe die Initianden mit Wasser
aus einem heiligen Teiche besprengt und bekommen von diesem Wasser auch
zu trinken. (T r u m p p , S. 299 f.). Fraglich scheint es, ob der im
Taufceremoniell der Mandäer und justinischen Ophianer geübte Initiations-
ritus des Wassertrunks (vgl. B r a n d t , Die mandäische Religion, S. 108 fg.,
181, 201) in diesen Zusammenhang gehört.
    [2]) Der Sitte, zu gewissen festbestimmten Zeiten das Feuer am Herde
zu löschen und neues vom Herde der nächst höheren politischen Gemeinschaft
zu holen, entspricht vielerorts (auch in Kärnten, s. W a i z e r , Kulturbilder,
S. 48) der Brauch, zur nämlichen Zeit aus einer geheiligten Quelle W a s s e r

Aufnahme eines stammfremden Ausländers in den Volksverband
der Gedanke, dass die Stammesgenossenschaft eine aquae communio sei, mächtig zur Verlebendigung im Initiationsritual
drängen musste. Der Stammfremde gehörte keiner Hausgenossenschaft innerhalb des Volksverbandes an, musste daher im Gegensatz zu den bei den Jünglingsweihen in den Volksverband
aufzunehmenden Jünglingen, die man wohl schon seit ihrer
Geburt als zur aquae communio des Stammes gehörig betrachtete,
in solenner Form auch in die aquae communio des Stammes
eingeführt werden. Von dieser Erwägung geleitet, glaube ich
denn mit Rücksicht auf die bei der Einführung in die aquae
communio der indogermanischen Hausgenossenschaft gebräuchlichen Riten, die auch bei der Aufnahme in den Stammesverband
sinngemäss zur Anwendung gelangen mussten, behaupten zu
dürfen, dass der Trinkritus der Fürstenstein - Ceremonie der
solennen Aufnahme des stammfremden deutschen Herrschers in
die aquae communio der Kärntner Slovenen diente.

Mit den vorstehenden Ausführungen ist, was im Rahmen
dieser Untersuchung über den Wasserritus der Herzogseinführung zu sagen wäre, noch keineswegs erschöpft. Vor
allem verdient der Umstand Beachtung, dass J o h a n n e s
v o n V i c t r i n g ausdrücklich erwähnt, der Herzog müsse einen
Trunk frischen Wassers ("aque frigide") tun. Vielleicht ist
diese Vorschrift ein Nachklang der im ganzen Initiationsakte
nachwirkenden altsakralen Ideen. Das zur sakralen Handlung
verwendete Wasser muss frisch geschöpft sein.[1]) Deshalb wird
bei der Aufnahme der römischen braut in die apuae communio
des Hauses frisches Wasser verwendet.

Von besonderem Reize ist der altertümliche Zug, dass der
Herzog das Wasser aus einem Bauernhute trinken musste.
Ich wage es, diesen merkwürdigen Brauch in Verbindung mit
altertümlichen Sakralvorschriften zu bringen. Nach r ö m i s c h e m

---

zu schöpfen und mit dem Wasser in feierlichem Schweigen nach Hause
zurückzukehren. Wahrscheinlich war der Zweck dieses Brauches, die Wesensgleichheit zwischen dem Wasser der Hausgenossenschaft und jenem des
nächst höheren Sakralverbandes herzustellen und aufrechtzuerhalten.

[1]) vgl. P r e l l e r, Röm. Mythol.[3], 2. Bd., S. :64; B o e t t i c h e r,
Tektonik der Hellenen, 2. Bd., S. 485.

Brauche durfte heiliges Wasser nur aus Gefässen geschöpft werden, die nicht stehen, sondern nur getragen werden konnten.[1]) Servius berichtet über diese zum Gebrauch des bei der sakralen Handlung erforderlichen Wassers dienenden Gefässe:[2]) „futtile vas quoddam est lato ore; fundo angusto, quo utebantur in sacris Vestae, quia aqua ad sacra Vestae hausta in terra non ponitur; quod si fiat piaculum est. Unde excogitatum est vas, quod stare non posset, sed positum statim effunderetur." Solcher Gefässe bedienten sich auch die Schotten bei „the well of Airth", woselbst Zeugenverhöre stattfanden. Auch sind wendische Erzgefässe, die nicht stehen können, an verschiedenen Orten gefunden worden.[3]) Man wollte, indem man die Benützung solcher Gefässe vorschrieb, die Verwendung abgestandenen Wassers beim sakralen Akte verhindern. Ein ähnlicher Gedanke mag vielleicht dem kärntnerischen Brauche zugrunde liegen. Der Hut, an dessen Verwendung als Trinkgefäss die damalige Zeit nicht den geringsten Anstoss nehmen konnte[4]), ist ein Gefäss, das vollständig jenen eben genannten altertümlichen Sakralvorschriften entspricht. Auch er ist ein Wasserbehälter, der nur getragen und nicht ohne Schaden für den Inhalt auf die Erde gestellt werden kann, also gleich den römischen futtilia die Verwendung vollkommen frischen Wassers beim sakralen Akte garantiert.

Es erübrigt am Schlusse der Ausführungen dieses Abschnittes nur noch, mit einigen Worten auf die bisher vorgebrachten Versuche zur Deutung des Wasserritus der Fürstenstein-Ceremonie zurückzukommen. Die älteste Deutung findet

---

[1]) s. Preller, Röm. Mythol.[3], 2. Bd., S. 167; Leist, 1. Bd., S. 129.

[2]) Serv. Aen. 11, 339.

[3]) vgl. Grimm, Mythologie[4], 3. Bd. (Nachträge), S. 167. — Bei den Armeniern gilt folgende Vorschrift: wenn der Kranke nicht zur heilspendenden Quelle gehen kann, so holt man ihm das Wasser. Die Wasserschöpfer dürfen aber bei der Rückkehr sich nicht umsehen, noch das Gefäss auf den Boden niedersetzen; s. Manuk Abeghian, Der armen. Volksaberglaube, S. 58, 63.

[4]) vgl. hiemit die noch heute übliche serbische Trinkersitte, sich das leere Glas gleich einem Hute auf den Kopf zu setzen; s. Krauss, Mitteil. d. Wien. anthr. G., Jg. 1886, S. 127.

sich im Berichte des Johannes von Victring[1]), der damit
wohl nur einer zu seiner Zeit in Kärnten allgemein verbreiteten
Anschauung Ausdruck verlieh.   Der Abt meint, der Herzog
habe durch den Wassertrunk das Volk zur Mässigkeit aneifern
wollen. Aehnlich sagt Aeneas Sylvius, der Brauch sei geübt
worden zum Zeichen, dass der Herzog den Wein verachte.[2])
Die Unrichtigkeit dieser Erklärung liegt offen zutage; fand
doch wenige Stunden nach der Fürstenstein-Ceremonie das
feierliche Inthronisationsmahl statt, bei dem einer der hohen
Landeswürdenträger als Mundschenk des Herzogs seines Amtes
waltete. Der südsteirische Wein dürfte wohl bei diesem Anlasse
nicht gefehlt haben. Es liegt in der von dem Abte gegebenen
Erklärung eine Umdeutung einer späteren Zeit vor, die das
Wesen des Brauches nicht mehr verstand, ähnlich jener Deutung,
die man für den oben erwähnten Trinkritus der egerländischen
Hochzeit vorgebracht hat.[3]) Zu nennen ist noch Puntscharts
Erklärungsversuch. Puntschart glaubt[4]), dass in dem Brauche
das demokratische Moment deutlich zum Ausdruck komme.
„Der Herzog erscheint als schlichter Mann des Volkes in der
Tracht sowohl als in der Sitte.“ Da dieses angebliche „demo-
kratische“ Moment vor der Kritik nicht standgehalten hat, so
entfällt für uns jede Nötigung, diese von Puntschart versuchte Deutung eingehender zu besprechen.

Somit dürfen wir, die Ausführungen dieses Abschnittes
abschliessend, sagen, dass der Feuer- und der Wasserritus der
Herzogseinführung untrennbar zusammengehören und daher in
einem Blicke der Betrachtung erfasst werden müssen: durch
sie wird der deutsche Fürst in die aquae et ignis communio
der Kärntner Slovenen eingeführt. Freilich war den beiden
Bräuchen zur Zeit, aus der unsere ältesten Berichte stammen,
bereits jedes innere Leben geschwunden.[5])

---

[1]) vgl. Puntschart, S. 48.
[2]) vgl. Puntschart, S. 80.
[3]) s. oben S. 186.
[4]) vgl. Puntschart, S. 134.
[5]) Es schien mir der Mühe wert, der Frage nachzugehen, welches denn
die Quelle gewesen sei, aus der das beim Wasserritus der Herzogseinführung

X.
Das „Prüfungsverfahren", der „Garantievertrag" und die Entgeltleistung.

Der Herzog, der zum Fürstensteine strebt, um sich dessen initiatorische Kraft anzueignen, findet ihn vom Herzogsbauer besetzt. Erst nach einer umständlichen Frageprozedur, durch die er sich über die Würdigkeit des vor ihm stehenden Fürsten informiert, nach einer Garantieleistung der den Herrscher unmittelbar geleitenden Personen und nachdem er sich ein Entgelt für die Ueberlassung des Steines ausbedungen, räumt der Bauer den Stein. Welche Momente waren nun — so muss man in gesonderter Untersuchung die Frage aufwerfen — für die Entstehung dieser eben hervorgehobenen, eigentümlichen Züge der Ceremonie: Zutrittsverbot, Frageprozedur, Garantiebegehren und Garantiegewährung, Entgeltforderung und Entgeltleistung —

---

verwendete Wasser geschöpft wurde. Herr Schulleiter Ferdinaud Werkl, Oberlehrer in Lind bei Karnburg, an den ich mich über gütiges Anraten des Herrn Univ.-Prof. Dr. F. Pichler und des Herrn Gewerbe-Oberinspectors Dr. V. Pogatschnigg in Graz in dieser Frage gewendet hatte, teilte mir nun die interessante Tatsache mit, dass sich auf dem Ostabhange der Karnburger Terasse eine „Kaiserbrünnl" genannte Quelle mit östlichem Ausfluss befinde. Diese Quelle, die 25—30 m. über dem Wasserspiegel der Glan liegen dürfte und in 5 Minuten von der Talsohle ohne besondere Beschwerden zu erreichen ist, wurde seinerzeit von Mitteregger analysiert und als schwacher Säuerling bezeichnet. Das Wasser gilt als heilkräftig und wird von Auswärtigen, ja selbst von Klagenfurtern geholt. Es unterliegt meiner Meinung nach keinem Zweifel, dass diese Quelle das bei der Herzogseinführung verwendete Wasser lieferte. Darauf weist vor allem schon der Name „Kaiserbrünnl" (vgl. die Bezeichnung „Kaisertisch" für den Fürstenstein, oben S. 44.), ferner der Umstand, dass das „Kaiserbrünnl" eine Ostquelle mit östlichem Ausfluss ist [Ostquellen sind nach südslavischer Anschauung — und nicht nach dieser allein — besonders segenwirkend (vgl. Lilek, Zeitschr. f. österr. Volksk., Jg. 1900, S. 165; derselbe, Wiss. Mitt. aus Bosnien und d. Herzeg., Jg. 1900, S. 332) und daher wohl ursprünglich zu sakralen Zwecken allein verwendbar], endlich die Erwägung, dass ja die Fürstenstein-Ceremonie anfänglich in der am Fusse des östlichen Abhanges der Karnburger Anhöhe sich hinziehenden Talfläche stattfand, so dass die Quelle von diesem Schauplatze aus in kürzester Zeit ohne Mühe zu erreichen war.

massgebend? Diese Frage ist es, die an den merkwürdigen Riten der Fürstenstein-Ceremonie den Rechtshistoriker besonders interessiert und die auch bei Puntschart und den Rechtshistorikern unter seinen Rezensenten eine grosse Rolle spielt. Nichts natürlicher; scheint hier doch der Punkt gegeben zu sein, an dem der Hebel angesetzt werden könnte, um den innersten Rechtsgehalt des Aktes zutage zu fördern und das über die altkärntnerische Verfassungsgeschichte gebreitete Dunkel zu lichten.

Zur Lösung der eben umgrenzten Frage, die natürlich mit jener nach der Funktion des Herzogsbauers aufs engste zusammenhängt und in Verbindung mit ihr behandelt werden muss, liegen zwei Versuche vor, mit denen wir uns, ehe wir von dem in dieser Untersuchung gewählten Standpunkte aus an das gleiche Problem herantreten, auseinanderzusetzen haben. Es sind dies die Deutungsversuche Puntscharts und Pappenheims.

Nach Puntschart setzt der Herzogsbauer durch die Abtretung des Land und Landesherrschaft repräsentierenden Steines den Herzog in den Besitz des Landes und in die Herrschaft ein. Der Bauer verleiht das Land als Vertreter des Volkes[1]), das Volk ist als der eigentliche Souverän gedacht. Vor der Abtretung des Steines erscheint der Bauer und durch ihn das Volk als Besitzer des Landes. In slavischer Zeit nun, so stellt sich Puntschart vor, wo die Kärntner Slovenen sich selbst ihre Fürsten gaben, handelte es sich darum, vor der Uebertragung des Steines durch die Frageprozedur die formelle Erklärung des Fürsten zu provozieren, dass er gerecht richten und für das Wohl und die Machtstellung der herrschenden Klasse, der Bauernschaft, stets Sorge tragen werde. Demgemäss habe er schon damals den Backenstreich vom Vertreter des Volkes bekommen. Hiedurch erst — nachdem zuvor der Stein durch ein Bargeschäft abgetreten worden — sei der Herzog als der durch den Vertreter des Volkes legitimierte höchste Richter erschienen. Es sollte in der Ceremonie klar zum Ausdruck kommen, dass die Bauernschaft, nicht der Hirtenadel,

---

[1]) vgl. Puntschart, S. 135 f.

Herr im Lande sei, dass die Bauernschaft den Fürsten wähle,
ihn vor der Einsetzung auf seine Qualifikation prüfe und in
„schwerer Weise" zur Erfüllung seiner Aufgaben verpflichte —
kurzum, dass sie allein es sei, der er seine Macht verdanke.
In solchem Geiste wurde die Ceremonie angeblich geübt, bevor
die deutsche Verfassungsorganisation Kärnten ihrem Rahmen
einverleibte. Nach diesem Zeitpunkte wurde wohl, so glaubt
Puntschart, aus dem Wahlrecht des Volkes ein blosses Zu-
stimmungs- und Ablehnungsrecht.[1] Auch dieses musste weichen,
sobald als Krönung der verfassungsrechtlichen Neuordnung an
die Stelle der einheimischen slovenischen Fürsten der hohe
deutsche Reichsbeamte trat. Es folgte nach Puntschart ein
Rechtszustand, wo die Vertreter des Ernennenden — damit zielt
er auf den Pfalzgrafen und die beiden den Herzog geleitenden
Landherren — für die Würdigkeit des Ernannten eidlich garantierten. An die Stelle des Volkes ist der König getreten; aber
er lässt die vom Repräsentanten des Volkes in der Form des
Frageverfahrens solenn geforderte Qualifikation durch seinen
Vertreter garantieren. Das Ritual der „Einsetzung" blieb nach
Puntschart wohl auch in dieser Zeit in allen wesentlichen
Punkten dasselbe.

Was diese Vermutungen Puntscharts betrifft, so ist vor
allem für ihren Ausgangspunkt eine polemische Auseinander-
setzung nicht mehr erforderlich. Der Satz, dass sich in der
Fürstenstein-Ceremonie der Sieg der slovenischen Bauernschaft
über den Hirtenadel der Supane widerspiegle, hat vor dem
Urteile der Kritik nicht standgehalten. Die Behauptung, dass
der Fürstenstein ein Symbol der Herrschaft sei, dass, wer ihn
besitze, das Land besitze, wer ihn einem andern einräume, damit
die Herrschaft, die bislang ihm zugestanden, übertrage, hat sich
als anfechtbar erwiesen. Auch die Annahme, dass sich das
Wahlrecht des Volkes zum Zustimmungs- und Ablehnungsrechte,
vom Zustimmungs- und Ablehnungsrechte zur materiell be-
deutungslosen Entgegennahme einer durch den Vertreter des
deutschen Königs abgegebenen Verbürgungs-Erklärung abge-
schwächt habe, bedarf nur einer kurzen Zurückweisung.

---

[1] vgl. Puntschart, S. 282 fg; s. auch G. L. v. Maurer, Einleitung in die Geschichte der Markverfassung etc., S. 52.

Puntschart stützt sich hier vornehmlich auf eine Bemerkung
der beiden obenerwähnten Handschriften des „Schwabenspiegels",
welche berichten, dass von einem Bauern als vorsitzendem Richter
unter den versammelten Bauern Umfrage gehalten und darauf
von diesen abgestimmt werde, ob sie den angekündigten
Herzog annehmen wollen oder nicht.[1]) Im Falle der Verwerfung
sollte sodann von dem Reiche[2]) ein anderer Herzog gegeben
werden. Dieser Bericht, der m. E. den Charakter eines zur
Erklärung der Fürstenstein-Ceremonie erfundenen verfassungs-
geschichtlichen Märchens deutlich zur Schau trägt, kann keinen
Aufschluss gewähren über die verfassungsrechtlichen Zustände,
wie sie in Kärnten zur Zeit der Aufrichtung des deutschen
Herzogtums bestanden. So erübrigt denn nur noch eine Erörterung der Behauptung Puntscharts, dass der Herzogsbauer
als Vertreter des Volkes die Fragen gestellt und das Entgelt

---

[1]) Ich will hier nicht der Frage nachgehen, ob nicht dieser Bericht der
beiden Handschriften als ein missverstandener Nachhall einer Bestimmung
des altslovenischen Impatriierungsverfahrens aufgefasst werden könnte. Die
Aufnahme eines Ungenossen in die Volksgemeinschaft wird — wie nur
selbstverständlich — oftmals von der Zustimmung der Stammesgenossenschaft
abhängig gemacht. So kennt das griechische Recht eine Abstimmung der
ἐκκλησία über die Bürgerrechtsverleihung (vgl. Hartel, Studien über attisches
Staatsrecht etc., S. 207, 271 f.)

[2]) In seiner Kritik des Puntschart'schen Werkes sagt v. Jaksch
(Mitteil. d. Inst. f. österr. Gesch., Jg. 1902, S. 314) bei der Besprechung des
Berichtes der österreichischen Reimchronik: „Wir vermissen eine Erörterung,
was unter dem Reichsvogt zu verstehen sein könnte, der den Herzog ins
Land gesandt hat." Ich glaube, dass die österreichische Reimchronik mit
den Worten: „in bât dâber gesant, der des riches voget ist" auf den deutschen
König zielt. An einen „Reichsvogt "im streng technischen Sinne des Wortes
(vgl. Schroeder, Rechtsgeschichte⁴, S. 506 fg.) ist natürlich nicht zu
denken; „vogt" bedeutet hier: „defensor, patronus"; s. Grimm, Rechtsaltertümer, 2. Bd., S. 368; C. G. Haltaus, glossarium Germanicum medii
aevi, S. 1975 s. v. „Vogt". Man vergleiche die Worte des Chronicon
Hugonis (Mon. Germ. Script., XIII, S. 458): non debere regem, imperatoris
filium,.... qui Romanae rei publicae patricius tutor et defensor
esse deberet; in einer unechten Urkunde v. J. 956 (Mon. Germ., Diplom.
tom. I, p. 623, No. 459) heisst es: Otto gratia dei imperator Italici regni
defensor....; s. überdies auch noch v. 32747 und 32902 der österreichischen
Reimchronik; ferner Seemüller, Glossar zur österr. Reimchronik, s. v. „Vogt;
Grimm, Deutsches Wörterbuch, s. v. „Reichsvogt".

13*

verlangt, der Pfalzgraf hingegen als Vertreter des deutschen Königs auf die Fragen geantwortet und das Entgelt zugesichert habe. Die ausführliche Besprechung der letzten dieser beiden Annahmen kann erst am Schlusse dieses Abschnittes erfolgen, zur Widerlegung der ersten genügt es vollauf, auf die Ausführungen Pappenheims zu diesem Punkte der Hypothese Puntscharts zu verweisen. Pappenheim[1]) sagt: „In dem Formalismus der Einsetzung deutet nichts darauf hin, dass der Bauer . . . . . als Vertreter des Volkes auf dem Steine sitze. Im Gegenteile! Die anwesende Volksmenge nimmt nur als Zuschauerin an der Ceremonie teil; nicht einmal von einer Beifallsäusserung . . . . . ist hier die Rede. Der Herzogsbauer tritt durchwegs als aus eigenem Rechte handelnd auf. Dem Anspruche des Herzogs stellt er die Frage entgegen, mit welchem Rechte dieser ihn von seinem Sitze entfernen solle. Das hiefür zu leistende Entgelt wird ihm zugesichert und eingehändigt. Er nimmt allein den Uebertragungsakt vor. Täte er dies alles als Vertreter des Volkes, so müsste dies doch in irgend einer Weise erkennbar werden. Der Inhalt des Einsetzungsaktes spricht aber direkt dagegen. Die Herzogseinsetzung kleidet sich in die Form einer entgeltlichen Uebertragung des Land und Landesherrschaft repräsentierenden Fürstensteines unter alsbaldiger Besitzeinweisung. Die Belehnung des Herzogs durch den König erscheint in diesem Zusammenhange als die Tatsache, die ihm einen Anspruch auf die Uebertragung verschafft hat . . . . . Die Uebertragung kann daher nicht einen Wahlakt des Bauers, respektive der durch ihn vertretenen Bauernschaft darstellen."

Sehen wir von jenen Sätzen dieser eben citierten Ausführungen ab, die von der Uebertragung des „Land und Landesherrschaft repräsentierenden Fürstensteines" handeln, deren Richtigkeit ich nicht zuzugeben vermag, so trifft Pappenheim m. E. den Kern der Sache: von einer Vertretung des Volkes durch den Bauer kann keine Rede sein. Welche Stellung weist nun Pappenheim dem Herzogsbauer zu und wie vermag er seine inquisitorische Rolle zu erklären? Pappenheim sagt

---

[1]) vgl. Pappenheim, S. 311.

hierüber folgendes:[1]) „Die Herzogseinsetzung dient der formal
freiwilligen Uebertragung der Herrschaft an die durch die
königliche Belehnung bestimmte Persönlichkeit, deren Identität
und Qualifikation allein durch die dahin gehenden Fragen und
Antworten festgestellt und verbürgt wird. Die Uebertragung
der Herrschaft kann aber nur erfolgen durch deren zeitigen —
wenn auch formalen Inhaber. Als solcher erscheint der Herzogsbauer, der, kurz gesagt, als Bauernherzog zu betrachten ist.
Als solcher sitzt er auf dem Fürstensteine, ein Bein über das
andere geschlagen, d. h. in seiner äusseren Erscheinung das
Nachdenken über die Geschäfte seines Amtes zur Schau tragend.
Aus eigenem Rechte überträgt er die Herrschaft dem vom
König Belehnten. Er vertritt nicht das Volk in der Wahl des
Herzogs, sondern er überträgt die ihm formell als Bauernherzog
zustehende Herrschaft dem vom König mit dem Herzogtum
Belehnten. Darin, dass der Königsherzog dieser Uebertragung
der Herrschaft seitens des Bauernherzogs bedarf, um in den
Besitz des ihm verliehenen Amtes zu gelangen, ist natürlich
eine Erinnerung an die Zeit zu erblicken, wo lediglich ein
Bauernfürst die Herrschaft ausübte."

Ist dieser Konstruktionsversuch Pappenheims, diese
blendende Antithese „Herzogsbauer — Bauernherzog" zu
billigen? Diese Frage ist m. E. wohl zu verneinen. Auch
Pappenheim vermag zur Begründung seiner Hypothese nicht
viel mehr als blosse Vermutungen vorzubringen. Was den von
Pappenheim geprägten Terminus „Bauernherzog" betrifft, so
wissen wir über jene Epoche der altkärntnerischen Verfassungsgeschichte, in der das von ihm supponierte Bauernherzogtum
angeblich die Geschicke des Landes geleitet hat, viel zu wenig,
um auch nur mit einiger Sicherheit behaupten zu können, dass
die Kärntner Herzöge damals just Bauernfürsten gewesen
seien. Pappenheim hat eben, obzwar er die Grundthese
Puntscharts, dass die Form der „Herzogseinsetzung" den
Sieg des slovenischen Bauerntums über den Hirtenadel der
Supane widerspiegle, ablehnt, der Auffassung Puntscharts
doch noch zu viel konzediert, wenn er meint, Puntschart habe

---

[1]) s. Pappenheim, S. 312.

gezeigt, dass es eine slavische Bauernschaft gewesen ist, die
zur Zeit der Entstehung des Rituals die politisch massgebende
Bevölkerungsklasse war, und wenn er glaubt, der Formalismus
der „Herzogseinsetzung" habe, wenn er auch nicht als ein
symbolischer Niederschlag des von Puntschart vermuteten
Kampfes des slovenischen Bauerntums gegen den Hirtenadel
aufzufassen sei, doch wenigstens zur Voraussetzung, dass dieser
Kampf stattgefunden und für die Bauern siegreich geendet haben
müsse. Pappenheim hat sich hier von den Irrtümern
Puntscharts nicht völlig freizuhalten vermocht. Jener Kampf
und Sieg des „Bauerntums" und die aus ihm angeblich resul-
tierende Vormachtstellung des bäuerlichen Standes sind trügerische
Phantasiegebilde. Scharf und richtig sagt Rachfahl — und
er trifft damit nicht nur das Hypothesengerüst Puntscharts,
sondern auch die viel weniger weitgehenden Aufstellungen
Pappenheims —: „Diese Bauernrevolution und die Existenz
eines Hirtenadels der Supane in der Urzeit sind..... nichts
weiter als völlig unbewiesene und wohl auch unbeweisbare
Hypothesen"[1]) — ein Urteil, das durch die Ausführungen
Müllners[2]) vollkommen bestätigt wird. Damit sind die Bedenken, die gegen Pappenheims Deutungsversuch vorgebracht
werden können, keineswegs erschöpft. Man müsste nämlich auch
den alten Slovenen eine geradezu raffinierte Allegorisierungs-
technik und Allegorisierungsmanie zuschreiben, wollte
man annehmen, dass sie in einem symbolischen Rechtsakte
hätten die historische Aufeinanderfolge der Epoche des Bauern-
herzogtums und des Königsherzogtums darstellen wollen. Das
wäre eine politische Allegorie, wie sie vielleicht ein späterer
reflektierender Geschichtsschreiber oder ein gelehrter Dichter
hätte ersinnen können, nie und nimmer aber das kulturell damals
verhältnismässig noch so niedrigstehende Volk der Slovenen,
bei dem ein so hoher reflektierender geschichtlicher Sinn nicht
vorausgesetzt werden darf.

Es hat sich somit gezeigt, dass sowohl Puntschart wie
Pappenheim die Funktion des Herzogsbauers und daher auch
seine inquisitorische Tätigkeit, sowie seine Stellung in der

[1]) s. Literar. Centralbl., Jg. 1900, Sp. 189.
[2]) vgl. Müllner, „Argo", Jg. 1899, Sp. 198 fg.

Garantie- und Entgeltfrage in befriedigender Weise nicht zu
erklären vermögen. Es ist an dieser Stelle wohl nicht mehr.
vonnöten, gegenüber diesen beiden Deutungen meine Auffassung
über die Rolle des Herzogsbauers zu entwickeln und zu begründen. Dies ist bereits in den vorhergehenden Abschnitten
zur Genüge geschehen. An diesem Orte kann es sich nur noch
darum handeln, einerseits darzulegen, wieso bei der Herzogseinführung gerade ein B a u e r die Nachfolge des priesterlichen
Initiators des heidnisch-slovenischen Einbürgerungsverfahrens
antreten konnte, andererseits zu zeigen, dass das Frageverfahren
und der auf die Garantieleistung und die Entgeltforderung bezügliche Teil der Fürstenstein-Ceremonie sich in ungezwungener
Weise deuten lassen, wenn man mit mir von der Annahme
ausgeht, dass die sogenannte „Herzogseinsetzung" ein initiatorischer
Akt und der Herzogsbauer die die Initiation bewirkende
Persönlichkeit gewesen sei.

Was zunächst den Herzogsbauer als den bäuerlichen Nachfolger des initiierenden Priester-Mittlers betrifft, so darf darauf
verwiesen werden, dass die Rolle des Herzogsbauers nicht von
einem beliebigen Landmanne dargestellt werden konnte, sondern
dass Herzogsbauer immer nur ein ganz bestimmtes Mitglied
eines bestimmten freien Bauerngeschlechtes[1]) werden konnte,
das, wie wir mit P a p p e n h e i m[2]) werden vermuten dürfen, in
der Nähe des Fürstensteines angesiedelt war. An jenem
Bauerngeschlechte, das, weil ihm die Hube, auf der der Stein
stand, zugehörte, oder weil es in seiner Nähe angesiedelt und
begütert war, gleichsam als Erbe der alten Priesterwächter des
Steines angesehen wurde, blieb nach der Volksanschauung ein
Rest jener Heiligkeit und jenes hohen Ansehens haften, das
einst in vollem Masse den heidnischen Priestern der Kultstätte
zugekommen war.[1]) Der bäuerliche Wächter des Fürstensteines ist an die Stelle des priesterlichen getreten.

---

[1]) s. Puntschart, S. 145.
[2]) s. Pappenheim, S. 313; vgl. die österreichische Reimchronik v.
19997 f.:

> „dabi ouch nähen ist gesezzen
> ein gebiurisches gesiebte,
> die von altem rebte
> dazzuo sint beléhent . . . ."

Wir dürfen nunmehr unsere Aufmerksamkeit dem „Prüfungsverfahren" der Herzogseinführung, dem „Garantievertrage", und
der Entgeltfrage zuwenden. Da nach der in der vorliegenden
Untersuchung vertretenen Ansicht das Fürstenstein-Drama als
ein initiatorischer Akt aufzufassen ist, und diese Ansicht durch
die bisher vorgebrachten Ausführungen bestätigt erscheint, so
werden wir von vornherein erwarten dürfen, dass auch die
Frageprozedur, der „Garantievertrag" und das auf Räumung
des Fürstensteins abzielende „Bargeschäft" sich als Bestandteile einer initiatorischen Ceremonie werden erklären lassen.
Diese Erwartung wird nun durch den Umstand, dass sich
ähnliche Frageceremonien, Garantieprozeduren und Entgelt-
verhandlungen in indogermanischen Initiations-Solennitäten nachweisen lassen, vollauf gerechtfertigt.

Eine eigenartige Frageprozedur, allerdings ohne an-
schliessende Garantieleistung, kennt vor allem das indische
upanayana[1]), in dem wir, wie bereits erwähnt wurde, eine
priesterliche Umbildung der altindischen Jünglingsweihe zu erblicken haben. Beim upanayana gilt nun unter anderem folgender
Brauch: nachdem der Novize das Feuer umwandelt und der
Lehrer einen Spruch recitiert hat, entspinnt sich ein in festen
Formen sich bewegendes Zwiegespräch, dessen Inhalt hier angeführt sei:

Schüler: „Ich bin zum Studium gekommen. Nimm mich auf!"
Lehrer: „Wer bist du mit Namen?"
Schüler: „N. N."
Lehrer: „Bist du von demselben Ṛṣi?"
Schüler: „Von demselben".
Lehrer: „Erkläre dich als Schüler!"
Schüler: „Ich bin ein Schüler."

Wir sehen ein fest formuliertes Frageverfahren vor uns,
das der Initiation vorherzugehen hat. Wie in Kärnten der
Herzogsbauer, trotzdem er weiss, dass der Herzog vor ihm
steht, die Frage stellt, wer vor ihn getreten sei, so fragt hier
der Lehrer nach dem Namen des ihm doch sicherlich zuvor
schon bekannten Initianden. Es handelt sich nicht um eine
„Identitäts-Konstatierung", wie man die entsprechende Frage

---

[1]) vgl. Hillebrandt, Ritualliteratur. S. 53.

und Antwort des kärntnerischen „Prüfungsverfahrens" zusammenfassend genannt hat, sondern m. E. darum, in manifester Weise
vor Göttern und Menschen festzustellen, dass der N. N. in
diesem feierlichen Augenblicke die initiatorische Weihe des
upanayana anstrebe. Nun folgt eine zweite Frage, durch die
das Vorhandensein einer Grundbedingung, ohne die der Einführungsakt augenscheinlich ungiltig war, solenn konstatiert
werden soll, die Frage nämlich, ob der Schüler demselben Rṣi
wie der Lehrer angehöre. Auch dies weiss der Lehrer gewiss
bereits vorher; trotzdem muss diese Zugehörigkeit in dem der
Initiation vorhergehenden Inquisitorium feierlich festgestellt
werden. Zum Schluss fordert der Initiator vom Novizen die
ausdrückliche Willenserklärung, dass er die Initiation ernstlich
anstrebe.

Aehnliche inquisitorische Zwiegespräche finden sich im
Initiations-Ceremoniell der deutschen Gesellenverbände[1]) und
verwandter Genossenschaften. Auch hier wird mancherorts der
initiatorische Akt durch eine Reihe von Fragen eingeleitet,
deren erste dahin lautet, wer der vor dem Initiator Stehende sei.

Für unsere Frage von höchstem Interesse sind die inquisitorischen Riten des Hochzeitsceremoniells einiger indogermanischer Stämme. Es ist bekanntlich ein weitverbreiteter
Brauch, der Braut, sei es nun beim Betreten des neuen Heimat-
dorfes oder des Hauses des Bräutigams den Eintritt zu wehren
und erst nach einer umständlichen Prozedur zu gestatten. Ich
will aus der stattlichen Zahl dieser Riten nur einige wenige
Bräuche vorführen und an ihnen die merkwürdige Aehnlichkeit
dieser Ceremonien mit der Frage- Garantie- und Entgeltprozedur
der Herzogseinführung aufzeigen.

Von den slavischen Riten seien hier nur die slovenischen
geschildert, zumal da sie ja wegen ihres grossen Beweiswertes
für den hier zu führenden Analogiebeweis in erster Reihe unsere

---

[1]) vgl. v. Reinsberg-Düringsfeld, Das festliche Jahr etc. (1863),
S. 49: Zwiegespräch zwischen dem initiierenden Altgesellen und dem
Initianden („Lohrner") beim Münchener Metzgersprung; während dieser
Sprüche schlägt der Altgeselle den Freizusprechenden immer mit der flachen
Hand zwischen die Schultern; s. ferner R. Andree, Braunschweigische
Volkskunde[1], S. 237; Piger, Zschr. d. V. f. Volksk., Jg. 1892, S. 387 fg.

Aufmerksamkeit beanspruchen dürfen. Von den Slovenen in Krain meldet ein Beobachter[1]): „Auf der Schwelle tritt die Mutter des Bräutigams oder irgend eine ältere Verwandte von diesem der Braut entgegen und fragt sie, wer sie sei und was sie wolle. Dies ist der Anfang einer humoristischen Katechisation, die bisweilen ziemlich breit ist, aber immer mit Ausbrüchen lauten Gelächters von der Zuhörerschaft begrüsst wird." Von den Slovenen Steiermarks wird uns folgendes berichtet:[2]) „In einigen Gegenden... ist auch noch der Brauch, dass alle Türen und Fenster des Hauses verschlossen werden, und wenn die Braut angekommen ist, so fragt innerhalb eine dumpfe Stimme: „Wer will ins Haus?" Darauf antwortet der Braut-älteste: „Die Braut mit dem Gefolge, die heute vor dem Altare Gottes die Erlaubnis erhalten hat, in dieses Haus einzuziehen." Die Stimme von innen fragt wieder: „Wird sie treu, fleissig und wirtschaftlich sein?" Hierauf erwidert das Gefolge: „So Gott ihr beisteht!". Die Tür öffnet sich und alles zieht ein." Auch bei den ungarischen Slovenen stehen gleiche Bräuche in Uebung[3]): „Um Mitternacht wird die Braut in das Haus des Bräutigams geführt, dort findet sie aber verschlossene Türen und es gilt eine Menge Verse herzusagen, um Einlass zu erhalten, den zu erzwingen übrigens vorher auch mit gelinder Gewalt versucht wird." Schliesslich mag noch erwähnt werden, was J. u. O. v. Reinsberg-Düringsfeld über die in Rede stehenden Riten des slovenischen Hochzeitsceremoniells anführen[4]): „Lautes Geschrei des barjaktar verkündet die Ankunft des Hochzeitszuges vor dem Hause des Bräutigams; junge Mädchen mit Laternen kommen heraus, um das Brautpaar zu empfangen, aber die Tür schliesst sich hinter ihnen und öffnet sich nicht eher wieder, als bis das lange Zwiegespräch, das nun zwischen den Hausbewohnern und den draussen Harrenden beginnt, zur Zufriedenheit der ersteren beendigt ist. Ob es dabei friert oder stürmt....., tut nichts zur Sache. Denn die drin Wohnenden müssen sich erst durch eine Reihe von Fragen und Antworten

---

[1]) vgl. S. R. im „Ausland" Jg. 1888, S. 125.

[2]) vgl. D. J. in der „Steiermärkischen Zeitschrift", Jg. 1845. N. F. 8. Bd., S. 107.

[3]) vgl. die österr.-ung. Monarchie, „Ungarn", 4. Bd., S. 266.

[4]) s. Reinsberg-Düringsfeld, Hochzeitsbuch, S. 88.

und durch die wiederholten **Beteuerungen** und **Versicherungen** der Angekommenen überzeugt haben, dass die
Braut würdig sei, das **Haus zu betreten**, bevor die Mutter
des Bräutigams die Tür aufmacht, dem Brautpaar ein Tuch
über den Hals wirft und so hereinzieht . . . . . .".

Aehnliche Bräuche finden sich auch bei den **Deutschen**.
So wurde zu Stilli an der Aare (Schweiz) folgende, heute wohl
schon in Vergessenheit geratene Ceremonie geübt[1]: „Wenn
der Hochzeitsschmaus im Wirtshause seinem Ende nahe war,
so entfernte sich geräuschlos der junge Ehemann mit seinen
Eltern, um sich nach Hause zu begeben und dort Türen und
Fensterläden auf das sorgfältigste zu verschliessen. Wenige
Minuten nach ihnen kam der Brautführer . . . . mit der Braut
ihnen nach. Er trug . . . . . . einen . . . . Stock, mit welchem er
anklopfte. Durch die geschlossene Lade hindurch befragt, wer
draussen sei, antwortete er: „Eine Person, die gern in euer
Haus möchte aufgenommen sein.“ „Das ist viel verlangt, sagte
der Schwiegervater drinnen. „Ist sie tugendhaft, arbeitsam,
ordnungsliebend?“ **Der Brautführer versicherte, sie sei
im Besitze dieser Eigenschaften.** „Kann sie auch kochen,
backen, waschen, spinnen, nähen, stricken?“, wurde inwendig
wieder gefragt. **Der Brautführer garantierte auch diese
Fähigkeiten,** doch nur auf die Verantwortung der Braut, die
er bei jeder Erkundigung von drinnen seinerseits draussen be-
fragte. War das Examen zur Zufriedenheit des Schwiegervaters
bestanden, so wurde die Haustüre geöffnet.“

Im Wesen gleich, wenn auch, wie E. H. Meyer bemerkt,
bedenklich einer Zoll- oder Passschererei sich nähernd, ist
folgender in Mettenburg (Baden) geübter Brauch[2]. Hier
stehen bei der Einfahrt des Brautwagens in das Dorf drei
Burschen hinter einer quer über die Strasse gespannten Kette,
der eine als „Polizist“, der andere als Torwächter, der dritte
als „Hochzeiter“ maskiert. Dieser geht dem Wagen entgegen
und führt die Pferde. Nun spricht der Torwächter: „He! Halt!

---

[1] s. Hochzeitsbuch, S. 107.
[2] vgl. Elard H. Meyer, Der badische Hochzeitsbrauch des Vor-
spannens, Festprogr. Grossherzog Friedrich dargebr. v. d. Univ. Freiburg 1896,
(auch erschienen in Beitr. z. bad. Gesch. u. Volkskunde, 1896), S. 50.

Wes Standes, wes Landes, was seid ihr für Leut'?" Der
Hochzeiter: „Wir sind Brautleute!" Torw.: „Weil ihr Brautleute seid, so heisse ich euch herzlich willkommen!" Hochz.:
„Weil ihr uns nun . . . willkommen heisst, so wundert es mich,
warum ihr . . . . hierher gekommen seid . . . . . und uns . . . .
den Weg versperrt." Torw.: „Es wird Euch wohl bekannt
sein, dass vor jedem . . Flecken eine Schildwache sein muss,
um zu erfahren, was Standes oder was Landes . . . . . ob ihr
nicht etwa eine Seuche . . . . . in unser Dorf einführen wollt."
Hochz.: „Wir haben uns . . . . . mit guten Briefen und Schriften
versehen lassen und, Gott sei Dank, keine Krankheit" . . . . .
Hochz.: „Was fordert ihr von uns?" Torw.: „Unsere Forderung
ist nicht so gross. Wir verlangen nur 20 Schafe, 30 Schweine,
40 fette Ochsen, 166 Humpen Wein und an Brot soll auch
kein Mangel sein."

Es beginnt nun ein beiderseitiges Markten und Feilschen
und schliesslich zahlt der Bräutigam, der wirkliche „Hochzeiter"
einige Markstücke. Jetzt erst erteilt der Torwächter die Erlaubnis zum Eintritte ins Dorf. Der Polizist zerhaut die Kette
und der Zug kann nun ungehindert mit der neuen Dorfgenossin
den Einzug ins Dorf halten. Wenn nun auch bei diesem Brauche
von der Braut nicht die Rede ist, so kann doch m. E. kein
Zweifel obwalten, dass die Hemmung, das Inquisitorium und
die Entgeltverhandlung ursprünglich nur ihr gegolten haben
können.

Wenn wir nun die Fürstenstein-Ceremonie mit dem oben
angeführten slovenischen Hochzeits-Ritus vergleichen, so lässt
sich eine auffallende Uebereinstimmung zwischen beiden Bräuchen
konstatieren. Der Zweck beider Ceremonien ist, den Zutritt,
hier ins neue Heim und zu seinem geheiligten Zentrum, dem
Herde, dort zum Fürstensteine zu hemmen. In beiden Fällen
wird der den Zutritt heischenden Person zunächst die Frage
entgegengesetzt, wer sie sei. Die Antwort auf diese und die
folgenden Fragen der beiden Ceremonien eigentümlichen Katechisation wird nun nicht etwa vom Kandidaten des Prüfungsverfahrens, sondern sowohl bei der Herzogs- wie bei der Brauteinführung von den geleitenden Personen gegeben, Herzog und
Braut haben kein Wort zu reden. Auf die erste Frage folgt
hier wie dort der Bescheid, wer der Ankömmling sei, sowie,

dass er die Räumung des ihm den Zutritt wehrenden Hinder-
nisses anstrebe. In beiden Fällen schliesst sich nun an diesen
Bescheid ein Inquisitorium über die Person des Kandidaten.
Weder bei der Fürstenstein-Ceremonie, noch bei der Brauteinführung begnügt sich der Inquisitor mit den blossen Antworten der geleitenden Personen, sondern er fordert die Be-
teuerung und ausdrückliche Versicherung der Antworter, dass
ihr Bescheid der Wahrheit entspreche. Der Hemmungsritus
der Fürstenstein-Ceremonie unterscheidet sich von den entsprechenden slovenischen Hochzeitsbräuchen nur darin, dass bei
diesen die Forderung und Leistung des Entgeltes fehlt. Indes
besteht die grösste Wahrscheinlichkeit, dass auch hier einstens
die Entgeltverhandlung üblich war. Dies scheint mir, von
anderen Belegen ganz zu geschweigen, fürs erste der vorhin
geschilderte badische Ritus, fürs zweite ein slovenischer Hochzeitsbrauch, der unter den oben erwähnten Parallelen nicht angeführt
werden konnte, zu beweisen. Wenn nämlich bei den slovenischen
Wipachern[1]) die Braut ins Haus des Bräutigams eintreten
wollte, hielten die Brautführer ihre Säbel kreuzweise vor die
Tür und liessen sie erst hinein, bis sie einem jeden etwas geschenkt hatte.

Somit erscheint denn der vollständige Parallelismus zwischen
der Frage- Garantie- und Entgeltprozedur der Fürstenstein-
Ceremonie und den entsprechenden Bräuchen des slovenischen
und deutschen Hochzeitsrituals dargetan und damit wohl auch
ausser Zweifel gestellt, dass diese Prozeduren als initiatorische
Akte aufgefasst werden müssen. Es ist deshalb die Frage,
warum diese Ceremonien im Gefüge des Fürstenstein-Dramas
eine Rolle spielen, gleichbedeutend mit jener, warum die gleichen
Riten im Hochzeitsceremoniell und bei anderen initiatorischen
Anlässen geübt wurden. Wir werden uns darum einer näheren
Erörterung der letztgenannten Frage an dieser Stelle nicht entziehen können.

Man wird wohl kaum fehlgehen, wenn man die Entstehung
der in Rede stehenden eigenartigen Prozeduren auf die Exklu-

---

[1]) vgl. Valvasor, S. 307; s. ferner den bei Crooke, p. 232 angeführten indischen Ritus.

sivität der politischen und sakralen Verbände der vorchristlichen
Epoche zurückführt. Der einer bestimmten Gemeinschaft Fremde
hatte, wenn er um Aufnahme in diese ansuchte, sofern man
sein Begehren nicht von vornherein zurückwies, mit dem Misstrauen der der Genossenschaft bereits Angehörigen zu rechnen.
Wir werden uns vorzustellen haben, dass man jedes Initiations-
ansuchen, falls man Initiationen im Prinzip überhaupt zuliess,
mit der grössten Rigorosität[1]) prüfte und den Aufnahmswerber
nur dann zuliess, wenn man sich vergewissert hatte, dass er
vollkommen vertrauenswürdig sei und die zur Förderung des
Gesamtzweckes der Genossenschaft erforderlichen physischen
und moralischen Eigenschaften besitze. Wie sollte man nun
aber das Vorhandensein jener Qualitäten, insbesondere der moralischen, erkunden? Sollte man es für ausreichend gehalten
haben, wenn der Aufnahmswerber versicherte, dass er allen
Bedingungen zu entsprechen vermöge? Dies darf wohl von
vornherein als ausgeschlossen betrachtet werden. Ebenso
undenkbar ist es, dass man sich mit dem Zeugnisse von Ungenossen begnügte. Wirklichen Wert und vollkommene Zuverlässigkeit misst man in dieser exklusiven Epoche nur der
Aussage eines Genossen zu. Auf diesem Wege musste man
dazu gelangen, die Gewährung der Initiation davon abhängig
zu machen, dass das Vorhandensein der zur Aufnahme erforderlichen Eigenschaften von Genossen bezeugt und nötigenfalls
verbürgt wurde. Dies ist der Grund, weshalb so häufig bei
initiatorischen Ceremonien den Initianden Mitglieder der einführenden Gemeinschaft als „Bürgen" oder „Paten"[2]) beige-

---

[1]) vgl. für das griechische Recht Hartel, Studien über attisches
Staatsrecht und Urkundenwesen (1878), S. 271.

[2]) Bei der mittelalterlichen Gesellenweihe begegnen wir ziemlich häufig
solchen „Paten"; so fordert das Initiationsritual der Tischler 2 „Zeugen",
jenes der Hutmacher 2 „Beistände", der Böttger 2 „Schleifgoten", die
Buchdrucker verlangen 2 „Zeugen", die Schmiede 3 „Paten", die Büttner
„Paten" (ohne Ueberlieferung der Zahl), die Weissgerber 1 Paten; vgl.
Schade im Weimar. Jahrb. 1856, S. 258 fg., 299 u. a. a. O. Diese Paten-
institution reicht, wie Schade wohl mit Recht vermutet, ins germanische
Altertum zurück. Ueber „Bürgen und Paten" bei der Ritterweihe s. Schade
Ueber Jünglingsweihen, S. 228 f.; bez. der Paten bei der Compagnonnage
vgl. Fabricius, Deposition, S. 28; die Meistersinger forderten 3 Merker

geben erscheinen. Sie sind es, die den Kandidaten in die
Pflichtenlehre der Genossenschaft einführen und daher auch ihr
gegenüber die Verantwortung übernehmen können, dass der
Initiand die zur Einführung unerlässliche Qualifikation besitze.
War nun der Aufnahmewerber imstande, die von den Gesetzen
der einführenden Gemeinschaft geforderte Zahl von Garanten
zu stellen, so stand seiner Initiation nichts mehr im Wege.
Bis zum Zeitpunkte der Einführung kann nun ein solches Auf-
nahmeverfahren sich nur in der Gestalt einer an keine strenge
Formvorschriften gebundenen Vorverhandlung vollzogen haben.
Dies musste sich ändern, sobald man die eigentliche Initiations-
handlung vornahm. Eine formenfrohe, naive Zeit musste den
wichtigen Rechtsakt der Initiation in ein streng formales Gewand kleiden. Diese Formgewandung musste wegen der Identität
der politischen und sakralen Verbände einen sakralen Charakter
tragen und daher vor allem zum Ausdruck bringen, dass der
Initiand der Schutzgottheit des Verbandes sich verehrend zu
eigen gebe. Diese sakrale Färbung des Initiationsceremoniells
hat uns an dieser Stelle nicht weiter zu beschäftigen. Wir
haben hier nur die rechtliche Seite der Frage ins Auge zu
fassen. Von diesem Gesichtspunkte aus werden wir von vornherein erwarten dürfen, dass man beim Initiationsakte in solenner
Form und in manifester Weise vor Göttern und Menschen festzustellen wünschte, dass der Kandidat die Einführung anstrebe

als Paten (H a r t m a n n, Korrespondenzbl. d. deutschen Ges. f. Anthr.
Ethn. u. Urgesch., Jg 1894, S. 21), der Burschbandorden zu St. Goar am
Rhein 2 Paten (H a r t m a n n, S. 19). Paten und Bürgen spielen bei der
Freimaurer-Initiation eine Rolle, s. A u g u s t i, Denkwürdigkeiten aus der
christlichen Archaeologie, Bd. VII, S. 436, ebenso bei der Aufnahme in den
Bund der „böhmischen Brüder“ (vgl. Monatshefte der Comenius-Gesellschaft,
5. Bd., S. 151, 155). Ueber die Bürgenfunktion der Taufpaten vgl. K r a u s,
Realencyclopädie d. christl. Altertümer, 2. Bd., s. v. „Pate“; bez. der
„Zeugen“ bei der jüdischen Beschneidung s. A u g u s t i, 7. Bd., S. 81, 324.
Das den Eintritt in die Midé-Gesellschaften nordamerikanischer Indianer
regelnde Ritual fordert 4 oder 8 Einführende; s. B a r t e l s, Die Medizin
der Naturvölker (1893), S. 83 fg. Bei der Aufnahme in die buddhistischen
Bettlergemeinden musste zuerst der „Aufseher“ (upajjhâja) des Initianden
die Versicherung abgeben, dass der Zulassung nichts im Wege stehe; vgl.
E. H a r d y, Der Buddhismus nach d. älter. Pâli-Werken dargestellt, 1890
(Darstellungen aus dem Gebiete der nichtchristlichen Religionsgeschichte, I.),
S. 74. — S. ferner S c h u r t z, Altersklassen und Männerbünde, S. 378.

und allen von der Genossenschaft festgesetzten Aufnahme-
bedingungen entspreche. Dies konnte man aber nur, indem
man in die Initiations-Ceremonie die solenne Zeugnis-Erklärung
derjenigen Genossen aufnahm, die der Gemeinschaft das Vorhandensein der zur Einführung erforderlichen Qualifikation des
Kandidaten garantierten. Damit war die Einfügung einer besonderen Frageprozedur in das Initiations-Ritual von selbst gegeben. Um die solenne Zeugnis-Erklärung zu erhalten, musste
eben an die Garanten die solenne Aufforderung zur Zeugnis-
Leistung ergehen, mussten diese, umsomehr als die Einführung
eines Unwürdigen den Zorn der Gottheit auf die Schuldigen zu
laden drohte, in genauer Weise um das Vorhandensein jeder
einzelnen Aufnahmsbedingung befragt werden. Diese Frageprozedur musste selbstverständlich der Sakralhandlung der
Initiation unmittelbar vorhergehen. Eine Beantwortung der
Fragen des Initiators durch den Initianden war — abgesehen
höchstens von jenen, die sich auf den Namen und das Aufnahms-
petit des Kandidaten bezogen — ausgeschlossen; denn sein
Zeugnis besitzt in diesem Augenblicke, wo er noch Ungenosse
ist, nicht den geringsten Wert.

Was schliesslich die bei den verschiedensten initiatorischen
Akten von den Indogermanen — und natürlicherweise nicht
allein von diesen — geübte Sitte betrifft, vom Initianden für
die Einführung eine Entgeltleistung zu verlangen, so bedarf
wohl dieser Punkt keiner näheren Erörterung. Da jede vom
Priester für einen andern auszuführende sakrale Handlung
einen „Opferlohn" heischte, so musste der einführenden Sakralperson auch für die Initiation eine Gabe gereicht werden. Wohl
zu scheiden von dieser Entgeltleistung an den Priester ist die
Opferspende, die der Initiand der Schutzgottheit des Verbandes
darzubringen hat.

Es kann sich nunmehr, nachdem wir den initiatorischen
Charakter der Frage- Garantie- und Entgeltprozedur der sogenannten „Herzogseinsetzung" festgestellt haben, nur noch darum
handeln, diese eben gewonnene Erkenntnis durch eine Einzel-
betrachtung jener Prozeduren, sowie der übrigen im Einführungs-
drama verteilten retardierenden Momente, zu vertiefen und
auszuweiten.

Der Herzog, der sich auf dem Fürstensteine niederlassen will, um sich dessen initiatorische Kraft zu eigen zu machen, findet ihn vom Herzogsbauer besetzt. Diesem Brauche entspricht im deutschen und slavischen Hochzeitsceremoniell die Verschliessung des neuen Heims oder die Wegsperre beim Einzuge der Braut ins neue Heimatsdorf. Es soll durch diesen Ritus zum Ausdrucke gebracht werden, dass der Zutritt zum sakralen Mittelpunkt der neuen Genossenschaft und damit die Einführung in diese nicht ohne weiteres gewährt werde, sondern an eine Reihe von Bedingungen geknüpft sei, deren Vorhandensein erst noch in solenner Weise konstatiert werden müsse. Durch die Behinderung des Zutrittes wird der exklusive Charakter der Genossenschaft in symbolischer Form betont, damit zugleich aber auch eine Situation geschaffen, die die dramatische Handlung der Initiation auszulösen vermag.

Die Hemmung des Zuges geht vom Herzogsbauer aus, dem als dem bäuerlichen Nachfolger des Priesterwächters der alten Kultstätte die Pflicht obliegt, jedem Unberufenen (d. h. Stammfremden) den Zutritt zum Steine zu wehren. Die Behinderung erfolgt dadurch, dass sich der Bauer auf den Stein setzt und damit dem Herzog die Möglichkeit benimmt, durch den Kultakt des Sitzens den zur Initiation erforderlichen innigen Kontakt mit dem Steine herzustellen. Dieser Detailzug, dass der Herzogsbauer, um jenen Kontakt zu hindern, sich auf dem Fürstensteine just niederlässt, statt etwa sich schützend vor ihn zu stellen oder eine ähnliche Handlung zu vollführen, dürfte wohl ebenfalls bereits dem Impatriierungsverfahren der heidnisch-slovenischen Epoche angehört haben. Dies scheint mir, abgesehen von anderen Gründen[1]), hauptsächlich aus dem Umstande hervorzugehen,

---

[1]) Das Sitzen des Priesters ist bei mehreren indogermanischen Stämmen ein wichtiger sakraler Gestus; vgl. den Ausdruck „sattra“ — „Sitzung“ zur Bezeichnung für langandauernde Opfer (Hillebrandt, Sonnwendfeste in Altindien, Romanische Forschungen, 5. Bd., S. 316, Anm. 3); s. ferner Hillebrandt, Neu- und Vollmondsopfer, S. 18, Anm. 3, S. 80, 91 f.. 151; derselbe, Ritualliter. S. 61 u. a. a. O.; Oldenberg, Rel. d. Veda, S. 395, 461; für die Römer und Umbrer vgl. Festus a. Paul. Diac. p. 17 ed. Lind.: „adsidelae mensae vocantur, ad quas sedentes flamines sacra faciunt; Serv. Aen. IX, 4; Bücheler, Fleckeisens Jahrb. f. class. Philol., 21. Jg. (1875), S. 317. — Auch das „immobilis perseverat“

dass der bäuerliche Initiator verhalten wird, mit überschlagenen Beinen zu sitzen. Diese Vorschrift, mit der man, wie ich glaube behaupten zu dürfen, den Zweck verfolgte, die hemmende Wirkung des vom Initiator zu übenden Sitzaktes zu erhöhen, weist in eine ferne heidnische Vorzeit zurück. Die österreichische Reimchronik sagt vom Herzogsbauer: „der selbe sol ein bein ûf daz ander legen", womit wohl gemeint ist, dass der Herzogsbauer nicht bloss, wenn der Herzog vor ihn hintritt, sondern auch, solange er vor ihm steht[1]), mit überschlagenen Beinen sitzen solle. Puntschart hat diese merkwürdige Sitzvorschrift zu gunsten des von ihm behaupteten „demokratischen" Charakters der Fürstenstein-Ceremonie buchen zu dürfen geglaubt. Er meint, dass der Herzogsbauer in nachlässiger Haltung auf dem Fürstenstein gesessen sei, um dem Herzog nicht als solchem mit Ehrfurcht zu begegnen.[2]) Aehnlich spricht Peisker von „herausfordernd übereinandergeschlagenen Beinen."[3]) Pappenheim lehnt die Deutung Puntscharts ab[4]) und behauptet, es habe bereits Jacob Grimm[5]) die Stelle zutreffend im Sinne der durch das Beinverschränken angedeuteten ruhigen Ueberlegung verstanden. Er zieht zum Beweise die bekannte von der Beinverschränkung handelnde Stelle aus einem Liede Walthers von der Vogelweide[6]) und eine Bestimmung der Soëster

---

im Berichte des Johannes von Victring scheint darauf hinzudeuten, dass unsere Sitzvorschrift altsakralen Ursprungs sei. Unbewegliches Sitzen oder Stehen wird manchmal zum Gelingen der sakralen Handlung gefordert. Vgl. Serv. Serv. Aen. VI, 197: „ad captanda auguria post preces immobiles vel sedere vel stare consueverant; s. ferner Grimm, Deutsche Myth., 3. Bd., S. 470, No. 962: „Zu erforschen, was das Jahr über geschehen werde, stellen sie sich auf einen Scheideweg, stehn eine Stunde lang, ohne zu reden, stockstill . . . . ." Die beim indischen Soma-Opfer fungierenden priesterlichen Sänger haben nebeneinandersitzend, den Blick unverwandt (d. h. also wohl unbeweglich verharrend) geradeaus auf den Horizont zu richten; s. Oldenberg, S. 461.

[1]) vgl. die eben vorgetragenen Ausführungen über das „immobilis perseverat" im Berichte des Johannes von Victring.

[2]) vgl. Puntschart, S. 135.

[3]) vgl. Peisker, Carinthia I, 89. Jg. (1899), S. 142.

[4]) vgl. Pappenheim, S. 309.

[5]) vgl. Grimm, Rechtsaltertümer, 2. Bd., S. 375.

[6]) vgl. Walther, ed. Wilmanns, S. 115 u. Anm.

Gerichtsordnung heran.[1]) In dem Sitzen des Bauers mit
überschlagenen Beinen sieht Pappenheim ein Indiz für den
von ihm angenommenen Amtscharakter desselben. Der Herzogsbauer sitzt, so vermeint er, als Bauernherzog auf dem Steine,
„auch in seiner äusseren Erscheinung das Nachdenken über die
Geschäfte seines Amtes zur Schau tragend." Die Deutung
Puntscharts, die den in unserer Sitzvorschrift überlieferten
sonderbaren Detailzug in den von ihm so nachdrücklich betonten
demokratischen Gesamtcharakter der Ceremonie so schön einzufügen vermag, ist eben deshalb, weil der angebliche demokratische
Grundzug der „Herzogseinsetzung" vor einer tiefer greifenden
Kritik nicht standhält, abzulehnen. Beachtenswerter ist die
Pappenheimsche Erklärung. Sie könnte zutreffend sein,
ohne dass damit m. E. die Richtigkeit der von Pappenheim
aufgestellten Gleichung: „Herzogsbauer = Bauernherzog" erwiesen
wäre. Der Herzogsbauer könnte darum geradesogut als Richter[2])
oder als Geschlechtsältester oder dergleichen angesehen werden.
Aber auch diese Deutung des Ritus scheint mir nicht zureichend
zu sein, weil sich fürs erste der Beamtencharakter des Herzogsbauers nicht erweisen lässt und weil andererseits ein Anlass zu
nachdenklicher Beschaulichkeit für den Bauer nicht vorliegt,
seine ungeteilte Aufmerksamkeit vielmehr dem herannahenden
festlichen Zuge zugewendet gedacht werden muss. Diesen
unzulänglichen Erklärungsversuchen Puntscharts und Pappenheims stelle ich nun, wie bereits in Kürze erwähnt wurde,
die Deutung gegenüber, dass man durch die Vorschrift,

---

[1]) vgl. auch Gierke, Humor im deutschen Recht[2] S. 33, 34; A. v. Eye,
Die Geschichte des Sitzens, Zeitschr. f. Kulturgesch., Jg. 1894, S. 406.
John Meier, Ztschr. f. Kulturg., Jg. 1894, S. 265; Hefner-Alteneck[2] 2,
Tafel 81. — Den von Grimm angeführten Belegen liesse sich noch eine
indische Sitte anreihen: wer den brahmayajna, das Selbststudium des
Veda, vollziehen will, setzt sich nach Sonnenaufgang .... nieder .....,
streut tüchtig Gräser auf, macht einen Schoss (d. h. legt über das ge-
krümmte linke Knie den rechten Fuss) und beginnt nun nach Osten hin
sitzend, sein Studium; vgl. Weber, Indische Studien, 10. Bd., S. 115.

[2]) Als „vorsitzender Richter" wird der Herzogsbauer aufgefasst von
G. L. v. Maurer, Einleitung zur Geschichte d. Mark-, Hof-, Dorf- u. Stadtverfassung[2], S. 52.

der Herzogsbauer solle mit überschlagenen Beinen sitzen, ein
den Initianden in seinem Streben hemmendes Moment schaffen
wollte. Nach meiner Annahme ist also das Sitzen mit verschränkten Beinen als ein Abwehrgestus aufzufassen. Ich
stütze mich bei dieser Behauptung in erster Reihe auf eine
Stelle aus der „historia naturalis" des Plinius,[1]) die wegen der
Wichtigkeit, die ich diesem Berichte für die Deutung der
kärntnerischen Sitzvorschrift beimesse, hier vollständig wieder-
gegeben sei. Plinius sagt: „Assidere gravidis, vel cum remedium
alicui adhibeatur, digitis pectinatim inter se implexis veneficium
est, idque compertum tradunt Alcmena Herculem pariente.
Peius si circa unum ambove genua. Item poplites alternis
genibus imponi. Ideo haec in conciliis ducum potestatumque
fieri vetuere maiores velut omnem actum impedientia. Vetuere
et sacris votisve simili modo interesse."[2]) Es war demnach
bei den Römern verpönt, sei es bei einer Schwangeren oder
bei einem Kranken, dem just ein Heilmittel gereicht wurde, sei
es bei irgendwelcher sakralen Veranstaltung oder bei einer
Ratsversammlung mit ineinandergefalteten Händen[3]) oder überschlagenen Beinen zu sitzen, da dieser Gestus nach der Vorstellung der Römer das glückliche Gelingen einer Handlung, an
der jemand in dieser Haltung teilnahm, gefährdete. Die
diese abergläubische Vorstellung veranlassenden Ursachen
liegen klar zutage. Allem Zauber liegt die Idee des Flechtens,
Bindens, Knüpfens, Verschlingens zugrunde.[4]) Indem man die

---

[1]) vgl. Plinius, h. n. XXVIII, 17.

[2]) vgl. hiemit Ovid., Met. 9, 279 ff.

[3]) Das Verschränken der Hände hat auch nach morgenländischem
Aberglauben magisch hemmende Kraft; vgl. H. Lewy, Morgenländ. Abergl.
in der röm. Kaiserzeit, Zschr. d. V. f. Volksk., 3. Bd., S. 33. Kreuzweises
Anfassen der Daumen galt auch bei den Juden als zauberwehrend; vgl.
Babyl. Berakot 55 b: „Wer ... sich vor dem bösen Blick fürchtet, der nehme
den Daumen seiner rechten in seine linke und den Daumen seiner linken in
seine rechte Hand ...." Dieser Gestus wird auch als Schutzmittel
empfohlen, wenn man aus paarigen Gefässen getrunken hatte; Lewy,
a. a. O., S. 26.

[4]) vgl. J. G. Frazer, The golden bough[2], S. 394 f; Riess, Sp. 34;
Grünbaum, Zeitschr. d. deutschen morgenländ. Gesellsch., 31. Bd., S. 259;
Siebs, Zschr. d. V. f. Volksk., 3. Bd., S. 388; Katona, Zschr. f. ver-
gleichende Literaturgeschichte, N. F. Bd. 1., S. 40.

Beine übereinanderlegt oder die Hände ineinanderfaltet, schafft
man eine Verschränkung, eine Verschlingung und übt so damit
eine zauberische Handlung. Wir werden wohl kaum fehlgehen,
wenn wir annehmen, dass es auch bei den Griechen als ein
„veneficium" galt, mit überschlagenen Beinen zu sitzen. Bereits
Böttiger und neuerdings v. Eye haben darauf aufmerksam
gemacht,[1]) wie auffallend selten wir auf alten Denkmälern die
Stellung mit völlig übereinandergeschlagenen Beinen antreffen,
und Böttiger[2]) hat m. E. mit Recht diesen Umstand mit den
eben erörterten abergläubischen Vorstellungen in Verbindung
gebracht. Was die Germanen betrifft, so dürften wohl auch
sie dem Sitzen mit überschlagenen Beinen[3]) und der Verschränkung
der Gliedmassen überhaupt zauberische Kraft zugeschrieben
haben. Dies scheint mir aus folgenden Belegen, deren Zahl
sich leicht vermehren liesse, hervorzugehen. In Norwegen
glaubt man, dass das Zusammenknüpfen der Hände um das Knie
Entbindungen hindern könne.[4]) Auf Island sagt man, dass
die Gespenster der ausgesetzten Kinder, die den Menschen
den Irrsinn bringen können, die Füsse und Arme überkreuz
gelegt haben.[5]) Nach norddeutschem Aberglauben schützt
man sich gegen das „mârdrücken", wenn man Arme und Beine

---

[1]) vgl. C. A. Böttigers „Kleine Schriften", 1. Bd. 2. Ausg., S. 86 fg.;
v. Eye, Zschr. f. Kulturgesch., 1. B., 402 fg.

[2]) vgl. Böttiger, S. 85—87; die Ausführungen Böttigers, auf
die ich nur in Kürze verweisen kann, sind für das hier erörterte Thema von
grösstem Interesse. Sie bilden einen Bestandteil der Abhandlung „Ilythyia
oder die Hexe, ein archäologisches Fragment nach Lessing", welche die
Erklärung einer antiken Gemme (s. über diese Böttiger, a. a. O.), auf
der eine Frau mit festgefalteten Händen und überschlagenen Knieen dargestellt wird, versucht. Böttiger macht wahrscheinlich, dass der Ver-
fertiger dieser Gemme die Ilythyia abbilden wollte, die als Göttin des
Geburtsaktes galt und der die Hemmung und Beförderung der Geburten zugeschrieben wurde. Es ist m. E. so gut wie gewiss, dass Böttiger hier
einen niemals zur Niederschrift gelangten Gedankengang Lessings in
richtiger Weise rekonstruiert hat, der über die nämliche Gemme eine Abhandlung „Ilythyia oder die Hexe" schreiben wollte; s. Lessings
Kollektan., T. 1, S. 406.

[3]) vgl. Grimm, Deutsche Mythol., 2. Bd., S. 984.

[4]) s. Liebrecht, Zur Volkskunde, S. 332.

[5]) s. Bartels, Zschr. f. Ethnologie, Jg. 1900, S. 73.

vor dem Schlafengehen kreuzt.[1]) Will man den dråk festmachen
und ihn zwingen, etwas von dem, was er mit sich führt, abzugeben, so müssen zwei Personen stillschweigend die Beine
kreuzweis übereinanderstellen.[2]) Bei einem Hexenprozesse, der
im Jahre 1603 gegen den „Zauberer" Hans Träxler aus dem
Lungau stattfand,[3]) erzählte dieser in gütlichem Verhör, dass
ihm der böse Feind erschienen sei und von ihm begehrt habe,
dass er sich in seinen Schoss setze, die Füsse über den Stuhl
kreuzweise halte und mit ihm ins Lurnfeld fahren solle.
Vielleicht darf man hier auch folgende Stelle aus Fischarts
Ehezuchtbüchlein anführen:[4]) „Was dan die Mäsigung berurt,
hat man sie ganz schlicht .... eingebildet .... mit der Linken
hielte sie das ... Gewand an sich, wider das stürmend anwäben
der Wind, schrenket auch zum behelff darwider die Füss' ...."
Fischart scheint hier auf einen der weitverbreiteten Windzauber-
Riten anzuspielen.[5]) Schliesslich mag noch darauf hingewiesen
werden, dass man in germanischen und in keltischen Gräbern
die Toten, die Arme über Brust oder Bauch gekreuzt, auffand.[6])
Man dürfte diesen Bestattungsbrauch wohl vorgenommen haben,
um den Leichnam vor schädigenden Mächten zu schützen.[7])

---

[1]) s. K u h n und S c h w a r t z, Norddeutsche Sagen, S. 419, No. 189. —
Das zauberwirkende Mittel kann auch dazu dienen, einen Zauber zu bannen;
s. G r ü n b a u m, a. a. O.; O. J a h n, Ueber den Aberglauben des bösen
Blicks bei den Alten, Ber. über d. Verh. d. kön. sächs. Ges. d Wiss.
phil.-hist. Cl., Jg. 1855, S. 61 fg.

[2]) vgl. K u h n u. S c h w a r t z, S. 422, No. 219.

[3]) vgl. A. v. J a k s c h, Hexen und Zauberer, Carinthia I, 84. Jg.
S. 13; sollten hier Nachklänge slavischen Aberglaubens vorliegen? Die
deutsche Bevölkerung ist im Lungau erst in der Karolingerzeit eingeführt
worden. Ihr vorher ging eine slavische Besiedelung; s. v. I n a m a -
S t e r n e g g, Mitteil. d. anthrop. Ges. in Wien (Sitz.-Ber.), Jg. 1896, S. 59.

[4]) s. S c h e i b l e s Kloster, Jg. 1848 (10. Bd.), S. 530.

[5]) vgl. z. B. v. A n d r i a n, Ueber Wetterzauber, Mitt. d. Wiener
anthrop. Ges., Jg. 1894, S. 31.

[6]) s. W e i n h o l d, Die heidnische Totenbestattung in Deutschland,
Sitz.-Ber. d. Wiener Akad. d. Wiss., phil. hist. Cl., Jg. 1859, S. 182. —
Sollte mit diesem Bestattungsritus der indische Brauch, beim Manenopfer die
Hände zu kreuzen (H i l l e b r a n d t, Rituallit., S. 94), zusammenhängen?

[7]) Es wäre m. E. verfehlt, die eben angeführten abergläubischen Vorstellungen und Bräuche germanischer Völker auf c h r i s t l i c h e n Einfluss

Es trifft sich gut, dass sich ähnliche Riten und Vorstellungen auch bei den Slaven nachweisen lassen. Bei den Bulgaren gilt folgender Aberglaube: begegnet man beim Ausgang zur Arbeit einem Menschen, der seine Arme gekreuzt hält, so hat man bei der Arbeit keinen Erfolg[1]). Dem Verschränken der Arme wird demnach eine hemmende Kraft zugeschrieben. Pflegt die Schwangere mit überschlagenen Beinen zu sitzen, so wird sie eine schwere Geburt haben.[2]) Beim Hagelzauber der Huzulen werden die zauberwirkenden Gegenstände von den beschwörenden, oftmals hiebei völlig entkleideten Weibern mit übereinander gekreuzten Armen emporgehalten.[3]) Die Sitte ist — ein zuverlässiger Beweis für ihr hohes Alter — noch mit der Vorschrift der Nacktheit der zaubernden Person gepaart.

Durch die eben angeführten Belege glaube ich die Behauptung, dass die merkwürdige Sitz-Ceremonie der Herzogseinführung als ein Abwehrritus aufzufassen sei, gerechtfertigt zu haben. Das Gewicht dieser Belege[4]) wird noch erhöht,

---

zurückzuführen. Der oben S. 213 besprochene norwegische Aberglaube, der mit dem antiken völlig identisch ist, weist auf die vorchristliche Urzeit, ebenso geht der erwähnte Bestattungsbrauch unzweifelhaft auf vorchristliche Anschauungen zurück. Was die anderen Fälle betrifft, so darf darauf verwiesen werden, dass das Zeichen des Kreuzes als Schutz-, Abwehr- und Zaubermittel bereits der vorchristlichen Epoche angehört. (vgl. E. H. Meyer, Germ. Mythol., S. 209; Mannhardt, Germ. Myth., S. 16, 24; Kuhn, Herabk. d. Feuers, S. 177; Rochholz, Aargauer Sagen, 2. Bd., S. 205 fg.; Bastian, Zschr. f. Ethnol., 1. Bd., S. 372 u. v. a.) Wenn man diese Momente in Erwägung zieht und die gleichen römisch-griechisch-orientalischen Bräuche sich vor Augen hält, so kann man sich dem Eindruck nicht verschliessen, dass der Brauch der Gliedmassenverschränkung als zauberwirkender und zauberwehrender Gestus bereits dem germanischen Altertum bekannt war.

[1]) vgl. A. Strauss, Die Bulgaren (1898), S. 280.
[2]) s. Strauss, S. 293.
[3]) vgl. R. F. Kaindl, Die Huzulen, S. 91.

[4]) Aus der Reihe dieser Belege glaubte ich die indische Vorschrift, wonach der hotri beim Neu- und Vollmondopfer von einem bestimmten Zeitpunkt der Opferhandlung an mit überschlagenen Beinen zu sitzen hat (s. Hillebrandt, Neu- und Vollmondopfer, S. 91, 92, bes. Anm. 5), ausschliessen zu müssen, da ein Abwehrgestus in dieser eigenartigen Ceremonie nicht zu liegen scheint. Eine präzise Entscheidung hierüber muss den Indologen vorbehalten bleiben. Ebensowenig dürfte der nordirische Brauch, am Johannistage (zu Stoole) mit blossen Knieen

wenn man erwägt, dass nach indogermanischer Vorstellung
fremden Personen eine unheilwirkende, zauberische Kraft
zugeschrieben wird.[1]) Diese Macht zu bannen und solange zu
hemmen, bis sie durch die Umwandlung des Fremden zum Mitglied der Gemeinschaft unschädlich gemacht worden ist, ist
Aufgabe des Initiators. So wie man mancherorts der Braut,
gleich als ob sie eine unglückbringende Hexe[2]) wäre, die Türe
des neuen Heims durch gekreuzte Besen oder ähnliche zur Abwehr der schädlichen Mächte geeignete Gegenstände verstellt,
oder sie durch Zaubersprüche beschwört, so verschränkt der
Herzogsbauer, um die dem herannahenden Fremden innewohnende
Zauberkraft zu bannen[3]), seine Beine. Es soll durch diesen

---

und auf dem Rücken verschränkten Händen (S c h a u b e r g, 1. Bd., S. 450)
eine Höhe hinaufzurutschen, herangezogen werden, da das Verschränken der
Hände hier wohl nur den Zweck hat, die Leiden der Busse zu erhöhen.
Ob die in a l t a t t i s c h e n Gräbern gefundenen Götterbilder mit gekreuzten
Armen (vgl. R i t t e r, Vorhalle, S. 233; S c h a u b e r g, 2. Bd., S. 493)
und die gekreuzten Hände der sogen. kammenie babi (S c h a u b e r g, a. a. O.)
in diesen Zusammenhang gehören, wage ich nicht zu entscheiden.

[1]) vgl. S c h ö n w e r t h, Aus der Oberpfalz, 1. Teil, S. 309; F e i l b e r g,
Der böse Blick in nordischer Ueberlieferung, Zschr. d. V. f. Volksk., Jg.
1901, S. 321.

[2]) s. S c h ö n w e r t h, Aus der Oberpfalz, 1. Teil, S. 89. W i n t e r n i t z,
Altindisches Hochzeitsritual, S. 41—43.

[3]) Nach der hier vorgetragenen Auffassung ist der Herzogsbauer eine
Person, die nach der Meinung der Slovenen befähigt war, zauberwirkende
und zauberwehrende Handlungen vorzunehmen. Dass diese Auffassung zutreffend ist, wird m. E. auch durch den ältesten uns erhaltenen Namen des
Herzogsbauers erwiesen. In dem Freibriefe Herzog Ernsts vom Jahre 1414
wird der Herzogsbauer mit seinem Schreibnamen S c h a t t e r genannt (vgl.
P u n t s c h a r t, S. 149, 111). Es kann m E keinem Zweifel unterliegen,
dass dieser Name „S c h a t t e r" s l o v e n i s c h e n Ursprungs ist. Nun
kennt, worauf mich Herr Hofrat Prof. Dr. V. J a g i ć aufmerksam zu machen
die Güte hatte, das Slovenische ein Wort „sater" mit der Bedeutung „Z a u b e r,
H e x e r e i". Allerdings sprach Herr Hofrat J a g i ć die Vermutung aus,
dass dieses Wort „sater" ein Lehnwort aus dem Magyarischen sein könne
und gab der Meinung Ausdruck, dass für den Fall der Richtigkeit dieser
Vermutung eine Verwertung des Namens S c h a t t e r für meine Hypothese
über den Herzogsbauer selbstverständlich ausgeschlossen wäre. Im übrigen
empfahl er mir, über die Frage, ob „sater" wirklich ein Lehnwort aus dem
Magyarischen sei, das Urteil des Herrn Prof. Dr. K. Š t r e k e l j in Graz
einzuholen. Herr Prof. Dr. Štrekelj hatte die Güte, mir auf meine Anfrage
folgendes mitzuteilen: „Das slov. šater „Zauber, Hexerei" ist ein nur im

Ritus bewirkt werden, dass der Initiand nicht eber zum Heilig-
tume der slovenischen Volksgemeinschaft Zutritt erhalte, bevor
er nicht exorcisiert und der Teilhaberschaft am heiligen Kult-
gute für würdig befunden worden ist.

Osten des slov. Sprachgebietes (Oststeiermark. Westungarn) geläufiges Wort.
Dieser Umstand allein brachte die Forscher auf die Meinung, dass man es
mit einem magyarischen Lehnwort zu tun hat; wie aber diese magyarische
Quelle lautet, hat bis jetzt meines Wissens niemand angegeben. Von den
irgendwie möglichen Wörtern käme das einzige „szatyor" in Betracht, das
aber nur in der Verbindung „vénszatyor" = „alte Hexe, alte Vettel" gebraucht
wird; aber auch dieses ist lautlich nicht ganz einwandfrei, indem man „sater,
sator" erwartete; allerdings könnte „šatan" (magyar. satan) = „Teufel" mit
im Spiele gewesen sein." Diese dankenswerten Mitteilungen, die die Frage,
ob „šater" ein Lehnwort aus dem Magyarischen sei, offen liessen, veranlassten mich, noch das Gutachten des Herrn Prof. Dr. Hermann Vambéry
in Budapest einzuholen. Aus diesem Gutachten geht nun zur Evidenz
hervor, dass das slovenische Wort „šater" kein Lehnwort aus dem Magyarischen
sein könne. Herr Prof. Dr. Vambéry war so gütig, mir folgende Aufklärung
zuteil werden zu lassen: „Das ungarische Wort „szatyor" bedeutet ursprünglich
einen „Korb, Sack, Ranzen" und nur in der Nebenbedeutung
„ein altes Weib". (Vgl. „Schachtel" und „alte Schachtel"). Etymologisch
verwandt ist es mit „szatying" = „lose herabhängende Fäden" und mit
„szatyma" = „Schrot". Sämtlichen liegt das Etymon sat, sač = „aus-
einanderwerfen, streuen zugrunde". Wenn nun sonach „šater" als ein
slovenisches Wort betrachtet werden darf, so erhält die oben vorgetragene Auffassung von der zauberwehrenden Tätigkeit des Herzogsbauers eine willkommene etymologische Unterstützung. Fraglich bleibt nur
noch wie das slovenische „šater" = „Zauber" aus dem slavischen Sprach-
schatze zu erklären sei. Auf diese Frage scheint mir eine von Herrn Prof.
Dr. Štrekelj brieflich ausgesprochene Vermutung eine befriedigende Antwort zu geben. Herr Prof. Štrekelj schreibt: „Zunächst haben wir in
poln. szatrzyć = „Acht geben, Acht haben, beobachten", čech, šetřiti
„wahrnehmen, beobachten, Rücksicht haben, sorgen, schonen, sparen"
ein „šatr —" vorauszusetzen, da dies Verba denominativa sind. Die Bedeutung dieses šatr — würde . . . . beiläufig sein: „ein šatr — sein", also
ein Beobachter, Achtgeber sein", vielleicht — haruspex, Vogelschauer,
Seher der Zukunft". Zur Unterstützung dieser Etymologie möchte ich
verweisen: bezüglich der Iranier und Inder auf Geiger, Ostiranische Kultur,
S. 466, Oldenberg, Religion d. Veda, S. 509, bez. der Römer und Umbrer
auf Pauly-Wissowas Realencyclopädie, s. v. augures, Sp. 2342; über
die Griechen s. Deecke, Etruskische Forschungen 1, 78 fg., über die
Etrusker Deecke, a. a. O. 5, 30; 6, 57; über die Germanen Grimm,
Deutsche Mythologie², S. 83, 987, 990; über die Turko-Tataren s. Vambery,
Primitive Kultur des turko-tatarischen Volkes (1879), S. 248 fg.; über die
Semiten s. Schmolly, Semitische Kriegsaltertümer, 1. Bd. (1901), S. 18.

Wir dürfen uns nunmehr, nachdem der innere Gehalt der
Sitzvorschrift der Fürstenstein-Ceremonie festgestellt erscheint,
der Erörterung des Prüfungsverfahrens zuwenden.

Nach der in dieser Untersuchung vertretenen Annahme ist
das Inquisitorium der Fürstenstein-Ceremonie aus dem Einbürgerungsverfahren der heidnisch-slovenischen Epoche herübergenommen worden. Dort hat es, so vermeine ich behaupten zu
dürfen, die Aufgabe gehabt, das auf die Initiation gerichtete
Streben und die Würdigkeit des Initianden in solenner Weise
festzustellen. Es muss vor allem die Fragen enthalten haben,
ob der Initiand dem stammväterlichen Gotte der slovenischen
Volksgemeinschaft zugehören und den Göttern, denen er bisher
geopfert, entsagen wolle (detestatio sacrorum), ob er den Willen
habe, die Gesamtzwecke der Volksgenossenschaft zu fördern,
und ob er die zur Aufnahme erforderliche physische und moralische
Qualifikation besitze. Aus diesem Frageverfahren mussten
natürlich, als der erste deutsche Fürst in den Stammesverband
der Slovenen aufgenommen wurde, alle anstössigen heidnischen
Elemente, also in erster Reihe jede Bezugnahme auf die stammväterliche Gottheit der heidnischen Slovenen, ausgetilgt worden
sein. Sonst mag das Verfahren bei den ersten Herzogseinführungen gleich geblieben sein. Nach und nach muss diese
Frageprozedur eine inhaltliche Veränderung erlitten haben, indem
man die Fragen, die auf die Qualifikation des Kandidaten
schlechthin, ohne Beziehung auf seine Herrscherwürde, lauteten,
in solche umwandelte, welche die Regententugenden des fürstlichen
Initianden zum Gegenstande hatten, so wie man etwa die
Fragen, die man bei der Aufnahme von Fremden in die Dorf-
oder Hausgenossenschaft gestellt haben mochte, bei der Brauteinführung in solche, welche sich auf die hausmütterlichen
Eigenschaften der Braut bezogen, umwandelte. Diese Umänderung kann sich erst zu einer Zeit vollzogen haben, wo der
initiatorische Gehalt der Fürstenstein-Ceremonie sich bereits zu
verflüchtigen begann. Höchstwahrscheinlich war es der Einfluss des gelehrten Clerus,[1] der diese Entwicklung zum

---

[1] Auf den Gegensatz zwischen der traditionellen volksmässigen
Uebung und dem offiziellen, wohl von Klerikern verfassten Ritual glaube
ich den Umstand zurückführen zu dürfen, dass die österreichische Reim-

Abschluss brachte; denn sonst liesse sich die auffallende Uebereinstimmung zwischen den Fragen des kärntnerischen Prüfungsverfahrens und den Gelöbnisformeln der deutschen Königskrönung kaum erklären. Ein Ueberrest aus jener Zeit, wo man
bei der Frageprozedur der Herzogseinführung den Herzog wie
jeden anderen Initianden behandelte, wo man also von seinen
Herrschertugenden noch gänzlich absah, scheint mir in der auf
die Freiheit des Herzogs bezüglichen Frage, von der uns
Johannes von Victring berichtet, vorzuliegen. Geht man
von der Annahme aus, dass die Fürstenstein-Ceremonie der Einsetzung des Herzogs in die Herrschaft diente, so lässt sich
m. E. nicht erklären, wieso diese Frage im Rahmen des Prüfungsverfahrens vom Inquirenten gestellt werden konnte. Denn
supponiert man, dass die Frageprozedur und die auf die Freiheit
des Herzogs bezügliche Frage bereits dem Ritual der heidnisch-

---

chronik, die bei ihrer Schilderung der „Herzogseinführung" höchstwahrscheinlich eine Quelle k i r c h l i c h e n Ursprungs benützt hat(vgl. v. J a k s c h,
Mitt. d. Inst. f. öst. Gesch., 23. Bd., S. 313), weder vom Feuer- und Wasserritus, noch vom Brauche des Backenstreiches etwas zu vermelden weiss.
Die Verfasser des offiziellen Rituals, die die Fürstenstein-Ceremonie als
eine Einsetzung in die Herrschaft auffassten, setzten diese Feierlichkeit,
wie aus dem Formalismus des Frageverfahrens hervorgeht, mit dem Ritual
der Königskrönung in Parallele. Da in diesem Ceremoniell von einem Feuer-
und Wasserritus ebensowenig wie von einem Backenstreiche die Rede ist,
hielten sich die geistlichen Redaktoren des Rituals der Fürstenstein-Ceremonie
wohl für berechtigt, diese Einzelzüge, die der beabsichtigten Angleichung
der Bräuche an das Ceremoniell der Königskrönung hindernd im Wege
standen, auszutilgen. Wenn also O t t o k a r vom Entzünden der Holzstösse,
vom Wassertrunke und der Ohrfeige nichts berichtet, so dürfte nicht e r,
sondern seine V o r l a g e daran schuld sein. Dass vom Feuer- und Wasserritus, sowie vom Backenstreiche bei J o h a n n e s v o n V i c t r i n g die
Rede ist, verdanken wir, wie ich glaube vermuten zu dürfen, dem Umstande,
dass der Abt neben einem offiziellen, auf Veranlassung M e i n h a r d s
verfassten Ritual (— ich folge hier der ansprechenden Mutmassung v. J a k s c h,
a. a. O., S. 314 —) auch noch, sei es seine eigene Anschauung vom Akte,
sei es die Berichte von Augenzeugen verwertete, sich sonach sowohl auf
o f f i z i e l l e Quellen, als auch auf die v o l k s m ä s s i g e U e b u n g stützte.
Man vergleiche in der Darstellung des Abtes die Worte von „et sicut
fertur" bis „quod de adversa ortum est consuetudine, non de iure", die in
ihrer Fassung („fertur", „dicunt") darauf hinzudeuten scheinen, dass
J o h a n n e s v o n V i c t r i n g hier auch die volkstümliche Ueberlieferung
zurate gezogen hat.

slovenischen „Einsetzung" angehörte. so hätte eine solche Frage
keinen Sinn gehabt, da ja die Slovenen ihre Fürsten und Heer-
führer sicherlich aus edlen, allen Volksgenossen wohl bekannten
Geschlechtern wählten und die Fürstenwürde oftmals lange Zeit
hindurch bei einem dieser Geschlechter erblich verblieben sein
dürfte.[1]) Hätte man aber die auf die Freiheit des Herzogs
lautende Frage erst nach der Aufrichtung der deutschen Vorherrschaft in Kärnten ins Frageverfahren eingeschoben oder
damals diese Prozedur überhaupt erst dem Ritual der Fürstenstein-Ceremonie einverleibt, so wäre ebenfalls nicht recht einzusehen, warum man just nach der freien Geburt des „Einzusetzenden"
und nicht vielmehr sogleich nach seiner Zugehörigkeit zu einem
edlen Geschlechte forschte. Puntschart glaubt freilich, von
dem von ihm gewählten Standpunkte aus den Sinn dieser merkwürdigen Frage enträtseln zu können. Er sagt:[2]) „Von hier
aus" — nämlich wenn man die Feindschaft des im Kampfe um
die Vorherrschaft siegreich gebliebenen Bauerntums gegen den
Hirtenadel der Supane sich immer vor Augen hält — „bekommt
auch die Frage des Bauers bei der Herzogseinsetzung, ob der
künftige Fürst freien Standes sei, einen tieferen Sinn, denn es
zeigt sich, dass man absichtlich vermied, vom Adel zu sprechen,
dass die Demokratie diese Frage diktierte." Und an einer
anderen Stelle[3]) meint er: „Besonders ist als ein demokratischer
Zug zu beachten, dass der Bauer nicht die Zugehörigkeit zu
einem edlen Geschlechte verlangt, sondern nur zum freien
Stande." Diese Erklärung Puntscharts ist natürlich unzureichend, da der angebliche demokratische Grundcharakter der
Fürstenstein-Ceremonie und der Kampf des Bauerntums gegen
den „Hirtenadel" der Supane nicht zu erweisen ist. Hingegen
lässt sich von dem in der vorliegenden Untersuchung gewählten
Standpunkte aus die Frage nach dem freien Stande des Herzogs
in ungezwungener Weise erklären. Es kann nicht Wunder
nehmen, wenn man bei der Rigorosität, mit der man bei jeder
Impatriierung vorging, die Initiation in den slovenischen Stammes-

---

[1]) vgl. hiezu Loserth, Archiv für österreichische Geschichte. 64.
Bd. (1882), S. 72.

[2]) vgl. Puntschart, S. 269.

[3]) s. Puntschart, S. 185.

verband neben anderen Bedingungen auch davon abhängig
machte, dass der Initiand bereits in seiner früheren Heimat dem
freien Stande angehört habe.[1]) Deshalb stellte man wohl im
Verlaufe der Frageprozedur des heidnisch-slovenischen Einbürgerungsverfahrens eine besondere, auf die Freiheit des Einzuführenden bezügliche Frage. Diese Frage mochte dann ins
Ritual der Herzogseinführung unverändert herübergenommen
worden sein. Als dann später das Prüfungsverfahren eine
inhaltliche Veränderung erlitt und darin nunmehr die Regententugenden des Herzogs erörtert wurden, liess man die Frage
nach der freien Geburt des Herzogs, deren innerer Sinn bereits
in Vergessenheit geraten war, in dem in seinen sonstigen Teilen
missverständlich umgebildeten Frageverfahren stehen.[2])

Von der ersten Frage der inquisitorischen Prozedur der
Herzogseinführung, die dahin ging, wer der in die slovenische
Volkstracht gekleidete, vor den Herzogsbauer hintretende Mann
sei, war bereits die Rede. Sie entspricht der ersten Frage der
beim upanayana, bei der Brauteinführung, der Gesellenweihe
und sonstigen initiatorischen Akten üblichen Katechisation.
Hier wie dort dient diese Frage der solennen Feststellung,
dass der vor dem Initiator erschienene Verbandsfremde die
Einführung anstrebe. Auch bei dieser Frage begegnen wir
dem Versuche Puntscharts, sie aus dem vermeintlichen demo-

---

[1]) Bei dem der Aufnahme in die buddhistischen Bettelgemeinden
vorhergehenden Inquisitorium wird ebenfalls eine auf die Freiheit des
Initianden bezügliche Frage gestellt; s. Hardy, Der Buddhismus etc., S. 74.

[2]) Mit der auf die Freiheit des Herzogs bezüglichen Frage des Herzogsbauers beschäftigt sich auch v. Wretschko. Er hält dafür (S. 949,
Anm. 1), dass die Frage „eine zum Fürstenamt notwendige Qualifikation"
betreffe und beruft sich auf Ssp. III. 54 § 3, der für die deutsche Königs-
würde nur die freie Geburt des Kandidaten fordere. Als ein solches
„Minimalerfordernis" erachtet er auch die Frage nach dem freien Stande
des Herzogs. Indes scheint es mir doch fraglich zu sein, ob man jenen
Rechtssatz des Sachsenspiegels zur Erklärung der auf den freien Stand des
Herzogs bezüglichen Frage wird heranziehen dürfen. Uebrigens ist noch
keineswegs ausgemacht, ob der Sachsenspiegel mit jenem Rechtssatze ein
Minimalerfordernis statuieren wollte, etwa in dem Sinne, dass auch der
freie Bauer König werden könne; vgl. Ficker, Ueber die Entstehungszeit
des Schwabenspiegels, Wiener S. B., 77. Bd., S. 845, 847.

kratischen Grundzuge des Fürstenstein-Dramas zu erklären.
Puntschart meint[1]): „Der Vertreter des Volkes soll keine
Ehrfurcht zeigen gegenüber dem Manne, der da im prächtigen
Zuge einherkommt. Daher die Vorschrift, dass er ein Bein
über das andere lege, ... Und daher auch die erste Frage,
wer der Mann sei, der da herankomme." Einer näheren Widerlegung bedarf dieser Erklärungsversuch Puntscharts wohl
nicht mehr.

Auch des Umstandes, dass nicht der Herzog, sondern die
ihn geleitenden Personen für ihn dem Herzogsbauer antworten
mussten, wurde bereits Erwähnung getan. Ebenso wurde die
Erklärung dieses Brauches aus dem initiatorischen Charakter
der Fürstenstein-Ceremonie unter Hinweis auf die den Initianden
bei den verschiedensten initiatorischen Anlässen beigegebenen
Geleiter und Bürgen bereits versucht. Hier kann es sich nur
mehr noch darum handeln, nachzuweisen, dass Puntscharts
Deutung auch in diesem Punkte der erforderlichen Begründung
entbehrt.

Da Puntschart in der Fürstenstein-Ceremonie eine „Einsetzung" des Herzogs in die Herrschaft erblickt und der irrigen
Meinung ist, dass die Slovenen nach dem Verluste des Rechtes
auf die Herzogswahl wenigstens die Befugnis erlangt hätten,
den vom deutschen König ernannten Herrscher abzulehnen, dass
sie schliesslich auch diese Position verloren hätten und sich
nunmehr nur mit dem formalen Rechte begnügen mussten, beim
Akte der „Einsetzung" die Qualifikation des Kandidaten prüfen
und eine das Vorhandensein dieser Qualifikation sicherstellende
Erklärung des deutschen Königs fordern zu dürfen — so musste
er natürlich zur Annahme greifen, dass die Antworter des
Prüfungsverfahrens als Vertreter des deutschen Königs
aufzufassen seien. Bei diesen Vermutungen kam ihm nun die
Nachricht des Aeneas Silvius,[2]) dass der Pfalzgraf von
Kärnten die letzte, auf das Entgelt bezügliche Frage des Herzogsbauers beantwortet habe, sowie der Bericht der Kärntner Landstände vom Jahre 1564,[3]) welcher den Pfalzgrafen zu den

[1]) vgl. Puntschart, S. 135.
[2]) vgl. Puntschart, S. 80.
[3]) s. Puntschart, S. 93.

Antwortern des Frageverfahrens rechnet, sehr gelegen; denn —
so argumentierte er wohl — der Pfalzgraf von Kärnten konnte,
falls sich nur erweisen liess, dass das Kärntner Pfalzgrafenamt
keine spätmittelalterliche Institution sei, sondern in die ottonische
Zeit zurückreiche, sehr wohl ein Vertreter des deutschen Königs
genannt werden, und so durfte wohl — sofern sich das seiner
Hypothese hinderliche Faktum, dass unsere ältesten Quellen
von einer Antworter- und Bürgenfunktion des Pfalzgrafen kein Wort zu melden wissen, aus dem Wege räumen
liess — behauptet werden, dass der Pfalzgraf von Kärnten seit
jeher im Fürstensteindrama mitgewirkt und hier den deutschen
König vertreten habe.

In der Tat glaubt nun Puntschart das letztgenannte
Hemmnis beseitigen und ausserdem im Gegensatz zur bislang
herrschenden Lehre behaupten zu dürfen, dass der Pfalzgraf
von Kärnten „mehr als ein blosser Titularpfalzgraf, dass er
der Idee nach ein echter Pfalzgraf im Sinne der ottonischen
Zeit war."[1]) Indes wird man in beiden Fällen die Beweisführung Puntscharts als nicht überzeugend bezeichnen dürfen.
Was zunächst die Annahme Puntscharts betrifft, dass auch
in der frühmittelalterlichen Zeit der Pfalzgraf die Fragen des
Herzogsbauers beantwortet und die Wahrheit seiner Aussage garantiert habe, so muss zwar anerkannt werden, dass Puntschart[2])
diese seine Supposition in überaus scharfsinniger Weise ver-
teidigt; doch vermag aller Scharfsinn und alle Kombinations-
gabe die Tatsache nicht aus der Welt zu schaffen, dass weder
die österreichische Reimchronik, noch Johannes von Victring,
d. h. also unsere Hauptquellen über die Herzogseinführung,
von einer Antworter- und Bürgenfunktion des Pfalzgrafen ein
Wort zu vermelden wissen. Die österreichische Reimchronik
erwähnt den Pfalzgrafen von Kärnten überhaupt nicht und
Johannes von Victring sagt nur, dass der Graf von Görz
als der Pfalzgraf des Landes sich mit zwölf Fähnchen an der
Seite des Fürsten halten solle.[3]) Ich kann es mir, eben wegen

---

[1]) s. Puntschart, S. 294.

[2]) vgl. Puntschart, S. 42 fg., 65.

[3]) vgl. Puntschart, S. 47. — In aller Kürze möchte ich an dieser
Stelle der eben erwähnten „Geleitfunktion" des Pfalzgrafen einige Worte

dieses gegen Puntschart entscheidenden Stillschweigens
unserer besten und ältesten Quellen versagen, die Unzulänglichkeit seiner Annahme im einzelnen, durch Aufrollung
seiner vielverschlungenen Beweisführung, aufzuzeigen, umsomehr,
als dieser Einzelnachweis uns an dieser Stelle zu weit führen
würde. Jeder, der sich die Mühe nimmt, die Ausführungen
Puntscharts zu diesem Punkte seiner Hypothese zu über-
prüfen, wird sich des Eindruckes nicht entschlagen können,
dass Puntschart hier für eine von vornehere in verlorene
Position kämpft. Bei dieser Sachlage wäre ich eigentlich der
Verpflichtung enthoben, den Nachweis dafür zu erbringen, dass
Puntscharts Auffassung über das Kärntner Pfalzgrafenamt
nicht genügend fundiert ist; denn selbst wenn Puntscharts
Rekonstruktion der Geschichte des kärntnerischen Pfalzgrafenamtes zuverlässig wäre, so dürfte darum doch nicht angenommen
werden — eben deshalb, weil der Pfalzgraf weder nach dem
Berichte Ottokars, noch nach jenem des Johannes von Victring
bei der Fürstenstein-Ceremonie handelnd hervortritt — dass der
Pfalzgraf von Kärnten im Fürstensteindrama die von Puntschart
bezeichnete Rolle gespielt habe. Indes glaube ich diese Frage
hier doch mit einigen Worten berühren zu müssen, einmal deshalb, weil ich im Gefüge meiner gegen die Puntschart'schen

---

widmen. Von dieser berichtet zum erstenmale Johannes von Victring,
der sagt, dass der Pfalzgraf „lateri principis adherebit". Vielleicht ist auf
die Entstehung dieser Geleitfunktion, von der die österreichische Reimchronik bezeichnenderweise noch nichts zu melden weiss, das Ceremoniell
der spätmittelalterlichen Kaiserkrönung von Einfluss gewesen.
Nach dem Ordo, der für die Krönung Heinrichs VII., dann Kaiser Karls IV.,
in Anwendung kommen sollte, hat der lateranensische Pfalzgraf
(comes palatii Lateranensis) gemeinsam mit dem primicerius judicum den
Kaiser bei der Krönung zu geleiten, vgl. hierüber, sowie über die Geleitfunktion des bei der Krönung Ludwigs IV. fungierenden lateranensischen
Pfalzgrafen, Ficker, Forschungen zur Reichs- und Rechtsgeschichte Italiens,
II. Bd., S. 112 fg.; Pfaff, Geschichte des Pfalzgrafenamtes, 1847, S. 80 fg.
Wäre die eben vorgetragene Vermutung richtig, dann dürfte man wohl annehmen, dass die Geleitfunktion des Pfalzgrafen von Kärnten zur gleichen
Zeit wie die Schwertceremonie ins Ritual der Fürstenstein-Ceremonie Eingang fand, d. h., wie eingangs (S. 24, Anm. 2) vermutet wurde, in den
ersten Jahrzehnten des 14. Jahrhunderts.

Aufstellungen über den Pfalzgrafensitz gerichteten Ausführungen Puntscharts Rekonstruktion der Geschichte des Kärntner Pfalzgrafenamtes als unzulänglich bezeichnet, den Beweis für dieses Urteil jedoch erst für den Zeitpunkt der Erörterung der angeblichen Antworterfunktion des Pfalzgrafen zurückgestellt habe, sodann aus dem Grunde, weil Puntscharts Pfalzgrafenhypothese die ausdrückliche Billigung S c h r o e d e r s, v. W r e t s c h k o s, A. v. J a k s c h s und A. A n t h o n y s v. S i e g e n f e l d gefunden hat[1]), diese Hypothese sonach auf dem besten Wege ist, in der Wissenschaft der deutschen Verfassungsgeschichte allgemeine Geltung zu erlangen. Wie bereits erwähnt wurde, ist nach der bis zum Erscheinen der P u n t s c h a r t'schen Untersuchung herrschenden, hauptsächlich von F i c k e r vertretenen Lehre[2]) im Pfalzgrafen von Kärnten ein blosser T i t u l a r - p f a l z g r a f zu erblicken. P u n t s c h a r t glaubt nun, indem er auf den zur Zeit der Ottonen in Kärnten wirkenden „G e w a l t - b o t e n" Hartwig und einen unter Otto I. nachweisbaren V u e r i a n t, der Königseigen unter seiner Verwaltung hatte, verweist und diesen Beamten mit v. A n k e r s h o f e n[3]) pfalz- gräflichen Charakter beimisst, dass das spätere Kärntner Pfalz- grafenamt aus diesem Gewaltboten-Amt hervorgegangen sei, dass sonach die Kärntner Pfalzgrafen — wenn sich dies auch später praktisch nicht mehr äusserte — echte Pfalzgrafen ge- nannt werden dürfen. Dieser Argumentation gegenüber darf zunächst bemerkt werden, dass die in den Quellen gebrauchten

---

[1]) vgl. v. W r e t s c h k o, S. 957 f.; A. v. J a k s c h, Carinthia, Jg. 1901, S. 193 f.; A. R i t t e r A n t h o n y v o n S i e g e n f e l d, Das Landeswappen der Steiermark, Forsch. z. Verfass.- u. Verwaltungsgesch. d. Steierm., hgeg. v. d. hist. Landeskommission f. Steiermark, 3. Bd. (1900), S. 310 fg.

[2]) vgl. F i c k e r, Vom Reichsfürstenstande, S. 199; S c h r o e d e r, der noch in der dritten Auflage seines Lehrbuches der deutschen Rechtsgeschichte (S. 479 fg.) die F i c k e r'sche Lehre vertreten hatte, acceptiert nunmehr (Deutsche Rechtsgeschichte, 4. Auflage, S. 503) die Pfalzgrafenhypothese P u n t s c h a r t s ihrem vollen Inhalte nach.

[3]) vgl. v. A n k e r s h o f e n, Handbuch der Geschichte des Herzogtums Kärnten, 2. Bd., S. 407—411; s. ferner G f r ö r e r, Pabst Gregorius VII., 1. Bd., S. 488—491.

Wendungen[1]): „res proprietatis nostrae in Carantana regione
sitas sub regimine Vuerianti, in ministerio Hartuigi comitis, in
regimine waltpodonis Hartuici etc." m. E. noch keineswegs den
sicheren Schluss gestatten, dass dieses „ministerium" und dieses
„regimen" just pfalzgräflichen[2]) Charakters gewesen sei. Aber
selbst wenn dies der Fall gewesen wäre, so ist damit der
historische Zusammenhang zwischen diesen pfalzgräflichen Beamten und den späteren Pfalzgrafen von Kärnten noch keineswegs dargetan. Die grosse zeitliche Distanz zwischen der letzten
Erwähnung des Gewaltboten Hartwic und der erstmaligen
Nennung der Pfalzgrafen von Kärnten steht der Annahme eines
solchen Zusammenhanges im Wege[3]) und wird durch kein
Zeugnis aus der Zwischenzeit überbrückt. A. v. Jaksch glaubt
nun allerdings diese bedenkliche zeitliche Lücke ausfüllen zu
können, indem er mit allem Nachdruck auf eine in Kürze bereits von Puntschart und Anthony v. Siegenfeld erwähnte
Gerichtsurkunde Konrads II. v. Verona 1027 Mai 19 verweist,
laut der Herzog Adalbero „una cum Vizelino Advocato suo,
qui et Walpoto vocatur", vor dem kaiserlichen Gerichte
auftritt.[4])

M. E. kann diese Urkunde für die Hypothese Puntscharts
nicht das Geringste beweisen, da der Ausdruck „Gewaltbote"
ein viel zu allgemeiner und unbestimmter ist und wie das ent-

---

[1]) vgl. Puntschart, S. 294 fg.

[2]) vgl. hiezu die Bemerkung bei Waitz. Deutsche Verfassungsgeschichte, 7. Bd., S. 36, Anm. 3.

[3]) Der Gewaltbote Hartwic wird zum letztenmale genannt in einer
Urkunde aus dem Jahre 980 (vgl. Mon. Germ. dipl. tom. I. ed. Th. Sickel,
p. 243); die Pfalzgrafen von Kärnten werden urkundlich zum erstenmale
erwähnt in der Bulle des Papstes Calixt II. v. 27. 3. 1122 für Milstat;
vgl. Anthony v. Siegenfeld, S. 312, v. Jaksch, Carinthia, Jg. 1901,
S. 193 f.

[4]) vgl. v. Jaksch, a. a. O.; die Urkunde findet sich bei Stumpf,
Kaiserurkunden des 10., 11. und 12. Jahrhunderts, n. 1498; eine gute Copie
dieses bis jetzt schlecht überlieferten Stückes fand v. Jaksch im Staats-
archiv zu Venedig. — Zum Inhalt der Urkunde vgl. A. F. Gfrörer, Pabst
Gregorius VII., 1. Bd., S. 473.

sprechende lateinische Wort „missus"[1]) den Stellvertreter
schlechthin bezeichnet. So erscheint in einer aus dem
Jahre 1068 stammenden Bamberger Urkunde[2]) ein waltpoto
Immo, der, nach dem ganzen Sachverhalt zu schliessen, ein
Sachwalter des Bamberger Bischofs[3]) gewesen sein dürfte. Im
Jahre 1138 erhielt das Kloster Komburg von Konrad III. die
Freiheit, dass kein „comes vel quispiam sub eo, qui vulgo
walpodo vocatur, ullam placitandi.... potestatem habeat...."[4]).
Man wird aus diesem Grunde gut tun, in diesem Vizelin, „qui
et walpodo vocatur", nicht mehr sehen zu wollen, als in ihm
wirklich gesehen werden darf: nämlich einen gewöhnlichen
Sachwalter des Herzogs[5]) Adalbero. Wenn v. Jaksch
sonach meint, dass durch die erwähnte Urkunde Konrads II.
v. J. 1027 „die Ansicht, dass wir in dem Gewaltboten, den
uns Urkunden der Ottonenzeit im 10. Jahrhundert in Kärnten
nennen, den Träger des pfalzgräflichen Amtes daselbst zu sehen
haben", „nunmehr zur Gewissheit" werde, so glaube ich den
Grad dieser Gewissheit einigermassen herabgemindert und gezeigt
zu haben, dass nach wie vor zwischen dem Gewaltboten Hartwic,
dem angeblichen Träger pfalzgräflicher Befugnisse in Kärnten

---

[1]) vgl. z. B. L. Cham. c. 43: „per comitem aut per missum suum";
weitere Beispiele bei Krause, Geschichte des Instituts der missi dominici.
M. d. Inst. f. öst. Gesch., 11. Bd. S. 194.

[2]) vgl. Mansi, sacrorum conciliorum nova et amplissima collectio,
tom. XIX., p. 885; Gfrörer, S. 490.

[3]) Der in Urkunden aus den Jahren 1128, 1130, 1132 erwähnte
Erluwinus Walpodo (vgl. Gudenus, Codex diplomaticus anecdotorum
res Moguntinas illustrantium, 1. Bd. (1743), S. 79, 83, 87, 104) dürfte
ebenfalls ein bischöflicher Sachwalter gewesen sein; s. Waitz, 7. Bd.,
S. 36, Anm. 1.

[4]) vgl. Thudichum, Gau- und Markverfassung in Deutschland (1860),
S. 59. Weiteres über die Gewaltboten bei Grimm, Rechtsaltertümer, 1. Bd.,
S. 384, 2. Bd., S. 378.

[5]) Ueber Waltpoten des Herzogs vgl. Waitz, 7. Bd., S. 36. — Auch
U. Wahnschaffe (Das Herzogtum Kärnten und seine Marken im 11. Jh.,
Archiv für vaterländ. Geschichte und Topographie, hgeg. v. Geschichtsverein
f. Kärnten, 1878, S. 16, Anm. 52) hält den Vizelin, „qui et Walpoto
vocatur", für einen herzoglichen Vogt. Für diese Ansicht spricht ja auch
das „... Advocato suo".

und den späteren Pfalzgrafen von Kärnten[1]) eine zeitlich
unüberbrückbare Kluft gähnt.[2])

Somit hat es denn bei der Annahme zu verbleiben, dass
nur die den Herzog geleitenden Landherren (herren von frier

---

[1]) M. E. hat H. Witte (Genealogische Untersuchungen zur Reichsgeschichte unter den salischen Kaisern, Mitteil. d. Inst. f. öst. Gesch., Er-
gänzungsbd. V., S. 433) den Umstand, dass im Jahre 1122 mit einemmale
ein Engelbert als Pfalzgraf von Kärnten erscheint, ohne dass früher eines
solchen Erwähnung getan wird, in befriedigender Weise aufgeklärt. Nach
Witte werden wir anzunehmen haben, dass Engelbert von Görz ursprünglich
Pfalzgraf von Baiern war und dann durch Heinrich V. die Bildung einer
eigenen Pfalzgrafenschaft für Kärnten erfolgte, mit der Engelbert abge-
funden wurde, als er jene über Baiern an Otto von Wittelsbach abtreten
musste.

[2]) In Puntscharts Beweisführung für die These, dass die Pfalzgrafen von Kärnten „echte Pfalzgrafen im Sinne der ottonischen Zeit" gewesen seien, spielt eine Bemerkung des Thomas Ebendorfer über ein
angebliches Recht der Kärntner Pfalzgrafen, die vom Herzog von Kärnten
verweigerten Belehnungen an seiner Statt vornehmen zu dürfen, eine grosse
Rolle. Nach seiner Meinung wird der Wert dieser Mitteilung ausser Zweifel
gestellt durch einen aus dem Jahre 1391 stammenden Spruchbrief Herzog
Albrechts III., dessen Original Puntschart nicht auffinden konnte, das
sich jedoch nach v. Jakschs Mutmassung (Mitt. d. I. f. öst. G., 23. Bd.,
S. 328) in München befinden dürfte. In dieser Urkunde heisst es vom
Pfalzgrafen von Kärnten, dass er „auch gen einen herzogen daselbst, so man
auf den Fürstenstuhl setzet, recht thun soll". Durch diesen Spruchbrief
sei „schlagend dargetan, dass der Pfalzgraf auch noch am Ende des 14. Jh.
als der dem Herzog übergeordnete Vertreter des deutschen Königs auftreten
konnte"; s. Puntschart, S. 296 fg. M. E. ist es nicht zulässig, an die
eben angeführten Belege weittragende Folgerungen zu knüpfen, wie dies
Puntschart getan. Es ist der Verdacht nicht abzuweisen, dass diese
angeblichen Rechte der Pfalzgrafen von Kärnten erst im 14. Jh. unter dem
Einflusse der Rechtsbücher konstruiert wurden. Man denke an die von
Puntschart im Rahmen seines Beweises ebenfalls herangezogenen, auf den
Pfalzgrafen aus dem Hause Ortenburg bezüglichen Worte, die wir in einem
angeblich von 1326 datierenden Salbuche (s. Monumenta Boica XXXVI,
p. 530; Heigel u. Riezler, Das Herzogtum Baiern zur Zeit Heinrichs
des Löwen u. Ottos I. von Wittelsbach, 1867, S. 198) lesen: „Ez
sol auch der pfallentzgraf von dem Rottal an des hertzogen stat sitzen
in dem Latran (Regensburg) und soll rihten über dem hertzogen". Dieses
Recht des Pfalzgrafen, statt und über den Herzog zu richten, ist aber, wie
Waitz (Deutsche Verfassungsgeschichte, VII. Bd., S. 172, Anm. 1) m. E.
treffend bemerkt, offenbar nach der Analogie der Lehre der Rechtsbücher von der Stellung des Pfalzgrafen am Rhein zum König
gemacht.

art), mag nun ihre Zahl zwei, drei oder vier gewesen sein,
auf die Fragen des Herzogsbauers antworten und die Wahrheit
ihrer Aussage eidlich garantieren mussten. Da nach Puntschart
die durch seine Hypothese geforderte „Vertretung" des
deutschen Königs beim Akte der vermeintlichen „Einsetzung"
in erster Linie durch den Pfalzgrafen als den schon kraft seiner
verfassungsrechtlichen Stellung hiezu berufenen Reichsbeamten
ausgeübt wurde, so entfiel für ihn die Notwendigkeit, auch den
geleitenden und garantierenden Landherren eine gleiche Ver-
treterfunktion expressis verbis zuzuweisen; indes muss er auch
ihnen eine ähnliche Obliegenheit zugedacht haben. Sagt er
doch ausdrücklich:[1] „Der Pfalzgraf und die zwei deutschen
Landherren als Eidbürgen sind durch die Verfassung des
deutschen Herzogtums ins Ritual gekommen. In ihnen gelangt
die deutsche Verfassung zum Ausdruck: der deutsche König
lässt den Pfalzgrafen als seinen Vertreter zusammen mit zwei
deutschen Landherren für die vom Bauer geforderte Qualifikation des vom König belehnten deutschen Herzogs eidliche
Garantie leisten." Es bedarf wohl keiner näheren Ausführung,
dass ein Mandat des deutschen Königs an die den Herzog
geleitenden Landherren noch weniger erweislich ist als der
vermeintliche, an den Pfalzgrafen von Kärnten gerichtete Auftrag des Königs zur Garantieleistung an seiner Statt.

Die eben dargelegte Ansicht Puntscharts steht in direktem
Gegensatze zu jener, welche sich in folgerichtiger Entwicklung
aus dem Grundgedanken der vorliegenden Untersuchung ergibt.
Hienach sind die den Herzog geleitenden Landherren als Mitglieder der slovenischen Volksgemeinschaft aufzufassen; denn
wo immer bei initiatorischen Akten die Einführung abhängig
gemacht wird von der Garantieleistung dritter Personen, sind
es ausnahmslos Angehörige des initiierenden Verbandes, die
diese Bürgschaftserklärung abgeben müssen. Diese Erscheinung
lässt sich bei einer grossen Reihe von exklusiven Verbänden
aller Zeiten und Völker konstatieren und findet in diesem
exklusiven Charakter ihre natürliche Erklärung. Wenn im
späteren Mittelalter an die Stelle dieser bei der Herzogs-

---

[1] vgl. Puntschart, S. 290.

einführung fungierenden slovenischen Garanten, die ja wahrscheinlich entsprechend dem Adel des fürstlichen Initianden ursprünglich immer den edlen Geschlechtern des Landes entnommen wurden, deutsche Landherren[1]) traten, so lässt sich dieser Umstand in ungezwungener Weise aus der allmählichen Verdrängung und Germanisierung des slovenischen Adels und dem Verblassen der initiatorischen Grundidee der Fürstenstein-Ceremonie erklären. Nimmt doch auch Puntschart an, dass die deutschen Landherren im Ceremoniell der sog. „Herzogseinsetzung" die Nachfolger slovenischer Bauern seien; allerdings erklärt er diesen Rollenwechsel nicht, wie hier geschieht, aus der zu Gunsten des deutschen Elements erfolgten nationalen Machtverschiebung und dem Zurücktreten der initiatorischen Grundidee der Ceremonie, sondern aus der inhaltlichen Veränderung, welche das Fürstenstein-Drama erlitt, als an die Stelle des den Slovenen angeblich zustehenden Rechtes, den vom deutschen König nominierten Fürsten ablehnen zu dürfen, das rein formale Recht auf die Prüfung der Qualifikation des Herrschers und die Entgegennahme der durch den „Stellvertreter" des deutschen Königs abgegebenen Verbürgungserklärung trat.

Von der merkwürdigen Tatsache, dass auf die Fragen des Herzogsbauers nicht der Herzog, sondern nur die Geleiter des Fürsten zu antworten hatten, und von der Deutung dieses sonderbaren Zuges der Fürstenstein-Ceremonie war bereits mehrfach die Rede. Solange der vor dem Herzogsbauer stehende Initiand nicht in die Volksgemeinschaft der Slovenen aufgenommen worden ist, hat seine Versicherung, dass er die vom Initiator geforderte Qualifikation besitze, als von einem Stammfremden herrührend, nicht den geringsten Wert und wird deshalb von ihm auch eine derartige Erklärung vor dem Vollzuge der Initiation nicht gefordert. Bis zu diesem Zeitpunkte hat der Herzog zu schweigen. Er kommt erst — wie nach der hier vertretenen Annahme von vorneherein zu erwarten steht — zu Worte, nachdem er in die Stammesgemeinschaft der Slovenen aufgenommen worden ist:

---

[1]) Es wird übrigens, nebenbei bemerkt, nirgends ausdrücklich gesagt, dass die Landherren deutscher Nationalität sein mussten.

„darnâch wirt niht vergezzen,
swen der herzog ist gesezzen,
dâ der gebûre saz,
sô muoz er âne underlâz
den selben eit tuon,
daz er frid schaff und suon
und rehtes gerihtes phleg
und ab des geloüben weg
weder strûch noch valle".[1]

Aus diesen Worten der österreichischen Reimchronik geht hervor, dass der Herzog, erst nachdem er auf dem Fürstensteine Platz genommen, d. h. nachdem er den zum Vollzuge der Initiation erforderlichen Kontakt mit dem Steine hergestellt, eine der Bürgschaftserklärung seiner Geleiter konforme Eidesformel zu sprechen hatte. Diese Formel lautet nach dem Berichte Ottokars auf die Herrschertugenden und die Rechtgläubigkeit des Herzogs; es kann aber wohl keinem Zweifel unterliegen, dass auch dieser Eid gleich den Fragen und Antworten des Prüfungsverfahrens sich ursprünglich nur auf die für jeden Initianden geforderten Bedingungen bezog. Der vom Herzog am Schlusse der Fürstenstein-Ceremonie zu leistende Schwur entsprach demnach wohl anfänglich vollkommen den bei den verschiedensten Völkern sich findenden Epheben-Mysterien- und Bürgereiden[2]. Wäre die vom Herzog abzugebende eidliche Erklärung von allem Anfang an eine im Rahmen eines „Einsetzungsaktes" geforderte Angelobung der Herrscherpflichten gewesen, so wäre nicht recht einzusehen, warum dieser Eidschwur an das Ende der Ceremonie gerückt wurde und warum die eidliche Verbürgung der Geleiter des Herzogs seiner Eideserklärung vorherging. Das Naturgemässe wäre doch gewesen, wenn zuerst der Herzog einen Eidschwur geleistet und wenn sich hieran die eidliche Versicherung der Geleiter als accessorische

---

[1] vgl. v. 20106 — v. 20114.
[2] vgl. z. B. Bastian, Zur naturwissenschaftl. Behandlungsweise, S. 148; Eckermann, Religionsgeschichte, 3. Bd., 2. Abt., S. 123; Usener, Ueber vergl. Rechts- u. Sittengeschichte. Verhandlungen der 22. Versammlung deutscher Philol. und Schulm. in Wien, 1893, S. 40; Rheinisches Museum, 10. Bd., S. 401.

Bürgschaftserklärung angeschlossen hätte. Diese eben hervorgehobene Anomalie in der Reihenfolge der Eidesakte der Fürstenstein-Ceremonie vermag die Hypothese Puntscharts nicht zu
erklären. Nach der hier gegebenen Darlegung lässt sich, so
vermeine ich, diese Regelwidrigkeit in befriedigender Weise
aufhellen.

Es erübrigt uns nunmehr nur noch, der Entgeltfrage
einige Ausführungen zu widmen. Diese Frage hat wegen ihres
juristischen Gehaltes von Puntschart, Pappenheim und
v. Wretschko die eingehendste Berücksichtigung erfahren;
indes kann keiner der von diesen Autoren vorgeschlagenen
Lösungsversuche als befriedigend bezeichnet werden.

Was zunächst Puntschart betrifft, so sieht er in der Verhandlung über das Entgelt, in der Entrichtung desselben und
in der gleich darauf folgenden Einräumung des Fürstensteines
einen „entgeltlichen Vertrag".[1] Der die Herrschaft repräsen-
tierende Stein wird durch ein Bargeschäft abgetreten"; für die
Ueberlassung des Steines wird eine „Scheinleistung" entrichtet.
Seine Behauptung, dass das Entgelt nur eine Scheinleistung
darstelle, glaubt Puntschart damit begründen zu können, dass
hier ein „Vertrag" — Vertrag über die Herrschaftsübertragung —
abgeschlossen werden sollte, „der eigentlich eine Gegenleistung nicht zulässt." Da aber, so argumentiert er weiter,
ein Bargeschäft — ein solches liegt ja s. E. in der sofortigen
Einräumung des Steines vor — nach primitiver Rechtsauffassung
nur im Rechtsgewande eines entgeltlichen Geschäftes erscheinen
kann, so musste dem Herzogsbauer für seine Barleistung ebenfalls eine Barleistung gereicht werden, welche nach der Natur
des Rechtsgeschäftes der Herrschaftsübertragung nur eine Scheinleistung sein konnte.

Diese Konstruktion wird von Pappenheim bekämpft[2].
Er macht mit Recht darauf aufmerksam, dass ein „unent-
geltliches Geschäft genau so gut als Bargeschäft geschlossen
werden kann, wie ein entgeltliches als Nichtbargeschäft[3]."

[1] vgl. Puntschart, S. 143.
[2] vgl. Pappenheim, S. 310.
[3] s. hierüber auch Pappenheim, Kritische Vierteljahrsschrift
Jg. 1897, S. 331.

Es könne demnach die Scheinleistung — eine solche sieht auch Pappenheim in dem vom Herzog zu entrichtenden Entgelt — in der „Herrschaft des Prinzips der Barverträge" nicht ihre Erklärung finden.

Im Gegensatze zu Puntschart vermag Pappenheim nicht einzusehen, „warum der Vertrag betreffend Ueberlassung des Herzogtums eine Gegenleistung nicht hätte dulden sollen". Seiner Meinung nach dient die „Scheinleistung dazu, die Ueberlassung des Fürstensteines an den vom König gesandten Herzog als an sich von dem Bauer nicht geschuldet und deshalb eine Barzahlung erfordernd erscheinen zu lassen." Mit diesen Ausführungen Pappenheims stimmt v. Wretschko im wesentlichen überein.[1])

Die drei genannten Autoren sehen demnach in dem Entgelte, das der Herzogsbauer erhält, eine Scheinleistung. Der juristische Charakter dieser Scheinleistung wird jedoch von Puntschart anders bestimmt als von Pappenheim und v. Wretschko. Puntschart erklärt diese Scheinleistung aus dem Prinzip der Barverträge, die beiden anderen Autoren sehen in ihr ein wirkliches, wenn auch nur formales Entgelt. Dass Puntscharts Auffassung unzulänglich sei, hat Pappenheim mit guten Gründen nachgewiesen; ob aber seine und v. Wretschkos Erklärung zureichend sei, scheint mir doch recht zweifelhaft zu sein. Man darf nämlich fragen: konnte sich der deutsche Herzog einem Akte unterziehen, bei dem, wenn auch nur formell, der Gedanke zum Ausdruck kam, dass ihm die Gewalt, die man ihm übertrug, als etwas eigentlich Nichtgeschuldetes eingeräumt werde? Konnte er sich, wenn auch nur formal, als ein Herzog „von Volkes Gnaden" betrachten lassen, er, für den es nur einen Rechtstitel seiner Herrschaft geben konnte: die Belehnung mit dem Herzogtume durch den deutschen König? Man wird diese Frage wohl kaum bejahen können. Gerade an diesem Punkte zeigt es sich deutlich, zu welchen unwahrscheinlichen Behauptungen und verwickelten Konstruktionen man greifen muss, wenn man von der irrigen Grundannahme ausgeht, dass die Vorgänge am Fürstenstein als ein Akt der Herrschaftsübertragung zu qualifizieren seien.

---

[1]) vgl. v. Wretschko, S. 955, Anm. 3.

Für mich entfällt die Notwendigkeit, in dem Entgelte, das der Herzogsbauer erhält, eine Scheinleistung oder eine formale Leistung für etwas eigentlich gar nicht Geschuldetes zu sehen. Von dem für diese Untersuchung massgebenden Standpunkte aus erscheint das Entgelt als eine reale, vollwertige Gegenleistung für die Initiation und entspricht den bei den verschiedensten initiatorischen Akten üblichen Entrichtungen.

Gemäss dem Grundgedanken dieser Untersuchung werden wir annehmen dürfen, dass dem Entgelt, das der Herzog dem Herzogsbauer zu reichen hatte, eine gleiche Gabe im Impatrierungsverfahren der heidnisch-slovenischen Epoche entsprochen haben dürfte. Wir werden kaum fehlgehen, wenn wir vermuten, dass diese Initiationsgebühr des altslovenischen Einbürgerungsverfahrens, mochte sie auch dem priesterlichen Initiator zur Gänze gereicht werden, ihm nur zu einem Teile zukam und dass der andere Teil ein Opfer an die stammväterliche Gottheit darstellte. Freilich wird wohl auch hier der einführende Priester der eigentliche Nutzniesser der Gabe gewesen sein. Seit jeher wird wohl dem Initiator die Gewandung des Initianden als „Opferlohn" für die heilige Handlung zugekommen sein. Diese Annahme legt der Umstand nahe, dass beim indischen upanayana der Einführende die Kleidung, die der Kandidat beim Weiheakte trägt, erhält[1]. Hingegen werden wohl die beiden Tiere, wie die Farbenvorschrift und die Bestimmung, dass die Stute von jeglicher Arbeit unberührt sein müsse, beweist, ursprünglich vom Initiator für den stammväterlichen Gott in Empfang genommen und diesem zum Opfer gebracht worden sein. Eine solche Uebung konnte natürlich im Ritual der Herzogseinführung nicht beibehalten werden, so dass nunmehr die beiden Tiere dem bäuerlichen Nachfolger des priesterlichen Initiators zu vollem und unbeschränktem Eigen gereicht wurden.

Was endlich die Geldgabe an den Initiator betrifft, so wird diese wohl ursprünglich ebenfalls ein Opfer dargestellt haben. Ich erinnere an das Münzenopfer, das bei der südslavischen[2] und römischen Hochzeit begegnet, sowie an den Brauch der

---

[1] s. oben S. 133 fg.

[2] vgl. Lilek, a. a. O., S. 55, 57.

Römer, für jeden Jüngling, der die toga virilis genommen hatte, auf dem Capitol eine Münze zu weihen. [1])

XI.

Schlussbemerkungen.

Es erübrigt nunmehr nur noch, nachdem wir an den einzelnen Ceremonien des Fürstenstein-Schauspiels den initiatorischen Gehalt dieser Feierlichkeit erwiesen haben, einige weitere zu Gunsten der hier vorgetragenen Hypothese sprechende Momente, die in den vorstehenden Erörterungen nicht Raum finden konnten, hervorzuheben.

Wenn die Ceremonie am Fürstenstein wirklich die Einführung des stammfremden deutschen Herrschers in den Volksverband der Kärntner Slovenen darstellte, so ist selbstverständlich, dass diese Feierlichkeit immer nur dann geübt werden konnte — ausgenommen natürlich die ersten Herzogseinführungen vor dem Zeitpunkte des Erblichwerdens[2]) der Kärntner Herzogswürde —, wenn ein Herzogsgeschlecht ausgestorben war und nun das Land vom deutschen König einem Angehörigen eines anderen Geschlechtes zum Lehen gegeben wurde. Die Vornahme der Einführungsceremonie nicht bloss beim Ahnherrn eines Herzogsgeschlechtes, sondern bei jedem seiner Nachfolger in der herzoglichen Würde wäre eine Sinnlosigkeit gewesen und hätte dem innersten Wesen des Aktes widersprochen. Durch die Aufnahme eines Stammfremden in die Volksgenossenschaft werden auch ipso iure seine Nachkommen Stammesangehörige, ohne dass es für diese des gleichen Initiationsaktes bedurft hätte wie bei ihrem Ahnherrn.[3])

---

[1]) s. U s e n e r , Ueber vergleichende Rechts- u. Sittengeschichte, a. a. O., S. 36.

[2]) In Kärnten kam es erst in den Tagen Heinrichs IV. zur Entstehung eines Herrschergeschlechtes; vgl. L u s c h i n v. E b e n g r e u t h , Oesterreichische Reichsgeschichte, 1. Bd., S. 90.

[3]) vgl. S z a n t o , Untersuchungen über das attische Bürgerrecht, S. 57.

Mit diesen a priori abgeleiteten Sätzen stimmt nun unsere Tradition überein. **Es bedeutet diese Congruenz m. E. ein gewichtiges Argument für die Richtigkeit der in der vorliegenden Untersuchung vorgetragenen Hypothese.** Die österreichische Reimchronik berichtet nämlich:[1])

> „sô dem lant werdent genomen
> von des tôdes getursten
> sîn erbeherren unde fursten
> und daz daz selbe lant
> in des riches hant
> ledic gedîhet,
> swem ez daz riche lihet,
> der selbe komen sol
> uf ein velt, lit bî Zol . . . . ."

Puntschart deutet diese Stelle folgendermassen:[2]) „Wenn das Land infolge des Todes seines Erbherrn und Fürsten wieder dem Reiche ledig wird, dann soll derjenige, welchem dasselbe vom Reiche zum Lehen gegeben wird, auf das Zollfeld kommen." Wäre diese Interpretation richtig, dann spräche natürlich die angeführte Quellenstelle, statt für die Richtigkeit des eben entwickelten Gedankenganges Zeugnis abzulegen, vielmehr direkt gegen ihn. Nun hat aber **Schönbach** erwiesen, dass diese Deutung **Puntscharts** nicht zutreffend ist. Schönbach[3]) schreibt: „Es scheint mir nicht unwichtig anzumerken, dass 19985 der Plural steht: sîn erbeherren und fursten, überdies durch den Reim gesichert, wie man sieht. Dies verändert die Bedeutung der Stelle, denn nun heisst sie: wenn das Kärntner Herzogsgeschlecht ausgestorben ist, so muss der, dem das Land dann vom deutschen König verliehen wird, auf das Zollfeld kommen. Zu dieser Auffassung stimmt auch der Ausdruck: von des tôdes getursten = durch die Verwegenheit des Todes . . . . Der Reimchronist war also der Ansicht — mit welchem historischen Rechte kümmert mich nicht — die feierliche Einsetzung eines Herzogs in Kärnten mit ihrem

---

1) 19983—19991.
2) vgl. **Puntschart**, S. 31.
3) vgl. **Schönbach**, Mitteil. d. Inst. f. öst. Gesch., Bd. 21, S. 519.

eigentümlichen Ceremoniell (und die darauf folgende Huldigung?)[1] finde nur dann auf dem Zollfelde statt, wenn nach dem Aussterben der Herrscherfamilie das Land als Reichslehen an einen Fürsten aus einem anderen Hause übertragen wurde."

v. Wretschko,[2] dem diese Ausführungen Schönbachs bereits vorlagen, hat zu diesen Feststellungen einige zweifelnde Bemerkungen gefügt. Er sagt: „Nach der Erklärung, die neuestens Schönbach den Versen 19985—19988 der steirischen Reimchronik gibt, hätte diese feierliche Herzogseinsetzung nur stattzufinden gehabt, wenn nach dem Aussterben des kärntnerischen Herzogsgeschlechtes das Land dem deutschen Reiche anheimgefallen und vom Kaiser ein neues Geschlecht damit belohnt worden sei. Selbst wenn diese Erklärung richtig ist, so lässt sich immer noch das einwenden, dass ja der Chronist vielleicht gerade den konkreten Fall vor Augen gehabt haben konnte, indem in der Tat 1279 das alte Geschlecht ausgestorben und Kärnten mehrere Jahre durch einen Statthalter des Reiches verwaltet worden war, bis Rudolf den Meinhard zum Landesfürsten daselbst einsetzte. Daraus eine allgemeine Regel zu ziehen, verbietet . . . . . . die Einsetzung Herzog Hermanns. Sicherlich galt dieses Prinzip, das Schönbach aus den Worten des Reimchronisten ableiten will, nicht mehr in der Zeit der späteren Habsburger; freilich hatte die ganze Ceremonie durch die Verquickung mit der ständischen Huldigungsfeier, die allmählich die Hauptsache geworden war, längst ihren alten Charakter eingebüsst."

Was diese Bemerkungen v. Wretschkos betrifft, so ist zunächst klar, dass dieser Autor von seinem Standpunkte aus, der hier auch jener Puntscharts und Pappenheims ist, geradezu gezwungen war, die Richtigkeit der Interpretation Schönbachs anzuzweifeln und selbst für den Fall ihrer Richtigkeit wenigstens den historischen Wert des uns hier beschäftigenden Zeugnisses der österreichischen Reimchronik

---

[1] Diese Frage Schönbachs ist, wie diese Untersuchung gezeigt hat, entschieden zu verneinen. Der sogenannten „Huldigung", die, wie wir erkannt haben, die eigentliche „Herzogseinsetzung" darstellte, musste sich nach der Rechtsauffassung der Slovenen jeder Herzog unterziehen.

[2] vgl. v. Wretschko, S. 962, Anm. 2.

möglichst herabzudrücken. Wäre nämlich wirklich, wie
Puntschart, Pappenheim und v. Wretschko meinen,
in den Vorgängen am Fürstenstein eine „Einräumung des Land
und Landesherrschaft repräsentierenden Steins" zu sehen, so
wäre mit dieser Annahme ein Bericht wie jener der österreichischen Reimchronik V. 19983—19991 ganz unvereinbar;
denn war die Ceremonie am Fürstenstein eine „Einsetzung", dann musste dieser Akt beim Herrschafts-
antritte eines jeden Herzogs vorgenommen worden
sein. Die „Einsetzung" immer nur des Ahnherrn eines Herzogsgeschlechtes bliebe vom Standpunkte der herrschenden Lehre
aus unerklärlich. Sie hat also, will sie sich nicht selbst aufgeben, die Interpretation Schönbachs zu bekämpfen oder zum
mindesten Ottokar hier als einen schlecht unterrichteten Gewährsmann hinzustellen, so wie es eben v. Wretschko getan.

Ich gehe nach dieser allgemeinen Vorbemerkung etwas
näher auf die Ausführungen v. Wretschkos ein. Dieser Autor
stellt vorerst die Zuverlässigkeit der Interpretation Schönbachs
in Frage. Dies ist m. E. unzulässig. Schönbach hat
für seine Deutung der oben citierten Verse Argumente angeführt, die geradezu zwingender Natur sind.[1] Ein konkretes,
aus dem Text dieser Verse geholtes Beweismoment gegen diese
Erklärung lässt sich nicht beibringen und hat auch v. Wretschko
nicht beigebracht. Ist sonach nun ganz unzweifelhaft, dass die
Interpretation Schönbachs zutrifft, so kann, wie gesagt, die
herrschende Theorie nur noch die Zuverlässigkeit, nicht mehr
die Existenz jenes Berichtes des Reimchronisten anfechten.
Was vermag nun v. Wretschko in dieser Hinsicht einzuwenden? Er meint, wie wir gehört haben, dass Ottokar aus
der Tatsache, dass es sich bei der von ihm geschilderten „Einsetzung" Meinhards um den ersten Herrscher eines neuen
Herzogsgeschlechtes gehandelt habe, aus freier Erfindung ein
allgemeines Gesetz gemacht haben könne. Dies ist nun m. E.

---

[1] Mit dieser Tatsache rechnen denn auch die kritischen Ausführungen
v. Jaksch zu Puntscharts Untersuchung; vgl. Mitteil. d. Inst. f. öst.
Geschichtsf., Bd. 23. S. 313, 317. v. Jaksch ist sich wohl bewusst, dass
die Interpretation Schönbachs von grösster Bedeutung
für die Aufhellung des Problems der „Einsetzung" sei.

nicht viel mehr als eine durch keinerlei Beweis gestützte Behauptung; denn die Berufung v. Wretschkos auf die „Einsetzung" Herzog Hermanns von Sponheim[1]) kann wohl kaum als zutreffend bezeichnet werden. v. Wretschko argumentiert im Hinblick auf die „Einsetzung" dieses Herzogs folgendermassen: Hermann von Sponheim war nicht der erste kärntnerische Herzog aus dem Geschlechte der Sponheimer; da nun von ihm berichtet wird, dass er sich der feierlichen Ceremonie am Fürstenstein unterzogen habe, so kann das vom österr. Reimchronisten aufgestellte Gesetz nicht zutreffen, muss also wohl auf einer irrigen Verallgemeinerung Ottokars beruhen. Gegen diese Ausführungen v. Wretschkos wäre nun nichts einzuwenden, wenn eben die Annahme, dass Hermann von Sponheim am Fürstenstein „eingesetzt" worden sei, zulässig wäre. Dies ist aber nun ganz und gar nicht der Fall. v. Wretschko stützt sich auf einen Bericht des kaiserlichen Notars Burchard an den Abt Nikolaus von Siegburg aus den letzten Tagen des Jahres 1161, worin es heisst:[2]) „.... fratrem defuncti ducis in sedem karinthani ducatûs intronizavi presente patriarcha Salzburgense aliisque plurimis principibus......" Aus diesen Worten soll hervorgehen, dass Hermann nach dem alten Brauche auf dem Fürstenstein „eingesetzt" worden sei. Wie nun v. Jaksch[3]) treffend ausführt, darf die eben angeführte Stelle weder auf die Huldigung, noch auch auf die „Herzogseinsetzung" bezogen werden. v. Jaksch gelangt vielmehr zu dem m. E. gesicherten Ergebnis, dass „Burchard namens des Kaisers in Villach Hermann mit Kärnten belehnte, wobei Burchard von den damals anwesenden geistlichen und weltlichen Würdenträgern erfahren haben wird, dass das Symbol der Herzogswürde in Kärnten ein Stuhl ist." Somit erscheint die Berufung v. Wretschkos auf eine angebliche „Einsetzung" Herzog Hermanns gänzlich hinfällig.

---

[1]) vgl. auch v. Wretschko, S. 932, Anm. 2.

[2]) vgl. Puntschart, S. 102 f.

[3]) vgl. v. Jaksch, Mitteil. d. Inst. f. öst. Geschichtsf., 23. Bd. S. 317 fg.

Eins ist v. Wretschko allerdings zuzugeben, dass nämlich
die Vorschrift, die Fürstenstein-Ceremonie solle nur dann
stattfinden, wenn nach dem Aussterben des alten Herzogsgeschlechtes ein neues zur Herrschaft berufen worden sei, in
der Zeit der späteren Habsburger nicht mehr befolgt wurde.
Die Ursachen, die diese Regel in Vergessenheit geraten liessen,
liegen klar zutage. Der Grundgedanke der ganzen Feierlichkeit,
dass es sich um die Aufnahme des nach dem Aussterben des
alten Fürstengeschlechtes mit der Regierung betrauten neuen
Herzogs in den Stammesverband der Kärntner Slovenen handelte,
war im Laufe der Zeit aus dem Bewusstsein des Volkes geschwunden. Was Wunder, dass man jetzt begann, in der
Ceremonie am Fürstensteine die durch den Herzogsbauer erfolgende Uebertragung der Herrschaft zu erblicken und dass
man nunmehr glaubte, den Akt bei jedem Regierungswechsel
vollziehen zu dürfen?

Somit werden wir denn annehmen dürfen, dass die eben
erörterte, von der österreichischen Reimchronik berichtete Vorschrift nicht einer Erfindung des Chronisten ihr Leben verdankt,
sondern in jener Zeit, die vor dem Wirken Ottokars liegt,
wirklich geübt wurde. Die ratio dieser Regel mag freilich auch
Ottokar selbst nicht mehr verstanden haben, allein die Vorschrift selbst war damals noch nicht in Vergessenheit geraten.

Ein zweites Moment, das zu Gunsten meiner Deutung
der Fürstenstein-Ceremonie zu sprechen scheint, liegt, wenn ich
so sagen darf, in der Geschäftssprache des Aktes. Diese ist
nämlich die slovenische gewesen[1]). Die Fragen, die der Herzogsbauer an die Geleiter des Herzogs richtete, wurden in slovenischer
Sprache gestellt. Selbstverständlich müssen dann auch, obzwar
uns dies nirgends ausdrücklich berichtet wird, die Antworten
in der gleichen Sprache ergangen sein[2]). Ferner vermelden
die beiden in dieser Untersuchung öfters erwähnten Handschriften
des „Schwabenspiegels", dass das Volk, während der Herzog
dreimal um den Fürstenstein geleitet wurde, slovenische Gesänge
anstimmte. Es ist klar, dass diese eben hervorgehobenen Tat-

---

[1]) vgl. Puntschart, S. 32, 47, 70 f.
[2]) s. Lichnowsky, Geschichte des Hauses Habsburg. 3. T., (1838),
S. 218.

sachen sich der hier vorgetragenen Deutung der Fürstenstein-Ceremonie aufs beste einfügen. **Bei der feierlichen Aufnahme des stammfremden deutschen Herzogs in den slovenischen Stammesverband konnte doch selbstverständlich nur die Sprache des aufnehmenden Stammes zur Anwendung gelangen.**

Schliesslich darf noch auf folgenden, meine Hypothese unterstützenden Umstand hingewiesen werden: da nach der in dieser Untersuchung vertretenen Ansicht die Fürstenstein-Ceremonie die Einführung des stammfremden deutschen Herzogs in den slovenischen Volksverband darstellt, so muss demgemäss angenommen werden, **dass dieser Brauch zum erstenmale geübt wurde, als an die Stelle der slavischen Herrscher die deutsche Fürstengewalt trat.** Im Gegensatz hiezu steht die herrschende Lehre, die behauptet, dass die Fürstenstein-Ceremonie bereits von den slovenischen Fürsten geübt und von der deutschen Organisation übernommen worden sei.[1]) Es darf nun darauf aufmerksam gemacht werden, dass die Tradition zu Gunsten der hier vertretenen Ansicht spricht. Die Kärntner Ueberlieferung behauptet, Herzog **Ingo** habe den seltsamen Brauch eingeführt.[2]) Es wird also nicht, wie nach der herrschenden Ansicht erwartet werden sollte, einem **slavischen** Herzog, sondern einem Fürsten mit unzweifelhaft **deutschem** Namen[3]) die Einführung der Fürstenstein-Ceremonie zugeschrieben. Ja, wenn wir dem allerdings nicht sonderlich zuverlässigen Chronisten **Megiser**[4]) Glauben schenken dürfen, so war dieser Ingo „des fränkischen Geblüts der **erste**, von Keyser Karl dem Grossen . . . . . zu einem Hertzogen geordnet . . ". Wenn wir erwägen, dass wir in folgerichtiger Weiterführung der Grundannahme dieser Untersuchung zur Schlussfolgerung geführt worden sind, dass die Fürstenstein-Ceremonie zum erstenmale vom ersten deutschen Beherrscher Kärntens geübt worden sein müsse und bedenken, dass **Megiser** „trotz aller seiner

---

[1]) s. Puntschart, S. 204, 272 fg.
[2]) s. Puntschart, S. 277.
[3]) s. Puntschart, S. 276, 279.
[4]) vgl. Megiser, S. 474.

Goldmann, Einführung.   16

Geschichtsklitterei doch manche wertvolle Lokaltradition der Vergessenheit entrissen und verwertet hat", [1]) so verdient die eben angeführte Nachricht Megisers immerhin einige Beachtung.

In unseren Quellen und auch in der Literatur über das Fürstensteindrama begegnen wir ziemlich oft der Bemerkung, dass der Brauch ein Unikum sei, das nirgends seinesgleichen finde.[2]) In dieser allgemeinen Fassung ist jene Bemerkung gewiss zutreffend. Indes darf man mit guten Gründen vermuten, dass der die Einführungsceremonie beherrschende Grundgedanke sich auch anderwärts geltend gemacht haben dürfte, soferne der Fall, dass ein Volk mit primitiver Rechtsauffassung von stamm-fremden Herrschern regiert wurde, eintrat. Wenn man nun erwägt, dass solche Fälle verhältnismässig ziemlich selten sich ereignet haben dürften, so wird man in dem in den folgenden Zeilen geschilderten Brauche zweier nichtarischer Stämme Indiens eine ausreichende Bestätigung für die eben ausgesprochene Vermutung erblicken dürfen. Wenn beim Stamm der B h i l l a und bei dem der M i n a ein a r i s c h e r Radschput die Herr-schaft über den Stamm und dessen Gebiet antritt, so wird ihm ein S t i r n z e i c h e n mit dem Blute aus der Zehe oder dem Daumen e i n e s B h i l l a oder e i n e s M i n a gemacht.[3]) Die Deutung, die L a s s e n [4]) dem Brauche gegeben hat, dass in ihm nämlich die Anerkennung der Herrschaft des Radschputen von Seiten der ursprünglichen Besitzer des Landes zum Ausdruck komme, erweist sich auf den ersten Blick als unzureichend. Die richtige Deutung des Brauches hat mit sicherem Blick L i p p e r t [5]) gefunden: der stammfremde Herrscher, der Radschput, wird durch diesen Blutritus in den Stamm der Bhilla oder Mina aufgenommen. Der Grundgedanke dieses Ritus ist völlig identisch mit jenem der Fürstenstein-Ceremonie, mag auch die Form-gestaltung in beiden Fällen eine gänzlich verschiedene sein.....

Wenn wir nunmehr, wo die vorliegende Untersuchung ab-geschlossen erscheint, uns die Frage vorlegen, ob nicht trotz

---

[1]) V. P (ogatschnigg). Carinthia, Jg. 1888, S. 31.

[2]) vgl. P u n t s c h a r t, S. 2; v. W r e t s c h k o, S. 930.

[3]) vgl. L i p p e r t, Kulturgeschichte, 1. Bd., S. 397; 2. Bd., S. 348; derselbe, Allgemeine Geschichte des Priestertums, 2. Bd., S. 361.

[4]) vgl. Chr. L a s s e n, Indische Altertumskunde, S. 437 fg.

[5]) vgl. L i p p e r t, a. a. O.

den fundamentalen Verschiedenheiten, welche zwischen den bislang vorgebrachten wichtigeren Lösungsversuchen einerseits, der in diesen Zeilen vorgetragenen Hypothese andererseits bestehen, ein innerer Zusammenhang zwischen all' diesen Lösungsversuchen nachgewiesen werden könne, so werden wir diese Fragen bejahen dürfen. Sowohl Puntscharts und Pappenheims Versuch zur Enträtselung des Problems der sogenannten „Herzogseinsetzung", als auch die vorliegende Untersuchung operieren mit der Annahme, dass die Fürstenstein-Ceremonie von den deutschen Herzogen geübt worden sei, um die Slovenen über den Verlust der nationalen Selbständigkeit hinwegzutäuschen. So sagt Puntschart:[1]) „Der zweite, weniger gewichtige Grund (sc. zur Uebernahme der Fürstenstein-Ceremonie durch das deutsche Verfassungsrecht)..... ist, dass das Land noch zum grössten Teile Slavenland war, dessen breite Masse für den deutschen Staat gewonnen werden sollte. Dies war um so notwendiger, als es sich um Grenzgebiete handelte, deren gefährdete Lage in die Augen fiel. Die übernommene Bauernceremonie sollte die Majorität der slavischen Volksmasse, die Bauernschaft, über die neuen Verhältnisse hinwegtäuschen. Die bäuerliche Scheinverfassung sollte im Volke das Gefühl lebendig erhalten, als ob es noch immer in dem einheimischen Bauernstaate mit dem Bauernhäuptling an der Spitze lebte." Aus diesen Worten geht hervor, dass Puntschart, obzwar er der irrigen Ansicht ist, dass die Ceremonie bereits in der slovenischen Urzeit von den slavischen Herrschern geübt worden sei, doch in der Uebernahme der Feierlichkeit durch die deutsche staatsrechtliche Organisation eine Konzession an die Kärntner Slovenen erblickt, ein Mittel, wodurch man es ihnen erleichtern wollte, sich in die fundamentale Umwälzung der verfassungsrechtlichen Verhältnisse, in den Verlust des Nationalstaates zu schicken. Wir sehen, dass Puntschart, mag er auch die ursprüngliche Bedeutung des Brauches verkannt und sich zur Deutung der Ceremonie ein Gerüst bedenklich schwankender Hypothesen zurechtgezimmert haben, doch auf dem Wege zur richtigen Erfassung des Problems war, als er die Vermutung aussprach, dass die Uebernahme der Fürstenstein-Ceremonie erfolgt sei,

---

[1]) vgl. Puntschart, S. 290.

um die Slovenen mit dem Verluste der nationalen Selbständigkeit zu versöhnen. Gegenüber diesem schwachen Ansatz zu einer richtigen Lösung des Rätsels bedeutet Pappenheims Lösungs-versuch einen bedeutenden Fortschritt. Pappenheim hat klar erkannt und mit grossem Nachdruck, unter uneingeschränkter Zustimmung v. Wretschkos, darauf hingewiesen, dass der ganze Akt der Fürstenstein-Ceremonie „von dem Bestreben[1]) beherrscht erscheine, den wesentlich formalen Ueberrest einstiger Selbständigkeit dem von aussen her kommenden Herzog gegen-über zum Ausdruck zu bringen." Wenn es nun auch Pappenheim nicht gelungen ist, das innerste Wesen der seltsamen Bräuche zu erfassen, so hat er doch mit dem eben zitierten Satze einen Gedanken ausgesprochen, der m. E. in nuce bereits die Lösung des ganzen Problems enthält: das Drama der Fürstenstein-Ceremonie basiert auf dem Gegensatze zwischen der slovenischen Volksgemeinschaft und dem deutschen Fürsten.[2]) Dieser Grundgedanke[3]) ist es, der auch die vorliegende Abhandlung

---

[1]) vgl. Pappenheim, S. 311.

[2]) Dieses Moment der nationalen Gegensätzlichkeit wird, wovon ich erst nach Abschluss dieser Untersuchung Kenntnis erhielt, auch von Al. von Peez in seinem stimmungsreichen Werke „Erlebt-Erwandert", 1899, 2. Bd., Haine und Heiligtümer, S. 54 f. (vgl. hiezu A. v. Jaksch, Carinthia, 90. Bd., S. 86 fg.) nachdrücklich betont. Er fasst die Fürsten-stein-Ceremonie als die Vereinigung zweier verschieden redender und damals wohl auch sehr verschieden gearteter Volksstämme zu gemeinschaftlicher Arbeit und Landesverteidigung auf, wobei deutscher Adel und slavisches Bauerntum sich die Hände reichten . . . . Die Feierlichkeit habe wesentlich zum friedlichen Zusammenleben der beiden Stämme beigetragen. Die Vereinigung von zwei Parteien zur Einheit sei in den scheckigen Tieren, in der grau und rot besetzten Kleidung des Fürsten, in dem Wechsel der Tracht und in der gemischten Stellung des adeligen Bauers (Edelbauer) gut und für jedermann verständlich ausgesprochen. Die Feierlichkeit gehe wahrscheinlich auf die Karolinger zurück, die hier Ordnung schufen; vgl. noch J. v. Hormayr, Kleine historische Schriften und Gedächtnisreden, 1832, S. 89.

[3]) Dass in der Fürstenstein-Ceremonie das Moment der nationalen Gegensätzlichkeit eine grosse Rolle spielt, wird auch in Schreuers „Untersuchungen zur Verfassungsgeschichte der böhmischen Sagenzeit", S. 86 hervorgehoben. Freilich vermag sich auch Schreuer nicht von dem Irrtum frei zu machen, dass in der Ceremonie ein Akt der Herrschaftsüber-tragung vorliege. Wenn Schreuer, dem die Wissenschaft die endgiltige

beherrscht. Während es jedoch Pappenheim nicht gelungen ist, von der richtigen Erfassung des der Fürstenstein-Ceremonie zugrunde liegenden treibenden Motivs zur richtigen Erklärung der rätselhaften Einzelzüge der sogenannten „Herzogseinsetzung" vorzuschreiten, vermeine ich diesen inneren Zusammenhang zwischen Grundmotiv und dramatischer Handlung im Gefüge des Fürstenstein-Dramas aufgezeigt zu haben.

Sicherstellung der Gleichung „Přemysl = Samo" verdankt, den Stab in der Hand des Přemysl-Samo (C o s m a s I, 6 s t i m u l u m, quem manu gerebat) mit dem Stabe des kärntnerischen Herzogs und die zwei scheckigen Tiere der „Herzogseinsetzung" mit den auf Přemysl bezüglichen Worten des C o s m a s (I, 5): „Duobus v a r i i s bubus arat" in eine Reihe stellt, so möchte ich demgegenüber doch meinen, dass in diesen Uebereinstimmungen ein Spiel des Zufalls zu erblicken sei. Die Sage, die den fränkischen Kaufherrn Samo-Přemysl im Laufe der Jahrhunderte zu einem Bauer umdichtete, liess ihn eben wegen dieser angeblich bäuerlichen Herkunft mit einem Stocke (stimulus = Treibstecken, Treibstachel, womit man die Pflug-ochsen antrieb) in der Hand auftreten. Das Attribut „variis" wird wohl nur als ein mit Absicht eingeschobener realistischer Detailzug aufgefasst werden können, wodurch der sagenbildende Geist die Glaubwürdigkeit der Erzählung erhöhen wollte.

Register.

Verlag von **M. & H. Marcus** in Breslau, Kaiser Wilhelmstr. 8

Studien
zur Erläuterung des Bürgerlichen Rechts

——

1. Heft: **Das neue Gesetzbuch als Wendepunkt der Privat-Rechtswissenschaft** von Prof. Dr. Rudolf Leonhard
2,— Mk.

2. Heft: **Die Bedeutung der Anfechtbarkeit für Dritte.** Ein Beitrag zur Lehre vom Rechtsgeschäft von Dr. Martin Bruck. . . . . 3,— Mk.

3. Heft: **Die Haftung für die Vereinsorgane nach § 31 B.G.B.** von Privatdocent Dr. Fritz Klingmüller. 1,60 Mk.

4. Heft: **Der gerichtliche Schutz gegen Besitzverlust** nach römischem und neuerem deutschen Recht von Dr. Max Gaertner. . . . . 5,40 Mk.

5. Heft: **Das Anwendungsgebiet der Vorschriften für die Rechtsgeschäfte.** Ein Beitrag zur Lehre vom Rechtsgeschäft von Professor Dr. Alfred Manigk 10,— Mk.

6. Heft: **Der Begriff des Rechtsgrundes, seine Herleitung und Anwendung** von Privatdocent Dr. Fritz Klingmüller . . . . 3,20 Mk.

7. Heft: **Der Eingriff in fremde Rechte als Grund des Bereicherungsanspruchs** von Dr. Rudolf Freund
2,— Mk.

8. Heft: **Die rechtliche Natur der Miete im deutschen bürgerlichen Recht** von Dr. jur. et phil. Albert Hesse
1,20 Mk.

9. Heft: **Die rechtliche Wirkung der Vormerkung** nach Reichsrecht von Wilhelm Othmer . . . . 3,20 Mk.

10. Heft: **Die Persönlichkeitsrechte des Römischen Injurien-Systems.** Eine Vorstudie für das Recht des bürgerlichen Gesetzbuchs von Privatdocent und Gerichtsassessor Dr. jur. et phil. Richard Maschke. . . 3,— Mk.

11. Heft: **Die Rechtsstellung des aus mehreren Personen bestehenden Vorstandes eines rechtsfähigen Vereins nach dem B. G. B.** Ein Beitrag zur Theorie der juristischen Person von Rechtsanwalt Westmann
1,20 Mk.

Untersuchungen

zur

Deutschen Staats- und Rechtsgeschichte

herausgegeben

von

Dr. Otto Gierke
Professor der Rechte an der Universität Berlin

69. Heft

Vermögenshaftung und Hypothek
nach fränkischem Recht

von

Dr. jur. August Egger
Privatdocent an der Universität Berlin

Breslau
Verlag von M. & H. Marcus
1903

Vermögenshaftung und Hypothek

nach

fränkischem Recht

von

Dr. jur. August Egger

Privatdozent an der Universität Berlin

Breslau
Verlag von M. und H. Marcus
1903

Meinem hochverehrten Lehrer

Herrn Professor

Dr. Eugen Huber

in Bern

dankbar zugeeignet

Vorwort

Das neue deutsche bürgerliche Gesetzbuch stellt in seinem Hypothekarrecht dem Realkredit ein ganz hervorragend gutes Instrument zur Verfügung. Es bringt Grundsätze, welche ein energisches und zuverlässiges Sachhaftungsrecht bedingen, zur konsequenten Durchführung und schafft damit die denkbar solideste Basis selbst für eine so hoch gesteigerte Realkreditwirtschaft, wie sie zur Zeit die Liegenschaftsverhältnisse in Stadt und Land beherrscht. Dabei brauchte aber das neue Zivilgesetzbuch im Wesentlichen nur zu übernehmen, was im Lauf des 19. Jahrhunderts eine hervorragende preussische Gesetzgebung geschaffen hatte. Doch auch andere deutsche, östreichische und schweizerische Partikularrechte haben im Lauf der Zeit eine hypothekarrechtliche Entwicklung durchgemacht, die zu ganz ähnlichen Resultaten führte. Es ist interessant zu verfolgen, mit welcher Sicherheit und mit welch' unwiderstehlicher Kraft die Rechtsbildung mancherorts dem Ziele zustrebte, das in der uneingeschränkten Anerkennung der Grundsätze: Publizität, Spezialität und öffentlicher Glaube seine Verwirklichung findet. Das sind die Grundsätze des modernen deutschen Immobiliarpfandrechtes.

Umso merkwürdiger ist es, dass die Rechtsgeschichte der deutschen Hypothek weite Strecken durch ödes, unfruchtbares Land führt. Lange Jahrhunderte hindurch kennen grosse Rechtsgebiete schlechterdings nur ein Hypothekarsystem, das sich durch erstaunliche Minderwertigkeit auszeichnet. Die Öffentlichkeit der Belastungen ist nur mangelhaft oder gar nicht wahrgenommen. Legalhypotheken finden willige Anerkennung. Sind schon diese zum grossen Teil Generalpfandrechte, so werden vor allem auch der vertraglichen Konstituierung von General-

hypotheken keine Schranken gezogen. Ja, man bemüht sich,
diese den speziellen Hypotheken möglichst gleich zu behandeln.
Treten dazu im Rahmen der Prioritätsordnungen noch zahl·
reiche, auch den Pfandrechten vorgehende „Privilegien“. Vorzugsrechte, so sind diese Züge allerdings hinreichend, um uns
fragen zu lassen, ob denn auch das noch ein deutsches
Immobiliarpfandrecht sei.

Im Grunde genommen wird diese Frage auch allgemein ver-
neint. Nur der überragende Einfluss des römischen Rechtes
vermochte — dahin geht die herrschende Meinung — einem
solch inferioren, untauglichen Pfandrecht Geltung zu verschaffen.
Und die Generalhypothek und die gesetzlichen Pfandrechte
und der Mangel an Publizität, die Anerkennung gar der
Mobiliarhypothek, all das ist undeutsch, ist römisch, ist uns
fremd und die neuzeitliche Entwicklung hat nur gerade darin
bestanden, diese Fremdkörper zur Ausscheidung zu bringen.
Zur Erhärtung dieser Auffassung wird wohl gelegentlich auf das
französische Pfandrecht verwiesen. Hier war der Einfluss des
römischen Rechtes gerade auf dem in Frage stehenden Gebiet
besonders tief und nachhaltig. (Die französischen Autoren versichern es uns selbst.) Aufs genaueste entspricht dem, dass
das französische Pfandrecht noch schlechter war als das deutsche
und dass es sich von den Nachwirkungen dieses unglücklichen
Influenzierungsprozesses nie völlig hat erholen können.

Der Ausgangspunkt für die folgenden Untersuchungen lag
nun gerade in diesem französischen Pfandrecht des ancien droit,
des 16.—18. Jahrhunderts. Die Betrachtung dieser Periode der
französischen Pfandrechtsentwicklung lässt unschwer einen
höchst merkwürdigen Zustand, höchst merkwürdige pfandrechtliche Anschauungen erkennen. Man weiss schon von den
deutschen Partikularrechten, worin grundbegrifflich die Eigentümlichkeit der Entwicklung während jener Zeit bestanden hat
Um in der Terminologie des restaurierten geschichtlichen
Obligations- oder Haftungsbegriffes zu reden: Die Rechte
lassen durchwegs eine reinliche Scheidung zwischen persönlicher
und sächlicher Haftung vermissen. Diese beiden Haftungs-
formen gehen vielmehr ineinander über (v. Schwind). Die
Generalhypotheken verleihen oft nur ein Vorzugsrecht, trotzdem
sie eben der Form und Bezeichnung nach als Pfandrecht auf-

treten. Aber auch bei der Spezialhypothek ist die obligatio,
die Bindung des speziellen Pfandobjektes oft nur eine lose und
das Pfandrecht erscheint auch in dieser Form wesentlich als
ein Vorzugsrecht am ganzen Vermögen.

Das französische Pfandrecht der besagten Periode zeichnet
sich nun dadurch aus, dass es die Annäherung der „persönlichen" und der sächlichen, hypothekarischen Haftung des Vermögens am weitesten getrieben hat. Ja, es geht darin bis zur
völligen Negierung dieser Unterscheidung. — Die Generalhypothek ist so wirksam wie die spezielle, ja letztere erscheint
nach der einen oder anderen Beziehung direkt benachteiligt.
Damit verliert sie eo ipso ihre Bedeutung. Die erstere aber ist
streng genommen überhaupt gar keine vertragliche mehr, nie,
also auch nicht bei besonderer Zusage. Nicht nur verleiht nämlich jedes Gerichtsurteil und jede gerichtliche Schuldanerkennung
ein solches Pfandrecht — womit schon gesagt wäre, dass es
in thesi jedem Gläubiger zusteht, — sondern es ist dasselbe
auch eo ipso mit jeder in notarieller Form abgefassten Schuld-
urkunde ohne jede Rücksicht auf eine etwaige Beredung gegeben, während umgekehrt ohne solche Form eine Hypothek
nicht konstituiert werden kann. Die zu Grunde liegende Auffassung tritt deutlich genug zu Tage: Grundsätzlich soll augenscheinlich ein jeder Gläubiger durch Generalhypothek geschützt
sein. In dieser Weise soll ihm de lege das gesamte Vermögen
haften. Die Autoren der Zeit lassen darüber gar keinen
Zweifel, dass dies die treibende Vorstellung war. Deshalb
erscheint denn auch noch die Voraussetzung einer notariellen
Urkunde oder eines gerichtlichen Entscheides als lästige Form.
Mit der Perfektion eines jeden Schuldvertrages sollte ohne
weiteres auch diese Generalhypothek perfekt sein. Das wäre
das theoretische Ideal, das der grundbegrifflich allein konsequente, allein zu rechtfertigende Zustand. Gewisse Oportunitäts-
rücksichten, Bedürfnisse des Verkehrslebens sind es, welche die
volle Verwirklichung dieser Auffassung verhindern, auf welche
nur mit ehrlichem Bedauern verzichtet wird. Oder vielmehr,
es wird nicht verzichtet. Denn jene erscheint so sehr als allein
sachgemäss, dass man ihr, wo immer möglich, Eingang verschafft. Es geschieht dies durch die Legalhypotheken im engeren
Sinn: Generalpfandrechte, welche ohne Beobachtung jener Form

existent werden, unmittelbar aus dem Schuldvertrag resp. dem
gläubigerischen Anspruch. Hier bedarf es also nicht mehr einer
Weiterung. Hier ist das Ideal verwirklicht: Auf Grund des
Schuldvertrages eo ipso die generelle hypothekarische Haftung
des Vermögens. Es ist nun aber einleuchtend, dass diese Auffassung nicht nur die Herabdrückung allen Immobiliarpfandrechtes auf das Niveau dieser Universalhypothek bedeutet,
sondern dass sie auch die Heraufschraubung der sog. persönlichen Haftung auf eben diese Stufe genereller hypothekarischer
Haftung der Vermögensobjekte in sich schliesst. Und das ist
denn geradezu das für die ganze Entwicklung entscheidende
Moment: Die heutzutage sogenannte persönliche Haftung ist
eine Haftung des Vermögens, nicht der Person, d. h. sie ist
eine Sachhaftung. So lange sie nun, wie dies mangels einer
Legalhypothek der Fall ist, nur erst gegen den Schuldner wirkt
und Veräusserungen von seiten des letzteren ihr in Hinsicht
auf die veräusserten Objekte jederzeit ein Ende bereiten können,
ist sie allerdings unvollständig. Aber diese Unvollständigkeit,
diese Beschränktheit, die sich gerade nicht rechtfertigen lässt,
soll tunlichst überwunden werden. Mit dem Schuldvertrag ist
die Haftung des Vermögens gegeben und diese soll möglichst
eine vollwertige, eine vollwirksame sein. Denn sie ist ja grundbegrifflich nur Eine. Nicht existiert — wiederum grundbegrifflich — jene Dupplizität, die man nach der Bedeutung der
Form, der notariellen Urkunde oder des gerichtlichen Schuldanerkenntnisses und nach unserer verschiedenen Benennung der
Haftung vor und nach der Formerfüllung vermuten könnte. Es
gibt nur eine Vermögenshaftung und das ist eben die sächliche.
Dem tut keinen Abbruch, dass sie, dem Zwang der Verhältnisse
folgend, oft nur in einer minderwertigen, provisorischen Ausgestaltung uns entgegentritt. Denn der Gläubiger, der an die
Güter des Schuldners sich hält, sein „Verfolgungsrecht" gegen
sie ausübt, der tut es auf Grund der einen und einzigen obligatio
bonorum so gut wie der Hypothekar, der die Liegenschaft beim
Drittbesitzer angreift. Darin liegt die begriffliche Unität des
droit de suite, wie die Quellen der Zeit dasselbe auffassen. Qui
s'oblige oblige le sien. Wer eine Schuldverpflichtung eingeht,
der obligiert damit sein Vermögen, er obligiert es — und das
ist das Entscheidende und gilt, selbst wenn man den ersten

Teil des Satzes anders übersetzen wollte — unmittelbar,
sächlich, hypothekarisch. Deshalb wird dieses Wort zur Rechtfertigung der möglichst mit dem Schuldvertrag eintretenden
Generalhypothek verwendet. Es gibt theoretisch keine Unterscheidung zwischen persönlicher und sächlicher Vermögenshaftung und zwar nicht zu Gunsten der letzteren: Alle Vermögenshaftung ist eo ipso naturnotwendig Sachhaftung!

Wie ist eine solche Auffassung und ein solcher Rechtszustand — welcher, wie gesagt, der Entwicklungsrichtung, der
allgemeinen Tendenz nach auch in den deutschen Partikularrechten zu beobachten ist -- zu erklären? Wo liegen die
tieferen Ursachen und die Ausgangspunkte einer solchen Entwicklung? Sicherlich nicht im römischen Recht und nicht in
dem Einfluss der Rezeption! War doch ein solches Haftungsrecht den Römern stets völlig fremd! Und war es wenigstens
für unser Quellengebiet gerade die Romanistik, welche, so viel
ich sehe, die an die Bedingung schuldnerischen Besitzes ge-
knüpfte Haftung als die „persönliche" Vermögenshaftung bezeichnete und damit zunächst zwar nicht die Sache änderte,
aber das Verständnis des einheimischen Rechtes erschwerte oder
unmöglich machte. Dazu tritt aber vor allem noch, dass auch im
einzelnen die französische Hypothek ein von dem gleichnamigen
römischen Institut völlig verschiedenes Gebilde ist. Das „Vorzugsrecht" und das schon genannte „Verfolgungsrecht" haben
in nichts ihr Analogon in den römischen Quellen und können
durch eine romanisierende Betrachtungsweise nicht im entferntesten erklärt werden.

Diese ganze Entwicklung muss also doch wohl ihre eigentliche Basis in alteinheimischen, lebendig nachwirkenden Vorstellungen gehabt haben. Und tatsächlich ist der geschilderte
Grundzug der neueren haftungsrechtlichen Entwicklung auf die
Eigenart des mittelalterlichen Satzungsrechtes zurückzuführen.

Denn dieses kannte eine generelle Hypothek, die obligatio
omnium bonorum, in unseren Quellen technisch (und typisch
genug) obligatio generalis genannt. Freilich hat der Gläubiger
kein Recht, dergestalt obligierte Vermögensobjekte noch nach
dem Austritt aus dem schuldnerischen Vermögen zu verfolgen.
Einer derartig weitgehenden Wirkung standen andere sachenrechtliche Grundsätze entgegen. Trotzdem ist diese obligatio

generalis eine Hypothek, eine sächliche Haftung des Vermögens Diese gab freilich nur ein einziges Recht: das Exekutionsrecht, die Zugriffsmöglichkeit. Zu diesem Zwecke sind die Vermögensobjekte — immer unter der Voraussetzung: so lange sie solche bleiben — obligiert. Ihre fundamentale Funktion sichert der obligatio bonorum die enorme Bedeutung, die ihr tatsächlich zukam. Sie statuiert die Vermögenshaftung, statuiert sie wirklich als Haftung der Vermögensobjekte, wirklich als obligatio bonorum, als Sachhaftung, als Hypothek.

Der sächliche Charakter der mit der obligatio generalis gegebenen Vermögenshaftung ist der Ausgangspunkt, die Grundlage der folgenden Entwicklung. Die obligatio gab das Zugriffsrecht, die Exekutionsmöglichkeit. Diese wird nun in der Weise realisiert, dass die einzelnen haftenden Objekte vom Richter auf Antrag des Gläubigers gefront werden. Darin hat das erste Stadium der Vollstreckung bestanden: in einer provisorischen Bannlegung der Güter. Erst später wurde das Verwertungsverfahren eröffnet. Vorläufig waren auf Grund des Bannes oder Arrestes die Güter in einer ungleich weitergehenden Weise als wie bisher dem gläubigerischen Zugriff gesichert. Denn dieser Bann war ein generelles Verbot an den Schuldner, die arrestierten Güter dem fortzusetzenden Verfahren zu entziehen. Da weder er noch etwa der Richter demnach eine schädigende Handlung mehr vornehmen konnte, war dem Gläubiger nunmehr auch gegen alle nachkommenden betreibenden Konkurrenten der Vorzug gesichert. Dergestalt ist der Gläubiger also dank der Beschränkung der schuldnerischen Dispositionsbefugnis, dank also eines ursprünglich notwendigerweise persönlichen Verbotes vollkommen gesichert. Sächliche Haftung aber bot die obligatio nicht erst von diesem Verbot, sondern überhaupt von allem Anfang an. Grundbegrifflich hat nach dieser Richtung hin das Verbot, so weitgehend seine Wirkungen auch sind, keinen Einfluss. — Die vorteilhafte Rechtslage, die in einem derartigen Güterarrest liegt, konnte übrigens auch in vorsorglichem Zwange hergestellt werden. Ja sie wurde selbst der Beredung der Parteien zugänglich gemacht. Der Gläubiger begnügte sich oft nicht mit einer obligatio generalis. Er verlangte — in einer merkantilistischen Sinnes baren Zeit vielleicht sogar mit Vorliebe — die Anweisung eines einzelnen ganz bestimmten Vermögensobjektes, etwa einer bestimmten Liegenschaft. Dies Objekt sollte also specialiter assigniert werden. Aber diese Spezialität erschöpft sich nicht im Objekt. Sondern „speziell“ sollte die Obligierung auch in dem Sinne sein, dass sie eine wirksamere sei, als sie aus der obligatio bonorum, aus der obligatio generalis folgte. Und diese weitergehende, wirksamere, eben „spezielle“ Verpfändung wurde mit den Mitteln des Exekutionsverfahrens hergestellt: durch Einräumung eines Arrestes, einer Fronung. Das ist die „jüngere Satzung“, in unseren Quellen technisch als obligatio specialis bezeichnet. Sie ist also antizipierte Fronung, auf Grund vertraglicher Einräumung vorweg genommener Königsbann, missio bonorum in bannum. Aber darüber hinaus ist von ihrem rechtlichen Wesen zu sagen, was oben von der obligatio generalis gesagt wurde. In erster Linie ist auch sie Sachhaftung, Hypothek. Denn auch sie eröffnet in allererster Linie eine unmittelbar sächlich gerichtete Zugriffsmöglichkeit. Was sie darüber hinaus noch „speziell“ verlieh, war der Herkunft nach prozessualer Art und bestand in einer Beschränkung der Dispositionsbefugnisse des Schuldners resp. des Eigentümers, im von den Quellen sog. Verbot.

Aber dieses Verbot wurde in der Folge sächlich radiziert. Bis anhin musste der Gläubiger die Rescissionsklage anstemmen, wenn der Schuldner ein Haftungsobjekt trotz des Verbotes verkauft hatte. Allmählich wurde davon abgesehen. Man ging davon aus, dass der Verkauf, der bisher als ungiltig angesehen wurde, dem Pfandgläubiger nicht schaden könne. Dieser sollte also auch in die veräusserten Liegenschaften exequieren können, gleich als ob sie noch im Vermögen des Schuldners sich befänden, gleich als ob sie nicht veräussert worden wären. Die Obligation wirkt nunmehr unmittelbar gegen den Drittbesitzer. Die Bindung der Sache selbst ist energischer, dauerhafter gemacht.

Merkwürdiger Weise vollzog sich nun aber auch die andere Entwicklung: Es wurden allmählich der Generalobligation all die weitergehenden Wirkungen der Spezialsatzung zuerkannt. Zur vollen Erklärung dieser Wendung ist allerdings eine formale Beeinflussung von seiten des römischen Rechtes anzunehmen. Aber der entscheidende Umstand lag doch in der grundbegrifflichen Identität der generellen und der speziellen Obligation.

Die Vermögenshaftung des Mittelalters war eben eine hypothekarische. Nun wurde zunächst das allgemein herrschende Prinzip der Vertraglichkeit der Haftungserrichtung überwunden. Diese Vermögenshaftung sollte de lege eintreten. Trotzdem wurde nach wie vor dem Schuldner immer noch eine obligatio generalis in den Schuldurkunden eingeräumt. Wenn dies nun noch einen Sinn haben sollte, so konnte er nur darin bestehen, dass damit über die gesetzliche obligatio bonorum hinausgehende Wirkungen erzielt wurden. Eine besondere Zusage der obligatio generalis über die nunmehr jedem Gläubiger zustehende Exekutionsmöglichkeit hinaus wurde mehr und mehr als eine quasi spezielle Verpfändung des ganzen Vermögens aufgefasst. Der ursprüngliche Sinn der Spezialobligation war ja auch schon längst vergessen und das Recht, das sie verlieh, auf die haftenden Objekte auch noch nach der Veräusserung zu greifen, wie gesagt, auch schon sächlich radiziert. Da war denn nicht mehr abzusehen, warum die andere, die generelle obligatio bonorum nicht ebenfalls von solch wirksamerer vollwertigerer Sächlichkeit sein sollte. Es ist eben nicht zu vergessen, dass ursprünglich jedes traditionslose Pfandrecht an den Besitz durch den Schuldner gebunden war. Formell auch die Spezialobligation. Darum eben die Veräusserungs-etc.-verbote. Sobald aber dieses Stadium für die obligatio specialis überwunden und diese zur Hypothek im modernen Sinn des Wortes geworden war, war nur ein Schritt — und er wurde rasch getan — bis zur Verleihung dieser weiter reichenden resp. „dauerhafteren" Sächlichkeit auch an die obligatio generalis.

Die obligatio specialis ward Hypothek. Die obligatio generalis ward generelle Spezialobligation und damit ebenfalls Hypothek. Damit war eine gewaltige Kluft überbrückt. Denn ursprünglich waren die beiden Institute doch grundverschieden. Ein ganz anderes gilt aber für das Verhältnis der nunmehrigen vertraglichen Generalhypothek und der schlichten, gesetzlich mit jedem Schuldvertrag gegebenen Vermögenshaftung, welche nur das Zugriffsrecht gegen die schuldnerische Habe gibt, also der einstigen obligatio generalis entspricht, aus deren gerichtlicher Supplierung sie auch hervorgegangen ist. Hier kann von einem grossen natürlichen Gegensatz nicht die Rede sein. Die besonders eingeräumte Generalhypothek ist bloss

eine stehen gebliebene obligatio generalis. Und so ist denn
hier noch einmal zu sagen: Sobald man erst zu der Vorstellung
einer vom Besitz des Schuldners unabhängigen (nach der
Terminologie der modernen Doktrin erst jetzt dinglich wirkenden)
(General-)Hypothek ·gelangt war, erscheint auch sofort die
Tendenz, die Vermögenshaftung schlechtweg mit dieser weitergehenden Wirkung auszustatten. Denn — immer wieder, nur
das bietet die Erklärung — sie ist eben von vornherein
grundbegrifflich mit der wirksameren Hypothek als obligatio
bonorum identisch.

Aus dem mittelalterlichen Satzungsrecht sind also die
merkwürdigen haftungsrechtlichen Einrichtungen und Vorstellungen des ancien droit abzuleiten. Ebenso ist zu sagen,
dass auch in der näheren Ausgestaltung der Hypothek unzweifelhaft die alte „Satzung" wiederzuerkennen ist.

Aber nun stehen wir vor der merkwürdigen Erscheinung,
dass das deutsche und das französische Pfandrecht demselben
geschichtlichen Boden entsprangen, dass jenes bewunderungs-
würdige moderne Pfandrecht, von welchem wir ausgegangen,
und jenes andere, das wir in den Rechten des 16.—18. Jahrhunderts und vor allem und am längsten in den französischen
Quellen antrafen, dass diese beiden Systeme im weiteren Sinne
des Wortes deutsch, sie beide germanisch sind. Und noch
merkwürdiger: gerade in dem zweiten, praktisch so viel
schlechteren System finden wir die im mittelalterlich-deutschen
Satzungsrecht schlummernden Vorstellungen am besten bewahrt,
am konsequentesten durchgeführt. In der Tat, es muss noch
einmal hervorgehoben werden: die französische Hypothek ist
eine Satzung, sie ist es heute noch. Und wenn sie einstens
obligation hiess und war, so trifft dies auch noch für das neueste
Recht in vollem Umfange zu. Die französische Hypothek ist
Obligation, nur Obligation. Aber gerade hierin liegt die Erklärung für den tiefgreifenden Unterschied zwischen der französischen und der deutschen Hypothek. Obschon beide deutsch,
ist diese letztere eben doch nicht mehr Satzung und damit
doch nicht mehr ausschliesslich Haftung. Dahin gehende
Erklärungsversuche müssen u. E. versagen. Zum mindesten
führten sie dahin, in der französischen Hypothek ein grundbegrifflich viel lucideres, korrektes Gebilde zu erblicken. Aber

dies Lob des satzungsmässigen Hypothekarsystems wäre ein Lob seiner Schwächen und seiner Inferiorität. Unsere Hypothek hat andere Elemente in sich aufgenommen, Elemente, die allerdings auch einheimischer Herkunft sind, die aber nicht dem Obligationsgebiet angehören, sondern demjenigen des Reallastenrechtes. Hier holte sie sich in einer Anlehnung, die für manche Rechte genau verfolgt werden kann, wesensbestimmende neue Elemente und vielfach gerade in ihnen die starken Wurzeln ihrer Kraft. Sie wurde durch sie in erster Linie eine selbständige dingliche Belastung des Grund und Bodens, eine dingliche Schuld (Gierke), zu welcher erst noch eine Haftung hinzutrat (bezw. hinzutreten konnte, worüber in einer besonderen Abhandlung zu sprechen sein wird). Das Satzungs-Obligationsrecht allein hätte also nicht genügt, um auf die Dauer ein starkes und gesundes Hypothekarrecht abzugeben. Aber das war das Verhängnis für die französische Entwicklung: Eine in ihrer Art hochentwickelte und einflussreiche romanistische Doktrin hat zwar nicht eine Romanisierung der dortigen Hypothek zu erzielen vermocht, aber sie war doch stark genug, um die Verbindung mit dem Reallastenrecht, die in ungehinderter natürlicher Entwicklung auch hier ganz unzweifelhaft stattgefunden hätte, zu unterbinden.

Die Geschichte des französischen Pfandrechts führt somit zu grundbegrifflichen Untersuchungen, die auch für die Dogmatik des neuesten Rechtes von Interesse sein können. Indessen weckt die mittelalterliche obligatio generalis noch eine ganze Reihe anderer Fragen, Fragen die uns vor das haftungsrechtliche Problem des vormittelalterlichen Rechts stellen. Denn wie ist nur eine derartige Generalobligation zu erklären, die weder den Schuldner in seinen Dispositionen einschränkt, noch ein gegen Dritte wirkendes Recht, sondern nur für den Fall der Nichtbefriedigung eine Exekutionsmöglichkeit in das noch beim Schuldner befindliche Vermögensobjekt gibt? Dass ein solches Recht sich nicht unmittelbar aus dem Schuldvertrag ergibt, ist allerdings bekannt. Aber es fliesst doch von selbst aus der Haftung der Person? Dahin geht denn auch die z. Z. wohl herrschende Auffassung. Aber die Existenz der obligatio generalis gerade in der geschilderten Gestalt lässt diese Auffassung als doch wohl nicht haltbar erscheinen. Vielmehr legt dieses Institut Zeugnis ab von der Herrschaft ganz anderer Haftungsgrundsätze. Es ist nicht richtig, dass uno actu eine persönliche Haftung begründet werden kann, welche die Person in ihrem körperlichen Substrat und gleichzeitig ihre (übrige) gesamte wirtschaftliche Existenz dem gläubigerischen Zugriff zugänglich machte. Das mittelalterliche Recht kennt vielmehr wie den Grundsatz der Vertraglichkeit der Haftungs-errichtung, so auch den der Spezialität. Es haftet, was ein-gesetzt wird. Der Inhalt der Haftung richtet sich also stets nach der Beredung. Wie ist ein solch enges, gebundenes Haftungsrecht zu erklären? Wie ist es wohl geworden?

Wenn die dargelegte Auffassung zutreffend ist, dann dürfen wir nicht erwarten, dass das germanische Altertum eine „persönliche" Haftung gekannt habe, aus welcher Zugriff auf das Vermögen und Zugriff auf die Person (mitsamt den evtl. eintretenden Pönalfolgen) sich als ein einheitliches Recht ohne weiteres ergaben. Vielmehr muss dann auch das älteste Recht eine quasihypothekarische Haftung des Vermögens — natürlich zunächst nur des Fahrnisvermögens — und eine „reine" d. h. selbständige, isolierte, ausschliessliche Haftung der Person ge-kannt haben. Und ein solcher — volksrechtlicher — Zustand lässt sich u. E. allerdings nachweisen.

So sind es denn weite Wege, welche die realen Zusammen-hänge der geschichtlichen Entwicklung uns gehen liessen. Sie führen von dem ältesten Rechtszustand, von einer Zeit der Bar- und Realverträge und der ausschliesslichen Herrschaft des Faust-pfandprinzips zu dem germanischen Wadiationsrecht und zur quasihypothekarischen Vermögenshaftung und weiter zur mittel-alterlichen obligatio generalis und obligatio specialis und endlich hin zur neueren Pfandrechtsentwicklung und zu den grund-begrifflichen Bestimmungen des Code. Aber diese Jahrtausende umfassende Entwicklung konnte nicht ihre gleichmässige und in allen Teilen gleich ausführliche Darstellung erfahren. Dies hätte eine nicht zu bewältigende Aufgabe gebildet und hätte ich sie mir vorgenommen, so wäre dies sicherlich ein nicht zu rechtfertigender Mangel an Selbstbeschränkung gewesen. Ich muss aber nochmals bemerken, dass der Ausgangspunkt für die folgenden Untersuchungen im neueren Pfandrecht gelegen hat. Dann aber veranlassten mich die Resultate, immer wieder

weiter auszuholen. Die Quellen hatten schlechterdings etwas
zwingendes. Teils war der allgemeine Rechtszustand, den sie
widerspiegelten, derart, dass seine Aufhellung ein Zurückgehen
auf ältere Perioden unerlässlich machte. Teils stiess ich auf
Findlinge, auf eratische Blöcke, die ganz unmittelbar Kunde
von dem einst lebendigen Wirken jetzt überwundener Vorstellungen ablegten. Sie nicht unbeachtet zu lassen, hielt ich
für meine Pflicht. Zum wenigsten musste ich von ihnen berichten. Aber der Versuchung war nicht zu widerstehen: sie
zu deuten und die Mutmassungen über ihre Herkunft zu äussern
und zur Diskussion zu stellen. So galt es manchmal den Plan
zu erweitern, ihn umzustürzen. Aber unter diesen Umständen war
es oft nicht leicht, die Einheitlichkeit der gesamten Darstellung
zu wahren und das eine oder andere Kapitel hat auch noch
nach formellem Abschluss des Ganzen seine wiederholte Umarbeitung erfahren müssen. Es geschah jeweilen, um die Homo-
genität des Ganzen zu fördern — die Gefahr aber war vorhanden, dass sie durch die nämliche Umarbeitung an anderer
Stelle wieder zu Schäden käme. In einer wichtigen Frage ist
es mir denn auch nicht gelungen, diese angestrebte Geschlossen-
heit zu erzielen. Und diese Frage betrifft das Treugelöbnis.
Für diese Teile der Darstellung muss ich selbst an die Vorsicht des Lesers und damit notgedrungen auch an seine Nachsicht appellieren. Das erste Kapitel des ersten Teiles bringt
den Nachweis, dass die Grundbegriffe von Schuld und Haftung
in den mittelalterlich französischen Quellen genau dieselben
sind, wie im sächsischen Recht. Schon dass es sich um den
Nachweis einer Übereinstimmung handelt, besagt, dass es dabei
auf irgend eine neue Argumentation in keiner Weise abgesehen
ist. Kapitel 2 bringt das Treugelöbnis zur Darstellung. Die
Ausdrucksweise der Quellen ist auch in Hinsicht auf dieses
derjenigen in den sächsischen Quellen durchaus gleich. Aber
gerade diese Ausdrucksweise und ferner die eminente selbständige
Bedeutung der obligatio generalis, welche das Vermögen haftbar
macht, musste zu der Überzeugung führen, dass der fragliche
Formalismus keineswegs einer persönlichen Haftung von anthro-
pozentrischem und universellem Inhalt diene, dass er vielmehr
nur die Person selbst, ihren Körper, ihre Ehre, darüber hinaus
aber weder direkt noch indirekt das Vermögen dem Gläubiger

unterwerfe. Mit dieser Modifikation glaubte ich allerdings, die Auffassung Puntscharts mir zu eigen machen zu dürfen. In diesem Rahmen schien mir seine so glückliche und eindringliche Darstellung den Quellen durchaus gerecht zu werden und weiter die kritische Sonde anzulegen, dazu schien mir jede Veranlassung zu fehlen. Sind doch die zahllosen Gelöbnisformeln so klar, so unzweideutig wie nur möglich und es schien beinahe überflüssig, die Probe aufs Exempel zu machen. Und doch haben wir dazu die Mittel in der Hand. Sie liegen im Exekutionsrecht. Dem Inhalt der Obligation muss die Exekution entsprechen. Und da machen wir denn die überraschende Wahrnehmung, dass die Exekution nicht gibt, was das Treugelöbnis nach unserer Auslegung versprochen hat. Die Rechnung stimmt nicht. Schon in Teil I (Kap. 3) kommt dies zum Ausdruck. Aber ich muss gestehen, dass ich mir über die Tragweite dieser Erscheinung erst später volle Rechenschaft ablegte. Aber nachgerade erhoben sich die allerschwersten Bedenken. Das vierte Anhangskapitel macht sie (sub B) in Kürze namhaft. So ungern ich mich nun auch auf diese kritischen Bemerkungen beschränke — wir haben reichlich genug Nur-Kritik — so muss ich mich für den Augenblick doch bescheiden. Ich hoffe in einem besonderen Aufsatz diesem Problem nähertreten zu können. Vielleicht bietet sich dann auch Gelegenheit, einigen haftungsrechtlich bedeutungsvollen Formen der Prozesseinleitung und den Voraussetzungen des Klagerechtes eine Aufmerksamkeit schenken zu können, die ihnen vorläufig versagt werden musste.

Ein Wort der Rechtfertigung erheischen wohl noch die drei ersten Kapitel des Anhanges. Es mag kühn erscheinen, auf einigen Seiten das germanische Haftungsrecht abhandeln zu wollen, vollends wenn dabei in dem einen oder anderen Punkt die Stellungnahme von der herrschenden Auffassung stark abzuweichen scheint. In erster Linie ist zu bemerken, dass diese drei Kapitel i. W. in der vorliegenden Form niedergeschrieben wurden zu einer Zeit, da ich mich nur erst mit dem neueren französischen Pfandrecht beschäftigte. Dieses selbst führte mich zur näheren Betrachtung des mittelalterlichen Rechtes. Und nun konnte mir nicht mehr entgehen, dass die beiden Bilder, dasjenige, welches die ältesten Quellen mir geboten hatten und dasjenige des mittelalterlichen Rechtes ganz ungezwungen aufs beste einander ergänzten. Zwei Ausgangspunkte und dasselbe Resultat. Dazu kommt ferner, dass die Quellen des vierten Anhangskapitels mich wiederum unmittelbar auf das germanische Recht zurückwiesen, so dass ich nun nicht mehr zögern zu dürfen glaubte, diese Skizze mit zum Abdruck zu bringen. Dabei mag es zunächst wohl fremdartig anmuten, wenn etwa von einer germanischen Mobiliarhypothek gesprochen wird. In Wirklichkeit glaube ich aber nur auf eine haftungsrechtliche Terminologie gebracht zu haben, was schon längst zum unbestrittenen Bestand unserer Kenntnisse gehört. Von besonderer Bedeutung ist dabei Brunners Erklärung des fünfzigsten Titels der lex Salica. Diese Erklärung — aber auch nur sie — ergibt unmittelbar ein glaubwürdiges, natürliches Bild der ältesten Stadien der Entwicklung der Vermögenshaftung.

Das nordgermanische Recht unterstützt im übrigen, wie ich denke, aufs wirksamste die dargelegte Auffassung. Überaus bedeutsam ist aber, dass neuerdings auch das älteste römische Haftungsrecht eine Beleuchtung erfahren hat, die genau analoge Resultate ergab. Bereits ist zwar (von Becker, Z. f. R G., R. A. Bd. XXIII, 1902 S. 22) wieder davor gewarnt worden, unser Wissen von dem ältesten Recht eines Volkes zur Aufhellung des Zustandes bei einem andern zu verwerten. Und gewiss ist alle Vorsicht am Platz. Wird sich doch nachweisen lassen, dass selbst im Rahmen des südgermanischen Rechtes die Ausgangspunkte für die ganze haftungsrechtliche Entwicklung in den verschiedenen Rechten grundverschiedene waren. Deshalb ist in der Tat nicht von vornherein eine Übereinstimmung etwa in den arischen Rechten anzunehmen. Aber diese Bedenken weichen denn doch, wenn die Übereinstimmung eine so weitgehende ist, wie dies in Bezug auf die obligatio personae nach den neuesten Forschungen von Mitteis (Z. f. R. G., R. A. Bd. XXII, 1901 S. 96 f.) tatsächlich der Fall ist: Er weist nach, dass das nexum in der Pfandsetzung der Person besteht. Dieses Personalpfand verhaftete die Person, nur die Person. Genau dasselbe ist für die germanische persönliche Haftung nachzuweisen, und wiederum herrscht völlige Übereinstimmung, wenn dieser Personalverpfändung nur eine subsidiäre Stellung zugewiesen wird. Endlich trifft es wieder genau den Sinn des altdeutschen Haftungsrechtes, wenn Mitteis vom römischen nexum annimmt, es sei nur zur Abwendung schlimmerer Folgen begründet worden.

Zum Schluss noch einige Bemerkungen zum Quellengebiet, auf welches sich die Darstellung stützt. Der Titel verspricht eine Untersuchung nach fränkischem Recht. Das ist schon insoweit nicht ganz zutreffend, als die Hypothek nur gerade in ihrer französischen Erscheinungsform zur Schilderung gelangt und man hier wirklich nur noch von französischem, nicht mehr von fränkischem Recht sprechen kann. Aber auch in der vorausgehenden Geschichte der Vermögenshaftung und der Satzung finden gerade die für uns sonst wichtigsten fränkischen Quellen, nämlich diejenigen des deutschen Sprachgebietes, keine eingehendere Berücksichtigung. Warum also nicht „Vermögensh. und H. nach fränkisch-französischem Recht"? Das wäre anspruchloser gewesen. Aber wir können uns der Ansicht nicht erwehren, dass wir der Sache selbst jene Praetention schuldig sind, die uns keck das „Fränkisch" über das Ganze setzen hiess. Denn es kommen da in ausserdeutschen Rechtsquellen germanische Rechtsgedanken zu einer so konsequenten, so geschlossenen, so einheitlichen und reinen Abwicklung, dass es unzweifelhaft in die Erscheinung tritt: Es konnte nur die Einheit eines einzigen und starken, ja des stärksten Stammesrechtes sein, die sich hier aller Berührung mit fremdem Recht und allem Partikularismus, ja aller nationalen Spaltung und teilweisen Entnationalisierung zum Trotz in bewunderungswürdiger Weise durchsetzte. Allerdings muss man da von einem „starken" Stammesrecht reden. Das ist nur die Kehrseite, oder vielleicht besser, die unerlässliche Voraussetzung, die Grundlage selbst jener sieghaften Expansionskraft, wie sie dem fränkischen Recht — trotz aller Bedenken, die man gegen Sohms Auffassung geltend gemacht hat — eben doch eignete. Diese Stärke besteht dabei in der wirklich erstaunlichen Zähigkeit, mit welcher sich die germanischen Vorstellungen erhalten, wodurch ein bestimmtes Privatrechtsinstitut in seinem Wesen auch bei weitester Fortentwicklung immer noch dasselbe bleibt und immer noch unzweifelhaft die markanten Grundlinien der ursprünglichen Anlage erkennen lässt. Und nicht — durch lange Jahrhunderte hindurch nicht — vermag ein fremdes Recht diese Zirkel zu stören. Nur was sich absorbieren lässt, wird aufgenommen, römisches Recht, das sich beugt, das sich frankonisieren lässt.

Dafür bietet schon das Recht der pays de coutumes genug Beweise. Dies koutumiäre Recht gelangt im ersten Teil zur Darstellung. Hier glaube ich mich überall ohne alle Einschränkung auf den allergewichtigsten Zeugen, auf Beaumanoir, stützen zu können. Sein geniales Werk, das uns mit seiner durchdringenden Systematik, seiner synthetischen Kraft und seinem glänzenden Stile geradezu modern anmutet, zeigt ja, wie souverän, nun — wie fränkisch sein Verfasser dem römischen Recht gegenübergestanden hat. — In den nämlichen Kapiteln gelangen aber auch die südfranzösischen Quellen, also aus den pays de droit écrit zur Besprechung. Und hier zeigt sich auf's Glänzendste die Überlegenheit des fränkischen Rechts. Auf die Goten hat — immer für die hier in Frage stehenden Rechtsinstitute — nicht etwa das römische, sondern das fränkische Recht massgehenden Einfluss erlangt. Das gilt ja wohl vielfach selbst noch für spanische Quellen. Für Südfrankreich ist es unzweifelhaft: Hier hat auch die gotische Bevölkerung das fränkische Haftungsrecht, die fränkischen satzungsrechtlichen Vorstellungen sich angeeignet. Nicht minder aber blieben die Franken Sieger, wo sie sich mit den Römern massen. Ununterbrochen galt ja fort und fort römisches Recht für einen beträchtlichen Teil der Bevölkerung. Früh drang in lebhaftem Verkehr mit Italien die Kunde von den wiedergefundenen justinianischen Quellen nach Südfrankreich. Und mit Begeisterung wurde hier schon vom 12. Jahrhundert ab römisches Recht gelehrt und gelernt. Ja man möchte glauben, es hätten kaum die Voraussetzungen gefehlt, die zu einer Übernahme des römischen Rechtes in Bausch und Bogen zu führen vermocht hätten. Die Kultur- und Rechtsgeschichte zeigt wie sehr gerade in diesen Ländern um 1200 Sturm und Drang herrschte und das Streben nach Emanzipierung des Individuums die Geister erfüllte. Es war eine Zeit, die selbst Erscheinungen reifte, die wohl an naturrechtlichen Rationalismus gemahnen (vgl. unten 268 N. 1). Mochte man da nicht dem Individualismus des römischen Rechtes zuneigen und sich ihm völlig hingeben? Die Rechtsgeschichte kündet anderes, besseres. Das gesamte Haftungsrecht, wie es hier im 13. und 14. Jahrhundert in der tatsächlichen Übung des Lebens stand, war nach wie vor rein fränkisch. So zäh und treu und trotzig wie nur eine Eiche steht dies Recht. So lebt hier die germanische Bürgschaft noch fort (wir werden in einem späteren Aufsatz darauf zurückzukommen Gelegenheit haben) und so ist denn hier die jüngere Satzung der vorweg genommene Königsbann. Ja gerade hier findet sie als solchen ihren denkbar schärfsten Ausdruck, so scharf und unzweideutig, wie wir ihn im ganzen südgermanischen Rechtsgebiet wohl nur noch ein einziges Mal wiederfinden — in den pays de nantissement.

Das Recht dieser Länder gelangt im dritten Kapitel des zweiten Teiles zur Darstellung. Dieser ganze Teil ist der Entwicklung vom 16. Jahrhundert ab gewidmet. Zeitlich gehören auch die besagten Quellen hierher. Und nicht nur zeitlich. Ihrer Ausgestaltung und äusseren Erscheinung nach nehmen sich diese Stadtrechte aus wie moderne Kompilationen. In systematischer und umfangreicher Weise regeln sie das ganze Gebiet des Privatrechts und sie erfahren zudem von hervorragenden Juristen, die mit dem ganzen Apparat gelehrter Dogmatik arbeiten, ihre sorgfältige und ausführliche Kommentierung. Aber in dieser modernen Form kommt altfränkisches Recht zur Darstellung. Und — der Parallelismus zu den Quellen des äussersten Südens gerade in den uns hier interessierenden Fragen drängt sich auf: Hier heisst die Hypothek (jüngere Satzung) Arrest (bannum), dort Sperre (empechement) oder Verbot (défense). Hier wird sie begründet durch Konzedierung von seiten des königlichen Vikarius oder des Gerichtes, dort indem die Güter in die Hand des Königs gelegt werden, — die Güter: hier wie dort können es auch Mobilien sein. Hier wie dort das nämliche, das einzige fränkische Recht. Aber in den pays de nantissement bis ins 18. Jahrhundert hinein. Und noch in einer Zeit, die so allen historischen Sinnes bar und deshalb gerade gegen das deutsche Recht so verständnis- und pietätlos gewesen wie keine zweite, leben hier die Formen der reinen Sach- und der reinen Personenhaftung, und sorgfältig behütet, auch der Festukationsformalismus der symbolischen Investitur u. a. m. Wahrlich, das sind Hochburgen altfränkischer Rechtsvorstellungen. Und erst dem Sturm der Revolution, der sie, ihrer Schönheit und ihrer Vorzüge nicht achtend, niederreisst, erliegen sie. Bis dahin waren sie die Bewunderung und der

Neid der Rechtsgelehrten Frankreichs gewesen und der Stolz
dieser kleinen Länder selbst, welche denn auch allen königlichen Ordonnanzen und allen Doktrinären und allen feindlichen
Zeitströmungen zum Trotz in unwandelbarer Treue an dem
Erbe ihrer Väter festgehalten hatten.

Es sei an dieser Stelle Herrn Geheimrat Brunner bestens
für die Anregung gedankt, auch noch das grosse belgische
Quellenwerk: Anciennes Coutumes de la Belgique in die Betrachtung einzubeziehen. Verschiedene belgische Quellen wurden
schon in dem eben genannten Kapitel verwertet. Aber es
geschah zum Teil geradezu aus dem Gesichtspunkt heraus,
dass die betreffenden Provinzen in der Periode, die zur Rede
stand, ja auch französisch geworden seien und es handelte sich
denn auch nur um Quellen, die ich in (älteren) französischen
Quellenausgaben vorfand. Und jedenfalls blieben die vlämischen
Quellen unberücksichtigt. Trotz des neuen Kapitels, das nun
die Ergebnisse aus den neuen belgischen Quellen zur Darstellung
bringt, müssen die früher schon verwerteten Quellenstellen
ihren Platz in dem genannten dritten Kapitel behalten. Sie
dienen dort zur Stützung eines geschlossenen Gedankenganges,
der sich i. W. auf das Hypothekarrecht bezieht. Die Anciennes
Coutumes boten nun gerade nach dieser Richtung hin nichts
wesentlich neues. Dagegen war der Blick gefesselt durch
Quellenzeugnisse, welche, obschon i. A. jüngern Datums doch
altes, oft geradezu vorkarolingisches Recht widerspiegelten. Die
Zweiteilung war also unter keinen Umständen zu vermeiden
und die belgischen Quellen gaben die natürlichste Ergänzung
der drei ersten Anhangskapitel ab. Vom Treugelöbnis abgesehen,
hat dies neue Quellengebiet in allen Teilen neue und zum Teil
überraschende Bestätigungen der aus den französischen und
den germanischen Quellen abgeleiteten Auffassungen ergeben.
Am meisten vielleicht gerade für das älteste Recht. Das war
Grund genug zu einer letzten Erweiterung der Arbeit: Es
wurden auch noch die holländischen Quellen in den Kreis der
Betrachtung einbezogen. Hier finden wir oft noch ein rein-
germanisches Haftungsrecht erhalten. Insoweit können diese
nördlichsten Quellen des südgermanischen Gebietes geradezu
als Übergangsgebiet betrachtet werden, das zu den nordgermanischen Quellen hinüberleitet. Schon dort also stossen

wir auf jene um mehr denn ein halbes Jahrtausend zu-
rückgehaltene und um so viel uns näher gebrachte Entwicklung, die allen diesen Quellen ein so hervorragendes ge-
schichtswissenschaftliches Interesse sichert, ein Interesse,
das allerdings gerade den belgischen und holländischen
Quellen noch nicht in dem Masse geschenkt wurde, wie sie
es verdienen.

Und das ist denn überhaupt noch zu bemerken: wie
viel zu tun übrig bleibt. Nach zweifacher Richtung hin.
Was einmal die verschiedenen Quellengebiete betrifft, die
hier auf einige bestimmte Probleme hin untersucht wurden:
das sind trotz aller wertvollen Beiträge, die uns diese Gebiete schon längst nähergebracht haben, doch noch weite
brachliegende Felder, die eifriger Bebauer harren, denen sie
reiche Frucht zu glücklicher Ernte versprechen. Und dann
wiederum in der Sache selbst. Die Wiedereroberung des geschichtlichen Obligationsbegriffes war eine bedeutende Tat.
Gilt doch die Tätigkeit der Dogmatik zu einem wichtigen
Teil der Konsolidierung der oberen und obersten Privatrechts-
begriffe. Der Erfolg dieser Restaurierungsarbeit war denn
auch ein unbestrittener, grosser. Dennoch ist die monogra-
phische Verwertung auf dem Gebiet geschichtlicher Forschung
bis anhin eine ziemlich spärliche geblieben. Aber es ist unerlässlich, die haftungsrechtlichen Institute auf der neuen grundbegrifflichen Basis zu neuer Darstellung zu bringen. Die
Vermögenshaftung nach den deutschen, insbesondere deutsch-
fränkischen Quellen und die Geschichte des Treugelöbnisses
sind es vor allem, die dringend einlässlicherer Untersuchung
bedürfen. Darüber hinaus gilt es aber auch, dem Haftungsbegriff zu geben, was ihm gehört, nicht weniger, aber auch
nicht mehr. Ist denn alle Zwangsreaktion gegen den
Schuldner auf Haftung zurückzuführen? Auch im ältesten
Recht? Und wie verhält es sich damit im modernen
Recht? (Siber, Rechtszwang im Schuldverhältnis, 1903, kann
hier nur noch namhaft gemacht werden). Wie weit wird die
Erkenntnis der älteren Satzung durch den Haftungsbegriff
gefördert? Und ist mit ihm wohl gar das ganze Gebiet des
Reallastenrechtes zu erklären, der Schlüssel also gefunden,
der ohne weiteres das Wesen etwa der Rente wie dasjenige

der Grundschuld uns erschliesst? Wir erwarten, im Gegensatz zu schon geäusserten Ansichten, manches Nein. Aber sei dem, wie ihm wolle, diese nachprüfende und umwertende Arbeit muss getan werden. Und je eher dies geschieht, desto besser.

Berlin, im Juni 1903

Der Verfasser.

Quellen.

[Vergl. Brunner in Holzendorffs Eucyklopädie 1890 S. 305 f. u.
S. 318; Viollet, Histoire du droit civil français, 2. Aufl. S. 135 f., Schröder,
Rechtsgeschichte, 4. Aufl. S. 685, Warnkönig n. Stein, Französische Staats-
u. Rechtsgeschichte 1846—48, Franken, Französisches Pfandrecht, Warnkönig,
Flandrische Staats- und Rechtsgeschichte 1835—42.]

Cout. der Stadt Aldenarde (Audenarde) herausgeg. von Graf Limburg-
Stirum (A. C. d. B.) 1882, 86.
Cout. d'Alost (Aalst), herausgeg. von Graf Limburg-Stirum 1872 (A. C. d. B.)
Coutumes tant generales que locales et particulieres du Bailliage d'Amiens
1567. Paris 1575.
Coutumes d'Amiens 1507. B. de R. I 128.
Coutumes locales du Bailliage. d'Amiens Ed. Bouthors. Amiens 1845
(Doc. inéd.)
Coutumes loc. d'Angle (Comté d'Artois) B. d. R. 1 305.
Coutumes et institutions de l'Anjou et du Maine. Ed. Beautemps-Beaupré.
Bd. I: Manuscr. A-E. Bd. II: Manuscr. F. Bd. III: Manuscr.
G-J. Bd. IV: Manuscr. K-N.
Antwerpen: C. d'Anvers I—VII, 1870—78, herausgeg. von De Longé (A.
C. d. B.) „Antiquissima" Bd. I. 90, „Impressae" II. 1.
Argou: Institution du droit français. 2e Ed. I und II. Paris 1771.
Statuta s. leges municipales Arelatis. Giraud II 185.
Coutumier d'Artois (Ancieus usages, Ende 13. Jahrh.) Ed. Tardif. Paris 1883.
Coutumes générales d'Artois avec des Notes par A. Maillart. Paris 1624.
Cout. de la ville et Chast. d'Audenarde B. d. R I. 1103.
Basnage: Traité des hypothèques 1724.
Balasque: Etude sur Bayonne 1869.
Les Fors de Béarn. Ed. Mazure et Hatoulet. Pau et Paris 1845.
Beaumanoir, Coustumes du Beauvoisis. Ed. Salmon: Collection de texte
p. s. à l'étude de l'hist. Paris 1899, 1900.
Coustumen van Befferen ende Putte. Antwerpen VII 496 (A. C. d. B.)
Statuts et cout. de Bergerac. B. d. R. IV 1005 (vergl. Ord. XII, 532).
Priv. du Chap. de St. Bernard de Romans en Dauphiné. Ord. III 269.
Binche, Faider, Hennegau. III 543 (A. C. d. B.)
Boullenois, Dissertations sur des questions qui naissent de la contrariét
des loix et des coutumes, Paris 1732.

Coutumes du Boulonnois. Ed. Le Camus d'Houlouve. Paris 1777.

Bourdot de Richebourg, (Abbr.: B. d. R.) Coutumier général, Paris 1724.
4 Bde.

Les anciennes Coutumes de Bourges B. d. R. HI 875.

Coutumes et Stilles gardez ou duchié de Bourgoigne. Giraud II 268.

Bouridan vide Reims.

Bourjon: Le droit commun de la France et de la Coutume de Paris.
Paris 1747.

Bouteiller: Somme rural. Ed Charondas le Caron. Paris 1611.

Bonthors vide Amiens.

La très ancienne coutume de Bretaigne. B. d. R. IV 199.

Het rechtsboek vanden Briel, beschreven door Jan Matthijssen, herausgeg
von Fruin u. Pols. 1880 (O. V. R.)

Cout. der Stadt Brügge, herausgeg.· von Gilliodts van Severen 1874—75
(A. C. d. B.)

Cout. des Landes der Freien von Brügge, herausgeg. von Gilliodts van
Severen 1879—80 (A. C. d. B.)

Cout. de la cour féodale de Bourg de Bruges B. d. R. I, 585 (jetzt
Gilliodts van Severen A. C. d. B.)

Cout. gén. de la ville de Cambray, Ed. Pinault Sr. de Jaunaux, Douay 1691.

Boeck van Rechten der Stad Campen, das guidene Boeck, Overijsselsche
Stadregten, eerste Stuk.

Campen, Stadtrecht des Dr. Croeser, Overijsselsche Stadregten, elfte Stuk.

Casterlé, Antwerpen VII, 120 (A. C. d. B.)

Le grand Coustumier de la France, Ed. Laboulaye et Dareste, Paris 1868.

Coustumes tenues toutes notoires et jugées au Chastelet de Paris, in
Brodeau, Paris. II 527.

De oudste Rechten der stad Dordrecht, herausgeg. von Fruin 1882
(O. V. R.)

Coustumes de Douay. Gand 1777.

Decisions de Messir Jean Desmarès in Brodeau. Paris II 559.

Domat: Les Lois civiles dans leur ordre naturel. Paris 1694—95.

Les Etablissements de Saint Louis, Paris 1881—86. Ed. par P. Viollet.

Cout. gen. du bailliage et comté d'Eu. B. d. R. IV 166.

Ferrière vide Paris.

Cout. de Franc 1619 B. d. R. I 602.

Cout. de Furne B. d. R. I 633 f. Jetzt zu vergl. C. der Stadt Furne.
herausgeg. von Gilliodt van Severen 1896/97 (A. C. d. B.)

Grande charte de Gantois, C. von Gent S. 426 f.

Coutumes der Stadt Gent (Gand), herausgeg. von Ghedolf 1868 (A. C. d. B.)

Gheel, Antwerpen VII 326 (A. C. d. B.)

Giraud, Essai sur l'histoire du droit français, Paris 1856.

Cout. de Gorze 1624, B. d. R. II 1073.

Stadtbuch von Groningen, herausgeg. von Telting (O. V. R.)

Guicbard, Code hypothécaire, ou instruction sur la loi du 11 Brumaire an VII.

Stadregt van Hasselt, Overijss. Stadregten, vierde Stuk

Cout. gén. de Haynault 1534, B. d. R. II 1. (vergl.·folg. Ang.)

Hennegau: C. de Hainaut, herausgegeben von Faider I—III,·1871—83 (A. C. d. B.)

Charte gén. des Hennegau vom Jahre 1619, Faider II 89.

Assises et bon usages du royaume de Jerusalem, Ed. Jean d'Ibelin, Paris 1890. Ed. Beugnot, Rec. des hist. des crois. Lois. 1841—43.

Leidsche Rechtsbronnen uit de Middeleeuwen, herausgeg. von Blok 1884. (O. V. R.)

Li Livres de Jostice et de Plet, ed. Rapetti, Paris 1850 (Doc. inéd.)

Jourdan, Decrusy et Isambert, Recueil général des anciennes lois françaises. Paris 1827. 28 Bde.

Cout. d'Jpre B. d. R I 821.

Kiel, Antwerpen V 1875 (A. C. d. B.)

Laurière vide Paris.

Coutumes de Liège, herausgeg. von Raikem und Polain, 3 Bde. 1870—84. (A. C. d. B.)

Commentaire sur les Coutumes de la Ville de Lille et de sa Châtellenie, par Patou 1788, 90.

    Bd. I und II Commentaire sur la coutume de la Ville de Lille.

    Bd. III Commentaire sur la coutume de la Salle, Bailliage et Châtellenie de Lille.

Les Coutumes et usages de la Ville etc. de Lille. Ed. Laurent vanden Hane. Gand 1777. (Weistümer von Anappes, Seclin, Commines; Cout. de Douay; Cout. d'Orchies, Ordonnance et Edit perpetuei 1611 u. a. m.).

Roisin, Franchises de Lille, ed. Brun-Lavainne. Lille 1842.

Loisel: Institues coustumières. Nouv. Ed. par Dupin et Laboulaye, Paris et Leipzig 1846.

Loyseau: Traité du déguorpissement et délaissement par hypothèque. Paris 1665.

Loensche Landrechten, Looz (A. C. d. B.) 1 39.

C. d. Lorraine, B. d. R. II 118.

Cout. de Looz, herausgeg. von Crahay (A. C. d. B.) I-III 1871—97.

Cout. de Lorris, Ed. Prou 1884.

Löwen: Cout. de Louvain, herausgeg. von Casier 1874 (A. C. d. B.).

Lüttich v. Liège.

Cout. de Luxembourg. Ed. Leclercq. 3 Bde 1867—78 (A. C. d. B.).

Cout. der Stadt Maestricht, herausgeg. von L. Crahay 1876 (A. C. d. B.).

Maillart vide Artois.

Charte de Maure 1273. Nouv. Rev. hist. de dr. fr. et étr. Bd. 18, 1894, S. 65.

Mecheln: C. d. Malines, herausgeg. von De Longé 1879 (A. C. d. B.).

Merlin, Répertoire universel et raisonné de Jurisprudence. Paris 1808.

Cout. gen. de Metz 1611. B. d. R. II 395.

Ordonnances de Metz 1564 B. d. R. II 371.

Molinaeus, Opera, Paris 1681.

Cout. de Montpellier 1204 und 1205, Giraud I 47.

Regl. de la Jurisdiction du Seau de Montpellier Ord. VIII 350.

Mons, Hennegan, Paider III, s. 1 f. (A. C. d. B.).

C. de Namur, herausgeg. von Grandgagnage 1869—70 (A. C. d. B.).

Cout. de Nivernois, Ed. Dupin, 1864.

Stadtrechten van Nijmegen, herausgeg. von Krom und Pols (O. V. R.) 1894.

Grand coustumier du Pays et Duchié de Normendie B. d R. IV 1.

Les Olims, Ed. Beugnot, Paris 1839—48 (Doc. inéd.)

Stadregt. van Ootmarsum, Overijsselsche Stadregten, Zevende Stuk.

Stadregt. von Ommen, l. c. negende Stuk.

Ordonnances des roi de France de la troisième race. Paris 1723—1847.

Cout. d'Orléans, par Pothier (I und II), Orléans 1780.

Priv. de St. Omer 1350, Ord. IV 248.

Overijsselsche Stad-Dijk-en Markeregden (Vereeniging tot Beoefning van overijss. Regt en Geschiedenis.

Oude vaderlandsche Rechtsbronnen (Abbr. O. V. R.): Werken der Vereeniging tot uitgave der Bronnen van het O. V. R.

Coutumes de Paris, comm. par Brodeau. 2 Bde. Paris 1669.

Textes des Coutumes de Paris annot. etc. par Laurière. 3 Bde. Paris 1777.

Corps et compilation de tous les commentateurs sur la coutume de Paris par Ferrière. Nouv. Ed. Paris 1719. 2 Bde.

Nouveau commentaire sur la coutume de Paris par Ferrière. Paris 1708.

Li Paweilhars, v. Liège I 1 f.

Pathou vide Lille.

Coutumes de Perpignan. Ed. Massot-Reynier 1846.

Ancien coutumier de Picardie. Ed. Marnier, Paris 1840.

Cout. de Ponthieu 1495. B. d. R. I 81.

Cout. de Poperinghe B. d. R. I 921.

Cout. de Puymirol en Agenais 1286. Rev. hist. de dr. fr. et étr. 1887. Bd. XI S. 303.

Pothier. Traité des obligations nouv. éd. p. Bernardi, Paris 1805.

Pothier, Recueil des Traités sur les hypothèques. Ed. Hutteau. Paris 1809 Oeuvres. Bde XIII und XIV.

Statuta Provinciae Forcalqueriique comitatuum 1366. B. d. R. II 1205.

Reckheim, Looz II 327 (A. C. d. B.).

Coustumes de la Ville et cité de Rheims. Ed. Buridan. Paris 1665.

Roisin v. Lille.

Giry: Les établissements de Rouen, Paris 1883 und 1885 (Bibl. de l'Ec. des Hautes Etudes).

Salon (Statuta): Giraud II 246.

Santhoven, Antwerpen VI 1 (A. C. d. B.).

Cout. der Stadt Termonde. herausgeg. von Graf Limburg-Stirum 1896 (A. C. d. B.).

Saint-Trond, Looz (A. C. d. B.) II 181.

Stadregten van Steenwijk, Overijsselsche Stadregten, eerste Deel. tiende Stuk.

Tardif: Coutumes de Toulouse, Paris 1884.

Cout. de Tournai 1340, Ord. XII 54.

Tournhout, Antwerpen VI 506 (A. C. d. B.).

De middeleeuwsche Rechtsbronnen der Stad Utrecht (O. V. R.).

Cout. de Valenciennes 1540, B. d. R. II 223.

Valenciennes (A. C. d. B.): Paider, Hennegau III 311.

Cout. de Vermandois, Ed. Beautemps-Beaupré, Paris 1858.

Cout. de Bergh St. Vinox, B. d. R I 503.

De Dingtaal van Zuidholland, Dordrecht II 314.

Rechtsbronnen der Stad Zutphen‘, herausgeg. von Pijnacker Hordijk, 1881 (O. V. R.).

Die oudste Stadtrechten van Zwolle herausgeg. von G. J. Dozy 1867.

Inhaltsübersicht.

Einleitung.

Zweites Kapitel.
Die Forderungsprivilegierung im Rahmen des altfranzösischen Haftungsrechts.

Berichtigungen.

S. 23 Z. 19 lies „coutumes" statt contumes (ebenso S. 28 no. 2, S. 80 no 1, S. 81 no. 5, S. 129 Z. 5, S. 178 no. 4).

S. 30 no. 11 lies: 1094 statt XXXV, 20.

S. 61 no. 3 lies „fiancer" statt „siancer".

S. 73 Z. 2 lies „folgert" statt „folgt".

S. 81 no. 6 lies „Tardif" statt „Tandif".

S. 85 Z. 9 lies „materielle".

S. 92 no. 1 lies „exécution" statt „exékution".

S. 93 Z. 4 lies „Gerichtskreis" statt „Gesichtskreis".

S. 134 Z. 18 lies „dass" statt „das".

S. 240 Z. 12 lies „Ansprüche" statt „Aussprüche".

Einleitung.

--- --

Obligation und Exekution.

Der gemeinrechtlichen Lehre des 17. und 18. Jahrhunderts drängten sich bei der Begriffsbestimmung der Obligation keinerlei Schwierigkeiten auf. Man hielt sich an die „Legaldefinitionen"[1]. Völlig anders die junge Wissenschaft seit Savigny. Von allen Seiten erhoben sich Zweifel und Schwierigkeiten und das lebhafte Bedürfnis nach vertiefter und mit den obersten Privatrechtsgrundsätzen harmonierender Erfassung des Obligationsbegriffes fand in zahllosen neuen Formulierungen, neuen Theorieen und Definitionen seinen beredten Ausdruck. Häufiger als nicht erwies sich jedoch dabei der kritische Sinn der schöpferischen Kraft überlegen. Und so blieben die Probleme in stetem Flusse und der in Frage stehende Begriff einer der meist umstrittenen des Privatrechts. Nur zwei ausserordentlich merkwürdige Behauptungen schienen über jeden Zweifel erhaben. Obschon man den Begriff nicht zu erfassen vermochte, glaubte man doch zu wissen, dass die Römer denselben in einer Schärfe und Reinheit ohne gleichen ausgebildet hätten und dass dem gegenüber das deutsche Recht, schwerfällig in sachenrechtlichen Vorstellungen befangen, in seiner Ohnmacht zu einem ähnlich verfeinerten, metaphysischen, unendlich viel abstraktes Denken voraussetzenden Begriff nie gelangt sei und aus eigener Kraft nimmer hätte gelangen können.[2] Aber diese Erkenntnis half

---

[1] Ryck, Die Obligation S. 5 f. Puntschart, Valentin, Theorie des Privatrechts 1893 S. 126 f.

[2] Vergl. statt vieler Kuntze, Die Obligation im römischen und heutigen Recht. S. 5: „Sie (die Obligation der Römer) ist recht eigentlich ihre Schöpfung. An der Obligation zeigt sich ihre Meisterschaft am höchsten, kein anderes Volk ist zu einem so abgeklärten Begriff der Obligation ge-

darüber nicht hinweg, dass die nun einmal vorhandene Unklar-
heit über das Wesen der Obligation bedenkliche Unsicherheiten
nicht nur im engern bisherigen Gebiet der „Forderungsrechte",
sondern auch darüber hinaus zur Folge hatte. Es war ein
seltsamer Widerspruch, in welchem sich Rümelin befand, als er
den Begriff der Obligation dermassen weit fasste, dass auch

---

langt. Sie ist ein ebenso feiner als fester Rechtsbegriff, ein ebenso voll-
endeter als brauchbarer Lebensfaktor. Keine Rechtskultur wird der Obligation, so wie sie ist, entbehren können, keine Zeit in dieser Richtung Voll-
kommeneres erfinden." Und das ist begreiflich. Denn den Römern ist es
gelungen, das Wesen der Obligation so scharf zu fassen, „abzugrenzen gegen
ähnliche Gebilde, alles Verschwommene fern zu halten und die Herrschaft
des Gläubigers so ab- und einzugrenzen, dass die ätherische Gestalt der
Obligation ihre festen Umrisslinien hat. Was es damit auf sich hat, dass
der römische Rechtssinn jene zweite Welt von Rechtsobjekten in der
menschlichen Willenssphäre entdeckte, erschloss und gestaltete, das lernt
man am besten würdigen, wenn man daneben den so wenig durch- und
ausgebildeten germanischen Begriff der „Schuld" stellt, welcher gestaltlos
sich wie ein Nebel durch germanische Urwälder zieht, nirgends recht greif-
bar ist und sich bald rechts, bald links mit häuslichen Subjektionsverhält-
nissen, mit publizistisch-vasallitischen Treubeziehungen — — — etc. aller
Art berührt und mengt." 101 ff. — Welch anderes Landschaftsbild hat
sich doch v. Amira bei seinem näheren Hinzutreten an Stelle jener brumösen
Urwälder geboten. Und wie sehr können wir uns an dem Anblick des
wiedergewonnenen und in immer hellerem Tageslicht strahlenden Landes
erfreuen! — Kuntze meint übrigens, dass nicht nur an Stelle jener Frohn-
den und anderen Subjektionsverhältnisse Obligationen römischen Stils getreten seien, sondern dass auch Institute von ursprünglich entschieden
sachenrechtlicher Natur wie die Reallast sich hätten gefallen lassen müssen
in den gleichen Rahmen der siegreichen römischen Obligation gespannt zu
werden. Demgegenüber nehmen sich die bitteren Klagen über die zahllosen der Obligation gewidmeten Konstruktionsversuche der Neuern nicht
allzugut aus. „Alle kämpfen gegen alle." Steinbach in den juristischen
Blättern II. 1873 S. 609 ff. Das deutsche Recht, die moderne germanistische Rechtswissenschaft und die Entwickelung des Verkehrs führen
nach St. zu einem förmlichen Zerfall des bisherigen Obligationsrechts und
dieser Zerfall kann auch nicht bedauert werden. Noch in weiterem Sinne,
als St. es vermuten konnte, ist dies richtig, freilich nicht dem wirklichen
röm. Obligationsbegriff gegenüber, wohl aber gegenüber dem von der Doctrin
bis jetzt als solchem angenommenen. — Über den angeblich inferioren
und vom römischen wesentlich abweichenden deutschen Obligationsbegriff
vergl. auch Delbrück: Übernahme fremder Schulden 3 ff., 10 ff. Dagegen
schon Windscheid krit. Überschau I. 1853 S. 38. Jetzt bes. Heusler, Institutionen I 375.

die dinglichen Ansprüche und selbst die familienrechtlichen Verpflichtungen unter ihn fielen und gleichzeitig den römischen Juristen darüber Lob spendete, dass sie sich um die Definition der Obligation und ihre Abgrenzung nicht allzu intensiv bemüht hätten[1]). Uns scheint vielmehr die Aufgabe, diesen grundlegenden Begriff richtig zu erfassen, um so bedeutsamer, je weiter sich die Zugehörigkeits- oder doch Einflusssphäre desselben erstreckt. Wie sehr aber von unserer Festsetzung des Obligationsbegriffes beispielsweise die Anschauungen über das Wesen des Pfandrechts alteriert werden können, ist längst erkannt worden. Nicht anders verhält es sich nun aber — und damit gelangen wir zu der Rechtsbeziehung, die uns vornehmlich interessirt — mit dem Exekutionsrecht Die Erfassung der Obligation übt den mächtigsten Einfluss aus auf die Lehre von Wesen und Zweck des „Vollstreckungsverfahrens". Ein Blick auf die verschiedenen Theorien wird dies bestätigen. In zwei grossen Gruppen lassen sich dabei die älteren Ansichten zusammenfassen, denen als drittes Neues der restaurierte Haftungsbegriff mit seinen Konsequenzen gegenüber steht.

I. Realistische oder Werttheorieen: Zwangsvollstreckung.

Zur Erklärung der Obligation wird der wirtschaftliche Erfolg, auf den sie abzielt, die Leistung in ihrem Effekte in den Vordergrund geschoben. Das Wesentliche ist das Recht des Gläubigers auf einen fremden Sachwert, das „jus ad rem", oder überhaupt das Zweckmoment, in welchem gläuberischen Interesse dies auch bestehe. So ist nach Hartmann[2]) die Obli-

---

[1]) Archiv f. d. civ. Praxis 68 S. 216, Grundbegriffe II 216.
[2]) Die Obligation 1875. Dazu Windscheid II § 250, Dernburg II § 2¹, Brinz II S. 28 f., Pernice Z. f. H. R. XXI 830. Ähnlich v. Schey bei Grünhut IX 378 vgl. auch Ryck, die Obligation S. 14 ff. Schultze, Zivilrecht und Prozess S. 78, Scheurl K.V.J.S. 18 S. 498 ff., Degenkolb in K.V.J S. IX 230 u. ders.: Einlassungszwang und Urteilsnorm S. 31, § 18, 20, (S. 106, 117 f.). Thon, Subjektives Recht und Rechtsnorm 206 ff.

gation darauf gerichtet, dass der Gläubiger bekomme, keineswegs aber darauf, dass er durch die Handlung des Schuldners bekomme. Die Substanz der Obligation bestehe in dem konkret begründeten und irgendwie rechtlich gesicherten Soll, gerichtet auf Herstellung des vorausbestimmten Zweckerfolges.[1]) Damit ist schon gesagt, dass diesem Zweck ein Zwangsapparat als Mittel der Durchsetzung zur Seite stehen muss. Ein Mehreres kann hingegen für die Exekution aus dem so weit gefassten Obligationsbegriffe nicht gewonnen werden. Es ist bei diesem letzteren gleichgültig, wie jener Zwangsapparat beschaffen ist und welche Stärke er hat, und gleichgültig, ob er seine Richtung gegen die Person oder gegen das Vermögen des Schuldners nimmt. Der die Obligation belebende Zweck erscheint einfach als mehr oder weniger gesichert. Doch dient diese Sicherung der Befriedigung, der Zwangsapparat der Realisierung des Soll, in welchem die Obligation besteht.

Dieser Charakter der zwangsweisen Rechtsdurchsetzung als einer Verwirklichung der Forderung, des „geschuldeten" Rechts tritt nun aber schärfer bei folgenden Rechtslehrern hervor.

  Wie Demelius[2]) die Obligation als die Herrschaft über einen in einem fremden Vermögen befindlichen Sachwert auffasst und dafür hält, dass diese Herrschaft sich faktisch betätige und erschöpfe, indem der Sachwert in das Vermögen des Gläubigers gebracht werde, so erklärt auch Küppen[3]): Die obligatorischen Rechtsverhältnisse erhalten, da sie nur so irgend welche Festigkeit finden, notwendigerweise in dem Vermögen des Kreditors und des Debitors einen von der eigenen Existenz

---

[1]) Hartmann, cit. § 4 und 5, insbesondere S. 31, 37, 124, 140, 161, 165 u. a. m.

[2]) Untersuchungen I No. II S. 158. Ähnlich auch Ehrenberg, Beschränkte Haftung 459, 464.

[3]) Die Erbschaft S. 13 ff. Ähnlich Schott, Der obligatorische Vertrag unter Abwesenden 1873. S. 51 ff. Der Schuldner muss sich von seinem Rechte zurückziehen und es dem Gläubiger überlassen. Tut er es nicht freiwillig, so tut es das Recht an seiner Stelle. Damit hat die Obligation ihren Zweck erfüllt, der ja kein anderer ist, als die Bewegung der Güter von einem Vermögenskreis zum andern zu einem geordneten und notwendigen zu machen.

dieser unabhängigen Ausdruck. Durch die Forderungsrechte treten somit weniger die Kontrahenten selbst als vielmehr die beiden Vermögen derselben in ein rechtliches Verhältnis. In das Vermögen des Kreditors kommt durch die Obligation ein Recht nicht an der Handlung, zu welchen der Schuldner verpflichtet, sondern an dem Sach- oder Geldwert, welcher der Handlung zukommt. Dieser ist der unmittelbare Gegenstand jeder Forderung. Die verheissene Handlung ist zunächst nur Modus der Erfüllung ev. auch Massstab für die Grösse des Sachwertes. Darum sei bei den Römern jede Kondemnation Geldkondemnation gewesen: Die Schuld ist bereits aes alienum, ein fremder Sachwert. Und als solches Recht an dem Sachwert ist die Forderung ein Recht am ganzen Vermögen des Debitors. Darum die missio in bona des römischen Rechts.

Bei dieser Auffassung beherrscht das sächliche Moment alles. Charakteristischer Weise wird die Personalexekution nicht berücksichtigt oder findet ihre Erklärung in historischen Erscheinungen, die ausserhalb des Forderungsrechtes oder gar ausserhalb des Rechtes überhaupt liegen. Lebhaft wird dagegen die Realexekution angerufen, welche ja darin besteht, dass sich Recht und Gericht mit aller Macht auf Effektuierung jener Leistung werfen, „gewissermassen zum Beweis, dass es darauf ankomme"[1]. Die Erlangung des Sach- oder Geldwertes kann allein bei der Vollstreckung in Betracht fallen[2]. Die Realexekution erscheint deshalb in der Tat als das naturgemässe und zweckentsprechende Verfahren. Von Vollstreckungszwang kann grundsätzlich nicht die Rede sein. Der Schuldner resp. dessen Wille wird nicht erzwungen, fällt nicht in Betracht. Darin besteht der realistische Zug dieser Auffassung. Also: die obligatio ein jus ad rem. Die executio Zwangsvollstreckung. In dieser liegt erschöpfende Rechtsverwirklichung, Erfüllung. Der Gläubiger ist befriedigt.

Interessanter Weise kehrt diese Auffassung bei einer grossen Zahl von Rechtslehrern wieder, obschon sie in die Begriffsbestimmung der Obligation ein neues und zwar ein ideelles

---

[1] Brinz, Pandekten II § 216.
[2] Ziebart, Die Realexekution und die Obligation 1866 S. 21.

Moment aufnehmen, nämlich die schuldnerische Handlung, die Leistung als solche, die Willensbetätigung oder aber die Person des Schuldners selbst.

So Ryck.[1]) Die Obligation sei das Recht auf eine Leistung, Handlung des Schuldners. Aber das moderne Recht indifferenziere den Willen des Schuldners. Die Exekution überhaupt und die Realexekution insbesondere habe die Funktion, den Übergang des geschuldeten Objekts vom Schuldner auf den Gläubiger zu vermitteln und also den vom Schuldner geweigerten Übertragungsakt mit voller rechtlicher Wirkung zu ersetzen. Es sei kein Notbefehl, sondern ein modernes Rechtsprinzip, dass im Wege der Zwangsvollstreckung unmittelbar in die Willens- und Vermögenssphäre des Exequenden eingegriffen und an seiner statt, für seine Rechnung und aus seinem Vermögen durch die Obrigkeit oder unter obrigkeitlicher Autorität die Erfüllung der ihm obliegenden Verbindlichkeiten ihrem unveränderten Gegenstande nach herbeigeführt werde. Die Zwangserfüllung stehe kraft Rechtens der freiwilligen gleich. Der Wille des Schuldners werde durch den Richter ergänzt.

Eine ähnliche Auffassung kommt überaus scharf bei Schultze, Zivilrecht und Prozess in ihrer Wechselbeziehung 1883, zum Ausdruck[2]). Darnach ist Zweck und Endziel der Zivilexekution die Verwirklichung des dem Berechtigten zustehenden Privatrechts, sie ist mithin darauf gerichtet, den faktischen Zustand dem Rechte kongruent zu machen, dem Berechtigten genau dasjenige zu verschaffen, was er nach Inhalt seines konkreten Rechtes zu fordern oder zu haben berechtigt ist. In diesem Sinne werden die Zwangsmittel beispielsweise angewandt (und erweisen sich als ausreichend) bei Geldschulden: durch Wegnahme der geschuldeten Geldsumme, durch Verkauf eines Teils der Sachen des Schuldners und Bezahlung des Gläubigers aus dem Erlös. So wird dem Gläubiger genau gewährt, was er kraft seines Rechts zu fordern hat. Die Exe-

---

[1]) Die Obligation 1878 S. 12 ff., 30 ff., 38, 41 ff.

[2]) S. 72 fg. Auf die besonderen Ausgangspunkte des Verfassers — Zwangsrecht dem Privatrecht immanent; Privatberechtigte selbst Subjekt der Zwangsvollstreckung — ist hier nicht einzugehen. Der Begriff der Obligation wird nicht näher dargestellt.

kution bewirkt also wirkliche Befriedigung des Gläubigers. Es ist also für die Frage nach der Befriedigung des Berechtigten und die Befreiung des Verpflichteten gleichgültig, ob das Objekt durch den freien Willen des Verpflichteten oder mittelst Rechtszwanges in das Vermögen des Berechtigten kommt. Zwangsweise Befriedigung tilgt die Verpflichtung. Einen anderen Charakter nimmt die Zwangsübung nur an, wo der Inhalt des betreffenden Rechts oder die Natur der Zwangsmittel es als unmöglich erscheinen lassen, gegen und ohne den freien. Willen des Verpflichteten dem Berechtigten den Inhalt und Gegenstand seines Rechtes zu verschaffen. Bei Berechtigungen auf ein Handeln des Verpflichteten muss demnach indirekter Zwang eintreten. Im Falle des Erfolges gilt auch hier: Abgenötigte Erfüllung ist wirkliche Erfüllung. Und wiederum nur unter besonderen Umständen (Insolvenz, Unzulänglichkeit der Zwangsmittel) tritt an Stelle der Erfüllung ein Ersatz, ein möglichst entsprechendes Wertäquivalent, das zwar nicht Erfüllung ist, vom Recht aber ihr gleich geachtet wird. Also wiederum wie oben: prinzipiell Erfüllung durch Zwangsvollstreckung. Ausnahmsweise Erfüllung durch Vollstreckungszwang und wiederum nur ausnahmsweise ein der Erfüllung gleichgeachteter Ersatz.

Das letzte Jahrhundert hindurch war im wesentlichen die eben dargelegte Anschauung die herrschende. Für dieselbe waren vor allem Savigny und Puchta[1]) eingetreten. Wohl ist die Obligation das Verhältnis der Herrschaft des Gläubigers über eine einzelne, aus der Freiheit des Handelnden ausgeschiedenen Handlung des Schuldners, eine erweiterte Herrschaft unseres Willens. Doch wendet sich dieses Recht, das eine Verbindung unter Personen herstellt, von dem Rechte an Personen ab und nähert sich dem Rechte an Sachen. Und dies liegt an der Eigenart des Obligationsobjektes, der geschuldeten Handlung. Sie muss stets einen Vermögenswert haben oder in Geld ab-

[1]) Savigny, System I S. 339, 345, 370. Puchta, Institutionen I 50 ff. II S. 298 f. Dazu Windscheid II § 250. Ziebarth S. 23 f. Schott § 2 S. 45 f. Vergl. ferner die Definitionen bei Bruns, Holzend. Encycl. (1890) § 45 S. 403, § 14 S. 354. Arndt § 201, Neuner, Privatrechtsverhältnisse S. 63. Wächter, Pand. I § 36, II § 167. Salkowsky, Inst. II § 121.

schätzbar sein. Die Macht des Gläubigers erstreckt sich nicht auf die persönliche, beschränkt sich vielmehr auf die sächliche Seite der Handlung[1]).

Von einem „natürlich-sittlichen Verhältnis" ist keine Rede. Deshalb ist dem Gläubiger genug geschehen, wenn ihm zwar nicht spezifisch die Handlung, wohl aber der Wert, den sie unter den gegebenen Umständen für ihn hat, geleistet wird. So wird die Obligation exequierbar. Es wird dem Schuldner die Sache resp. das Wertobjekt abgenommen, in welchem die Handlung ihr vollkommenes Äquivalent findet. Denn durch Erlangung dieses Vermögenswertes ist das Vermögen des Gläubigers in dieselbe Lage gebracht, in der es sich befände, wenn die Handlung selbst geschehen wäre. In letzter Linie besteht somit der Gegenstand oder der Inhalt der Obligation stets in einer Sache. Deshalb führt auch nach dieser Auffassung die Realexekution zur Verwirklichung des Rechts, zur Erfüllung[2]).

---

[1]) Vergl. Scheurl K.V.J.S. 18, S. 484 f. Die Obligation ist das Recht auf eine bestimmte Handlung. Verlangt darf diese jedoch nur werden zur Herbeiführung des Endzweckes, welcher im Erfolg dieser Handlung für den Gläubiger liegt, nicht aber als Betätigung der Willigkeit des Schuldners. Die Handlung ist Objekt des Rechts von Seiten ihrer Diensamkeit für jenen Erfolg. Von wem die Handlung vollzogen, ist deshalb gleichgiltig. Ebenso Thon cit. S. 241 f. Wenn von der Handlung des Schuldners abgesehen und der Rechtszustand auf andere Weise herbeigeführt werde, so trete auch diese gerichtliche Gewalthandlung nicht mit dem Privatrecht, das sie schützen wollte, in Widerspruch. Denn die Handlung des Schuldners war der Rechtsordnung nicht mehr als das nächste Mittel. Vergl. Löning, Vertragsbruch S. 37.

[2]) Hier ist auch Beckker zu erwähnen. Die römische obligatio erschöpft sich nach ihm in dem actione teneri, im Gezwungenwerdenkönnen, ist aber ein Recht, das nicht weiter greift, als bis zu Aufnahme des Prozesses. Das Leistensollen ist in ihr nicht enthalten. Anders jedoch die moderne Obligation. Sie ist das Recht einer Person gegen eine andere auf Leistung. Das Leistensollen ist dabei das Primäre. Vom Staat anerkannt und geschützt, wird es zum Leistenmüssen. Obschon dieses Recht gegen eine Person als solche, als handlungsfähiges Individuum geht, ist doch auch das Vermögen des Schuldners und zwar unabhängig von einer Verpflichtung der Person, gebunden. Forderungen sind Rechte an einer Person, die zugleich das Vermögen ergreifen und ebenso am blossen Vermögen bestehen können. Heutzutage erscheint die letztere als das haupt-

Doch hier setzte die Kritik ein. Man wies darauf hin, dass das, was Inhalt des Rechts sein soll, auch erzwungen werden müsse. Dass aber überhaupt der Wille, durch den allein das schuldnerische Handeln ausgelöst werden könne, erzwingbar sei, stehe in Anbetracht der Zwangsmittel, durch die jede beliebige Pression ausgeübt zu werden vermöge, ausser Zweifel. Und nun sollte das ideelle Moment des schuldnerischen Wollens oder Selbsttätigwerdens nicht mehr bloss in die Definition aufgenommen, sondern auch als massgebende Direktive bei der Ausstattung der executio obligationis anerkannt werden.

II. Idealistische oder Willenstheorieen — Vollstreckungszwang.

Hier ist vor allem Ziebarth[1]) zu nennen. Nach ihm ist die Obligation nicht das Recht einer besonderen Herrschaft über die Handlung eines Dritten; sondern sie ist das Recht auf die schuldnerische Handlung, auf dessen Willensbetätigung. Deshalb muss aber auch die Exekution aus diesem Rechte begriffsnotwendig auf den Willen, auf die Handlung, also gegen die Person gehen. Geschuldet wird die Handlung und nur diese bietet dem Gläubiger Genugtuung. Keineswegs ist ihm genug getan, wenn er den Wert in Geld erhält. Darin besteht das ethische Moment in der Obligation. Der Schuldner hat die sittliche Pflicht, sein Wort zu halten. Diese Pflicht ist im Recht anerkannt und das Recht wirkt mit all' seinen Mitteln auf Erfüllung dieser Pflicht. Erhält der Gläubiger auch den Vermögenswert — aber nur ihn, — so bleibt doch der Treubruch. Deshalb die Zwangsmittel, deshalb die Personalexekution. — Der diametrale Gegensatz, in welchem diese Auffassung zur ein-

___

sächlichste Obligationsobjekt. Beckker, Aktionen des römischen Rechts I, 7 f. II, 125 f. 244 f. 249 f. Pandekten I 77. Iherings Jahrb. XII 69 f. J.f.R.G. IX 386 f. 396, 400, 403 vergl. Brinz bei Grünhut I insbesondere S. 21. Beckker jetzt auch in Z.f.R.G. rom. Abt. XXIII, S. 10.
[1]) Realexekution und Obligation bes. 29—42, 46, 178, 184 f. Hartmann 34, 124, 127 f. Degenkolb K.V.J.S. IX 205 f.

gangs namhaft gemachten Werttheorie steht, drängt sich auf. Ein Recht an der Sache besteht nie auf Grund der Obligation, vielmehr erst mit ihrem Ende, durch die Willensbetätigung des Schuldners. Und die Realexekution? Sie geht auf ein anderes, als worauf die Obligation geht. Wer vom Rechte Realexekution auf Übergabe einer bestimmten Sache erhält, hat deshalb schon nicht mehr ein Recht blos auf die Handlung des Schuldners. Ihm muss vielmehr ein relativ dingliches Recht zustehen, das von der Obligation verschieden, selbständig neben ihr hergeht. „Aus dem unscheinbaren Gegensatz, ob man den Schuldner durch indirekte, wenn auch noch so kräftige Zwangsmittel zur Übergabe der Sache zu bestimmen suche oder ob man ihm die Sache lieber gleich wegnimmt, baut sich ein neues Sachenrecht auf."

Nach Kuntze[1]) ist die Obligation die Macht, auf einen fremden Willen, welcher zu einem dem Gläubiger wertvollen Erfolge diesem gebunden ist, rechtlich bestimmend einzuwirken. Objekt der Obligation ist der menschliche Wille, der eben eine Realität ist und der übrigens seine freie Selbstbestimmung hat, der also in der Obligation sich binden will. Die Obligation ist die Herrschaft des Willens über den Willen, konzentriert jedoch auf einen bestimmten Punkt in der Willenssphäre des sonst frei bleibenden Schuldners. Auch hier gehört das Leistungsobjekt nur äusserlich zur Obligation, hat nur für deren Erfüllung Wert, ist die Form, welche die Obligation im letzten Augenblick ihrer Existenz annimmt, ist der Aufwand, den der Schuldner zum Zweck seiner Lösung oder Entlastung macht. Geschieht dies aber nicht freiwillig, dann kommt es zur Exekution und diese ist nichts anderes als der Weg zur Erzwingung des Schuldner-Willens, Willenspression — Personalexekution. Wo Real- und Naturalexekution auftreten, wird jedoch keineswegs auf eine materiell-rechtlich neue Grundlage, etwa ein „relativ-dingliches Recht" geschlossen. Vielmehr werden jene Verfahren dadurch erklärt, dass im neueren Recht die ursprünglich sich energisch durchsetzende Vorstellung von der Willensherrschaft erblasse und der ökonomische Befriedigungszweck

---

[1]) Die Obligationen cit. S. 96 fg. Excurse z. röm. Recht 2. Aufl. 1880 S. 409 fg. 525 fg.

in erste Linie rücke. Man greife mit Umgehung der Person
des Schuldners unmittelbar in dessen Vermögen — „um nicht
zu sagen: in seine Taschen" — und hole das einzelne Exekutionsobjekt heraus. Aller Accent sei auf den durch Geld
repräsentablen Wert gelegt. Der persönliche Ehrenpunkt trete
zurück. Die Forderungsfrage ist eine Geldfrage geworden.

Auch nach diesen Willenstheorieen ist das Exekutionsverfahren wirkliches Vollstreckungsverfahren in dem Sinn,
dass durch Zwang der Rechtszustand herbeigeführt wird, den
eigentlich der Schuldner freiwillig hätte herbeiführen sollen.
Genau das Geschuldete ist nunmehr doch geleistet.
Das Recht ist realisiert. Das Verfahren hat zur Erfüllung
geführt. Abweichend von den realistischen Theorieen macht sich
jedoch bei Ziebarth, Kuntze u. a. die Auffassung geltend, dass
diese Erfüllung nicht schon in dem Übergang eines Wertes
vom schuldnerischen in das Gläubigervermögen bestehe, sondern
erst in der Willensunterwerfung und Selbsttätigkeit des Schuldners
liege. Dann ist die Befriedigung des Gläubigers eine juristisch-
ethische.

Es ist nun überaus beachtenswert, wie Sohm in seiner
Studie über den Begriff des Forderungsrechtes[1]) bei gleichen
Ausgangspunkten zu völlig abweichenden Resultaten gelangt:
Das Forderungsrecht ist das Recht auf eine fremde Handlung
von Vermögenswert. Es besteht also in der Pflicht eines — freien
— Dritten, in dem Recht, dass dieser Dritte handle. In dem
Dasein der schuldnerischen Verbindlichkeit erschöpft sich das
Recht des Gläubigers. Er darf sich deshalb nicht eigenmächtig
das Geschuldete verschaffen. Das Forderungsrecht des
Gläubigers ist, weil überhaupt kein Recht zu handeln, auch
kein Recht, den Schuldner zu nötigen. Es bietet weder eine
Gewalt über die Sache, noch eine solche über die Person. Eine

---

[1]) bei Orduhut IV 457 f. Gerade das Problem, wie der Gläubiger
den Schuldner zur Leistung zwingen könne, führt Wirth: Beiträge zur
Systematik des röm. Zivilrechts 1856 zu einer abweichenden Auffassung.
Den blossen Willen zu beherrschen, ist unmöglich. Gegenstand der Herrschaft ist die Person des Schuldners selbst. Nur ist der Inhalt der Herrschaft auf die Leistung beschränkt. Diese letztere wird nun aber nicht
durch Willenspression erzwungen, sondern necessitate wird dank der Herrschaft über die Person die Leistung resp. ihr Effekt herbeigeführt.

solche rechtliche Gewalt, ein Recht auf Zwang zu Gunsten des
Gläubigers existiert nur auf Grund eines Rechtssatzes des
öffentlichen Rechts, welches unter bestimmten Bedingungen eine
bestimmte Art von Zwang anordnet. Das Wesen des Forderungsrechtes ist also Ohnmacht. Was in der Exekution tätig
ist, ist die überlegene Energie des öffentlichen Rechts.
Was immer deshalb infolge der Exekution geschieht, es ist
nicht Ausdruck des Inhaltes des Forderungsrechtes. Nie
kann also von den Mitteln und Ergebnissen des Verfahrens
ein Rückschluss auf den Inhalt des Gläubigerrechts gezogen
werden. Die Exekution ist nicht Vollstreckung, d. h.
Realisierung des privatrechtlichen Inhaltes der Obligation. Diesem
Inhalt entspricht der Erfolg: Überwindung des Schuldner-Willens
niemals, widerspricht ihm vielmehr. Denn er ist eine Über-
schreitung der Grenzen des Privatrechts[1]).

III. Der restaurierte Obligationsbegriff:
Das Satisfaktionsverfahren.

Die Schlüsse, die Sohm zieht, sind zwingend, wenn der
Obligationsbegriff, von dem er ausgeht, richtig ist[2]). Aber sie
sind derart, dass sie selbst an diesem Ausgangspunkte ver-
zweifeln lassen. Ebensowenig als die Obligation die Herrschaft
über eine Handlung darstellen kann, da eine solche Herrschaft
vor, während und nach der Vollführung der Handlung gleichermassen undenkbar ist[3]), ebensowenig kann sie ein Recht auf
die Handlung darstellen. Eine Handlung beruht ihrem Begriffe
nach auf Selbstbestimmung und ist deshalb unerzwingbar[4]).

---

[1]) Wie sehr und warum die Germanisten die längste Zeit vom
gemeinrechtlichen Obligationsbegriff ausgingen, weshalb wir sie hier nicht
namhaft zu machen haben z. B. V. Puntschart: Moderne Theorie des Privatrechts und ihre grundbegrifflichen Mängel 1893 S. 108 f. 164. vergl. jedoch
Heusler, Institutionen I S. 375 f. und Huber, Schweiz. Privatrecht IV, wo
1893 v. Amiras Haftungsbegriff der Darstellung zu Grunde gelegt wird.

[2]) Vergl. Puntschart, P. Schuldvertrag u. Treugelöbniss 208 f.

[3]) Brinz, Kritische Blätter III S. 4 f.

[4]) Schott, Der obligat. Vertrag unter Abwesenden § 2 S. 45 fg.

Darauf kann also die Exekution nicht gehen. Doch will man
die erzwungene Handlung als vollwertig gelten lassen, dann ist
zu bemerken: Der Zusammenhang, in welchem die Gewalt mit
dem Rechte der Forderung steht, ist — das eben hat Sohm in
aller Schärfe dargelegt — ein äusserlicher. Sie kommt von
aussen oder oben herab hinzu. Es ist der Staat oder Gesetzgeber, der sie anordnet[1]). Zudem muss bei diesem Obligationsbegriff die Gewalt in der Gestalt eines Systems von Pressionen
sich darstellen. Das Recht wird alles aufbieten, um den Obligierten zur Leistung zu bewegen. „Freilich wird die Exekution,
wenn sie wahrhaft Zwangsverfahren sein soll, auch mit dem
Zwange abschliessen müssen. Würde sie, weil etwa der Zwang
zufällig nicht angeht oder nicht ausreicht, in eine über den
Willen des Obligierten erhabene vis abductiva oder ablativa
übergehen, dann müsste man in dem Zwangsverfahren blosse
Versuchs- oder Übergangsstationen, in jenem Gewaltsverfahren
dagegen den Schlussstein und die endgültige Bedeutung der
Obligation und Kondemnation erblicken"[2]). Ein solches Exekutionsrecht, das sich auf ausschliesslichen Vollstreckungszwang
beschränkt, kannte die Rechtsgeschichte zu keiner Zeit. Deshalb
kann auch der zugehörige Obligationsbegriff nicht der historische
sein. Er hat aber auch grosse begriffliche Mängel. Nach all
den verschiedenen, bis jetzt namhaft gemachten Auffassungen
soll das Zwangsverfahren der Verwirklichung, Erfüllung des
dem Gläubiger zustehenden Forderungsrechtes dienen. Durch
die Vollstreckung soll „dem Berechtigten genau dasjenige verschafft werden, was er nach Inhalt seines konkreten Rechts zu
fordern oder zu haben berechtigt ist." Bei genauerem Zusehen
ist aber leicht zu erkennen, dass jene Erfüllung, so wie sie
tatsächlich geduldet war, gar nicht mehr möglich ist, nachdem
erst einmal der Vollstreckungsapparat in Bewegung gesetzt
werden musste. Es kann sich nur noch um eine Ersatzleistung
handeln. Diese Ersatzleistung und alle auf sie gerichtete Exekution — und eine solche muss es geben -- stehen also ausserhalb der Tendenz und des Begriffes des Forderungsrechtes.
Umgekehrt ergeben sie sich unmittelbar und notwendig aus dem

---

[1]) Brinz, Im Archiv f. d. civ. Praxis 70 S. 377.
[2]) Brinz, Pandekten § 216 H S. 31.

Begriff der Obligation, wenn das Wesen dieser letzteren in der
Haftung zu Genugtuung und Ersatz erblickt wird. Und hierin
besteht in der Tat ihre Zweckfunktion. Das hat zuerst Brinz[1])
für das römische Recht wahrscheinlich gemacht, nachher von
Amira für das nordgermanische und Puntschart für das mittel-
alterlich-sächsische Recht nachgewiesen. Nicht um die Erfüllung handelt es sich bei einer Obligierung, sondern um die
Schadloshaltung, um die Sicherung der Schuld, um die Stellung
von Genugtuungsobjekten, um ein Stare pro, um ein Gebundensein zwecks eventuell notwendig werdender Genugtuung.
Bei dieser Auffassung kann man unmöglich mehr „die Leistung,
unmöglich den Willen des Obligierten als Objekt der Obligation bezeichnen. Wie sollte die Leistung, für die man haftet,
zugleich Objekt sein, das haftet? Wie der Wille das Ding, an
dem man sich Schadens erholt, wenn er nicht in Leistung übergeht?“[2]) Da demnach das Wesen der obligatio, das ist eben
der Haftung, in der genannten Bestimmung liegt, Gewährschaft
zu leisten, ev. Satisfaktionsobjekt abzugeben, so wissen wir
auch, womit es die Exekution zu tun hat. Die Haftungsver-
hältnisse sind nichts anderes als die materiellrechtlichen Grundlagen des Zwangsverfahrens. Wenn die ordnungsgemässe
Schulderfüllung nicht mehr möglich ist, dann braucht der
Gläubiger Genugtuung und Ersatz. Nun hält er sich an die
Person des Schuldners, wenn diese ihm obligiert ist. Um die
Haftung desselben zu verwirklichen, ist vielleicht nötig, dass er
verfolgt werde, dass Gewaltmassregeln gegen ihn zur Anwendung gelangen Das ist das Zwangsverfahren. Es stellt
sich also dar als Genugtuungsverfahren. Denn es bezweckt,

---

[1]) Vergl. auch Puntschart, Valentin, l. c. Jedoch bezeichnet dieser
mit Haftung nicht den Zustand des Obligierten, sondern das Rechtsverhältnis zwischen der haftenden Person und derjenigen, welcher sie haftet
und stellt dieses Haftungsverhältnis in den Rahmen seiner konkret objektiv-
rechtlichen Rechtsverhältnisse oder Rechtsverbände; vergl. dessen Fundamentale Rechtsverhältnisse des röm. Privatrechts 1885 S. 70 f. u. Moderne
Theorie des Privatrechts und ihre grundbegrifflichen Mängel, 1893 Einleitung u. S. 124 f., insbesondere 155/187 f. und S. 228. vergl. Hellmann
in K.V.J.S. 37 S. 582 f., insbesondere 589 f.

[2]) Brinz bei Grünhut I S. 16.

dem Gläubiger Genugtuung zu verschaffen anstatt der Schuld, für die Schuld[1]).

Diese Auffassung der Obligation als Haftung zeigt jedoch nicht nur das „Vollstreckungsrecht" in neuer, scharfer Beleuchtung. Aus dem gewonnenen engen Zusammenhang zwischen dem Wesen der Obligation und der Funktion der Exekution ergeben sich weitere fruchtbare Konsequenzen. Es sind nun auch Rückschlüsse möglich. Aus dem Mass der Gewalt, welches im Genugtuungsverfahren zur Anwendung kommt, muss sich der Inhalt der Haftung erschliessen lassen. So gut aus einer Beobachtung der Art und Weise, in welcher sich die Betätigung des Pfandrechts äussert, wie die Pfand= haftung verwirklicht und durchgesetzt wird, der Inhalt des Pfandrechts und die rechtliche Natur desselben sich muss fest= stellen lassen[2]), so muss auch in dem Umfang, den die „Vollstreckung" in die Person annimmt, sich der Inhalt der Personenhaftung deutlich manifestieren[3]). Dass wir uns an diese Zusammenhänge halten können, ist von der grössten Wichtigkeit. In ihnen liegt der Schlüssel, der uns die Geschichte der „Personalhaftung" zugänglich macht. Und ganz gewiss gilt von ihr, dass ihre Entwickelung noch mannigfaltiger, ihre Wandlungen noch grösser und zahlreicher sind als die= jenigen der „Sachhaftung".

Ein Blick auf das Recht der „persönlichen Obligation", wie sie uns in den mittelalterlich-französischen Quellen entgegentritt, wird dies bestätigen. Es wird sich ergeben, dass es ein kompli= ziertes Gebilde darstellt, das aus heterogenen Elementen ent= standen ist. Unverkennbar weist es also noch Spuren eines Dualismus auf, der einst bestanden haben muss, Spuren, die in mehr denn ein Problem des germanischen Rechtes zurückführen. — Umgekehrt steht am Schlusse dieser mittelalterlichen Eut-

---

[1]) Puntschart, Paul, Schuldvertrag und Treugelöbnis 1896 S. 121 f., 136, 141, 160, 178 f., 206 f.

v. Amira, Das nordgerm. Obligationenrecht I § 11, 12 u. S. 108 f., II § 7 u. S. 146.

[2]) v. Schwind, Wesen und Inhalt des Pfandrechts S. 3.

[3]) Also gerade das Gegenteil dessen, was sich nach Sohm, bei Grünhut IV, 471 ergeben hätte.

wickelung das Phänomen einer Vermögensobligation, die über den Rahmen der „Personalhaftung" herauswächst und die, wenn wir ihr weiter folgen wollen, uns veranlasst, das Hypothekarsystem des neuen französischen Rechtes auf seine geschichtliche Bedeutung hin zu untersuchen.

Erster Teil.

Die Vermögenshaftung im très ancien droit.

———

2*

Erstes Kapitel

Die haftungsrechtlichen Grundbegriffe.

Art. 2092 des Code civil von 1804 bestimmt:

Quiconque s'est obligé personnellement est tenu de remplir son engagement sur tous ses biens mobiliers et immobiliers présents et à venir.

Und Art. 2093 fährt fort:

Les biens du débiteur sont le gage commun de ses créanciers — —.

Diesen Bestimmungen liegt der historisch richtige Haftungsbegriff zu Grunde. Die Güter des Schuldners sind das Unterpfand der Gläubiger. Dabei verlautet aber nicht das Geringste von einem dinglichen Recht, das diesen letzteren zustünde. Vielmehr spricht das Gesetz ausdrücklich von einem Debitor qui s'est obligé personnellement und dementsprechend sind denn auch die Rechte der Gläubiger zunächst nur persönlicher Natur. Und doch wird das ganze schuldnerische Vermögen ihr gage genannt. Also wenn ich auch nicht Hypothekengläubiger bin, steht doch meinem Anspruch ein — „Pfandrecht" zur Seite. Das Gesetz anerkennt demnach eine Art persönlichen „Pfandrechts". Und wozu dies? Offenbar kommt ihm die nämliche Funktion zu wie dem dinglichen, dem Pfandrecht im engern, technischen Sinn des Wortes. Wie dieses, so kann auch jenes unmöglich dazu dienen, ein Geschuldetes zu leisten, eine Schuld zu erfüllen. Das ist Sache des Schuldners. Ein anderes ist also die Bestimmung des Pfandes: Es soll einspringen, wenn der Schuldner nicht leistet, seinen Verpflichtungen nicht nachkommt. Dann möge es dem Gläubiger Ersatz und Genugtuung bieten. Dazu dient das gage, dazu — die obligatio personae so gut wie die obligatio rei.

Durch eine solche Auslegung allein erhalten die angeführten Artikel des Code einen natürlichen Sinn. Dieselbe hat sich denn auch Troplong in seinem Kommentar zu eigen gemacht. Er betont[1]), dass im Mittelalter (und im germanischen Altertum) der Gläubiger eine Art Hypothek auf die Person des Schuldners gehabt habe. La tête et la liberté de l'obligé répondent en premier ordre de son exactitude à payer sa dette. Wohl habe man auch auf die Güter gegriffen und sie dem Gläubiger zur Verfügung resp. Verwertung gestellt, aber das sei nur geschehen, weil und soweit sie die Accessorien der schuldnerischen Person gewesen seien. Dies habe sich nun freilich dank der Kulturentwicklung in ihr Gegenteil gekehrt. En première ligne et toujours les biens du débiteur sont affectés à l'accomplissement de ses engagements; en seconde ligne seulement et dans des circonstances très-limitées, sa personne doit répondre de ce qu'il a promis. Aber nach wie vor handelt es sich beim Zugriff auf die Güter nur um die persönliche Haftung. In Hinsicht auf das gage des art. 2093 kann der Gläubiger nur die Person des Schuldners belangen: actionner. A la vérité si le débiteur manque à ses engagements le créancier pourra excercer une action sur les biens mobiliers et immobiliers, par suite du principe: Qui s'oblige, oblige le sien. Mais il n'aura d'action sur les biens qu'à raison de la personne et parceque ces mêmes biens sont un accessoire attaché à la personne obligée. Durch eine Veräusserung wird das Band, das eine Sache an die schuldnerische Person knüpfte, zerrissen. Nun kann der Gläubiger auf das betreffende Objekt nicht mehr greifen. Bis dahin aber hat er daran ein gesetzliches Pfandrecht — es ist sein gage légal in dem gekennzeichneten beschränkten Sinn[2]). Das Recht anerkenne aber auch die Möglichkeit, dass die Sache selbst obligiert werde, nicht bloss als Accessorium der Person, sondern

---

[1]) Le droit civil expliqué. Priv. et Hyp. éd 3. Bd I 1838 S. 3.

[2]) Nur sur les biens du débiteur comme tels habe der Gläubiger das droit de gage. Aubry et Rau Cours de droit civil français éd. 4. Bd VI 1893 S. 248. Merkwürdiger Weise ist doch auch versucht worden, die Haftung des gage aus art. 2093 als eine Sachhaftung hinzustellen. Lafontaine, Revue critique 1859 XV S. 359 N. XI, vergl. Aubry et Rau cit. S. 248.

en vertu d'un droit qui la saisit principalement, — „la chose qui répond directement, sans qu'il s'inquiète de poursuivre la personne". Das ist die obligation réelle. Indem Troplong sie in ihrem Gegensatze zur obligation personnelle darstellt, findet er für die letztere charakteristisch, dass sie „weder Privileg noch Vorzug" verleihe. Denn durch sie habe man nur die Loyalität der Person engagiert und dieser stünden alle Gläubiger gleich gegenüber. Demzufolge müssten sie alle auch den gleichen d. h. gleichmässigen Zugriff auf die Güter haben, die ihnen ja nicht principaliter, sondern nur durch die Person und wegen der Person affektiert seien.

In zwingender Weise haben die Artikel 2092 und 2093 zu solchen Betrachtungen angeregt. Aber trotz dieser Artikel und trotz dieser Betrachtungen besitzen weder der Code civil noch i. A. seine Kommentatoren den Haftungs-, den historischen Obligationsbegriff. Die Redaktoren des Gesetzbuches wollten in dem Abschnitt über das Recht der Schuldverhältnisse römisches Recht niederlegen. Il est bien remarquable qu'au milieu de la discordance de nos lois, de nos coutumes et de nos usages sur tant d'autres objets, toutes les parties de la France n'aient eu, à l'égard des conventions ou des contrats, qu'une doctrine uniforme, et n'aient reconnu qu'un même législateur. Ce législateur, c'est la raison, dont le droit romain en cette matière surtout, est regardé comme le fidèle organe[2]). Aber so sehr man auch das, was die Römer geschaffen, als die raison écrite hinstellte, so war man sich doch bewusst, dass es nur „modernes römisches Recht" sein könne, was in das Gesetzbuch aufgenommen werden dürfe. Und dieses moderne römische Recht fand man bei Domat und bei Pothier. C'est dans les ouvrages de ces deux grands hommes que le projet de loi a été puisé[3]). Bei der geradezu grenzenlosen Autorität, deren sich diese beiden Juristen erfreuten, musste diese Anlehnung notwendigerweise eine enge werden und — par cette

---

[2]) Mouricault, orateur des Tribunal in Code Nap. suivi de l'exposé des Motifs etc. Bd. V. 1898 S. 210, vergl. Exposé des motifs von Bigot Préameneu l. c. S. 6.

[3]) Code Nap. cit. Bd. V S. 104 Rapport de Favard.

seule considération il (le projet) est déjà fortement recommandé
a l'adoption [1]).

Domat und Pothier hatten aber keinen andern Obligationsbegriff als denjenigen, den auch die deutsche gemeinrechtliche
Doktrin vertreten hat. Pothier bestimmt denselben nach der
römischen Legaldefinition als un lieu de droit qui nous astreint
envers un autre à lui donner quelque chose ou à faire ou à ne
pas faire quelque chose. Dabei soll das vinculum juris darin
bestehen, dass das Geschuldete erzwungen werden kann. Die
Schuld selbst aber — das ist der Inhalt der Obligation, ist die
Obligation. Latu sensu sagt er [2]), sei obligation synonym mit
devoir. In diesem weiteren Sinne umfasse der Begriff auch die
unvollkommenen Obligationen, das seien diejenigen, dont nous
ne sommes comptables qu'à Dieu et qui ne donnent aucun droit
à personne d'en exiger l'accomplissement und er nennt als solche
beispielsweise die devoirs de charité, die obligation de faire
l'aumône de son superflu. In engerem Sinne sind Obligationen
nur die engagements personnels, die rechtlich erzwingbar sind [3]).
Natürlich findet sich auch hier keine Unterscheidung von Schuld
und Haftung. Die Einteilungen, die, genau besehen, bald jene
bald diese betreffen, erschienen ungetrennt als Klassifikationen
der Obligation, wobei man denn auch der Wendung begegnet:
dette ou obligation.

Denselben Obligationsbegriff finden wir im Code civil
wieder. Im dritten Buche: Des différentes manières dont ou
acquiert la propriété lautet die Überschrift des dritten Titels:
Des contrats ou des obligations conventionnelles en général.
Dieser Vertrag (vergl. Art. 11), diese Obligation ist der Schuldvertrag. Nichts anderes als die Voraussetzungen dieses letzteren
werden denn auch im zweiten Kapitel des Titels besprochen.
Darauf werden die Wirkungen desselben geregelt: de l'effet des
obligations. Aber das Gesetz versteht darunter nur den Inhalt

---

[1]) l. c. 210 Mouricault.

[2]) Pothier Traité des obligations nouv. édit. von Bernardi Paris 1805.
S. 1 f. S. 121 f.

[3]) Vergl. ebenso Ferriere, Dictionnaire de droit 1758 v. obligation Bd. II.
264, Obligationen auf ein facere führen zu dommages et intérêts faute de
satisfaire à l'obligation, d. h. bei Nichtleistung des Geschuldeten. Vergl.
Pothier l. c. 105 f.

des Schuldvertrages und behandelt dabei wiederum wie ältere
Rechtsquellen[1]) die einen Anspruch auf Schadenersatz begründende Nichterfüllung des Schuldvertrages als inexécution de
l'obligation[2]). Ebenso gilt das von den Klassifikationen Pothiers
Gesagte auch für die diverses espèces d'obligations in art. 1168 ff.
des Gesetzbuches.

Der Kontrakt des Code ist demnach der Schuldvertrag,
durch welchen der eine Teil dem andern gegenüber sich zu
irgend etwas verpflichtet = s'oblige. Die Schuldverpflichtung
ist die Obligation oder das „Engagement"[3]). Das ist denn
auch die übereinstimmende Auffassung der Kommentatoren des
Gesetzbuches. Sie betonen deswegen, dass die Obligation nur
die eine, nämlich die passive Seite des durch den Vertrag entstandenen Verhältnisses darstelle. Denn dem Schuldner stehe
der Gläubiger gegenüber, für den die Obligation ein Recht
bedeute, das sein Vermögen vermehre. Hingegen für den
Schuldner ist die Obligation eine Belastung. Sie ist für ihn
eine negative Qualität, weil sie in der juristischen Notwendigkeit einer Leistung i. w. S. besteht. Das ist die obligation
passive ou dette[4]). Von diesem Standpunkt aus lässt sich aber
auch leicht eine allgemeinere Auffassung gewinnen. Schon
Pothier hat ihr Ausdruck verliehen und wir finden sie in der
Tat auch wieder bei den Neueren. Art. 1134[5]) trifft nicht alle
Obligationen. Es gibt auch solche, die keineswegs Gesetzes-
kraft unter den Parteien haben. Im weitesten Sinn umfasst

---

[1]) Vergl. vorige Note.

[2]) Hingegen mutet doch art. 1134, welcher dieses Kapitel eröffnet
an wie eine Erinnerung an ehemalige andere Rechtsanschauung. Les conventions légalement formées tiennent lieu de loi à ceux qui les ont faites.
Exekutorische Kraft erhielten ursprünglich die Schuldverträge erst mit der
Bestellung eines Haftungsobjektes von Seite des Schuldners. Nunmehr ist
dies nicht mehr nötig. Der Schuldvertrag wirkt wie ein Gesetz zwischen
den Parteien. Das Recht stellt ihm ohne weiteres einen Zwangsapparat
zur Seite. Warum? Weil die Haftung mit Abschluss des Schuldvertrages
von Gesetzeswegen entsteht — darin liegt die Bedeutung der Statuierung
des gage légal in Art. 2093.

[3]) Zachariae von Lingenthal, französisches Civilrecht. 8. Aufl. 1894.
Bd. II S. 220 f.

[4]) Baudry-Lacantinerie: Précis de droit civil Bd. II S. 529 f.

[5]) Vergl. oben N. 2.

die Obligation sogar die moralischen Verpflichtungen. Denn sie „exprime tous nos devoirs, — — implique tous nos droits"[1]). Hingegen in einer andern Richtung ist diese Obligation begrifflich eine enge. Ihre Subjekte können nur Personen sein. Darin unterscheidet sich der Sprachgebrauch der Ausdrücke engagement und obligation. Ersteres bezeichnet oft das Gebundensein nur einer Sache, letzteres regelmässig das Rechtsband, welches eine Person betreffe. Quand on l'applique aux engagements purement réels, ce ne peut être qu'en se référant à l'idée de l'obligation dont la personne elle-même est tenue, à cause de l'engagement de sa chose[2]). Ja, da die Obligation als der Gegensatz von Recht erscheint und die Pflicht bedeutet, wird es wohl gar als absurd bezeichnet, zu denken, dass einmal nicht eine Person, sondern eine Sache gegenüber einer Person obligiert sein könnte[3]). Das erscheint zwingend. Eine Sache kann nicht schulden. Sie kann auch nicht das Geschuldete leisten[4]). In dieser Verpflichtung aber erschöpft sich bei der dargelegten Auffassung die Obligation ihrem Begriffe nach. Die letztere endigt mit der Erfüllung der Verpflichtung — und nur mit ihr: l'accomplissement de l'obligation — la seule chose qui puisse satisfaire le droit[5]). Le débiteur est tenu de se dégager de ce lieu en prestant ce à quoi le créancier a droit et ce n'est que par cette prestation qu'il se degage[6]). Danach ist also auch das vinculum juris, das lieu de droit ein ganz anderes, als wenn man von der Vorstellung der Haftung ausgeht. Die Rechtsfessel liegt darin, dass der Schuldner gezwungen wird zu leisten. Le débiteur est astreint en ce sens, qu'il est dans la nécessité de prester ce qu'il a promis. — — En tant qu'il est obligé, il n'est plus libre — il peut être

---

[1]) Larombière: Théorie et pratique des obligations. Nouv. éd. Bd. I S. 3, 5. Vergl. Crome in Zachariae von Lingenthal's franz. Civilrecht cit. oben N. 1 S. 222.

[2]) Larombière cit. Bd. VII S. 389.

[3]) Acollas, Manuel de droit civil Bd. I S. 16 f. S. 541. II 717 f.

[4]) Denn überall ist hier nicht an dingliche Belastungen zu denken, bei denen unsere Quellen allerdings unter Umständen nachdrücklich von Leistungen reden, die von der Sache selbst geschuldet werden. Es wird sich Gelegenheit bieten, darauf zurückzukommen.

[5]) Larombière cit. Bd. I S. 40.

[6]) Laurent, Principes de droit civil. 5. éd. 1893. Bd. XV N. 424.

contraint par la force publique à remplir ses engagements[1]).
Damit ist bereits das Executionsverfahren als Realisierungsverfahren. charakterisiert.

Diese Anschauungen über das Wesen der Obligation
mussten ihren Einfluss ausüben auf die Interpretation der Art.
2092 und 2093. Wenn der letztere sich dahin ausdrückt:
Quiconque est obligé personnellement etc., so erscheint das
letzte Wort nach der herrschenden Auffassung geradezu als
irrig, denn jede Obligation setzt ein persönliches Band, lieu de
droit, voraus, ja schafft es überhaupt dergestalt, dass der
Schuldner gehalten ist, den Inhalt des Engagements zu erfüllen[2]). Eben daraus soll sich auch art. 2092 erklären. Jede
Obligation führt die gesetzliche Notwendigkeit mit sich, das
Engagement zu erfüllen, der angenommenen Verpflichtungen
nachzukommen. Diese Notwendigkeit aber besteht darin, dass
der Schuldner gezwungen werde, die Obligation, die ihm obliege,
zu erfüllen. Die Mittel und Wege dieses Zwanges gehen entweder auf die Person oder auf die Güter. Der genannte Artikel
bestimmt, dass der Zwang unmittelbar nur gegen die letzteren
gehen soll[3]).

Diese Interpretation, welcher wir bereits eine befriedigen-
dere vorangestellt haben, vermag den in Frage stehenden Gesetzes-
bestimmungen nicht gerecht zu werden und dies, weil sie vom
modernen Obligationsbegriff ausgeht und deshalb nicht anders
als unhistorisch sein kann. Wenn aber Art. 2093 das Vermögen
des Schuldners als das — gesetzliche und allgemeine —
Pfand der Gläubiger hinstellt, so kann das seine Erklärung nur
finden in dem Nachwirken von Vorstellungen, die auf einen von
dem heute herrschenden völlig verschiedenen Obligationsbegriff
hinauslaufen. Und in der Tat war dem altfranzösischen Recht
der Unterschied von Schuld und Haftung geläufig und kannte
es die letztere als obligatio rei und obligatio personae in dem
Sinne, in welchem sie für das nordgermanische und für das sächsisch-
deutsche Recht nachgewiesen sind. Dabei ist die Überein-

---

[1]) Laurent cit. S. 477.
[2]) Laurent cit. Bd. XXIX S. 302.
[3]) Laurent cit. Bd. XXIX S. 299. Vergl. Baudry-Lacantinerie cit., Band
III S. 603.

stimmung der Auffassung des Obligationenrechts in unsern
Quellen mit derjenigen der genannten andern Rechtsgebiete eine
so konsequente und bis ins Einzelste hinein so sichere, dass
man diesem eigenartigen und grossartigen rechtsgeschichtlichen
Phänomen seine Bewunderung nicht wird versagen können.

Die mittelalterlich-französischen Rechtsquellen sprechen
häufig von einem obligierten Schuldner: -

Frequanter arrestabantur et includebantur, inclusique
detinebantur debitores obligati ad vires parvi et magni Sigillorum regionum Montispessulani et carcassone[1] — —

Quod debitores obligati habitatoribus dicti loci — —
compellantur ad solvendum etc.[2]).

Nach der herrschenden Anschauung über das Wesen der
Obligation können solche Wendungen nur tautologische sein.
Der debitor ist eo ipso obligiert. Er ist begriffsnotwendig is
qui debet d. h. verpflichtet — obligiert. Er ist es, indem eine
Handlung, eine Willensbetätigung von ihm verlangt resp. erzwungen werden kann. Deshalb muss diese Obligation die
ganze Rechtspersönlichkeit des Schuldners, oder, wenn die
nähere Begriffsbestimmung der Obligation eine Unterscheidung
und Einschränkung zulässt, doch ganz sicher die geistigsittliche
Existenz desselben, insbesondere seinen Willen zum Subjekt
haben. Es muss aber auffallen, dass die Quellen sehr häufig
den Körper des Schuldners obligiert sein lassen. Bei dieser
Ausdrucksweise versagt die Auslegungs- und Übersetzungskunst,
die im debitor obligatus den verpflichteten Schuldner wieder-
erkennt.

Nus cors d'omme n'est pris pour dete, s'd n'a par letres
son cors obligié[3]). On doibt faire obliger le corps qui
peut etc.[4]). L'en doit prendre le corps du debteur si partie le
requiert et ad ce soit obligé le corps et tenir en prison etc.[5]).

---

[1]) Letres confirmantes a. 1402 zu dem Réglemont de la Jurisdiction
du Sceau de Montpellier Ord. VIII S. 539.

[2]) Priv. de St. André art. 12 vergl. Coutumes de Bergh St. Vinox
art. 9. Melun cit. Z f.R.G. VIII 134.

[3]) Beaumanoir, 696.

[4]) Cout. de Bourges art 154.

[5]) Cout. et Institutions de l'Anjou et du Maine F tit IX N. 945.

et avoit oblegiet son cors[1]), detention de leurs corps, si
obligez y estoient[2]), en obligeront — — leurs corps[3]).
Quand il advient que aucune personne oblige son corps
à autre personne[4]). Un debteur obligé par corps etc.[5]), le
corps de celuy qui reçoit le commandement, est obligé — —
combien qu'il si ait été rien dit de ladite obligation de
corps.[6])

Der Körper ist obligiert. Aber er kann es nicht sein, der
schuldet. Er ist es nicht, der die „Obligation" eingegangen,
die „Schuldverbindlichkeit" übernommen hat. Nur eine Revision
unserer Auffassungen über die Obligation kann aus diesem
Dilemma befreien. Der schuldnerische Körper, d. h. zunächst
die Bewegungsfreiheit des Schuldners, häufig auch seine Arbeitskräfte, sind Haftungsobjekte. Sie stehen selbst nicht im Schuldverhältnis, im Gegenteil, liegen völlig ausserhalb desselben.
Aber sie sind eingesetzt um die zweckentsprechende Ausführung,
Erfüllung des Schuldvertrages zu garantieren resp. um andernfalls dem Gläubiger zu Ersatz und Genugtuung zu dienen. Dies
vermögen sie, weil sie wirtschaftliche Werte repräsentieren. Ist
dem so, dann müssen aber auch all' die zahllosen (andern)
Güter des menschlichen Verkehrs diese nämliche Funktion auszuüben vermögen und dann müssen sie wohl auch tatsächlich
diesem Zwecke dienstbar gemacht worden sein. Ausser von
diesen Obligationen, die auf den Leib des Schuldners gehen,
müssen die Rechtsquellen uns auch von der Obligierung
irgend welcher Vermögensobjekte oder auch ganzer Vermögen berichten. Das ist denn auch in reichstem Masse
der Fall.

Si quis bonum obligaverit — — si quis res alterius
dat vel vendit vel obligat[7]), — — domum predictam, que
erat obligata[8]), bona sua patrimonialia ubicumque sita nobis

---

[1]) Artois II. 3 S. 13.
[2]) Sauvegarde Royale a. 1368 Ord. Bd. V.
[3]) Bure art 8.
[4]) Très ancienne Coutume de Bretaigne a. 312.
[5]) Meleun art 23.
[6]) Abbeville ch. 30.
[7]) Fribourg art 42 u. 48. a. 1120.
[8]) Olim Bd. III a. 1301 N. 67 S. 109.

propter hoc obligando[1]), hereditates et res immobiles obligate[2]), hereditatem suam eidem J. obligasset — — dictas res obligatas[3]), creditores, quibus castra et terre cum pertinenciis obligata existuent[4]), obligaverunt ipsi debitores ipsis creditoribus omnia eorum bona[5]).

Des dettes ausquelles l'heritage est obligé. Item quoyqu'il soit ainsi que quelqu'un ait reconnu pendant sa vie devant la loy d'estre débiteur envers un autre de certaine somme de deniers — — y obligeant son heritage etc.[6]), obligatio facta super bonis cujusdam debitoris[7]).

Quia bona sua obligavit — — si habet bona immobilia debet obligare ea[8]), obligaverunt omnia sua bona praesentia et futura[9]).

Se l' heritages est obligiés[10]) — — ai je obligié tout le mien present et avenir, muebles et heritages, etc.[11])

Si un heritage estoit obligé pour aucune somme d'argent — obliger son heritage — obligation sur biens meubles — obliger tous ses biens meubles et par especial heritages — en obligeant tous ses biens, meubles et heritages quelconques generallement et specialement[12]), sur l'obligation de tous mes biens, — le sien luy est obligé, — les choses qui sont obligées par especiauté — celles qui sont obligez en generalité, — si fais-tu le tien obliger jusqu'au prix de ma somme, — son bien sera et demeurera obligé pour les causes etc.[13]).

---

[1]) Olim cit. a 1312 S. 816.

[2]) cit. Band II a. 1296 S. 409.

[3]) cit. II a. 1304 S. 470.

[4]) cit. II a. 1294 S. 371.

[5]) Speculum juris III, 3 S. 340.

[6]) Ipre a. 1532 ch. 197; vergl. Bourbourg, 17. Jahrh. Ruhr. VII, Art. 1 N. 7.

[7]) Arresta des Echiquier de Normandie a. 1283 S. 130.

[8]) Perpignan art. 14, art. 64.

[9]) Apt. S. 132.

[10]) Beaumanoir 1074.

[11]) cit. XXXV, 20.

[12]) Bouteiller I, tit. 25 S. 136, 137, 145.

[13]) La très ancienne C. de Bretaigne. art. 86, 307, 308, Anciennes C. tit. XI, N. 190.

Le roy a l'execution de toutes lettres esquelles personnes d'église ont en sa cour obligé leur temporel[1]).

Ce heritaige est obligé pour le tout au possesseur ne peut-on demander que pour tant que la chose qu'il posside, est obligée[2]) — — execucion sur la chose obligée[3]).

Diese urkundlichen Zeugnisse beweisen unwiderleglich, dass das mittelalterlich-französische Recht eine rei obligatio gekannt hat. Diese rei obligatio aber verlangt gebieterisch eine begriffliche Würdigung. Denn die herkömmliche Auffassung der Obligation versagt in Anbetracht dieser rechtshistorischen Erscheinung. Ihr ist nämlich das Schulden wesentlich, die aus dem Vertrag sich ergebende „Schuldverbindlichkeit". Nun ist aber die Vertragsschuld nichts anderes, als „das auf die Leistung des Vertragsgegenstandes, auf die Erfüllung des Schuldvertrages gerichtete rechtliche Sollen"[4]). Augenscheinlich ist es nun aber nicht der Sinn der herangezogenen Quellenaussagen, die Sache zum Subjekt der Schuld zu machen. Die sächliche Obligation, wie sie das ganze spätere Mittelalter hindurch trotz aller sonstigen örtlichen Zerklüftung der Rechtsbildung im Süden wie im Norden lebte, kann also ihrem Wesen nach nichts gemein gehabt haben mit der Obligation, wie wir sie bei Pothier, im Code, bei den Kommentatoren antreffen. Sollte dies etwa auch zutreffen für die persönliche Obligation des très ancien droit? Doch bevor wir die grossen neuen Perspektiven, die diese Frage uns eröffnet, verfolgen, noch ein anderes. Bevor wir nämlich zeigen wollen, dass in der Tat die Quellen die persönliche und sächliche Obligation nebeneinander stellen und so völlig gleich behandeln, dass ein begrifflicher Unterschied zwischen ihnen nicht mehr behauptet werden darf, sei auf den positiven Inhalt des Obligationsbegriffes hingewiesen, der allein eine obligatio rei verständlich machen kann. Und damit wird zugleich die Basis für das folgende gewonnen sein. Denn wenn der landläufige Obligationsbegriff nicht im Stande ist, die Sachobligation zu er·klären, so wird sich umgekehrt der von der letzteren

---

[1]) Grand contumier III ch. XV, S 214.
[2]) C. et. Inst. de l'Anjou et du Maine M. XVI N. 262 S. 252.
[3]) cit. N. 264 S. 253.
[4]) Puntschart 104.

her gewonnene Begriff ungezwungen auch auf die personae obligatio anwenden lassen.

Die obligatio rei kann nämlich, da sie unmöglich ein Leistensollen im Sinne des Schuldens[1] enthält, nur das Haften der Sache bedeuten, ihr rechtliches Bestimmtsein zu dem Zweck nötigenfalls als Satisfaktionsobjekt zu dienen. Die Sache ist obligiert will demnach sagen, sie stehe ein zu dem genannten Zwecke, sie sei zur Erfüllung desselben gebunden. Diese Auffassung der Obligation als einer Bindung, Haftung ist denn auch diejenige der Quellen.

. . . hereditates et res immobiles adstricte et obligate[2]), G. ligatus et obligatus[3]), Sçachez que obligation sur biens meubles ne contrainct ne lie l'obligé que s'il demeure en la possession de ses biens etc.[4]) — -- Si que li sires te fait adjorner que tu viengnes en sa court pour raemplir un chirographe ou tu te seras liiés[5]), et fait ledit tel ceste requeste de lectre sur les biens et choses de son obligacion, et selon le contenu de sa lectre requise en laquielle se lierent et obligerent tel et telle sa femme etc.[6]), à la quelle rente poier et continuer se lia et obligea tel envers tel[7]), sa lettre requise: en laquelle se lya et obligea D. P. — —[8])

Da somit die Sache, soweit sie obligiert ist, als gebunden erscheint, muss die Beendigung der Obligation, der Haftung als eine Befreiung der Sache, als deobligare wie es in mittelalterlichen Quellen gelegentlich heisst[9]), erscheinen. So heisst es denn auch in den Olims:

Cum Dyonisius Ch. precium domus sue, quam vendiderat Symoni d'E. scutifero, quod precium, propter debatum parcium erat in manu prepositi Parisiensis, peteret sibi reddi; et e

---

[1]) Da überall die herangezogenen Stellen eine solche Auffassung verbieten; vergl. übrigens oben S. 26 n. 4.

[2]) Olim Bd. IV a. 1296 N. XX.

[3]) cit. a. 1278 N. H.

[4]) Bouteiller I cit. 25 S. 136.

[5]) Artois H. 2.

[6]) C. et inst. de l'Anjou et du Maine FN. 920 S. 328.

[7]) cit. N. 919.

[8]) cit. M. N. 181 S. 451.

[9]) Puntschart 119.

contra dictus Symon diceret quod, secundum convenciones inter
ipsos habitas, idem venditor domum predictam, que pro suis
erat debitis obligata, debebat ante omnia ab obligacionibus hujusmodi liberare etc.[1] vergl. bona liberata[2]), desliance et
delivrance de l'obligation[3]).

Dass es sich bei dieser Bindung, Obligierung wirklich um
eine Haftung handelt, um ein Einstehen, um ein Verstricktsein
als Pfand, das deuten Stellen an wie die folgenden.

Celuy qui a rente ou autre prestation annuelle créée depuis
trente ans ou autre debte sur aucun qui luy soit obligé et ses
biens et choses hypothequées et obligées au payement etc.[4]),
héritaige obligé et ypothéqué[5]), et pour ce mets en la main
du Seigneur les heritages obligez et hypothequez en l'obligation[6]).

Par la loy escrite tous les biens de celuy qui doit aucune
chose, ou treu publique ou du Seigneur, par celle mesme nature
et condition sont obligiez et vallent comme gages ou qu'ils
soient. — — tous les biens de ceux qui doivent à la bourse
du seigneur, dessous qui ils sont iusticiables, sont obligez
comme gages etc.[7]), toute chose qui est obligée et hypothequée par celuy qui faire le peut en aucune debte envers
aucun creancier[8]).

Pour obleger et submettre hypotequairement les
heritages etc[9]).

Personne ne peut obliger ni engager ses fonds d'héritages pardevant d'autres Juges ou Loix etc.[10]).

All' diese Nebeneinanderstellungen des Obligierens und des

---

[1]) Olim III, a. 1301 N. 67 S. 109.

[2]) cit. II, a. 1294 N. 12 S. 375.

[3]) C. et Inst. de l'Anjou et du Maine F. N. 1171. S. 445.

[4]) Anjou Part. XV. art. 475.

[5]) Anjou et Maine E No. 336.

[6]) Bouteiller 1 I. tit 69.

[7]) Cit. tit. 102 S. 587.

[8]) Mante tit. I art. I No. 2, vergl. auch die gleichbedeutende Tautologie
in Anjou et Maine E N. 327: Si aucun a rente sur autruy qui à icelle soit
obligé paiez et ses biens affectez et ypothequez etc. und Eu art. 209 S. 195:
Les biens du obligé sont affectez et hypothequez etc.

[9]) Baudimont Art. 1 No. 9.

[10]) Bruges tit. 24 art. 1 No. 16.

Verpfändens haben tautologischen Charakter[1]). Die verschiedenen
Wendungen sagen dasselbe. Die obligierte Sache ist die zu
Pfand gesetzte Sache. Das sagen denn auch die Quellen aus-
drücklich.

Si vir et uxor, communi consensu, vendiderint vel pig-
nori obligaverint etc.[2]), res que ipsas etiam titulo pignoris
vel ypothece obligari non liceat[3]), obligiez et vallent comme
gages[4]).

Eine Sache kann nicht schulden. Davon kann wenigstens
in all diesen Fällen, in welchen wir in den Quellen auf eine
rei obligatio stossen, keine Rede sein. Wohl aber kann eine
Person haften, gebunden sein als Ersatz- und Genugtuungsobjekt.
Mit Recht weist darum Punschart nachdrücklich darauf hin,
dass Wesen und Zweck der personae obligatio von der rei
obligatio aus bestimmt werden müssen. Schon Brinz hatte diesen
Weg eingeschlagen. Er allein lässt die von vornherein schon
unbefriedigende und gefährliche Annahme vermeiden, die Quellen
hätten mit dem Ausdruck obligatio begrifflich verschiedene Vorstellungen verknüpft, je nachdem sie ihn auf Personen oder
Sachen bezogen. Diese Annahme verbietet sich aber geradezu,
wenn man sieht, dass, wie schon angedeutet, die mittelalterliche
Rechtssprache selbst solche Unterschiede nicht macht, vielmehr
die persönliche und sächliche Obligation mit und nebeneinander
nennt und sie dergestalt gleich behandelt, dass nur der Schluss
zulässig erscheint, sie müssten ihrem Wesen nach identisch sein.

Tu te fuisses oblegiés por prendre et arriester ten cors
et tes biens — — — — avoit oblegiet sen cors et tout le
sien[5]).

On doit faire obliger le corps qui peut et qui ne peut l'en
doibt faire obliger biens meubles et immeubles etc.[6]) et oblige
corps et biens[7]), sont tenus et reputez obligez corps et
biens[8]).

[1]) Puntschart 118.
[2]) Salon S. 254 Abs. 1.
[3]) U. Barchinone Patriae No. 157.
[4]) Bouteiller cit.
[5]) Artois II, 2, 3.
[6]) Bourges art. 154.
[7]) Grand coutumier S. 835.
[8]) Meleun art. 315.

Doch auch wo nicht vom Leibe des Schuldners, auf den die Obligation gehen soll, die Rede ist, wird die Obligierung resp. das Obligirtsein der schuldnerischen Person und der Güter in einem Atemzuge genannt.

— — j'ai obligié moi et mes oirs, et tout le mien present et a venir muebles et eritages, — obligier lui et le sien et ses oirs[1]), se et predictam societatem et eorum bona obligasset ad etc. — — socius seu fautor alicujus societatis eamdem societatem et ipsius societatis mercatores et eorum bona potest efficaciter obligare[2]), — — de l'obligacion de leurs personnes, de leurs hoires et de tous leurs biens — — en obligeront touz leurs biens et de leurs hoirs; et par especial, le fons de la terre et touz leurs autres biens quelz que il soient, leurs corps et toutes autres choses[3]), obligation generale de la personne et de tous ses biens, meubles et immeubles[4]).

Doch in all diesen Fällen handelt es sich ausschliesslich um persönliche Obligationen. Die Person haftet und zugleich die Sachen. Doch haben wir bereits Stellen namhaft gemacht, in welchen nur von der Obligierung von Sachen gesprochen wird. Sie müssen wir im Auge behalten, wenn die Quellen unterscheiden:

Et sont en droit deux obligacions, c'est assavoir obligacio personalis et obligacio realia[5]), en obligacions soient reelles ou personnelles[6]) — — sequentibus realibus ac personalibus obligacionibus preferetur[7]), en obligation qui se fait personnellement ou en obligation d'hypotheque[8]), obligation personnelle[9]), — obligation réelle[10]).

Und endlich noch die charakteristischen Wendungen bailler

[1]) Beaumanoir 1094, 1096.
[2]) Olim Bd. IV a. 1317 No. 3 S. 1194.
[3]) Bure S. 474, 476. art. 8.
[4]) Berg St. Vinox Ruhr. VIII No. 8.
[5]) Livre des droiz No. 757 Bd. II S. 190.
[6]) Anjou et Maine L No. 266.
[7]) Olim Bd. II a. 1300 No. 2.
[8]) Bouteiller l. II tit. XX S. 686.
[9]) Audenarde Rub. VIII No. 14.
[10]) Bruxelles tit. X No. 131.

caution soit de corps ou de biens[1]) De la caution personnelle et réelle. — — Celuy qui a caution personnelle et
réelle conjointement, de biens immeubles pour une dette a le
choise de proceder pour toute la dette contre la caution personnelle ou réelle[2]).

Danach ist die Obligation und zwar sowohl die persönliche
als die sächliche eine Bürgschaft[3]). Schon haben wir sie
als ein Einstehen zu Pfand kennen gelernt. Damit haben die
Quellen selbst den Zweck dem die Obligation zu dienen bestimmt
ist, gekennzeichnet. Bürgen und Pfänder sind cautions und wenn
auch der heutige Sprachgebrauch nur noch die erstern so zu
nennen pflegt, so trifft die Bezeichnung doch auch für die
zweiten zu, da der Ausdruck nichts anderes besagt als „Sicherheit". Als eine solche Sicherheit also bezeichnen die Quellen
die Obligation. Man vergl. noch: per litteras suas obligaverant
se ad garanciandum eisdem res hujus modi venditas[4]) reus
velit obligare possessiones suas existentes in potestate prioris — —
non debet ad aliam securitatem prestandam compelli. Und
vor allem folgende „Sicherheit":

C'est la seurté que li cuens de R. vint faire de penre
droit, et de paier et de rendre ce que on trouvera par droit que
il doie faire. Et premiers, il oblige tout son heritage et
toute sa terre et l'iretage et la terre la comtesse qui bien vaut
deus mille livres de tournois par an — — Item liarcediacres
d'A. s'en establist pleges, qui bien a d'eritages mille et cinc
cens livres de tournois par an et plus, et le plus bel chastel de
la terre. Item, madame dou B. et H., ses fins, s'en establissent
plege, la quelle dame renonça a la loy Velleyen et a tous
privileges pour les dames, et i obliga li et tous ses biens. Item
li G. des H. s'en establist plege. Item s'il sante a la court que
il n'en i ait asses, il est pres qu'il enforce la seurté a la

---

[1]) Peuie Art. 1 No. 2.

[2]) Audenarde Rub. XIII No 4.

[3]) Vergl. Puntschart 162 fg. Dass auch das französische Recht im
Bürgen den bloss Haftenden, der nicht schuldet, erkennt, geht aus allen
älteren Rechtsquellen deutlich hervor. Hier sei nur hingewiesen auf den
Grand Coutumier de Normandie ch. 60. Lettres en faveur des Marchands
a. 1304 Ord. I S. 414 fg. art. 7. Lettres v. Charles V a. 1370 Ord. V, S. 384.

[4]) Olim Bd. II a. 1301 No. 3.

volonte le Roy. Item, li cuens de V. qui tous ces biens i obliga. Ista securitas capta fuit per magistrum H. et magistrum J. que fuit curie sufficiens[1]).

Weil demnach die Obligation eine seurté, eine caution, eine Sicherheit ist, kommt es ihr zu, der Schuld zu dienen. In Hinsicht auf diese wird sie errichtet. Immer wieder bemerken dies die Quellen: habent terram de B. pro debitis usque ad certum tempus sibi obligatam[2]) domum que pro suis erat debitis obligata[3]).

Si quis rem immobilem pro aliquo debito duxerit obligandam[4]), usurarii et facientes similatos contractus, habentes aliquem seu aliquos super aliquo vel aliquibus debitis — — obligatos[5]).

Quand il advient que aucune personne oblige son corps à autre personne pour certaine dette etc.[6]), obliger pour dettes ses rentes, ses actions, ses meubles, ses cateux mobiliaires etc.[7]).

Se aulcuns veulent faire obliger aultres à eulx pour debte[8]).

Doch zwei Punkte bedürfen hier noch der Erläuterung. Es müssen einmal die Wirkungen des Schuldvertrages, die durch die Obligation gesichert werden sollen, namhaft gemacht werden. Und dann erscheint es geboten, die Art und Weise, wie die Obligation ihre sichernde Funktion ausübt, noch des nähern zu bestimmen. Nach beiden Richtungen hin haben sich uns bereits Ausblicke eröffnet.

Auf Grund des Schuldvertrages soll der Schuldner zunächst halten und ferner erfüllen. Es ist das Verdienst Siegels[9]), zuerst nachgewiesen zu haben, dass damit zwei ver-

---

[1]) Olim Bd. II, a. 1282 No. 29.

[2]) Cit. Bd. II, a. 1278 No. 54.

[3]) Cit. Bd. III, a. 1301 No. 67.

[4]) Lettres en saveur des Barons etc. v. Philippe IV. a. 1303. Ord. I S. 405 f. art. 2.

[5]) Embrun art. 19.

[6]) Bretaigne art. 311.

[7]) Bergh St. Vinox Rub. VIII No. 9.

[8]) Bourges 155 S. 896.

[9]) Das Versprechen als Verpflichtungsgrund im heutigen Recht. Berlin 1873.

schiedene Wirkungen gegeben sind, die der Schuldvertrag auf
die Person des Schuldners ausübt. Die Notwendigkeit der
Unterscheidung zwischen Halten- und Leistensollen ergab sich
ganz besonders für den Fall der aufschiebend bedingten Vertragsschuld. Denn in Anbetracht einer solchen ist der Schuldner
verpflichtet ein gegebenes Wort zu halten, ohne dass gleichzeitig
eine Verpflichtung, dasselbe zu erfüllen, besteht. Vielleicht
kommt es zu dieser letzteren Verpflichtung nie. Doch besteht
der Vertrag zu recht. Seine Wirkung beschränkt sich zunächst
auf das Haltensollen, d. h. nach Siegel darauf, dass der Schuldner
nicht mehr beliebig zurücktreten kann. Neuerdings hat nun auch
Puntschart auf eine Erscheinung in unsern Quellen hingewiesen,
zu deren Erklärung wir der Unterscheidung des Haltensollens
und des Leistensollens nicht entraten können: Die Quellen
sprechen nämlich von „Halten" auch dort, wo es nichts mehr zu erfüllen giebt, wo es sich vielmehr um bereits Geschehenes, also in der
Vergangenheit Liegendes, nicht um Zukünftiges handelt[1]). Das
ist wirklich in dem Sinne beweiskräftig, dass der mittelalterlichen
Rechtsanschauung die genannte Unterscheidung geläufig war Nur
kann, das beweist ebenfalls die neu herangezogene Erscheinung,
das Haltensollen keineswegs bloss den Ausschluss des Wider-
rufsrechtes, das Nichtmehrwiderrufenkönnen bedeuten. Offenbar
kommt ihm die weitere Bedeutung zu, die Vermeidung jedes
„Zuwiderhandelns gegen das Geschehene, wie es in der mannig-
fachsten Weise denkbar ist" als das rechtliche Bestimmtsein
des Schuldners zu charakterisieren. Der Schuldner soll den
Vertrag halten will besagen, dass er ihm nicht zuwiderhandeln
soll, insbesondere — das stellt den bedeutendsten Fall des
Zuwiderhandelns dar — dass er ihn nicht umgehen soll[2]). Da-

---

[1]) Puntschart 74 f. 83.

[2]) Das Nähere darüber vergl. bei Puntschart, S. 93 f. Das Haltensollen
definiert er als das rechtliche Bestimmtsein, dem Zwecke des Schuldvertrages, der künftigen Erfüllung in keiner Weise zuwiderzuhandeln, ihn nicht
zu vereiteln, die Erfüllung des Vertrages weder wissentlich noch unwissent-
lich zu erschweren oder unmöglich zu machen, alles zu unterlassen, was
dieselbe störend und hindernd beeinflussen oder gefährden kann. Es wird
also bei der Begriffsbestimmung nur der Fall berücksichtigt, dass noch nicht
erfüllt ist. Die Bedeutung der Tatsache, dass die Quellen auch in Bezug
auf bereits Erfülltes reden, soll hauptsächlich nur darin liegen, dass sie die
begriffliche Verschiedenheit von Halten und Leisten aufzeige S. 94. Im

bei muss nur noch erwähnt werden, dass das Verstossen gegen das Haltensollen den Schuldner ersatzschuldig macht. „So verschieden gegen das Haltensollen gehandelt werden kann, so verschiedene Schulden auf Ersatz gehend können daraus entstehen".

Die zweite Wirkung des Schuldvertrages, diejenige, um derentwillen der letztere eingegangen wurde, besteht im Leistensollen. In diesem liegt das von Anfang an Beabsichtigte und Gewollte. Um ein Müssen handelt es sich dabei nicht. Vor der Fälligkeit giebt es kein Müssen, wohl aber existiert schon dann die Schuld. Sie ist also nur ein Sollen im Sinne des rechtlichen Bestimmtseins. Ein derartiges Sollen kann sich auch an Sachen knüpfen. Die Schuld aber ist das Sollen einer Leistung, ein Leistensollen.

Weil die Wirkungen des Schuldvertrages nur ein Sollen im Sinne des rechtlichen Bestimmtseins bedeuten, soll zur Sicherung eine Haftung einspringen. Und zwar soll sie es entweder für das Haltensollen resp. allfällige Ersatzschulden oder für das Leistensollen, die Vertragsschuld oder für beides zusammen [1]). Haftung für die Vertragsschuld:

Est usus sive consuetudo Tholose, quod uxores se posaunt obligare creditoribus cum maritis seu pro maritis ad debitum

---

übrigen sei zwar nach deutscher Vorstellung auch das Aufrechterhalten dessen, was der bereits vollzogene Vertrag bewirkt habe, ein Halten, „aber eigentlich kein Halten des Vertrages, den man sich in dem Falle doch immer als erst zu erfüllen denkt, sondern ein Halten des Rechtszustandes, den der erfüllte Vertrag zur Folge hat, eine notwendige Folge der Verpflichtung, den Vertrag zu halten". Das Halten sei hier also kein unmittelbares Halten des Schuldvertrages. Dann denke man an das Nichtzuwiderhandeln gegen bereits Erfülltes gewöhnlich doch nicht, wenn vom Halten des Schuldvertrages die Rede sei. Diesen Erwägungen gegenüber scheint es mir freilich betonenswert, dass im mittelalterlichen Recht die Haftung genau in gleicher Weise das Halten nach der Erfüllung wie dasjenige vor derselben sichern muss, dass den Quellen die Unterscheidung eines unmittelbaren und eines mittelbaren Haltens des Schuldvertrages fremd ist. Historisch ist es deswegen wohl genauer in das Haltensollen die Anerkennung des geschaffenen Rechtszustandes nach allen Seiten hin und in allen Konsequenzen aufzunehmen, so dass auch die Aufrechthaltung des bereits Geschehenen darunter fällt. Dies ist schon die Auffassung Lönings, der Vertragsbruch S. 130.

[1]) Puntschart l. cit. 209 f.

seu debita solvenda et tenentur et sunt obligate ad solutionem inde faciendam de bonis suis etc.

Est usus et consuetudo Tholose, quod si aliqui fuerint insimul duobus creditoribus vel pluribus ad solvendum aliquod debitum obligati etc.[1] nobis de dicto debito satisfacere promisit, bona sua matrimonialia ubicumque sita nobis propter hoc specialiter obligando — — et ob hoc totale debitum dicti H. nobis soluturum se obligaverint[2].

Cum G. de V. certam pecunie quantitatem a I. C. mutuo recepisset, et pro ejus solucione, ad certum terminum inter eos conventum, facienda, hereditatem suam eidem I. obligasset[3].

Obligation d'hypoteque est quand aucun oblige par forme d'hypoteque tous ses biens meubles et par especial heritages, pour l'accomplissement d'aucuns contracts ou conuention où il se lie — ses biens — — demeurent obligez et hypothequez à ce satisfaire et payer etc.[4].

Haftung für die Vertragsschuld und allfällige Ersatzschulden: seurté que li cuens de R. vint faire de penre droit, et de paier et de rendre ce que on trouvera par droit que il doit faire[5], tu te fuisses oblegiés por prendre et arriester ten corps et ten biens par toutes justices, por tes convenences faire tenir et aemplir[6], — — le vendeur promist à loyaument liurer et conduire ledict marché — — En obligeant quant à ce faire tenir et accomplir ledit vendeur, tous ses biens, meubles et heritages quelconques — — Et en plus grand seureté et à fin de ne iamais venir contre les choses, dessudictes, n'aucune d'icelles, ledit vendeur a obligé et oblige son propre corps[7].

Tu me dis que om fet en Vermandois une forme de letres teles: que li emprunteeur dient en lor letres et enconvenancent qu'ils rendront toz les couz et tozles domages que li presteeur i auront sans plus fere encontre etc.[8].

---

[1] Toulouse P. II tit. 1 No 68 und 70.
[2] Olim Bd. III, a. 1310 No. 52.
[3] Cit. Bd. II, a. 1304 No. 5.
[4] Bouteiller I, tit. XXV, S. 137.
[5] Olim Bd. II, a. 1282 No. 29.
[6] Artois II. 2.
[7] Bouteiller I tit. XXVI S. 145.
[8] Pierre de Fontaine XV, 27.

Pro quibus omnibus et singulia firmiter observandis, adimplendis obligaverunt etc. [1]).

Quant aucuns s'est obligiés par letres a paier detes ou a tenir aucunes convenences, et on le suit pour sa defaute, il doit estre premierement contrains a paier le principal et après les damages [2]).

Li communs cours de soi obligier par letres, pour aucune dete ou pour aucune convenance si est que l'en met volontiers es letres que cil qui baille la letre, s'oblige a rendre cous et damages que li creanciers i avroit par defaute du paiement ou de la convenance non tenue etc. [3]).

Haftung für das Haltensollen, resp. eventuelle Ersatz-schulden:

Promettons — — les dites franchises et les convenances tenir et garder fermement sans venir encontre et nous obligeons nous, nos hoirs et successeurs, et tous nos biens muebles et non muebles presens et à venir en quelques lieux que ils soient et voulons et octroyons que notre hoir et notre successeurs qui seront hoir après nous de la dite Terre de Ch. serout tenu à jurer que il les dites franchises et les convenances dessus dites garderont et tenront — — et en obligeons nous etc. [4]).

Vor allem aber folgende vorzügliche Obligationsformel Beaumanoirs:

„Je, Pierre de tel lieu, fes savoir a tous ceus qui ces letres verront et orront que je, pour mon pourfit et pour ma grant necessité, ai vendu a Jehan de tel lieu et a ses oirs a tous jours pardurablement tel eritage — —. Pour tel pris d'argent que j'ai eu et receu en bonne monoie, bien contee et bien nombree, et l'ai convertie en mon pourfit et m'en tieng pour paiés; et cel marchié dessus dit ai je creanté a garantir a tous jours audit Jehan et a ses oirs contre tous en tele maniere que, se li dis Jehans ou si oir avoient peine, cous ne damages par la defaute de ma garantie, je leur seroie tenus a rendre tous cous et tous damages qu'il i avroient avec la garantie

---

[1]) Speculum juris l. III p. III S. 340.

[2]) Beaumanoir 1089.

[3]) Cit. 1086.

[4]) Chitry art. 5.

dessus dite par loiaus prueves." Und Beaumanoir fährt
fort: Et s'il veut, il se puet bien en plus obligier, car il puet
dire: „Des queus cous et des queus damages li dis Jehans ou
si oir seroient creu par leur serement simple sans autre loi
fere; et a ce tenir fermement j'ai obligié moi et mes oirs,
et tout le mien present et a venir, muebles et eritages, a estre
justicié par quelconque justices il pleroit audit Jehan ou a ses
oirs ou a celi qui ces letres porteroit, aussi pour les cous et
pour les damages comme pour le principal, et a prendre, vendre
et desprendre sans nul delai dusques a tant que li coust et li
damage seroient paié et que j'avroie fet loial garantie de la
vente dessus dite. Et ai renoncié en ce fet a toute aide de
droit, de loi, de canon, de coustume de pais — —" [1]).

Diese Formeln spiegeln die Rechtsauffassung des Mittelalters in der denkbar schärfsten und klarsten Weise wieder.
Sie nennen den Schuldvertrag und seine beiden Wirkungen
auf die Person des Schuldners, das Halten- und das Leistensollen. Und nachher nennen sie als ein Neues, vom Schuldvertrag Verschiedenes die Haftung und zum Schlusse die
Renunciationen [2]). Das wiederholt sich bei Beaumanoir in no.
1095.

Zuerst der Schuldvertrag. Et quant toute la transmutacions
est devisee, cil qui la letre baille se doit obligier a garantir ce
qu'il li baille par eschange, a tous jours a li et a ses oirs et
renoncier etc. und in 1096: je doi a Jehan de tel lieu XX lb.
de parisis pour la vente etc. — — donques doit l'en dire en la
letre de quoi la dete est et puis obligier lui et le sien et ses
oirs a paier, et puis fere la renonciacion etc.

Zahlreiche der angeführten Quellen haben uns nicht nur
das pro debito obligare nach der Richtung hin erhellt, dass
sie über die Wirkungen des Schuldvertrages und die Sicherungsbedürftigkeit derselben Auskunft gaben, sondern sie haben auch
schon aufgedeckt, in welcher Art denn diese Sicherung durch
die Obligation bewerkstelligt werde. Sie geschieht dadurch,
dass dem Gläubiger dank der Haftung das Recht zusteht, im

---

[1]) Beaumanoir 1094.
[2]) Verzicht auf die Rechtswohltaten, welche möglicherweise dem
Schuldner zu gute kämen. Meynal, des renouciations au moyen âge. Nour.
Rev. hist. de dr. fr. et étr. 1902, XXVI, S. 49 fg, 649 fg.

Fall, dass die Schuld nicht oder nicht gehörig erfüllt wird, sich an die haftenden Objekte zu halten, sich an ihnen Schadens zu erholen, durch sie sich Genugtuung und Ersatz zu verschaffen.

. . . avoit obligiet sen cors et tout le sien envers toutes justices a prendre, se en defaute estoit dou paiier[1]).

— — Guillelmo debitum hujus modi ad conventum terminum non solvente predictus I. dictas res obligatas per custodes nundinarum Campanie procuravit vendi[2]), obligaverunt — — ita quod a termino in antea, si tunc solutio non fuerit facta, liceat ex pacto ipsis creditoribus et cuique ipsorum propria auctoritate — — dictorum bonorum et quorum ex eis voluerit ingredi possessionm et ea accipere, vendere et alienae, aliis obligare et apud se justo pretio retinere et in se indemnes servare tam de impensis quam de sorte etc.[3]).

Deshalb heisst denn die Herstellung einer Haftung geradezu concedere:

Si quis Burgensis Sancti Audomari alicui pecuniam suam crediderit, et ille cui tradita est, coram legitimis hominibus in Villa sue hereditariis, sponte concesserit: quod si die constituta, pecunia illam non persolverit, ipse vel bona ipsius, donec omnia reddant, retineantur etc.[4])

oder assignare: Pro qua garendia ferenda predictus eumdem Fulconem assignavit specialiter et expresse ad dictam domum suam — — ita tamen quod si ipsa domus dicti Johannis — -- fuerit in aliquo erga alium obligata, idem Johannes iterato eumdem Falconem assignavit ad omnia bona sua mobilia et immobilia praesentia et futura — — et omnia premissa et singula idem Johannes in abandonum et contravadium pro dicta garendia ferenda erga Fulconem supradictum[5]).

Also auch als ein abandon erscheint die Obligation. So spricht auch Piere de Fontaines in der bereits herangezogenen Stelle von dem abandon de botes lors choses.

---

[1]) Artois II, 3.

[2]) Olim Bd. II, a. 1304 No. 5.

[3]) Speculum juris cit.

[4]) St. Omer art. 2.

[5]) Cartulaire d'Avenay n o CII S. 143 siehe Esmein, Etude sur les contrats dans le très ancien droit français S. 179.

Endlich wird die Obligation auch als regressum charakterisiert:

Si quis dederit gene ralem regressum super bona vel res suas et postea aliquam rem de bonis suis vendiderit vel specialiter obligaverit[1]).

Da sich im Fortgange der Darstellung noch mehrfach Gelegenheit bieten wird, dieser Funktion der Haftung näher zu treten, mögen zunächst die angeführten Belege genügen. Sie erhärten bereits, dass erst im Falle der Nichterfüllung der Schuld die Obligation ihren Zweck erfüllt. Dann erst wird auf die obligierte Sache oder auf die obligierte Person gegriffen, d. h. es wird zur Exekution geschritten. Diese hat demnach ihre materiell rechtliche Grundlage in der Haftung, und stellt sich, da sie dem Gläubiger Genugtuung verschaffen soll anstatt der Schuld, für die Schuld, als Satisfaktionsverfahren dar.

Nur ein Punkt bedarf dabei noch besonderer Hervorhebung. Ein Akt der Verfolgung der haftenden Person liegt bereits in der Klage. Sie schon geht nicht aus dem Schuldvertrag hervor, sondern unmittelbar nur aus der Haftung. Sie ist schon eine Äusserung der Macht des Gläubigers, die ihre Grundlage allein in der Haftung findet[2]). In diesem Sinne ist der Satz aufzufassen, den Beaumanoir der obenangeführten Obligierungsformel voranstellt:

L'en ne me puet suir pour cous ne pour damages par nostre coustume pour defaute que je face de paiement, se je ne me sui obligiés au rendre[3]).

Man vergleiche ferner Bouteiller: Laquelle peine ou quint denier que mieux plaira ordonner audit achepteur ou porteur de ces lettres, à qui toutes les actions et vigueurs de ceste presente obligation est promise etc.[4]) und in deutlicher, sachlich nicht falscher Anlehnung an das römische Recht:

Puis que monstré vous ay la maniere à faire et articuler sa demande, si vous veux monstrer de quoy demande peut estre faicte, et se peut naistre. Si peut et dois sçavoir que tu n'as

---

[1]) Montpellier 1205 a. XII
[2]) Über die Bedeutung, die daher der Haftung zukommt vergl. Puntschart 207 f.
[3]) 1094.
[4]) C. I tit XXVI S. 144.

ne peux auoir cause de faire à ancun demande, s'il
n'est ton obligé. car autrement tu n'aurois action[1]).

Si comme le droict dit en l'institule: obligation est mère
des actions, car selon reson je ne puis aucun traire en jugement
se il n'est mon obligé[2]).

Unzweifelhaft aber geht die Richtigkeit dieser Auffassung
aus dem Falle der reinen Sachhaftung hervor. In diesem
Falle besteht eine Schuld, das lassen die Quellen deutlich ersehen. Für diese Schuld aber haftet einzig und allein eine
Sache, nicht auch eine Person (Schuldner oder Bürge). Und
gerade daran muss es liegen, wenn in diesem Falle dem Gläubiger
keine Klage gegen den Schuldner zusteht.

Si creditor receperit speciale piguus pro debito suo, non
potest personali actione petere debitum a suo debitore[3]).

Si fuerit pignus obligatum, non compellatur redimere nisi
fuerit conventum, licet pignus minus debito valeat etc.[4]).

Se aucuns a prist nans de son deteur et cuidoit que si
nant vaussissent bien la dete et, quant il les vendi parce
que li deteres ne les vout racheter, il n'en puet pas toute sa
dete avoir et toutes voies il en prist ce qu'il pout, et après,
sans parler au deteur, il s'ala replaindre, en tel cas il se
replaint a tort. Mes s'il eust requis au deteur qu'il li paiast
le remanant de la dete ou baillast nans soufisans et li detés ne
le vousist fere, en tel cas il se replainsist a droit[5]).

Da also die Sache allein haftet, steht dem Gläubiger gegen
den Schuldner keine Klage zu. Insbesondere kann der letztere
auch nicht belangt werden im Falle der Minderwertigkeit des
Pfandes. Dazu bedürfte es der Einräumung einer persönlichen
Haftung.

Diese reine Sachhaftung[6]) lässt den Gegensatz von Schuld
und Haftung im hellsten Lichte erscheinen. Denn bei der
persönlichen Obligation können der Haftende und der Schuldende
ein und dieselbe Person sein und sind es häufig auch. Hier

---

[1]) Cit I I tit XXV S. 134.
[2]) Grand coutumier lib. II chap. 10.
[3]) Perpignan Art. 26.
[4]) Montpellier 1204 art. 40.
[5]) Beaumanoir 1611.
[6]) Vergl. Puntschart S. 232 f.

aber haftet eine Sache und diese kann nie der Träger der persönlichen Schuld sein[1]).

Die reine Sachhaftung ist deshalb in hohem Grade geeignet, uns die Vorstellungsweise des mittelalterlichen Rechts zu vermitteln. Ja es wird sich das in ihr so scharf zum Ausdruck kommende Prinzip in ganz eigenartiger Weise generalisieren lassen und die erkenntnistheoretische Bedeutung der reinen Sachhaftung somit sich als eine noch grössere herausstellen, als man schon anzunehmen geneigt war.

---

[1]) Auf die Verhältnisse, die wir oben S. 26 No. 4 andeuteten, wo allerdings von einer Schuld der Sache gesprochen wird, ist später einzugehen, vergl. Kap. I des zweiten Teils.

Zweites Kapitel.

Der Formalismus der Haftungsbegründung.

Der Formalismus des mittelalterlich-französischen Vertragsrechtes hat schon mehrfache Darstellungen erfahren. Aber die Auffassung desselben erfährt die tiefgreifendsten Modifikationen, wenn die begriffliche Unterscheidung von Schuld und Haftung hochgehalten wird. Der in Frage stehende Formenapparat erleidet plötzlich eine eigenartige neue Beleuchtung und es wird sich wohl herausstellen, dass wir dank des restaurierten Haftungsbegriffes zur völligen Klarheit über Entstehung und Zweck desselben zu gelangen vermögen. Die Bestätigung dieser Vermutung wird einen kräftigen Beweis bilden für die Richtigkeit der Ausgangspunkte der Untersuchung, für die Richtigkeit der im vorigen Abschnitt gewonnenen Ergebnisse.

Schon seit langen Jahrzehnten steht es für die überwiegende Mehrzahl der neuern Germanisten ausser Zweifel, dass das älteste deutsche Vertragsrecht formalistischer Natur gewesen ist. Ungleich grössere Schwierigkeiten, als sie der Nachweis dieser Erscheinung dargeboten, erhoben sich angesichts der Frage nach dem Woher und Wozu dieses Formalismus. Bei der Durchbildung und Durchführung, in welchen dieser letztere uns entgegentritt, konnten allgemeine Erwägungen volkspsychologischer Natur, die die Abhängigkeit einer ältesten Periode der Rechtsentwicklung von Äusserlichkeiten und Formen erklären sollten, unmöglich befriedigen. Aber die juristischen Gesichtspunkte, die sich zunächst boten, waren nicht weniger unzulänglich. Treffend charakterisiert Brunner diese älteren Versuche: Sie liefen im wesentlichen auf blossen „Bestärkungsluxus" hinaus[1]. Im Sinne solcher Kritik führte Franken[2] aus, dass

---

[1] Zeitschrift für Handelsrecht 1877. XXII. S. 553.
[2] Französisches Pfandrecht S. 211.

der Erklärung der Formen als Feierlichkeiten, Bekräftigungs-
zeichen, Bestärkungsluxus immer noch die ältere Auffassung von
der „rechtlichen Verbindlichkeit des blossen Konsenses wenigstens als das den Parteien theoretisch vorschwebende Ideal" zu
Grunde liege. Aber nicht nur vermag eine Erklärung, die nur
Manifestationsarten des verpflichtenden Willens anerkennt, unmöglich der Unterscheidung von Real-, Formal- und Konsensual-
verträgen, zu welcher die rechtsgeschichtliche Entwicklung
geführt hat, gerecht zu werden, sondern sie übersieht auch, „dass
Worte, Symbole, Solennitäten und andere rein formale oder
juristische Vorsichtsmassregeln, wären sie noch so zahlreich auf
einandergehäuft, wenn überhaupt einmal Zweifel an der Rechts-
sicherheit, d. h. am Willen oder an der Kraft der Exekutiv-
gewalt bestehen, vollkommen unfähig sind, den Verkehr in dieser
Hinsicht zu beruhigen" [1]). Deshalb sind diese „Bestärkungen",
theoretisch und praktisch besehen, Pleonasmen.

Franken versucht dann eine neue Erklärung der „Bei-
werke des germanischen Vertragsschlusses aus einem einfachen
praktischen Zweck" beizubringen. Sein Ausgangspunkt bildet
der Realkontrakt, dessen hervorragende Bedeutung für das
älteste Recht bereits Sohm[2]) nachgewiesen hatte. In einer
Gesellschaft, deren Vertrauen auf die öffentliche Gewalt als
Schützerin vermögensrechtlicher Interessen noch äusserst gering
ist, sind alle Geschäfte Bargeschäfte. Dies erweist sich als
eine wirtschaftliche Notwendigkeit, die ihren unmittelbaren
juristischen Ausdruck in der Auffassung findet, dass Bargeschäft
und Vertrag sich begrifflich decken. Indessen musste es doch
von Anfang an als zulässig erscheinen, an Stelle der Barleistung
eine interimistische Gegenleistung, ein Pfand zu übergeben. Es
bedeutete dies kein Abweichen vom Grundsatz des Realvertrages.
Es war nur eine Modifikation der Barleistung, der Res und
zwar nur eine Modifikation im Objekt der sofortigen Gegenleistung. Und noch ebenso wenig wie juristisch war wirtschaftlich die Lage grundsätzlich eine neue geworden. Das Pfand
war dem Objekt, das die endgültige Leistung abgeben sollte,
gleichwertig. Aber der Weg öffnete sich bereits für eine weite

[1]) Cit. S..212.
[2]) Prozess der lex Salica, Recht der Eheschliessung.

Entwicklung. Diese interimistische Gegenleistung war nicht
notwendigerweise stets und unabänderlich eine vollwertige. Eine
Kaution ist gut, wenn sie nur seiner Zeit nach Bedarf flüssig
zu machen ist.˙ Das eigentliche Gewicht liegt also nicht sowohl
auf der momentanen Wertqualität des Pfandes, als vielmehr auf
dem Vertrauen, dasselbe sei überhaupt ein taugliches Mittel zur
Sicherung des mit dem Geschäfte gewollten Erfolges oder doch
der gemachten Vorleistung. Die Entwicklung tendiert also zum
Kreditgeschäft hin. Es bietet den Vorteil, dass trotz genügender
Sicherung des Gläubigers der Schuldner verschont bleibt von
der momentanen Vermögensminderung, die in jener sofortigen
Hingabe eines vollwertigen Pfandes besteht. Diese Entwicklung
vollzieht sich in Rom in dem Sinne, dass das Gut, das als
Pfand dienen soll, nicht mehr dem Gläubiger übergeben, sondern
einfach in den Händen des Schuldners belassen wird. Die
römische Hypothek spricht den blos eventuellen Charakter der
Verpfändung juristisch auf das vollkommenste aus. Dieser Weg
stand dem deutschen Rechte nicht offen. Denn das deutsche
Recht kennt zunächst kein anderes als das Faustpfand. Es
versagt sich, diesem letzteren ein neues Rechtsinstitut gegenüberzustellen. Die Entwicklung musste sich auf dem Gebiet des
Tatsächlichen, des Wirtschaftlichen vollziehen. Man gab immer
noch das Pfand hin. Aber soweit dies nur immer anging, begnügte sich der Gläubiger — zunächst — mit einem unterwertigen Pfande. Die interimistische Leistung (das vollwertige
Pfand) wurde zu einem interimistischen (unterwertigen) Pfande.
Jenes hatte die endgültige Leistung selbst garantiert. Dieses
sicherte den Eingang des vollwertigen Pfandes für den Fall,
dass dessen Stellung sich als nötig erweisen sollte. Dieses
interimistische Pfand ist die Wadia: Der Formalkontrakt ist aus
dem Realkontrakt entstanden. Denn die Entwicklung musste ja
schliesslich dahin führen, dass die provisorische Sicherheits-
leistung ohne jeglichen realen Wert war. Eine Kaution war sie
nun freilich nicht mehr. Aber es hatte eine Konsequenz des
Realvertrages gebildet, dass der Schuldner erst durch vorläufige
Bereicherung verpflichtet wurde und wenn die Wadia schliesslich die Pfandfunktion völlig eingebüsst hatte, blieb ihr doch
noch die andere Aufgabe — die früher nicht ihr Hauptzweck,
sondern blosse Konsequenz gewesen — nämlich diejenige eines

Schuldanerkenntnisses. Ein solches liegt im Begeben der Wadia. Diesem Begebungsakt, der Wadiation, ist wesentlich die Hingabe eines durch Individualisierung zum Emittenten in Bezug gesetzten körperlichen Objekts, das zugleich zur Realisierung des geschaffenen Anspruchs dient. Sehr früh erscheint als wichtigste Gestalt der (ausserprozessualen) Wadia die Urkunde. Aber auch noch dieser Formalismus erfährt seine Abschwächungen. Es werden für die Vollstreckung mehr oder weniger irrelevante Objekte hingegeben, oder Objekte, denen jede Individualisierung abgeht, oder die Begebung ist nur eine scheinbare oder sie entfällt gänzlich oder es scheidet gar alles Körperliche aus. So entstehen all' die Mittel des Vertragsformalismus: Ring, Faden aus dem Kleide, Barthaar, Scheingeld, Reliquien, Altardecke als „fidejussor", Eid — Treuversprechen — Handschlag bis hin zum „formlosen Gelöbnis" [1]).

An diesem kühnen Versuche Frankens fällt eine interessante Linie lebhafter Berührung mit den Vorstellungen des restaurierten Obligationsbegriffes und der scharfen Scheidung von Schuld und Haftung sofort auf. Die Wadia war ursprünglich Pfand, Kaution, Sicherung — wofür anders als für die Schuld. Jeder Vertrag bedurfte also einer Pfandsetzung — einer Haftung! Dass aber die Schuld erst durch die Leistung von einer Seite zur Entstehung gelangte, lag im Wesen des Realkontraktes begründet und hatte nichts Formalistisches an sich [2]). In Hinsicht auf die Wadia ist es nur zufällig, wenn die Schuld erst mit Begehung derselben existent wird. Solange die Wadia Pfand ist, dient sie, wenigstens der Hauptsache nach, unmittelbar und gewollt nicht der Perfektion des Schuldvertrages, sondern eben der Haftung. Franken sagt selbst [3]): „In dem Geben der Wadia liegt nicht die causa efficicua der Verpflichtung, sondern nur die Konstatierung des Vorhandenseins dieser causa, und auch letzteres erscheint — denn sonst käme alles wieder auf die „Bekräftigung" oder dergl. heraus — nicht als ihr wesentlicher, prinzipaler Zweck, sondern

---

[1]) Franken cit. S. 43 f., 209 f., 241 f.

[2]) wurde es dann aber notwendigerweise in der Folge.

[3]) S. 217.

nur als eine von selbst sich ergebende Konsequenz"[1]). Auf
dieser richtigen Grundlage ist also Franken zu einem Ergebnis
gelangt, dessen Richtigkeit erst die neueste Forschung in vollem
Umfange darzutun vermocht hat. Nicht nur war es methodo-
logisch der einzig gangbare Weg, aus Zusammenhängen des
materiellen Rechtes selbst heraus zu einer genetischen Erklärung
des Formalismus gelangen zu wollen, sondern es stellt sich
auch heraus, dass in der Tat die Formalakte ein Setzen zu
Pfand bedeuteten, dass sie eine „Sicherstellung"[2]) bewirkten
und dass sie ihren Ursprung in der anfänglich realen Hingabe
von Haftungsobjekten zu Pfand gefunden haben.

Aber auch mit all' diesem ist u. E. noch nicht erschöpft,
was sich an Frankens Theorie nach der Restaurierung des
Haftungsbegriffes halten lässt, ja was an ihr erst recht unabweislich wird. Doch gehört das Weitere nach dieser Richtung
hin wesentlich dem germanischen Rechte an. Darauf ist hier
also nicht einzugehen. Zu den Zwecken einer Betrachtung des
mittelalterlichen Rechtes ist vielmehr ein anderes zu betonen.
Neben den Berührungslinien fehlt es nicht an Gegensätzlichem.
Es liegt an den Ausgangspunkten der angestellten Deduktion,
dass bis zu ihrem Schlusse die Personalhaftung keinen Raum
findet. Franken geht vom Realkontrakt und vom Pfandrecht
aus. Er berücksichtigt deshalb nur die Sachhaftung. Das
interimistische Pfand ist unterwertig — wird es im Laufe der
Entwicklung immer mehr. Aber der Gläubiger erhält das Recht,
es nötigenfalls durch ein vollwertiges zu ersetzen. Insoweit
steht ihm ein Zugriffsrecht gegen das schuldnerische Vermögen
zu. Aber es ist nicht abzusehen, dass darin bereits eine sog.
„persönliche" Haftung liegt. Es kann sich freilich fragen, ob
sie nicht von hier aus zu gewinnen sei. Doch ist bezeichnend,
dass auch nicht versucht wird, in dieser Richtung die Ent-

---

[1]) Doch ist daran festzuhalten, dass nach dieser Theorie notwendigerweise nicht nur die Haftung, sondern auch die Schuld durch den Wadiationsakt konstituiert wird. Dies ist mit einer der wesentlichsten Vorzüge der
Theorie Frankens, dass sie zu dieser Konsequenz führt. Denn sie deckt
sich mit dem Recht, wie es uns aus den germanischen Quellen tatsächlich
entgegentritt. Vergl. unten den Anhang.

[2]) Cit. 217.

wicklungskette weiter zu führen. Hier gilt es augenscheinlich,
die Unzulänglichkeit der allzuengen Grundlage zu beheben.

Denn dem Gläubiger zur Sicherung dienen, Pfand sein
kann nicht nur ein Vermögensobjekt, eine Sache, sondern auch
die Person selbst. Neben der obligatio rei steht die obligatio
personae. Dabei ist allerdings richtig, dass auch diese eine
Pfandsetzung bedeutet und mehr noch: die persönliche Haftung
muss sich ursprünglich in den Formen der Sachhaftung bewegt
haben. Wie die Sache, so musste auch die Person, wenn
anders sie haften sollte, Faustpfand sein. Alle persönliche
Haftung ist ursprünglich Geiselschaft. Aber sowohl die sächliche als auch die persönliche Haftung hat ihre Geschichte.
In Hinsicht auf die erstere hat Franken interessante und wertvolle Perspektiven gewonnen, indem er die verschiedenen Ent-
wicklungsmöglichkeiten ins Auge fasste. An ihnen muss nun
aber auch die letztere gemessen werden. Und da ist denn nur
Eines möglich. Jenes Prinzip, das nach Franken die römische
Hypothek auf das Vollkommenste zum Ausdruck bringt und
das eine Verpfändung ohne Übergabe des Pfandobjektes in die
Hände des Gläubigers zulässt, muss in Hinsicht auf die Personenhaftung zum Durchbruch gelangen. Diese letztere muss
hergestellt werden können, ohne dass die haftende Person ihrer
Freiheit beraubt zu werden braucht. Dies ist möglich, wenn
der Schuldner oder ein Dritter für ihn verspricht, sich im Falle
der Nichterfüllung der Schuld dem Gläubiger zur Verfügung
zu stellen. Der Versprechende bleibt zunächst frei. Aber er
ist doch verhaftet. Seine Freiheit hat er sich erhalten durch
das Versprechen, nötigenfalls sich sofort dem Gläubiger freiwillig zu Faustpfand zu überliefern. Dieses Versprechen ist
das Treugelöbnis[1]). Es begründet die persönliche Haftung.
Freiwillig soll die eigene Person dem Gläubiger zur Befriedigung
als Pfand ausgeliefert werden. Um mich dergestalt zu ver-
haften, setze ich meine Treue ein. Wie die obligatio rei durch
Hingabe einer Sache, so wird die obligatio personae durch Hingabe der Treue hergestellt. Das Seitenstück der Pfandsetzung
ist das Treugelöbnis. — „In Wirklichkeit wird die Person jetzt
nicht mehr als Faustpfand gegeben, wohl aber dachte man sich

---

[1]) Puntschart S. 288f. Zweites Buch, das Treugelöbnis.

ihre Treue als Faustpfand eingesetzt. In der Vorstellung wird also immer noch etwas in die Gewalt des Gläubigers überantwortet, und in der Vorstellung, im Geiste ist das noch immer die Person. Denn in der Treue als dem Faustpfande wird die Person als solches gedacht"[1]): Diese letztere selbst wird durch das Geloben der Treue obligiert, zu Pfand, zu Bürgschaft eingesetzt.

Dieses Treugelöbnis, welches Puntschart in überzeugender Weise für das sächsische Recht nachgewiesen hat, ist auch dem altfranzösischen Rechte bekannt. Auch nach diesem wird das Treugelöbnis geleistet: fidem facere, fidantiam facere, fiduciare, faire foy; die Treue wird hingegeben: donner fiance; sie wird gelobt: fiancer foy, fiancer.

Quicumque pannos ad opus suum vel uxoris vel filiorum vel familiae emerit, de theloneo liber crit, si fide sua confirmaverit[2]).

Faciant fidantias, — facio vobis fidantiam, — qui fidem faceret[3]), ils ont achepté — — en faisant foy etc.[4]).

Et quant il avront finé et il istront de prison, il fianceront l'asseurement ou la trive etc., — — entre les persones du lignage de l'uue partie et de l'autre, qui ne fiancierent pas le trive ou l'asseurement[5]), se il ne les pooit avoir, si li face l'en fiancier qu'il ne s'en fuira etc.[6]).

Se einsinc estoit que I home aüst garde d'un autre et il venist à la joustice por lui faire asseürer, la joutise le doit faire asseürer, puisque'il le requiert, et doit faire fiancier, — — à celui de qui il se plaint etc.[7]).

Li vicueurs de M. sa fame ont promis et fiancié — — Et totes ces convenances ont fiauces le dit Robelez et Mariete sa feme[8]).

---

[1]) Cit. 499.
[2]) Nieuport a. 25
[3]) Charta a. 1060, a. 1206, a. 1056 cit. Bei Du Cange.
[4]) Mandemeut a. 1312 Ord. I 515.
[5]) Beaumanoir 1698, 1706.
[6]) Etablissement l I d. 69 Bd. II S. 44
[7]) Cit. tit. 31 S. 46.
[8]) Cart. de Champ. Richel 1 5993 f o 438 a., a. 1258 und Pothiers, Arch. tube a. 1268 cit. bei Godefroy.

: · Il fiença sa foi, — Par le foy fianchiie[1]).

· Et sil'en porroit li sire destraindre par la foi etc. — Ceci doit estre entendu, ce semble, de la mère — — qui comme bailliatre estoit entrée en foy[2]).

Et en bonne foy les assurons et leurs promettons[3]) — vieuquatz a la cort, ab lo messadge acostumat qui los mantz aura feytz, aparelhat de far fe deus mantz qui feytz seran etc.[4]).

Die Quellen bestimmen diese Treue des nähern als eine körperliche. Das ist in hohem Masse geeignet über Bedeutung und Ursprung des Treugelöbnisses Licht zu verbreiten. Die Treue, die hingegeben wird, heisst foi de corps, weil mit ihrer Hingabe der Körper verhaftet wird. In der Vorstellung wird geradezu immer noch der Körper hingegeben. So zielt diese Ausdrucksweise unverkennbar auf die alte Vergeiselung hin. Und gleichzeitig zeigt sie, in welchem Sinne die Entwicklung vor sich gegangen ist. Die Treue des Körpers besteht in der Bereitwilligkeit des Haftenden, sich im gegebenen Augenblick freiwillig in das Faustpfandverhältnis zu begeben.

A la requeste des diz espouse presenz et consentanz et fiençanz par la foy de leur corps[5]).

· Et cheu ai geu fianchie a garder et a tenir fa foy de non cors[6]).

Fianceant par la foy de son corps[7]).

Ja die Quellen drücken sich noch bestimmter aus und lassen keinen Zweifel darüber, dass das Treugelöbnis den Gelobenden mit seinem Körper und dessen Bewegungsfreiheit haftbar machen will. Dass er sich eventuell selbst seiner Freiheit entschlage, dazu obligiert sich der Gelobende.

Li fist le roy à monseigneur Guy de Flandres fiancer sa foy et obliger prison[8])

---

[1]) a. 1272 Arch. Maine et Loire. — Cart de St. Quentin a 1282 l. cit.

[2]) Etablissement cit. chap. 67, S 102 und die Glosse Laurières cit. bei Viollet III 366.

[3]) Lettres de Jean fils ainé de Philippe de Valois a. 1346, Ord. II S. 243.

[4]) Manière de mander la cour. Fors de Béarn S. 258.

[5]) a. 1313 S. Julien Arch. Indre et Loire cit. Geodefroy a. a. O.

[6]) a. 1321 Cart de St. Valmont.

[7]) a. 1328 Arch. Maine et Loire l. c.

[8]) Froissart.

La coustume estoit lors tele que nus chevaliers qui prison volsist fiancier, ne fut mis en buies ne en enuiaus[1]).

Deshalb werden gelegentlich die Haftung, die wenigstens vorläufig nur im Einsatz der Treue besteht, und die durch Freiheitsentzug realisierte Haftung des Körpers in einer Art einander gegenübergestellt, die an den analogen Gegensatz bei der Sachhaftung erinnert.

Ly un sunt fiancié, ly autre prisonnier[2]).

A la Paerose ne doit hon prendre, si fiance voet donner.

Enter autres causes, la Cort ha establit: que augunas causas son, en las quoaus no debin esser dades fidances, mas thianssers; la prumera cause es: que si dus homis de la terra aven goerra goarreyade, et a qui qu'eus aye trobats, no prenera de lor fidance, mas thianssers[3]).

Dabei kann freilich in letzter Stelle thiansser auch das sächliche pignus bedeuten. In genau gleicher Weise kann eben die Person oder die Sache Faustpfand sein, in genau gleicher Weise beides auch zur Bürgschaft dienen, weshalb denn die Quellen gelegentlich im Falle einer persönlichen Bürgschaft von plege parlant sprechen[4]). Diese Identität der Ausdrucksweise zeigt die Einheitlichkeit des Obligationsbegriffes, welche übrigens schon v. Meibom vertreten hatte, als er das Pfandrecht in Ansehung seines Gegenstandes darnach unterschied, ob es auf die Person oder auf die Sache gehe und betonte, dass eine vollständige Darstellung des deutschen Pfandrechts auch die Schuldknechtschaft umfassen müsste[5]).

---

[1]) Lancelot ms. Fribourg f o 127 e. Geodefroy l. c. Die beiden letztzitierten Stellen zeigen aber auch, dass das fiancer ein obliger bedeutet. Das Treugelöbnis ist ein Spezialfall der Haftungsbegründung. In diesem Sinne ist wert herangezogen zu werden die Charte de Lançon a. 1331: — — consentons et octroyons par les foys de nos corps et sous l'obligation de nous, de nos hoirs et successeurs — — et de tous nos biens meubles et immeubles présens et advenir de tenir etc. Nouv. Rev. hist. 1894 Bd. 8 S. 233.

[2]) Bataille des trente Englois et des trente Bretons 491. Crapelet. cit. bei Geodefroy a. a. O.

[3]) Béarn a. 22.

[4]) C. d Laon I art. 24.

[5]) Deutsches Pfandrecht S. 33 fg.

Die eben zitierte Stelle aus den Fors de Béarn ist demnach
auf alle Fälle für unsern Zusammenhang beweiskräftig. Die
hypothekarische Verpfändung des Körpers ist jüngere
Rechtsbildung. Hergestellt durch das Treugelöbnis, wohnt ihr
die rechtliche Möglichkeit inne, sich in ein Faustpfand-Ver-
hältnis zu verwandeln. — Die in Frage stehende Gegenüberstellung findet sich in den Fors de Béarn, aber auch noch in
Zusammenhängen, wo nur die persönliche Haftung in Betracht
fällt. Es wird von Geiseln gesprochen und von Personen, die
auf Grund des Treugelöbnisses haften.

— — deu far manar les hostadges a cada una mayson
de baig — — Pero, si lo Senhor recep los hostadges, deu
los dar a minyar et beber tres dies, et en aquegs, si ni a, et
egs los lors, et far dar fidances, a luy o a sons clamantz,
casalers que cadaun aya dus boeus et I azo, o penhere vive
qui ac halbe per tot clam gran, o pauc. Las fidances dades
de totz los clams, los hostadges son soos[1]).

Endlich soll noch eine Stelle herbeigezogen werden, die
nicht mehr dem très ancien droit angehört, in der aber doch
noch die alte Auffassung zum Ausdruck gelangt.

Une personne manquant de satisfaire à sa promesse,
ne peut valablement s'obliger à prise de corps, arrests et
emprisonnement en la terre de Gorze[2]).

Wer seine Treue nicht hält, hat keine Treue. Er kann
sie also auch nicht verpfänden. Das leuchtet ein. Aber man
kommt doch nicht durch, wenn man bei der Verhaftung seiner
Freiheit nur an die dadurch dem Gläubiger eingeräumte Macht
denkt. Dieser Gesichtspunkt führte vielmehr legistativpolitisch
nach entgegengesetzter Seite hin. Ein anderer Gedanke spielt
hinein. Wer seine Treue einsetzt, erklärt sich bereit und verspricht, sich nach Fälligkeit der Schuld, wenn er nicht leisten
kann, freiwillig zum Entzuge der Freiheit zu stellen. Das Recht
fürchtet, dieses Versprechen möchte zu einer — für die Ansprüche des Gläubigers fatalen — Lüge werden und verbietet
deshalb das Treugelöbnis.

Die bisherige Darlegung hat bereits gezeigt, dass durch

[1]) Baretons art. 1. vergl. Ossau art. 15 thiunsser o ostadges.
[2]) Gorze art. XIV.

das Treugelöbnis die persönliche Obligatio zu Stande kommt. Mehrfach wurde auch schon auf die Einheitlichkeit des Obligationsbegriffes hingewiesen. Diesem muss sich denn auch das durch das Treugelöbnis geschaffene Verhältnis unterordnen. Wenn die obligatio schlechthin eine Verpfändung oder Bürgschaft ist, so muss dies auch für die durch ein Gelöbnis hergestellte obligatio seine Geltung behalten. Dies ist denn auch die Auffassung der Quellen.

> Grant gage et grant fiancement
> A li Jueus del covenent[1]).

Neporquant convenances et obligacions pueent bien corrompre ceste coustume, si comme quant aucuns prent bois a essarter ou vignes à planter, a certaine redevance, et s'oblige par pleges, ou par foy ou par contreacens d'eritage, a paier les rentes etc.[2]). par sa foy ou par pleges[3]) Je suis tes homs fiancies et plevis[4]).

Plevine (plevigne, pleuvine u. a.) bedeutet cautionnement, engagement. Es wird in den Quellen in Wendungen verwertet, die in markanter Weise die mittelalterliche Auffassung vom Wesen des Treugelöbnisses wiederspiegeln. Wir sagten, die Treue werde gelobt und damit zu Pfand gesetzt. Das erstere hat bereits seine Bestätigung gefunden in dem Nachweis, dass die Quellen von fiancer foi sprechen. Es erübrigt das andere zu erhärten, nämlich dass die Treue zu Pfand oder Bürgschaft hingegeben wird. Dass dieser Gedanke dem Treugelöbnis zu Grunde liegt, zeigen Stellen wie die folgenden:

in ipsorum Iudeorum grande prejudicium et jacturam, et, ut in pluribus, contra fidem plevitam — — per dictos Christianos prestitutum temere veniendo etc.[5]) fide corporali plevita[6])

---

[1]) Mir. N-D. Richel 818 fo 63 b cit. bei Geodefroy v. fiancement.

[2]) Beaumanoir 695 vergl. Il faut que ce plege, ou fiance baille un contreplege, qu'ils appellent arriere fance. Apol. pour Hérod. S. 240 cit bei La Curne de St. Palaye, Dictionnaire de l'ancien langage françois v° fiance.

[3]) Etablissement de Louis IX ed. 63 Ord. I S. 156.

[4]) Raoul de Cambrai 6732 A. T. cit. Geoderfoy a. a. O.

[5]) Lettres a. 1363 Ord. IV S. 237.

[6]) A. 1310 cit. bei Du Cange v° plevire.

plevissando fidem meam firmavi[1]), pleuvierunt hoc totum — per fidem suorum corporum [2]).

Se ad praedicta invicem adstrinxerunt et obligaverunt — — sub suae fidei Plevimento[3]).

Dont me pluveres vous vo foi etc. [4]).

Man verpfändet „engagiert“ (engage, cautione) seine Treue, aber damit und dadurch verpfändet, „engagiert“ man sich selbst.

Plivitus per fidem sui corporis[5]).

Per fidem suorum corporum pliviverunt[6]).

Plivitus ist derjenige, der sich verbürgt hat, ist plegius, plège, caution, er hat sich durch Treugelöbnis obligiert. Diese Bürgschaft ist keine andere, als diejenige, die wir bereits unter dem Namen fidance angetroffen haben[7]) Für beide ist es begrifflich unwesentlich, ob für eine eigene oder eine fremde Schuld die Haftung errichtet wird. Schon die Art und Weise wie die Obligierung des Schuldners neben die Verhaftung Dritter gestellt wird, lässt darauf schliessen:

Et si l'en porroit li sire destrainde par la foi ou par les pleges — la joutise le devroit laissier aler o pleges metanz se il les pooit avoir; et se il ne les pooit avoir, si li face l'en fiancier etc.[8]).

Io te presterai se tu veus sour ta foi et sour sa plevine[9]).

Aber der Schuldner wird auch selbst Bürge genannt, wenn er sich obligiert.

Per bier en noticie de la causes juus expressades et disedores deus notar que l'omi o la fempna qui en public instrument per si medixs o medixe principaumentz o per autre cum a fidance se obligue etc. [10]).

---

[1]) Charta 1147 l. c.

[2]) l. c.

[3]) a. 1351 l. c.

[4]) Du Prestre et du Chevalier, Montaiglon et Raynaut Fahl. II 53 cit. Geodefroy v° pleva.

[5]) Charta a. 1244 cit. bei Du Cange a. a. O.

[6]) Charta a. 1238 l. c.

[7]) fiancer qu'on dit en ce pays: c'est pleiger et cautionner, a. 1554 Calv. Serm. etc. cit. bei Godefroy v° fiancer.

[8]) Etablissement cit. l. I ch. 67 u. 69.

[9]) La vie M. S. Nicholai Bibliph. fr. cit. Geodefroy v° plever.

[10]) Fors de Béarn S. 293.

Wegen dieser nämlichen Bezeichnung sehen sich die Quellen wohl auch veranlasst, besonders auszusprechen, für wen der Haftende eintritt, für sich oder für andere.

Li jo suy thiancut fidance et pagador per autruy [1]).

Bereits die früher genannten Erscheinungen, die Tatsache der körperlichen Treue, die historische Ableitung derselben, die systematische Einreihung des mittelalterlichen fidem dare neben das Verpfänden zeigten, dass das Treugelöbnis ein Sicherungsinstitut ist. Erneut geht dies aus der gleichen Behandlung hervor, welche die Quellen dem Bürgen und dem sich selbst verhaftenden Schuldner angedeihen lassen. Der Bürge soll die Schuld eines andern verbürgen. Zu diesem Zweck setzt er seine Treue ein. Er wird fidance. Dadurch ist der Gläubiger gesichert. Juristisch genommen genau dieselbe Sicherheit entsteht, wenn der Schuldner selbst dem Gläubiger das Treugelöbnis leistet. Von foi und von fidance wird denn auch als von Sicherheit gesprochen.

seurté — — per sa foy ou par pleges [2]). Fo stablit per tots temps que tots hom qui fidance, ni segurs ni thianssers meta d'autre etc. [3]) si deutor o fidance o segur noere [4]) Que si une femne es, que son pay et sa may l'ayanlaxat hostau o autre heretat per maridadge, per embarc ni per segurtat que lo marit fassa, siera medixa no s'en obligave cum eg, las soes canses no son thiangudes [5]).

Darum wird durch die hingegebene Treue „konfirmiert." Die Sicherheit, die sie bietet, ist eine Stärkung, die Unterstützung von etwas schon Bestehendem. fide sua confirmaverit [6]). Darum das Angebot:

Jo te presterai se tu veus sour tafoi et sour sa plevine [7]). Darum die Bezeichnung firmancia für denjenigen, der sich haftbar macht für den Gelobenden.

De his omnibus et singulis supra dictis ex parte comitia

[1]) Morlaas art. 118, 122, 127.
[2]) Les establissemens cit.
[3]) Béarn art. 76.
[4]) cit. art. 74.
[5]) Art. 279.
[6]) Nieuport l. c.
[7]) Vergl. oben S. 57.

convenatum est firmancia et debitor per sacramentum corporaliter praestitum R. comes Tolosae[1]). Firmancia vel sacramentum solum non recipiatur ab eo, sed pignora vel obsides,
vel persona propria in bona custodia teneatur[2]).

Diese Firmancia kennen einige südfranzösische Rechte
zunächst nur als prozessuale Bürgschaft[3]). Aber auch dort
finden wir diese Bezeichnung sehr früh auf jede persönliche
Haftung ausgedehnt.

De tote cause que lo Senhor me domani per si medixs
o per autre clamant, dey fermar por mons vesiis, et si no ac
pusc que ac dey jurar, et lo Senhor qu'eusdeu prener ferme
de dafora la viela, si dar l'on pusc. Empero la ferme deu esser
habundose et tau que lo Senhor ne pusque far reder au clamant
son dret, et la ferme que deu responer o judyar, cum a besii,
deutz los decxs de la viela, a totz los judyamentz qui per
aquest pleyt se seguiran[4]). Judya la cort a Lembeya que si
I es ferma de terre et no ditz a foor de terre, per totz temps
ha thencut[5]). Si per aventure lo pot ateuber ab la rappine,
qu'eu deu penherar, et si pot dar fermance etc. — et si atau
fidance no pot dar etc[6]).

Der Umstand, dass das Treugelöbnis sichert, setzt bereits
ein zu Sicherndes voraus. Es ist der Schuldvertrag in seinen
Wirkungen. Wie überhaupt durch die Obligation, so wird auch
durch die mittelst Treugelöbnis hergestellte Obligation das
Haltensollen (allfällige Ersatzschulden) und das Leistensollen
(die Vertragsschuld) verbürgt. Einige wenige Citate mögen
dies belegen.

Hanc summam coram nobis fiduciaverunt se reddituros[7]).
Dont me pluveres vous vo foi Fait li prestres, que je serai
Domain paiies[8]). Ut hoc firmum et ratum sit, pleris-

---

[1]) Tabulae nuptiales Bernardis Comitis conv. et M. M. a. 1197, vergl.
du Cange v° firmancia.

[2]) Conc. Tolosae a 1228 cap. 8 l. c. Dass durch den Eid die Treue
eingesetzt ist, wird noch erläutert werden.

[3]) Franken 220 f.

[4]) Béarn 134, vergl. Fors de Béarn S. 147 N. 2.

[5]) art 216.

[6]) Aspe art. 20.

[7]) Charta Ludor. VII a. 1165.

[8]) Du Pustre et du Chevalier cit.

sando fidem meam firmavi[1]), fiençanz — — que james
encontre cest jugié ne vendront[2]), fienceant — — à tout
ce tenir[3]), fiancié — — que il desoranavant n'iront encontre
cest eschange.[4])

Das Treugelöbnis dient also der Sicherung. Es schafft
eine firmancia. Diese letztere Bezeichnung ist so indifferent,
dass sie auch auf die dem gleichen Zwecke dienende Sachhaftung angewendet werden kann. In dem For de Morlaas
wird von einer Pfand-firmancia durch Grundstücke gesprochen:
Ferma de penchs de terre (art. 197). Anders aber verhält es
sich mit dem Terminus: fidancia. Fidancia wird man durch das
fidem dare, und das ist die der persönlichen Haftung ausschliesslich eigentümliche Begründungsart. Dass der Bürge
stets und dass der Schuldner, wenn anders er obligiert ist, uns
als fidancia entgegentritt, erklärt sich auf das natürlichste und
leichteste, wenn man vom historischen Haftungsbegriff ausgeht
und das Treugelöbnis im dargelegten Sinne anerkennt. Nicht
so leicht könnte dieser Sprachgebrauch begreiflich gemacht
werden, wenn man dem Erklärungsversuch beispielsweise den
gemeinrechtlichen und modern-französischen Obligationsbegriff
zu Grunde legen wollte. Auf dieser Basis müsste man die
fidantia viel eher auf der Seite des Gläubigers als anderswo
suchen. Er schenkt die fides, den Glauben, seinem Schuldner
und — vielleicht auch der Zulänglichkeit des Zwangsverfahrens.
Der Schuldner wird leisten. Sollte aber sein Wollen in dieser
Richtung versagen, dann wird er doch leisten müssen. In der
einen oder andern Richtung wird der Gläubiger ein fidem dans
sein. Vielleicht ist er es gerade in ersterem Sinn so ausgesprochen, dass er auf jede Sicherheit verzichtet. Nun aber
heisst umgekehrt gerade der Schuldner — soweit er obligiert
ist — fidantia. Eine derartige Benennung kann doch darin
nicht ihren Grund finden, dass der Schuldner sich in die rechtliche Notwendigkeit versetzt, dem Gläubiger zu leisten. Und
wenn vollends der Bürge derartig bezeichnet wird, fehlt auf
Seite des Gläubigers gerade der Glaube, darum verlangte

---

[1]) Charta 1147 cit.
[2]) S. Julien Arch. Judu et Soire a. 1313 cit.
[3]) a 1328 Geodehoy v⁰ siancer.
[4]) Cart a 1258 cit

er die Sicherung durch Bürgschaft. Auf Seite des Bürgen aber
könnte von einem solchen höchstens dem Schuldner gegenüber
die Rede sein. Dass aber dieser Umstand den Namen des
Bürgen hätte bestimmen sollen, ist wahrlich nicht anzunehmen.
Denn nicht nur war zu allen Zeiten in Hinsicht auf die Bürgschaft die Sicherung der Hauptgesichtspunkt, sondern es kommt
auch dem eben genannten Umstand in jenen Zeiten eine mini-
male Bedeutung zu, wo innerhalb engerer und weiterer Personal-
verbände das gegenseitige Bürgestehen, wenn nicht ein juristisches,
so doch ein moralisches Gebot war.

Diesen Erwägungen kommt kein praktischer Wert zu,
solange sie nur die fidantia betreffen. Denn wir kennen diese
letztere nicht mehr und zudem ist dieselbe durch das früher
Gesagte genügend klargestellt. Sie erhalten aber ihre Tragweite in Hinsicht auf eine auch uns noch durchaus geläufige
Ausdrucksweise. Diese wird unter den angedeuteten Gesichtspunkten betrachtet, einen neuen und letzten terminologischen
Beweis abgeben für die Richtigkeit des restaurierten Obligationsbegriffes und für die Existenz des Treugelöbnisses in dem hier
dargelegten Sinne.

Neben die fides stellt sich das credere und seine Deri-
vativa, um den Glauben und die Treue zu bezeichnen. Credere
kann sich — prima facie ist das die einzige Möglichkeit — im
Schuldverhältnis nur auf den Gläubiger beziehen. Das sagt
auch der deutsche Name. Der Gläubiger glaubt, indem er zukünftige Befriedigung erhofft. Lässt er sich Pfänder geben und
Bürgen bestellen, dann ist sein Glaube freilich minim, ja er
verschwindet vielleicht völlig, wenigstens dem Schuldner gegenüber. Als der gläubigste Gläubiger, der diesen Namen recht
eigentlich verdient, möchte demnach derjenige erscheinen, der
ohne jede Sicherheit — vertrauensvoll — dem Schuldner
kreditiert.

Das Mittelalter muss von andern Anschauungen ausgegangen sein. Die créance wird neben und mit der Obligation
in gleichen Zusammenhängen genannt.

Les crans de debtes, cedulles et obligations pour simple
debte etc. [1]).

---

[1]) Ord. de Metz art. 86 S. 380.

Il est deffendu à tous manans et habitans de cette ville — —
de passer cran ts, obligations, testamens et codicilles etc. [1]).

Dix lettres obligatoires soubz seelle royal et uu crantement
de la court de l'évesque de Beauvais[2]).

Solche Wendungen sind auffallend. Die obligatio hängt am
Schuldner, an der passiven Seite. Vom Schuldner wird sie
hergestellt. Er haftet. Sollte ein Ähnliches auch für diese
cran, crants (créance) crantement Geltung haben? In der Tat
werden auch sie nicht vom Gläubiger begründet, gehen auch
sie vielmehr von der passiven Seite aus.

Faciant creditoribus — — creantum suum etc.[3]).

Et promisit ledit Chevalier par son léal créant et par
son serement[4]).

Et tout seurement luy creancez a donner[5]). Demzufolge haben wir es mit einer Obligierung zu tun. So sagt
denn auch folgende Stelle:

Per assensum et creantationem ejusdem Eustachii pro-
mittens et obligans me dictae ecclesiae ad guarandigandum
cidem dictam decimam[6]).

Es scheint demnach, dass nicht der Gläubiger den Glauben
gibt, sondern der (sich verhaftende) Schuldner. Seinen Glauben
hingeben — ist das nicht seine Treue hingeben? Das credere,
die credance, die créance, die vom Schuldner ausgeht, kann
doch wohl nur seine Treue sein. Das ist denn tatsächlich
auch die Auffassung der Quellen, welche die credance nicht nur
neben die obligation, sondern in nicht misszuverstehender Art
und Weise auch neben die fidance stellen.

Promiserunt et creantaverunt fide interposita[7]).

Et leur fit creanter par la foi de corps etc.[8]).

Quiconques se met en arbitres, arbitrage est de si grant

---

[1]) Ord. cit. art. 91 S. 381 vergl. Nouv. Revue hist. Bd. II S. 192, 241.

[2]) Charta a. 1299, vergl. Du Cange h. v.

[3]) Statut. Phil. Aug. a. 1188.

[4]) Charta a. 1299 l. c.

[5]) Lancelot du Lac 1re p. ch. 55 éd. 1488 cit. bei Geodefroy h. v.
vergl. auch Curne de St. l'alaye Dictionnaire hist. v. cran etc. Il leur a
creanté que si feroit-il. — Cil. li creança que il le garderoit etc.

[6]) Charta J. de Seiles milit. a. 1220 a. a. O.

[7]) Charta Petri Episc. Tarvan. l. c. a. 1244.

[8]) Chronicon Flandr. c. 71.

vertu, que nulz n'en puet apeler, c'est assavoir quand il est
fianciez de l'une et de l'autre partie et creantez loiaument à
tenir; et doit avoir certain arbistre etc.[1]), quand aucune maniere
de gent fiancent ou creantent ou convenancent etc.[2]).

Prometant par leur leans creans et par la foy de leur
cors etc.[3]).

G. dist qu'il feroit paier les chevaliers por aquiter son
gendre par cel convant que il li fianceroit et donroit son
creant etc.[4]).

Prometons an bone foi et par noz leiaus creant que etc.[5]).

Par lor loiaus creanz et sermenz[6]).

Et cranté a tenir par foi plevie[7]).

Si fist messire R. de F. créanter se foy et obligier
prinson[8]).

Die Bedeutung der créance besteht also nicht im Glauben
und Kredit, den der Gläubiger gibt, sondern im Glauben und in
der Treue, die der Schuldner gibt, die er zu Pfand einsetzt, indem er damit sich obligiert und dergestalt dem Gläubiger eine
Sicherheit bietet. Die Vorstellungen, wie sie dem Treugelöbnis
zu Grunde liegen, haben bei ihrer überragenden Bedeutung im
mittelalterlichen Rechtsleben auch die Terminologie des credere
sich dienstbar gemacht. Die créance ist fidance. Sie ist Treue
und als solche gerade das Gegenteil dessen, was die Theorie
aus ihr machte, das Gegenteil des mehr oder weniger aleatorischen
Vertrauens des Gläubigers, sie ist Sicherheit, sikirheit, seurté.

Des seurtez et rapports: Entant que touche seurtez,
ou crands de lettriage transportez — — ledit recours et
vendange devra cesser et la pension avoir cour et le crand
demourer en vertu. — — Item pour crand ou seurté de
vaisselles, joyaux ou autre hagues, — — quand l'acteur à deffaute

---

[1]) Anc. coust. du Chartelet.

[2]) Beaumanoir 884 vergl. 400 fet fiancier — — li creantemens.

[3]) 1311. cit. lui Geodefroy h. v.

[4]) G. de Tyr XI 11 Hist. des crois.

[5]) a. 1260. Affr. des habit. d'Hiers Arch. S. et O. A. 987 cit. bei Curne
de St. Palayo h. v.

[6]) d. h. Treue. Es wird darauf zurückzukommen sein. a. 1282 Cart
de St. Maurice cit. bei Geodefroy.

[7]) Chirogr. 1219 Arch. num. de St. Quentin. cit. a. a. O.

[8]) Froissart II, 433.

de payement voudra üceluy crand, ou seurté mettre à mercy
etc.[1]), und wird deshalb auch neben andern Sicherheiten
genannt.

Et li en fut bailliet en c r a n d et en p l e i g e etc.[2]).

Et envoiea douze hommes de le ville de Dignant, tous
des plus riches, qui furent c r a n et h o s t a i g e s etc.[3]).

Deshalb erscheint, wie überhaupt die Haftung, so auch die
créance als ein concedere.

Insuper g r a t a m u s et c o n c e d i m u s etc.[4]).

Deshalb entspringt aus ihnen, den crans, die Forderung
und die Klage des Gläubigers.

Les c r a n s de d e b t e s — — en vertu des quelles les
creantiers porront faire dem ande et action[5]).

Deshalb begegnen wir wiederum den alten Funktionen:
Einstehen für das Haltensollen und das Leistensollen.

Hanc summam — — fiduciaverunt se red di turos[6]).

Et cranté a tenir[7]) se luy fist crancer qu'il s'en yroit
tout droict vers le roy Arthus son oncle ou il se rendroit prisonnier[8]).

Et promistrent le devant dit Nicolas L. et M. sa fame
par leur laiaus creanz que bien et laiaument paieront[9]).

Deshalb endlich heisst der Haftende c r e d e n z a. Fidejussor[10])

---

[1]) Haynault ch. 89.

[2]) Froissart II, 433.

[3]) Cit. VI, 349, vergl. Curne de St. Palaye. h. v. Ein anschauliches
Bild von der Lage des Schuldners, der das Treugelöbnis abgelegt hat, der
deshalb in Freiheit bleibt, sich aber dahin verhaftet hat, freiwillig sich dem
Gläubiger zu stellen, liegt in der Bedeutung, welche créance in einem speziellen
Sinne für die Falkenjagd angenommen hat: C'est la petite ficelle avec la
quelle ou retient, ou s'assure du faucon qui n'est pas dressé, ou comme on
disait, qui n'est pas creable. On nommait faucon creable, celui dont ou
était sûr, sans être obligé de le tenir attaché à la créance. l. c.

[4]) a. 1237. Charta Joan. Ducis Brit. bei Du Cange.

[5]) Ord. de Metz art. 86.

[6]) Charta Ludov. VII cit. ebenso: quod ipsam redderemus immunem
crentavimus, Charta Calcheri Comitis S. P. a. 1216 Du Cange h. v.

[7]) Chirog. 1219 cit.

[8]) Perceval Elucid. éd. 1530.

[9]) A. 1253. Arrentum Arch. L. 76 cit. bei Geodefroy h. v.

[10]) Ganz richtig sagt Domat Lois civiles III. 4 über die Benennung
der Bürgen: on les appelle cautions, parce que l e u r o b l i g a t i o n est une

ist der Bürge, weil er seine Treue gelobt und fidantia ist der fidém dans. Dieselbe Bedeutung hat credence, credenza. So werden der debitor obligatus und der Bürge genannt. Die Erklärung dafür finden wir im Treugelöbnis Sie haben ihre Treue verpfändet. Dadurch sind sie obligiert. Beides besagen die genannten Ausdrücke, wobei wir für den letzten, die credence, folgende Stellen namhaft machen.

Si augun hom Saffora esta viela se rencure d'home d'esta viela au Senhor, se pot dar credensa au Senhor etc.[1]).

. La credence que lo Senhor pren es thiencude de enmendar dann et mau etc.[2]) Si yo meti credensa a d'augun vesii — — car credensa no'm de, m'en clame et aura valor[3]).

Schon stets ist es aufgefallen, dass die mittelalterlichen Quellen den Gläubiger debitor nennen. Schon Franken hat darauf hingewiesen, dass sich dieser Sprachgebrauch auch in dem altfranzösischen Recht findet[4]). Bei dem häufigen Vorkommen konnte ein blosses Verschreiben keine befriedigende Erklärung abgeben. Nunmehr wissen wir aber, warum der Gläubiger ein debitor ist. Auf Grund des Schuldvertrages ist auch er ein Sollender. Er ist dahin rechtlich bestimmt, dass er die Leistung entgegennehmen soll. Nun sehen wir, dass umgekehrt auch der haftende Schuldner oder der Bürge durch Ausdrücke bezeichnet wird, von denen man zunächst glauben möchte, sie liessen sich nur auf den Gläubiger anwenden. Bereits die credence fällt auf. Schon sie suchte man nur auf der aktiven Seite. Es finden sich aber sogar die Ausdrücke creancer, crenuceour, crensseur, crencieur, cranter auf die passive Seite angewandt. Der Schuldner und der Bürge heissen eréditeur. Der debitor (obligatos) ist — creditor! Das bedarf der Erklärung. Mit dem Schuldvertrag allein ist dabei nicht durchzukommen. Wir haben vielmehr darauf hingewiesen, dass auf Grund desselben diese Ausdrucksweise sich nicht hätte

sûreté, et fidéjusseurs, parce que c'est sur leur foi que s'assurent ceux envers qui ils obligent. Er fügt bei: C'est ce que signifient ces deux mots dans leur origine. Vergl. Fors de Béam S. 141 N. 3.

[1]) Morlaas art. 11 tit: si thiancut pot dar credensa.

[2]) Cit. art 136.

[3]) Art. 275.

[4]) Pfandrecht S. 107 N. 2.

bilden können. Ganz anders ist es, wenn wir an die Haftung denken und wenn wir wissen, dass diese, soweit sie eine persönliche sein sollte, durch das Treugelöbnis hergestellt wird. Danach wird die Treue hingegeben — ein bedeutungsvoller Akt der Garantierung, durch den der Schuldner eine neue Qualität erlangt. Fidem dans ist er in Treue obligiert: Fidance, credence — créancier!

Les — — enfans venus en aage parfaict ne peuvent demander les meubles, ne les debtes qui estoyent dues à leur pere, ou mere et n'en auront aucune action à l'encontre des créanciers vivant leur gardien, et aussi ne seroyent tenus lesdits créanciers de leur en respondre en aucune manière, sans autre titre ou autre qualité[1].

La ou tenementz sunt liverez al creaunsor en absence le dettor, e le dettor eyt aquitance etc. il deyt aver bref de fere vener le creaunsor a mostrer s'il sache rendire pur quei l'aquitance ne deyt estre alowé[2].

Je ordenerent par cautele que tous les compaignons romains qui a aucuns citaiens auroient presté peccune puis certain jour nomené venissent avant et deissent la quantité, et que tous ce qui des celle journee auroit esté presté fust rendu au crensseur par tells comme le debteur se seroit obligea et l'auroit convenu[3].

En ce qu'ilz n'out pas sceu quant telles venditions sont estey faites, tant les crencieurs de celour qui vendoent, comme leur parens et amis[4].

. Diese Darlegungen mögen genügen, um die Existenz des Treugelöbnisses im altfranzösischen Recht zu beweisen. Wir können somit wieder zu der Frage zurückkehren, von der wir ausgegangen sind. Zu der Frage nach Ursprung und Zweck des Formalismus.

---

[1] Grand coat. de France éd. 1635. S. 209. Auf die genannten Stellen machen Geodefroy und La Carus de Saint-Palaye h. v. aufmerksam.
[2] A 1304. Year books of the reigns of Edward the first, years XXXII—VII S. 75. Rer. brit. script.
[3] Bersuire T. liv. ms. Ste. Geneviève fo 356c.
[4] A. 1419 Arch. Fribourg 1re Coll. des lois no 162 fo 41. Weitere Belege l. c. Dort bezeichnet Geodefroy den creanceor als celui qui se porte caution.

5*

Es ist nachgewiesen worden, dass es im mittelalterlichen Recht einer bestimmten Form bedurfte, um die persönliche Haftung herzustellen. „Das Treugelöbnis war ein rechtsförmiger Akt“ [1]. Und als die rechtlich notwendige Form bezeichnen die Quellen selbst formelhaft: „Hand und Mund“, „Finger und Zunge“. [2]) Durch Handsymbol und Wortform wird die Treue gelobt, die Person verhaftet. Erst dieser Nachweis erschliesst uns das volle Verständnis für den Formalismus. Denn die Form ist eine derartige, dass sie den Zweck des Treugelöbnisses unmittelbar zum Ausdruck bringt. Und andererseits wird erst jetzt, wo wir Zweck und Wirkung der Form kennen, eine genetische Ableitung möglich, wie sie Franken angestrebt hat, eine Ableitung, wonach die Form als eine notwendige und unmittelbare Folgewirkung der Entwicklung des materiellen Rechts sich herausgebildet hat. Der Formalismus des Handschlages ist durchsichtig und verständlich geworden. „Weil es sich bei der Treue um die freiwillige Überantwortung des zu Pfand gesetzten Körpers der Person handelt, so ist es nur natürlich, dass sie auch körperlich gegeben wird, und zwar, dass als Wahrzeichen, welches den Treuwillen dem Auge sinnenfällig machen sollte, die Hand diente. Denn die Hand steht für die Person“ [3]), sie ist das Symbol ihrer Macht. Wer sie hingibt, unterwirft sich, gibt sich in die Gewalt dessen, der sie entgegen nimmt. Schon die arische Urzeit hat in diesem Sinne die Handreichung gekannt [4]). Sie bedeutete damals die Vergeiselung der Person, die wirkliche Übergabe derselben in die Gewalt des Gläubigers zum Zwecke der Sicherung einer Schuld. Als nun im Laufe der Entwicklung die persönliche Haftung mit der Freiheit des Haftenden vereinbart wurde, hielt man doch an der Handreichung fest. Sie sollte immer noch die Unterwerfung manifestieren. Sie war der vorweg genommene Formalakt der faustpfandartigen Unterwerfung. Der Schuldner wollte sich hingeben, nur sollte er zunächst noch seine Freiheit behalten. Er gab die Treue hin, körperlich, mit dem Handschlag, indem er damit seinen Willen zum Ausdruck brachte, sich selbst zu stellen, indem er

---

[1]) Puntschart 334, 389, 406f.

[2]) Cit. S. 342f., 485f.

[3]) S. 491.

[4]) S. 499. vergleiche jedoch unten, im Anhang Kap. 3 und das Vorwort.

sich verhaftete, sich band, de facto freilich nur virtuell, in der Vorstellung aber, eben dank des Formalaktes, immer noch mit der ganzen Person wie ein Geisel.

Dass auch das französische Recht den Formalakt kennt, deuten die Quellen zuweilen in allgemeiner Weise an.

... à ce se obligèrent les ci — devant dis bourjois solempnement et souffisamment[1]), par solempne promesse (et par notre leal creant[2]), fayre assegureir et prendre segurté de tot les nostres et a nos appertignyent et de tot autres per la magniere et forme etc.[3]).

Deshalb rechnen wir darauf, in den Quellen auch dem Handschlag zu begegnen. Das ist denn auch der Fall. Unser Formalakt heisst paumée. Doch tritt er uns in ganz merkwürdiger Verwendung entgegen. Es möchte scheinen, dass er mit dem Treugelöbnis nichts zu tun hat und dass er nur die Perfektion des Schuldvertrages zum Ausdruck bringe.

Emptio vel venditio non valet sine palmata, vel sine solutione pretii peculiari vel universali, vel sine rei traditione[4]).

li autre dit que pour ce que il i a paumée est marchié par cotume, et il n'i ot point de paumée; que por ce veaut-il que li marchiez fust nus[5]).

Danach ist offenbar der Schuldvertrag (erst) abgeschlossen mit der Handreichung. Dazu kommt, dass die Quellen regelmässig die paumée neben arrha, denier à Dieu und Entrichtung des Preises stellen. · Dies veranlasst Esmein[6]), die paumée nicht in den Rahmen des Formalkontraktes zu stellen, sondern sie in unmittelbare Beziehung zum Realkontrakt zu bringen. Sie soll eine exécution partielle purement symbolique sein, eine tradition réduite à sa plus simple expression. Dahin

---

[1]) Manre a. 1273.

[2]) 1370 Ord. V 380.

[3]) Arch. Friburg 1m coll. de lois a. 1409 no 165.

[4]) Montpellier a. 100.

[5]) Livre de Jostice I. 2 § 7. Die Stelle läuft jedoch auf die Anerkennung des Konsensualvertrages hinaus, vergl. Franken S. 55 f. Dort finden sich zahlreiche weitere hierhergehörige Quellennachweise, ebenso bei Esmein S. 26 f. ferner bei Siegel: Handschlag und Eid in den Sitzungsberichten der phil.-hist. Cl. der K. Ak. d. W. in Wien. Band 130 S 71 f. Es mögen deshalb hier die wenigen Zitate im Text genügen.

[6]) l. o.

führte die Entwicklung des Realvertrages: von der vollwertigen
Leistung aus hin zur blos· teilweisen Erfüllung und weiter bis
zum Handschlag, dem blossen Symbol der Erfüllung. Es nimmt
sich aus wie ein Beweis der Richtigkeit dieser Auffassung, dass
sie sich in derselben Weise Esmein und Franken ergeben hat.
Aber Franken gibt seine Darlegung über diese Zusammenhänge
in dem letzten Abschnitt des Buches (über das Mobiliar-Engage-
ment). Über die paumée spricht er in den einleitenden Untersuchungen über Real- und Formalvertrag und hier kommt vielmehr ein anderer Gesichtspunkt zur Geltung. Der Kampf
zwischen Real- (und Formal-)vertrag und Konsensualvertrag ist
der Kampf zweier grundsätzlich verschiedener Anschauungen,
der Kampf zwischen römischem und deutschem Recht. Weil
das richtig ist — und Frankens Darstellung der verschiedenen
Phasen dieses Kampfes erhärtet dies — darf man gerade nicht
die paumée als letzten Rest des Realkontraktprincipes auffassen. Natürlich und geradewegs hätte eine solche Entwicklung auch zum Konsensualvertrag hingeführt. Für das altfranzösische Recht handelt es sich aber um Gegensätze, nämlich
um den germanischen Real- und den römischen Konsensualvertrag.
Ein drittes kommt zunächst nicht in Frage. Aber freilich, sobald
der letztere sich anschickt, das Feld zu erobern, erhebt sich die
Schwierigkeit. Das deutsche Recht kennt keinen Konsensualvertrag. Ausser vom Realvertrag weiss es nur noch vom
Schuldvertrag, der, wenn er verfolgbar sein soll, durch eine Haftung, insbesondere durch ein Treugelöbnis unterstützt sein muss.
Ein römischer Verkauf verstösst zunächst gegen den Grundsatz
des Realvertrages. Aber sollte er trotzdem anerkannt werden,
so erhebt sich die andere Schwierigkeit: der Vertrag ist noch
nicht konfirmiert. Und nun begegnen wir in den Quellen den
verschiedenen Lösungen: Die einen anerkennen rückhaltlos den
consensu abgeschlossenen Kaufvertrag: covenances acordées par
bones mors font le marchié[1]). Die andern finden, dass es einen
solchen Schuldvertrag nicht gebe: Der Verkauf ist von Alters
her ein Realvertrag. Sollte sich aber der Käufer ausdrücklich
obligieren — was eben bis dahin auch nicht nötig gewesen —
dann wollte man doch den Vertrag anerkennen, — eine Conces-

---

[1]) Liv. d. Jost. cit.

sion an das römische Princip, — doch eben erst mit der Begründung der Haftung — ein überaus interessanter Vorbehalt. Er
bedeutet eine Abwehr nach zwei Seiten hin: gegen die Möglichkeit einer persönlichen Haftung aus dem Konsensualvertrag einerseits und gegen das Aufgeben des Realprinzipes, da wo es
bisher geherrscht hat, anderseits. Daher drängt sich hier
die paumée hinein. Wo sie nötig erscheint, in den Fällen von
Kauf, Leihe, Miete, Pfand, bedeutet dies einen Sieg deutschen
Rechtes, innerhalb desselben aber doch auch einen Bruch
mit eigenen bisherigen Auffassungen. Es ist darum überaus
charakteristisch, dass die Rechte selbst wieder schwankend
werden, und in mehr oder weniger weitem Umfange ein Rücktritts-
oder Reurecht zulassen[1]).

Doch wie dem auch sein mag, das eine scheint mir
zweifellos, dass auch in den angeführten Fällen die paumée
der Handschlag des Treugelöbnisses ist. Das wird
schon dadurch wahrscheinlich, dass dem auch in den deutschen
Quellen so ist[2]). Nach ihnen wird mit dem Handschlag auch
bei den genannten zweiseitig verbindlichen Verträgen die Treue
hingegeben. Aber auch die französischen Quellen lassen dies
deutlich zum Ausdruck kommen. Man vergleiche die interessante
Stelle:

Si quis mercator aliquam rem mobilem alicui obligatam
emerit, possessionemque ejusdem adeptus fuerit, si creditor
contra dictum mercatorem ratione hypothecæ vel alias contentare
voluerit, hoc ei facere non licebit. Possessio vero adepta
dictae rei venditae dicitur quando mercator pecuniam exsolvit
seu partem ejusdem, aut mercam suam ibidem interposuit aut
possessionem actualem acceperit, aut cum instrumento
versus venditorem de solvendo certum quid et certo
termino se obligaverit, in istia casibus possessio adepta
dicatur[3]).

Diese Stelle zeigt die Ratlosigkeit, mit welcher man dem
Widerstreit des deutschen und des römischen Rechts gegen-
überstand. Es stellte sich, sobald man vom Prinzip des Real-

---

[1]) vgl. darüber die oben S. 69 N. 5 zitierte Literatur.
[2]) Siegel cit.
[3]) a. 1312 Berger ac.

vertrages abwich, die Frage nach dem Besitzübergang ein. Es
zeigt sich dabei schon hier das Bestreben, denselben unmittelbar vom Vertragsschluss abhängig zu machen. Die Voraussetzungen sind die nämlichen, wie sie in manchen der von
Franken und Esmein beigebrachten Stellen für den Vertragsschluss erheischt werden. Entweder wird das Prinzip des
Realvertrages hochgehalten, oder aber es trete doch eine
formelle Obligierung dazwischen. Dieser kommt dann eine
sonst völlig fremde Funktion zu: diejenige eines Perfektions-
momentes des Vertrages. Ebenso hier: Mit der persönlichen
Obligierung geht der Besitzwechsel vor sich. Doch gewiss eine
dem Instrumentum im allgemeinen fremde Wirkung — ein
Zufälliges. Aber der Formalakt der persönlichen Obligierung
eignete sich zum Refugium gegen römische, allzustörende Anschauungen. Deshalb die Verwendung desselben (paumée,) zum
Abschluss des Vertrages, und dann auf der neuen und schiefen
Bahn eigenmächtig vorwärtsgehend, seine Verwertung in der
Frage nach dem Besitzübergang (in der zitierten Stelle:
instrumentum).

Da es sich freilich in der beigebrachten Stelle nicht um
den Vertragsabschluss handelt, könnte immerhin der Schluss
ein trügerischer sein. Es bleibt ja immerhin merkwürdig, dass
die paumée ihre Anwendung nur bei den zweiseitig verbindlichen
Verträgen zu finden scheint, insbesondere beim Kauf, so dass
Du Cange[1] an erster Stelle glossiert palmata = contractus
emptionis vel venditionis; quod in signum pretii conventi
dextram dextrae committere solent etc. Aber dass es sich hier
doch nur um eine Nebenwirkung des Formalaktes des
Treugelöbnisses handelt, zeigt schon folgende Stelle:

Noz entendons que marchiës est fes si tost comme il est
creautés à tenir par l'acort des parties entre gens qui
pueent fere marchiés, — — ou si tost comme li deniers Dieu en est
donnés, ou si tost comme erres en sont donnees; car chascune de
ces trois chozes vaut confermement de marchié[2]). Nach Franken[3]
bedeutet créanter par l'acort des parties: consensu contrahere.

---

[1] Glossarium h. v. VII S. 4.
[2] Beaumanoir 1066.
[3] S. 53.

Es wird also der Konsensualvertrag anerkannt. Daneben
stehen Gottespfennig und Arrha. Daraus folgt Franken, dass
der Konsensus doch nicht das juristisch allein Bedeutsame sein
könne. Andererseits aber unterlasse Beaumanoir, seiner Drei-
teilung weitere Konsequenzen zu geben, etwa durch Beispiele,
wann blosser Konsens genüge, wann eine Arrha oder dergleichen
nötig sei. Selbst für den besten Juristen seiner Zeit sei es
noch zu früh gewesen, das erst in der Bildung begriffene
Obligationenrecht unter feste oberste Regeln zu bringen. Aber
Beaumanoir spricht nur von den Verträgen, die nach dem
germanischen Recht allein re zu stande kamen. Diese sind
perfekt durch Hingabe des denier à Dieu oder der Arrha und
dazu kommt eine dritte Möglichkeit: ältere Quellen bezeichnen
sie als paumée. Beaumanoir gibt derselben Sache einen andern
Namen, der Kauf[1]) ist abgeschlossen durch das creanter der
Parteien. Wie wir bereits gesehen, kennt Beaumanoir das
fiancer im Sinne des Ablegens eines Treugelöbnisses und in
demselben Sinn das creanter. Auch stilisiert er Formeln der
Obligierung[2]), die zeigen, dass er das Wesen des Schuldvertrages und seine Wirkungen und die Haftung mit ihrem
Zweck und der nötigen Form ihrer Begründung so scharf
erfasst hat, dass wir auch beim creanter unserer Stelle nur an
die Begründung der Haftung durch Treugelöbnis denken dürfen.
Der nächste Beisatz ist ja charakteristisch: creanter à tenir.
Weiterhin folgt freilich die Wendung par l'acort des parties.
Aber selbst, wenn es richtig wäre, dass sich hier Beaumanoir
unmittelbar hätte vom römischen Recht beeinflussen lassen,
bliebe doch zu Recht bestehen, dass die persönliche Haftung
begründet werden muss, wenn die in Frage stehenden Verträge
zur Existenz gelangen sollen. Es wäre eine Beeinflussung, die
nur wiederum zeigte, wie Beaumanoir das römische Recht
selbständig auffasste und selbst da, wo er es scheinbar accep-
tierte, doch im Grunde genommen vom eignen, einheimischen
Recht nicht liess. Aber dieser acort des parties kann gar wohl

---

[1]) Diesen Sinn hat sehr häufig marcié, ebenso berechtigt uns nicht nur
der Wortlaut der Stelle, sondern die Bedeutung, welche dem genannten
Ausdruck zukommt in vielen Quellen, ihn auch in unserer Stelle als Bezeichnung der zweiseitig verbindlichen Rechtsgeschäfte aufzufassen.

[2]) Vergl. oben S. 41 f.

darauf gehen, dass der Verkauf nicht durch denier à. Dieu
oder arrha, sondern eben durch Treugelöbnis, creante á tenir
abgeschlossen werde. Oder, was wahrscheinlich, die Wendung
soll nur den Nachsatz einleiten, der Vertragsfähigkeit verlangt[1]).

Dass aber für den Fall des Weglassens von Arrha oder
Gottespfennig oder Weintrunk das Treugelöbnis nötig war zum
Vertragsabschluss, dass dies also auch in der angeführten Stelle
der Fall ist und dass also auch überall mit der paumée nichts
anderes gemeint ist, zeigt folgende Bestimmung:

Datis arris, vel bibito vino de mercato, vel data spal-
mata vel alia facta fide, qua intellegiatur perfectam
fore venditionem, venditio tunc intelligatur esse perfecta[2]).

Durch die Handreichung wird die Treue gegeben, das
Treugelöbnis abgelegt. Dies ist der Sinn der paumée. Darüber
kann schliesslich kein Zweifel mehr sein, wenn die Quellen
selbst es deutlich aussprechen:

ut hoc firmum et ratum sit — — fidem meam firmavi
in manu Girardi[3]).

promiserunt per fidem suam corporaliter praestitam in
manu nostra etc.[4])

Il fiança de sa main nue que il revendra etc.[5])

Et l'avons nous — — promis et cranté par nostre foy
fiancee de nostre propre main en la main dudit G. etc.[6])

Li vicuens de M. sa fame ont promis et fiancié de lor
main au la moi que etc.[7])

Die körperliche Treue ist also eine Handtreue, eine fides
manualis[8]). Das beweist, dass sie die Herrschaft über die

---

[1]) Schon Esmein hat die Identität von faire foi und créanter behauptet. Doch vermutet er, dass in unserer Stelle die Bedeutung eine
andere sei S. 103 N. 3. vergl. noch 97 N. 2. Hingegen macht auch Franken
keinen Unterschied zwischen der paumée und dem fiancer la main S. 60.

[2]) Statuto Cadubrii lib. H Cap. 53 cit. lui du Cange h. v.

[3]) Charta 1147 cit.

[4]) Cartulaire de St. Pierre d'Avenay (Hist. de l'abbaye d'Avenay par
M. L. Paris 1879. Bd. II) N. 96 S. 134. Esmein S. 99 f, wo zahlreiche
weitere Beispiele.

[5]) A. 1278. Bibl. de l'Ecole des Chartes 1873. S. 828. Vergl. auch
Franken S. 224, 265, S. 60.

[6]) Hist. de Metz IV 750 a 1419.

[7]) Cart. de Champ. Rich. cit.

[8]) Esmein cit., Du Cange verbo manus.

Person darstellt und erklärt, warum mit ihrer Darreichung die
Person verhaftet wird. — Endlich sei noch eine Stelle beigebracht, die geeignet ist, in mehr als einer Richtung die bis
jetzt gewonnenen Resultate zu unterstützen.

Li sire doit faire garder les prisonniers au sien; et voulons
que la communanté de Menre et de Vyeu ait propre scel qui
fasse foi et créance pour emprunter deniers et pour obliger eus
et lors biens et leurs successeurs à tenir les convenances et autre
chose que ils feroient etc. — — promettant par la foi de nos
corps que nous avons donney en la main de venerable Père,
Piere — — pour ces chose toutes ces convenances et loyaument à tenir et à garder, que nus ne venrons jamais en
nul jour encontre — — promettons à garder fermement à toujours, sans rappeler par nos fois devant dittes — — et à ces
convenances toutes fermement tenir et garder loyamment sans
venir enconter nous en obligeons nous et nos hoirs et espécialement
nos successeurs — et sy en obligeons et en tout, en abandon
en la main de monseigneur l'arcevesque, tout le fief de M. et
de V. et toute la chatellerie que nous tenons de lui — — et
à ce se obligèrent les ci-devant dis bourjois solempnement et souffisamment par M. G. et J. F. leur procureur, les syndics et
corateur — — et requérons en suppliant à notre chier signeur
le roi de France qu'il doint ses lettres scellées de son propre
seel pour faire tenir les convenances dessus, pour lesquels à
tenir nous, et chacun de nous pour tous, avons donné la foi de
nos cors et nous mettons nous et not hoirs, quant à ces choses
fermement garder, en la juridiction de l'arcevesque de Rains etc.[1]).

Doch im Handschlag erschöpft sich der Formalismus des
Treugelöbnisses keineswegs. Denn nicht mit der Hand allein,
sondern mit Hand und Mund wird die Treue gelobt[2]). Der
Schuldner spricht es auch aus, dass er seine Treue einsetzen
will. Nicht nur zum Auge, sondern auch zum Ohr dringt die
Form, in welcher die Haftung konstituiert wird. Und zwar
handelt es sich dabei um bestimmte Worte, um Wortformeln,
die solenniter ausgesprochen wurden. Das faire foy, fiancer
foy muss den Tenor der Formel abgegeben haben.

---

[1]) Es folgen die Renunciationen. Nouv. Rev. hist. A. 1894. Bd. 18
S. 65 und oben S. 42 N. 2. Charte de Manre A. 1273.

[2]) Puntschart § 18 insb. d. 364 f.

Et teuls sont les paroles que l'on doit dire as truiwes prendre et au fiancher: Vous fianchiés hoines truiwes et loyaux à chelui de vous de vos parens de vos amis et de vos forche. Und die Fortsetzung zeigt, dass das Treugelöbnis zugleich fuissent prises de main à autre[1]). Aber auch wenn gerade diese Worte nicht angewendet, sondern andere Wendungen benutzt wurden, mussten sie durchaus formalistischen Charakters sein. In Bezug auf die Bürgschaft erzählt uns dies der livre de Jostice et de Plet:

Plévine si est quant aucun dit tex paroles: **Je doi à P. vingt livre à paier à tel jor, si vos prie G. que vo(u)s me replevissiez. — P. dit: G. plevissez-vos cest home de vingt livres qu'il me doit? — Et G. dit: Oïl, si mi met. — Et je vos i met. — Et ge i autre. — Et je recoit[2]).**

Und dass es sich bei solchen Worten wirklich um eine Form handelt, sagt auch der grand coutumier de Normandie[3]): Simple plevine est faite en ceste forme: **Je plevis Jean qu'il rendra à Michel vingt sols à Noel.**

Schon im früheren Mittelalter wird das Treugelöbnis oft in einer anderen Form abgelegt, nämlich durch den Eid. Dies ist in unserer Periode im reichsten Masse der Fall. Überall begegnen wir dem Eide in dieser Form. Er obligiert.

per juramentum — dictam pecuniae summam volumus teneri solvere[4]), — **promettons par nos sermens[5])** P. et heredes sui tenentur, et **juramento** sollempniter prestito, promiserunt et — obligarunt et esse voluerunt obligatos[6]).

Firmancia vel **sacramentum** solum non recipiatur ab eo, sed pignora vel obsides etc.[7]).

Sed illo obligans se **sacramento[8]).**

---

[1]) Livre. Roisin. Edit Lavainne S. 97 f.

[2]) XIV. 38 § 1. Esmein bemerkt zu dieser Stelle (S. 108): Qui ne voit que cette scène n'était pas seulement parlée, qu'elle devait être mimée en même temps?

[3]) ch. CX de pleges.

[4]) Notes zu Priv. de Normandie a. 1315 Ord. I S. 594

[5]) Chitry a. ö.

[6]) C. de Lorris (éd. Prou. 1884) a. 1247.

[7]) Conc. Tol. a. 1228 c. 8 cit.

[8]) De gloria Confess. c. 68. Esmein 98 No. 2.

asseubrer par son serment[1]), e promessero e mandero corporalment, toquats los sans evangelis de Deu, jureren[2]).

et les fortifient de serement[3]).

promittentes sacramento interposito[4]) dant et praestant cautiones idoneas ac sub propriis juramentis et bonorum obligationibus[5]) sacramento vel fide plivita sit firmata[6]).

Doch an Stelle des vel in der letztzitierten Quelle steht eben so häufig et. Dabei finden sich all' die verschiedenen charakteristischen Wendungen, in welchen das fiancer foi uns bisher begegnet ist, auch in Bezug auf den Eid, so dass daraus unzweifelhaft hervorgeht, dass der Eid eine landläufige Form des Treugelöbnisses gewesen ist. Es wird von einem körperlichen Eid gesprochen. Daneben begegnen wir aber auch Aussprüchen, wonach die Treue in die Hand des Gläubigers gelegt (Handschlag) und geschworen wurde. Es wird die Treue gelobt und geschworen. Es wird versprochen und geschworen durch fides und Eid. Es wird durch Eid die Treue gelobt. Es wird also verbürgt wie durch körperliche Treue so auch durch Eid.

Promittimus — — bona fide et per juramentum nostrum ad Sancta Dei Evangelia corporaliter praestitum[7]).

Si vous Mandons et estroitement enjoignons sur la foy, serment et loyauté que vous avez (sc. donné) à Nouss).

Et doit dire que ledit compromisest par serment et par foy — — confermée[9]), per juramentum nostrum super sancta Dei evangelia corporaliter praestitum[10]).

Celle fiance doit estre faite devant II du meatier au

---

[1]) Cout. des fr. hommes de Cambrai Ord. IV S. 378.

[2]) C. de Prayssas a. 1349 Rev. hist. 1860 Bd. VI S. 149.

[3]) Ord. 1329. Ord. Bd. II S. 33.

[4]) Lettres royales a. 1351 cit. S. 431.

[5]) Priv. du St. Chapitre de St. Bernard de Romans en Dauphiné a. 1358 Ord. Bd. III S 269 f.

[6]) Montpellier 69, vergl. jurées ou fiancées in anc. C. de Bret. art. 331

[7]) Ord. du Dauphin zu Priv. cit. in No. 5 S. 288.

[8]) Lettres a. 1346 Ord. II S. 256.

[9]) Anjou et Maine F. No. 259.

[10]) Charte mun. de la Côte-Saint-André a. 1301 art. 68. N. Rev. hist. a. 1895 Bd. 19 S. 343.

mains, et doit juror sour sains[1]), contre fidem plevitam juramentumque corporale prestitum[2]), promist et eust eu conuent par sa foy sur ce iurée et fiancee[3]), n'y ne juroit jamais que par la foy de mon corps[4]), plivitus per fidem — et juratus super sancta Dei Evangelia; — per fidem suorum corporum pliviverunt et super sancta Dei Evangelia juraverunt; — se obligaverunt sub suae fidei plevimento und nachher folgt: sub dicto juramento[5]), accipio te in fide et credentia mea loco sacramenti[6]) promittentes — — bona fide loco juramenti interposita[7]).

Diese letzten beiden Stellen lassen geradezu darauf schliessen, dass der Eid die gebräuchlichste Form des Treugelobens gewesen ist[8]). Dies erklärt sich daraus, dass der Eid gegenüber dem gewöhnlichen fidem facere doch noch ein Mehreres enthielt. Durch ihn wird die Treue Gott oder den Heiligen verpfändet[9]). Daher die schweren Meineidstrafen infolge des Bruches, daher vor allem auch die Kompetenz der kirchlichen Gerichte[10]). Und noch eine merkwürdige Wirkung, auf die allein noch hier

[1]) Liv. des most. 1 e p. XXXIII, 4 Lespinasse et Bonnardot. vergl. post manus nobis datas et sacramenta nobis facta in Charta Heur. Imp. a. 1014 bei Du Cange v. o. manus.

[2]) Lettres roy. a. 1363 Ord. Bd. IV S. 237.

[3]) Sommo rural l. I. cit. 26 S. 145.

[4]) Histoire du chevalier Bayard S. 14 cit. bei La curne de St. Palaye v o foy. vergl. die Formen für die Angelobung der Lebenstreue: Et luy promechez et jurez par la foy et serment de vostre corps que de ce jour en avant foy et loyauté vous luy porterez oder: Et jurez à Dieu et aux Sainctes evangiles par la foy et serement de votre corps que etc., ferner: Ce mistere doit estre dit l'omme de foy ayant les mains joinctes entre celles de son seigneur, et après sur ung livre faire derchief les sermens dessusdiz. Anjou et Maine Bd. IV S. 120 f., 177, vergl. Esmein 104 f. Warnkönig und Stein, franz. Staats- und Rechtsgeschichte II S. 352 f.

[5]) Chartae a. 1244, 1238, 1351 cit. bei Du Cange v o plevire.

[6]) Charta a. 1157, cit. Du Cange v o credentia.

[7]) Privileges de Romans à cit. 290.

[8]) Deshalb definiert Du Cange fermer (firmare) geradezu als jurejurando promittere, oder Geodefroy plevnie als promesse avec serment.

[9]) adhibitis sanctorum pignoribus heisst es in einer Schenkungsurkunde aus dem Jahre 977, Franken S. 248.

[10]) Weswegen die königliche Gewalt früh, doch lange vergeblich, gegen diese Verwendung des Eides ankämpft. Vergl. Glasson VII S. 592 f., 684 f Anders aus dem gleichen Grund die Kirche. Glasson 593.

aufmerksam gemacht werden muss, kommt dem Eide zu. Wir
haben bereits gesehen, welche fremdartige Funktion dem Treugelöbnis in Hinsicht auf die ehemaligen Realverträge zu einer
Zeit zufiel, als das römische Konsensualprinzip anfing, sich Geltung
zu verschaffen. Daran erinnert die Kraft, die dem Eide zukommt, einem ungiltigen Geschäft seine Ungiltigkeit zu nehmen.
Wenn auch vielleicht nie völlig unangefochten, ging doch die
allgemeine Meinung dahin, dass ein sonst nichtiges Geschäft
durch den Eid vollwirksam werde[1]). S'il a promis l'usure à
rendre par sa foy, il peut requerre que la foy lui soit laschéo
affin qu'il ne soit pas tenu le rendre la dicte usure. — — Mais
si ilz ont jurés à les poier ilz doivent estre contrains ad
ce et de rendre à Dieu leur serment[2]). Um nötigenfalls
sich dieser besonderen Wirkungen erfreuen zu können, wird deshalb gelegentlich der Eid auch da verwendet, wo die primäre
Funktion desselben nicht mehr in Betracht fällt, weil die Haftung
bereits hergestellt ist.

In locis in quibus consuetum est in instrumentis juramenta vel fidem poni a Notariis Senescalliarum, ad requi-
sitionem contrahentium, non inhibeatis apponi fidem et hujusmodi
juramenta[3]).

Quant au regard des debtes personnelles dont n'appert par
lectres. Les debtes qui apparront par lectres obligatoires valli-
dées par foy et serment etc. [4]).

Diese Stellen zeigen nicht nur, dass infolge der ständigen
Verwertung des Eides für das Treugelöbnis der Ausdruck foy
et serment stereotyp war — denn in der genannten Ordonnanz
hat es nur in Bezug auf den Eid einen Sinn, derartige Bestimmungen aufzunehmen, — sondern sie weisen bereits auf anderweitige Mittel und Formen hin, die der Begründung der

---

[1]) Dazu vergl. vor allem Esmein 34 f, insbesondere auch Beaumanoir,
dort S. 35 No. 5 cit.

[2]) Die Kirche gibt dann aber eine Restitution. Anjou et Maine F.
No. 585/6 S. 217 vergl. No. 638 S. 234 Bd. II: . . Mais à deffaire telle
vendicion il y fault relievement de Roy et dispensacion de son prelat pour
le serment que l'on a fait en vendant. An Stelle der paumée also der
wirkungsvollere Eid!

[3]) Ordonnance en faveur des Eglises de Languedoc a. 1302 art. 26,
Ord. I S. 340 f., vergl vorige Seite No. 10.

[4]) Anjou et Maine E. No. 330 S. 592 Bd. I.

persönlichen Haftung dienen. Schon manche der bisher verwerteten Quellenaussprüche enthielten Andeutungen in dieser
Richtung und wir finden sie wieder in Stellen wie:

Obligée par foy et serment ou aultrement[1]), quant aucun
est obligé par foy et serment ou autrement personnellement à etc.[2]).

Diese andern Formen sind hier nicht mehr darzustellen.
Sie haben schon mehrfache nähere Behandlung gefunden[3]). Zudem handelt es sich in diesem Abschnitt darum, eine Erklärung
für den Formalismus des Treugelöbnisses zu geben und vor
allem auch darum, durch den Nachweis des Treugelöbnisses
selbst und seines Zweckes einen letzten kräftigen Beweis für
die Richtigkeit jener Auffassung zu gewinnen, welche die Obligation als Haftung angesehen wissen will. Hiermit ist die nötige
weite Basis für das Folgende gewonnen. Aber gerade in Hinsicht auf die Betrachtungen, die uns in den beiden nächsten
Abschnitten beschäftigen werden, müssen die angedeuteten
andern Formen der persönlichen Obligierung wenigstens noch
namhaft gemacht werden.

Wie durch Eid oder Handschlag kann die Haftung auch
durch eine vor Gericht oder Rat abgegebene Erklärung hergestellt werden.

que celuy amy se fust obligé de faire la somme et le poye-
ment, et par cour qui pouvoir y cust, ou qu'il luy eust les
choses jurées ou fiancées[4]).

Si sit in communia contencio de debito vel conventione vel
aliquo mercato, ipsa terminabitur recordatione duorum de viginti
quatuor juratis qui solo verbo suo credentur, quia juraverunt hoc
in inicio sui eschevinatus; et si postquam perfecerint annum
sui eschevinatus et depositi fuerint, surgit contencio de debito
coram eis credito, vel de convencione, vel aliqua re ante eos

---

[1]) Grand coutumier S. 216.
[2]) Anjou et Maine M. ch. 34, No. 228 S. 474.
[3]) Vergl. die ältern Darstellungen bei Schäffner, Rechtsverfassung
Frankreichs III 239 f., Warnkönig und Stein II S. 534 f. Doch stehen beide
Autoren noch auf dem Standpunkt der Formlosigkeit der Verträge, und die
neuern Darstellungen: Glasson VII 588 f. Esmein, S. 20 f., 33 f., 59 f., 95 f.,
Franken, insbesondere § 4 und § 18.
[4]) a. C. d. Bretagne a. 321.

facta, juramento eorum finietur — et si de decem solidis vel minus querela fuerit, testimonio parium sine juramento finietur[1]).

Si quis Burgensis — — alicui pecuniam suam crediderit, et illo cui tradita est, coram legitimis hominibus in Villa sua hereditariis, sponte concesserit: quod si die constituta, pecunia illam non persolverit, ipse vel bona ipsius, donec omnia reddant, retineantur: Si persolvere noluerit, aut negaverit hanc conventionem, et testium duorum Scabinorum vel duorum Juratorum inde convictus fuerit, donec debitum solvat retineatur[2]).

Obligation si est quand un homme de fief se oblige sur son seel ou se oblige pardevant homme de conte, ou quand on se oblige devant les eschevins de la ville privilégiée[3]), obligiés par letres, ou par devant justice ou par devant bonnes gens[4]).

Wie schon in früher herangezogenen Quellenstellen sehen wir auch hier die Briefe oder die Siegel als Mittel zur Herstellung der Haftung genannt. In der Tat nehmen diese Siegelbriefe — die Siegelung ist das Obligierende[5]) — in den mittelalterlichen Rechtsquellen den breitesten Raum ein[6]). Die in

---

[1]) arg. Etablissement de Rouen art. 22. Ed. Giry 1883/5. vergl. Bd. I S. 16,23.

[2]) Diese Stelle zeigt, worauf wir früher schon kurz hingewiesen, das Wesen des Vorhaftens als ein concedere und bringt anschaulich den eventuellen Charakter dieser Machteinräumung, das Quasi-hypothekarische der „persönlichen" Haftung zum Ausdruck. Priv. de St. Omer a. 1350 art. 2. Ord. IV S. 248.

[3]) Somme rural. éd. d'Abbeville 1486 fol. 39 col. 1, cit. bei Esmein S. 165. Andere Belege siehe dort S. 57 fg.

[4]) Beaumanoir 1538. Hier kehren also die boni homines wieder, die in den Formulae der karoligischen Zeit eine grosse Bedeutung haben. Über die Obligierung mit garants vergl. Glasson VII 592.

[5]) vgl. obligé par son seel, très a. C. de Bret. art. 86, obligé souhs son séel, Grand coutumier S. 220, Mante tit. I art. 1 N. 4. Die insbesondere bei der Abfassung von Coutumes, von Privilegien u. a. ständige Formel: Quod ut firmum et stabile permaneat in futurum hiis praesentibus litteris opponimus sigillum nostrum, ferner der technische Ausdruck: seel des obligacion Ord. IV S. 644, III S. 248, S. 21 sg. — Charte de Maure cit.

[6]) per literas obligatus Bourdot de Richebourg III 229, per litteras suas obligaverunt se ad garanciandum etc. Olim II S. 452. Un homo qui obligiet ait ses cateutz etc. par lottres — — Artois (Tandif 27) oblegiés par lettres (cit. S. 13) les liens de la lectre Anjou et Maine K. N. 211, im Übrigen verweisen wir auf die Citate oben S. 28, 36, 40, 41 u. a. m.

dieser Form hergestellte Obligation ist denn auch eine überaus wirksame und bietet dem Gläubiger mannigfache Vorteile, die zum Teil weiter unten noch Erwähnung finden werden. Deshalb ist es aber auch unseres Erachtens nicht richtig, dass der mündlichen Rede viel grösseres Gewicht beigelegt wurde als Brief und Siegel[1]). Vielmehr sprechen die Quellen oft geradezu von sola fides und nennen die daraus entspringende Haftung im Gegensatz zu der durch lettre hergestellten eine simple obligation[2]). Zu weiter gehenden Obligierungen reichen andere Formen zuweilen gar nicht hin. Wir werden noch solche Fälle kennen lernen, in denen die lettres allein vom Rechte als hinlängliche Form anerkannt werden.

Nicht spricht gegen diese Auffassung, dass diese Siegelbriefe im ausgehenden Mittelalter rasch ihre Bedeutung verloren. Es war dies nur der Fall, soweit und weil sie durch ein Besseres, die notarielle Urkunde ersetzt wurden. Hingegen sind gleichzeitig mit den Briefen in ihrer alten Form auch die andern Erscheinungsarten des mittelalterlichen Formalismus verschwunden und zwar ohne dass für sie ein Ersatz eingetreten wäre Gerade die Bedeutung des Handschlages ist bald vergessen. Er erscheint zuweilen noch als Zeichen des Consenses der Parteien.

Alle Verträge sind irrevocabel, sobald die Parteien einig sind: si tost que les parties contractantes y ont respectivement consenty; or que seulement en signe de consentement, elles ayent touché en main qu'on dit donner ler paulmée jaçoit qu'ils ne soient passez pardevant Notaires ou Tabellions[3]).

Und da es sich bloss noch um ein Zeichen der Willensübereinstimmung handelt, erscheint der Handschlag auch nicht mehr als zum Abschluss des Vertrages notwendig, da irgend welche andere Mittel den gleichen Zweck erfüllen können.

Le contrat, marché, et convention est entendue parfaite, aitost que les parties contrahantes y ont mutuellement consenty.

---

[1]) Puntschart S. 367.

[2]) vgl. Bouteiller S. 639.

[3]) C. de l'évéché de Metz art. 1 in tit. III. Bourdot de Richebourg Bd. II. S. 414 fg. vergl. unten Anhang, Kap. IV.

Soit par sigue d'adieu mutuel ou donnant la parole
ou touchant en main, que le commun appelle bailler la paulmee
ores que la convention ne soit passee par devant justice,
notarie ou tabellion[1]).

Oder, seinem Sinne nach völlig korrumpiert, erscheint der
Handschlag nur noch im öffentlichen Versteigerungsverfahren:
le heritage mettront et exposeront en vente et palmée au plus
offrant[2]).

Hingegen ist man erstaunt, dass es Pothier in seinem
Traité des obligations nicht „hors de propos" findet, die Wirkungen des einem Vertrage beigefügten Eides zu prüfen. Denn
dies geschehe immer noch zuweilen pour assurer davantage
l'accomplissement des engagemens. Er findet dann, dass der
Eid allerdings die Wirkung babe, de rendre plus étroite l'ohli-
gation et de rendre plus coupable celui, qui y contrevient.
Denn zu der Treulosigkeit, die in jedem dem Vertrag Zuwiderhandeln liege, stosse der Eidbruch. Doch das gehöre dem Bereich des Gewissens an. Und schüchtern genug wird beigefügt:
Ce serment n'a que peu ou point d'effet dans le for extérieur.
Die „Obligation" sei auch ohne ihn valable[3]).

In der Form des Eides hat sich also die Erinnerung an
das Treugelöbnis am längsten gehalten. Und doch hat Esmein

---

[1]) C. de Gorze a. 1624. Bourdot de Richebourg II S. 1073 fg. art. 2
und 4. Art. 5 betont noch ausdrücklich in Hinsicht auf die Wirkungen
dieses Consenses: De sorte qu' à l'une et à l'autre desdites parties compete
action pour faire suivre et effectuer ce dont elles auront donné ledit mutuel
consentement sur la chose commencée. Sowohl nach dem Rechte von Metz
art. 3, als nach demjenigen von Gorze hat der Vertrag nur dann die Wirkung, dass er die Tradition ersetzt, wenn er in autentischer Form abgeschlossen
wurde. Art. 8: Et comme tel peut agir au possessoire et se maintenir en
sa possession, ce qu'il ne pouvoit pas, ou seulement il y auroit simple convention faite mesme sous la paulmée(!)

[2]) C. de Binch a. 1587. B. de Richebourg II S. 201 fg. Art. 55. vergl.
Bd. I S. 1138 f. C. de Renaix a. 1552. tit. XVII. N. 4, on est obligé de mettre
et de palmer à prix ledit tenement et hyp. etc. Hingegen mag hier immerhin noch erwähnt werden, wie spät zuweilen noch der Schuldner als obligatus plege genannt wird: si aucun ait debtes et il a mis en plaiges et il
meurt ou il s'enfuit, et s'il n'y a cathels — — on peut vendre son heri-
trage etc. C. de Richebourg 17. Jahrh. Band I cit. S. 391. Art 1 n. 57.
— vergl. C. de Sens a. 1506 art. 247. Band III cit. S. 483 fg.

[3]) Traité cit. Bd. I S. 73 fg.

Recht, wenn er schon im Eid eine Decadenzerscheinung in der Geschichte des Treugelöbnisses erblickt. Der Eid ist dies im Grunde genommen schon dadurch, dass er kirchlicher Natur ist. Dadurch mischten sich nicht nur dem Treugelöbnis fremde Momente hinein, sondern es dokumentiert sich in der Bedeutung, die der Eid erlangte, überhaupt die Macht der kirchlichen Einflüsse. Diese aber wirkten im Wesentlichen, trotz der Form des Eides, nach der Richtung der Formlosigkeit hin. Canonisches Recht und Naturrechtsphilosophie haben wohl am meisten beigetragen zur Untergrabung des alten Formalismus. Aber auch das römische Recht tat das seinige. Dabei war der Angriff von dieser Seite kein Frontalangriff. Man hielt dafür, dass auch das römische Recht auf dem formalistischen Standpunkt stehe und man nannte die einheimischen der Obligierung dienenden Formalakte Stipulationen[1]). Aber auf dem Gebiete, in welchem das germanische Recht nur den Realvertrag gelten liess, zeigten sich die Gegensätze. Insbesondere der Kauf wurde unter römischem Einfluss zu einem Konsensualvertrag, zu einer Zeit, wo im übrigen der Formalismus noch lebenskräftig war. Aber notwendig wurde auch für ihn die einmal geschlagene Bresche verhängnisvoll. Man begann missverstandene Sätze des römischen Rechtes für die allgemeine Formlosigkeit ins Feld zu führen[2]).

Das sind äussere Einflüsse. Innere Momente treten hinzu, die die Entwicklung in der gleichen Richtung fördern. Und diese inneren Potenzen müssen wiederum von zweierlei Art sein. Es mag in der Eigentümlichkeit der Form selbst begründet liegen, dass sie nicht stabil bleiben kann, dass sie vielmehr tiefgreifende Änderungen erleiden und durch sie verkommen muss. Diese Sachlage finden wir in der Geschichte des Siegels Wir finden sie auch bei der Formalität das Eides, wenn wir das Gesagte etwas weiter dahin fassen, dass die

---

[1]) Olim Bd. IV S. 917. a. 1314: ipsi, sponte et voluntarie, sollenni stipulacione interveniente, se obligaverant etc.

[2]) Wir können auf früher Gesagtes verweisen, insbesondere auf Franken S. 53 fg. und bes. § 5 d. 70 s. Esmein 37 fg Unschwer ist die im Texte behauptete zeitliche Aufeinanderfolge aus den von den Genannten beigebrachten Quellenstellen zu ersehen.

Form möglicherweise nur künstlich dem Verhaftungszwecke dienstbar gemacht wird. Es geschah dies gerade beim Eid zum Teil aus Umständen heraus, die nicht im Bereich des deutschen Privatrechts liegen.

Oder aber die Form selbst hat sich zwar mit Naturnotwendigkeit bilden müssen auf Grund des Verlaufes, den die Entwicklung des materiellen Rechtes nehmen musste. Die Form ist deshalb verständlich und verständig und solid. Doch sie erweist sich scheinbar als zu solid. Das materiele Recht lebt weiter und modifiziert sich und zwar dergestalt, dass die einem früheren Rechtszustand entsprungene und demselben adäquate Form nunmehr in dem neuen Rechte nicht mehr den ihr zukommenden Inhalt findet. Und mit dem Inhalt ist der Sinn entschwunden. Noch ragt die Form in die neue Zeit hinein als letzter Zeuge des alten Rechtes. Bald wird sie diesem nachfolgen. Diesen Umwandlungsprozess erleidet das Treugelöbnis. Doch die Betrachtung desselben stellt uns von Anfang an vor die Frage nach dem Inhalt der mittelalterlichen persönlichen Obligation.

Drittes Kapitel.

Die Haftung der Person und die Haftung des Vermögens.

A. Die Personalexecution.

Die persönliche Haftung ist die materiellrechtliche Grundlage der Personalexekution. Im Falle der Nichterfüllung der Schuld bedarf der Gläubiger der Genugtuung und des Ersatzes. Eben zu diesem Zwecke ist die Haftung begründet worden. Ist es eine Person, die dergestalt als Satisfaktionsobjekt eingesetzt wurde, dann kann sich der Gläubiger an sie halten. Auf Grund ihrer Haftung steht ihm dies Recht zu. Es ist freilich möglich, dass die Haftung nach Eintritt der Veraussetzungen, unter denen sie überhaupt erst praktisch wird, durch den Haftenden selbst verwirklicht wird. Freiwillig begibt sich der Schuldner in die Schuldknechtschaft, wie er dies versprochen hat, sobald er sich in die Unmöglichkeit versetzt sieht, seine Schuld gehörig zu erfüllen. „Eventuell aber benötigt der Gläubiger die Anwendung von Gewaltmassregeln gegen den Haftenden, die Verfolgung desselben, um die Haftung zu verwirklichen, sei es, dass der Haftende seine Person der Verwirklichung entziehen will, oder sei es, dass er Widerstand leistet, und was dergleichen Gründe mehr sind, welche zur Verfolgung, zum Zwange nötigen [1].“ Diese auf Grund der Haftung angewendeten Gewaltmassregeln bilden die Personalexekution.

Dass es sich dabei wirklich um ein Verfahren gegen die Person selbst handelt, ergibt die Geschichte der persönlichen Haftung. Als Geisel war die Person Faustpfand. Wenn sie sich nun obligiert unter vorläufiger Wahrung der Freiheit, so ist

---

[1] Puntschart 205. Wie schon im Vorwort bemerkt, ist diese Darstellung durch das im vierten Kapitel des Anhanges Gesagte zu ergänzen.

sie eventuelle Geisel, eventuelles Faustpfand. Dahin zielt das Treugelöbnis. Die Formen desselben, insbesondere der Handschlag, sind dafür charakteristisch genug.

Deshalb führt Puntschart[1]) aus, dass die persönliche Haftung keine Haftung des Vermögens der Person sei. Vielmehr sei das, was von allem Anbeginne an hafte, nur die Person selbst als der Träger ihrer wirtschaftlichen Kraft, welche, wenn es zur Verwirklichung der Haftung komme, dem Gläubiger dienstbar gemacht werden solle. Nur das physische, körperliche Substrat, an das sich Arbeits- und Erwerbsfähigkeit, sowie Erwerb knüpfen, hafte von allem Anfange an, daher man die persönliche Haftung des Mittelalters ganz wohl als ein plegium corporis bezeichnen könne.

Aber schon am Schlusse des letzten Abschnittes ist auf eine merkwürdige Divergenz zwischen der ältesten und natürlichsten Form, in welcher die persönliche Haftung begründet wurde und dem Inhalt dieser persönlichen Haftung hingewiesen worden. Die im Treugelöbnis hingegebene Treue ist eine fides corporalis. Sie ist dies, weil sie körperlich gegeben wird, als fides manualis. Gerade dadurch aber wird sie es auch in dem andern Sinne, dass sie eine foi de corps ist, indem mit ihr der Körper als eingesetzt erscheint. Nun beginnen sich jedoch schon zu einer Zeit, als sich das Treugelöbnis noch allgemeiner Anwendung erfreute, Bewegungen geltend zu machen, die auf die Unterdrückung der Haftung des obligatus mit seinem Körper hinwirken. Über die diesbezügliche Bedeutung der Ordonnanz Ludwigs vom Jahre 1256 bestehen freilich Meinungsverschiedenheiten[2]) und infolgedessen auch über die Ausdehnung und Intensität der damaligen Bewegung gegen die Personalexekution.

Es ist richtig, dass in manchen Rechten nach wie vor die

---

[1]) S. 199 f.

[2]) Ni que nuls homs soient tenus en prison pour chose que il doie, s'il habandonne ses biens fors notre debte tant seulement. Darnach soll nur die cessio bonorum die contrainte par corps ausschliessen. So insb. Viollet, Etablissement I, 227 und Histoire 593. A. M. Glasson, der auf Grund eines Textes, in welchem der Zwischensatz s'il habandonne etc. fehlt, die Ansicht vertritt, die Ordonnanz habe zu Gunsten der Privatschuldner rundweg die c. p. c. verbieten wollen. VII 614 f.

contrainte par corps in uneingeschränkter Anwendung erscheint [1].
si aucuns est debtez ou plegiez, di Maires et li quatre Eschevin
le doivent contraindre de paier, ou de bailler gaiges, ou prenre
sés choses ou son corps [2]. Aber diese Rechte bilden unzweifelhaft die Ausnahme [3]. Das ist zuweilen schon deutlich zu erkennen durch die Art und Weise, wie Bestimmungen abgefasst
sind, die die alte Personalexekution approbieren. Dergestalt erscheint diese letztere beispielsweise als ein ausländischen Kauf-
leuten gewährtes Privileg: en contraignant à ce touz leurs debiteurs, ainsi comme il appartendra à faire; mesmement par prinse
de corps et à tenir prisou, combien que par Lettres ne autrement
lesdiz debteurs n'y soient obligez etc. [4]. Dagegen wird betont,
dass die Einheimischen selbst diese Kaufleute nur dann in ihrer
Freiheit beeiuträchtigen dürfen, wenn diese letzteren sich
ausdrücklich dahin obligiert hätten. Und das ist denn in
der Tat die Voraussetzung, von der die meisten Rechte ausgehen.

Quod — uon obligatorum persone arrestentur pro debitis
privatorum, sed corum bona venalia exponantur, do quibus satis-
fiat creditoribus, nisi hoc ex conventione processerit
debitoris [5].

Nullus Burgensis debet arrestari — — pro aliquo debito
seu obligatione aliqua, nisi quathenus ad hoc obligatus —
inveniatur [6], debitores ad hoc, per bonorum capcionem, vendi-
cionem et explectacionem, corporumque detencionem, si ad hoc
specialiter obligati fuerint, compellendo [7].

Mes sires li rois est en saisine et en possession generaument
de prandre et de tenir por sa dete quenelle et provée cors et
avoirs et heritages, selonc l'usage de la cort laie; ne l'en ne

[1] vgl. Glasson 616 N. 2, Esmein 128 N. 1.
[2] Rouvre a. 3.
[3] Wenn es also richtig ist, dass Ludwig der Heilige das Verbot in dem genannten weiten Umfang statuiert hat, dann ist Glasson, der von dieser Annahme ausgeht, nicht zuzustimmen, wenn er behauptet, dass die Ordonnanz beinahe gar keine Wirkung auszuüben vermocht habe. VII 615.
[4] Privileges accordez aux Marchands Castillans trafiquans dans le Royaume a. 1364 art. 23 Ord. Bd. IV.
[5] Ord. a. 1303 art. 12 Bd. I S. 397 f.
[6] Bergerac art. 25.
[7] Lettres royales a. 1366 Ord. IV 713, vgl. Lettres a. 1304 art. 7 Bd. I S. 414 f.

met home en prison por dete se n'est por la soe[1]), en contraignant à ce yceulx debteurs, par la prise, venduě, explectacion de leurs biens et detencion de leurs corps: se obligez y estoient[2]).

Nul ne doit estre detenu en prison pour nulles debtes, si ce n'est pour la debte du Roy ou s'il n'estoit obligé especialement à tenir prison et ostaige. si justice ne povait autrement rions trouver de quoi faire satisfacion, l'en doit prendre le corps du debteur si partie le requiert et ad ce soit obligé le corps, et tenir en prison au pain et à l'eau aux despens de la partie jusques à tant que satisfacion soit faicte, et y deust mourir[3]).

Quand il advient que aucune personne oblige son corps à autre personne, pour certaine dette à tenir prison, celuy à qui il est obligé, peut requerre celuy qui fust obligé, qu'il tienge prinson[4]).

Et en plus grand seureté et à fin de ne iamaia venir contre les choses, le vendeur a obligé et oblige son propre corps à detention de prison fermee[5]), si faute auoit en ce que dit est, et obligé est, pour le prendre et detenir, ou qu'il puisse estre trouvé[6]).

S'il n'a riens, l'en ne prent pas son cors ne pour sa plegerie ne pour sa dete, se ce n'est pour la dete le Roi ou le conte. —
— Pleges ne puet perdre son cors pour plegerie qu'il face etc.[7]).

Der Schuldner verhaftet sich, gibt seine körperliche Treue — foi de corps — hin, gibt sie hin, indem er die Hand darreicht, die der Gläubiger erfasst und zum Zeichen seiner Macht umschliesst Und doch — der Gläubiger kann gar nicht mehr auf den Schuldner greifen, wenigstens nicht mehr auf Grund

---

[1]) Etabl. l II Nr. 22. Bd. II S. 411.

[2]) Lettres royales a. 1354 Bd. IV S. 503, vergl. dort S. 455, 607, 679.

[3]) Anjou et Maine F. N. 945 Bd. II S. 338.

[4]) a. C. d. Bretaigne art. 311.

[5]) Im Gegensatz zur Haftung, bei der sich Schuldner oder Geisel bloss obligieren zum Aufenthalt innerhalb einer bestimmten Stadt oder Landschaft. Esmein 129. Glasson VI 618. In Reims durfte der Schuldner nur einige Stunden täglich gefangen gehalten werden.

[6]) Bouteiller l. I tit. 26. vergl. l. II tit. 1 S. 652.

[7]) Beaumanoir 1326, 1332.

dieser Obligierung, welche doch ursprünglich — und formell immer noch — gerade nur diesem Zwecke diente. Diese Verschiebung zwischen dem materiellen Recht und der Form, in welcher dasselbe begründet wird, gelangt besonders drastisch in folgenden beiden Erscheinungen zum Ausdruck.

Das Treugelöbnis in dem in der bisherigen Darlegung gegebenen Sinne führte notwendig dazu, dass dem Gläubiger das Recht zustand, eventuell auf die Person des Haftenden zu greifen. Nun gibt es aber nach wie vor noch solche Formen. Die durch deren Anwendung entstandene Obligation geht von Rechtswegen auf den Körper des obligatus. Diese wirkungsvolleren Formen sind nun aber gerade andere als diejenigen des Treugelöbnisses.

— -·· arrestabantur et includebantur, inclusique detinebantur debitores obligati ad vires parvi et magni Sigillorum regionum Montisspessulani et Carcassone[1]).

Indessen ist es nicht allzuhäufig, dass in dieser Weise einer bestimmten Form der Obligierung de lege eine Wirkung beigelegt wird, die offenbar schon lebhaft als eine sehr weitreichende empfunden wurde. Es wurde vielmehr in der Mehrzahl der Rechte verlangt, dass der Schuldner ausdrücklich, expresse et specialiter sich mit seinem Körper obligieren müsse, wenn dem Gläubiger überhaupt eine dahin zielende Sicherheit gegeben werden wolle. Und zur besseren Wahrung dieser Auffassung wurden Bestimmungen getroffen, wonach jene ausdrückliche Obligierung des Körpers rechtlich wirksam nur in bestimmter Form vorgenommen werden könne. Diese Form ist wiederum keineswegs diejenige des Treugelöbnisses. Nach dieser Richtung hin versagt also das letztere bereits.

Nullus Burgensis debet arrestari — — pro obligatione aliqua, nisi ad hoc obligatus cum instrumento expresse inveniatur[2]) — — retcuir le cors de son sougiot en prison; mais ce ne puet il pas ïere pour la dete d'autrui, se li detés ne s'i est obligiés par letres, ou pardevant justice, ou devant bones gens[3]).

[1]) Lettres confirmantes a. 1402 Ord. Band VIII S. 639.
[2]) Bergerac cit. art. 25.
[3]) Beaumanoir 1538, vergl. 1539.

tu te fuisses obligiés par lettres por prendre et arriester ten cors[1]).

Iuge doibt bien savoir que nul ne doit estre emprinsonné pour debtes s'il n'est obligé par lectres à tenir prinson ou oustaige, si ce n'est pour la debte du Roy[2]).

— Um diese Divergenz zwischen dem Formalismus des Treugelöbnisses und dem materiellen Rechte darzutun, wie wir es versucht haben, nicht nur um eine im allgemeinen wenig beachtete Seite in der Dekadenz des Formalismus zu streifen, sondern vor allem, um einen Ausgangspunkt für einige spätere Erörterungen zu gewinnen, wäre es im Grunde genommen gar nicht nötig gewesen, bis zu jenen Rechten vorzudringen, die die Personalexekution nur noch auf Grund besonderer Klauseln zulassen. Denn wir werden noch Rechte kennen lernen, nach welchen allerdings auf die schuldnerische Person gegriffen wird. Es geschieht dies aber in einer Art und Weise, dass man sagen muss, sie entspreche keineswegs mehr dem Geiste des Treugelöbnisses und der natürlicherweise durch sie hergestellten Personalhaftung. Denn auf Grund dieser wird die Person resp. die in ihr enthaltene Arbeitskraft Satisfaktions- und Sicherungsobjekt. Es wird sich aber zeigen, dass die Personalexekution schliesslich keine andere Funktion mehr ausübte als etwa ein Retentionsrecht, dass sie sich in der Willenspression erschöpfte. Es steht im diametralen Gegensatz zur alten Geiselschaft und zu der ältesten quasi-hypothekarischen Personalhaftung, wenn im späteren Recht die obligatio personae im engern Sinne des Ausdruckes nur noch als — Magd der Realexekution ihr Dasein fristet. Und dass dies der Fall ist, wird sich erweisen. — Doch wenn wir uns anschicken, das Exekutionsverfahren in die Mobilien und Immobilien zu betrachten, erhebt sich sofort die Frage nach dem Wesen dieser Exekution und ihrer Stellung zum Verfahren gegen die Person selbst. Um diesen Fragen näher treten zu können, bedarf es vor allem eines kurzen

---

[1]) Artois II 3.

[2]) Aujou et Maine F. N. 41 S. 48 (Bd. II) vergl. Appendix zu Text M. Bd. IV S. 489, wo es von den Notaren heisst: ne mectront es obligacions aucun article de tenir houstaige on prison, s'il n'est expressement dit, leu et donné entendre aux parties.

Blickes auf das Tatsächliche des altfranzösischen Exekutionsrechtes.

B. Die Exekution in das Vermögen.

Vom neunten bis zum zwölften, ja bis zum Beginn des
dreizehnten Jahrhunderts war das Recht im wesentlichen un-
geschriebenes Recht. Das schliesst keineswegs aus, dass es doch
seine Weiterbildung erfahren habe. Das ist denn auch gerade
in Hinsicht auf die uns hier beschäftigende Materie behauptet
worden. Wie das Privatrecht so sei auch das Exekutionsrecht
am Ende dieses Zeitraums auf einer ungleich höhern Stufe gestanden als zu Beginn desselben. Wollen wir aber zum Verständnis des Vollstreckungsverfahrens, wie es uns im französischen Recht des späteren Mittelalters entgegentritt, durch-
dringen, so müssen wir uns freilich von einer derartigen Vorstellung völlig lossagen. Es treten uns da merkwürdige Erscheinungen entgegen, zu deren Erklärung wir nicht etwa nur
auf die Karolingerzeit, sondern noch viel weiter zurückgehen
müssen.

Nach bestimmten Richtungen hin fand schon Tambour[1])
das Exekutionsrecht der späteren Zeit demjenigen der fränkischen
Periode inferior. In den letzten Jahren hat auch Viollet in
seiner vortrefflichen Ausgabe der Etablissements Ludwig des
Heiligen hierher gehörige Erscheinungen dahin charakterisiert,
dass sie das germanische Recht reiner wiederspiegelten als die
Kapitularien[2]).

Und dem ist allerdings so und zwar nach mehr als einer
Richtung hin. Dass die Exekution zu Gunsten Fremder häufig
gar nicht geregelt ist, darf nicht wundern. Das erklärt sich
zum guten Teil aus jener Zerreissung der Abhängigkeitsbande
und aus jener Atomisierung der Gesellschaft, die in der nach-
karolingischen Zeit stattgefunden hat. Die Folgeerscheinungen
sind freilich schon bedenklich genug. Es wird zuweilen rundweg de lege die absolute Ohnmacht konstatiert, einem Gläubiger
gegen einen ausserhalb des eigenen Teritoriums wohnenden

---

[1]) Des voies d'exékution sur les biens des debiteurs dans le droit
romain et dans l'ancien droit français. Bd. II S. 56.
[2]) I, 107 f.

Schuldner zu seinem Rechte zu verhelfen[1]). Deshalb wird dem
Gläubiger gestattet, eigenmächtig auf einen solchen Schuldner
oder auf ihm gehörige Sachen, wenn er solche in seinem
Gesichtskreis findet, zu greifen[2]). Aber die Rechte gehen
weiter und lassen diese Pfändung in dem weiten Umfange zu,
dass der Gläubiger alles pfänden möge, was von demselben
Orte herrührt, dem der Schuldner zugehört[3]). In wie weitem
Umfange derartige Rechtsauffassungen betätigt wurden, beweist
der Umstand, dass wir in den jüngeren Rechtsquellen immer
wieder der Bestimmung begegnen, wonach für eine Schuld
niemand anders als der Obligierte gepfändet werden dürfe.
Dagegen werden zuweilen wieder die Mitbürger des Gläubigers
vom Gesetz zu adjutores gemacht: Sie dürfen ihre Beihülfe zur
Pfändung nicht versagen. Und zwar gilt das nun keineswegs
bloss gegen Fremde. Wie weit die mittelalterlich-deutschen
Quellen das Privatpfändungsrecht für nichtprivilegierte Forderungen anerkennen ist streitig. Altfranzösische Coutumes
statuieren es zuweilen in unzweifelhafter Weise, so dass die
Anerkennung desselben in nicht unbeträchtlichem Umfange feststeht[4]). Dabei ist charakteristisch, dass es ganz besonders
gegen den Bürgen geübt wird. Aber in ein merkwürdiges
Licht rückt dieser Rechtszustand vor allem dadurch, dass die
gesetzgebende Gewalt ihn nicht nur nicht zu bekämpfen, sondern
vielmehr zu schützen scheint. So nimmt schon eine Ordonnanz
aus dem zwölften Jahrhundert gegen die prava consuetudo
Stellung, wonach der Richter angegangen werde vor der Pfändung
und fährt fort: De quo praeceptum est ut quicumque fidejussorem
habuit, sine clamore aliquo ad praepositum sive vigerium facto,
vadimonium quis capiat[5]). Ja noch im vierzehnten Jahrhundert

---

[1]) Vgl. Zitat bei Tambour cit. S. 43 N. 1.

[2]) l. c. S. 44. Vgl. auch Giraud II S. 249 Abs. 1. Übrigens sehr häufig
in den Quellen.

[3]) l. c. 45.

[4]) 'Creditor — — debitorem suum auctoritate propria gagiare ratione
debiti ibidem contracti. — Quilibet Burgensis pignorare potest pro suo
debito cognito. Tambour 53 f. Im allgemeinen wird man auch derartige
Stellen nicht auslegen dürfen wie Vigié, Nouv. Revue Bd. 23 a. 1899 versucht in Bezug auf C. de Belvès art 15.

[5]) Ord. v. 1145. confirmée a. 1224. Ord. I S. 9 und 48. cit bei Tambour S. 41.

stossen wir auf ein an die richterlichen Gewalten gerichtetes
Verbot, die Kreise des Privatpfändungsrechtes zu stören. Offenbar hatten es die Gerichte hin und wieder als Bedürfnis empfunden, ihren Einfluss in diesem Sinne geltend zu machen.
Die Antwort darauf ist folgende:

Inhibemus insuper ne aliquis Senescallus, Iudex, Officialis, Receptor aut Servieus creditorem aliquem compellat invitum ad tradendum suas obligatorias litteras, etiam sub aliquo
sigillorum nostrorum sigillatas, ut fiat per manus eorum
executio, de eisdem, nisi creditor executionem per Receptorem
seu Servientem fieri requisiert, quin imo creditor per se,
vel per privatum nuntium, debita sua possit si velit, absque
compulsione vel exactione requirere et levare [1].

Also noch in der zweiten Hälfte des Mittelalters steht die
aussergerichtliche Pfandnahme um Schuld in Übung. Dass es
sich dabei um das alte, urgermanische Rechtsinstitut handelt,
steht ausser Frage. Die nähere Ausgestaltung weist unverkennbar darauf hin. Zudem findet sich ein Analogon dieser
zeitlich so weiten Zusammenhänge resp. dieser Lebenszähigkeit
des alten Rechtes in der gerichtlichen Pfandnahme, wie wir
dies noch des näheren sehen werden. Ferner gehen vielen der
Rechte, welche die Privatpfändung anerkennen, alle Elemente
ab, auf denen allein eine Weiterentwicklung sich vollziehen
konnte und auf denen allein sie sich tatsächlich in andern
Rechten vollzogen hat. Endlich finden sich noch Bestimmungen
hinsichtlich dieses Pfändungsrechtes, die in ihrer Eigentümlichkeit
auf das hohe Alter des Institutes hinweisen, wobei sie freilich
derart sein können, dass sich in den Volksrechten kein Vorbild
für sie nachweisen lässt. Nach den Fors de Béarn kündete der
Gläubiger dem Schuldner die Pfändung an und verlangte dabei
zugleich, dass dieser, — offenbar um die Pfändung zu erleichtern,
— die Türen geöffnet halte oder aber, dass er für ihr Verschlossenbleiben Sorge trage — offenbar um damit bereits anzudeuten, dass die im Hause befindlichen Mobilien verhaftet
seien und dass die Haftung nunmehr realisiert werden solle.
Kommt der Schuldner den diesbezüglichen Dispositionen des
Gläubigers nicht nach, dann hebt dieser einfach die Türen aus.

---

[1] Ord. a 1338 art 30. Bd. II S. 122 f.

Si ung homi besii se clame d'autre, o en deu colher
diers et l'on fe penhere en son hostau, ab Senhor o sentz
Senhor,[1] en las portes, ditz que prumer las deu obrir et
estacar ans que tregue o harre, et apres si lo Senhor de
l'ostau las barra ni las obri, ni lo qui coelher ac deu ac pot
provar, las pot treyer. Asso es estat judyat per Bernat de
Th. et per J. d' E. P. A.[2] Und wiederum können wir bis
ins vierzehnte Jahrhundert hinuntersteigen, um immer noch
derartigen Bestimmungen zu begegnen.

Licet (eis) — — propria autoritate, contradictione cujusquam
non obstante, eisdem debentes census etc. — et alia debita —
exigere et compellere ad solvendum, etiam per amotionem
hostiorum fenestrarum domorum in quibus habitant et etiam
in propriis domibus quamvis non sint eisdem pro
praedictis obligatae, et alias dicta hostia fenestras secum
portari faciendo et detinendo usque ad congruam satis-
factionem etc.[3].

Haben wir es hier nicht mit letzten Spuren urgermanischen
Rechtes zu tun? Wir stehen keinen Augenblick an, dies zu
behaupten. In zweifacher Richtung erweckt die Wendung
domorum in quibus habitant et etiam in propriis domibus
quamvis non sint — obligatae Aufmerksamkeit. Das Wohn-
haus wird als solches in den Vordergrund gerückt und als
eine ganz besondere Konzession noch hervorgehoben, dass
selbst das eigene Haus des Schuldners nicht verschont bleibe.
Als ob es natürlicher wäre, das Eigentum des Schuldners zu
schonen. Als ob man skrupelloser die Gebäulichkeiten anderer
angriffe, in denen sich der Schuldner gerade aufhält. Sollte
hier wirklich noch der urgermanische Hausfriede durch-
schimmern, wonach das Haus die Feste des Mannes ist, über
deren Schwelle der Gläubiger nicht treten darf? Diese

---

[1] Privatpfändungsrecht vergl. art. 149.

[2] Béarn art. 144. Überaus interessant ist in diesem Rechte noch,
dass die Pfändung durch den Gläubiger selbst vor allem dazu dient, zu
einem Prozesse zu gelangen. Denn mit der Beklagung scheint der
Zweck erreicht zu sein: Das Pfand wird zurückgegeben. Art. 133 vergl.
Tambour S. 53.

[3] Privileges du St. Chapitre de St. Bernard de Romans en Dauphiné.
a 1358. Ord. Bd. III S. 269 f. art. 20.

Vermutung bestätigt sich. Noch leben Spuren jener uralten
Anschauung fort — charakteristischer Weise wiederum im
Süden[1]), in einem Rechte, das uns zwei Mal glauben machen
will: ledit pays se gouverne et regist par droit escript. Folgende
Stelle klingt allerdings nicht römisch:

Nengun non deu estre pres au cors à sa maison,
ou autra, per deute civil. Supplican, que per nengun deute
civil de qualqua Court que sia, ou si que fous privilegiada,
directament ou indirectament nenguna persona denfra losdiches
contats de Provensa, et de Forlcalquier, non deia esser pressa
de la persona, ni autrament empenada danfra sa propria
maison, ni en autre hostal, ben que tal persona fossa
de la persona obligada, per evitar diverses inconveniens que
poirans venir à causa de voler tirar per forsa cauque homme
de ben de son hostal propri ou d'autre.

Die Obligierung des Schuldners mit seinem Körper wird
also ausdrücklich vorausgesetzt. Trotzdem soll man auf ihn
nicht greifen können in einem Hause. Die Unterscheidung
von eigenem und fremdem Hause wird dabei gemacht, doch
nur um zu betonen, dass in beiden Fällen gleichermassen der
verfolgende Gläubiger vor den Türen halt zu machen habe.
Anders jedoch in der beigefügten königlichen Responsio.

Justum et aequum videtur, quod de domo propria, vel
conducta, vel gratia concessa ullo tempore: aut de diversorio
ad hispitandum destinato, durante decem dierum spacio à
die ingressus computando, aliquis debitor, licet personaliter
obligatus, non extrabatur invitus, nisi hoc esset occasione delicti
— — Et placet, quod respectu extractionis fiendae à dominibus
hujusmodi abstineatur etc. [2]).

Nunmehr wagen wir aber auch nach der anderen Seite
hin in Bezug auf die Stelle, von der wir ausgegangen sind,
unsere Schlüsse zu ziehen. Es fiel auf, dass das Recht des
Gläubigers, Fenster und Läden auszuhängen, ausdrücklich nicht
davon abhängig gemacht erschien, dass vorher das Haus

---

[1]) In viel grösserem Umfang allerdings im Norden unseres Quell-
gebietes, worüber in Kap. III des zweiten Teils und insbes. im IV. Kapitel
des Anhanges.

[2]) Statutae Provinciae Forcalqueriique comitatuum a. 1366. tit. de
Bannis. Bourdot de Richebourg Bd. II S. 1205 f.

obligiert worden sei. Das führt wiederum auf eine ganz merkwürdige Spur. Wir müssen es hier mit einem letzten Rest
eines Rechtes zu tun haben, das unabhängig von der
vertraglichen und überhaupt privatrechtlichen Haftung seine
Anerkennung gefunden hat, eines Rechtes also von pönalem
Ursprung. Die Entfernung der Fenster hat nun freilich nur
noch Coercitionsfunktion. Aber für diesen Zweck allein hat
das alte Recht andere Mittel für hinlänglich erachtet. Hingegen
wurde in dieser Weise auf das Haus gegriffen zur Strafe in
der Form einer Abspaltung der Friedlosigkeit: in der Form der
Wüstung. Diese finden wir in der Tat noch in den Quellen
unserer Zeit durchaus mit dem eben genannten Charakter in
einer Anwendung, die ihr typisch-germanisches Wesen wahrlich
nicht verleugnet: im Kontumacialverfahren.

Si augun caver have feyt injurie au bescomte, et no bole
estar au judyament de la Cort; lo Bescomte aya la soe terre,
et qu'en prenque so que far deu, et que fassa de la mayson
a sa voluntat, en ar den o en destruyen[1]).

Merkwürdigerweise kommt diese Wüstung aber auch zur
Anwendung gegen den Schuldner, der seinen Verpflichtungen
nicht genügt.

Si per aventure no ha penheres movables de las quoaus
pusque satisfar aus rencurantz, lo vesconte, ab tote la terre,
lo deu la mayson darrocar, exceptat treytz los estantz, et
las maseras darrocar, et deu lo focc ancide, et la laar
fode, et las soes terres mete dejuus lo ban[2]).

Li mueble si en sont au baron; et se il ont terres, ne
maisons en la terre au baron, li bers les doit ardoir et les
prez arer, et les vigues estreper, et les aubres cerner[3]).

---

[1]) Béarn art 15.

[2]) Ossau art. 21: Wenn der Schuldner keine pfändbaren Sachen hat,
muss der Vicomte das Haus zerstören und die Scheunen, muss das
Feuer auslöschen und die Güter in Bann legen.

[3]) Etablissement. liv. I, 28 Bd. II S. 38. Es möge hier noch folgende
merkwürdige Stelle Platz finden, derzufolge der Schuldner während Jahr
und Tag nicht aus dem gefrohnten Hause treten darf. Si fiat
clamor de Burgense pro debito quod ipse agnoscat, si nequeat illud solvere,
cum domus ejus tradatur pro debito, ipse non exist domum suam, usque
ad annum et diem elapsum. Priv. de la Ville de Pont-Orson. a. 1366
art. 14. Ord. Bd. IV S. 639. Vergl. v. Meihom S. 104 f.

Gewiss handelt es sich bei all diesen Erscheinungen
um singuläre Bestimmungen. Aber im Rahmen einer Geschichte
des Schuldrechtes sind sie durchaus beachtenswert. Wir werden
denn auch in andern Zusammenhängen auf sie zurückkommen.
An dieser Stelle zeigen sie uns, worauf es hier vor allem ankommt: Die geschichtliche Kontinuität ist nicht unterbrochen.
Es wird auch das Verständnis des Exekutionsrechtes, wie es
uns aus der Mehrzahl der Quellen des ancien droit entgegentritt,
am besten unter diesem Gesichtspunkt zu gewinnen sein: Inwieweit findet die Regelung des Zwangsverfahrens noch ihre
Basis in fränkischen und germanischen Einrichtungen? Es wird
sich erweisen, dass es in hohem Masse der Fall ist.

Da ist zunächst die gerichtliche Pfändung. Das
Institut ist bekannt[1]). Es ist im wesentlichen in unsern Quellen
dasselbe wie in denjenigen deutscher Zunge, besonders wenn
man von den Eigentümlichkeiten des sächsischen Rechtes absicht.
Der Schuldner wird gepfändet, nachdem die Mahnung keinen
Erfolg gehabt hat: post quindecim dies assignatos debitori ad
solvendum illi cujus erit debitum[2]). Im vierzehnten Jahrhundert
ist es noch häufig der Richter, welcher die Pfändung vornimmt:
Si Bajulus pignoret aliquem[3]). Späterhin wird der Gerichtsbote
damit beauftragt. Le sergent doit prendre des biens du debteur
et faire diligence de parachever l'execution de ladicte requeste[4]).
Dabei klingt es wirklich an die Grafenpfändung der lex Salica
an, wenn von dieser Pfändung etwa gesagt wird: res interdicantur[5]).
Unsere besondere Aufmerksamkeit erheischt dabei wiederum
das Recht der Fors de Béarn. Der Richter spricht den Bann
aus über die Fahrhabe, die er beim Schuldner vorfindet und
setzt, wenn möglich, einen Hausbewohner zum Hüter ein, dem
er die Sachen anvertraut[6]). Das Recht von Bergerac hingegen

---

[1]) Vergl. Plank, Deutsches Gerichtsverfahren Bd. II S. 243f. v. Meibom
S. 70f. Warnkönig u. Stein II S. 592f. Tambour insb. S. 118f. Glasson VI
598f. Viollet, Histoire S. 592f. Etablissements I 106f.

[2]) l. de Fleurence a. 1396 art. 45 Ord. Bd. VIII S 97.

[3]) l. c. vergl. vor allem Tambour l. c. Nach Nieuport a 1163 art. 7
ist es der justiciarius cum scabinis, welcher cui res debetur faciet potentem
super omnia quae debitor habet.

[4]) Anjou et Maine M. ch. 38. N. 171. Bd. IV S. 447.

[5]) Montpellier a. 1205 art. 2.

[6]) art. 201 und 202 vergl. auch S. 286.

verlangt die Aufbewahrung an sicherem Ort. Diese Erscheinungen berühren sich allerdings [1]) mit dem deutschen Ausbürgen. Die Regel ist freilich, dass die gepfändeten Objekte sofort dem Gläubiger übergeben werden [2]). Dass das Aufgebotsverfahren fehlt, überrascht nicht. Doch fehlt auch jegliches Anbieten des Pfandes zur Einlösung. Diese Einlösung ist begreiflicherweise jederzeit möglich, solange das Pfand aufbewahrt wird. Dafür setzen die Rechte bestimmte Fristen fest [3]), meistens von sieben, acht, neun oder vierzehn Tagen. Nun tritt das Verfahren in seinen zweiten Teil. An das Sicherungs- schliesst sich das Befriedigungsverfahren an. Zum Zwecke der Befriedigung werden die Pfandobjekte dem Gläubiger übereignet. — — si debitor inventus fuerit catallum habere, major illud capi faciet et tradi creditori in solucionem debiti [4]).

Si quis deheat alicui debitum quod non posait vel nolit reddere, tantum de suo tradetur creditori quod pagetur, si tantum habet [5]).

Die überwiegende Mehrzahl der Rechte sieht jedoch den Verkauf vor.

Bona mobilia incontinenti capta, venduntur et diatrabantur etc. [6]). bona capta et pignorata vendi non possint usque ad quatuordecim dies post sequentes a die execucionis seu pignoracionis faciende [7]).

Und der Verkauf findet durch den Gläubiger selbst statt [8]). Dabei fällt auf, dass es die Rechte des öftern in das Belieben desselben stellen, ob er verkaufe oder nicht.

---

[1]) Vergl. v. Maihom 79 f. a. M. Plank S. 251.

[2]) Tambour 119 f. Fleurence cit.

[3]) a. M. für das deutsche Recht Plank l. c.

[4]) Rouen art. 39; vergl. C. de Bayonne 106.

[5]) Priv. de Rouen et de Falaise Ord. Bd. V art. 25; vergl. Tambour S. 123 f.

[6]) Reglement de Montpellier art. 8.

[7]) Prio. de Puy-Mirol a 1370 art. 4. Ord. Bd. V S. 312; vergl. zahlreiche weitere Quellennachweise bei Glasson 601 N. 5. Tambour 120 f.

[8]) Vergl. die in N. 5 cit. Der Verkauf geschieht au plus offrant sans fraude en lieu publique. Anjou et Maine cit.

Per alios quindecim dies pignora custodiat, quibus clapais, vendat, si voluerit etc. [1]).

Si quis vadium comitis vel alterius habuerit, non tenebit ultra octo dies, nisi sponte [2]). Der Gläubiger kann durch sein Zuwarten dem Schuldner Gelegenheit bieten, das Pfand noch einzulösen. Dies ist, weil [3]) ein Anbieten vorher nicht stattgefunden, freilich vielerorts auch nach stattgehabtem Verkauf noch möglich, doch regelmässig nur noch während weniger Tage [4]).

Dies gesamte Verfahren stellt sich unzweifelhaft als die unmittelbare Fortentwicklung des Rechtes der gerichtlichen Pfandnahme dar, wie es uns in den Volksrechten entgegentritt. Aber zum Überfluss erhält die Behauptung noch eine weittragende Bestätigung. Die Leges kannten keine Immobiliarexekution. In überaus charakteristischer Weise stehen nun aber manche jener Rechte, welche das alte Pfändungsrecht treu bewahrt haben, noch auf demselben Standpunkt. Durchwegs folgen die Schulden eines Erblassers den Mobilien. Noch kommt es vor, dass der Reichtum eines Mannes nach dem Mobiliarbesitz bemessen wird [5]). Solche immobiliar - kollektivistische Erinnerungen beherrschen aber oft auch noch das Exekutionsrecht. Wir finden Statuten, in denen auch nur der Gedanke an die Möglichkeit eines Satisfaktionsverfahrens in die Liegenschaften für Zivilschulden nicht sein Plätzchen findet. So lagen die Verhältnisse in Metz bis in die Mitte des vierzehnten Jahrhunderts hinein [6]), so auch nach der Coutume von Anjou und Touraine [7]).

Andere Rechte greifen freilich auf die Immobilien. Aber in welch unzulänglicher Weise! Wir haben bereits gesehen, dass man bei der Ohnmacht zu einem ordentlichen Exekutions-

---

[1]) Fleurence l. c.
[2]) a. 1338. Ord. XII S. 48f. art. 4. (Chaumont en Bassigny).
[3]) v. Meibom 96f.
[4]) Tambour 122.
[5]) Viollet, Etablissements I S. 109.
[6]) Prost, L'ordonnance des Maiours. Nouv. Rev. hist. Bd. II S. 313 Bd. IV S. 341. Glasson 608. Esmein 160.
[7]) Viollet cit. I S. 108f. II 148f.

verfahren zu gelangen, gar zur Wüstung schritt [1]). Es musste
sich freilich ein anderer Weg, der unter Wahrung der alten
Eigentumsverhältnisse möglich war, aufdrängen. Man hielt sich
an die Nutzung des schuldnerischen Grundstückes So musste
der Gläubiger nach dem Rechte der Bretaigne [2]) die Liegenschaft zur Nutzniessung übernehmen, wobei gesetzlich festgelegt
war, dass eine Nutzung von zwölf Jahren eine Schuld vom
Werte der Liegenschaft — welcher durch vereidigte Schätzleute
gefunden wurde — tilge. Im nördlichen Frankreich besteht die
auf die Nutzung beschränkte Exekution noch im vierzehnten
Jahrhundert zu Recht, zu schweigen von den pays de nantissement, wo wir diese Regung noch viel später antreffen [3]).

Si faute auoit ou payement, si ne pourroit on vendre
l'heritage pour la dette payer, mais bien le pourroit-on mettre
en la main du seigneur, pour receuoir les usufruicts d'iceluy
la debte verifiee jusques à tant que tant fust receu des usufruicts
d'iceluy heritage, que le creancier peut estre satisfaict:
autrement ne le peut ne doit faire etc. [4])

Diese exekutorische Verwertung des Niessbrauches findet
indessen in den meisten Rechten, die überhaupt von ihr sprechen,
doch nur Anklang bei der Behandlung singulärer Fälle, in
welchen bestimmte Sachlagen oder das Interesse bestimmter
Personen eine derartige Regelung erwünscht erscheinen lassen.
Es soll beispielsweise gegen Minderjährige oder gegen Kreuz-
fahrer oder auch von Seite der Juden gegen die Christen nur
in dieser Weise vorgegangen werden können. All die dahin
gehörigen Bestimmungen bedürfen hier keiner Darlegung mehr.
Sie haben schon des öftern ihre Besprechung gefunden [5]). Zudem

---

[1]) Vergl. noch Priv. d'Eschaalis a. 1356 art. 3. Ord. Bd. IV S. 344.
Quod in casu ubi licite bona ipsorum immobilia capi contingeret, ea consumi
vel destrui non liceat aut expendi.

[2]) art 296. Vergl. dazu Argentré cit. bei Esmein S. 167 N. 5.

[3]) Vergl. unten Teil II Kap. III.

[4]) Bouteiller tit 25 S. 136.

[5]) Vergl. Franken 106 f. Esmein 165 f. Dort S. 164 auch das englische
Recht, welches bis ins 18. Jahrh. hinein eine andere Exekution in die Immobilien
nicht kannte. Glasson VI 608 f. Die Annahme, dass die Exekution in die
Nutzung die älteste Art des Vorgehens in die Liegenschaften darstelle, wird
von Glasson mit Recht zurückgewiesen. Aus den Quellen ist sie sicherlich
nicht zu erweisen. Vollends verbietet sie sich, wenn man den Zusammen-

sind sie, wie gesagt, in unsern Quellen fast nur singulärer Natur[1]).

Immerhin zeigen sie, wie die vorgenannten generell gehaltenen Bestimmungen, dass sich hier ein Ausweg bot. Aber es ist eine überaus merkwürdige Erscheinung, dass er nicht in weiterem Umfange betreten wurde. Selbst der Feudalismus, dessen Bedürfnissen er doch zu entsprechen scheint, hat ihn nur eingeschlagen, wenn er sich als eine fast unabweisliche Notwendigkeit erwies[2])[3]). Man hat sich vielmehr unmittelbar an den ethisch und wirtschaftlich nicht zurechtfertigenden Gegensatz geklammert, der darin liegt, dass der Schuldner seine Liegenschaften frei veräussern kann, dass die letztern aber von der Exekution — soweit diese bei den germanisch-volksrechtlichen Elementen stehen geblieben ist, denn nur von diesen

---

hang des spätern Immobiliarrechts mit der missio in bannum anerkennt. Diese muss dann die ältesten Formen in sich enthalten. Sie ging aber weiter als bloss auf die Nutzung.

[1]) Vergl. jedoch die im III. Kap. des 2. Teils dargestellten Rechte.

[2]) S'il avient que cil qui doit la dete n'ait point d'eritage fors de fief, et cil a qui la dete est deue n'est pas gentius hons qu'il puist fief tenir, et l'en ne trueve pas gentil homme qui acheter le vueille, li souvrains doit delivrer au creancier toutes les issues du fief, dusques a tant que la letre soit aemplie. Beaumanoir 1074.

[3]) Es muss immerhin noch bemerkt werden, dass das Recht sich gelegentlich bis ins 16. Jahrhundert hinein zu halten vermag. So bestimmen die C. de Valenciennes im Jahre 1540 unter der einfachen Voraussetzung: Si un proprietaire ayant enfans de son precedent mariage, ostant en necessité s'oblige en quelque pension ou debts par ayuvve deuement passée et recogneue, folgendes: art. 34. Les Eschevins donnent charge susdit mayeur — — de prendre meubles ou cattel appartenants à l'obligé et les vendre et executer jusques au fournissement de la debte — — et s'il ne treuve biens meubles ou catel, pourra prendre et apprehender le corps de l'obligé et le constituer prisonnier: jusqu'au fournissement. Et s'il ne trouve le corps dudit obligé, pourra prendre et apprehender heritages ou rentes heritiers appartenantes audict obligé — — Et à iceux heritages ou rentes mettre et establir le rentier ou creancier, pour par luy les tenir le terme et espace de trois ans, en payant les charges que y sont dessus: et les entretenant — — à charge d'en rendre compte, et le surplus que pardessus sa debte y aura perceu. Vergl. noch C. de Vallenciennes ch. IX a. 74, 75, 77, 80. ch. XXII a. 156, 158: Et à faute de meubles, ou en cas d'insuffisance d'iceux, les creanciers ne pourront traire sur les fruicts et revenus des immeubles acquestes ou autres, dont le debiteur pouvoit disposer etc. Bourdot de Richebourg Bd. II S. 201 f. S. 246 f.

Rechten sprechen wir — nicht erreicht zu werden vermögen. Diesen Gegensatz suchte man zu überwinden, indem man sich die freie Veräusserlichkeit der Güter zu Nutze machte: Wohl waren die Güter dem Zwangsverfahren nicht erreichbar. Aber der Schuldner selbst konnte sie verkaufen und aus dem Erlös konnte — und wenn man erst so weit war: musste — er dann die Gläubiger befriedigen. Auf diesen Effekt suchten die Rechte mit allen Mitteln hinzuwirken.

Zunächst gehen die Quellen davon aus, dass der Schuldner selbst verkaufe. Qui cumque cedens bonis aut qui pro debitis talibus vendiderit fundum suum[1]).

E tots hom que devra deutes a autre es reclama per no poder, aura terme de XL dias per terra vendra si lo a demanda[2]).

Oder sie setzen doch voraus, dass er den Verkauf erlaube, dass er ihm zustimme. Et consentiat quod pro satisfactione facienda, sua bona vendantur[3]).

S'il consend que on preigne par exécucion de ses héritaiges à la valeur de la debte[4])

il convint qu'il en vendist son hiretage pour celui paiier[5]).

Den Schuldner zum Selbstverkauf zu bewegen, oder ihm die Zustimmung zum Verkauf abzuringen — darauf geht nun das heisse Bemühen. Die Coutumes stellen sich in den Dienst dieser Bestrebungen. Sie gestatten, dass man den Schuldner zwinge.

Potest domus ejus (sc. debitoris) clavari et postmodum, post X dies potest compelli ad vendendum bona que habet usque ad solutionem rei petitae[6])

voluit dominus rex quod in domanio suo prius compellerentur debitores vendere terram suam quam plegii[7]).

---

[1]) Arresta a 1286 cit. bei Warnkönig und Stein II S. 131.

[2]) C. de Puymirol en Agenais. a 1286 art 28. N. Rev. hist. Bd. XI a. 1887 S. 303 f. Vergl. C de Larroque-Timbaud a. 1270. Rev. hist. Bd. XI a. 1865 S. 83 (§ 91).

[3]) Priv. v. Château-Thierry a. 1301. Ord. Bd. XII. S. 349. art. 11.

[4]) Anjou et Maine E. n. 337 Bd. I S. 598.

[5]) Artois II, 7.

[6]) Perpignan a. 61.

[7]) Ord. a. 1261 cit. Olim I S. 520.

Praeceptum est etiam districte omnibus Baillivis, ne corpora Christianorum capiantur pro debito Judaeorum et quod Christiani non cogantur pro hoc ad vendendum hereditates suas[1]).

Que l'on ne puisse vendre de gaige, maison, ne borde, ne prés, ne terre ne autres heritages; mais se aucuns est debtez ou plegiez, li Maires et li quatre Eschevin le doivent contraindre de paier, ou de bailler gaiges, ou prenre ses choses ou son corps, tant que il ait vendu ou fait povoir[2]).

Quant aucuns doit, et il convient qu'il soit justiciés pour paier, l'en doit prendre ses muebles avant que l'en li face grief de l'eritage; car se li mueble pueent soufire, li eritages doit demourer en pes; et s'il ne puet souffire, adonques le puet on contraindre qu'il ait vendu de son eritage etc.[3]).

In aller Form ist also in den Quellen ein Verfahren anerkannt, das nicht Satisfaktionsverfahren ist, sondern den indirekten Zwang, die Willenspression zum Inhalt hat. Die Rechte lassen es an einer genauen Regelung der Zwangsmittel nicht fehlen, die dem Gläubiger zur Seite stehen. Schon die Art dieser Mittel zeigt, dass wirklich scharf zwischen Satisfaktion und Coercition unterschieden wurde. Die Wegnahme von Mobilien führt, soweit sie eben hinreichen, durchwegs zur Befriedigung des Gläubigers, indem sie für ihn Ersatzobjekte abgeben. Die Mittel liegen vielmehr in der Pression auf den Willen der Person — durch die Person. Dies geschieht vielfach durch Dritte, die garnisaires oder gardes. Treffend nennt sie die Sprache der Zeit mangeurs. Der Schuldner hat ihnen Unterhalt zu gewähren, oft auch Unterkunft. Die Kosten und wohl noch mehr die sonstigen Unannehmlichkeiten waren wohl geeignet, den Schuldner nachgiebig zu machen[4]). Doch noch wirksamer ist, ihn selbst seiner Freiheit zu berauben. Häufig begegnen wir in der Tat in den Quellen einer Einsperrung des Schuldners, die nur den Zweck der Willenspression hat.

Non teneatur vel ponatur in prisione clausa, si tantum

---

[1]) Lettres touchant les Juifs a. 1234 art. 2 Ord. Bd. I S. 55.
[2]) Rouvre a. 1259 art. 3 Ord. IV S. 389.
[3]) Beaumanoir 1593.
[4]) Wir verweisen im Nähern auf die Darstellungen bei Esmein 179 f. Glasson II, 615. Tambour 148 f.

de bonis possideat, et consentiat quod — — sua bona vendantur[1]).

Deutors que non podon paguar, als crezedors creatian
devon esser lieuratz e'l crezedor non sian destreg de far
lur obs — las cauzas devon esser vendudas, per els costregz etc.[2]).

Ni que nuls homs soit tenu en prison pour chose que il
doie, s'il habandonne ses biens etc.[3]).

Quant il avra esté tenus quarante jours en prison, se
li sires qui le tient voit qu'il ne puist nul conseil metre en la
dete, — — et qu'il abandonne le sien, il doit estre delivrés de
la prison[4]).

Die Bedeutung dieser Freiheitsberaubung ist eine ganz
andere als diejenige des Freiheitsentzuges, wie er etwa
auf Grund des Treugelöbnisses stattgefunden hat. Dieser zielte
regelmässig ab auf Verwertung der mit der schuldnerischen
Person gegebenen wirtschaftlichen Kraft. Die Unterwerfung
unter die Macht des Gläubigers allein schon enthielt ein aus-
geprägtes Satisfaktionselement. Der Hände Arbeit[5]) lieferten
Ersatz und Entschädigung. Von alledem ist in unserm Zwangsverfahren keine Rede. Man will etwas ganz anderes als die
Arbeitsleistung des Schuldners. Man will seinen Grund und
Boden. Dazu bedarf es aber auch keiner besondern Unterwerfung gerade unter die Herrschaft des Gläubigers. Man findet
es praktischer und nicht weniger wirkungsvoll, den Debitor in
das öffentliche Gefängnis zu sperren[6]). Die Willenspression
wird damit auch erreicht. Auf diese kommt alles an. Die
Freiheitsberaubung ist Zwang, nur noch Zwang. Sie ist recht
eigentlich was der Name sagt, eine contrainte par corps.

---

[1]) Chateau-Thierry cit.

[2]) „Durch den Gezwungenen selbst". Alais 1216—1222 a. VII.

[3]) Ord. v. 1256 art. 17, vergl. Viollet I 228.

[4]) Beaumanoir 1539. Mit Recht betont Glasson, was man zuweilen
übersehen hat, dass der Schuldner nur frei wird, s'il abandone le sien.
VI S. 618, vergl. auch Beaumanoir 1599: Ne li cors de celi qui abandonne
ne doit pas estre emprisonnés — —.

[5]) Davon ist in der Personalexekution unserer Zeit nur noch sehr
selten eine Verwendung zu finden, vergl. Assises CXIX, S. 91.

[6]) Vergl. Glasson VI, 618. Nur selten noch hält der Gläubiger selbst
den Schuldner gefangen. Olim a. 1262 No. VIII, Bd. I S. 539.

Das geht schon daraus hervor, dass die Quellen diese contrainte neben die andere stellen: durch mangeurs.

Quod garnisiones in bonis alicujus debitoris non ponantur, nec obligatorum persone arrestentur pro debitis etc. [1]).

Oft sagen es aber auch die Quellen unzweideutig, dass der Freiheitsentzug[2]) nur eine Repressalie sein soll.

Fo stablit per tots temps que nulhs hom no penheri ni marque a d'autre en camii, ni fora camii, ni en biela, si deutor o fidance o segur no ere[3]).

Die Anwendung von Gewalt gegen die Person selbst wird hier marquer genannt. Und dies marquer hat hier eine spezielle technische Bedeutung. Die „marque" bedeutet nichts anderes als die „saisie par représaille", als ein Repressalienverfahren[4]) gegen die Person des Schuldners. Marque wird zunächst das Zwangsverfahren gegen Fremde, bei deren eigenem Gericht man nicht Recht finden kann, genannt.

Si jo me suy tornat une betz, o dues, o tres de augun bayle de borc, o de casteg, et ac pux provar, per jurat o per

---

[1]) Ord. pour la Seneschaussées de Toulouse a 1303 art. 11 Ord. I S. 397 f.

[2]) Die folgenden Stellen werden geeignet sein, unsere Ansicht zu erhärten, wonach es sich um einen Zwang durch dritte Personen oder durch Freiheitsentzug dem Schuldner gegenüber handelt. Man darf demnach wohl nicht annehmen, wie Esmein S. 169 will, dass die Obligierung in Nisi demselben Zwecke gedient habe, nämlich den Schuldner zum Verkauf der Immobilien zu bewegen. Durch die Obligierung in nisi setzt sich der Schuldner der Gefahr aus im Fall der Nichterfüllung — eben nisi — die Exkommunikation zu erleiden. Damit wird freilich ein Zwang ausgeübt, aber er geht keineswegs speziell nach dem in Frage stehenden Ziel hin. Zudem enthält diese Obligierung ein dem Repressalienverfahren fremdes Pönal- und Satisfaktionselement. Endlich nennt die von Esmein genannte Stelle — Bourges, art. 155, Bourdot de Richebourg Bd. III 896 — selbst noch die Obligierung der Güter.

[3]) Fors de Béarn a. 74.

[4]) Vergl. Du Cange v o Marqua, La Curne de St. Palaye v. o. marque und Godefroy v. merque. Dazu die Herausgeber der Fors de Béarn S. 32 No. 2 und S. 203 No. 1. Im übrigen begegnet man in den Schriften der neuern Rechtshistoriker u. W. diesem Ausdrucke nirgends. Das ganze Institut bleibt unbenannt und damit mag zusammenhängen, dass es oft genug gegen Personal- und gegen Immobilienexekution hin nicht scharf genug seiner Eigenart entsprechend abgegrenzt wird.

fidanco, que jo lo metu, que de qui en arrer en deffaute de justicie, pusc emparer marque [1]).

Les quels habitans n'ayant voulu tenir et payer ledit accorde, le prestre s'en retourna aux Anglois, et fit, par yceulx Anglois marquer, piller et prendre prisonniers les bonnes gens et habitans de ladite paroisse [2]).

Volumus et eisdem concedimus quod in Regno nostro intrare, venire et in eodem morari absque eo quod virtute cujusdem marque vel gagiamenti marque, privilegii vel aliis quibuscumque, valeant arrestari, impediri vel vexari [3]).

Aber die gleiche Bezeichnung wird — in sehr charakteristischer Weise — auch auf das geschilderte Pressionsverfahren gegen einheimische Schuldner angewendet [4]).

Plusieurs personnes porteurs de Lettres obligatoires, que l'on dit estre faites et scellées sous ledit petit scel de Montpellier, se sont efforcées et efforcent de jour en jour, de contraindre et executer rigouresement par maniere de Marque, obschon die Belangten n'alent été ou soient en aucune maniere tenus ou obligéa envers iceux porteurs de Lettres, vielmehr wüssten die Betriebenen nicht, wegen welcher causa gegen sie vorgegangen werde. Daher wird bestimmt que doresnavant vous gagés ou contraignés, ou souffrés estre gagés ou contraints comme que ce soit, en corps ou en biens, par Marque ou autrement, par vertu des dites Lettres obligatoires — se eux ou aucuns d'eux ne sont à ce principalement obligés ou pleiges des sommes contenues ès dites lettres obligatoires [5]).

Zwei Ziele sind es, die das Marqueverfahren in's

---

[1]) Morlaas a. 347 und dort S. 203 N. cit.

[2]) La Curne de St. Palaye h. v. a. 1389.

[3]) Priv. acc. aux Juifs a. 1360, Ord. III S. 473 art. 5, ebenso die französische Ausgabe: sans ce qu'ils puissent estre pris, arrestez ou empeschiez par vertu d'aucunne marque, de gaigement de marque etc.

[4]) Dass es sich dabei wesentlich um Freiheitsberaubung handelt, zeigen noch folgende Stellen: ont prius par merque et tiennent en prison, aseurez et estringues, Lettres a 1415 cit. bei Godefroy h. v. eben dort: Monstrelet Chron. Bd. II S. 279: estre empeschies, arestes, ou molestes en quelque maniere que ce soit, pour marque, reprisable entreprise, ne pour quelque debte, obligacion etc. l. c., dort noch Stellen in diesem Sinne aus dem 16. Jahrhundert.

[5]) Lettres v. Charles V a. 1371, Ord. Bd. V S. 384.

Auge fassen kann. Entweder soll der Schuldner gezwungen
werden selbst zu verkaufen, oder es soll ihm die Zustimmung
zum Verkauf abgerungen werden. Nach beiden Richtungen hin
finden wir interessante Ausgestaltungen. Es ist dabei begreiflich, dass das Bestreben dahingeht, das Zwangsverfahren abzu-
kürzen, seine Bedeutung herabzumindern. Der Schuldner
soll zum Verkauf gezwungen werden[1]). Die Rechte
gehen bald so weit, ihm eine Pflicht aufzuerlegen, auf Grund
welcher er sich dem Verkaufe nicht mehr entziehen kann. Die
Rechte bestimmen keineswegs, er müsse verkaufen. Es ist
merkwürdig, wie fein hier unterschieden wird. Die Liegenschaft
ist durch die Exekution gar nicht zu erreichen. Soll der Wert,
der in jener liegt, den Gläubigern zu gute kommen, dann ist
es eben nötig, den Schuldner in diesem Sinne zu zwingen.
Wenn die Rechte nun aber dem Zwangsverfahren abhold sind,
es vielleicht auch für unzulänglich erachten, greifen sie zu einem
merkwürdigen Ausfluchtmittel: Sie zwingen zum vorneherein
den Schuldner, zu wollen. Sie legen ihm nämlich dies als Pflicht
auf, indem sie verlangen, dass er den erstrebten Verkauf eidlich
verspreche.

Qui non poiria pagar sos dentes de sas causas moblas aia
terme de XL dias, si o requer, per vendre heretatz, e jure
sobre sans evangelis que dius aquel terme l'aia venduda[2]).

Et doit jurer que il vendra son heritage dedans quarante jours[3]).

Auf Grund dieses Eides anerkennt das Gericht dann freilich, dass der Schuldner verkaufen müsse. Auf einem Umweg
ist das Ziel erreicht. Allerdings lässt auch das Schlussglied
noch die ganze Entwickelungskette erkennen. Der Schuldner
soll verkaufen. Er wird gezwungen, er muss verkaufen, er verkauft — er selbst!

Quand dette est coneue ou provée en court, celui ou ciaus
à qui il la deit, quant il eu veulent estre paiés, si devent re-

---

[1]) Es fehlt freilich nicht an Rechten, die grundsätzlich am Zwangs-
verfahren festhalten und einfach bestimmen, der Gläubiger zwinge den
Schuldner so lange bis der erstrebte Effekt erreicht ist. Vergl. Chateau-
Thierry cit., Rouvre cit, Beaumanoir. Siehe oben S. 104.

[2]) Larroque-Timbaud § 91 cit.

[3]) Etablissements I. II ch. XXI. Ed. Ord. Bd. I S. 272.

querre au seignor que il les face paier comme dettc coneue ou
provée en court, et le seignor deit comander à celui qui la dette
deit que il les ait paiez dedanz sept jors; et cil dedenz cel terme
n'a paié le seignor le deit faire semondre de venir en sa court.
— — Se celui dit que il n'a de quei paier celle dette que de
son fié, et que il li livre son fié à vendre por le ditte dette
paier, lo seignor li deit respondre: Je suis prest de recevoir
le se ma court conoist que je faire le dee et faire quan-
que elle me conoistra. — — Et après le seignor deit le
fief recevoir et faire le crier et vendre par l'assise. — — Et
au livrer dou fief deit dire le seignor à celui qui a livré son
fié à vendre, se il est present, que il fornist l'assize si come il
deist. Et celui ou celle qui vent son fié doit fornir l'assise
ensi que il deit jurer — — que il deit celle dette que il conut
en la court que il devoit, par quei il livra son fié a vendre —
— et que il ne autre pour lui n' a dou sien à covert ne à dé-
covert là ne aillors, dont il puisse celle dette paier, que de la
vente de son fié.[1])

Der Schuldner erscheint hier als der Verkäufer. Die
Coutumes, die eine derartige Regelung vertreten, sind also grundsätzlich dem germanischen Rechte treu geblieben. Ihr Charakter
ist im Grunde genommen immer noch der volksrechtliche.

Wir begegnen nun aber der merkwürdigen Erscheinung,
dass auch diese Rechte des Marqueverfahrens in ihrer Mehrzahl
ein neues Element in sich aufnehmen. Die Unzulänglichkeit
des Repressaliensystems veranlasst sie zu energischerem Vorgehen. Sollte der Schuldner sich wirklich weigern selbst zu
verkaufen — dann verkauft das Gericht.

quicumque . . confessus fuerit in judicio, vel convictus
legitime aut etiam condempnatus personali actione, et non habeat
bona mobilia, et hoc tenetur jurare[2]), de quibus possit satisfacere

---

[1]) Assises d. 185. Bd. I S. 189 fg.

[2]) Der Schuldner kann doch unmöglich wünschen, dass man eher in
seine Liegenschaften als in seine Fahrhabe exequire. Dieses Misstrauen
gegen einen mit Grundstücken begüterten Schuldner und dieser Eid ist also
doch wohl nur aus der volksrechtlichen Auffassung heraus zu erklären, dass
in die Immobilien nicht exequiert werde. Da dies nunmehr doch der Fall
ist, hat der Eid immer noch den Sinn, dass er kundtut, man habe alles
versucht, was geeignet erscheint, die liegenden Güter vor jeder Störung zu

creditori quadraginta dierum pro terra, sive bonis immo-
bilibua vendendis gaudeat judiciis, et nisi infra dictum
tempus debitum solverit, aut bona sua immobilia non vendiderit, consules de L. ex tunc ea vendant modo et forma
quibus consules civitatis Agenensis facere consueverint[1]).

Il doit faire la loi dou païs qu'il paiera au plus tost qu'il
porra, et jurer sor sainz qu'il n'avra de coi paier ne en tout
ne en partie, et au plus tot qu'il venra à plus grant fortune
qu'il paiera; et doit jurer qu'il vandra dedanz XL jorz son
heritage, se il l'a et se il ne le faisoit, li deteres[2]) le
vandroit et li feroit otroier la vante selonc l'usage de la
cort laic[3]).

Et s'il a heritage, il avra licence de quarante jorz de
vendre; et s'il n'a vendu dedanz ce, et ne se soit paiez,
la jotize vendra, ou ele contraindra à vendre[4]).

Et quand les gardes avront esté seur le detour quarante jours,
s'il n'a fet gré dedens les quarante jors, li souverains li doit
commander qu'il vende dedens les quarante jours[5]). S'il
ne veut, li souverains doit vendre et despendre ou baillier
au deteur par pris de bones gens[6]).

Doch wir haben gesehen, dass die Zwangsmassnahmen
keineswegs immer darauf abzielen, den Schuldner zum Verkauf

bewahren, sie, wie Beaumanoir sagt, in Frieden und Ruhe zu lassen. Dies
erscheint eben immer noch als das wünschenswerteste. Vgl. auch C. de
Puymirol l. cit.

[1]) C. de Lamontjoye a 1298. Rev. hist. de dr. fr. et étr. a 1865 Bd.
XI S. 440. vergl. Montpellier a. 1204 art. 36. wonach auch ab ipsis coactis
verkauft wird, sin autem de curia, ferner Arresta a. 1286. Warnkönig und
Stein II S. 131.

[2]) Gläubiger.

[3]) Etablissements l. II d. 22 Viollet II 411 fg.

[4]) Mit merklichem Schwanken. Der Schuldner soll verkaufen. Die
andere Massnahme begegnet einem gewissen Misstrauen. livre de Justice
et de Plet. cit. bei Viollet a. a. Ort., vergl. zu diesem Zögern vor allem
noch Esmein 171.

[5]) Was in der Gesamtentwicklung auf einander folgte, findet sich
hier nebeneinander. Zuerst die mangeurs vierzig Tage lang. Nachher der
Befehl mit wiederum vierzig Tagen Frist.

[6]) Beaumanoir 1074 vergl. 1326 in bezug' auf den Bürgen: s'il a hari-
tage, on li doit commander qu'il le vende dedens quarante jours; st s'il
ne veut, la justice doit vendre st aquiter sa plegerie ou sa deterie.

durch die eigene Hand zu bewegen. Oft will man nichts anderes
erzwingen als die Zustimmung zum Verkauf. Versagen die
Zwangsmittel nicht, ist die Zustimmung erfolgt, dann — aber
auch nur dann[1]) — erfolgt wiederum gerichtlicher Verkauf.

Il convint qu'il eu vendist son hiretage pour celui paiier,
et fu vendus en la main le roy, et ciens paiiéa par le sergens
dou roy[2]).

Der exekutorisch-gerichtliche Verkauf der Liegenschaften! Das ist natürlich nichts volksrechtliches mehr, nichts,
das sich schon in den leges barbarorum fände. Die Coutumes,
die ihn approbieren entfernen sich vielmehr von dieser Grundlage, nehmen weittragende neue Elemente in sich auf, Elemente,
die dem fränkischen Amtsrechte angehören[3]). Allerdings können
auch diese ihrem Ursprunge nach bis tief in's germanische Altertum zurück verfolgt werden. Es ist in seiner Art wohl eine
der grossartigsten Perspektiven, die uns da die neuere und
neueste Germanistik enthüllt hat: von dem urgermanischen
Institut der Friedlosigkeit hin zu einer ihrer mannigfaltigen
Abspaltungen, zur königlichen missio in bannum und von da
weiter zum Immobiliarexekutionsrecht des jüngeren Mittelalters
und zur sog. jüngeren Satzung bis hin zum modernen französischen Grundpfandrecht[4]). Wir müssen mit unserer Betrachtung
bei den spätern Gliedern dieser langen Kette einsetzen, zunächst
beim mittelalterlichen Zwangsverfahren. Und auch in Hinsicht
auf dieses ist nur auf jene Eigentümlichkeiten hinzuweisen,
welche dieses neuere Exekutionsrecht als den unmittelbaren
Abkömmling der missio in bannum des fränkischen Rechtes
charakterisieren. Da ist es denn schon bezeichnend, dass die

---

[1]) Es sei dies hier schon betont. Wo der freiwillige Verkauf angestrebt wird, geht man schliesslich doch radikal über dies Ziel hinaus. Wo
die Zustimmung zu erkämpfen versucht wird ist dies anders.

[2]) Artois II, 6 vergl. Grand. Coutumier N. 337. S. 598.

[3]) Brunner Grundzüge S. 32, 52, 73 fg., 89 Sohm, fränk. Recht und
röm. Recht, S.-A. S. 9 153 fg.; ders. deutsche Reichs- und Gerichtsverfassung S. 102 fg. insb. 117 fg. v. Meibom S. 90, S. 97 fg. Franken 205.

[4]) Brunner, Abspaltungen der Friedlosigkeit. Z. f. R. G. Germ. Abt.
XI S. 84 fg. Dass wir dabei vom heutigen Pfandrecht nur in seiner französischen Form sprechen, liegt nicht nur daran, dass in dieser Abhandlung
ausschliesslich dieses betrachtet wird, sondern entspringt materiellen
Erwägungen, die im II. Teil zu nennen sein werden.

Quellen die Exekution in die Immobilien um Schuld neben die Konfiskation wegen Delikt stellen. Diese Verfahren erscheinen immer noch als in Wesen und Ursprung dieselben.

Quod manus apositio, saisina vel sequestratio, in bonis dictorum nostrorum subditorum — — in casibus civilibus fieri non possit nec debeat quovis modo, nisi in casibus a jure expressatis. In casibus vero criminalibus et in debitis fiscalibus procedatur prout est de jure et ratione faciendum[1]).

Quod nullus serviens poterit aliquem arrestare, seu super bonis alicujus hannum apponere vel sigillare pro causis civilibus, nisi judicato praecedente vel instrumento publico[2]).

Quod non possint pignora pignorari, nec bannum in rebus eorum apponi, nec ostia domorum suarum claudi[3]), nisi prius citati vel moniti fuerint, vel nisi pro re judicata vel contumacia[4]), vel nisi praefixus dies solutionis canon. sit elapsus, nisi in casibus in quibus bona et res eorum nobis debeant esse incursa et commissa de consuetudine vel de jure[5]).

---

[1]) Lettres de Charles V a. 1365 Ord. Bd. V S. 57.

[2]) Bergerac N. VI, IX, XXV.

[3]) Zum Unterschied vom Aushängen. Dies letztere finden wir noch im Recht von Perpignan art. LIII: Et si no li paga lo cens, lo senyor li pot trer (extrahere) les portes de la casa, sens pena. Auch hier liegt wie in den früher zitierten Stellen ein pönales Element vor. Es handelt sich um den letzten Überrest der Wüstung. Das Verschliessen hingegen scheint eine Form der Bannlegung gewesen zu sein. Vergl. Perpignan LXI: Si aquel de qui alcun se clama dalcuna quantitat de moneda, no vol fermar dret, la casa sua pot esser clavada; et apres deu dies pot esser forçat de vendre los bens que aquí ha, fins a quantitat del deute demanat et del dret que deu haver lo balle per raho de justicia etc. Dass es sich dabei darum handelt, ein unzweideutiges Zeichen für den Bann — und nichts weiter — zu gewinnen, beweist art LVIII: Si la porta de alcun sera clavada per deute o altre raho, legut es a aquel qui hi habita, entrar per altra part en la casa clavada sens alcuna pena, pus la clavadura romangna entiers e no tochada. Zur Hintertür dürfen die Bewohner immer noch ein- und ausgehen. Das wird ihnen ausdrücklich erlaubt, nur müssen sie die geschlossenen Türen unangetastet lassen. Um dieses Zeichen der Bannlegung handelt es sich auch in unserer Stelle.

[4]) Es ist charakteristisch, dass die Contumacia noch besonders genannt ist, vergl. übrigens Plank II S. 157.

[5]) Priv. de Lunas a. 1312 art 27 Ord. XII S. 400. Priv. et Cont. de Salmeranges en Auvergne a. 1331 art 20 Ord. XII, 518.

Diese Stellen verraten bereits, worin die **Bannlegung** besteht. Im Kriminalverfahren heisst es unzählige Mal: li beritage seront arresté et tenu en la main de la Justice. Nicht anders verhält es sich mit der Immobiliarexekution. Die Frohnung besteht regelmässig nicht bloss in dem an den Schuldner gerichteten Veräusserungsverbot, in der Entziehung der Verfügung[1]). Denn nur selten begnügt sich ein Recht damit, dass der Frohnbote im Grundstück, das gefrohnt wird, eine Scholle Erde aushebt, und sie vor Gericht trägt[2]). Auch dass nun die Türen verschlossen oder versiegelt werden, der Schuldner übrigens auf der Liegenschaft bleibt, ist eine ziemlich selten anzutreffende Regelung[3]). Dagegen wird, um diese Formen der Frohnung gleich hier noch zu nennen, sehr häufig ein Strohwisch oder ein Banner auf dem betroffenen Gute aufgesteckt. Der Strohwisch heisst brandon, weshalb das Frohnen denn auch brandonner genannt wird.

Les mettre en sa main, brandonner et empescher et y faire mettre et apposer la main du Roy[4]). An Stelle des Banners treten königliche Wappenschilder, pannonceau royal, pannonceaux aux armes du Roy[5]). Oder man steckt ein Kreuz auf[6]) und löscht das Feuer im Herde aus[7]).

[1]) Plank II, 254.

[2]) C. de Châtillon 1371 art 72.

[3]) Vergl. vorige Seite Note 3 und oben S. 97. Immerhin findet sie sich noch i. J. 1509 in den C. d'Orléans: art 105; empescher et obstacler l'heritage .. si c'est maison par obstacle et barreau mis ès huys Et si c'est en terre labourable ou vigne, par brandon mis ès fruits, vergl. art 115. Hingegen häufig kann noch spät der Grundherr für seine rückständigen Abgaben dem Bewohner eines Hauses nicht nur Eintritt in's Haus verwehren, sondern auch diesem letzteren Tür und Fenster aushängen. Melun, a. C. de 1506 art 132 s'on ne la paye, iceluy seigneur censier peult dependre ou faire despendre les portes, huys ou fenestres des lieux redevables audit cens et les mettre au travers de l'entrée ou huys d'iceluy lieu. Et depuis ce ne peult le detenteur entrer en iceluy heritage jusqu'à ce qu'il ait payé ledit cens., vergl. C. de Nivernais 1534, B. d. R. III S. 1123.

[4]) Chartes 1508 art 32, Dreux art 23, 42, B. d. R. III 703 fg., 718 fg.

[5]) Vergl. Poitou tit 20, an 436, B. d. R. IV S. 816 und überhaupt ausführlich über diese Formen Loyseau III, 1, 24 fg. Er führt sie zurück auf die — griechischen Oroi und spricht sein Bedauern darüber aus, dass diese Formen in Frankreich nicht auch für das vertragliche Grundpfandrecht Anwendung finden. Basnage S. 7.

[6]) Lettres von Karl VII 1441 Ord. XIII S. 839 fg. art 5, Loyseau III, 1, 31.

[7]) Loyseau l. c.

Doch man begnügt sich, wie gesagt, nicht mit der Verkündigung des Verbotes und mit der äusseren Manifestierung
des Bannes in der dargestellten Weise, vielmehr führt die Frohnung auch zum Entzug des Besitzes, zur Ausweisung aus der
Gewere.

Dicta castra et terras cum pertinenciis debere esse in
manu nostra quousque satisfactum sit creditoribus etc.[1]) injunctum fuit ei a curia quod litteras . . quas dicti burgenses
babent super obligacione predicta teneri faciat, et si super hoc
fuerit in defectu, senescallus Petragorciensis mandatum habuit,
ut suaper hoc manus apponat[2]). Cum dominus Rex in manu
sua capi fecerint omnes hereditates que fuerant J. de A. D.
pro debito in quo dictus J. tenebatur[3]).

Vor allem aber folgendes königliche Schreiben:

petitio fidelium subjectorum nostris Delph. auribua nostris
insonuit querelosa, quod subditi nostri praedicti, plena damna
fuerunt passi et sustenti et omni die sustinebant et patiebantur,
ex eo quod Gubernator . . Baillivi, Judices, Procuratores, Com-
misarii . . ipsis subditis non vocatis, nec in eorum juribus auditis, de facto bona ipsorum subditorum, per manus apposi-
tionem, sequestrationem seu saisinam, capiebant, occu-
pabant, capi et occupari mandabant, ipsos expoliando
à possessione seu tenuta eorundem; deinde fructus bonorum
capiebant; quandoque in nostros interdum in usus suos cou-
vertendo, bonis dimissis incultis . . Darüber wird Klage geführt. Noch werden dann weiter die Schuldner bonis denutati
genannt, sine causae cognitione sua possessione privan-
dus. Die Klage aber gilt nur dem Vorgehen ohne Titel. Die
nachher genannte via ordinaria wird bezeichnet wie oben als
eine manus apositio, saisina vel sequestratio[4]).

So weit es sich um das Strafverfahren handelt, finden es
unsere Quellen immer noch nötig, ausdrücklich zu bestimmen, dass
aus dem eingezogenen Vermögen die Gläubiger befriedigt werden.
Denn omnia bona sua in voluntate vicecomitis sunt[5]). Si bona ali-

---

[1]) Olim a. 1294 N. 4 Bd. II S. 371.

[2]) Olim a. 1278 N. 54 Bd. II S. 124.

[3]) Olim a. 1286 N. 3 Bd. II S. 253.

[4]) Lettres de Charles V cit. oben S. 112 N. 1.

[5]) Martel a. 5.

cujus habitatoris dictae villae venerint in commissum, de bonis praedictis, si sufficiant, ejus creditoribus satisfaciat, et Nobis residuum applicetur[1]). Si bona alicujus nobis veniant in commissum, quod debita sua et dos uxoris, si quam habent, reddantur creditoribus et uxori[2]). Davon ist bei der Bannlegung um Schuld begreiflicherweise keine Rede mehr. Es handelt sich um ein ordentliches Exekutionsverfahren, das angehoben wird um dem Gläubiger Satisfaktion und Genugtuung zu verschaffen. Deshalb ist denn auch der Bann zunächst nur ein provisorischer. Ja derselbe erscheint vielfach schon so verflüchtigt, dass auch jetzt noch der Schuldner selbst verkaufen kann und ihm infolge der Saisie nur auferlegt ist, die betreibenden Gläubiger aus dem Erlös zu befriedigen. Nach Beaumanoir wird das Grundstück gefrohnt und werden gleichzeitig die Mangeurs auf dasselbe gesetzt. Und nachher folgt, wie wir gesehen haben, noch geradezu — trotz der Saisie — die Aufforderung selbst zu verkaufen.

Li sires le justicera par gardes et par tenir l'eritage saisi. Et quant les gardes avront esté aeur le deteur quarante jours, s'il n'a fet gré dedans les quarante jors, li souverains li doit commander qu'il vende dedans les quarante jours. Und unmittelbar darauf heisst es S'il ne veut, li souverains doit vendre etc.[3]). Hier handelt es sich freilich um das Repressalienverfahren, wo allerdings der Bann sich nur in dieser schwachen und schüchternen Weise bekundet. Sonst ist überall nur die Rede von einem Lösen und einer Rücknahme des Grundstückes gegen Zahlung der Schuld und der Kosten, bei vorgeschrittenerem Stadium auch von einem racheter. Dies aber ist dem Schuldner fast überall möglich bis zum letzten Akt des zweiten Teils, des Verwertungsverfahrens. Der Bann wird also ein definitiver bloss noch in dem Augenblick, in welchem er bereits wieder, durch Übergang in einen neuen Rechtszustand sein Ende findet.

Mettre en la main du seigneur les heritages . . et le sergent doit signifier en l'Eglise que s'il est aucun qui vueille achepter tel heritage, vienne par deuers luy, et il le vendra

---

[1]) Peyriuse art 31. Tournay art 26, a. 1307 Ord. XII S. 370.

[2]) Ord. 1303, Bd. I S. 344 fg. art. 11 vergl. Ord. pour la seneschaussées etc. de Toulouse a. 1303 l. c. S. 397 fg. art. 30.

[3]) Beaumanoir 1074.

par execution et par renchere, et volontiers receu sa denier
à Dieu, et ce faict encore doit venir au detteur, et luy signifier comment il a receu denier à Dieu pour tel prix de son
heritage et que si achepter ne le veut pour tel prix, il procedera
auant comme il appartiendra. Car s'il vouloit lors r'achepter
son heritage, encore le pourroit il faire pour le pris, ou pour
payer la dette auec les despens. Et si r'achepter ne le veut,
le sergent doit proceder à vente et subhastations. Das geschieht.
Es erfolgen die dreimal stattzuhabenden criées, während welchen
das Gericht neue Zahlungsangebote entgegennimmt. Les trois
criées . . passées 'l'executeur de rechef doit venir au detteur
luy sommer et luy dire, i'ay vendu et subhasté vostre heritage
pour tel prix, sur toutes r'encheres et criées passées, encore
vous somme, si r'acheter le voulez, pour tel prix, faire
le pouuez. Si non, ie vous insinuë que ie procederay auant
en ma vente, à faire bailler decret à l'achepteur[1]).

Und ähnlich das Recht von Anjou:

L'executeur doit faire par proudez hommes jurez apreciez
des heritiers obligez ou contenuz en la sentence joucquez à la
quantité de la debte; et puis doibt faire crier et bannir en
marchié ou en eglise par troya foiz, c'est assavoir de huitaine,
quinzaine et de quarantaine que qui plus vouldra la chose achapter si viengne avant; et à celuy qui plus en vouldra donner la
chouse doit estre baillée, si celuy pour qui la chouse a esté
vendue ne la veult avoir par le plus grand pris. Et si nul
ne venoit avant pour plus en donner, si demourra la chose à
celuy pour qui elle e esté prisée par le pris juré. Et si celuy
à qui la chouse estoit vouloit paier le pris de la debte et
les autres loyaulx mises, encores luy demourroit la chouse.
Andernfalls folgt sofort der Zuschlag[2]).

Diese Stellen geben uns auch schon Aufschluss über den
Verlauf und das Ziel des Verfahrens. Regelmässig wird
versucht, das Grundstück zu verkaufen und aus dem Erlös
den Gläubiger zu befriedigen. Erst in zweiter Linie kommt
die Übereignung an den Gläubiger in Frage. Sie soll vorgenommen werden, wenn sie sich im Einzelfall dem Verkauf

---

[1]) Bouteiller l. I, tit. 69 S. 409 fg.
[2]) Anjou K. chap. 37.

gegenüber als vorteilhafter erweist. So schon oben das Recht von Anjou. Ebenso:

Si fiant opposiciones adversus dictas execuciones, per aliquos jus se habere pretendas in bonis in quibus fiet execucio, Judex dicti Sigilli et nullus alius, dumtaxat de his cognoscet et cognoscere consuevit et si utrumque debitum sit pecuniarium, fit execucio et vendicio bonorum et post sit cognicio de prenotatis, quo cognito, pecunia juxta cognicionem dicti Judicis — — expedietur, levatis primitus expensis processus prioritatis hujus modi et execucionis, nisi Judex cognoverit evidenter Partes (Partibus) creditorum expedire bona debere tradi ad extimam proborum virorum — — [1]).

Doch finden sich häufig auch Abwickelungen, die etwa dem sächsischen Verfahren für ein dem Richter geschuldetes Gewedde oder dem fränkischen Zusatz- oder Einwerungsverfahren entsprechen. Beaumanoir spricht immer auch von der Übereignung, wenn er den gerichtlichen Verkauf nennt. Man soll die Liegenschaften vendre ou les bailler aux créanciers und diese Übereignung findet bei ihm den Vorzug[2]). Andere Rechte[3]) sprechen nur von dieser Verwertungsweise. Und es ist eine interessante Erscheinung, auf die Esmein[4]) aufmerksam macht, dass diejenigen Rechte, welche zu Beginn unserer Periode einen Zugriff nur auf die Nutzung gestatten, zuerst, wenn in die Liegenschaften selbst exequiert werden kann, gerade nur die Übereignung zulassen.

Dieses Verfahren also ist es, das zur Durchführung gelangt, wenn der Schuldner auf Grund des Repressalienverfahrens oder vielleicht diesem vorbeugend vorher schon die Erlaubnis zum Verkaufe erteilt oder wenn das Repressalienverfahren, das auf Eigenverkauf durch den Schuldner abzielte,

---

[1]) Weitere Belege siehe bei Tambour 138 f. Obige Stelle — Regl. de la Jurisdiction du Sceau de Montpellier a. 1345 Ord. VIII S. 350 f. art. 16 — führen wir an, weil sie deutlich macht, dass wirklich der Richter der Verkäufer ist. v. Meibom 126 f. Esmein 173. Nur gelegentlich erscheint, wie in Riom art. 35. Ord. XI S. 494 cit. bei Tambour S. 137 der Rat als Verkäufer.

[2]) LIV, 6. Vergl. Esmein 175, wo weitere Belege. Tambour 142 f.

[3]) Vergl. N. 2

[4]) l. c.

erfolglos blieb und das Recht für diesen Fall über den Schuldner hinweggehend bestimmte, dass doch verkauft werden solle. Dazu treten nun aber noch andere, bisher nicht erörterte Fälle. Sie alle aber stellen uns vor die Aufgabe, der wir hier nunmehr noch näher zu treten haben, das Verhältnis zu fixieren zwischen der auf das Tatsächliche hin nunmehr dargestellten Execution und der „persönlichen Obligation." Führt diese letztere zur Vollstreckung in die Immobilien, sind die letzteren in der mittelalterlichen Haftung der Person enthalten? Die Quellen kennen folgende Auffassungen:

1. Der Inhalt der „persönlichen Haftung" erstreckt sich eo ipso auf die Immobilien des Haftenden. Es ist selbstverständlich, eine Rechtsnotwendigkeit, dass, wie auf die Mobilien, so auch auf die Immobilien gegriffen werden kann. Diesen vollen, weiten Inhalt hat die sog. „persönliche Haftung" ohne weiteres, wenn sie in Hinsicht auf Fiskalschulden begründet wurde. Darauf deuten schon die früher zitierten Lettres hin, in welchen des genauern die Voraussetzungen der Bannlegung der Güter wegen Zivilschulden geregelt und dann fortgefahren wird[1]): in casibus civilibus fieri non posait nec debeat quovis modo, nisi in casibus a jure expressatis. In casibus vero criminalibus et in debitis fiscalibus procedatur prout est de jure et ratione faciendum. Und dass diese Auslegung richtig ist, beweisen Stellen wie die folgenden:

yceus et chascun d'eulx, leurs hoirs, pleiges et biens tenans, contraingnez ou faites contraindre vigueureusement sans deport, à vous paier tout ce qu'il nous devront, par prise de corps, explectacion et vendicion de biens, meubles et heritaiges et autrement, si comme il est accoustumé à faire pour nos propres debtes; en baillant ou faisant bailler Decret des heritaiges que vous vendrez ou ferez vendrez, si comme de raison sera etc. [2]).

Aber vielerorts ist auch für die nichtprivilegierten Schulden die Haftung, sobald sie nur begründet wird, eine derartig weitgehende. Allerdings treffen wir zuweilen auch hier wieder die

---

[1]) Lettres v. Charles V. a. 1367.
[2]) Lettres royales a. 1380 Ord. Bd. VI S. 694. Vergl. Lettres a. 1377 Bd. VI S. 272.

Erscheinung, dass immerhin eine besondere Form der Begründung
der Haftung verlangt wird, wie wir dies ganz analog für die
Obligieruug des Körpers bereits gesehen haben. Aber wenn
nur diese Form gewahrt ist, dann erscheint die Liegenschaft
des Schuldners eo ipso in die Haftung mit einbezogen. So ist
wohl [1]) schon folgende Stelle aufzufassen.

— — licet saisina hereditagii tradita esset cuidam
creditori ratione cujusdam obligationis unius debiti per
litteras regis etc.[2]). Und wie mir dem Wortlaute nach scheint,
sicherlich folgende Bestimmung:

Se aucun est obligé par lettres du Chastellet, il faut
prendre une commission exécutoire et par vertu d'icelle, et
en deffault de meubles, prendre ses héritaiges et mettre en
la main du roy etc.[3]).

Ferner: Quod non possint bannum in rebus eorum apponi
— — nisi prius citati vel moniti fuerint, vel nisi pro se judicata vel contumacia etc.[4]).

Eine bestimmte Form der Obligierung ist in diesem
Quellenausspruch bereits nicht mehr vorgesehen. Und es gibt
denn in der Tat eine Anzahl Rechte, welche dergestalt ganz
allgemein den Zugriff auf die Liegenschaft zulassen.

Qualiter debitor satisfaciat de bonis suis creditori. Item
statuimus quod quilibet debitor de bonis suis satisfaciat suo
creditori secundum extimationem extimatorum[5]).

---

[1]) Die eine und andere Stelle kann darum nicht — wenigstens nicht
für sich allein — beweiskräftig sein, weil, wenn sie bloss von der
Haftung sprechen, noch nicht ausgeschlossen ist, dass in der „Obligation"
die Liegenschaften ausdrücklich genannt warden.

[2]) Arresta. a. 1277. Warnkönig und Stein, Urkundenbuch II S. 123.

[3]) Grand Coutumier S. 223 f.

[4]) Lunas art. 27 cit. Gerade darum wird vielleicht die Contumacia
besonders genannt. Vergl. Plank II S. 257. Dort wird darauf hingewiesen,
dass im Falle der Landesabwesenheit des Schuldners auf Grund einer
Anweisung des Rates auf das Erbe gegriffen werden kann, to liker wis ofte
it eure set sy, obschon dies also offenbar nicht geschehen war. Ebenso
wird der Gläubiger im Falle ausbleibender Zahlung vom Rat an das Erbe
des Schuldners gewiesen, wenn die Schuld vor dem ganzen Rat bekannt
und in das städtische Schuldbuch geschrieben wurde. Also: Haftung mit
der Liegenschaft eo ipso aus bestimmten Formen der Obligierung. Vergl.
noch Bergerac art. 6.

[5]) Arles a. 9.

Si vous trouves le corps dou debteur, si l'arriestes. Se
vous ne trouves le corps, si arriestes ses meubles oateuls.
Se vous ne trouves meubles cateuls, si mettes main a ses
heritages. — Se on ne trueve le cors dou debteur ne ses
meubles cateuls, et il ait y retage que eschevin aient à jugier,
et chius cui on a portet s'aiuwe et son ensignement fait, ... on
le doit mettre, li prevos ou li justiche, en l' yretage de chelui
comme en son wage[1]).

Wie wir wissen, war ursprünglich die Execution in die
Immobilien ausgeschlossen. Jetzt erscheint sie — zunächst
allerdings nur in relativ wenigen Rechten — als ein un-
mittelbarer Ausfluss der Haftung. Diese hat sich also inhaltlich
erweitert, hat ihr ursprünglich fremde Momente assimiliert.
Im ancien droit vollzieht sich nun aber noch ein derartiger
Assimilierungsprozess nur in ganz besonders merkwürdigen
Formen vor unsern Augen.

2. Der Gläubiger kann in die schuldnerische Fahrhabe exequiren. Diese haftet ihm. Aber er hat keineswegs ein Recht,
auf die schuldnerischen Immobilien zu greifen. So weit
reicht die gemeine Haftung grundsätzlich nicht. Andererseits lassen
diese Exequierbarkeit Erwägungen verschiedenster Natur für
wünschenswert erscheinen. Und die Rechte schaffen sich den
merkwürdigen Ausweg des Repressalienverfahrens. Der
Entzug der Freiheit des Schuldners erhält den Charakter einer
Repressalie. Und dem Gläubiger soll es zustehen, Mangeurs
auf die schuldnerischen Liegenschaften zu setzen resp. setzen
zu lassen. Aus ihrer Machtfülle heraus bestimmen die Gesetze
so. Denn nirgends ist davon zu lesen, dass sich der Schuldner
etwa dahin verhafte, die gardes zu dulden — eine zum vorneherein unmögliche Annahme, wenn man an die erst noch zu
besprechende Satzung der Immobilien denkt. Das Gesetz schafft
also — eine interessante legislativpolitische Tat, welche ebenso
sehr die Unnahbarkeit des Immobilienbesitzes als die Herrschaft
des Prinzipes nicht gesetzlicher sondern selbsttätiger Herstellung der Haftung durch den Schuldner, dartut — ein
Coercitionsverfahren. Der Schuldner soll, da man in der Exekution aus der gemeinen Haftung nicht auf die Liegenschaft

---

[1]) Livre Roisin P. 48, 49.

greifen kann, diese eigenhändig verkaufen. Wir haben bereits
darauf hingewiesen, wie die Rechte nur sehr allmählich wagten,
sich über diese Anschauungen hinwegzusetzen. Es kommt wohl
gar vor, dass sie neue Grundsätze aufnehmen, von denen man
glauben möchte, sie wären in Anbetracht der Unzulänglichkeit des
Marqueverfahrens gierig aufgegriffen worden — aber, die Rechte
wagen nicht einmal, ihnen in ihren notwendigen Konsequenzen
Folge zu leisten. So wird nach der Coutume des Châtillon[1])
das Grundstück gefrohnt. Das Verwertungsverfahren beginnt
und zwar sieht es in den verschiedenen Stadien den Verkauf als
Endziel vor. Doch noch nach den criées muss die Einwilligung
des Schuldners geholt werden, und bleibt sie aus, dann ist von
Verkauf keine Rede mehr und der Richter kann nur louer le
vendaige et bailler décret et confirmation d'iceluy et les deniers
du prix tourner et convertir en la solution du débiteur.

Doch schliesslich kommen die Rechte trotz der Bedenken
dazu, die Liegenschaft anzugreifen, wenn das Marqueverfahren
versagt und der Schuldner sich nicht entschliesst, selbst zu verkaufen. Wir sehen, wie zögernd dieser Schritt in·den Assises
de Jérusalem vollzogen wird:

Se il avient que celui qui a livré son fié à vendre par
l'assise por dette coneue ou provée en court, se destorne de
venir en la court fournir l'assise, ou se il est en la court et il
ne viaut le sairement avant dit faire à l'assize fornir, por tant
ne me semble il mie qu'il dee demorer d'estre le fié vendu —
— car il i a preupre assise[2]) que fié se peut vendre por dette
coneue ou provée en court, se celui qui la coneist ou vers qui
ou la preuve n'a autre chose de quoi paier la que la vente de
son fié — — que se ensi n'estoit — -- fié ne seroit jamais
vendu por dette se celui de qui le fié est ne le voleit; que nul
ne le poreit faire livre son fié à vendre, ce il ne voleit, et ce il
l'avoit livré ne le poreit antrui esforcier de faire ledit sairement
... laquelle chose sereit contre la devant dite assise[3]).

Energischer ist Beaumanoir. Er denkt schlecht vom
Marqueverfahren und bekämpft es, wo er kann. Man

---

[1]) 1371. art. 72. Vgl. Tambour 137.
[2]) coutume.
[3]) Livre de Jesu d'Ibelin ch. 185.

soll allerdings den Schuldner zwingen, und man soll ihm
commander[1]), selbst zu verkaufen; aber der Zwang insbesondere durch Mangeurs darf nur eine beschränkte Zeit
— vierzig Tage — dauern. Nachher aber gestattet Beaumanoir,
im Vergleich zu der eben zitierten Quelle und zu andern
Schriftstellern geradezu skrupellos den Verkauf (resp. die
Übereignung) der Liegenschaft. Ne on ne doit pas les biens
apeticier par gardes ne par mangeurs, mais delivrer as creanciers au coust des cozes etc. Damit aber stehen wir vor
dem beachtenswerten Phänomen, dass in die Liegenschaften
exequiert wird, obschon dieselben nicht obligiert
sind. Dass dies letztere nicht der Fall, erscheint unzweifelhaft.
Darauf eben beruht das Marqueverfahren, welches diese Rechte
auszeichnet. Zudem aber sagt dies noch ausdrücklich
Beaumanoir:

Et se l'en ne trueve ne muebles ne chateus que fera
l'en? Se l'eritages est obligiés es letres l'en le demena selonc
l'obligacion. **Et s'il n'est pas obligiés,** li sires le justicera
par pardes et par tenir l'eritage saisi[2]). Und dieser Fall: s'il
n'est pas obligiés endigt mit der Aufforderung: li souvrains
doit vendre et despendre, ou bailler au detour![3]).

Der Ausgangspunkt dieser Rechte des Marque-Verfahrens
ist von demjenigen der sub 1) genannten Rechte grundverschieden.
Der Effekt aber ist, wenn anders die Coutumes der zweiten
Klasse den eben charakterisierten, entscheidenden und entschiedenen Schritt wagen, der nämliche. Allerdings ist nunmehr die Liegenschaft auch in den Bereich der gemeinen
Haftung einbezogen und zwar auch dergestalt, dass eo ipso mit
dieser gemeinen Haftung die Möglichkeit gegeben ist, nötigenfalls auf die Liegenschaften zu greifen. Aber der grosse Unterschied liegt darin, dass nach dem Rechtsbewusstsein der sub 1)
genannten Rechte die Möglichkeit sich — wenigstens subsidiär —
an die Immobilien zu halten, unmittelbar und rechtsnotwendig
aus der einmal begründeten oder überhaupt gegebenen
Haftung hervorgeht, während nach der Auffassung der Rechte,

---

[1]) 1074, 1326, 1593, 1602.
[2]) 1074.
[3]) l. c. Vgl. oben N. 1.

die wir an zweiter Stelle genannt haben, davon keine Rede
sein kann. In diesen Rechten wird vielmehr in die Liegenschaften exequiert, trotzdem aus dem Akt der
Obligierung sich ein solches Recht nicht ergibt. Nicht der Schuldner, sondern das Gesetz gibt dem
Gläubiger ein solches Recht, allerdings nur, weil es eine
solche Ergänzung des Haftungsinhaltes für unabweislich
nötig erachtet. Aber es steckt darin doch der Bruch mit einem
sonst unbeschränkt herrschenden Prinzip. Die Obligierung bedeutet Einräumung einer Macht. Diese Einräumung muss der
Schuldner selbst, resp. derjenige, der für ihn haften will, vornehmen. Aus dieser Notwendigkeit heraus hat sich der Formalismus, so weit er hier in Betracht fällt, gebildet. Aus dieser
Notwendigkeit heraus erklärt sich wenigstens zu einem Teil die
Erscheinung, dass unsere Quellen nicht müde werden, überall,
wo eine vertragliche Haftung in Frage steht, anzugeben, wie
weit sie inhaltlich reicht. Auf dem ·weiten Umweg des
Repressalienverfahrens aber gelangen die Rechte zu einer gesetzlichen Haftung in dem Sinne, dass eine einmal vorhandene Haftung,
de lege sich auch auf die Liegenschaften des Schuldners erstreckt,
obschon vielleicht die Intentionen des letztern so weit gar nicht
giugen [1]). In den Coutumes, welche sich zu einer derartigen
Regelung durchgerungen haben, sind all die Fristen, die dem
Schuldner Gelegenheit bieten sollen, selbst zu verkaufen und
die demselben Zwecke dienenden Commandements und endlich
selbst die Mangeurs nur noch die Rudimente des langen, durch
abweichende Grundauffassungen [2]) bedingten Werdeganges.

---

[1]) während gerade dies in den erstgenannten Rechten stillschweigend
angenommen wird. Man möchte von einer praesumtio juris et de jure
sprechen.

[2]) Wenn also auch Familienbande und Feudalrecht in diesem Sinne
wirkten, so kommt doch in unsern Zusammenhängen nicht so sehr ein
respect exagéré de la propirété wie Tambour S. 133 will, als vielmehr der
Wille des Haftenden als das bewegende resp. hemmende Moment in Betracht. Es ist das Verdienst Esmeins, in seinen Etudes nachdrücklich
darauf hingewiesen zu haben, vergl. die ganze Darstellung § 2 S. 160 f.
S. 177: „Ce qui entravait ou gênait l'exécution sur les immeubles du
débiteur, c'est qu'on se faisait scrupule d'en disposer sans le consentement
du propriétaire: par tous les moyens on cherchait à avoir son concours au
moins dans la forme."

Wie wir gesehen haben, sucht das Repressalienverfahren zuweilen nicht den Schuldner zum eigenhändigen Verkauf zu bewegen, sondern erstrebt die Zustimmung zum gerichtlichen Verkauf. Und wir haben gesehen, dass in diesem Falle man sich durchwegs scheut, über den Willen des Schuldners kurzerhand hinweg zu gehen. Mit der Erzwingung des Konsenses wird nur ein Rechtszustand geschaffen, den der Gläubiger hätte herstellen lassen können und sollen, indem er von vorneherein die ausdrückliche Obligierung mit den Immobilien verlangte.

3. Die Immobilien fallen nicht in den Bereich der gemeinen Haftung. Dazu bedarf es vielmehr eines ausdrücklichen Einbezuges, eines speziellen Hinweises darauf, dass auch die Liegenschaften haften sollen. Dans certains coutumiers l'obligation (sc. der Liegenschaften) est même la condition nécessaire, pour qu'on puisse saisir et vendre les immeubles au profit du créancier konstatiert Esmein[1]) ganz richtig und er weist zum Beleg auf den ancien coutumier de Picardie hin:

Et n'est mie à oublier que se I homs doit une dette à une personne ou à plusieur, tant soit elle venue à connissanche pardevant justiche, et il n'ait obligiet par especial ou generalment ses hyretages pour vendre et despendre, li créanciers n'en porra nul vendre ne faire vendre; anchois convenra que si denier soient pris sur les biens meubles du debiteur[2]).

Nicht weniger formell ist der Fors de Morlaas (art. 346):

Nulhe cause que lo caver fassa, la terre no s'en encor, si donexs no s'en ere obligat per abant.

Ebenso muss in Perpignan die Immobilie ausdrücklich obligiert werden (art. XIV):

Si aquel contre qui es donat clam en causa peccuniaria afferma que no pot donar fermances ne penyores mobles, deu asso jurar, present lo demador, ço es que no pot donar fermança ne penyores mobles fins a valor de sinch sous, exceptat lit etc. — e que si ve a mellor fortuna pagara tot so que pora; e si ha bens immobles deu obligar aquels.

Im übrigen seien aus den zahllosen Quellenaussprüchen,

---

[1]) S. 177.
[2]) Ed. Marnier S. 94.

die das Gesagte erhärten, nur noch einige wenige angeführt, in
welchen sämtlichen wir einem Verfahren begegnen, das dem
weiter oben dargelegten entspricht und wobei durchaus die
besondere Obligierung der Liegenschaften als Voraussetzung des Verfahrens erscheint.

Dicta castra et terras . . debere esse in manu nostra,
quousque satisfactum sit creditoribus, quibus dicta castra et terre
obligata existunt, — satisfaciet creditoribus quibus dicta castra
et terra obligata existunt[1]) habent terram pro debitis . . . . obligatam. . . . . et injunctum fuit ei a curia quod litteras domini
et domine de Bregeriaco, quas dicti burgenses habent super
obligacione predicta teneri faciat; et si super hoc fuerit in defectu, senescallus . . . . mandatum habuit, ut super hoc manum
apponat[2]).

Maintes fois aduient que par la vertu d'aucune obligation
sur faute de paye, ou contract, ou par ₈en₊enᵤe, ou par arrest
de Parlement, l'heritage d'aucun se vend par execution de
justice, iaçoit ce que ce soit contre la voulenté de celuy à qui
l'heritage est, puisque celuy de qui òn vend, est à ce obligé,
car sans ce ne doit l'heritage de l'homme estre venduē[3]).

Cieus li cognut, dont il convint qu'il en vendist son heritage pour celui paiier, et fu vendu en le main le roy etc.[4]).

Nach dem bisher Gesagten sind wir nun immer noch nicht
in der Lage, die Frage nach dem Verhältnis von Personenhaftung
und Vermögenshaftung, von Treugelöbnis und Zugriff auf das
schuldnerische Eigentum erschöpfend zu beantworten. Doch
wichtige Anhaltspunkte haben wir nach dieser Richtung hin
immerhin schon gewonnen. Denn ohne Zweifel geht aus dem
Gesagten doch wohl schon das Eine hervor:

Die Haftung wie sie auf Grund des Treugelöbnisses eintritt, kann die Haftung des Gelobenden in
seiner ganzen wirtschaftlichen Existenz, mit allem,

---

[1]) Olim a. 1294 N. 4 Bd. II S. 371.
[2]) L. c. a. 1278 N. 54 Bd. II S. 124.
[3]) Bouteiller l. I tit. 69 S. 409.
[4]) Artois II, 7. Vergl. ferner Bergerac art. 25, Grand Coutumier S. 223 f.
Anjou et Maine K. chap. 37 E. chap. 336 f.

was er an ökonomischen Werten zu eigen hat, nicht
sein. Wir haben gesehen, wie sehr Puntschart betont, es sei die
Person, die in der persönlichen Obligation von allem Anfang an
hafte, die Person in ihrer wirtschaftlichen Bedeutung,
nämlich als Träger der wirtschaftlichen Kraft. Dabei
sei es wirklich das physisch körperliche Substrat, an das sich
Arbeits- und Erwerbsfähigkeit, sowie Erwerb knüpfen, was das
primäre Haftungsobjekt abgebe bei diesem plegium corporis.
„Nur weil die Person als Träger ihrer wirtschaftlichen Kraft
gehaftet hat und haftet, wird bei der Zwangsvollstreckung auf
ihre wirtschaftliche Kraft gegriffen, vor allem auf ihr Vermögen"[1]).
In Ermangelung von genügendem Vermögen werde auf die
Person des Haftenden selbst gegriffen. Denn in ihr verkörpere
sich auch noch eine wirtschaftliche Kraft, die Arbeitskraft, die
wieder Vermögen erzeugen kann. Puntschart beruft sich dabei
auf Plank, welcher von der Überantwortung der Person des
Schuldners an den Gläubiger sagt, sie sei und bleibe die Grundlage und der Nerv der Exekution wegen gerichtlich gewonnener
Schuld. Der Zwang richte sich immer in erster Linie gegen
die Person des Schuldners, gegen das Vermögen erst dann,
wenn der Gläubiger sich damit zufrieden gegeben habe[2]). „Die
Personalexekution ist daher die eigentliche Form der Exekution,
die Vermögensexekution nur milderndes Surrogat der erstern."

Ein solche Auffassung scheint in unseren Quellen eine
Bestätigung zu finden, wenn man beispielsweise dieser Reihenfolge der Obligierungen begegnet:

Se aulcuns veulent faire obliger aultres à eulx pour debte,
il le peut faire 'en plusieurs manieres: Premierement en Lettres
executoires soubs Seel Royal et en Nisi et se les Parties sont
de la Ville, l'en les doibt faire obliger en Nisi et faire consentir que ils veulent estre excommuniés par ung des curés
de B. — — Qui ne se veult obliger en Nisi, en doibt faire
obliger le corps, qui peut, et qui ne peut l'en doibt faire
obliger Biens meubles et Immeubles — —[3]).

Und wenn gar in der Exekution wirklich in allererster

---

[1]) S. 201.
[2]) Plank II § 133 S. 244 f.
[3]) Bourges 155.

Linie der Körper des Hafteuden in Betracht fällt und das Verfahren zuerst und unmittelbar gegen ibn seinen Lauf nimmt,
scheint das die Probe aufs Exempel zu sein.

Esquevin doivent dire au sergant: Le vous trouves le
corps dou debteur, si'arriestes Le vous ne trouves le corps,
si arriestes ses meubles cateuls. Le vous ne trouves meubles
cateuls, si mettes main a ses heritages[1]).

Insbesondere Stellen, wie die letztangeführte, scheinen diese
Auffassung vollinhaltlich zu bestätigen. Und ebenso könnte
man versucht sein, die erste der drei Gruppen, die sich uns
ergeben haben, für dieselbe ins Feld zu führen. —

Trotzdem halten wir dafür, dass diese Auffassung nicht
diejenige der Quellen ist.

Schon die bisher aus der Geschichte der Personalexekution herangezogenen Erscheinungen rufen mancherlei
Bedenken hervor. Wir haben gesehen, wie selbst schon zur
Zeit der Herrschaft des Treugelöbnisses in vielen Rechten die
Exekution vor der Person des Haftenden Halt machte. Sollte
damit wirklich dem ganzen Verfahren der Nerv und die Grundlage entzogen worden sein? Man unterschätze die Treue und
zähe Grundsätzlichkeit nicht, mit der sich derartige Auffassungen
erhalten und durchsetzen. Soeben haben wir dafür ein frap-
pantes Beispiel in der Entwicklung der Immobiliarexekution
betrachtet. Nun aber wird gegen die Personalexekution an-
gekämpft. Sie wird wohl auch in Schutz genommen. Aber die
Erwägungen sind dabei ausschliesslich ethischer und wirtschaftlicher Natur. In diesem Sinne ist uns ja bereits die Divergenz
zwischen dem Formalismus und dem aus demselben entspringenden materiellen Recht aufgefallen. Und auch hier ist
wiederum zu bemerken, dass formaljuristische Schwierigkeiten
der Abschaffung der Personalexekution überall nicht im Wege
stunden. Und dies hätte doch bei Lebendigsein der vorgetragenen
Auffassung der Fall sein müssen[2]).

---

[1]) Livre Roisin p. 48 n ° 8.

[2]) Dies stellen wir uns so vor, dass bei der Exekution in das Vermögen, wenn sie wirklich nur Surrogat wäre, in irgend welcher formellen
Weise doch immer noch die Person in Mitleidenschaft gezogen würde, ins-

Bei dieser Erwägung können wir uns aber noch auf eine andere Beobachtung stützen. Sobald die Immobiliarexekution in den Bereich der Möglichkeit tritt, beginnt die Personalexekution zu verkommen. In der Form besteht sie fort. In der Sache wird sie verdrängt. Denn wenn die Entziehung der Bewegungsfreiheit nur noch Coercitivfunktion zu erfüllen hat, ist die Person selbst schon nicht mehr Satisfaktionsobjekt. Ihrer Bedeutung in diesem Verfahren nach stellt sie sich neben die mangeurs. Das scheint mir zu beweisen, dass nicht nur wirtschaftlich die Exekution in den Grundbesitz in den Mittelpunkt rückte, sobald sie überhaupt möglich war, sondern auch dass der Anerkennung dieses Vorranges juristische Erwägungen nach der Richtung der Personalexekution hin nicht im Wege stunden.

Demnach ist wohl die Exekution in die Person nicht die Spitze und der Schlussstein des ganzen Verfahrens gewesen, nicht das Endziel, nach welchem alle Wege führten, nicht der Mittelpunkt, um den gleichsam in konzentrischen Kreisen die Verfahrensarten, die gegen Mobilien und Immobilien sich richteten, gelagert waren.

Ihre bedeutsame Ergänzung erhalten diese Erwägungen über die Personalexekution durch die Wahrnehmungen, die wir bei Betrachtung der Vermögensexekution gemacht haben. Nur mit Mühe und Not und oft nur auf weitem Umwege bringen es die Rechte so weit, dass sie nicht mehr fragen, ob die Liegenschaften ausdrücklich obligiert seien, und sie ohne weiteres in die Vermögenshaftung einbegriffen betrachten. Dass diese Entwickelung eine so langsame und schwerfällige gewesen, widerspricht der universalistischen Auffassung der Personalhaftung, die dahingeht, dass mit der Obligierung der Person von selbst, notwendigerweise die Haftung mit ihrer ganzen wirtschaftlichen Existenz gegeben sei. Denn wäre dem so, dann müsste kon-

---

besondere so, dass erst nach einer entsprechenden Formerfüllung der Zugriff auf das Vermögen offen stünde. Ein Ähnliches wird uns denn auch bei einer Ableitung der Vermögenshaftung aus einer auf Friedlosigkeit zurückzuführenden Pönalsanktion lebendig entgegentreten. Vergl. das 4. Kapitel des Anhanges. Statt dessen treffen wir hier die Erscheinung, dass nach einzelnen Rechten zuerst auf die Person gegriffen wird, nach andern — diametral entgegengesetzt — zuerst allein und in unmittelbarer Weise auf das Vermögen.

sequenterweise auf Grund der „persönlichen Haftung" auch in die Liegenschaften exequiert werden und die Rechte aus der zweiten und dritten der oben gekennzeichneten Gruppen wären uns unverständlich.

Alle die zahlreichen hierher gehörigen Coutumes lassen demnach die „persönliche Haftung" in unverkennbarer Weise als eine beschränkte erscheinen. Es bliebe also von dem hier bekämpften Standpunkte aus nur etwa folgende schon wesentlich modifizierte Auffassung möglich: Die grundsätzliche Unbeschränktheit der Personalobligation habe sich zu einer Zeit ausgebildet, da der Zugriff auf die Liegenschaften noch ausgeschlossen gewesen. Infolgedessen gehe die Haftung nur auf die Person und die Fahrhabe.

Nun wurde aber gezeigt, dass allmählich auch die Exekution in die Liegenschaften aus der Vermögenshaftung heraus möglich wurde. Es hatte ein Absorptionsprozess stattgefunden. Ein solcher Aufnahmeprozess wäre nun an und für sich auch für die Haftung der Fahrhabe zugleich mit der Person denkbar. Auf Grund des Treugelöbnisses würde also auch auf die Fahrnis gegriffen. Das ist möglich. Wir haben schon gesehen, wie der Sinn der formalen Haftungsbegründung durch Handschlag schliesslich zerstört wurde und diesem letzten früher oder später neue Funktionen zugewiesen wurden, und wir werden späterhin noch sehen, in welchem weiten Umfang diese Verschiebung stattgefunden. Um so mehr ist es denkbar, dass, wenn ein Schuldner sich mit Treugelöbnis obligierte, man früher oder später dazu kam, auf Grund dieses Treugelöbnisses auch auf die Fahrhabe zu greifen.

Man muss sich aber darüber klar sein, dass diese letztere Exekution doch ursprünglich nicht eine Wirkung des Treugelöbnisses sein konnte, dass es sich um etwas diesem letzteren ursprünglich völlig Fremdes handelt, um eine Nebenwirkung, die von aussen her zur Hauptwirkung hinzugetreten ist. Es ist etwas willkürliches, ja zufälliges und erklärt sich nur aus dem Bedürfnis nach Vereinfachung und Befreiung des so unglaublich engen Haftungsrechtes heraus, wenn gelegentlich ein Recht zu einer solchen Lösung gelangt ist.

Denn sicherlich ist nicht sie der Normalfall. Unsere Quellen verbieten eine Auffassung, die in der Exekution gegen

die Person und in der Exekution gegen die Fahrhabe Wirkungen
einer einzigen, eben der persönlichen Haftung erblicken und
diese in geschlossener Ableitung aus einheitlichen genetischen
Gesichtspunkten von Seite der engeren und engsten Personalhaftung her erklären wollte, so dass dann die besondere Behandlung der Immobilien etwa aus den Besonderheiten dieser
Haftungsobjekte in singulärer Weise zu ergründen wäre. Die
Quellen, sagen wir, verbieten eine solche Auffassung. Folgende
Erscheinungen tun dies unzweifelhaft dar.

Das früher schon zitierte Recht von Bourges[1]) sagt, der
Schuldner solle sich unter einer Strafklausel, die die Exkommunikation vorsieht, verpflichten oder solle seinen Körper
obligieren, wenn er aber das nicht könne, dann solle er sein
Vermögen und zwar sein bewegliches und unbewegliches einsetzen.

Es ist nun auch Puntschart aufgefallen, dass die Person
so häufig neben dem Vermögen besonders genannt wird. Auf-
fällig scheint er dabei nur die besondere Nennung der Person
zu finden. Denn seine Erklärung geht dahin, dass eben auch
der Person als solcher wirtschaftliche Bedeutung zukomme.
Aber nicht nur ist hier zu bemerken, dass, wenn wirklich die
Rechte von der Ansicht ausgehen, persönliche Haftung bedeute
Haftung der Person in ihrer totalen wirtschaftlichen Existenz,
dann doch der Einschluss der Person so selbstverständlich ist,
um so mehr, als sie doch den geschichtlichen Ausgangspunkt
und immer noch den Mittelpunkt dieser Gesamthaftung darstellen
soll, dass eben die in Frage stehende Ausdrucksweise doch be-
fremdet. Sondern es bedarf in Wirklichkeit von hier aus die
besondere Nennung des Vermögens erst recht ihrer Erklärung,
da ja zugegebener Massen auf Grund des Gelöbnisses zu aller-
erst und recht eigentlich eo ipso die Person selbst obligiert
erscheint. Ist sie es nun aber mit allem, was ihr an wirtschaftlichen Werten zukommt, wozu dann die besondere Obligierung
des Vermögens? Dass nun aber in all diesen Fällen wirklich
das Vermögen, d. h. also wie die Liegenschaften so auch schon
die Fahrhabe der Person gegenüber gestellt wird, zeigt in
schärfster Beleuchtung der Umstand, dass die Klage auf

---

[1]) oben S. 127.

Grund der Obligation wie gegen die Person so auch gegen die Güter geht[1]).

Ferner vergegenwärtige man sich nur nochmals den Wortlaut der Quellen und die Art und Weise, wie sie die Person, den Körper des Obligatus und das Vermögen, das bewegliche und unbewegliche als zwei heterogene Ziele und Objekte der Haftung einander gegenüber stellen[2]).

Obliger eus et lors biens et leurs successeurs[3]) consentous et octroyons par les foys de nos corps et sous l'obligation de nous, de nos hoirs et successeurs et ... de tous nos biens meubles et immeubles présens et advenir[4]) l'obligacion de leurs personnes, de leurs hoires et de tous leurs biens[5]) en obligeront touz leurs biens et de leurs hoirs; et par especial, le fons de la terre et touz leurs autres biens quelz que il soient, leurs corps et toutes autre chose[6]), nous obligeons nous, nos hoirs et tous nos biens muebles et non muebles presens et à venir[7]), i obliga li et tous ses biens[8]) oder: cors et avoir et heritaige[9]), avoit obligiet sen cors et tout le sieu[10]), on ne pust faire claim sus ne arrest ne sur leurs corps ne sur leurs avoirs, pour nul meffait, ne pour debte, ne pur chose nulle; se ne feust pour mellée ou debte cogneue mais franquement et delivrement puissent aler, mener et ramener leurs corps et leurs biens les chemins dessusdiz[11]).

Schon diese Stellen zeigen uns, dass die „persönliche Haftung" das einheitliche Institut nicht sein kann, welches man aus ihr zu machen versuchte. Wir haben schon früher ausführliche Haftungsformeln genannt. Andere werden folgen.

---

[1]) Puntschart 206 f., vergl. oben S. 44.
[2]) Vergl. oben S. 28, 29, 30, 34, 35, 36, 41, 42, 43, 75.
[3]) Manre. Nouv. Rev. hist. a. 1894 Bd. 18 S. 65.
[4]) Nouv. Rev. cit. Charte de Lançou a. 1331 S. 233.
[5]) Burne a. 1372 Ord. V S. 474, 476.
[6]) Burne art. 8.
[7]) Chitry a. V.
[8]) Olim a. 1282 n. 29 Bd. II S. 211.
[9]) Abrégé Champenois, Viollot III S. 163.
[10]) Artois II, 3.
[11]) St. Omer a. 4, Ord. IV S. 260; vergl. noch Puntschart S. 122, 123, 202 fg., ferner Peule a. 1507 B. d. R. I, 430, Troyes a. 1509 art. 315 cit. III, 455.

Warum diese langatmigen Formeln, aus denen das Bestreben spricht, die Aufzählung der Haftungsobjekte zu einer vollständigen und lückenlosen zu machen? Weil die Rechte die Universalität als ein leitendes Prinzip, nach welchem der Inhalt der Haftung einer Person bestimmt werden soll, nicht kennen.

Es gibt Rechte, welche als „Normalfall" die Haftung des Schuldners einzig und allein mit seinem Körper anerkennen[1]. Ihnen stehen andere gegenüber, welche nicht auf den Körper, sondern nur in das Vermögen exequieren und hier wiederum solche, welche zunächst nur die Fahrhabe für obligiert halten.

Aus der erst genannten Form, aus der engsten Personalobligation hat man versucht, die Vermögenshaftung abzuleiten. Können, ja müssen wir nicht auch eine genetische Ableitung versuchen, die von dieser letzteren, der Vermögenshaftung und zwar ebenfalls von ihrer offenbar ältesten, engsten Form, eben der Haftung nur der Fahrhabe[2]) auszugehen hat? Innerlich berechtigt ist dieser Versuch so gut wie der andere, ja es wird sich erweisen, dass die jüngere Entwicklung des Vermögenshaftungs- und z. T. auch des Hypothekarrechts insbes. während und nach der Rezeptionsbewegung nur von dieser Seite her zu erfassen ist.

Sicherlich — das ist von der allergrössten Bedeutung, — gab es im Mittelalter keine Form der Haftungserrichtung, die eo ipso, notwendigerweise den Obligatus gleichzeitig in seiner körperlichen, wie in seiner gesamten wirtschaftlichen Existenz zu binden vermocht hätte.

Aber merkwürdig genug! Nur um so intensiver machte sich die Herrschaft jenes Prinzipes geltend, um dessentwillen der Formalismus im Mittelalter überhaupt existierte, jenes Prinzipes nämlich, dass der Schuldner bezw. der Bürge die Haftung selbsttätig herzustellen habe, dass die Haftung eine vertragliche sei. Denn nunmehr erscheinen all jene ausführlichen, ausdrücklichen Einräumungen, jene Klauseln, welche das Recht des Gläubigers in einer von den alten Formen nicht zu erreichenden Weise erweitern sollen, jene sorgfältigen Aufzählungen von neuen, und auch schon eine neue Zeit charakterisierenden Haftungsinhalten.

---

[1]) Vergl. unten Teil 2, Kap. 3 und Anhang Kap. 3 und 4, ferner Zeitschrift für schweiz. Recht VII 118, 126.

[2]) Vergl. die C. von Anjou Viollet I S. 262 und unten Anhang Kap. 1.

Aber so laut und eindringlich all die zahllosen Obligationsformeln das genannte Prinzip künden — sie sind bereits Erscheinungen in der jäh absteigenden Linie der Geschichte der vertraglich herzustellenden Haftung.

Zwei Entwicklungslinien finden in den hier dargestellten Erscheinungen ihren gemeinsamen Ausgangspunkt. 1. Die Überwindung der Grundsätze: Vertraglichkeit der Haftung und Spezialität (Beschränktheit) derselben führt zur Anerkennung der gesetzlichen allgemeinen Vermögenshaftung. 2. Die Intensivierung des Inhaltes der Vermögenshaftung und ihre Weiterbildung auf Grund ihrer Eigentümlichkeit als einer Haftung neben der Person und unabhängig von derselben. — kurz, als einer sächlichen Haftung, führt zur Ausbildung der Hypothek durch das Institut der jüngeren Satzung hindurch.

Viertes Kapitel.

Vermögenshaftung und jüngere Satzung: obligatio generalis und obligatio specialis.

Die obligatio generalis ist bis heute ein Stiefkind unserer historischen Rechtsdogmatik geblieben. Eine selbständige Behandlung hat sie überhaupt nie erfahren. Regelmässig trat man mit fertigen Vorstellungen über Institute, welche die vermeintlich richtigen Ausgangspunkte für die Betrachtung dieser Generalobligation abgeben sollten, an diese letztere heran. Darin lag ein schwerer methodischer Fehler, der sich denn auch gehörig rächte. Denn die Auffassungen der Autoren über die Vermögenssatzung sind vielfach unsicher und widerspruchsvoll. Sie bestehen fast immer in einer Anlehnung an Rechtsvorstellungen, die selbst noch streitig sind und noch ihrer völligen Klarlegung harren. So kam man nicht nur zu keiner befriedigenden Erklärung der obligatio generalis, sondern man liess sich dadurch auch die breiteste erkenntnistheoretische Basis für die Erfassung anderer, eben nur von hier aus dem Verständnis zugänglicher Rechtsgebilde entgehen.

Dabei sind die besagten Ausgangspunkte geradezu von heterogenster Art. Das noch in neueren und neuesten Werken zu lesen ist, das deutsche Recht habe keine Generalhypothek gekannt, offenbar nicht, weil eine solche gegen das deutschrechtliche Publizitätsprinzip verstossen hätte [1]) — und dass dies behauptet wird ohne Darbietung einer anderen Erklärung der obligatio bonorum, sei hier nur registriert. Angemerkt muss ferner auch werden, dass zuweilen immer noch das römische

---

[1]) So Demelius, Pfandrecht an beweglichen Sachen I S. 27 f.

Recht für die Existenz der Generalobligation verantwortlich gemacht wird[1]).

Bedeutsamer ist der Versuch, von der Seite der mit Gelöbnis hergestellten **Personalhaftung** her zum Verständniss der Obligation des gesamten Vermögens vorzudringen. Diese letztere sei ein Ausfluss, eine Weiterbildung der ersteren, sei „persönliche Haftung." Wir haben bereits im vorigen Kapitel manche Bedenken genannt, die sich gegen diese Auffassung erhoben. Andere Schwierigkeiten bereiten ihr, wie wir glauben, die Erscheinungen des germanischen Rechts. Nach dieser Richtung hin wird in diesem Kapitel unsere Aufgabe wesentlich nur die sein, ihr eine den Eigentümlichkeiten der mittelalterlichen Quellen u. E. besser gerecht werdende Erklärung gegenüber zu stellen. — Häufiger finden die Autoren bei Besprechung der **jüngeren** (Spezial-)Satzung Anlass, auf die Generalobligation zu sprechen zu kommen. Nun ist aber jene

---

[1]) Esmein 182, 188. Letztere Stelle bespricht die Mobiliarhypothek. Die erstere macht auf die römische Bezeichnung aufmerksam. Aber wenn man zunächst nur an die Terminologie denkt, ist es bedenklich, davon zu sprechen, unser Recht habe copié la clause hypothécaire du droit romain. Schon die Quellen des germanischen und fränkischen Rechtes kennen die Ausdrucksweise obligatio personae und obligatio rei, und die obligatio omnium bonorum in den Haftungsklauseln ergab sich, dem Inhalt derselben entsprechend, von selbst Aber Zweck und Inhalt sind durchaus andere als bei der römischen Konventionalhypothek. Vergl. auch Viollet, Histoire 736. Am wenigsten lässt Glasson VII 675 f. erkennen, dass die obligatio bonorum eine einheimisch originale Rechtsbildung ist. Er spricht von einer Introduktion der römischen Hypothek und sagt von dieser letzteren: Elle apparait à l'origine sous la forme de l'obligation du bien. Unverständlich ist auch die Fortsetzung: die obligatio habe sich auf einzelne bestimmte oder auf sämtliche Liegenschaften des Schuldners erstrecken können: mais il n'est pas encore question des meubles. Er zitiert Beaumanoir. Aber wir verweisen hier nur auf die bisher von uns noch nicht herangezogenen Stellen 1979, 1980, 1084. Mit Recht betonen schon Warnkönig und Stein II S. 597, dass Beaumanoir die obligatio ohne die geringste Anspielung auf das römische Recht als ein längst bestehendes Institut erwähne, was also eine Rückführung auf die römische Hypothek untersage. Hingegen führt auch Schäffner die obligatio bonorum auf römischen Einfluss zurück, III 358 f. Der entgegengesetzte Standpunkt ist derjenige der gesamten neueren deutschen Literatur, gelegentlich noch für die als anomal betrachtete Satzung des ganzen Vermögens ausdrücklich hervorgehoben, Stobbe, Handbuch II § 145 S. 139.

selbst ihrem Wesen nach noch streitig und es könnte darum
doch wohl schon aprioristisch empfohlen werden, die Akten
über die jüngere Satzung nicht für geschlossen zu erklären,
bevor nicht auch in diesem Rahmen die Generalobligation ihre
selbständige Beleuchtung erfahren hätte und nicht wenigstens
versuchsweise für die Erkenntnis der Spezialsatzung fruktifiziert
worden wäre. Denn zunächst ist gar nicht abzusehen, warum
ein solcher Weg nicht gangbar sein sollte. Eine derartige
Betrachtungsweise hat denn auch schon Franken angeregt [1]),
ohne dass seither die Forschung in dieser Richtung tätig
geworden wäre.

In Berücksichtigung dieses Standes der Literatur müssen
wir zuerst einen Blick auf die Spezialsatzung unserer Quellen
werfen. Bis weithin findet dies Rechtsinstitut, wie wir es als
obligation spéciale im altfranzösischen Recht antreffen, seine
hinlängliche Erklärung durch die Theorie von Meiboms [2]).
In der Tat liegt in der jüngeren Satzung ein Verzicht des
Eigentümers auf die objektiven Schranken der Zwangsvollstreckung in das Grundstück und ein Verzicht auf das Recht
der Veräusserung desselben [3]). In der Beschränkung der
Dispositionsfähigkeit muss wirklich die besondere juristische
Signatur der neueren Satzung erblickt werden. Der Eigentümer
kann nicht mehr über das Grundstück verfügen, weil es im
Interesse des Satzungsgläubigers gebunden ist und zwar
gebunden in der Weise, wie die Liegenschaften nur durch den
Bann gebunden werden. Das gesatzte Gut ist mit Beschlag
belegt, es ist gefrohnt und diese antizipierte Frohnung ist nichts
anderes als der unmittelbare Abkömmling des fränkischen
Königsbannes. In der Spezialsatzung lebt dieser letztere fort als
ein Institut, das der Beredung der Parteien zugänglich geworden
ist. Vertraglich wird in dieser Weise ein Grundstück gebunden
und gebannt, vertraglich dergestalt eine „Anweisung von
Exekutionsobjekten" hergestellt.

Aus dieser Auffassung ergab sich der Doktrin ein merk-

---

[1]) S. 10, 15.
[2]) S. 402 f. Franken 4, 6, 10, 15 f., 205 f. Huber, Schweiz. Privatrecht IV 785 f.; Brunner, Zur Rechtsgeschichte der Urkunde 194 N. 4;
Stobbe II 2 § 145 S. 130 f.; Brunner, Grundzüge 190 Gerber-Cosack 246 f.
[3]) Franken 15.

würdiger Schluss in Bezug auf die juristische Natur der jüngeren Satzung. Wohl ist sie ein Institut, das seinem Ziele nach die Liegenschaften zum Objekt hat, wohl erfüllt es auch die Funktionen eines Immobiliarpfandrechts — aber es ist doch kein dingliches Recht[1]). Es verbleibt vielmehr durchaus in der Sphäre der persönlichen Rechte. Es handelt sich um eine Haftung der Person mit dem Grundstück. In Hinsicht auf dieses Grundstück ist der Schuldner in weitestgehendem Masse gebunden. Der Haftungsinhalt besteht ganz wesentlich in der Bindung des Willens, in der Behebung der Distraktionsfähigkeit des Schuldners in Bezug auf das Satzungsobjekt.

Die Quellen leisten dieser Auffassung allen Vorschub. Wie gesagt, bis weithin ist so die Regelung des Satzungsrechtes wohl zu erfassen.

Da sind zunächst die Dispositionsbeschränkungen. „Weil man von dem Grundsatz ausging, dass die Satzung zu Exekutionsrecht als gerichtliche Beschlagnahme wirkte, folgerte man aus dem Satzungsgeschäft dieselbe Dispositionsbeschränkung für den Schuldner, welche aus der Fronung des gerichtlichen Exekutionsverfahrens hervorging."

So bestimmt beispielsweise der Coutumier d'Artois in dem ersten Artikel des 5. Titels:

Et s'il l'avoit oblegiet par especial a autrui, cieus en exploiteroit; car li especiaus va avant dou general: ne por le general, li eapetiaus ne puet iestre empeeciés, se n'est en ce cas und verrät schon durch diese Gegenüberstellung, dass offenbar der Verkauf im Gegensatz zu dem vorher besprochenen Fall der obligatio generalis dem Schuldner nicht erlaubt ist. Dies sagt denn auch Beaumanoir. No. 1977 untersagt für den Fall einer obligatio generalis dem Schuldner die Verschenkung seiner Güter. No. 1978 lautet:

Autrement seroit se je vendoie mon heritage après ce

---

[1]) Doch herrscht darüber nicht Einstimmigkeit in der Doktrin. Ein véritable droit réel schreibt Esmein S. 185 der Satzung zu. Ebenso Kohler, Pfandrechtliche Forschungen 28 f., vergl. Warnkönig und Stein II. 597. Nach v. Schwind, Wesen und Inhalt des Pfandrechts 1899 S. 171 ist Dinglichkeit nicht für die ersten Entwicklungsstadien, sondern nur für die spätere, ausgebildete Satzung anzunehmen. Ebenso Stobbe (Lehmann) II § 145 S. 130.

que je l'avroie generaument obligié, car pour general obligacion, je ne sui pas contrains que je ne puisse vendre
mon eritage et garantir à l'acheteur. Mais se je l'avoie
obligié especiaument, adont ne le pourroie je vendre,
ne donner, ne estrangier, en nule maniere par quoi cil
en peust estre damagiés, auquel il fu obligiés especiaument.

Im Falle der obligatio generalis darf also der Schuldner
veräussern. Bei der obligatio specialis ist dies in aller Form
untersagt. Es soll alles unterbleiben, was den Satzungsgläubiger
schädigen könnte. Denn dies ist der leitende Gesichtspunkt.
Wie bei Besprechung der Schenkung, so stellt Beaumanoir auch
hier auf die Schädigung des Gläubigers ab. Aber wer kann
darüber am besten entscheiden? Ohne Zweifel der Gläubiger
selbst. Sieht er für sich keine Schädigungsgefahr, oder aber
er erkennt sie wohl, fühlt sich jedoch nicht bewogen, sie ahzu-
wenden, dann soll dem Schuldner ein weiterer Spielraum
gelassen bleiben:

„Et a ce tenir fermement, j'ai obligié tel bois, — ou tele
vigne, ou teus prés scant en tel lieu". Teus obligacions est
especiale et de tele vertu que, puis qu'ele est fete, cil qui
l'oblija ne la puet estrangier sans l'acort de celi a qui l'obligacions
fu fete, devant qu'il a aempli la convenance pour laquele il fist
l'obligacion [1]).

Also nochmals: der Schuldner kann grundsätzlich nicht
veräussern. Aber der Sachverhalt wird ein anderer, wenn der
Satzungsgläubiger die Veräusserung erlaubt. Dann ist aber
offenbar das Veräusserungsgeschäft gültig und der Gläubiger
kann das veräusserte Objekt nicht mehr in Anspruch nehmen.
Ein positiver Beweis für die Richtigkeit dieser Auslegung wird
sich uns später noch ergeben. Sie erscheint aber schon a priori
als die einzig mögliche. Denn nur so erhält dieser acort des
Gläubigers einen vernünftigen Sinn. — Ebensowenig wie veräussern darf der Satzungsschuldner das Grundstück verschenken
oder weiter verpfänden. Dabei ist nun interessant, dass die
jüngere Spezialsatzung bei Beaumanoir einer vorausgehenden
Spezialobligation nicht zu schaden vermag; infolgedessen ist
denn auch eine mehrmalige derartige Verpfändung erlaubt.

[1]) 1980.

Anders verhält es sich mit dem Engagement, mit der sog. älteren Satzung. Es ist ein Beweis für die hier vertretene Auffassung, wenn das zeitlich spätere Engagement der früher errichteten Obligation gefährlich werden kann. Deshalb fällt dasselbe in die Kategorie der Rechtsgeschäfte, die der Schuldner nicht vornehmen darf:

Vente, ne dons ne engagemens qui ait puis fes ne vaut riens. — — Et s'il trueve fraude ne harat, il doit depecier l'engagement en tel maniere que cil qui engaja rait son chatel tant seulement et li creancier soient paié. Et se li engagemens avoit esté fes sans harat et sans nule fausse convenance, n'est il pas resons que li creancier perdent le leur. Mes puis qu'il ne le debatirent a l'engagement fere et il fu fes par seigneur, il converra qu'il atendent a estre paié tant que li engagemens soit passés, se ainsi n'est que les choses engagiés leur fusaent obligies par le seigneur. Car li sires qui est acordés a un obligement pour son sougiet ne puet puis soufrir autre devant que li premiers convenans est acomplis [1]).

Solche Stellen — wir brauchen deren keine weiteren beizufügen, sie sind auch aus unsern deutschen Quellen reichlich bekannt [2]) — weisen also wirklich auf eine „zunächst nur mit obligatorischer Wirkung ausgestattete Verpflichtung des Schuldners [3]) hin, gewisse Vermögensobjekte dem Zugriff des Gläubigers nicht durch irgend welche Transaktionen zu entziehen.

Regelmässig bietet die jüngere Satzung nebst dieser Sicherung des Zugriffes durch die Bindung des Schuldners auch ein Vorzugsrecht. Ein solches Vorzugsrecht ist nun gewiss im Rahmen der modernen Privatrechtssystematik ein Beweis für die Dinglichkeit des Pfandrechts. Dasselbe kann keine blosse in rem skribierte Obligation sein. Ein Vorzugsrecht nach dem Datum der Forderung fände keine befriedigende Erklärung. „Erst die dingliche Beziehung zur Sache präkludiert ein und

---

[1]) Beaumanoir 1597, vergl. v. Meibom 446 f.

[2]) Zudem werden andere Zusammenhänge die ausführliche Nennung weiterer derartiger Quellenaussprüche zur Folge haben.

[3]) Stobbe cit. S. 130.

für allemal jeden künftigen Prätendenten, welcher mit dem ersten Pfandrechte in Widerspruch tritt" [1]).

Aber für das Recht der jüngeren Satzung ist in Hinsicht auf ihre juristische Natur aus der Anerkennung des Vorzugsrechtes ein Schluss nicht zu ziehen und dies darum nicht, weil es nicht an einer Erklärung gebricht, die in natürlicher Weise eine Ableitung des Vorzugsrechtes aus der persönlichen Bindung heraus zu geben weiss. v. Meiboms Erklärung nämlich berührt die Frage nach der dinglichen oder persönlichen Natur nicht oder setzt vielmehr gerade den Charakter der Satzung als eines persönlichen Rechts voraus. Dem deutschen Recht sei ursprünglich der Grundsatz gemein, dass die Befriedigung der Gläubiger nach Massgabe der Prävention zu geschehen habe. Die Gläubiger werden in der Reihenfolge befriedigt, in welcher die Exekutionen eintreten [2]). Die Prävention wird bestimmt durch die Priorität der im Exekutions- oder Arrestverfahren stattfindenden Beschlagnahme des Exekutionsgegenstandes, also der Pfändung oder Fronung. Da nun die Satzung ihrer Natur nach ein Konventionalarrest ist, erfährt sie die nämliche Behandlung wie die Pfändung oder Fronung. Sowohl wenn mehrere Satzungen als auch wenn Pfändung und Satzung kollidieren, entscheidet die Zeit des gerichtlichen Aktes. Dabei geht jedoch die Priorität verloren, wenn der Gläubiger sein durch Pfändung oder Satzung begründetes Recht nicht gehörig verfolgt, so dass ihm ein anderer Gläubiger bei Verfolgung seines Pfandrechts zuvorkommt Der Schuldner selbst kann seinem Gläubiger die Priorität nur dadurch verschaffen, dass er ihm eine — Satzung einräumt. „Gerade in der Einräumung der Priorität vor andern Forderungen besteht ein wesentlicher Zweck dieser Satzung" [3]).

All dies erfährt zunächst in einigen Contumes seine volle Bestätigung. So in den Fors de Béarns [4]). Dort wird durch die Satzung der Güter der Eigentümer in der geschilderten Weise gebunden. Von einem dinglichen Verfolgungsrecht, das gegen

---

[1]) Kohler, Pfandrechtliche Forschungen 53, 54.

[2]) Deutsches Pfandrecht 454. Stobbe, Zur Geschichte des älteren deutschen Konkursprozesses § 2, der Vorrang der älteren Besatzung.

[3]) L. c. S. 455 f. in bez. auf das Magdeburgische Recht.

[4]) S. 291, Die Stelle wird noch in diesem Kapitel zu citiren sein.

Dritte wirkte, ist keine Rede. Die Auffassung der Satzung als einer Fronung verbietet geradezu derartige Vorstellungen. Umso nachdrücklicher wird denn die Prävalenz gewürdigt und hervorgehoben, wer potior jure sei. Und grundsätzlich ist dies der prior tempore[1]. Denn die poderagia dant primariam[2]. Das poderagium wird wie als bannum so auch als primaria charakterisiert[3].

Ebenso bringen andererseits unsere Quellen den Grundsatz zum Ausdruck, dass der premier saisissant den Vorrang hat und dass der Satzungsgläubiger die Priorität verliert, wenn er sein Recht nicht gehörig verfolgt.

Il fu jugié que cil qui furent plaintif avant qu'il s'en alast pour lesqueus commandemens fu fes, seroient paié entierement et, s'il i avoit remanant, li autre creancier seroient oï a prouver leur detes de tans passé après ce que cil qui s'en seroit alés seroit apelés par trois quinzaines et, leur detes prouvees, il seroient paié a la livre selonc leur detes et selonc le remanant. Et par cel jugement puet l'en veoir, que li premier plaintif dont commandemens est fes seroient premier paié[4].

La somme ledit Thumas connue et en rechut commandement du baillu d'Abbeville, laquelle some le dis Thumas ne paia mie, pourquoi li dis enfans (die betreibenden Gläubiger) se retrairent et ne peut on mie trouver tant des biens du dit Thumas moeubles que lidit enfant fuissent paiet. Et après che fait, li dis Thumas s'obliga envers Pierre de Gaytonne ... et obliga per especial une sienne maison .... Li dis Pierres ne fu mie paiiés des deniers contenus en sen dit chyrographe; il s'en retrait et fit crier à vente le dicte maison — — Et sur che li dit enfant vinrent audit baillu, et se opposèrent que li denier du pris de le dicte maison ils devroient avoir en paiement de leur debte, comme elle fust venue premierement à connissanche, si comme dict est. Th. widersetzt sich, indem er sich auf seine Spezialobligation stützt. Tout veu et considéré terminé fu par jugement que tout li denier du pris de

[1]) Toulouse 109, 110.
[2]) 111.
[3]) 111 b.
[4]) Beaumanoir 1057.

ledicte maison tourneroient en paiement devera les dis
enfans et les aroient à leur profit[1]).

Der Gläubiger, der bereits in die Mobilien exequiert hat
und zwar erfolglos, dem aber offenbar keine Spezialobligation
zur Seite steht, soll den Vorrang haben, wenn nach dieser
Pfändung eine spezielle Satzung bewilligt und auf Grund derselben das gesatzte Erbe angegriffen wird. Die Potiorität auf
Grund der Priorität des Exekutionsverfahrens ist hier eine sehr
weitgehende.

Darnach scheint sich das Rangverhältnis der Satzungen
in zwingender Weise zu ergeben. In dem gekennzeichneten
Sinne sprechen sich denn auch manche Quellen aus[2]).

Die auffälligsten Erscheinungen, die somit die Quellen
bieten, finden dergestalt ihre befriedigende Erklärung. Mit
einem guten Schein von Recht wird deshalb dem Satzungs-
institut persönlicher Charakter zugeschrieben. In noch erhöhtem
Masse trifft dies zu für die obligatio generalis. Sie soll
nichts anderes sein als eine Fronung des Vermögens[3]), von
der Fronung einer speziell bezeichneten Liegenschaft nur dadurch unterschieden, dass die Arrestierung eine weniger rigo-
rose sei. Auch sie soll ein Verzicht auf die legalen Schranken
der Zwangsvollstreckung und auf die Befugnis, zu schenken
oder ein zweites Generalpfandrecht zu bestellen, sein, also wie
man insbes. den letzten wichtigsten Punkt umschreiben könne,
die Bewilligung eines allgemeinen Konkursprivilegs[4]). Die
spezielle und die generelle Obligation gewähren demnach einen
„widerspruchslosen"[5]), eben durch Vorwegnahme des Königsbannes
widerspruchlos gemachten Exekutionszugriff, und der Unterschied
beider ist nur ein quantitativer in Hinsicht auf die Beschränkung
der Dispositionsbefugnisse. — Andere Autoren behaupten freilich,
dass es überhaupt an festen Grundsätzen über das Wesen
dieser „Generalhypotheken" fehle und dass, was die Wirkungen
anbetrifft, dieselbe kein Vorzugsrecht gewährt habe. Wenn,

---

[1]) Ancien coutumier de Picardie, Ed. Marnier 91, 92, beide Stellen
ausführlicher bei Esmein S. 184 und S. 223.

[2]) Vergl. Anjou et Maine FN. 1095, Bourges art. 155 u. v. a. m.

[3]) v. Meibom.

[4]) Franken 15 f.

[5]) L. c.

wie beispielsweise im Magdeburgischen Recht das Alter der
Schuld für den Rang entscheidend sei, könne in der Generalhypothek nur eine verstärkte Anerkennung eines bestehenden
Schuldverhältnisses liegen[1]). Indem also das Vorzugsrecht in
Abrede gestellt wird, divergieren die Autoren gerade in dem
von Franken als dem wichtigsten qualifizierten Punkte. Im
übrigen spricht nun Stobbe allerdings von generellen „Hypotheken" und von „Verpfändung" des ganzen Vermögens, meint
aber, es sei wie die Wirksamkeit und der Umfang so auch
die Bedeutung derselben nach dem Willen der Parteien zu
bemessen. Dabei bleiben jedoch die Zweifel über die rechtliche
Natur dieser Obligationen bestehen. Immerhin stellt er sie nicht
ausdrücklich in Gegensatz zu den Spezialsatzungen, und schon
die Terminologie lässt darauf schliessen, dass hier wirklich
nicht an bloss persönliche Verpflichtungen und Dispositionsbeschränkungen, sondern in allererster Linie doch an Sachhaftung
gedacht wird — und dann ist dem Verfasser allerdings nur
zuzustimmen.

In der bisherigen und nach der Auffassung mancher
Autoren bereits i. W. erschöpfenden Aufzählung ist nämlich
eine wichtige, ja die zunächst wichtigste und für die rechtliche
Natur entscheidende Wirkung ausser acht gelassen. Es ist
nur sehr bedingt richtig, dass „gerade in der Einräumung der
Priorität vor anderen Forderungen ein wesentlicher Zweck dieser
Satzung bestehe"[2]). Und es ist ganz und gar nicht richtig,
dass die Satzung — die spezielle oder die generelle — nur oder
in erster Linie ein Verzicht des Eigentümors auf die objektiven
Schranken der Zwangsvollstreckung[3]) in dem Sinne gewesen
sei, dass diese letztere durch die Satzung zu einer beschleu-
nigten und abgekürzten worden wäre, nicht richtig, dass es
sich ursprünglich bei der jüngeren Satzung „hauptsächlich" um
eine Verpflichtung des Schuldners, gewisse Vermögensobjekte
dem exekutorischen Zugriffe des Gläubigers nicht zu entziehen,
gehandelt habe. Sondern die allererste und grundlegende
Wirkung ist die, dass man durch die Satzung überhaupt

---

[1]) Stobbe cit S. 139 f.
[2]) v. Meihom cit. 455 f.
[3]) Franken cit.

erst die Zwangsvollstreckung in das Vermögen bezw.
in den Grundbesitz ermöglicht, überhaupt erst die
Basis für den exekutorischen Zugriff des Gläubigers
herstellt[1]).

Die Satzung bewirkt Haftung des Vermögens bezw.
einzelner Vermögensobjekte in Gestalt der obligatio rei.

Schon die Resultate, die sich uns im vorigen Abschnitte
ergeben, müssen zu dieser Auffassung führen. — Die „persönliche Haftung" besteht in der Haftung der Person. Sie
wird durch Treugelöbnis hergestellt. Die Vermögenshaftung
ist Obligation der Vermögensobjekte, ist Sachhaftung. Auch
für die Errichtung dieser Haftung hat ursprünglich ohne Zweifel
eine Form bestanden, die in ebenso unmittelbarer und anschaulicher Weise die Unterwerfung unter die gläubigerische
Zugriffsmacht äusserlich manifestierte. Dies lässt sich für das
germanische Altertum wohl nachweisen[2]) und zahlreiche Spuren
haben sich allerdings das ganze Mittelalter hindurch erhalten[3]).
Im allgemeinen ist dieser Formalismus aber doch früh gesprengt
worden. Er war auf die Obligierung der Fahrhabe zugeschnitten
und erwies sich infolgedessen als zu eng. Nicht dass nun
schon das Zeitalter einer formlosen Haftungsbegründung aufstiege. Aber die neuen Formen der Begründung in Siegelbriefen,

---

[1]) Aus dieser Funktion heraus ist denn auch die Redeweise der
Quellen zu verstehen. Die Satzung heisst assignation, Anweisung von
Exekutionsobjekten. Dies gilt von der speziellen wie von der generellen
Satzung: de assignamentis uxorem. — — assignamenta que fiunt uxoribus
in bonis maritorum etc. Toulouse art. 118. Sic aliquis homo laudaverit
sive concesserit uxori sue aliquam summam pecunie et — — — uxore se
fecerit assignari pro dote sua — — super bonis mobilibus vel immobilibus dicti mariti sui, cui assignamento etc. l. c. art. 153 que los bees
soher los quoaus era entrade l'eren assiguatz et saubs; que puixs en G. B.
assigna lo dot quant lo maridadge fe, sober totz, los soos boes etc. Béarn
art. 254, la some lo assignetz suus tant deus bees et causos deu dit son
mari que son dot y aye saube l. c. S. 291. Vergl. oben S. 43/44 und Esmein
S. 178. Dort auch die Benennung abandon. Von Regress spricht Montpellier 1205: Si quis dederit generalem regressum und dann als Gegensatz:
vel specialiter obligaverit. Vergl. noch Bretaigne 308. Charte de Manre
l. c. S. 65. Bourges 155. v. Meibom 405 f. Huber, Schweiz. Pr. R. IV
785 f. 788: „Assignation".

[2]) Vergl. Anhang Kap. 1.

[3]) Vergl. Anhang Kap. 4.

vor dem Richter, vor dem Rat, — sind farblos, in Bezug auf den Inhalt neutralisiert. Sie gestatten aber und gebieten zugleich, den Umfang der Haftung in jedem einzelnen Fall zu umschreiben [1]).

Dergestalt entstehen die Satzungen. Dass sie nun aber Sachhaftungen sind, beweisen die Quellen schon durch den Wortlaut dieser Obligationen, durch die gegen das haftende Vermögen gerichtete Klage, durch die Unabhängigkeit dieser Obligationen von der Personalhaftung, wie sie aus der immer wiederkehrenden Gegenüberstellung beider deutlich hervorgeht [2]).

Vor allem aber gebietet sich diese Auffassung, weil durch diese Obligationen ein selbständiger und unmittelbarer Zugriff auf die Vermögensobjekte, auf die haftenden Sachen gewährt wird. Mögen die Obligationen noch so viele Dispositionsbeschränkungen dem Eigentümer auferlegen, vor allem verleihen sie als obligationes rei die Zugriffsmöglichkeit wider die Sache.

Auf diese Weise sind die im vorigen Kapitel in der zweiten und dritten Gruppe dargestellten Rechte zu erklären. Die obligatio der Liegenschaften obligiert diese letzteren und macht sie dem gläubigerischen Zugriff zugänglich.

Man hat auf gar verschiedene Weise die früher betrachteten auffälligen Eigentümlichkeiten des mittelalterlichen Exekutionsrechtes, insbes. in der Behandlung der Liegenschaften zu erklären versucht. Man sprach von einem respect exagéré de la propriété [3]) und das hatte in soweit freilich seine Berechtigung, als Grund und Boden im Mittelalter im Interesse engerer und weiterer Personenverbände vielfach in einer Art und Weise gebunden waren, dass dadurch das Zwangsverfahren in hemmendem Sinne intensiv beeinflusst wurde. Später wurde [4]) hingegen als ganz besonders charakteristisch für das alte Recht die Eigentümlichkeit hervorgehoben, dass dasselbe auf den Willen des Schuldners abstellt, ob die Liegenschaften zugänglich sein sollen oder nicht. Dies hat nun seine erhöhte Richtigkeit und Bedeutung. Denn auf Grund des Haftungsrechtes stellt sich

---

[1]) Mit Recht betont also Stobbe (Lehmann) S. 139 die Freiheit der vertraglichen Beredung und die Bedeutung derselben für unser Institut.

[2]) Vergl. oben S. 131, insbes. N. 2.

[3]) Tambour II 133.

[4]) von Esmein S. 177, vergl. oben S. 123 N. 2.

diese Wahrnehmung in einen weiteren Rahmen hinein — allerdings mit etwelcher Modifizierung. Denn gerade angesichts der mittelalterlichen Gebundenheit des Grund und Bodens erscheint der Besitzer vielfach gebunden, sein freies Handeln erschwert, ja sein Wille ohnmächtig, ignoriert. Und doch sollte gerade in Hinsicht auf diese Liegenschaften die freie Entscheidung den Rechten das Leitmotiv abgeben? Klänge diese plötzliche Feinfühligkeit nicht wie eine Ironie, sowohl dem Gläubiger als auch dem vor der Insolvenz stehenden Schuldener gegenüber? Der Wille erscheint denn auch nicht als unantastbar. Um ihn zu zwingen, erfindet man eigens ein Verfahren. All' dies stellt sich uns nunmehr dar als Ausfluss eines allgemeinen Grundsatzes. Es ist keine Rede davon, dass der Wille des Schuldners gerade in Bezug auf die Liegenschaften erhöhte Bedeutung erhalte. Und doch kommt es auf diesen Willen an. Aber eben hier nicht anders als in der gesamten Exekution. Es bedarf desselben zur Herstellung der Haftung, welche prinzipiell eine vertragliche, eine selbsttätige ist.

Es hat schon Plank darauf hingewiesen, dass viele Rechte nur die Satzung um Schuld kennen und ausser ihr keine Form der Immobiliarexekution [1]). Und er schliesst daraus, dass die spätere Immobiliarexekution aus der Satzung hervorgegangen sei und zwar etwa in der Weise, dass der Rat die fehlende freiwillige Satzung allmählich supplierte [2]).

Diese Auffassung ist genau diejenige, welche den oben Kap. 2 sub 3) genannten Rechten zu Grunde liegt. Die Supplierung der Satzung liegt teilweise schon in der Regelung, wie sie die Quellen sub 2) aufweisen und ist in den Rechten der ersten Kategorie bereits vollzogen. Im Laufe der Entwickelung findet sie ganz allgemein und im weitesten Umfange statt, wie dies noch zu erweisen sein wird.

Haftungsrechtlich ausgedrückt ist also zu sagen, dass es nach dem ursprünglichen Standpunkt unserer Quellen keine Zugriffsmöglichkeit in Hinsicht auf die Liegenschaften

---

[1]) a. a. O. S. 256 N. 10.

[2]) S. 357 N. 73, vergl. noch Bergerac a. 25. Nullus Burgensis debet terra .... vendi pro aliquo debito seu obligatione aliqua, nisi quathenus ad hoc obligatus cum instrumento expressi inveniatur, vel alias legitime condempnatur; quo casu fiet excutio in bonis dumtaxat in forma juris.

gab ohne ausdrückliche Satzung oder Obligierung derselben.

Genau dasselbe gilt nun aber auch für die Fahrhabe. Dieselbe kann allein, ohne dass mit ihr auch Immobilien verpfändet wurden, Objekt einer Obligation im technischen Sinne des Wortes sein.

Consuetudo est Tholose — — quod poderagia data per eos qui ea dare possunt super bonis mobilibus alicujus, que mobilia primitus fuerant pro dotibus et donationibus propter nuptias obligata — —[1])

Si quis rem mobilem ·mihi obligaverit et postquam alii vendiderit vel obligaverit eto.[2]).

Si saches que obligacion sur biens meubles ne contraint ne lye l'obligié que si etc.[3]).

Wir werden weiterhin noch zahlreiche Obligierungen von Fahrhabe[4]) antreffen. Übrigens haben wir bereits gesehen, dass sie in ganz allgemeiner Übung gestanden haben: nämlich im Rahmen der Vermögenssatzung.

Obligat omnia bona sua, mobilia et immobilia.

Die Mobilien mussten wie die Liegenschaften obligiert sein. Sonst keine Zugriffsmöglichkeit, auch nicht, wenn die Person obligiert war. Dann konnte man in der Zwangsvollstreckung eben nur gegen diese allein vorgehen[5]), gerade so wie man grundsätzlich aus der Satzung des Vermögens nicht gegen die Person vorgehen konnte.

Wenn wir nun dem Inhalt der Satzungen und den Wirkungen derselben näher treten, bemerken wir einen tief-

---

[1]) Toulouse art. 111.

[2]) Perpignan éd Massot-Reynier art. 53.

[3]) Bouteiller I, 25 S. 136. Eine solche Mobiliarsatzung, nämlich Verpfändung von Früchten (siehe Huber S. 809 und 819), vergl. im Livre des droiz et commandemens d'office No. 757. Bd. II S. 190: Se le vendeur avoit en la première vente des fruiz obligié a l'achapteur expressement et especialement les fruiz de celluy heritaige ou généralement eust obligié tous ses biens meubles et immeubles sur ce, si l'une de ces obligacions y avoit, le premier achapteur des fruiz les suroit, dedans son temps: car les fruiz seroient à li premierement réaulment obligiez.

[4]) Über welche jetzt auch Meyer, neuere Satzung von Fahrniss und Schiffen, 1903 zu vergleichen ist.

[5]) Vergl. Teil II, Kap. 3 und Anhang Kap. 3 und 4.

10*

greifenden Unterschied zwischen der obligation spéciale und
der obligation générale.

Die Vermögenssatzung. Als die Hauptwirkung ist
bereits die Zugriffsmöglichkeit bezeichnet worden. Tatsächlich ist dies denn oft überhaupt die einzige Wirkung
der obligation générale.

Wohl lassen die Rechte gelegentlich auch bei der allgemeinen Satzung eine etwelche Dispositionsbeschränkung eintreten. Sie betrifft aber nur die Schenkungen und hat ganz
wesentlich die Verhinderung fraudulosen Handelns von Seiten
des Schuldners zum Ziel. Wenn man weiss, dass jede Haftung
eine besonders eingeräumte, vertraglich hergestellte Sicherheit
war, begreift es sich leicht, dass manche Coutumes Schenkungen
zum Schaden des Gläubigers, der sich mit einer Generalsatzung
begnügte, untersagen. In diesem Sinne spricht sich denn Beaumanoir aus: Wer seinen Immobiliarbesitz verschenkt, der tut es
wohl zum Schaden seiner Gläubiger und deshalb soll die
Schenkung nichtig sein.

Nous veismes en la court le roi, un plet du conte de
Guines qui avoit oblegié generaument lui et tous ses biens
muebles et non muebles a ses creanciers, et quant il vit que li
terme d'aucuns de ses creanciers aprochoient, et des aucuns li
terme estoient je passés, et resgardé que tant i avoit de detes,
que s'il vendist toute sa terre si eust il assés a fere a tout
paier; adonques il regarda aucuns de ses prochiens parens, et
leur fist grans dons de ses eritages, et des aucuns il
retint les fruis sa vie, et des aucuns non. Et quant li creancier virent qu'l avoit mis hors de sa main par cause de don[1])
son eritage, liqueus leur estoit obligiés, et il defailloit de
paiement, il traistrent en court le dit conte et ceus a qui li don

---

[1]) Beaumanoir mahnt überhaupt den Schenkungen gegenüber zum
Aufsehen und statuiert geradezu eine Vermutung für ihre Illoyalität den
Gläubigern gegenüber. Se la dessaisine fu foto pour caux de don, li sires
doit prendre garde quel caux le multa donner, car l'en ne voit pas souvent
qu'uns hons doient ce qu'il a pour demourer povres. Et meismement quant
il doit et il fet tous dons, l'en doit croire qu'il le fet pour ses creanciers
grever. — — — Et pour ce nous acordons nous que tout donner et aient
retenir par quoi li creancier soient paié de ce qui leur estoit deu, ou tans
que li dons fut fes pour harat, ne vaut riens. 1597.

estoient fet. Et la verité seue des dons fes après l'obligacion des deteurs, il fu regardé par jugement que li don
ne tenroient pas, ançois seroient li eritage vendu pour
paier les creanciers et, les detes paies, bien li don tenroient selonc ce qu'il demourroit. Et par cest jugement
puet on entendre que li don qui sont fet après ce que li eritage
sont obligié generaument ne sont pas ne ne doivent estre
ou damage des creanciers[1]).

Die Schenkung wird nicht anerkannt. Es wird in die
verschenkten Güter exequiert und zwar als in Güter des
Schuldners. Denn den Gläubigern gegenüber ist die Schenkung
nichtig. Eine derartig schädigende Handlung darf und kann der
Schuldner nicht vornehmen.

Die Mehrzahl der Quellen schweigen sich aber doch über
die Behandlung der Verschenkung obligierter Güter aus. Kein
Zweifel jedoch besteht darüber, dass eine Generalobligation
nicht am Verkauf oder an einer speziellen Verpfändung hindert.

Si quis dederit generalem regressum super bona vel
res suas, et postea aliquam rem de bonis suis vendiderit,
vel specialiter obliguaverit, ille cui est vendita vel
specialiter obliguata, potior est, salvis privilegiis a lege
indultis[2]).

Der Verkauf ist rechtskräftig und der Satzungsgläubiger
hat sein Recht verloren.

Nul dete faite, dont on a obligiet touz ses biens en
general, ne puet empeecier que cieus qui ensi sera oblegiés
ne puist vendre son hiretage et les proufis de sa terre, III
ans, par la coustume d'Artois et d'autre lieus; si ensi n'est que
li deteres se soit trais au signeur avant, et termes exeus, et dont
convenroit il par droit que li creanchiers fust paiiés, si avant
comme li denier dou vendage se poroient estendre[3]).

Sobald demnach die Satzungsgläubiger den Exekutionsantrag stellen, kann der Schuldner nicht mehr veräussern[4]).
Vorher aber darf er daran nicht verhindert werden. Gelegentlich
wird denn auch die obligation générale gerade darum als un-

[1]) Beaumanoir 1977.
[2]) Montpellier 1205 art. XII.
[3]) Artois tit. V art. 1.
[4]) Ebenso Boutoiller I 25 S. 136, vergl. Esmein S. 183.

zulängliche Sicherheit qualifiziert, weil der Schuldner in der Verfügung über sein Vermögen alle Freiheit bewahre:

Quant il promet sur obligacion de tous ses biens payer le jugé pour son procureur, se meatier est, l'en puet dire encontre que le procureur ne doit estre receu par vertu de celle obligacion général et elle n'est pas suffisable; car celui qui oblige en telle manière générallement pourroit distinter et ramener chacune chose par soy non contretant celle obligacion général, et ainsi telle obligacion n'est pas souffisant[1]).

Die Generalobligation ist die Obligierung der Vermögensobjekte. Da hier die Dispositionsbeschränkungen keine grundbegrifflich bedeutsame Rolle spielen, so ist es denkbar, dass an Stelle des ganzen Vermögens nur einzelne Vermögensbestandteile iu dieser „generellen" Weise d. h. ohne weitergehende Befugnisbeschränkung des Eigentümers obligiert würden. Solche schlichte Immobiliarobligierungen werden uns späterhin noch begegnen. Regelmässig ist auch die Mobiliarsatzung nur eine solche, dass das über die Vermögenssatzung Gesagte auf sie anzuwenden ist.

Die früher schon erwähnte Stelle aus dem Rechte Perpignans heisst vollständig:

Consuetudo est, quod si quis rem mobilem uni obligaverit, et postonodum alii vondiderit vel obligaverit, et tradiderit, pocior est in ipsa re secundus qui rem tenet.

Der Schuldner darf also die zu Pfand gesetzte Mobilie veräussern. Hat der Käufer dieselbe an sich genommen, dann ist sie für den Pfandgläubiger nicht mehr erreichbar[2]). Ebenso darf der Schuldner das verpfändete Objekt einem andern zu Faustpfand übergeben, trotzdem damit ein dem Satzungsgläubiger schädliches Recht begründet wird.

Dies ist denn wohl auch die Auffassung aller jener Quellen, welche zwar die Mobiliensatzung kennen und insbesondere im Rahmen der Generalobligation namhaft machen, des näheren aber nicht auf sie eintreten, also nicht ausdrücklich weitergehende Wirkungen feststellen und normieren. Hierher gehört insbesondere

---

[1]) Livre des Droiz et commandemens N. 321 Bd. II S. 10.
[2]) Art. LXIII.

Beaumanoir, der die Fahrbabe durchaus als Satzungsobjekte auf
Grund einer obligatio bonorum hinstellt, dabei aber nicht an-
deutet, dass in Bezug auf diese Gegenstände der Haftung der
Eigentümer in seiner Verfügungsmacht beschränkt würde[1]).

Die Generalobligation, und soweit sie mit jener gleich
zu behandeln ist, auch die Mobiliarobligation, geben demnach keine Bindung des Eigentümers im Sinne einer
Güterarrestierung. Aber geben sie nicht wenigstens ein
Vorzugsrecht?

Aus den Quellen ist diesbezüglich leicht zu ersehen, dass
von einem gleichwirksamen Vorzugsrecht wie bei der Spezialsatzung keine Rede sein kann. Nur einmal erscheint die Kollision
zwischen General- und Spezialobligation streng nach dem Prinzip
der Priorität geregelt:

De habendo consilium, utrum prima obligatio facta
super bonis cujusdam debitoris integraretur ante secundam
litteram licet debitor sit bene solubilis, et licet dicta prima
obligatio fuit generalis; habito super hoc consilio, et auditis
balliris et vicecomitibus super usu, quod fecerant in hoc casu:
concordatum fuit et per arrestum redditum, quod dicta prima
obligatio integraretur, licet sit generalis, quia sic usi
fuerunt baillivi et vicecomitis, ut dicebant.

Aber man geht wohl nicht fehl, wenn man in dieser
Lösung bereits eine Anlehnung an das römische Recht erblickt.
Ganz allgemein bestimmeu Rangierungen der Obligationen nach
dem Alter noch folgende Quellen.

Ses crediteurs ont privilege, c'est ·assavoir de temps, de
cause, et de diligence. De temps, c'est assavoir ceulx qui ont
premieres obligacions, de cause, c'est assavoir ceulx qui
sont personnes privilegiés pour certaines causes, comme sont
eglises, mineurs et femmes -- —, de diligence, c'est assavoir
ceulx qui ont veillé en leur fait en satisfacion de leur debte
ou de leur obligacion en maniere dearce, comme avoir le premier saisine[2]).

Eu obligacions, en raison les premieres qui sunt
d'antidate doivent aler devant[3]).

---

[1]) 1979/80, 1094, 1074, 1055.
[2]) Anjou et Maine F. N. 1095.
[3]) Bourges art. 155.

Aber die erst genannte zeigt in ihren Zusammenhängen doch wieder, dass in der Frage der Rangordnung die Spezialsatzung stärkeres Recht gibt. Und das Recht von Bruges betont dies denn auch in der Fortsetzung der zitierten Stelle:

Les premier doivent aler devant, sinon que une Obligacion feust generalle et l'autre si feust especialle. Exemple, Se ung Homme a presté dix Francs ou plus, ou moins et ledict en soit obligé à luy sur tous les Biens en general, et que depuis, ung aultre luy ayt presté autre somme pour achapter ou reparer certain Heritaige nommé en la dicte Obligacion, en ce cas-cy, se il advient que ledit Heritaige se veude, celluy qui aura presté le sien pour icelluy acquerir ou reparer yra devant, et sera premier payé que l'autre qui premier a presté, pource que il est expressement dict pourquoy et surquoy il a presté ladicte somme; car en l'ung y a generalité et en l'autre especialité, et l'especialle precede tout temps la generalie en payement, supposé que l'Obligacion du general soit precedant[1]).

Darnach gehen die Spezialobligationen vor. Ebenso geht die jüngere Spezialsatzung der älteren Vermögenssatzung vor in Montpellier[2]), ebenso in Artois[3]), ferner bei Beaumanoir[4]), so endlich auch bei Bouteiller.

Obligation speciale passee, elle vaut devant la generale, comme si i' anoye tous mes biens generallement obligé à aucun, et puis à un autre obligeasse aucune terre ou autres biens: scachez que la generalle obligation ne vaut contre celuy qui auroit especiale et ne laisseroit ja à vendre et executer pour la generalle, celuy qui auroit l'especiale, puisque l'obligé seroit honué en possession, si main de justice n'y estoit assise: non feroit le propre obligé qu'il vendist partie de ses biens non obstant la generale obligation, si ainsi n'estoit

---

[1]) Art. 155.
[2]) 1205 art. XII.
[3]) Tit. 5, art. 1.
[4]) Die Spezialsatzungen nach dem Alter, weshalb der Satzungsschuldner eine neue Obligation errichten darf. Denn sie vermag der vorausgehenden nicht zu schaden. Betr. der Generalobligationen wird nur gesagt, dass sie gleichstehen, worauf noch zurückzukommen sein wird, woraus aber schon hier geschlossen werden kann, dass sie den Spezialobligationen nachstehen.

que l'homme à qui il seroit ainsi obligé en general, ce fust commencé à mettre à loy devant la vente[1]).

Dergestalt geht also die Spezialobligation überall vor. Nun können aber wenigstens unter sich die Generalobligationen immer noch nach dem Alter rangieren. Dieses Vorzugsrecht ist jedoch keineswegs dasselbe wie bei der speziellen Satzung. Es darf nicht bei beiden aus derselben Ursache abgeleitet werden. Bei der letzteren resultiert es aus der Fronung. Bei der ersteren könnte man dasselbe aus der Sächlichkeit der Haftung ableiten, wiewohl das Band der Obligation die Vermögensobjekte, wie wir gesehen, nur erst lose bindet, noch nicht dinglich im Sinne der modernen Doktrin.

Die Rechte gehen von der „realistischen" Auffassung aus, „dass, nachdem der Schuldner sein Vermögen mit einer Schuld belastet hat, nur noch, was er nach Abzug jener Summe besitzt, den spätern Gläubigern verhaftet sein kann." So Stobbe[2]) in Bezug auf die Rechte, denen zufolge die Gläubiger in der Reihenfolge nach dem Alter der Schuld befriedigt werden. Die Erwägung trifft auch für die Regelung der Kollision der obligationes bonorum zu.

Beachtenswert ist aber, dass allerdings die Quellen oft das Alter der Schuld, nicht der Haftung über die Priorität entscheiden lassen. So die très ancienne coutume de Bretagne[3]), so auch die anciennes coutumes d'Alais[4]):

Si les deutors an cauzas, e non pagon, defra des mezes, por juzizis e sera donatz, a bona fens, ses mal engen ab auctoritat de la cort, las cauzas devon esser vendudas, per els costregz, sinon per la cort e totz los pretz, per rons dels deutes vengutz empaga als crezedors, sals los prevelegis dels demandamens que legz donon. Es ist dies also dieselbe interessante Erscheinung, welche auch in deutschen Rechtsquellen wahrzunehmen ist. Diese merkwürdige Übereinstimmung in der Rangregelung von Schuld und Vermögens-Haftung kann hier

---

[1]) Bouteiller tit. XXV S. 136. Vergl. tit. LXIV, 385.

[2]) Geschichte des älteren Konkursprozesses S. 11 f., vergl. v. Schwind, Wesen und Inhalt des Pfandrechts S. 28.

[3]) Welche später zu nennen sein wird.

[4]) a. 1216—1222 art. VII.

ihre Erklärung noch nicht finden[1]). Hier interessiert sie nur
nach einer negativen Seite hin: Dem Umstand, dass die Vermögensobligation ein Vorzugsrecht verleiht, darf in einer grundbegrifflichen Untersuchung nicht weiter Folge gegeben werden.
Denn dies Vorzugsrecht ist nicht nur ein beschränktes seiner
Wirkung nach, sondern es leitet sich auch aus heterogenen und
dann wohl für die Natur des Institutes unwesentlichen Erwägungen
ab. Dies beweisen denn auch noch andere bisher nicht genannte
Erscheinungen unserer Quellen. Es kann für die Potiorität das
Alter der Haftung, es kann das Alter der Schuld entscheiden.
Es können aber auch ganz andere Momente den Rang be-
stimmen. So insbesondere auch die Form, in welcher die
Obligation begründet wurde.

Si par vertu d'une obligacion du Chastellet l'en prent et
mect en criée et en vente mes héritaiges, et après ce je me
oblige ès foires, la debte des foires sera premièrement paiée,
et supposé que celle obligation des foires fust soubs le scel du
Chastellet ou aultre, si ne seront mie receues les aultres debtes
ou obligations à venir seullement à contribution[2]).

Ebenso gehen nach den Coutumes de l'Auvergne[3]) unter
den Lettres obligatoires diejenigen mit königlichem Siegel vor,
dann folgen die Briefe mit dem Siegel eines seigneur und
endlich die von einem Gericht ausgestellten lettres und die vor
Gericht anerkannten Privaturkunden. Noch im 17. Jahrhundert[4])
bestimmt das Recht von Gorze[5]) den Rang nach den Siegeln.
Bei dem nämlichen Siegel entscheidet das Datum. Dies gilt
auch für die am Schlusse stehenden Hypotheken aus simple
cedulle[6]).

---

[1]) Vergl. Anhang Kap. 1 und 4.
[2]) Grand coutumier S. 217.
[3]) Masuer 121 cit. Tambour S. 155 N., Esmein S. 203 N. 3. Huber
S. 798.
[4]) Noch im 18. Jahrhundert sagt Basnage S. 142, dass die notariellen Urkunden vor den privaten einen Vorzug, ein droit de préférence
verleihen. Das letztere wird also von der Form abgeleitet.
[5]) Art. 55.
[6]) Vgl. Coutumes gén. de Metz a. 1611. art. 19. Quant aux contrats
passés pardevant Notaires, ils prendront seullement Hypotheques avant les
escriptures privées, ores qu'ils soient premieres en datte que les scedules
recogneues en jugement, ou les obligations passées pardevant Amants.

Aber nicht nur erscheint dergestalt die Regelung der
Rangverhältnisse als eine so willkürliche, dass auch die Priorität
der älteren Vermögenssatzung als eine willkürlich von den
früher genannten Rechten vorgezogene betrachtet werden mag,
sondern es haben viele Coutumes für dies Vorzugsrecht
überhaupt keinen Raum. So wenig also wie Dispositionsbeschränkungen, so wenig anerkennen sie also aus der obligatio
omnium bonorum heraus ein privilegium exigendi. Hierher gehören die letztgenannten Coutumes wenigstens insofern, als für
die Rangregelung ihnen nicht das Alter den Massstab abgibt.
Schlechterdings gleich gestellt sind die obligationes generales
bei Beaumanoir:

Quant aucuns s'est obligiés par letres ou par couve-
nauces à pluseurs creanciers, et il n'a pas assés vaillant pour
paier, et li creanciers sont plaintif: li mueble et li eritage au
deteur doivent estre pris et vendu et paié as creanciers a la
livre, selonc ce que la dete est grans [1]).

Die Wirkung der obligatio generalis beschränkt sich demnach im typischen Falle auf die schlichte Obligierung der Güter,
auf die Gestattung der Zwangsvollstreckung in dieselben.

Dieser Betrachtung über den Inhalt unseres Rechtsinstitutes seien nur noch zwei Bemerkungen beigefügt. Die
erste betrifft den Umfang des mit der obligatio generalis hergestellten Rechtes. Haftungsobjekte sind die Fahrhabe und die
immobilen Güter. Es ist charakteristisch genug, dass die
Obligationsklauseln allüberall — es handelt sich keineswegs
um lokale Gewohnheiten — diese beiden Gruppen von Haftungs-
gegenständen ausdrücklich namhaft machen. Nur das gibt die
Gewissheit, dass sie gesatzt sind. Dasselbe gilt von den zukünftigen Gütern. v. Meibom[2]) vertritt die Ansicht, dass auf
Grund der Generalsatzung nur die zur Zeit der Satzung vorhandenen Vermögensstücke betroffen würden. Dies ist zutreffend
für den Fall, dass aus der Einräumung nicht ein anderes hervorgeht. Völlig richtig bemerkt Stobbe-Lehmann[3]), dass es auf
den Willen der Parteien ankomme, ob die Verpfändung sich bloss

---

[1]) 1055 vergl. 1598.
[2]) S. 413 vergl. Franken 413.
[3]) S. 139 und 140 N. 39.

auf das gegenwärtige oder auch auf das zukünftige Vermögen erstrecke. In unsern Quellen fehlt denn auch regelmässig dieser Einbezug der künftig zu erwerbenden Güter nicht[1]). So ist auch folgende Stelle Beaumanoirs aufzufassen:

Et s'il avient que tuit li bien ne puissent pas soufire a toutes les detes paier, ne li creancier n'out nus pieges, il convient qu'il suefrent leur damage, pour ce qu'il crurent folement. Nepourquant s'il avient que li detés qui abandonna toutes ses choses pour paier, conquiert de nouvel parce qu'aucun bien li eschieent de la mort d'autrui, ou il conquiert par servir ou par aucune autre maniere, il n'est pas quites vers les creanciers a qui il abandonna le sien; ançois les doit paier de tant comme il leur faille qu'il ne furent pas paié. Et en ce cas pueent recouvrer li creancier ce qui leur estoit deu[2]).

Endlich sei noch hingewiesen auf die Ableitung, mit welcher Plank die generalis obligatio zu erklären versucht. Dass er zutreffend darauf hingewiesen hat, wie ursprünglich nur auf Grund der Satzung in die Liegenschaften exequiert werden konnte, ist bereits gesagt worden. Aber Plank hatte dabei der allgemeinen Betrachtungsweise entsprechend nur die Spezialsatzung im Auge. Von hier aus kam er dann zu folgender Erklärung der Generalsatzung:

Aus der freiwilligen Satzung einzelner Vermögensstücke habe sich die Besatzung derselben entwickelt, aus dieser die Besatzung der Gesamtheit der Vermögensstücke in Form des gerichtlichen Verbots und aus dieser die freiwillige Satzung der Gesamtheit[3]).

Nach unserer bisherigen Betrachtung ist eine solche Entwicklung nicht anzunehmen. Die älteste in Betracht kommende Form war offenbar die Satzung des Vermögens, weil man nur so in dasselbe exequieren konnte und weil eben die elementare Funktion, diese Möglichkeit zu vermitteln, der Vermögenssatzung zukam. Aus in der geschichtlichen Entwicklung notwendigerweise gegebenen Ursachen war diese generelle Obligation ursprünglich

---

[1]) Vergl. die Obligationsklauseln insb. oben S. 131 N. 2.

[2]) 1598.

[3]) Plank S. 358 und 385 insb. N. 26, wo noch beigefügt wird, dass dergestalt die Anomalie erklärlich werde, dass eine Satzung fahrender Habe ohne Besitzübertragung vorkommen konnte.

nur eine Obligation der Fahrhabe. Späterhin wurde das
unbewegliche Vermögen mit einbezogen. Und nun griff man
in der oben (Kap. 3) dargestellten Weise auf die Liegenschaften,
Der Satzungsgläubiger verlangte, wenn der Schuldner nicht zahlte
— nicht vorher! — die Fronung auf Grund der Generalsatzung, -- nicht also lag jene schon in dieser. Die Fronung
war Teil des ordentlichen Exekutionsverfahrens.

Nun lag in dem soeben betrachteten Einbezug der künftigen
Güter und ebenso in dem letztgenannten Einbezug der Immo-
bilieu eine Intensivierung der Haftung, Intensivierung durch Erweiterung der Vermögens-Haftung in Hinsicht auf die Objekte.
Eine solche Intensivierung wurde nun aber auch auf ganz andere
Weise erreicht. Es mochten wenige Objekte haften, ja nur
ein einzelnes, nur eine Liegenschaft beispielsweise, diese aber
dergestalt, dass sie dem Zugriff des Satzungsgläubigers nicht
mehr entzogen werden konnten. Deshalb ist die sog. neuere
Satzung ihrer Funktion und rechtlichen Ausgestaltung nach ein
so anders geartetes Institut als die Vermögenssatzung.

Die obligatio specialis. Auch sie obligiert die Güter,
auch sie gibt das Zugriffsrecht. Aber dies ist nicht die hauptsächlichste Wirkung. Denn wem es nur um diese zu tun ist,
der begnügt sich mit einer schlichten Obligation Die Spezialobligation gibt aber nicht nur ein Vorzugsrecht, sondern beschränkt vor allem auch die Dispositionsbefugnis des Eigentümers in der Weise, wie sie bereits zur Darstellung gekommen.
Dass sie zunächst aber doch auch die Funktion der allgemeinen
Obligation in Hinsicht auf dies spezielle Haftungsobjekt zu erfüllen hat, ist allerdings den früher genannten Darstellungen
gegenüber zu betonen, weil dieses Moment auch hier die
Obligation als eine sächliche erscheinen lässt.

Zudem aber ist die neuere Satzung Interdiktion, wie die
Quellen sich gelegentlich ausdrücken, Fronung, vorweg genommene erste Exekutionshandlung, Bannlegung. Deshalb jene
Dispositionsverbote, wie wir sie schon dargestellt haben. Im
folgenden mögen nun noch mehr derartige Quellenaussagen
angeführt werden. Sie mögen uns zugleich aber auch nach
einer anderen Seite hin beweisen, dass die besagte Auffassung
der obligatio specialis diejenige der Quellen ist. Sie zeigen
uns nämlich die Form, in welcher die Satzung begründet

wird. Wie weit etwa eine zivile Form der Haftungsbegründung in Anwendung kommt, wird später zu erwähnen sein. Was aber den formalistischen Apparat, wie ihn das öffentliche Recht hervorzurufen vermag, anbelangt, so findet sich in vielen Rechten nur die einzige, immerwiederkehrende Bestimmung: Die Satzung bedarf der Einwilligung des Seigneurs, des Grundherrn[1]). Auf die Bedeutung dieser Einwilligung und den Einfluss des Feudalismus, der sich in ihm geltend macht, soll hier nicht cingegangen werden. Es ist darüber schon des öftern gehandelt worden. Dies trifft aber nicht zu für andere Formen. Soweit dieselben in den nördlichen Rechten anzutreffen sind, haben sie freilich stets die Aufmerksamkeit auf sich gezogen[2]). Es gibt nun aber auch südliche Rechte, die für die Satzung ganz merkwürdige Begründungsakte vorsehen[3]).

So vor allem T o u l o u s e. Das poderagium, wie hier die Satzung bezeichnet wird, findet in den alten, im Jahre 1286 genehmigten Coutumes seinen Platz neben dem hannum im Titel IX des zweiten Teiles: De poderagio et bannis. Ja es scheint, dass dieser Bann nur gerade den amtlichen Akt bezeichnen soll, aus welchem der Gläubiger das poderagium erhält. Dieser Bann wird auf Grund eines Titels gegeben,

---

[1]) Vergl. Beaumanoir 1597, 1104, Bouteiller I 25. tu ne peut ne dois obliger ton heritage qui vaille, sans le seigneur de qui il est tenu (S. 136). Betr. das materielle Aufsichtsrecht, das der Seigneur ausübte vergl. folgende bisher unbeachtete Stelle, welche auch ein ziemlich frühes Beispiel abgibt für die Entwicklungsrichtung, die dahin tendiert, die Genehmigung zu einer von Willkür unabhängigen, eventuell gesetzlich zu erzwingenden zu gestalten. Bressieux, Nouv. Rev. Bd. 1895 (XIX) S. 334, a. 1288, art. 7. possessor rei mobilis vel immobilis possit rem suam obligare habitatoribus dicti loci vel aliis terrae nostras habitatoribus et nos teneamur laudare dictam gaigeriam, dum tamen res obligata excedat pretium obligationis in tertia parte. Vergl. Esmein S. 187, 190 f.; Glasson VII, 630; Warnkönig und Stein II S. 597; Huber IV 792, 705 f.; Kohler, Pfandrechtliche Forschungen, 139, 152 f.

[2]) Vergl. jedoch unten II. Teil, 3. Kap.

[3]) Das wird fast vollständig übersehen. M. W. wird nur auf Toulouse verwiesen in der Literatur. Und auch in Bezug auf dieses Recht ist man der fraglichen Form nicht gerecht geworden. Glasson a. a. O. weist zuerst auf das Zustimmungsrecht des Seigneurs hin und fährt dann fort: A Toulouse, le vignier ou le seigneur intervenait, suivant que l'immeuble engagé était un alleu ou une tenure féodale.

oder konzediert, oder zediert, wohl auch von der zuständigen
Stelle, wenn sie selbst Gläubigerin ist, retiniert. Von einer
gerichtlichen Auflassung oder einem ähnlichen Akte ist dabei keine
Rede. Es handelt sich um eine Bannlegung. Durch die blosse
Zusage des Schuldners soll diese nicht ersetzt werden. Sie
wird in aller Form vorgenommen. Damit wird der Gläubiger
gegen das Zuvorkommen anderer Gläubiger gesichert. Diesen
Bann legt der Vertreter der königlichen Gewalt, der
Vicarius auf die Güter. Soweit es sich aber um feudal gebundene Güter handelt, steht das Recht dem Grundherrn zu,
freilich nicht ohne dass der Vicarius auch auf solche tenures
unter bestimmten Voraussetzungen poderagia geben kann und
zwar geschieht es dann wirkungsvoller von dieser als von jener
Seite. Das vom Vicarius konzedierte poderagium geht vor[1]).
Es fehlt endlich nicht an einem Versuche, der übrigens von der
königlichen Gewalt mit Missgunst aufgenommen wird, auch der
kirchlichen Obrigkeit die Kompetenz einzuräumen, auf die Güter
von homines in claustris comorantes Satzungsrechte zu erteilen.
Doch lassen wir die Quellen sprechen.

N. 109. - — creditores ejus ibi receperunt poderagium
cum domino feudorum, si a dominis (die Liegenschaften)
teneantur, vel cum Vicario Tholose si liberi existunt, et
postea maritus fecerit cartam recognitionis uxori sue se habuisse
in dotem ab ea predictos honores a se venditos, et quod de
pretio illorum emerat illos honores in quibus creditores poderagium receperant, quod standum est dicto poderagio seu
poderagiis, non obstante recognitione predicta, et prevalent dicte
recognitioni facte post poderagium, et in hoc casu creditores
sunt potiores jure quam uxor in honoribus quibus poderagium
fuit data. — —

110. illi qui receperunt poderagium pro debitis suis
in re feudali cum dominis feudi preferuntur aliis creditoribus,
quamvis et alii creditores sint priores tempore — —

Ferner folgende beide Bestimmungen, deren Ausdrucksweise interessiert, obschon sie zu den sechsundzwanzig Artikeln
gehören, die unter einem Non placet oder Deliberabimus vom
König repprobiert wurden[2]).

[1]) Worüber das Nähere später.
[2]) Vergl Tardif, Introduktion und Viollot Histoire S. 141.

111^b dominus[1]) feudi potest dare poderagium et primariam creditoribus in feudo illo quod tenetur ab ipso, et sibi ipsi potest in dicto feudo dare et retinere poderagium pro debito quod feudotarius ei et aliis debet, et quod illud poderagium vel primaria, quod vel quam ipse dominus feudi dederat creditoribus vel sibi retinuerit pro debito quod feudotarius ei debet, valere etiam feudi predicta vendita ad satisfaciendum sibi de pretio[2]), et creditoribus qui poderagium vel primariam receperant ante omnes creditores qui debita cum dicto feudotario contraxissent etc.

111^c si Vicarius cedit poderagium alicui civi Tholose, sive miserit vel posuerit bannum in bonis et rebus aliquibus mobilibus[3]) et immobilibus civium Tholose pro aliquibus debitis vel aliis quislibet que debeant vel in quibus teneantur extrane persone vel private alicui civi Tholose, quod Vicarius non removet nec relaxat nec debet removere nec relaxare ipsum poderagium seu bannum de bonis et rebus illis in quibus vel super quibus illud poderagium dederit vel bannum miserit vel posuerit, nisi prius ipse Vicarius receperit et habuerit sufficientes et idoneos fidejussores, vel cautiones cives Tholose, pro predictis rebus et bonis bannitis, vel in quibus datum fuerit poderagium vel primo satisfactum fuerit illi civi Tholose, cui datum fuerit poderagium, vel pro quo fuerit missum dictum bannum.

Alles ist also angelegt auf die Bindung und auf die damit für alle Fälle gesicherte Prävenienz. Und wenn der letzte Artikel auch die Genehmigung nicht erhielt, so ist doch die in Beratung gezogene, offenbar dem Schuldner erwünschte

---

[1]) 111 a lautet: poderagium datum a dominis claustrorum vel concessum, vel corum vicariis, in homines in claustris comorantes vel super bonis ipsorum, semper prevalet poderagio et banno dato vel concesso, ante vel post, per Vicarium Tholosanum.

[2]) Der Schuldner soll zunächst aufgefordert werden, das Erbe dem Gläubiger zu einem bestimmten Taxwert zu verkaufen, es sei denn, es stellten sich höhere Angebote ein. Nötigenfalls geschieht die Übergabe des Hauses an den Gläubiger als datio in solutum. Ohne das Wie näher festzusetzen, bestimmt unsere Stelle — die übrigens nur wegen des Schlusssatzes, der später zu nennen sein wird, reprobiert wurde — dass die Satzungsgläubiger vorgehen. Vergl. art. 77.

[3]) Worüber noch weiter unten und oben S. 151.

Möglichkeit, durch anderweitige Sicherung, den Bann zu lösen, beachtenswert. — Dass das Gesagte auch für die assignatio der Forderungen der Frau auf die Güter des Mannes gilt, bestätigt die Coutume ausdrücklich. Nur wird hier neben dem Vicarius noch der Rat genannt. Der Mann wird geladen, damit er Einsprache erheben kann. Die Assignation aber erteilt der Rat oder der Vicarius. Die Formen sind m. E. nicht wohl anders zu erklären, als wie durch eine Vorwegnahme des ersten Stadiums des Exekutionsverfahrens, als wie durch eine Bannlegung.

Consuetudo sive usus est Tholose et fuit a tempore quo non extat memoria continue observata sive observatus, quod assignamenta que fiunt uxoribus in bonis maritorum per Consules Tholose pro necessariis etc. — — viventibus maritis, debeut fieri ipsis maritis per Consules evocatis, vel per Vicarium, si primo fuerit aditus, si ipsi mariti presentes sint et ipsis auditis si venerint, qui si quidem mariti presentes censentur et pro presentibus habentur quantum ad talia assignamenta facienda illi qui sunt iu civitate vel diocesi Tholosana; si vero talia fiant assignamentum ipsis maritis non vocatis per Consules, vel citatis, non habent talia assignamenta roboris firmitatem. Sed si ipsi mariti extra Tholose diocesim fuerint, valent dicta assignamenta, maritorum absentia non obstante [1]).

Aber auch im provençalischen Recht findet sich ein ähnliches. Zwar sind die Quellen leider recht unbestimmt. Aber es geht aus den fraglichen Stellen doch soviel hervor, dass Lettres mit Obligationen [2]) nicht vom Vorsitzenden des Gerichts, sondern nur vom besetzten Gericht erteilt werden. Und offenbar ist dabei das Wesentliche, das aus der Urkunde hervorgehen muss, dass wirklich das Gericht die Satzung erteilte, da es allein in ihrer Kompetenz liegt, generelle Obligationen zu „consentir et autreiar [3])."

Obligation generalla ez sufficienta à la court de la cambra:
Item — car souven si esdeuen en la dicha Court de la cambra,

---

[1]) Pars III, tit. II, vergl. p. IV, tit. IV art. 153.
[2]) Merkwürdiger Weise handelt es sich hier um generelle Obligationen. Es wird darauf zurückzukommen sein.
[3]) octroyer.

que per obligansas generals, sensa specification de la dicha
Court, monsur lo president consentis letras juxta lous statuts
et rigour de la diche Court: la qual causa repugna al drech
(droit) ...... supplican que en generals obligations la dicha
Court de la cambra non sia compressa: et que sia commandat
als notaris suspena formidabla de la dicha cambra presents, et
esdevenedours, que nenguna letra per vigour de tals obligansas
fachas generalament (sinon que la Court de la cambra ly sia
expressada) letras de la dicha Court non auson far.

Responsio: Contentatur acquiescere requisitioni quod obligationes generales recitatas per instrumenta facta extra
Provinciam tantum: ita quod non intra et hoc nisi in illis
instrumentis, seu obligationibus esset facta expressio alicujus
curiae domini vicegerentis etc. — —

Requesta: Car lou sobre dich monseignour lou president
aia acostumat de consentir, et autreiar letras de la cambra
per rason de generalla obligation non obstant que la
Court de la cambra non sia expressada. Supplican à la
dicha majestat, que ly plassa de far inhibir al dich monseignour
lou president, que deïssi en avant non consenta vengunas letras
captionales ou autres, sinon que lous debitours sian expressament
obligat à la dicha Court de la cambra, non obstant tout statut
ou resscrich consentir etc.

Reposta — — ne si dever consentir, si non que la court
de cambra fossa expressament exceptada[1]).

Unzweifelhaft sind hingegen wieder die Fors de Béarn.
Nicht der Schuldner erteilt diese weitergehende Assignation,
sondern das Gericht.

A vos cometem et vos mandam, que aperatz los juratz de
vostre cort, totz ola mayor partide, ab lor conselh et arcord,
la dite some o a taut cum vos apparera per cartes publiques o
autres sofficientes proausses quey aye portat per son dot, lo
assignetz suus tant deus bees et causes deu dit son marit, que
son dot y aye saub et qu'en pusque aver vite et aliment; et
la quoau assignation per vos fasedore la saubetz,
deffenatz et emparetz de vos medixs et de totes autres

---

[1]) Statuta Provinciae Forcalqueriique comitatum. 14. Jahrh. Bourdot
de Richebourg Bd. II S. 1226.

personnes; et per deguns deutes, joxes, barates, obligations
ni autres males administrations, per lo dit son marit feytes ni
fasedors suus aquero clam ni ban no y metatz ni recebatz
ni nulhes executions no y fasatz; abantz, si penheres ni
autres excecutions l'on eren estades feytes au contre, l'ac tornetz
et tornar fasatz au prumer et degut stament, si doncxs la dite
supplicante expressements no y appare esser obligade, principau
o fidance, o en autre maniere de dret o de foor tengude, o que
los contrayts fossan feyts dabant que lo dit dot y fos portat[1]).

Es ist also geradezu das Gericht das assignirt. Dieses
eben legt den Bann auf die Güter. Dadurch wird es denn
verpflichtet, keinen andern, zweiten Bann zu konzedieren, der
dem ersten schaden könnte und desgleichen keine ihm gefährliche
Exekution vorzunehmen. Was ist all das anderes als ein Arrest,
und zwar als ein Konventionalarrest, den das Gericht ausserhalb
der Exekution auf die Güter legt auf Grund der Einwilligung
des Schuldners, auf Grund einer Parteienberedung?

Bisher sind wir davon ausgegangen, dass in dieser speziellen Weise nur die Liegenschaften obligiert würden. Ein
näheres Zusehen zeigt aber, dass eine solche Auffassung zu eng
wäre. Man vergegenwärtige sich in der Tat nur die bisher
gewonnenen Grundlagen. Die Haftung der Fahrhabe beim
Schuldner, auf Grund einer obligatio, ist eine quasihypothekarische,
eine sächliche. Sollte nicht auch sie in ihren Wirkungen inten-
siviert werden können? Nun ging ja wirklich der Königsbann auch
auf das bewegliche Vermögen. Wenn nun auch hier im allgemeinen sich das vorkarolingische Exekutionsrecht erhalten
hat, so musste die Möglichkeit, auch die Mobiliarsatzung durch
die Mittel dieses Bannes in ihrer Wirkung zu steigern, früher
oder später doch wohl zur Realisierung gelangen. Freilich
mochten anderweitige Rechtsanschauungen diese Entwicklung
hemmen und teilweise gar verhindern. Aber in grösserem Umfange hat sich dergestalt wenigstens eine engere Mobiliarsatzung gebildet, die ein Vorzugsrecht verleiht. — Andere
Rechte gehen aber weiter, erklären den Satzungsschuldner als
in seinen Dispositionen gebunden und gelangen so zu einer

---

[1]) Fors de Béarns 291.

11*

i. W. vollwertigen jüngeren Satzung auch für die Fahrhabe.

Eine Mobiliarsatzung, die ein Vorzugsrecht gibt, welches
dem Vorzugsrecht der obligatio specialis entspricht, liegt wohl
in folgenden Stellen:

Le meuble qui n'est plus en la saisine de l'obligé et dont
il avoit disposé sans fraude n'a point suite par hypothèque — —
mais lorsqu'il est saisi sur le débiteur, l'ordre des hypothèques
est conservé[1]). So die Ordonnance de Metz vom Jahre 1564:
Les creanciers qui seront fondez en obligations passées et
receues en arche d'Amant ou en cedules recognues ou en sentences, seront preferez aux meubles selon la dette de leur
hypotheque comme ès chose immeubles fors et excepté ès
cas privilegiez — — Toutefois n'aura les dits meubles aucune
suite lorsqu'il aura esté vendu par Justice ou autrement aliéné
sans fraude par le debteur[2]). Und ebenso art. 17 der Coutumes
von 1611. Es ist beachtenswert, dass in der erstgenannten
Stelle in Bezug auf den Verkauf der obligierten Fahrhabe ausdrücklich vorausgesetzt wird, dass es kein fraudulöser sei.

Nun ist aber zu bemerken, dass gar wohl auch gegen
die ohne Besitzübertragung verpfändete Mobilien ein weiter-
gehendes, gegen Dritte wirkendes Verfolgungsrecht möglich ist
und vorkommt. Doch handelt es sich um (später zu nennende)
Fälle, die als privilegierte vom Recht besonders ausgezeichnet
werden. Vereinzelt findet sich allerdings ganz allgemein anerkannt die Mobiliarhypothek. Ein Anhaltspunkt für die
Art und Weise, wie diese Entwicklung sich vollzog, bietet das
Recht von Toulouse.

Art. 111. Von kompetenter Seite wurden poderagia auf
Mobilien[3]) gelegt, die bereits der Ehefrau des Schuldners obligiert sind[4]). Non dant dicta poderagia primariam alicui ante
dotes et donationes propter nuptias, nisi dicte res venditae
donate vel alienate fuerint, vel in solutum creditori

---

[1]) Basnage, Traité des hypothèques S. 73, 76; vergl. Esmein 188, 198f.
[2]) Art. 38. Bourdot de Richebourg H 371 f.
[3]) Es wird schon aufgefallen sein, dass hier in aller Form der Königsbann auf die Fahrhabe gelegt werden kann.
[4]) Oben S. 161.

date et tradite priusquam uxor dixerit seu denuncia-
verit jus habere in rebus predictis, vel de rebus predictis
moverit questionem. Vor allem darf nicht angenommen werden,
dass nach einem Verkauf der Mobilie an irgend einen Dritten
der jüngere Satzungsgläubiger nun plötzlich vorginge. Das ist
zum vornherein unwahrscheinlich Es wird aber eine solche
Auffassung durchaus verunmöglicht durch die Tatsache, dass
das Recht von Toulouse ein sog. dingliches Verfolgungsrecht in die
Mobilien überhaupt nicht kannte[1]). In der Tat nennt unsere
Stelle sogleich auch den Gläubiger und der ganze Wortlaut erinnert an art. 77, demzufolge der Schuldner selbst seine Habe
dem Gläubiger verkaufen und tradieren soll im Falle der
Exekution, wobei subsidiär die gerichtliche datio in solutum in
Betracht kommt. Die haftenden Mobilien sind also dem Pfandgläubiger übergeben. Und jetzt hat die frühere Satzung ihre
Wirkung eingebüsst. Um einen solchen Effekt zu vermeiden,
muss der ältere Satzungsgläubiger vor Beendigung einer Exekution seine Rechte geltend machen. Auf Grund der recht-
zeitigen Anmeldung wird er dann vorzugsweise befriedigt werden,
resp. soweit es sich um eine Übergabe handelt, allein zur Befriedigung gelangen. Es handelt sich also hier um ein Vorzugsrecht und um dessen Wahrung gegenüber anderen, in der
Exekution zuvorkommenden Gläubigern. Diese Auffassung entspricht der ganzen Ausgestaltung des poderagium[2]). Aber die
Entwicklung nach einer bestimmten Richtung hin erscheint
nunmehr naheliegend. Zwar meldet der ältere Satzungsgläubiger
sein Recht an, aber er verzichtet darauf, es zur Stunde geltend
zu machen, wenn man ihm diesbezüglich nur für die Zukunft
freie Hand gewährt. Damit wäre dann der Weg zu einem
im Sinne der römischen Hypothek dinglichen Recht geschaffen.
Diese Entwicklung vollzieht sich tatsächlich auch und zwar nicht
nur im Süden, sondern wie sich noch zeigen wird, auch im
Norden. Auch hier besteht also jener so bedeutsame Parallelismus zwischen den Quellen des äussersten Südens und des

---

[1]) Vergl. Catelan t. I liv. 6 chap. 28. Argou, Institution au droit
français II, 4 chap. 3 Guyot, Repertoir v. o. Hyp. Bd. VIII 621, Esmein
S. 200.

[2]) Vergl. insbesondere art. 110 und 111 b.

äussersten Nordens. Vorläufig sei nur auf folgende Stelle aus der somme rural des Bouteiller verwiesen [1]).

Si Sçachez que obligation sur biens meubles ne contraind ne lie l'obligé que s'il demeure en la possession de ses biens, sans que ce soit par l'auctorité de loy et par inventaire sur ce faite, que ainsi soient reptestez à l'obligé, à tout qui ne les peut vendre, adenierer ou obliger à autre que incontierent les emporteroit hors de la maniance de l'obligé.

Es bedarf also einer Inventaraufnahme und der Innehaltung gesetzlicher Formalitäten, um die Mobiliarsatzung zu begründen. Es erinnert dies an ähnliche Erscheinungen in den Schweizer-kantonen, wo — charakteristisch genug — die Formen für diese Mobiliarsatzung sich zuweilen an die entsprechenden Vorschriften über die Liegenschaftsverpfändung anlehnen [2]). In unserer Stelle geht der Inhalt der Satzung auf Beschränkungen des Schuldners in seiner Dispositionsbefugnis. Er soll die Pfandobjekte nicht veräussern und nicht verpfänden können.

So besteht also ein tiefgreifender Unterschied zwischen der obligatio generalis und der obligatio specialis. Jene ist Vermögenshaftung, diese ist jüngere Satzung. Die letztere kommt häufig genug in den Quellen isoliert, selbständig vor. Häufig steht neben ihr die obligatio omnium bonorum, und dann ent-spricht es nur der Duplizität der Institute, wenn neben der Namhaftmachung der Mobilien und Immobilien auf das Objekt der jüngeren Satzung besonders hingewiesen wird.

Es waren, wie wir gesehen haben, Erweiterungen der Ver-mögenssatzung, dass in dieselben die Liegenschaften, die künf-tigen Vermögensobjekte, und wie wir hier beifügen können, die Güter der Erben einbezogen wurden. Es war eine Intensivierung der Haftung, dass in Anlehnung an das auf Grund schlichter Obligierung eintretende Exekutionsverfahren unter Vorwegnahme des ersten Vollstreckungsstadiums die jüngere Satzung heraus-gebildet wurde. Es war eine weitere Ausdehnung der Haftung, dass mehr und mehr dem Gläubiger, dem eine obligatio speci-alis zugesagt war, gleichzeitig noch eine Generalobligation zu-

---

[1]) Vergl. unten Teil II Kap. 3 N. 4, Die Mobiliarhypothek.
[2]) Huber, Schweizerisches Privatrecht Bd. IV § 158 S. 816 f. spez. 819.

gestanden wurde. Steigerung ist das Zeichen, unter dem die haftungsrechtliche Entwicklung der hier betrachteten Perioden mehr als je eine vorher — der einsetzenden wirtschaftlichen Blütezeit entsprechend — steht.

Steigerung liegt wie in der Intensivierung, so auch in der Vereinfachung. Die Mittel des Rechts zu demselben Zwecke sollen ökonomisch gehandhabt, die Ziele auf dem nächsten und einfachsten Wege erreicht werden. Eine solche Vereinfachung lag in der Umwandlung der jüngern Satzung zur Hypothek. Darauf ist des Nähern erst im folgenden Kapitel einzugehen. Hingegen treffen wir schon in den bisher berücksichtigten Quellen Erscheinungen, die wir nicht übergehen dürfen, da sie bereits zeigen, in welcher Richtung die Entwickelung· notwendigerweise vor sich ging.

Auf Grund der neuern Satzung darf der Eigentümer nicht mehr veräussern. Aber wie, wenn er diese Dispositionsbeschränkung ignoriert und doch veräussert? Beaumanoir antwortet:

Et se li argens fust paiés au vendeur et il s'en alast hors de la justice de çel seigneur, en cel cas convient il que li creancier le poursievent la ou il va couchier et lever, se ainsi n'est que ce qu'il vendi, ou dona, ou engaja fust especiaument obligié as creanciers; car en cel cas ne doivent li cranciers suir fors que les choses qui leur furent obligiees pour leur detea. Et s'il pruevent l'obligacion contre ceus qui les choses tienent: vente, ne dons, ne engagemens qui ait puis esté fes ne vaut riens[1].

Es ist überaus interessant, dass schon hier von einem suivre les choses gesprochen wird, also von einem droit de suite, wie wir im Hypothekenrecht vom 16. Jahrhundert ab einem solchen begegnen. Dies zeigt die Vorstellung der Haftung als einer sächlichen, wie dies ja auch in der Ausdrucksweise deutlich wird:

Mais quant il a la convenance aemplie, la chose obligiee li revient en sa premiere nature, franchement et delivrement[2]. Die Sache ist gebunden. Deshalb also wird sie verfolgt.

---

[1] Beaumanoir 1597.
[2] Beaumanoir 1980. Vergl. z. B. Toulouse 111c.

Aber es geschieht dies doch nicht in dem Sinne der Verwirklichung eines hypothekarischen Rechtes und einer Verfolgung desselben gegenüber Dritterwerbern. Vielmehr führt Beaumanoir in der angeführten Stelle aus, in welcher Weise der Satzungsgläubiger doch zu seinem Rechte kommt: Der trotz des Verbotes vom Schuldner vorgenommene Verkauf ist nichtig: ne vaus riens. Dem Gläubiger standen Anfechtung und Rescission des Veräusserungsgeschäftes (durch Klage gegen den Dritten) zu, um das Grundstück als trotz der Veräusserung noch zum Vermögen des Schuldners gehörig zum Zweck der Exekution in Anspruch nehmen zu können" [1]).

Wie aus diesen Auffassungen heraus die neuere französische Hypothek erwachsen ist, wird später zu zeigen sein. Ebenso soll nur noch andeutungsweise eine letztere entwicklungsgeschichtlich bedeutsame Erscheinung genannt werden, welche ebenfalls in der Richtung der Steigerung der Haftung, spezieller, der Steigerung der Vermögenshaftung liegt.

Die obligatio generalis erlitt nämlich nicht nur eine Erweiterung des Inhaltes durch Einbezug neuer Haftungsobjekte, sondern sie intensivierte sich ihrer Wirkung nach im Laufe der Zeit dergestalt, dass auch sie zu einer Hypothek wurde.

Die in der Klausel obligat omnia bona sua, mobilia et immobilia genannten beiden Gruppen von Haftungsobjekten waren jede für sich fähig, Gegenstand einer specialis obligatio abzugeben. Mehr und mehr wollte man in der Generalobligation besonders im mittleren Frankreich, wo es öffentlich rechtliche Begründungsformen für die jüngere Satzung nicht mehr gab, quasi eine generelle Spezialobligation erblicken. Wie diese Entwicklung sich vollzog, ist nicht an dieser Stelle zu beschreiben. Doch ist auch hier zu sagen, dass schon in unsern Quellen sich Potenzen geltend machen, die in diesem Sinne wirken mussten. Der obligatio generalis kamen doch hin und wieder noch andere Funktionen zu als nur die bisher betrachtete. So hatte sie naturgemäss in den Ländern des Marqueverfahrens die Repressalien überflüssig zu machen und somit das Verfahren wesentlich kürzer zu gestalten. So in aller Deutlichkeit der grand coutumier:

---

[1]) Sohm l. c. S. 23.

L'execution par vertu de condempnation — — toutesfois il est aucune condempnation ypotheque en laquelle sont tels mots: Nous dison ledict héritaige à luy estre obligé et ypothequé et luy adjugeons pour estre vendu, crié et subhasté pour ladicte somme, et en ce cas ne fault point adjourner le propriétaire à veoir vendre, mais seullement luy signifier la mainmise pour estre criée; et au rapport fault dire que à icelle mainmise il ne s'opposa point[1]). Dasselbe deutet aber auch Beaumanoir an, wenn er der Darstellung des Marqueverfahrens, das er bekanntlich mit den beachtenswerten Worten einleitet: s'il (sc. li heritages) n'est pas obligiés, folgende Bemerkung vorausschickt: Et se l'en ne trueve ne muebles ne chateus, que fera l'en? Se l'eritages est obligiés ès letres, l'en le demenra selonc l'obligacion[2]).

Aber auch abgesehen vom Marqueverfahren ist der Gang der Zwangsvollstreckung in die Liegenschaften ein schleppender und langsamer. Es mochte naheliegend erscheinen, in die Obligations- und Renunciationsformeln die Beredung aufzunehmen, dass die Execution eine beschleunigtere sein solle.

A ce tenir fermement j'ai obligié — — tout le mieu present et a venir, muebles et eritages, a estre justicié par quelconque justice il pleroit au dit — — ou a celi qui ces letres porteroit, aussi pour les cous et pour les damages comme pour le principal, et a pendre, vendre et despendre sans nul delai . . . . .[3]). Vorbildlich steht ja das Verfahren in die Mobilien vor Augen. Ebenso rasch und einfach soll im Interesse des Gläubigers mit den Liegenschaften vorgegangen werden. Der Schuldner soll obliger Biens meubles et Immeubles et faire consentir que les Heritaiges soient vendus comme Biens meubles, aux nys et jours que Biens meubles se sont accoustumés à vendre[4])

Dazu kommt dann die immer engere Anlehnung an die jüngere Satzung, bezw. an die Spezialhypothek in ihrer Wirkung gegen Dritte. Wie naheliegend und natürlich diese Weiter-

[1]) l. II ch. 22.
[2]) 1074.
[3]) Beaumanoir 1094 und in der Fortsetzung ausdrücklich: et ai renoncié a tous delais que coustume de païs puet donner — —.
[4]) Bourges 155.

bildung der obligatio specialis gewesen, ist bereits angedeutet worden. Sie beruht darauf, dass die vom Schuldner und beim Schuldner obligierten Güter auch noch bei einem Dritterwerber angegriffen wurden, zuerst weil das Erwerbsgeschäft als nichtig — „ne ·vaut riens“ — angesehen wurde, nachher ohne diese Begründung, einfach weil die Veräusserung dem Pfandgläubiger nicht schaden sollte. Diese Änderung ist nur auf der Basis möglich, dass die Anschauung von Anfang an dahin ging: Durch die obligatio specialis wird die Sache, nur die Sache obligiert. Sie haftet. Und es ist nur Frage der näheren Ausgestaltung, wie lange und wie enge sie gebunden ist. Diese Basis aber ist die nämliche für die obligatio generalis. Nur weil sie eine quasihypothekarische war, wurde sie zur effektivhypothekarischen Vermögenshaftung.

Dergestalt, glauben wir, ist ein Einblick in die innigen Zusammenhänge zwischen dem mittelalterlichen Satzungs- und dem neufranzösischen Pfandrecht zu gewinnen. Davon im nächsten Kapitel.

Wenn anders aber die Auffassung der obligatio generalis, die hier ihre Darstellung gefunden, richtig ist, müssen sich aus derselben nach ganz bestimmter Richtung hin zutreffende Perspektiven in Hinsicht auf das germanische Haftungsrecht ergeben. Wenn im Mittelalter die schuldnerische Fahrhabe und die schuldnerischen Immobilien immer besonders obligiert werden mussten, um dem Gläubiger als Ersatzobjekte Sicherheit zu bieten, dann ist nicht anzunehmen, dass das Altertum etwa im Rahmen einer allgemeinen, weiten personae obligatio freieren haftungsrechtlichen Anschauungen gehuldigt hätte. Vielmehr muss angenommen werden, dass auch die germanischen Quellen zwischen Personenhaftung und quasihypothekarischer Vermögenshaftung unterscheiden und jede Form auf selbständige Weise zur Entstehung gelangen liessen. Darüber ein kurzes Wort im Anhang.

Zweiter Teil.

Die gesetzliche Sachhaftung im ancien droit.

Erstes Kapitel.

Wesen und Inhalt der Hypothek im ancien droit.

A. Die historischen Elemente der neueren Entwicklung.

1. Die moderne Hypothek verleugnet keineswegs ihr
elterlich Erbteil, das sie von der jüngeren Satzung auf ihren
Lebensweg mitbekommen hat. Manche Eigenschaften dieser
letzteren waren freilich derartig, dass sie sich mit mehr oder
weniger grossen materiellen oder formellen Abweichungen auch
in der römischen Hypothek fanden, dass sie deswegen der Aufnahme derselben nach mancher Richtung hin Vorschub leisteten,
um nachher selbst als römisches Recht, in römischem Gewande
uns entgegenzutreten. Aber bei näherem Zusehen stellt sich
heraus, dass doch die neuzeitliche Hypothek in ihren wesentlichen Eigentümlichkeiten nicht etwa auf das römische Pfandrecht, sondern — soweit und wo sie sich ihrer Natur nach
überhaupt noch ausschliesslich als obligatio charakterisieren
lässt — auf die mittelalterliche Satzung zurückweist. Das wird
sich uns für das französische Recht des Näheren ergeben. An
dieser Stelle sei nur an die Pfandrechtsrealisierung erinnert.
Hin und wieder war bekanntlich der Einfluss der Rezeptionsbewegung mächtig genug, um den Pfandverkauf, auch wo es
sich um Immobilien handelte, fast ausschliesslich in die Hände
des Gläubigers zu spielen[1]). Doch wo dies der Fall gewesen,
besann man sich früher oder später wieder eines Besseren und
zahlreiche Rechte haben überhaupt nie aufgehört, das Pfandrecht
zu realisieren, „wie aus uraltem Gebrauch und Herkommen

---

[1]) So beispielsweise in Württemberg nach dem III. Landrecht. Vergl.
Wächter, Württemb. Privatrecht I 604.

gewöhnlich"[1]). Das deutschrechtliche jus et potestas vendendi des Gläubigers erschöpft sich also in dem Antragen der Exekution. Und auch in Bezug auf dieses Recht des Gläubigers ist noch zu bemerken, dass die Frage der Aktivlegitimation allüberall in deutschen Landen in einer vom römischen Recht abweichenden Weise geregelt erscheint. Unter den römischen Hypothekaren stand nur dem ersten die Distraktionsbefugnis zu. Umgekehrt entsprach es dem Wesen der Satzung, dass jeder Satzungsgläubiger, sobald überhaupt von einer Mehrheit solcher in Hinsicht auf ein einziges Satzungsobjekt die Rede sein konnte, den Exekutionsantrag stellen durfte. Soweit nicht noch andere, und in diesem Falle wiederum unrömische Regelungen vorkommen, entscheiden denn auch die neueren Hypothekarrechte durchwegs in diesem Sinne.

Auch auf französischem Boden wissen sich diese Grundsätze des Satzungsrechtes trotz der Rezeptionsbewegung ununterbrochen zu behaupten.

Cette action (die Hypothekarklage in Rom) s'appelloit vendicatio pignoris, par le moyen de laquelle l'hypotheque estoit conuertit en gage conuentionnel, au lieu qu'en France par cette mesme action on la conuertit en gage de Justice; pource qu'en vertu — — du contract portant hypotheque on saisit la chose hypothequée et on la met és mains de Justice pour la faire puis apres vendre par decret[2]).

Durch gerichtlichen Verkauf werden also die Pfandrechte realisiert. Dabei ist man sich des Gegensatzes bewusst, in welchen sich dadurch das französische Recht zum römischen stellt. Nichtsdestoweniger wird am alten, einheimischen Recht sorgfältig festgehalten.

En la vente des immeubles saisis, nous y faisons beaucoup plus de façon et de ceremonie qu'au Droict Romain: et ces solennitez sont specifiées par nos Coustumes et Ordonnances, lesquelles il faut étroitement et soigneusement obseruer: autrement pour la moindre obmission le decret est nul. Et après ces solennitez l'adiudication de l'heritage se fait en pleine audience par le Iuge et pour cette cause nous l'appellons Decret[3]).

[1]) a. a. O. S. 570 I u. II L. R.
[2]) Loyseau III 6, 3.
[3]) Loyseau III 7, 6.

2. Indessen ist die Satzung doch nicht das einzige mittelalterliche Institut, auf das die moderne Hypothek zurückweist. In dieser letzteren finden sich vielmehr noch Momente deutschrechtlichen Charakters, welche sich von jener Seite her unmöglich ableiten liessen. Es sind das nämlich jene Momente, welche das neuzeitliche, deutsche Grundpfand zu einer reallastähnlichen Belastung des Grund und Bodens stempeln[1]). Soweit zwar nur die Eigentümerhypothek in Betracht gezogen wird, hätte die neuzeitliche Entwicklung sich auch auf gemeinrechtlicher Basis vollziehen können. Und gelegentlich geschah dies auch. In den betreffenden Rechten machte sich das Bedürfnis der Spezialität nicht nur in Hinsicht auf die Pfandobjekte, sondern auch in Hinsicht auf die zu sichernden Forderungen geltend. Das führte dahin, dass man eine bestimmte Summe zur Eintragung des Pfandrechts auch da verlangte, wo das Schuldverhältnis diese Bestimmtheit noch nicht oder überhaupt nicht aufwies. „Man gelangte also zur Kreditversicherung und zur Schadenversicherung, wobei zwar immer noch das Pfandrecht als das Accessorium der zum mindesten doch als besonderes Prinzipale vorausgesetzten Schuld erscheint, und endlich zur reservierten Pfandstelle oder zur Eigentümerhypothek"[2]). Dergestalt war auf gemeinrechtlichem Boden der grosse Schritt zur selbständigen Hypothek getan. Aber Huber bemerkt mit Recht, es komme bei dieser Art der Verselbständigung nicht zum Ausdruck, dass die formale Existenz auf Grund von Eintrag und Pfandbrief nicht bloss das Pfandrecht, sondern auch die Forderung betreffe und ferner nicht, dass die Stellung der einen Hypothek gegenüber der anderen in Konkurrenz der einzelnen Pfandstellen nicht bloss das Pfandrecht anbelangt, sondern auch die Forderung[3]). Von hier aus ist also doch nicht die Vorstellung zu gewinnen, dass dem Hypothekar ein selbständiges Recht auf eine bestimmte Leistung aus dem Grundstück zustehe. Dies aber ist's,

[1]) Heusler, Institutionen II S. 150 f., Huber IV S. 800 f., v. Wyss, die Gült und der Schuldbrief in Z. f. schweiz. Recht IX, insbesondere S. 27 f. Baumeister, Das Privatrecht Hamburgs I S. 168 f. Pauli, Die Wieboldsrenten des lübischen Rechts (Abhandlungen IV). Stobbe II § 147.

[2]) Huber IV, 800 und N. 7 f.

[3]) l. c. 812.

was unsere Hypothek auszeichnet, dies auch, was sie dem Rentenrecht entnommen hat. Der Berührungspunkte waren genug, um diese Anleihe zu ermöglichen und zu fördern. Erwägungen wirtschaftspolitischer Natur führten zur Kündbarkeit der Rente auf beiden Seiten und führten dadurch zur Möglichkeit, die Rentenforderung als Kapitalforderung zu fassen und umgekehrt. M. a. W. die Hypothek folgt der Analogie einer beidseitig löslichen Rente[1]) — sehr zu ihrem Vorteil. Denn hier holt sie sich Eigenschaften, die sich in der Folge als die solidesten Stützen des Realkredits erwiesen. — In Anlehnung an das Rentenrecht geschieht es, wenn die persönliche Schuldnerschaft bei einem Liegenschaftsverkauf auf den Erwerber übergeht[2]). Dasselbe ist zu sagen für den Fall, dass der dem Gläubiger ausgestellte Schuldbrief in freiester Weise dem Verkehr übergeben wird[3]). Dergestalt kam man nicht nur dazu, keine Einreden des Schuldners zuzulassen, die sich nicht aus der Urkunde ergaben, sondern auch dazu, abstrakte Verpfändungen, Pfandrechte ohne Forderungen zu gestatten[4]). Endlich war der Einfluss des Gültrechtes geeignet, dem Spezialitätsprinzip auf dem Gebiet des Immobiliarpfandrechts zur Herrschaft zu verhelfen[5]). Doch ist nicht zu verkennen, dass diese überragende Bedeutung der Rente in der Übergangsperiode nur vereinzelt zukam. Denn die Rente selbst befand sich auch im Wandlungsstadium. Die wirtschaftlichen Interessen führten nicht nur zur beidseitigen Kündbarkeit, sondern auch zu der Übung, zur Sicherung des Rentengläubigers das ganze Vermögen oder Teile desselben zu verpfänden[6]).

Vom vierzehnten und fünfzehnten Jahrhundert, d. h. von der Zeit ab, als die Satzung zu einem dinglichen Recht und die Rente kündbar geworden, wurde die angedeutete Entwicklung des Grundpfandinstitutes auch für Frankreich möglich. Diese

[1]) Baumeister 173.

[2]) Huber 802

[3]) l. c.

[4]) Dabei sah man wohl auch in dem Sinne von der Person des Gläubigers ab, dass man einfach den Erwerber des Briefes zum Erwerber des Rechts machte, ja selbst den Brief auf den Inhaber ausstellte. Huber 806.

[5]) l. c. 808, 812, Baumeister l. c.

[6]) Heusler 152 f.

Möglichkeit liegt in der Natur der Sache. Wir brauchen also nicht, um sie zu erhärten, das Rentenrecht der französischen Quellen[1]) in den Rahmen der Betrachtung einzubeziehen. Indessen sei doch auf einige Paris angehende Ordonnanzen des fünfzehnten Jahrhunderts verwiesen, um zu zeigen, in welch hohem Grade sich zu dieser Zeit eigentlich die Ansätze zu einer durchaus modernen Ausgestaltung des Hypothekarrechts geltend machten.

In einer Zeit der wirtschaftlichen Depression hatten die Grundstückseigentümer schwer unter der Überlastung der Häuser mit Renten und Hypotheken zu leiden. So bedenkliche Klagen wie die folgenden werden immer wieder laut.

— — les grans et excessives rentes et ypotheques dont sont chargées les dictes maisons, et que plusieurs personnes par default de marchandises; labours, pratiques, ouvrages et autres manieres de vivre ont esté contraintes de plus avant charger de rentes leur dictes maisons et heritages, et les autres n'ont eu de quoy les soustenir, reparer, ne payer les rentes qu'elles devoient, parce que on ne les povoit ne peut louer à la moitié près de la charges d'icelles, dont il est advenu que très — grans parties des dictes maisons sont cheues, demolies et ruineuses, et les autres inhabitées, en grant diminution et difformité d'icelle nostre ville, et pourra encores plus estre etc.[2]).

Zur Abhilfe bestimmt die Ordonnanz vom 27. Mai 1424 zunächt eine Belastungsgrenze. Dabei liess man sich freilich durch die Missstände zu einer nicht zu rechtfertigenden Massregel hinreissen. Die Belastung sollte inskünftig nur ein Drittel betragen dürfen de ce que lesdictes maisons ou heritages pourroient valoir de rentes en commune estimacion, à comprendre en ce les autres charges précedens. Zu diesem Zweck wird eine Schätzungskommission vorgesehen (art. 1)[3]).

---

[1]) Vergl. Viollet, Histoire 674 f., Glasson VII S. 321 f., Beaune 380 f., Warnkönig und Stein II 582 f., 585 f., Schäffner III 268 f.

[2]) Ord. v. Henri II., Mai 1424. Ord. XIII S. 49, vergl. Lettres von Mai 1424 S. 47, Lettres von Juli 1428 S. 135, Lettres von Jan. 1431, Lettres von Charles VII, 1438 S. 261: Zu all diesen Schäden komme noch, que les censiers et rentiers d'iceulx lieux sont souvent en grans involutions de procez les ungs contre les autres, tant affin de garnir ou quitter, comme de leurs droiz de priorité ou posteriorité etc. Vergl. auch Ord. IX, a. 1409 S. 482.

[3]) Lettres von Juli 1428 art. 3, 4, 9, 10, Lettres von Nov. 1441 art. 13.

Sobald der ursprüngliche Rentenkäufer die Rente veräussert, tritt für den Grundstückseigentümer sofortige Rückkaufsmöglichkeit ein (art. 2)[1]).

Ferner sollen inskünftig die Belastungen dem Prinzip der Publizität unterworfen sein.

Et pour ce que par la très-grant et excessive charge des rentes, ypotheques et autres charges réelles dont pluseurs desdites maisons et heritages situées et assises en nostre dicte ville, Prevosté et Viconté de Paris, ont esté chargées le temps passé, se sont meuz pluseurs débas et procès, et aussi sont cheuz en ruyne lesdictes maisons et heritages: nous pour eschever lesdictes ruynes et procès, et pourvoir ou temps à venir à ce que ung chacun puisse avoir certaineté et vraie congnoissance desdictes charges et ypotheques, dont seront et pourront estre chargées lesdictes maisons et heritages avons ordonné et ordonnons que doresnavant namptissement aura lieu ezdictes ville Prevosté et Viconté de Paris, et que eadiz lieux, ypotheques[2]) ne pourront estre constituez valablement, ne sortiront aucun effect, sinon du jour et date que ycellui namptissement aura esté fait (art. 6).

Ursprünglich wurde zur Konstituierung der Reallast, ihrer Natur entsprechend, durchaus die Auflassung erfordert. Einige Rechte nehmen auch zur Zeit der Redaktion der Coutumes noch diesen Standpunkt ein[3]). Im allgemeinen aber wird er früh verlassen. Man ist den Formalitäten abhold. Denn man sieht in ihnen Zeichen einer unwillkommenen Bevormundung und Freiheitsbeschränkung[4]). In dem Drange, aus den feudalen Abhängigkeitsverhältnissen herauszutreten, werden sie bekämpft. Wie anderswo[5]) bleibt auch in Frankreich — nur hier besonders

---

[1]) Es gilt das für sämtliche Formen der Rente. Noch auf lange hinaus bedeutet diese Bestimmung ein Privileg für die Stadt Paris. Vergl. Warnkönig und Stein l. c. S. 583 N. 4. Viollet 690. Beaune 383. Es wird wohl auch vorgesehen, dass die Erwerber von Liegenschaften ihre Leistungsfähigkeit, die übernommenen Renten zu bezahlen, nachweisen müssen. Lettres von Jan. 1431 art. 1 und 2. Vergl. art. 5.

[2]) Vergl. art. 7: ebenso alle anderen charges réelles.

[3]) Warnkönig und Stein l. c., Beaune 383.

[4]) Grand Coutumier II 33 S. 325.

[5]) Vergl. Huber 705 f., 792, 804 und N. 25.

früh — vom alten Auflassungsakt nichts mehr als die Ausstellung einer Urkunde übrig. So sagt schon der grand coutumier:

Mais aucun peult bien faire dessaissine et soy dessaisir par lettres, ou par instrumens, ou devant tesmoings. Toutefois en accensement selon la coustume il n'est de necessité de aller au seigneur pour avoir la saisine, et sic non valet. Car ne prent saisine qui ne veut[1]).

Und wie weit das schon gediehen, zeigt eben die Bestimmung, von der wir ausgingen. Formen sollen beachtet werden, um die Öffentlichkeit der Belastungen herzustellen. Dabei sieht sich der Gesetzgeber bereits nicht mehr in der Lage, an das auf eigenem Boden geübte Fertigungsrecht anzuknüpfen. Es sollen vielmehr die Formalitäten des nantissement eingeführt werden, wobei übrigens diese Formalitäten in richtiger Erfassung der Sachlage als für die Existenz der Rechte essentiell bezeichnet werden.

Endlich noch folgende interessante Bestimmung:

Et se il advient que les propriétaires desdictes maisons et heritages soient ou aucuns d'oulx achatent ou autrement acquierent rentes dont ycelles maisons et heritages soient chargées et depuis ce ilz renoncent à ycelles maisons ou heritages, ou leur soient évincées par le moyen des criées du privilege aux Bourgois ou autrement, yceulx propriétaires pourront poursuir leursdictes rentes et les arrérages escheuz sur lesdictes maisons et heritages contre toutes personnes qui y prétendroient avoir rente, obligation ou charge à cause d'icelles, depuis qu'ilz y auront renoncé, ou qu'elles auroient esté évincées et eulx aidier de priorité, comme eussent peu faire les vendeurs d'icelles rentes, ou ung tiers et estrange personne, s'il eust acheté ou acquis lesdictes rentes, nonobstant quelconque confusion que l'en pourroit arguer ou objicer en ceste partie, et laquelle confusion nous ne voulons prejudicier à iceulx proprietaires en quelque maniere que ce soit. (Art. 7)[2]).

Der Eigentümer, der Renten zurückkauft, kann also das Rentenrecht — das zurückgekaufte — geltend machen, sobald

[1] II, 19 S. 233, vergl. Eu, art. 208.
[2] Lettres von Nov. 1441 art. 15.

er nicht mehr Eigentümer des Grundstücks ist, er kann es wie
derjenige, der ihm die Rente abtrat, oder wie jeder andere
Rentengläubiger, und die Konfusionseinrede hat er nicht zu
fürchten. Somit erlangt hier die Eigentümerrente gesetzliche
Anerkennung.

Zur Ergänzung des Bildes muss nun nur noch bemerkt
werden, dass der Gläubiger seine Rente leicht veräussern
konnte. Schon in königlichen Briefen aus dem Jahre 1409
heisst es, dass die Rentenberechtigten immer häufiger vendent
icelles rentes à autres que à ceulx à qui lesdictes maisons
sont[1]), sans ce que euls le sachent ne qui les ayent ou puissent
avoir pour les deniers que icelles rentes sont vendues[2]). Auf
den Willen des Eigentümers des belasteten Gutes wird keine
Rücksicht genommen. Für ihn mag die Person des Berechtigten
gleichgültig sein. Darum kann sie beliebigem Wechsel unterworfen sein. Und diese Möglichkeit erlangt ihre erhöhte Bedeutung in dem Umstand, dass das Recht in zuverlässiger
Weise in dem ausgestellten Brief, in der lettre zum Ausdruck
kommt. Die lettre ist vollgültiger Beweis des Rechtes.
Der Erwerber des Rechtes braucht also bloss den Brief vorzu-
weisen. Auf das Recht des Vorgängers braucht er sich dann
gar nicht mehr zu stützen.

In hypothecaria non est actoris probare quod auus prede-
cessor possedit in rem quam, vel super quam, petit jus, scilicet
usum, pecuniam vel redditum ad vitam, imo sufficit osten-
dere obligationem vel litteram obligatoriam[3]).

Hält man alle diese Bestimmungen zusammen, dann erhält
man den Eindruck, es habe hier wirklich keines der wesentlichen Elemente gefehlt, die in ihrer Fortbildung unmittelbar
zu einem durchaus modernen Grundpfandrecht hätten führen
müssen. Einflüsse von anderer Seite waren indessen mächtig
genug, die Entwicklung in andere Bahnen zu lenken. Trotzdem
sind reale Einwirkungen auf die Ausgestaltungen des

---

[1]) Auch bei diesem Rückkauf scheint nicht an eine Tilgung gedacht
zu werden.

[2]) Es wird dann ein Retraktrecht des Eigentümers vorgesehen.
Lettres von Karl VI, a. 1409 Ord. IX S. 482.

[3]) Coutumes notoires 29, Desmares 172.

neueren Hypothekenrechtes auch auf unserm Boden dem Gültinstitut nicht abzusprechen. Dazu folgendes.

Die rente foncière wird von der belasteten Liegenschaft selbst geschuldet. So sagt schon Desmares [1]).

Cens et rente sur aucun heritage, sont appellez debtes et charges reelles, mes que hon les demande comme arrerages, et que l'en tende affin que l'on soit condamné et contraint de les payer; aultrement seroit qui tendroit affin que le heritage fust dist et declarié estre chargié d'icelles rentes et cens. Ebenso sagt Loyseau von ihr [2]):

Elles different des debtes et obligations personnelles, lesquelles — ne sont pas toutefois debtes des heritages, et ne suiuent pas le detempteur de l'heritage vendu, mais elles demeurent en la personne de l'obligé — — Au contraire, les charges foncieres sont vrayement deuës par l'heritage, et le suiuent en quelques mains qu'il passe, pour estre payées par le nouveau detempteur d'iceluy: et apres sa mort elles ne passent point en son heritier, sinon en tant qu'il succede à l'heritage.

Dabei ist von einer Haftung des Grundstücks ursprünglich keine Rede. Es ist den Quellen immer nur um die Last, um die Leistung selbst zu tun, die sie eine Schuld des Grundstückes nennen [3]). Selbst bei einer Vergleichung mit der Hypothek hebt Loyseau nur diese Seite des Rechtes hervor:

Les charges foncieres different des simples hypotheques, en ce que l'hypotheque est une obligation accessoire ou subsidiaire de la chose, pour confirmer et assurer la pro-

---

[1]) 277.

[2]) I 3, 9.

[3]) Denn nach der Haftung kann erst gefragt werden, wenn nicht nur der Schuldner die Rechte ablösen, sondern auch der Gläubiger sie kündigen kann. Vergl. noch Loyseau II, 5, 1 wo in Bezug auf die Ausdrucksweise des art. 99c. de Paris gesagt wird: Il n'est pas dit simplement „Les detempteurs des heritages obligez et hypothequez", comme en l'article suivant, qui parle de l'action hypothequaire; mais il est dit absolument „des heritages chargez et redevables" pour montrer qu'il est parlé de ces rentes-la, dont les heritages sont redeuables et non les personnes, à sçauoir des rentes foncieres, in quibus res non persona conuenitur. Ebenso sagt de Ferrière S. 213 von den Grundrenten: les heritages ne sont pas dits hypothequez à ces rentes, mais chargez de cons et rentes foncieres.

messe et obligation de la personne qui est debitrice: mais
la charge foncière est une redeuance deuë proprement et
directement par l'heritage, et non par la personne, et ce
que la personne la paye, c'est à cause de la chose, non pour
y estre obligée de son chef, pouroe que la chose qui est
inanimée, ne la peut payer sans le ministere de la personne.
Danach wird die rente foncière von dem Gute geschuldet, wie
sonst eine Schuld vom debitor geschuldet wird[1]). Das soll
heissen, dass die Grundrente eine durchaus selbständige
Belastung der Liegenschaft ist und zwar ist es den Quellen
nach ein dingliches Recht, um das es sich bei dieser Belastung
handelt Telles charges sont réelles, et par tant elles suivent
l'heritage qui les doit[2]). In einem Satz wird der dingliche
Charakter der rente foncière und ihre Eigentümlichkeit als dette
réelle, als Schuld des Grundstücks ausgesprochen. Wenn sich
darin keiner der grossen Juristen von Dumoulin bis Pothier
beirren liess, zeigt das, dass sie in der angedeuteten Weise
verstanden sein wollten. Aus dieser Auffassung heraus erklärten
sie die eigentümlichen Erscheinungen des Grundrentenrechts,
vor allem das Déguerpissement. Der Eigentümer, dem die
Reallast zu drückend erscheint, hat das Recht, das Grundstück
zu derelinquieren.

Se aucun prend à cens une maison supposé qu'il s'oblige
à payer la dite rente, c'est à entendre taut qu'il sera propriétaire
de ladite maison et sur le lieu seulement et ne regarde et ne
peut regarder la dite obligation fors seulement la dite maison
par luy prise et accensée. Et puet iceluy propriétaire renoncier
à icelle maison et par renonciation il est quite de la dite rente
par payant les arrérages qui seroient échus au temps de la
renouciation[3]).

In aller Schärfe führt dies Recht Loyseau auf die Natur
der rente foncière als einer selbständigen Last des
Grundstücks zurück.

---

[1]) Pothier und Merlin vergl. bei Duncker, Die Lehre von den Reallasten S. 26 f.

[2]) De Ferrière, commentaire sur la Coutume de Paris zu art. 99
S. 209.

[3]) Cout. notoire 171.

Puis que se sont les heritages qui sont vrayement redeuables de ces charges et que les personnes n'en sont tenues qu'à cause d'iceux, et en taut qu'elles les détiennent et possedent; pouroe que les heritages sont choses inanimées, qui ne peuunt ny receuoir l'action, ny faire le payement sans le ministere de la personne; il s'ensuit qu'abolissant par le déguerpissement la cause qui rend la personne tenuë de ces charges, à sçauvir le detention de l'heritage, l'effet sera osté et aboly quant-et-quant, qui est l'obligation de la personne. — — Puisque par la prise et apprehension de l'heritage, le detempteur s'estoit lié au payement des charges en le requittant et delaissant il s'en puisse deliurer et desobliger.

Weil es sich um Leistungen aus der Liegenschaft handelt, befreit sich der Eigentümer durch Preisgabe der letzteren. So lange er aber Detentor ist, hat der Credirentier einmal die Hypothekarklage für sämtliche Rückstände. Denn die rentes et charges fonciere emportent et comprennent en soy le droit reel, de suite et d'hypoteque, qui donne la prelation ou preference à l'ancien Seigneur, sur le prix procedant de la vente de l'heritage qu'il a aliené et sur lequel il s'est reserué le cens et autre charge fonciere, par le moyen de laquelle action hypothequaire, le detempteur et proprietaire est tenu de payer, non seulement les arrerages escheus de son temps, mais aussi ceux escheus auant sa detention et iouyssance[1]).

Und ferner steht ihm gegen den Eigentümer eine persön-liche Klage zu. Es verlohnt sich, bei ihr einen Augenblick stehen zu bleiben. Art. 99 der Coutume de Paris bestimmt:

Les detempteurs et proprietaires d'heritages chargez et redeuables de cens, rentes, ou autres charges réelles et annu-elles, sont tenus personnellement de payer et acquitter icelles charges, à celuy ou ceux à qui elles sont düës, et les arrerages échûs de leur temps, tant et si longuement que lesdits heritages, ou de partie et portion d'iceux, ils seront detempteurs et proprietaires.

Die damit gegebene Klage wird von den Autoren action

---

[1]) Brodeau II S. 105.

mixte genannt[1]), denn sie sei, so wird ausgeführt, weder rein
persönlich noch rein dinglich. Angestemmt wird die Klage
beim persönlichen Gerichtsstand und nach der Verurteilung wird,
soweit es nötig erscheint, auf das gesamte Vermögen des debi-
rentier gegriffen. Anderseits geht die Klage nicht gegen den
Erben desjenigen. der die rente foncière begründet hat, resp.
sie geht es nur, soweit der Erbe die Liegenschaft übernimmt.
Sie betrifft ferner nur die Renten, soweit sie während der Inne-
habung des Gutes durch den Beklagten fällig wurden. Endlich
ist die Dauer der Verjährungsfrist wie bei der Pfandklage geregelt[2]). Diese Klage erscheint also fort approchée des réelles [3])
Ja Brodeau sagt von ihr, sie sei personnelle en sa denomination,
mais reelle ou à demy reelle, quant au subiect[4]), ferner elle
prouient et prend sa source de l'action hypothequaire, de laquelle
elle est accessoire et dependante, ou quoy que ce soit, concourt
toujours auec elle, semble mesme estre subsidiaire ou subrogée
en son lieu [5]).

Dazu muss man nun noch die Rechtfertigung, welche
die Theoretiker der Klage werden lassen, anhören. Die Coutume
komme zu dieser Klage en feignant, que des l'instant de sa
detention, il a contracté auec le bailleur de l'heritage, créancier
de la rente fonciere, et s'est obligé personnellement luy payer
tous les arrerages, qui courreront pendant le temps de cette
detention[6]). Indessen wird dieser Fiktion nicht weiter nach-
gegeben. Die Klage wird anders erklärt. Loyseau führt fort,
nachdem er die Rente als eine Realschuld charakterisiert hat:
Et toutefois elles produisent action personnelle, pource que
par necessité, puis qu'elles sont perceptibles par les mains
et le ministere de la personne, il faut s'adresser à celuy

---

[1]) Ferrière I S. 205. Loyseau II, 11. Vergl. Dareste de la Chavanne
Du délaissement hypothécaire Thèse Paris, 1875 S. 94. Die Eigentümlich-
keiten dieser Klage übersieht Buche, Essai sur l'ancienne Coutume de Paris,
Nouvelle Revue hist. de dr. fr. et étr. VIII, 1884 S. 330.

[2]) Loyseau II, 7, 1 f. Brodeau S. 100 f.

[3]) Loyseau II, 7, 11.

[4]) S. 100.

[5]) S. 102. Deshalb ist sie auch unteilbar. S. 103, Loyseau II, 11, 1 f.

[6]) Brodeau S. 100, Quasi ex contractu sei der detentor zur Zahlung
angehalten. de Ferrière II 209.

qui tient l'heritage chargé et redeuable pour estre payé de la
rente[1]).

Ganz besonders scharfen Ausdruck verleiht de Ferrière
dieser Auffassung: La raison en est claire et sans replique;
sçavoir que ces rentes sont dûës par les heritages, d'òu
il s'ensuit que les fruit provenans d'iceux doivent servir à
les acquitter, ainsi celuy qui les a perçûs quoy qu'il ignorât
qu'ils étoient chargez desdites rentes, s'est tacitement obligé
personnellement de payer les arrerages desdites rentes par
la perception des fruits; d'autant que le payement des
arrerages de ces rentes est une charge des fruits.

Die Liegenschaft also ist's, die die Rente schuldet und
zwar notwendigerweise aus ihren Erträgnissen. Diese aber
gehen durch die Hand des Besitzers. Er percipiert die Früchte.
Also scheint es geboten, ihn für diese „charge des fruits" haften
zu lassen. Ayant pour son fondement et son principe la perception et iouissance des fruicts, qui oblige personnellement le propriétaire et detempteur au payement
et acquit des charges de l'heritage, les quelles par
consequent doivent estre portées par tous les detempteurs con-
uenus personnellement, non en vertu d'aucun contract, submission, ou obligation par eux passée, mais seulement à cause
de la detention[2]).

Demnach ergibt sich aus dem bisher Gesagten, dass die
Renten von der Liegenschaft geschuldet werden: dette réelle.
Dazu tritt für den jeweiligen Besitzer eine abgeleitete „Realobligation" in Hinsicht auf die Zeit seines Besitzes und die
während des letzteren fälligen Leistungen. Die Liegenschaft
„soll" dieselben[3]). Aber gerade deshalb „soll" sie auch ihr
Eigentümer[4]). Und diesem accessorischen Sollen — warum
nicht für das prinzipale des Grundstücks selbst, wird sich noch
erweisen — ist die Haftung des Grundstückseigentümers
zur Seite gestellt. Auf die Behandlung der Rückstände aus

---

[1]) II, 5, 1.
[2]) Brodeau 102.
[3]) Vergl. oben S. 181.
[4]) Vergl. oben S. 183.

Leistungen, die unter einem früheren Besitzer fällig wurden, ist
weiter unten einzugehen.

Noch die jüngeren Rechtsquellen lassen also über die
Dinglichkeit und Selbständigkeit der mit den rentes foncières
gegebenen Belastungen gar keinen Zweifel aufkommen.

Wenn wir nachdrücklich darauf hinweisen, so geschieht
dies, wir gestehen es, in Hinsicht auf Erscheinungen, wie sie in
der Diskussion über das Wesen der Grundschuld neuerdings
zu Tage getreten sind. Dieser Frage kann erfolgreich nur auf
der richtigen historischen Basis nähergetreten werden. Und
diese liegt, dabei nicht einmal bloss für die Grundschuld, sondern
auch für wesentliche Teile des modernen Hypothekarrechts i. e. S.
des Wortes, im alten Rentenrecht. Unsere Quellen kennen nun
freilich auch noch eine andere Auffassung der Rente, als wie
wir sie bis jetzt namhaft gemacht haben. Aber diese abweichende Auffassung gilt der rente constituée. Dabei muss
nun aber hervorgehoben werden, dass ursprünglich ihrem Wesen
nach die konstituierte Rente durchaus dasselbe Recht darstellte
wie die vorbehaltene, die rente foncière. Elle imita les rentes
foncières [1]. Erst die Romanistik hat eine völlige Wandlung
der Anschauungen herbeigeführt. Sie vollzieht sich im 16. Jahrhundert [2].

Nun erscheint allerdings die Person, welche die Rente
errichtet, als Schuldnerin. Zur Sicherung des Gläubigers
wird ein Spezial- oder Generalpfandrecht errichtet [3]. Dabei
sind die jüngeren Autoren dem „Assignat“, demzufolge die
Rente auf ein bestimmtes Grundstück gelegt werden soll, nicht
hold [4]. L'assignat n'induit pas une condition ou restriction,
mais une simple demonstration, pour plus grande facilité du
payement [5]. Loyseau berichtet: on s'est enfin accoustumé d'ob-
mettre cette ceremonie d'assignat et de constituer ces rentes à

---

[1] Loyseau I 9, 19. Vergl. vor allem Warnkönig und Stein II 586.

[2] Das nähere bei Beaune 382 f., Glasson VII 324, Viollet, Warnkönig
und Stein II 587.

[3] Loyseau I 6, 1; I 9, 19; IV 4, 4. Der Errichter der Rente haftet
persönlich. I 9, 19.

[4] Man habe die Rente früher nur darum so konstituiert, qu'elle se
reculât des usures Romaines. l. c.

[5] Loyseau I 9, 19.

prix d'argent, generalement sur tous les biens du debiteur [1]).
Doch anderswo meldet er anders, dabei bedauernd, dass von
dieser Art der Rente, vraiement bastardes et motoyennes entre
les rentes foncieres et les rentes volantes sont indubitablement
suruenues toutes les difficultez qui se retrouvent auiourd'huy en
nostre Droict français et toutes les varietez et contrarietez ......
pource qu'aucunes Coustumes ...... ont égalé les rentes constituées
aux rentes foncieres, les autres les ont retenües aux bornes de
simples hypotheques [2]) — --

Es werden hier Schwierigkeiten erwähnt und angedeutet,
dass sie ihren Grund darin hatten, dass die Coutumes zu der
reinlichen Scheidung zwischen rente foncière und
rente constituée nicht gelangen konnten. Und das ist
erklärlich. Erst durch die romanistische Doktrin erhält die
letztgenannte Rentenart ihren persönlichen Charakter. Es wäre
erstaunlich, wenn die Theorie auf der ganzen Linie Sieger
geblieben wäre, um so mehr, als sich eine wenigstens teilweise
gleiche Behandlung beider Renten schon aus dem Umstande
empfahl, dass sie im Einzelfall häufig genug gar nicht mehr
auseinanderzuhalten waren. In der Tat verwischen sich
denn auch die Grenzen in der rechtlichen Auffassung
und Behandlung derselben aufs mannigfachste. Grundsätze,
die nur der Eigenart der einen Rente entsprachen, wurden auch
auf die andere angewendet. So blieb die rente foncière vielfach
vorbildlich. Schon ein Blick auf den Wortlaut der Artikel 99
und folgende der Coutume de Paris bestätigt dies. Nirgends
eine scharfe Scheidung, überall ein Zusammenwerfen der
Institute in einer Art, die der genaueren Erfassung geradezu
unüberwindliche Schwierigkeiten entgegenstellt. Und: notam-
ment de là est venu ce que plusieurs Coutumes ont attribué
l'action personnelle aux simples rentes volantes à l'encontre
du tiers detempteur.

Art. 100 bestimmt nämlich: Et s'entendent chargez et
redevables, quand lesdits heritages sont specialement obligez, ou
qu'il y a generale obligation sans specialité, ou qu'il y a clause
que la speciale ne déroge à la generale, ny la generale à la speciale;

---

[1]) II 6, 13. Es sind dies die rentes volantes, courantes.
[2]) I 9, 24.

esquela cas le detempteur est tenu personnellement desdits arrerages.

Die persönliche Klage, um die es sich hier handelt, ist die action mixte des art. 99. Von ihr wissen wir, dass sie aufs engste mit dem Charakter der rente foncière als einer selbständigen dinglichen Belastung des Grund und Bodens zusammenhängt[1]). Und doch soll diese Klage nun auch dem Gläubiger der rente constituée zu Gute kommen. Man hört nun freilich gelegentlich das Urteil, dieser Artikel sei „absurde et impertinent" und der Kommentator fügt bei: et il ne faut pas s'y arrêter[2]). Aber andere wissen denn doch, dass toutefois, puis que la loy est écrite clairement, bien qu'elle soit rude, il la faut garder. Dabei entgeht es ihnen keineswegs, dass diese Klage ihren Ursprung im Gebiet der Grundrente hat[3]). Es wird deswegen geradezu nach einer neuen Erklärung gesucht. So betont Brodeau[4]) que l'assignat n'emporte point alienation de l'heritage et ne puisse estre dit charge fonciere, ne donnaut qu'un simple droit de suite et hypotheque sur l'heritage obligé, mais non contre la personne, pour user de contrainte en ses propres biens et l'action personnelle au cas de l'assignat n'est point donnée comme pour une rente fonciere, doch die Erklärung, die in der Fortsetzung gegeben wird, lautet nur: mais à cause de la specialité de l'hypotheque. Denn tel assignat induit hypotheque speciale et en consequence de ce, obligation personnelle en la personne du detempteur. Auch diese Wendung[5]) bestätigt also nur, dass von der Seite des Grundrentenrechtes her eine tiefgreifende Beeinflussung des Grundpfandrechtes stattgefunden hat. Allerdings hebt Brodeau[6]) hervor, dass in dem Fall der Sicherung einer simple dette pour une fois payer die besagte persönliche Klage nicht statthabe. Da es sich bei letzterer nur um die wiederkehrenden Leistungen handelt, ist dies freilich richtig, soweit die für eine Schuld errichtete

---

[1]) Vergl. oben S. 183.

[2]) de Ferrière II S. 213.

[3]) Vergl. oben S. 181 f. und Loyseau II, 1, 18.

[4]) S. 103 f.

[5]) Bei welcher es zudem irrtümlich war, nur von der Spezialhypothek zu sprechen.

[6]) S. 104.

Hypothek dem bis 1789 von Staatswegen geltenden Verbot des Zinsennehmens entsprechend nur das Kapital selbst sicherte. Indessen sind doch Fälle bekannt, in welchen auch das Zinsennehmen von den Gerichten geschützt wurde und unter dieser Voraussetzung ist es kein Zweifel, dass der Hypothekargläuber für die Zinsen die Klage aus Art. 100 gegen den Inhaber des verpfändeten Grundstücks erheben konnte. Denn bei der rente constituée ist das Verhältniss des Rentengläubigers durchaus das nämliche. M. a. W. auch er ist dem Drittbesitzer gegenüber vor allem Hypothekargläubiger. Dies entspricht wenigstens der romanistischen Auffassung. Deswegen ist es durchaus richtig, wenn Loyseau sagt: l'article 100 étend l'action personnelle aux simples hypotheques[1]. Und von dieser ganzen Skala der Beeinflussung sagt er: On n'a iamais nettement distingué les rentes constituées par assignat, ou par simple hypoteque, et ce point n'y fut iamais bien éclaircy, mais on ne laissoit user à un chacun selon la conscience, à cause du scrupule qui en pouuait naistre. Mais dautant que les rentes en assignat estoient les plus communes et les plus usitées le temps passé, les effets et decisions des rentes volantes leur estoient adaptées: et pouroe que d'ailleurs l'on attribuoit à l'assignat presque la même nature des charges foncieres, il est arriué a primo ad ultimum, de degré en degré et per brevissimas mutationes, que l'on a confondu les rentes foncieres auec les constituées à prix d'argent et que l'on a attribué mêmes effets aux rentes volantes qu'aux pures rentes foncieres. En quoy il y'a double erreur: le premier, que l'on a confondu l'assignat auec le droit foncier .... l'autre que l'on a voulu attribuer à la simple hypotheque speciale, et mesme aucunefois à la generale, les effets erronement attribuez à l'assignat[2]. Ganz richtig wird der Einfluss der Assignation darauf zurückgeführt, dass dies ursprünglich die häufigere Form gewesen sei. In gleicher Weise muss nun aber gesagt werden, dass die Hypothek in den häufigsten Fällen als Sicherung einer Rente erschien. Das war ihr häufigster Anwendungsfall. So wollte es gerade die romanistische Auffassung der bestellten

---

[1] II 6, 3.
[2] II 6, 15.

Rente. In diesem Sinne nennt Loyseau die Renten les plus frequentes et auantageuses hypotheques de France [1]). Deshalb aber auch die Beeinflussung des Grundpfandrechtes durch das Rentenrecht. Nach Auffassungen, die diesem letzteren eigentümlich sind, wird die Hypothek behandelt, die die Rente sichert und damit not-wendigerweise die Hypothek überhaupt, soweit dies nur möglich schien.

Nur so ist die Hypothekarklage unserer Quellen zu erklären. Die Coutume de Paris gibt dieselbe in art. 101: Les detempteurs et Proprietaires d'aucuna heritages obligez ou hypo-thequez à aucunes rentes ou autres charges réelles ou annuelles, sont tenus hypothequairement icelles payer, avec les arrerages qui en sont dûs; à tout le moins sont tenus iceux heritages delaisser, pour estre saisis et adjugez par Decret au plus offrant et dernier encherisseur, à faute de payement des arrerages qui en sont dûs, sans qu'il soit besoin discussion. Zwar ist hier nur von periodisch wiederkehrenden Leistungen, insbesondere von den Renten die Rede. Doch versichern die Interpreten ausdrücklich, dass dies die bei jedem Grundpfand gegebene Klage sei. Die in der Coutume gebrauchte Wendung enthält precisément la conclusion dont nous usons en France en l'action hypothequaire [2]). Auch darüber herrscht Gewissheit, dass diese Klage die actio quasi Serviana nicht ist [3]). Diese letztere bedeutete eine pignoris vindicatio. Sie ging auf ein tradere jure pignoris. Ganz anders das französische Recht. Hier geht das Petitum keineswegs auf Gestattung der Exekution. Mais en France l'on renverse ordinairement cet ordre, et l'on conclut que les détenteurs soient tenus hipotécairement de paier, ou en tout cas de délaisser l'heritage pour être vendu par decret; ou bien pour faire déclarer l'heritage afecté ou hipotéqué au créancier, de quelque nature que puisse être la dette, soit une redevance fonciere ou une rente, ou une simple dette [4]). Sondern

---

[1]) I 3, 13. Vergl. Basnage S. 39.

[2]) Loyseau III, 4, 1 vergl. III, 3, 3, 11, Brodeau S. 105, Basnage 417, 418.

[3]) Doch erlitt das délaissement eine romanistische Auffassung, vergl. vorl. N. 3.

[4]) Basnage 416.

die Klage geht auf Leistung. Die rückständigen Renten und Zinsen sollen gezahlt werden. Zugleich soll der Besitzer der Liegenschaft einen neuen Titel ausstellen[1]). Dieser verschafft etwelche Sicherheit für die künftig fälligen Leistungen, da er den Aussteller persönlich haftbar macht. In Ermangelung alles dies aber soll der Innehaber das Grundstück preisgeben. Die Klage geht, in kurzer Formel, auf payer ou délaisser.

Dabei ist einleuchtend, dass die Erklärung Basnage's, wonach die Reihenfolge im Petitum die umgekehrte als im römischen Rechte sei, überhaupt keine Erklärung ist. Davon kann schon nach dem Inhalt der römischen Klage keine Rede sein. Doch auch Loyseau, der findet, es sei für einen „Legiste" mal aisé à entendre ce que c'est à dire „hypothequairement payer sucht in ähnlicher Art die Klage wenn nicht zu entschuldigen, so doch in ihrer Existenz begreiflich zu machen. In Unkenntnis des Ursprunges und der Form der Klage — L. denkt an die römische Pfandklage — habe man, en mettant la charrue deuant les boeufs, vorangestellt, was im Gegensatz zur Obligation eine blosse facultas gewesen sei[2]).

De Ferriere nennt die Klage geradezu eine gemischte. Nach ihm ist eine actio realia mit einer actio in rem scripta verbunden und zwar in dieser Weise: le demandeur conclud en cette action personnellement contre le detempteur ou possesseur d'un heritage pretendu affecté et hypothequé pour quelque dette, charge réelle ou autre redevance annuelle, à ce qu'il soit condamné à luy passer titre nouvel de la rente pretenduë, payer les arrerages échûs de son temps, et continuer à l'avenir — en quoy cette action est personnelle — sinon et à faute de quoy être condamné à délaisser et abandonner l'heritage pour la dette de son auteur, ou pour une charge réelle, et c'est en cela que consiste la réalité de cette action[3]). Soweit die Klage also auf Zahlung geht, soll sie persönlich, soweit sie auf délaisser geht, dinglich sein. Doch nichts erhärtet diese ganz verschiedene Richtung, die schon darum nicht anzunehmen ist, weil es sich um Teile ein und

---

[1]) Vergl. Brodeau S. 106, 107. Loyseau III, 4, 5 f. de Ferriere 205.

[2]) III, 4, 7.

[3]) S. 205.

derselben Klage handelt. Ferner gibt es Coutumes, die in der
Hypothekarklage nur vom Zahlen reden[1]). Sollten diese Rechte
nur die obligatio in rem scripta kennen? Dies widerspricht aber
bereits der Auffassung de Ferrières. Denn nach ihm ist die
dingliche Seite der Klage die Hauptsache, die persönlichen
Momente sind bloss accessorisch[2]). Er denkt also zunächst an
eine Hypothek im römischen Sinne. Aber woher und wozu
dann noch die persönlichen Elemente. Peut-on condamner
à payer celuy qui n'a rien promis, qui n'a point contracté, et
qui n'est point obligé[3])? Wäre dies möglich und fände es wirklich statt, dann sehen wir vor uns eine neue Auflage der Klage
aus art. 99. Da wir diese actio bereits kennen, wäre damit
bereits nachgewiesen, wie sehr die Anschauungen auf dem
Gebiet des Grundpfandrechts durch das Rentenwesen bestimmt
worden sind. Doch eine derartige Annahme verbietet sich. Der
Drittbesitzer haftet nicht[4]). Die Klage ist wirklich die dingliche, die Hypothekarklage[5]). Aber woher denn der merkwürdige
Inhalt? Die Fassung des art. 101 cit. deutet bereits die Lösung
an. Die Klage aus dem Grundpfandrecht ist die Klage
aus der Grundrente — aus der „Grundschuld" unserer
Quellen. Die rente foncière ist die selbständige Belastung
eines Grundstücks. Es ist nach der Auffassung der Zeit der
Träger, das Subjekt der Leistung. Infolge der physischen Unmöglichkeit soll der Besitzer leisten: „Realobligation" im Sinne
eines an den Besitz geknüpften, abgeleiteten, aus der dette réelle
des Grundstücks sich ergebenden Sollens. Das Recht gibt auch
die Mittel an die Hand, um gegen den Besitzer vorzugehen.
Nach unseren Quellen ist es die persönliche Klage, die ihm
droht[6]). Doch der credirentier braucht diese Klage nicht zu
erheben. Er kann vielmehr mit der dinglichen Klage die dette

---

[1]) Loyseau III, 4, 7.
[2]) S. 206.
[3]) Loyseau III, 4, 2.
[4]) Ausser soweit dies in der persönlichen Klage zum Ausdruck kommt,
vergl. oben S. 188.
[5]) Vergl. Brodeau S. 106.
[6]) Doch nur wenn es sich um eine Hypothek handelt, die eine Rente
sichert vergl. das über art. 99 Gesagte. Denn nur hier tritt zur „Realobligation" eine persönliche Haftung.

réelle einklagen, Zahlung[1]) aus dem Grundstück verlangen. Nichts vermag schärfer die zu Grunde liegende Anschauung widerzuspiegeln[2]). Dieselbe entspricht dem Wesen der rente foncière. Da man aber ursprünglich die rente constituée nicht anders auffasste, war auch ihre Klage die nämliche. Mit der dinglichen Klage wird Zahlung verlangt. Par le moyen de l'action hypothequaire le detempteur et proprietaire est tenu de payer, non seulement les arrerages escheus de son temps, mais aussi ceux escheus auant sa detention et iouyssance, lesquelles arrerages precedens ne peuuent pas estre demandez par l'action personnelle[3]). Zu der Zahlung kommt aber noch ein Zweites. Der Besitzer soll zahlen und passer titre nouel. Denn en cet endroit nostre article a obmis le plus notable, le plus utile et le plus difficile poinct de la couclusion de l'action hypothequaire et qui a lieu tant aux rentes foncieres qu'aux constituées: à sçauoir que se tiers detempteur de l'heritage chargé ou l'obligé à une rente, est tenu de passer titre nouel d'icelle[4]). Dieser Titel porte clause de payer tant et si longuement qu'il sera detempteur, et à cause de cette promesse et submission de payer, il s'appelle guarantigé[5]). Er macht den Besitzer mit seinem ganzen Vermögen haftbar. — Diesen Wirkungen kann der letztere nur entgehen, wenn er die Liegenschaft preisgibt. Das ist, was er à tout le moins tun muss[6]) nach der Ausdrucksweise von art. 101.

Die Klage verlangt also wenigstens das délaissement. Auch dieses ist auf der Basis des Reallastenrechts ausgebildet worden. Der Erwerber einer mit Reallasten beschwerten Liegenschaft kann deguerpir. Ein analoges Institut, das demselben Zwecke dienen soll, existiert nun auch für die konstituierten Renten: das Délaissement. Dieses sowohl als das déguerpisse-

---

[1]) Und zwar, so weit es sich um Renten handelt, nicht nur der unter dem jetzigen Besitzer fällig gewordenen (wie dies bei der persönlichen Klage der Fall ist), sondern auch die älteren Rückstände. Vergl. Text zu folgender Note.

[2]) Vergl. noch unten S. 195.

[3]) Brodeau S. 105.

[4]) Loyseau III, 5, 1.

[5]) Loyseau III, 5, 4.

[6]) Über dies Müssen vergl. S. 195.

ment se fait pour éviter d'estre tenu des rentes au temps à venir, et qu'en l'un comme en l'autre le creancier delaisse et abandonne l'heritage[1]). Deswegen hielt man sie auch nicht auseinander. Nous confondons d'ordinaire le déguerpissement avec le délaissement par hypotheque[2]). Es ist dies umso bedeutungsvoller und umso charakteristischer, als die Wirkungen beider doch ziemlich verschieden waren. Insbesondere bedeutet das déguerpissement Aufgabe des Eigentums, welches der Rentengläubiger an sich ziehen kann. Dagegen verzichtet der Delaissierende zunächst nur auf den Besitz[3]), quitte seulement la possession, et en demeure proprietaire et seigneur, iusques à ce que l'heritage soit vendu par decret[4]), womit bereits gesagt ist, dass der Rentengläubiger in diesem Falle n'en est point rendu proprietaire ny possesseur, parce qu'il n'est que simple creancier hypothequaire[5]).

Trotz dieser und anderer Unterschiede werden, wie gesagt, doch beide Institute — auch in der Ausdrucksweise der Coutumes — zusammengeworfen. Selbst Loyseau findet, der hauptsächlichste Differenzpunkt liege darin, dass das déguerpissement bei den Grundrenten, das délaissement bei den Hypotheken zur Anwendung komme[6])! Dabei geht er jedoch mit vollem Recht davon aus, dass auch das délaissement sich auf dem Gebiet des Rentenrechts gebildet habe. Es wird sein Zweck ausdrücklich dahin bestimmt, dass es die Rentenlast abwende — nämlich vom Drittbesitzer der Liegenschaft. Sie erscheint also nicht nur als Unterpfand, sondern, trotz den gegenteiligen Theorien, immer noch als Subjekt der Leistungen. Deshalb die Anwendung der persönlichen Klage aus art. 99 Cout. de Paris auch bei der rente constitué. Deshalb auch das délaissement:

---

[1]) I 2, 13.

[2]) Brodeau S. 111.

[3]) Nichtsdestoweniger wird auch hier Veräusserungsfähigkeit des Delaissierenden verlangt. Vergl. Dareste de la Chavanne cit., S. 105. Auch kann der letztere, trotzdem er bloss den Besitz preisgibt, beim Verfahren par decret Hypotheken geltend machen, die er auf dem Grundstücke hatte, bevor er dasselbe erwarb. Vergl. Loyseau VI 7, 7; Brodeau S. 111.

[4]) Loyseau I 2, 13, VII 7, 1.

[5]) Brodeau S. 111.

[6]) I 2, 13.

Pour ce qu'en France aux debtes successives, comme aux rentes constituées dont le sort n'est exigible, pour plus facile exaction des arrérages, on a inventé une manière d'obligation personnelle anormale et irregulière, dont est chargé le tiers acquéreur de l'heritage hypothéqué à icelles, en tant qu'il perçoit annuellement les fruicts d'iceluy, qu'on imagine estre destinez pour le payement annuel de la rente: pour eviter cette action, on fait ordinairement le delaissement par hypotheque auparauant que d'estre condamné, et en ce faisant on s'en exempte, pource qu'elle n'est fondée sur aucune promesse et obligation du detempteur, mais seulement sur la detention et la perception des fruits; et partant il s'en sauve en quittant cette detention et laissant perceuoir les fruits à un commissaire ou curateur[1]).

In richtiger Weise wird hier das délaissement als ein Recht des Besitzers dargestellt, das er anwenden kann. Aber eine Pflicht ist dies délaissement nicht. Es wird bereits aufgefallen sein, dass nach der Formulierung der Pfandklage allerdings die Auffassung dahin zu gehen scheint. Aber wie bereits bemerkt, gibt es Rechte, in welcher die Hypothekarklage nur auf Zahlen geht. Erfolgt diese Zahlung nicht, kann der Obsiegende in die Liegenschaft exequieren. Nicht anders aber ist es, genauer besehen, im Pariser Recht. Ausdrücklich hebt Loyseau hervor, dass es zur Realisierung des Pfandrechts einer derartigen Preisgabe gar nicht bedürfe: quand il est seulement question d'une debte à une fois payer il n'est point besoin que le tiers détenteur en estant poursuivy offre de luy-même délaisser l'héritage par hypotheque; ains après qu'il aura esté déclaré hypothéqué à la debte, c'est au créancier de le faire saisir si bon luy semble. Dies entspricht durchaus der historischen Entwicklung. Die Preisgabe ist ein Recht des Drittbesitzers. Wenn die Autoren gelegentlich eine andere Auffassung vertreten, geschieht dies infolge einer völlig falschen Auffassung der Wirkungen der römischen Pfandklage. Sie habe den Drittbesitzer zur Preisgabe gezwungen, welcher er sich nur durch Zahlung habe entziehen können. In diesem Sinne wird dann auch die französische Pfandklage zu erklären ver-

---

[1]) Loyseau VI 7, 2. Vergl. III 5, 15.

sucht (vergl. oben S. 191 f.). Historisch allerdings völlig unzulänglich. Die geschichtliche Bedeutung der Bestandteile in
der Pfandklage ist nämlich derjenigen gerade entgegengesetzt,
die diese Doktrin ihnen zukommen lässt.

Wie für das délaisser, gilt dies auch für das payer. Bei
Betrachtung der vorbehaltenen Rente haben wir gesehen[1]), dass
diese Rente von dem Grundstück geschuldet wird.
Daraus leitet sich eine Realobligation ab, derzufolge der
Besitzer die während seines Besitzes fälligen Renten leisten soll.
Die Rechte gehen soweit, für diese Realobligation den Besitzer
persönlich haften zu lassen. — Für diese Realobligation. Denn
augenscheinlich besteht noch eine zweite, weitergehende. Sämtliche Rückstände, also auch diejenigen, für welche der Besitzer
nicht haftet, bilden einen Bestandteil der dette réelle. Diese
aber ruft auch hier, also in ihrem ganzen Umfange, der
Realobligation. Alles, was die Liegenschaft leisten soll — dette
réelle — schuldet der Eigentümer: „Realobligation". Nicht
soweit aber reicht die Haftung desselben. So erklärt sich die
hypothekarische Klage: Indem sie auf Zahlung der ganzen
fälligen Rentenschuld geht, verrät sie die auf Grund der selbständigen dinglichen Belastung existent gewordene Schuld,
Realobligation des Besitzers, in ihrem Gesamtumfange. Doch
haftet für dieselbe ausschliesslich die Liegenschaft. Ihrem
Effekte nach geht denn auch diese Klage nur auf Anerkennung
und Eröffnung der Realisierung dieser Haftung. Diese Vorstellungen, die dem Recht der vorbehaltenen Rente entsprechen,
durchziehen also auch das Institut der bestellten Rente und
sind einflussreich genug, um das Hypothekarrecht schlechtweg
in Mitleidenschaft zu ziehen, indem sie die Form der Pfandklage bestimmen und das délaissement als ein Institut des
Pfandrechts erscheinen lassen.

Endlich bleibt noch die exceptio discussionis zu erwähnen. Der Platz, der ihr eingeräumt wird, ist ein Kriterium
des Selbständigkeitsmasses, mit welcher die einzelnen Rechte
das Grundpfandrecht ausgestattet haben. Von vornherein ist
zu bemerken, dass zahlreiche Coutumes die Diskussion in

---

[1]) Oben S. 185.

weitestem Umfange anerkennen[1]), und die Doktrin spricht notwendigerweise für alle Rechte, die die Frage nicht regeln, dieser Lösung das Wort. Doch geschieht dies nicht ohne Schwanken für den Fall der Spezialhypothek[2]), von welcher Loyseau[3]) gelegentlich geradezu sagt: nous avons attribué l'estre et la situation des rentes constituées[4]). Manche Coutumes gestatten die Einrede denn auch ausdrücklich nur im Falle einer Generalhypothek[5]). Endlich fehlt es aber auch nicht an Rechten, welche dieselbe sogar einem Generalpfandrecht gegenüber versagen[6]).

---

[1]) Loyseau III 8, 3. Clermont 38, Châlons art. 131, Auxerre 194, Sedan tit. 13 art. 64; vergl. Basnage 423.

[2]) III 8, 4 f.

[3]) III 8, 7.

[4]) Vergl. Brodeau S. 109. Dort wird auch darauf hingewiesen, dass der Ausschluss der Diskussion wegen der mangelnden Publizität ungerecht wirke. Il n'est pas juste, d'inquieter un tiers detempteur, acquereur de bonne foy, qui a ignoré la rente ou la debte. — — Dieser Umstand liess Loyseau auch die Ausdehnung der persönlichen Klage aus art. 99 C. de Paris verhängnisvoll erscheinen. Il resulte de la Coutume de Paris une absurdité du tout insupportable. Es gebe keinen Seigneur mehr, dessen Liegenschaften nicht schwer belastet seien. Jene befänden sich „en perpetuelle interdiction de tous leurs biens". Denn man hüte sich wohl, Liegenschaften zu kaufen, auf denen unbestimmt viele Renten liegen, für die man nach dem Erwerb persönlich haftbar werde. Das déguerpissement sei schliesslich doch nur ein schwacher Notbehelf, bei dem es ohne Schädigung nicht abgehe. Einen Verkauf auf dem Wege des decret (volontaire) gingen aber die Seigneurs nie ein, denn dann kämen sie ja nimmer zu Geld, der Verkauf hätte also den Zweck verfehlt. Loyseau's Raisonnement ist einleuchtend. Wenn trotz des Mangels der Publizität der Erwerber doch persönlich belangt werden konnte, wenn ferner die Rechte trotzdem die exceptio discussionis abwiesen, so zeigt das nur, wie mächtig sich immer noch deutschrechtliche Auffassungen geltend machten. Sie waren freilich derartig, dass sie zu ihrer konsequenten Durchführung der Publizität bedurften. Das ist die Luft, in der allein sie gedeihen können. Es unterliegt keinem Zweifel, dass trotz der Rezeption die neuere französische Hypothek eine Reallast bedeutete, wenn nicht die Emancipationsbewegung gegen den öffentlich-rechtlichen als feudal und contumiär von den Bürgern und romanistischen Juristen befeindeten Formalismus so früh und so durchschlagend von Erfolg gekrönt gewesen wäre.

[5]) Loyseau III 8, 2. Sens art. 134. Tours art. 217. Orleans 436.

[6]) Loyseau III 8, 1. Cambray, titre des rentes; Perche, art. 205; Auvergne, titre des executions, art. 3 und 4; Marche art. 391; Anjou, art. 475; Dourdan tit. 3, art. 55; Brodeau cit, Basnage cit., Perche tit. XI, a. 205.

Charakteristisch für den Gang der Entwicklung ist auch in dieser Frage wiederum die Coutume de Paris. Sie bestimmt das Recht für die konstituierte Rente wiederum nach den für die rente foncière geltenden Grundsätzen. Obschon also formell der Standpunkt eingenommen wird, dass es sich bei der ersten um eine persönliche Forderung handle, für die eine Hypothek begründet worden sei, wird doch nicht das römische Hypothekar-, sondern das Reallastenrecht für die Lösung der Frage herangezogen. Es ist gleichgültig, ob die Hypothek generell oder speziell ist. Dem Kläger steht die Exzeption nicht entgegen — wenn er nur Rentengläubiger ist. Immer wieder wird also die Forderung entscheidend für die Behandlung der Hypothek — immer wieder ein Beweis für die intensive Nachwirkung deutschrechtlicher Ideen. Im Falle der ein Kapital sichernden Hypothek soll dem Drittbesitzer stets das beneficium excussionis zustehen[1]. Denn der Wortlaut von Art. 100 gestattet der romanistischen Doktrin, diese Einschränkung durchzusetzen[2]. Nach dem früher Gesagten wissen wir, dass die Bedeutung derselben geringer ist, als sie scheint. Und dies erhält noch seine erhöhte Richtigkeit, wenn man der interessanten Tatsache eingedenk ist, dass die Coutumes, die die Diskussion nicht ausschlossen, sie doch mit unverholener Missgunst behandelten. Der Drittbesitzer, der von ihr Gebrauch machen wollte, musste nicht nur die schuldnerischen Güter nachweisen, in die der Gläubiger exequieren könne, sondern er musste es sich gar gefallen lassen, dass die Diskussion auf seine Kosten und Gefahr statthabe[3].

Wir gelangen demnach zu folgendem Ergebnis. Vom 16. Jahrhundert ab gelten die rentes constituées ganz allgemein als persönliche Forderungen und Schulden. Zu ihrer Sicherung wird regelmässig eine Hypothek bestellt. Mit dieser Auffassung hat die romanistische Doktrin einen unbestrittenen Sieg errungen.

---

[1] Loyseau III 8, 32.

[2] Brodeau S. 108.

[3] Basnage 419, 420. Vergl. Allard: Droit et obligations du tiers détenteur en matière hypothécaire Paris 1875 S. 11. Bei der dargestellten Auffassung der rente constitué war es nur folgerichtig, wenn beispielsweise Laurière zu art. 101 C. de Paris die Diskussion ausgeschlossen wissen wollte. Aber es unterliegt keinem Zweifel, dass er damit gegen den Wortlaut der Coutume verstiess.

Doch nur in der Theorie. In der Praxis erhalten sich, dem romanistischen Gewande zum Trotz, die koutumiären Anschauungen mit einer Zähigkeit ohne gleichen. Selbst der bewundernswerte Apparat der gelehrten „Legisten" täuscht nicht darüber hinweg: In der tatsächlichen Rechtsanwendung ist die konstituierte Rente nach wie vor eine Reallast[1]). Die Gestattung · der persönlichen Klage gegen den Drittbesitzer, der Inhalt der dinglichen Klage, der Ausschluss der Diskussion[2]) stempeln sie zu einer solchen. Dass die Doktrin dies nicht erkannte und alle dinglichen Momente des Verhältnisses nur durch die Annahme einer „einfachen" Hypothek zu erklären versuchte, hat den Influenzierungsprozess, der in der Tendenz der Annäherung des Immobiliarpfandrechtes an das Gültinstitut stattfinden musste und stattfand, nur befördert. Selbst zur Zeit des grössten Ansehens und Einflusses des römischen Rechtes fehlt es der neueren französischen Hypothek nicht an Elementen, die auf die alte dette réelle zurückzuführen sind. Wenigstens dem Ursprung und der Entwicklungsrichtung nach deutet die Hypothekarklage darauf hin, denn sie geht auf payer ou délaisser. Vielerorts

---

[1]) Ganz richtig bemerkt Merlin Répertoire v. Discussion S. 692, es seien die constituierten Renten betrachtet worden comme faisant, en quelque manière, partie du fonds, qui y était hypothéqué, et comme des rentes foncières qui suivaient les terres en quelque main qu'elles passsaent. Er folgert dies aus dem Fehlen der Diskussion. Vergl. folg. Note.

[2]) In aller Schärfe betont Pothier, Traité du bail à rente, dass der Ausschluss der Diskussion auf eine selbständige dingliche Belastung schliesen lasse. Er führt No. 90 und 91 aus, dass die „Hypothekarklage" des Rentenrechts (die Klage, wie sie art. 107 der C. de Paris gibt) nicht die einfache Klage aus der Hypothek sei. Denn der mit jener belangte Drittbesitzer könne die Diskussion nicht geltend machen.· Und dann: La raison de différence est que le droit de simple hypothèque n'est qu'un droit accessoire à la créance personnelle; ce n'est pas proprement (aber vielleicht „uneigentlich" doch?) par l'héritage hypothéqué, que la dette à laquelle il est hypothéqué, est due; au lieu que l'heritage chargé d'une rente foncière, est proprement le débiteur des arrérages, au payement desquels il est affecté. Man muss nun nur den Ausschluss der Diskussion, wenn er im Hypothekarrecht in weitergehendem Masse zur Anerkennung gelangt, nicht als einen groben Fehler, sondern den Tatsachen und der historischen Gesamtentwicklung entsprechend, als normale Erscheinung des neueren Realkreditrechts anerkennen und man gelangt — aus den Erwägungen heraus, die Pothier anstellt, — zur richtigen Auffassung über die Natur der modernen Hypothek.

tritt aber nicht nur eine missgünstige Behandlung, sondern der Ausschluss der Diskussion hinzu.

Doch diese Entwickelung konnte ihres Daseins nicht froh werden. Es gab mancherlei, was ihre Kreise störte. Die bis jetzt genannten, dem Satzungs- und dem Rentenrecht angehörigen Elemente sind noch nicht alle, die wir in der neueren Hypothek antreffen. Noch nach zwei Richtungen hin sind wichtige Grundlagen der neueren Rechtsbildung zu nennen. Dabei kommt einmal ein drittes einheimisches, nationales Institut in Betracht, zum anderen aber handelt es sich um freundrechtliche Einflüsse, um die Bedeutung des römischen Rechts für das neuere französische Immobilienpfandrecht. Davon zuerst.

3. Die Autoren vom 16.—18. Jahrhundert gehen davon aus, dass das römische Hypothekarrecht in Frankreich rezipiert sei. Die Rechtsübung, wie sie dieselbe auf unserm Gebiet vor Augen haben, suchen sie, soweit immer möglich, aus den römischen Quellen abzuleiten und dadurch zu rechtfertigen. Wir haben bereits gesehen, dass dies nicht überall gelang. So widerstrebte das Realisierungsverfahren einer derartigen Betrachtung. Ja die Unterschiede erscheinen in dieser Beziehung so gross und die Abweichungen des römischen Rechts so eigenartig, dass man wohl glaubt, auf das Verständnis des letzteren in diesem Punkte verzichten zu müssen [1]. Ähnlich erfolgreich war der Widerstand des koutumiären Rechts in der Frage der Mobiliarhypothek [2]. Das ältere Recht kannte die Mobiliarsatzung. Sie gab aber dem Gläubiger häufig nur ein Vorzugsrecht. Das römische Recht hat nie vermocht, das Satzungsrecht, wo es in dieser Form auftrat, zu einer Hypothek auszuweiten. Selbst im Süden ist ihm dies nicht gelungen [3]. Von einer

---

[1] Loyseau III 6, 1.

[2] Esmein 198f. Wenn Valette, Mélanges I 248 im Vorzugsrecht auf die Mobilien einen Überrest der römischen Mobiliarhypothek erblickt, spricht er nur die herrschende Meinung aus. Aber gegen dieselbe spricht nicht nur der Nachweis, dass die Entwicklung auch im Süden von der Satzung ausging, sondern auch der Charakter des droit de suite, wie ihn Valette selbst nachweist.

[3] Vielmehr finden wir selbst hier noch Spuren der alten Satzungsidee. d'Héricourt berichtet, dass nach dem Rechte von Bordeaux der Gläubiger noch auf die obligierten Mobilien greifen konnte, auch wenn sie nicht mehr im Besitz des Schuldners waren, vorausgesetzt, dass dieser sich

Hypothek auf die Mobilien wird allerdings typisch genug des öftern gesprochen. Aber es ist eben die Hypothek in dem Sinne der alten obligation, d. h. es ist eine mit fremdem Namen bezeichnete deutsche Satzung. In diesem Sinne ist Basnage zu verstehen, wenn er schreibt: En Normandie nous suivons une jurisprudence moyenne entre le droit romain et la coutume de Paris[1]): le meuble qui n'est plus en la saisine de l'obligé et dont il a disposé sans fraude n'a point suite par hypothèque, comme il avoit par les loix romaines, mais lorsqu'il est saisi sur le débiteur, l'ordre des hypothèques est conservé[2]). Nur die Bretagne anerkannte die Mobiliarhypothek[3]) in der römischen Ausgestaltung.

So vermochte sich also das römische Recht in der Frage der Behandlung der Fahrhabe nicht durchzusetzen[4]). Im übrigen hat es allerdings jene Entwicklung gefördert, die unter Überwindung der schuldnerischen Dispositionsbeschränkungen die unmittelbare Wirksamkeit des Pfandrechtes auch nach der Veräusserung zur Anerkennung brachte. Dieser Einfluss ist begreiflich. Lagen doch die Anknüpfungspunkte im deutschen Rechte vor. Die jüngere Satzung führte zu Effekten, die zwar noch nicht ihrer juristischen Natur, aber doch der äusseren Erscheinung und dem Erfolge nach, den Wirkungen der römischen Hypothek nahekamen und deshalb ihre diesbezügliche Rezeption vorbereiteten. Zwar finden wir auch späterhin noch Spuren der alten Satzungsidee. Ja in folgender Klausel tritt sie uns noch in aller Schärfe entgegen.

Il y a encore une autre clause, que plusieurs estiment abolir la discussion, à sçauoir quand on a estipulé que le debiteur ne pourroit aliener la speciale hypotheque: car

---

derselben ohne Entgelt entäussert hatte. Nach der Coutume d'Anjou behalte der Gläubiger sein Recht, wenn er bei Verkauf der verpfändeten Fahrhabe Opposition erhebe. Traité de la vente S. 227.

[1]) Diese erkennt auch das Vorzugsrecht nicht an.

[2]) S. 83, 86.

[3]) Vergl. Esmein 200.

[4]) Auch in den deutschen Partikularrechten wurde die Mobiliarhypothek in dem hier dargelegten beschränkten Sinne anerkannt, so im Landrecht des Herzogtums Preussen von 1620, 4. Buch 5. tit. a. 6 § 1. cit. bei v. Schwind in dem folg. Seite N. 1 genannten Werke S. 45; vergl. dort S. 68 das sächsische Recht. Vergl. ferner S. 56, 169, 172 und über das Recht des B.G.B. 149.

cette clause non seulement exclud la discussion, mais mesme, comme ils disent, continuë le droit d'execution parée sur l'heritage apres l'alienation pource qu'elle empesche par effect l'alienation, en ce qu'elle pourroit tendre au preiudice du creancier [1]).

Die exceptio discussionis ist also ausgeschlossen, wenn der Schuldner sich verpflichtet, das Grundstück, das er — specialiter — verpfändet hatte, nicht zu veräussern. Und zwar ist die Diskussion ausgeschlossen, weil die Liegenschaft für nicht veräussert erachtet wird. So weit das Interesse des Hypothekengläubigers entgegen steht, ist die Veräusserung nichtig. In das Grundstück wird **als in schuldnerisches Vermögen** exequiert. Daran erkennen wir die der Satzung eigentümliche Auffassung. Gelegentlich sehen die Quellen die Zustimmung des Gläubigers zur Veräusserung der verpfändeten Liegenschaften vor und bestimmen für den Fall, dass der Gläubiger sie erteilt, den Untergang des Pfandrechtes. Hingegen soll die Haftung fortdauern, wenn der Gläubiger bei Anlass der Veräusserung sein Recht durch Protest gewahrt hat. Dieser Protestation begegnen wir in der Tat schon früh. Sie ist geeignet, das Verhältnis nach dem Verkauf wesentlich zu ändern. Der Erwerber weiss, dass der Hypothekar möglicherweise sein Recht geltend macht. Er schliesst den Kaufvertrag ab unter voller Berücksichtigung dieser Möglichkeit. Der Erwerber übernimmt mit dem Grundstück die Belastung, die Gefahr. Damit fällt aber das Interesse des Gläubigers, das auf die allfällige Nichtigkeitserklärung der Veräusserung gegenüber ging, weg. Der Verkauf ist gültig. Der Gläubiger aber hat nach wie vor das Recht, in die Liegenschaft zu exequiren [2]).

[1]) Loyseau III 8, 12. Vergl. Basnage S. 37. Die Errichtung einer Hypothek beschränke den Eigentümer in seiner Dispositionsbefugnis dergestalt, dass er zum Schaden des Pfandgläubigers über die Liegenschaft nicht verfügen könne. Vergl. S. 448, 457. Der Klausel, wonach der Schuldner das Gut nicht veräussern darf, begegnen wir und zwar mit der Wirkung, dass ein trotzdem vorgenommener Verkauf nichtig ist, auch in deutschsprachigen Quellen noch ziemlich spät. Landrecht des Herzogtums Preussen von 1620, 4. Buch, 5. Titel a. 4 § 3. Vergl. v. Schwind, Wesen und Inhalt des Pfandrechtes S. 45, 66. Dort auch S. 15, 29, 170, 177, 190; vergl. B.G.B. § 1136: Eine Vereinbarung, durch die sich der Eigentümer dem Gläubiger gegenüber verpflichtet, das Grundstück nicht zu veräussern oder nicht weiter zu belasten, ist nichtig.

[2]) Basnage 448, 457.

De leisser perdre par sa faute le droit de son obligacion.
Si aucune chose ou heritaige est obligié à aucun en especial ou
en général et le debiteur vent icelle chose à autre ou la transporte
en autre obligacion présent le créditeur, si le créditeur ne fait
protestacion et sauvacion de la raison de son obligacion qui est
premiere, il est veu soy consentir taisiblement à celle
derrenière obligacion et est la soe premiere estaincte de droit
quant à la chose obligiée; mais s'il en fait protestacion non [1]).

Schon im vierzehnten Jahrhundert begegnen wir dieser
Gestaltung. Die Ausdrucksweise ist freilich noch häufig eine
derartige, dass die Erinnerung an den vorausgehenden Rechtszustand immer noch durchklingt. So heisst es [2]):

Si quis rem immobilem pro aliquo debito duxerit obligandam
quam obligationis tempore possideret, ac postmodum possessionem
hujusmodi in alium, sine fraude, duxerit transferendam, ille in
quem translata est ipsa possessio, ratione rei translatae, praetextu,
vel occasione debiti supradicti, conveniri non possit, coram
Cancellariis memoratis, vel executio fieri in re ipsa, dummodo
debitor alia bona habeat, de quibus de debito obligationis
ejusdem competens valeat satisfactio impertiri.

Und ferner:

Quod execucio primo in bonis propriis, mobilibus et immobilibus, ac omnibus juribus et accionibus rei contra quem
fuit expositus clamor, fit et fieri debet et ipsis discussis super
qua discucione statur relacioni Iusticiariorum quibus Littere
executorie diriguntur, et deinde in bonis, per reum post
obligacionem vigore cujus fuerit expositus clamor, ultimo
alienatis, ut circuitus evitetur, fit et completur execucio
supradicta, nisi bona tenens contra quem fit execucio, probare
vellet contrarium [3]).

Es wird also in die Sache selbst exequiert und zwar,
soweit noch obligierte Sachen beim Schuldner sind, zuerst in
diese, nachher aber auch in die sine fraude veräusserten, beim
Drittbesitzer. So naheliegend nun auch diese Entwicklung
für die obligatio specialis war, so merkwürdig ist es, dass

---

[1]) Livre des droiz et commandemens d'office N. 690 Bd. II S. 155.
vergl. Esmein S. 194.

[2]) In Lettres en faveur des Barons et des Nobles, ayant Justice au
Pays d'Auvergne a. 1303 Ord. I S. 405 f. art. 2.

[3]) Réglement de Montpellier a. 1345 und 1399 art. 7.

sie ebenfalls sehr früh sich auch bei der obligatio generalis
durchsetzte. Diese erhielt damit eine Kraft, die sie ursprünglich
nicht entfernt hatte. Hier stehen wir schon vor dem Faktum
der intensivsten und folgenschwersten Einwirkung des römischen
Rechts. Überall sonst ergab sich uns, dass der fremde Einfluss
ein so weittragender nicht gewesen sei, wie man anzunehmen
geneigt ist. Insbesondere bedurfte das römische Recht selbst
auf unserem Gebiete ausgesprochener Anknüpfungspunkte. Nun,
solche waren auch in der Frage der Universalhypothek gegeben.
Und die Energie, mit welcher sich diesbezüglich die Reception
durchsetzte, ist ein Beweis mehr für die Auffassung der mittelalterlichen obligatio bonorum als sächlicher Haftung des Vermögens.
— Deshalb begegnen wir denn schon zu Anfang des 14. Jahrhunderts gelegentlich der generellen Hypothek.

Si aucun obligeoit tous ses biens generalement et durant
l'obligation, il vendoit, donnoit ou changeoit aucuns de ses dits
biens, l'en ne mettra pas la dette à execution sur les choses
vendues, changées ou données, tant comme le debiteur ait
demourance souffisant d'autre biens pour faire satisfaction
dudit dette [1]).

Freilich bleibt zunächst diese universelle Hypothek der
speziellen gegenüber noch inferior. Insbesondere bleibt das
Rangverhältnis noch so geregelt, dass die Spezialhypothek, auch
wenn sie jünger ist, den Vorrang hat. Nur für Fälle, in denen
ein ausserordentlicher Rechtsschutz erwünscht scheint, wagt sich
zuerst eine andere Auffassung hervor [2]). So spricht die Coutume
von Bourges [3]), wie wir gesehen haben, den Grundsatz aus:
l'especialle precede tout temps la generalle. Aber sie bestimmt
ferner: Excepté toutes fois en Mariaiges de Femmes, car elles
sont moult previlegiées, que l'en tient, et telle est la coustume,
que se ung Homme a achapté aulcun Heritaige ou Rente sur
aulcuns Heritaiges expressement nommé esdictes Lettres, de
ung Homme marié et que puis ledict Vendeur aille de vie à
trespassement, ou quel cas sa femme veult estre payée de son

---

[1]) Lettres (wie oben S. 203 N. 2) a 1304. Ord. I 410 f. art. 3.
[2]) Dass dies überall der Gang der Entwicklung gewesen sei, soll
natürlich nicht behauptet werden. Ausführlich über die allmähliche Gleichstellung der speziellen und generellen Hypothek Esmein 193—198.
[3]) Art. 155.

Mariaige, ouquel Mariaige le defunct son Mary estoit obligé en
general, luy, ses Biens meubles et heritaiges presens
et advenir; se ainsi est que il n'y ayt de quoy payer ladicte
Femme et les Creanciers ensemble, toutesfoiz ladicte Femme
precedera devant tous les Creanciers, se son contrault est
premier passé, autrement non: Et supposé que le debte de ladicte
Femme soit assigné en general. Toutesfois il precedera
tous les aultres qui seront assignés en especial, se ils
ne sont faiz avant ledict mariaige, car telle est ladicte Coustume
et sont lesdictes Femmes ainsi previlegiées se ainsi n'estoit que
ladicte Femme se feust consentye à ladicte vente, ouquel cas les
Achapteur yroient devant sans doute.

Wenn also zu gunsten der Frau eine generelle Hypothek
begründet wurde, soll diese Hypothek sich nach dem Alter
rangieren, ohne Rücksicht darauf, ob die andern Hypotheken
spezielle sind. Der Grundsatz der Gleichwertigkeit dringt denn
schliesslich auch allgemein durch. Wie sich noch lange Zeit
Spuren der alten Satzungsidee finden, so begegnen wir noch in
den jüngeren Quellen Zeugnissen, die noch von der ehemaligen
Inferiorität der Universalhypothek Kunde tun [1]. Im allgemeinen
aber bringt Dumoulin die Anschauung seines und der folgenden
Jahrhunderte zum Ausdruck, wenn er sagt: Regulariter tantum
operatur generalis hypotheca quantum specialis [2].

Indessen ist doch auch hier zu erkennen, dass derartige
römische Auffassungen keineswegs infolge ihrer vermeintlichen
oder tatsächlichen Superiorität, keineswegs auch infolge einer
besonderen Wucht der Rezeptionsbewegung und der liebevollen
und kritiklosen Aufnahme, die das fremde Recht vielfach bei
den Juristen fand, zur Anerkennung gelangt sind. Es gilt
vielmehr auch hier: Der Boden war für die angedeutete Entwicklung von vornherein der denkbar günstigste. Die Gier,
mit welcher ein Schwamm eine Flüssigkeit aufsaugt, bestimmt
sich nicht nach der Flüssigkeit, sondern nach der Eigentümlichkeit

---

[1] Vergl. Basnage S. 52.

[2] C. de Paris art. 43. gloss et No. 96 — In der Coutume de Touraine
vom Jahre 1559 erscheint die Generalhypothek noch nicht indivisibel, während
die Spezialhypothek mit dem Attribut der Unteilbarkeit ausgestattet ist
Art. 217 und 218. Auch die Frage des beneficium excussionis ist für die
beiden Pfandrechte nicht in gleicher Weise geregelt.

des Schwammes. Nur wenn man dergestalt die so oft und so ungerechtfertigter Weise als beinahe vollständig und uneingeschränkt dargestellte Aufnahme des römischen Hypothekarrechts in Frankreich betrachtet, gelangt man zu einem den tatsächlichen Verhältnissen gerechtwerdenden Bilde. Nur so wird man der alten Obligation in ihrer geschichtlichen Bedeutung gerecht. Nur so sind die Erscheinungen des neueren Rechts zu erklären. Denn ihnen gegenüber erweist sich eine romanistische Betrachtungsart als völlig unzulänglich. Denn es ist kein Zweifel, dass vielfach selbst in den soeben betrachteten Punkten die Rezeption eine bloss äusserliche ist, hinter deren Schein sich alte einheimische Vorstellungen erhalten und weiterentwickeln. Wie sehr diese Aufnahme wirklich vielfach nur eine nominelle und oberflächliche, wie sehr aber auch wenigstens für eine derartige Aufnahme die Vorbedingungen günstige waren, das wird sich im Folgenden erweisen.

4. Die Richtigkeit des Gesagten bestätigt schon ein Blick auf das letzte, vierte geschichtliche Element, das hier noch als für die Entwicklung des neueren französischen Hypothekarrechts wesentlich und vielfach richtungbestimmend genannt werden muss. Wir haben es bereits angedeutet und wissen, dass es sich um eine nationale Rechtsbildung handelt. Es betrifft den Formalismus der Begründung des Liegenschaftpfandes. Und zwar nicht den mittelalterlichen öffentlichrechtlichen Formalapparat. Wir haben schon gesehen, dass dieser im grössten Teile unseres Rechtsgebietes arm war und früh wirksam bekämpft wurde. In Frage steht hier vielmehr der zivile Formalismus der Haftungsbegründung. Und da ist bei dem ursprünglichen Charakter der Satzung zweifellos, dass diese letztere zunächst in den verschiedensten Formen begründet werden konnte[1]). Doch bei den Weiterungen, welche das Prinzip der vertraglichen Haftungsherstellung mit sich brachte, ist es einleuchtend, dass in der überwiegenden Mehrzahl der Fälle zur Schriftlichkeit

---

[1]) Satzungen in Siegelbriefen, in blossen Handschreiben, vor Zeugen errichtet. Vergl. Citate bei Esmein 211; Beaune 551. Bouteiller S. 589: generale obligation par generales paroles: aussi bien sont obliges tous ses biens aduenir que s'il les dist par mots expres et nommast iceux biens.

gegriffen wurde. Die älteren Quellen bestätigen dies — man denke an Beaumanoir. Es handelt sich dabei bereits darum, den Beweis des Gläubigers zu sichern. Die Beweistheorie erlitt nun aber die grössten Aenderungen. Sowohl die Siegelbriefe als die Chirographarien verloren ihre Beweiskraft. Dasselbe geschah durch die Ordonnance de Moulins (1566) im wesentlichen auch mit dem Zeugenbeweis. Der Gläubiger versicherte sich also seines Rechts durchwegs, indem er es in authentischer Form bestätigen liess. Und diese Übung des Verkehrs schlug sich nieder in dem nach mannigfaltigen Schwankungen endlich anerkannten Rechtsgrundsatz: Nur in authentischem Akte kann eine Konventionalhypothek begründet werden.

Les hypotheques conventionelles ne sont pas acquises parmi nous par la simple convention des parties. Un créancier qui auroit contracté, sous signature privée, et qui auroit stipulé que tous les biens de son débiteur, ou que tels biens lui seroient hypothéqués, auroit faite une stipulation inutile. Il faut, pour acquérir une hypotheque, que le contrat soit passé pardevant des Notaires royaux, ou des Notaires des Seigneurs dans l'étendue de leur Jurisdiction[1]).

Aber auf der gleichen historischen Basis musste sich auch noch eine andere Entwicklung vollziehen. Wir wissen, dass in den Kontrakten, in den lettres, die Klausel der obligatio omnium bonorum regelmässig wiederkehrt. Diese Klausel war ursprünglich unerlässlich. Im dreizehnten Jahrhundert wird sorgfältig darauf geachtet, einmal, dass sie nicht fehle, und ferner, dass sie inhaltlich vollständig sei. Und solcher Klauseln gab es manche, die mitzuschleppen waren. Sie wurden „de style". Formelmässig kehrten sie wieder. Aber das musste früher oder später zu Rechts- und Gerichtsübungen führen, die dem Sinne der Klauseln entsprachen und sie überflüssig machten. Man ging ja nicht fehl, wenn man annahm, der Kreditierende, der Gläubiger setze voraus, der Schuldner gehe auf diese in den Klauseln enthaltenen Rechtsverzichte und Rechtseinräumungen ein — selbst wenn er dies nicht ausdrücklich zugesagt haben

---

[1]) Argou Institution II, 410. Im übrigen verweisen wir auf die einlässliche Darstellung Esmeins, der wir hier im wesentlichen folgen. Esmein 207 f. Vergl. Viollet, Histoire 741 f., Beaune cit.

sollte. Aus der Rechtsübung heraus abstrahierte Boullenois den Satz: Les clauses qui sont de convention ordinaire, et qui font la sûreté de la convention principale, sont toujours présumées sous-entendues dans les contrats; et par conséquent, sont dans la volonté et dans la convention des parties[1]). Manche Renunziationsklausel wurde schliesslich durch eine derartige praesumptio juris et de jure überflüssig gemacht. So auch erging es der alten Obligationsklausel. Denn elle est tellement d'usage, qu'elle serait suppléée quand on aurait omis de la stipuler[2]). So ergiebt sich also der Grundsatz: Jeder notarielle Akt, der einen Schuldvertrag enthält, belastet die Güter des Schuldners mit einem Generalpfandrecht. Dieses Generalpfandrecht ist also der unmittelbare Nachkomme der obligatio generalis. Ja in der Form lebt immer noch diese letztere fort. Es ist überaus beachtenswert und gibt für die fernere Betrachtung, welche das eine oder andere Element des neueren Hypothekarrechts noch genauer auf seinen Ursprung hin ansehen muss, einen nicht zu unterschätzenden Fingerzeig, wenn im 16. und 17. Jahrhundert immer noch die alte Satzungsklausel anzutreffen ist. So sagt Loyseau:

Pour ce qu'en tous les contrats, par un stile ordinaire des notaires, on s'est accoustumé d'insérer la clause d'obligation de tous les biens, on en a enfin tenu pour règle que tous les contracts portoient hypotheques sur tous les biens, comme ceste clause estant sous-entendue, si elle avoit esté obmise[3]). Aber auch Gerichtsentscheide aus dem 16. und 17. Jahrhundert bestätigen ausdrücklich, dass nach dem Rechtsbewusstsein der Zeitgenossen den Klauseln „promettant" etc. und „obligeant" etc. die Bedeutung zukommt, dass sie eine vertragliche Generalhypothek einräumen.

Il n'est pas douteux que ces termes emportent hypothèque générale et expresse sur tous les biens de celui qui promet et

[1]) Traité de la personnalité et de la réalité des lois et des coutumes I S. 630.

[2]) Basnage S. 30. Guyot Hyp. S. 781. L'hypothèque est censée constituée non seulement lorsqu'il y en a stipulation expresse, mais mesme quoiqu'il n'en soit rien dit.

[3]) l. c. III, 1, 5.

s'oblige, et cela pour l'exécution et l'accomplissement de toutes les obligations de sa part, qui ont été contractées et reconnues dans l'acte. Il n'y a personne qui ne convienne que ces mots „promettant", „obligeant" sont une clause dispositive, qui est du nombre des conventions mêmes, et fait partie de la substance du contrat[1]). Deshalb ist es denn auch nicht zu verwundern, wenn wir auch noch im 18. Jahrhundert der Definition der Hypothek als einer Obligation begegnen:

On apelle hipotéque une obligation que celui qui baille de l'argent, aquiert sur les biens de celui qui l'emprunte et qui le reçoit. Res omnis pro debito obligata, et hypotheca nihil aliud est quam obligatio bonorum[2]).

In der Hypothek lebt also die alte Satzung fort. Die Hypothek ist eine Obligation. Nur so wird es auch verständlich, warum auch die persönliche obligatio eine Hypothek genannt wird. Es kommt dies hin und wieder vor. So sagt Brodeau: L'hypothéque des biens estant accessoire à celle de la personne —[3])

Doch die Entwicklung, die wir bisher verfolgten, ist damit nicht abgeschlossen, dass jedem authentischen Akt ein Generalpfandrecht auf die Güter des Schuldners beigelegt wird. Der eigenhändigen Unterschrift von seiten des Schuldners war die Beweiskraft benommen. Doch könnte diese Unterschrift vor

---

[1]) Arrêts von 1587 und 1608. Guyot cit. S. 788.

[2]) Basnage S. 15, vergl. S. 44: wo die Hypothek une obligation légitime stipulée pour la sûreté du créancier genannt wird. Vergl. auch dort S. 27 f. über das Recht, seinen Körper zu obligieren. Es fehlte freilich nicht an Autoren, welche die Definition von Basnage zurückwiesen: Die Hypothek sei keine Obligation, sondern das Accessorium einer solchen, vergl. Avertissement der neuen Auflage von Basnage S. IV.

[3]) II S. 141: „Hypothek" wird also für „Obligation" eingesetzt. Valotte Mélanges I 248 konstatiert schon die Erscheinung, dass dieser Ausdruck gebraucht werde, um die „verschiedensten Ideen" auszudrücken. Er erklärt dies dahin, dass die Rechtssprache sich erst habe bilden müssen. Wir wissen nunmehr, dass dem nicht so ist, dass vielmehr die Rechtssprache des Mittelalters gerade auf den hier in Frage kommenden Gebieten so sicher war wie nur möglich. Nicht um eine Neubildung handelt es sich also in diesen terminologischen Wirren, sondern um eine Umbildung, die unausbleiblicher Weise auch eine teilweise Verbildung war. Von einer Hypothek im Sinne von obligatio — es betrifft eine obligatio personae — spricht auch Coutume de Gerberoy tit 6. no. 54.

Gericht anerkannt werden. Es vermochte auch der Gläubiger
den Schuldner zu einem derartigen gerichtlichen Anerkennt-
nis zu veranlassen. Ebenso konnte auch für ein Siegel gerichtliche Bestätigung eingeholt werden. In beiden Fällen war
damit die Beweiskraft wiederhergestellt, in beiden Fällen gelangte dergestalt die Hypothek wieder zu Wert und Anerkennung[1]).
Und in der Folge erhielt der Gläubiger auf Grund eines solchen
gerichtlichen Anerkenntnisses der Unterschrift oder des Siegels
eine Generalhypothek, auch wenn die Obligationsklausel fehlte.

Les promesses sous seing privé emportent hypotheque du
jour qu'elles sont reconnues en justice, on du jour de la dé-
negation du débiteur, si après la vérification qui en a été faite
en justice, elles se trouvent véritables[2]).

Indessen, da man die notariellen Urkunden und die gerichtlichen Anerkenntnisse mit derartig weittragenden Wirkungen
ausstattete, war es naheliegend, den gerichtlichen Entscheiden
eine nämliche Bedeutung zukommen zu lassen. Es war dies
umso naheliegender, als man anfing, das Urteil als Kontrakt
oder Quasikontrakt zwischen den Parteien aufzufassen[3]). Zudem
bemerkt Esmein[4]) gewiss mit Recht, dass die alte Übung dem
in der Exekution Prävenierenden ein Vorzugsrecht zu gewähren,
der Entwicklung Vorschub geleistet haben muss. Vom 16. Jahrhundert ab beschwert also jeder gerichtliche Entscheid die
Güter des Verurteilten mit einem Generalpfandrecht.

Les jugemens de condamnation portent hypotheque sur
les biens du condamné. — — La déclaration du 10 Juillet 1566,
faite en interprétation de l'ordonnance de Moulins, dit que
l'hypotheque sur les biens du condamné, aura lieu et effet du
jour de la sentence, s'il y en a appel, et qu'elle soit confirmée;
l'hypotheque a un effet rétroactif au jour de la sentence[5]).

---

[1]) wenigstens Dritten gegenüber, jedoch stets nur vom Zeitpunkt
des Anerkenntnisses ab.

[2]) Argou l. c., vergl. Esmein insb. 214 f. Violett l. c. Beaune l. c.
Ordonnance von 1539 art. 92 und 93.

[3]) Ord. von 1566 (de Moulins) art. 53.

[4]) l. c. 224 f.

[5]) Argou l. c. S. 411.

Wesen und Inhalt des Hypothekarrechtes.

Nach der Analyse die Synthese. Wir haben die Elemente
kennen gelernt, die für die neuere Entwicklung des Immobiliarpfandrechtes grundlegend waren. Schon bei dieser Betrachtung
fiel, wenn wir uns einmal so ausdrücken dürfen, der quantitative
Unterschied in der Anteilnahme auf, mit welcher die einzelnen
Elemente in der Gesamtentwicklung sich betätigten. Es fand
sich vielfach eine andere Verteilung, als man gemeiniglich anzunehmen geneigt ist. Diese Wahrnehmung ist nunmehr noch
näher zu verfolgen. Denn es lässt sich annehmen, dass sich
auf diesem Wege ein Einblick in das Wesen der Hypothek des
neueren französischen Rechtes ergibt

Worin die Eigentümlichkeiten des Hypothekarrechts gerade
zur Zeit der Rezeptionsbewegung sowohl in deutschen als in
französischen Rechtsgebieten bestanden haben, ist ja bekannt.
Völlige Unzulänglichkeit und Verständnislosigkeit in der Behandlung dieses Institutes des Realkredits lautet die allgemeine
Signatur. Das Immobiliarpfandrecht ist so ziemlich von allen
Mängeln behaftet, die es nur haben kann. Um in der Sprache
der wiedergewonnenen obligationenrechtlichen Vorstellungen zu
reden: Die Sachhaftung erfährt nicht im geringsten
eine ihrem Wesen entsprechende Behandlung[1]).

---

[1]) „Wirft man einen Blick auf die deutschen Territorialgesetze der
letzten Jahrhunderte, die wohl ausnahmslos unter dem Einfluss der Rezeptionsbewegung stehen, so wird man sofort gewahr, dass die begriffliche Scheidung
von Personen- und Sachhaftung den Legislatoren dieser Zeit so gut wie
abhanden gekommen ist.“ v. Schwind, Wesen und Inhalt des Pfandrechtes, S. 1. Der Verfasser untersucht wesentlich die neuere Pfandrechtsentwicklung. Trotz des obigen Hinweises auf den Einfluss der Rezeption
muss er im Fortgange der Darstellung eigentlich selten darauf zurückgehen. Doch darf ich deswegen noch nicht schlechtweg annehmen, es
habe sich ihm für die von ihm dargestellten Gebiete dieselbe Auffassung
ergeben, wie sie hier für das französische Recht nachzuweisen versucht wird.
Denn von Schwinds Darstellung verfolgt ein ausgesprochen dogmatisches
Endziel, so dass ihm fernliegen musste, den schliesslichen Ursprung der
einzelnen Rechtsbestimmungen zu verfolgen. Übrigens vergl. man beispielsweise S. 176. Dort wird die Auffassung gewisser Partikularrechte, dahin-
gehend, dass das Pfandrecht lediglich als eine Begünstigung des Gläubigers
anzusehen sei, die er gebrauchen mag, die er aber auch unbeachtet bleiben
lassen kann, wenn er sich lieber an die Person hält, bezeichnet als „mehr“

Es ist nun überaus naheliegend, diese Erscheinung mit dem Eindringen des römischen Rechtes in kausalen Zusammenhang zu bringen. Denn schon a priori kann man sich wohl eines in dieser Richtung wirksamen Einflusses des römischen Rechtes versehen. Man kennt die zur Gebundenheit der deutschen Personalhaftung in diametralem Gegensatze stehende Totalität der römischen obligatio personae[1]), man kennt die Intensität und Energie in der Realisierung derselben und die dadurch bedingte entschiedene Vorherrschaft des Personalkredits[2]). Man weiss demgegenüber, wie mühsam und spät die Römer zur Ausbildung eines selbständigen Pfandrechtes gelangt sind, weiss es nach den Ergebnissen der neuesten Forschung besser denn je. Sind doch wahrscheinlich die Hypothekarklagen noch später geschaffen worden als man bisher schon annehmen musste. Von da ab war dann freilich die Pfandkonvention mit dinglicher Wirkung ausgestattet, aber sie war es in einer besonders in Hinsicht auf die Formlosigkeit des Pfandvertrages übertriebenen und wie es denn auch scheint, unter den Rechten des Altertums, soweit wir sie diesbezüglich kennen, einzig[3]) dastehenden, unrationellen Art und Weise. Und andererseits

römisches als deutsches" Prinzip. Die Möglichkeit einer derartigen Entwicklung auf deutschrechtlicher Basis wird damit doch offengelassen, sehr mit Recht. Hingegen ist die S. 172 ausgesprochene Ansicht, wonach erst die Rezeption hypothekarische Verpfändung von Mobilien ohne Besitzeinräumung für zulässig erkannt habe, entschieden nicht zutreffend, vergl. oben S. 130, 147, 150 f., 163 f. und unten Kap. 3, ferner Meyer in der oben S. 147 N. 4 cit. Schrift.

[1]) Vergl. Hartmann, die Obligation S. 147; Kuntze, Die Obligation im römischen und heutigen Recht S. 4, ders. Exkurs, 2. Aufl. 1880 S. 525 f., ferner ders. in Schlenters Jahrbüchern VII S. 10.

[2]) Brinz in Grünhuts Zeitschrift I S. 27. Vergl. Degenkolb in Zeitschrift für Rechtsgeschichte IX 403. Insbesondere aber über das Verhältnis von Pfandrecht und Bürgschaft, Dernburg, Pfandrecht S. 3 f. Nur wenig Neues bringen dieser Darstellung gegenüber Lucas: Préférence des Romains pour les satisdationes comparées aux garanties réelles in der Revue générale du droit, de la legislation et de jurisprudence 1885 S. 533, 1886 S. 232 f., 301 f. und Herzen in dem diesbezüglichen Abschnitt von origine de l'hypothèque romaine.

[3]) Vergl. Herzen cit. S. 205 f., Hitzig, griechisches Pfandrecht 93, 108 f., 133. Kohler, Rechtsvergleichende Studien, Berlin 1899, S. 227 f., für das babylonische Recht Kohler und Peiser, Aus dem babylonischen Rechtsleben I 15, 28 f. Révillout, Les obligations en droit égyptien S. 154 f. Dort auch über das aegyptische Recht S. 268 f.

war der Haftungsinhalt der denkbar schwächste. Bestand er doch nur in der retentio pignoris[1]). Zu einem weitergehenden Rechte, zur Realisierung bedurfte es eines besondern Vertrages[2]). Es ist ja nun wahr, dass diese Entwicklungsstufen in der grossen Kompilation weit überwunden erscheinen. Aber der Grundzug, der sich in ihnen offenbart, kehrt auch hier wieder. Er besteht in der Begünstigung der „persönlichen Haftung", in der Inferiorität des Pfandrechts. Es werden die Generalhypotheken und in grosser Zahl auch die Legalhypotheken anerkannt. Das vertragliche Pfandrecht wird formlos begründet. Der Drittbesitzer erhält das beneficium discussionis. Die Realisierung erleidet eine ungünstige Behandlung. Die Rechte des ersten und der nachfolgenden Hypothekare sind auf Kosten der letzteren von weitestgehender Verschiedenheit u. a. m.

Prima facie erscheint es demnach wohlbegründet, die Mängel in der Entwicklung des neuen Immobiliarpfandrechtes auf Rechnung der Rezeptionsbewegung zu setzen. Doch unsere bisherige Darstellung hat bereits die bei der bewunderungswürdigen Konsistenz und Widerstandskraft des coutumiären Rechtes begreiflicherweise ziemlich eng gezogenen Schranken der Aufnahmefähigkeit des fremden Rechtes durchblicken lassen. Die Aufnahme setzte im wesentlichen nur da ein, wo die Entwicklung des einheimischen Rechtes selbst die mit jener vorgezeichneten Bahnen zu gehen drängte, wo also von innen heraus sich eine derartige Bewegungsrichtung geltend machte. Wenn dem so ist, rückt aber auch das Phänomen in eine andere Beleuchtung, das in der Verwischung der Grenzen zwischen der alten obligatio bonorum und der schlechthin auch gegen Dritte wirkenden Universalhypothek besteht. Dann

---

[1]) von welcher retentio pignoris auch noch späterhin die Quellen mit Nachdruck reden.

[2]) Eine wesentlich abweichende Auffassung scheint nur Voigt zu hegen. Nach ihm soll sowohl beim pignus oppositum captum als beim pignus datum ursprünglich ipso iure die venditio pignoris zulässig gewesen sein. Erst unter griechischem Einfluss soll dann die Beifügung eines pactum de vendendi üblich, und schliesslich sogar notwendig geworden sein, wenn anders der Gläubiger sich dieses Rechtes vergewissern wollte. Also „ein mehrfacher Wechsel der leitenden Grundsätze und Ordnungen", sodass auch nach dieser, allerdings kaum haltbaren Auffassung die im Text gegebene Charakteristik ihre Richtigkeit behielte.

ist dies eine eigenartige Erscheinung von viel zu grosser Bedeutung uud Tragweite, als dass sie sich durch die Rezeption erklären liesse. Im Boden des nationalen Rechtes selbst müssen sich ihre Wurzeln finden.

Da müssen wir dann freilich in diesem Zusammenhang das Rentenrecht von vorneherein ausnehmen. Wir haben bereits gesehen, wie dies der römischen Doktrin Trotz bot. Es geschah dies — soweit dabei das Pfandrecht in Betracht fällt — gerade weil es der energischen Grundsätze eines gesunden Sachhaftungsrechtes bedurfte oder selbst solche in seiner Gefolgschaft hatte. Es ist überaus beachtenswert: Nur durch engern Anschluss an gültrechtliche Auffassungen hätte die Pfandrechtsentwicklung des neuern französischen Rechts eine gesundere Richtung gewinnen können. Hier hätte die Spezialität einen Rückhalt gefunden (wie zähe wurden noch die konstituierten Renten auf spezielle Grundstücke assigniert). Hier hätte dies Prinzip seine natürliche Unterlage gefunden in der Vorstellung von der selbständigen dinglichen Belastung. Einen Abglanz davon haben wir in dem Wortlaut der Hypothekarklage gefunden. Bourjon sagt, es folge aus der Natur der Hypothek als eines dinglichen Rechtes que le détempteur de l'héritage hypothéqué est tenu ou de payer la dette, ou d'abandonner l'heritage; tel est contre lui l'effet de l'hypothéque, qui a lieu à plus forte raison pour les rentes foncieres, dont l'héritage est chargé[1]. Wenn also der Inhaber einer verpfändeten Liegenschaft leisten oder preisgeben müsse und dies müsse wegen des dinglichen Rechtes, so gelte dies umsomehr für die Inhaber von Liegenschaften, auf denen eine Grundrente liege. Ferner darf wohl behauptet werden, dass auf dieser Grundlage sich die Rechte früher auf die Publizität besonnen hätten. Es geschieht bei Besprechung des Purgationssystems (auf das wir sofort zurückkommen werden), dass Bourjon[2] die „blosse Hypothek" in Gegensatz bringt zu dem „dinglichen und dem Grundstück inhaerenten Rechte" der Grundrente. Denn jene erleidet in dem purge-Verfahren ihren Untergang, während diese bestehen bleibt Jenes Verfahren nützt aber nur dem Erwerber, hat sich jedoch

---

[1] Tit. VI, chap. II, sect. II, N. 8.
[2] l. c. tit. VII, chap. VI, sect. VI, N. 88 und 93.

als zur Förderung des Realkredites völlig unzulänglich erwiesen. Die gedachte Anlehnung hätte also das Ablösungsverfahren nicht zu der grossen Bedeutung kommen lassen, die es so tatsächlich erhalten hat. Und das hätte dann doch wohl bewirkt, dass die Ansätze zur Publizität sich bedeutungsvoller entfaltet hätten. An solchen Ansätzen aber hat es wahrlich nicht gefehlt. Nicht nur bot das alte Rentenrecht selbst einen Formalapparat, sondern schon vom 15. Jahrhundert ab macht sich das Streben nach einem modernen Formalismus geltend. — Endlich erinnern wir an das früher über das beneficium discussionis in seinem Verhältnis zum Gültrecht ausgeführte: In dem naturgemässen Ausschluss des beneficium fand wiederum die Vorstellung einer selbständigen Belastung ihren adäquaten Ausdruck. Es ist wahrlich ein anderes Sachhaftungsrecht, das in alledem zum Ausdruck kommt. Deshalb unterschied die Doktrin zuweilen geradezu zwischen dem in der Grundrente enthaltenen Pfandrecht und der Hypothek, die nicht ein Rentenrecht zu sichern hatte[1]): Nos praticiens distinguent les hipotéques en réelles et foncières et simples hipotéques. Car biens que toute hipotéque afecte la chose engagée, néanmoins la foncière a plus de réalité, parce qu'elle est inhérente au fonds et qu'elle en fait partie; elle donne un droit de préférence et elle suit toujours le possesseur, qui ne peut oposer ni demander la discussion. Mais la simple hipotéque n'a pas ces prérogatives[2]). Es ist also kein Zweifel, dass diese „hipotéque réelle et foncière" den Ansprüchen eines gesunden Sachhaftungsrechtes in ungleich höherm Masse entspricht als die „gewöhnliche Hypothek". Die Erscheinung der völlig unzulänglichen Behandlung dieser letzteren muss also von anderer Seite her erklärt werden.

Und da eröffnet sich denn ein merkwürdiger Ausblick.

---

[1]) Es mag hier noch auf die Erscheinung hingewiesen werden, dass zu einer Zeit, wo die Hypothek regelmässig generell und die natürliche Rangordnung vielfach durch Privilegien durchlöchert war, in einzelnen Coutumes die Gläubiger von konstituierten Renten — diese wurden im Verkauf par décret abgelöst — den Hypothekaren, auch den älteren vorgingen. Das alte Recht von Anjou art. 480 und 481, Maine, art. 485, 486; d'Héricourt S. 210 bringt diese Erscheinung mit Recht in Kausalzusammenhang mit der Übung, die Renten auf ein spezielles Grundstück zu assignieren. Vergl. Boullenois 132f.

[2]) Basnage S. 34.

Die Hypothek des ancien droit erscheint als fortge-
bildete obligatio bonorum. Dies in doppeltem Sinne.

Die vornehmste Aufgabe der alten obligatio generalis
bestand darin, die Enge des bisherigen Haftungsrechtes zu überwinden und Vermögenshaftung als eine grundsätzlich allgemeine
herzustellen. Es sollten die zukünftig zu erwerbenden Vermögensobjekte in die Haftung einbezogen, die Haftung des Erben
umfänglicher gestaltet, insbesondere aber der Zugriff wie auf die
Fahrhabe so auch auf die Liegenschaften ermöglicht werden.
Die einzelnen, auf diese Effekte abzielenden Klauseln wurden
überflüssig. Die Haftung wurde eine gesetzliche und gleichzeitig war sie eine formlose geworden, die ipso jure mit der
Begründung des Schuldvertrages eintrat. Eine grosse Entwicklung war zu ihrem Abschluss gekommen. Die vertragliche
obligatio generalis ward durch die de lege eintretende obligatio
omnium bonorum, die gesetzliche Vermögenshaft des Schuldners,
abgelöst.

Aber gleichzeitig vollzog sich noch eine andere Entwicklung. Gerade während des allgemeinen Niederganges des Formalismus erhielt eine einzelne Form erhöhte Bedeutung, die
authentischen Akte, die schliesslich bei jedem Schuldvertrag von
einigermassen bedeutender wirtschaftlicher Tragweite verlangt
wurden. In dieselben nahmen die Notare durchwegs die alte
Satzungs- oder Obligationsklausel auf. Und diese erhielt hier
nun ebenfalls eine neue Tragweite. Sobald die Vermögenshaftung eine gesetzliche geworden, verloren sie nämlich ihren
einstigen Zweck. Es machte sich nun aber mit Erfolg die
Tendenz geltend, die Generalobligationen ebenso wirksam zu
gestalten wie die Spezialobligationen. Beide hatten doch von
Anfang an das Eine gemeinsam, Haftungen, und zwar quasihypothekarische Sachhaftungen, herzustellen und den Zugriff auf
die gesetzten Güter zu ermöglichen. Aber schon hatte die
Satzung bestimmter Objekte, die obligatio specialis, weitergehende
Wirkungen. Mit solchen wurde nun auch die obligatio generalis
ausgestattet. Jene Entwicklung, die mit der vertraglichen
Arrestierung einzelner Vermögensobjekte und mit der Beschränkung der Dispositionsbefugnis des Schuldners in Bezug auf diese
Objekte eingesetzt hatte, fand ihren Abschluss in der Anerkennung einer über die Dauer des schuldnerischen Besitzes

hinaus wirksamen obligatio omnium bonorum, die zudem unter gewissen Formvoraussetzungen de lege eintrat.

Aus diesen beiden Entwicklungsreihen heraus ist unsere Hypothek zu erklären. Weil sie von der alten obligatio abstammt, muss sie einerseits in der allgemeinen Vermögenshaftung aufgehen. Solange eine verhypothezierte Liegenschaft beim Schuldner ist, erscheint die Haftung derselben kaum viel anders als die anderer Vermögensstücke, die unter der allgemeinen Obligation stehen. Es wird nachzuweisen sein, dass unter dieser Voraussetzung die Behandlung unter dem Gesichtspunkt der obligatio specialis zurücktritt, soweit dies nur überhaupt möglich ist, dass also die Haftung der Vermögensobjekte beim Schuldner nur eine Einzige und Nämliche ist, Ausfluss der allgemeinen sächlichen Vermögenshaftung.

Andererseits bietet die obligatio specialis Momente, die sich auch in Hinsicht auf eben diese obligatio generalis oder Vermögenshaftung durchzusetzen wussten. Sie bestehen in dem Vorzugsrecht der älteren Besatzung und in den Dispositionsbeschränkungen. Diese führten in eigentümlicher Umwandlung zu dem Recht, in die specialiter obligierte Liegenschaft exequieren zu können, ohne Rücksicht darauf, ob sie sich noch im Vermögen des Schuldners befinde, also zu einer Ausdehnung des dinglichen Rechtes. Nicht anders als in dieser obligatio specialis dachte man sich schliesslich die Vermögensobjekte auch in der obligatio generalis obligiert: in einer vom schuldnerischen Besitz unabhängigen effektiv-hypothekarischen Weise. Und gerade weil die Vermögenshaftung die Wirkungen der obligatio specialis angenommen, ist diese in weitem Umfange in jener aufgegangen.

In doppeltem Sinne also ist unsere Hypothek eine obligatio bonorum: sie ist es, soweit sie einer eigentümlich pfandrechtlichen Behandlung entbehrt und in der allgemeinen Vermögenshaftung aufgeht, obligatio omnium bonorum in diesem Sinne, und sie ist es auch, soweit sie als gegen Dritte wirkende Sachhaftung uns entgegentritt und ist es in diesem Falle, weil sie hier alte satzungsrechtliche Ideen weiterspinnt, die dem Bereich der mittelalterlich deutschen obligatio specialis angehören, obligatio omnium bonorum in diesem Sinne.

Der Beweis sei zuerst nach dieser zweiten Richtung hin,

für den satzungsrechtlichen Charakter der Hypothek, an-
getreten. Und da interessiert uns denn vor allen Dingen die
Dinglichkeit des Rechts, die Art und Weise, in welcher diese
Dinglichkeit sich durchsetzt. Wir haben bereits gesehen, dass
die ursprüngliche Satzungsidee, die in der Dispositionsbeschränkung des Schuldners bestanden hatte, noch in der Erinnerung der Juristen unserer Zeit fortlebte. Und so frägt
denn auch noch Bourjon, ob wohl die auf ein Veräusserungsverbot abzielende Klausel Gültigkeit habe: Quid de la
convention que le débiteur ne pourroit vendre de certains
biens spécialement affectés; telle convention annulleroit-elle
les ventes que le débiteur auroit fait de ces mêmes biens?
Doch im Gegensatz zu andern, von ihm namhaft gemachten
Autoren spricht er einer derartigen Beredung die Wirksamkeit
ab und dies mit der Begründung: þarceque la vente ne
peut préjudicier à un tel créancier. Ein trotz der Beredung vorgenommener Verkauf schadet ja dem Gläubiger nicht.

Dies aber nun nicht mehr wegen der Nichtigkeit der Veräusserung, sondern wegen des erweiterten dinglichen Rechtes
des Gläubigers. Wir wissen, wie dies geworden. Es mag indessen noch eine Stelle aus der Zeit der Wandlung des Rechtes
hier Platz finden. Sie ist charakteristisch für die hier zu ver-
folgenden Zusammenhänge.

Advenant que tels creancier fussent presents lorsque leur
debteur feroit vente de ses biens ou de partie d'iceux, ou
autrement les transportast par insulutumdation ou voye que ce
soit à quelque tiers, ou que cela parvint à leur notice en quelque maniere, ne manifestans sur ce poinct les actions et hypotheques qu'ils ont sur iceux, mesmes encore sur les saisies
Inquantes et livrements qu'en pourroient estre faicts par quelqu'un autre par la voye de Justice, et n'y formants leur
opposition et taisant leurs pretentions sur la confiance
— — de l'auteriorité d'hypotheque qu'ils ont sur tels biens:
Nous declarons — — qu'ils soient privez à toujours de pouvoir agir pour leurs credits et hypotheques contre lesdicts tiers
possesseurs — et suffira la notice de naissance quoique accom-
pagnée de taciturnité pour exclure tels creanciers de l'auteriorité de leurs hypotheques sur lesdits biens[1]).

---

[1]) Bueil ch. V. Bourdot de Richebourg II S. 1232 f.

Hier wird also für den Fall der Veräusserung eines verpfändeten Grundstücks von seiten des in Kenntnis gesetzten Hypothekars immer noch formelle Geltendmachung seines Rechtes, Opposition, verlangt. Ohne eine solche geht das Recht verloren. Wenn sie aber nicht versäumt wird, kann der Pfandgläubiger nach wie vor sein Recht geltend machen — Vollstreckungsrecht. Die Hypothekarklage geht zwar, dank des Einflusses des Rentenrechtes, auf payer ou délaisser. Doch die Verurteilung lautet nur auf délaisser. Damit ist das Recht des Hypothekars anerkannt und er kann die gerichtliche Execution einleiten[1]). Wenn früher ein Gläubiger auf Grund einer Satzung eine Veräusserung ungültig erklären liess, geschah dies, um in die veräusserte Liegenschaft exequieren zu können. Nunmehr wird die Weiterung vermieden. Das Gläubigerrecht aber ist dasselbe geblieben. Er stemmt die Hypothekarklage an, um auf Grund der Verurteilung des Drittbesitzers in die Liegenschaft exequieren zu können. In diesem Sinne betonen schon früher beigebrachte Quellenaussprüche, die Exekution müsse zuerst in die noch beim Schuldner befindlichen Pfandobjekte und erst nachher in die veräusserten stattfinden. Quod executio primo in bonis propriis (sc. debitoris) fit et ipsis discussis in bonis par reum alienatis, oder: ne mettre pas la dette à execution sur les choses vendues tant comme le débiteur ait d'autre biens[2]). Und dies ist die gewöhnliche Ausdrucksweise unserer Quellen.

En obligation generale de meubles et immeubles après que discussion a esté faite des meubles, doit l'impetrant de l'execution la continuer sur les biens qui sont encore en la possession de son debteur avant que s'adresser subsidiairement à autres qu'il auroit aliené depuis la creation de la debte[3]).

Allerdings ist also die Hypothek — in obigem Zitate wiederum obligation genannt — ein dingliches Recht, und die Autoren unterlassen nicht, diese Natur des Immobiliarpfandrechtes hervorzuheben.

---

[1]) Vergl. oben S. 195.
[2]) Oben S. 203.
[3]) Coutumes de Lorraine tit. 17 art. 15. a. 1594.

L'hypothéque est un droit réel qui suit et qui absorbe la chose jusqu' à concurrence de l'engagement qui l'a produit. C'est cette qualité de l'hypothéque d'être un droit réel qui fait que l'aotion qui en résulte milite contre tous ceux dans les mains desquels l'immeuble hypothéqué peut passer, c'est même son principal effet[1].

Aber dieses dingliche Recht, das uns hier als die vornehmste, die prinzipale Wirkung des Hypothekarrechts dargestellt wird, ist von dem dinglichen Recht, das mit der quasi Serviana verfolgt wird, grundverschieden. Diese letztere erstrebt die vindicatio pignoris. Jenes erstere aber[2] geht auf Anerkennung der Vollstreckbarkeit, resp. auf Preisgabe des Besitzes (délaissement) behufs Exequierung der Forderung. Die Theorie hat diese Eigentümlichkeit der Hypothek nicht verkannt. In aller Deutlichkeit spricht sich Pothier darüber aus.

L'hypothèque est le droit qu'a un créaucier dans la chose d'autrui de la faire vendre en justice, pour, sur le prix, être payé de ce qui lui est dû.

L'aotion hypothécaire est l'aotion qu'a le créancier hypothecaire pour la poursuite de son droit d'hypothèque contre le possesseur de la chose hypothéquée. Le créancier conclut par cette action à ce que la chose soit declarée hypothéquée à sa créance et à ce qu'en conséquence le possesseur soit condamné de la délaisser pour être vendue en justice, si mieux il n'aime payer la dette à laquelle elle est hypothéquée[3].

Die Hypothek ist also das Recht, die Zwangsvollstreckung in ein Grundstück vornehmen zu lassen, weil es haftet, und zwar vornehmen zu lassen ohne Rücksicht darauf, ob das haftende Grundstück noch in den Händen des Schuldners oder

---

[1]) Bourjon tit. VI, ch. II, sect. II N. 7 S. 436. Basnage S. 35.

[2]) „Ein Recht, selbst in den Besitz und die Benutzung des verhafteten Grundstückes gesetzt zu werden, hat der hypothekarische Gläubiger nicht", § 80 der sächsischen Hypothekenordnung vom 6. Nov. 1843 cit. bei v. Schwind S. 37. Wenigstens auf dem Gebiet der Pfandrechtsrealisierung werden sich uns noch andere Parallelen des ancion droit mit den doch als unrömisch bekannten modern-deutschen Hypothekarrechten ergeben. Vergl. übrigens schon oben S. 201 N. 4 über die Mobiliarhypothek und S. 202 N. 1 über Beschränkungen der Dispositionsbefugnisse.

[3]) Pothier C. d'Orléans XX chap. 1, art. prel. no. 1 und art. 1 no. 30, vergl. Bourjon tit. VI ch. III no. 16.

desjenigen, der die Haftung einräumte, sich befindet oder ob es inzwischen in dritte Hände übergegangen ist. Die Ignorierung dieses Umstandes bedeutet die Überwindung der historischen Ausgangspunkte des Satzungsrechtes und Ersetzung des Veräusserungsverbotes durch Potenzirung der Sachhaftung.

Dass dem so ist, zeigt in aller Schärfe die Auffassung, welche die Schriftsteller unserer Zeit in Bezug auf das **droit de suite** vertreten. Nach der neueren Doctrin soll dies das dingliche Recht, die Möglichkeit, ein Unterpfand beim Drittbesitzer anzugreifen, bedeuten. Die Quellen bis ins 18. Jahrhundert hinein sprechen aber in ganz anderem Sinn von droit de suite. Für sie besteht dieses nämlich in dem Recht, in ein Haftungsobjekt exequieren zu können. Infolgedessen ist der erste und hauptsächlichste Fall einer Anwendung dieses droit de suite das Realisierungsverfahren in ein noch in den Händen des Schuldners befindliches Pfand. Unzählige Male kehrt in den Quellen der Satz wieder: Meubles n'ont point de suite par hypothèque, quand ils sont hors de la possession du débiteur[1]). Das droit de suite erscheint hier gerade gegen Dritte ausgeschlossen. Es kann also nur die Bedeutung des Rechtes haben, in die Fahrhabe exequieren zu können. Deshalb definiert es auch Valette als das droit général de gage qui appartient au creancier sur tous les biens de son débiteur, als das droit d'execution forcée[2]) Und ebenso Beaune[3]) als die force d'exécution découlant du titre du créancier. Nun geht aber allerdings bei der neueren Hypothek das droit de suite auch gegen Dritte. Dieses neue Recht ist also nur ein prolongiertes Exekutionsrecht. Aber ob das Pfand beim Schuldner ist oder ob es dieser veräussert hat — die Realisierung hat immer den nämlichen Charakter: Exekution in das Haftungsobjekt.

Deshalb aber ist letztlich die Natur der Haftung auch in beiden Fällen die gleiche. In wessen Händen die Sache sich befindet, ist gleichgültig: sie haftet, die Sache. Und zwar beim Dritten wie beim Schuldner. Auch die Haftung der Sache

---

[1]) Um nur eine Stelle zu zitieren: Paris art. 170.
[2]) Valette, Mélanges I 249 f.
[3]) Contrats S. 546.

beim Schuldner ist eben wirklich sächlich gedacht. Darum
denn auch die nur so zu erklärende, immer wiederkehrende
Vorschrift, dass das droit de suite bei Mobilien mit der Ent-
äusserung derselben verloren gehe. — Die richtige Auffassung
des droit de suite ist also geeignet, den Charakter der deutschen
Vermögenshaftung, der obligatio bonorum einerseits und andererseits der aus der jüngeren Satzung gewordenen Hypothek zu
illustrieren.

Zur vollen Würdigung dieses droit de suite ist indessen
noch eine Betrachtung der Pfandrechtsrealisierung nötig. Hier
erst wird sich zeigen, worin sich das Verfolgungsrecht nicht nur
der betreibenden, sondern aller Hypothekare erschöpft. Hier
aber werden wir auch auf das zweite Recht stossen, das von
den Autoren des ancien droit neben dem Verfolgungsrecht als
die hauptsächlichste Wirkung der Hypothek dargestellt wird,
das Vorzugsrecht, das droit de préférence.

· Das übereinstimmende Interesse der Gläubiger und der
Schuldner[1] bewirkte schon früh, dass die Immobiliarexekution
regelmässig auf den Liegenschaftsverkauf ausmündete. Gelegentlich wird allerdings noch ein für das Mittelalter charakte-
ristisches Procedere als Exekutionsmodus namhaft gemacht:
Der Schuldner selbst möge das Erbe verkaufen, um aus dem
Erlös den Gläubiger zu befriedigen[2]. Auch der Übereignung
an den Gläubiger kann man noch begegnen. Doch wird sie
nur unter besonderen Umständen gestattet, etwa wenn mit
Sicherheit vorauszusehen, dass der Erlös eines Verkaufes die
Forderung nicht deckte oder wenn der Wert des Gutes zu den
hohen Kosten des Verfahrens in ungünstigem Verhältnis stünde
oder auch, wenn es sich um besonders begünstigungswerte
Forderungen handeln sollte[3]. Der Richter entscheidet über die

---

[1] Vergl. v. Schwind a. a. O. S. 23, auch S. 34 f., 46 f., 52, 69 f., 79 f.,
88, 91, 96, 147, 183 f.

[2] Argou II 413.

[3] Pothiers Hypothèqus. S. 46. Régulièrement le créancier ne doit
pas prendre en paiement de sa dette l'héritage qui est délaissé, — néanmoins on le lui permet quelquefois — — lorsqu'il est évident que ses
créances absorbent et au-delà le prix que pourroit être vendu l'héritage,
et sur-tout lorsque ses créances sont privilégiées ou favorables, ou lorsque l'héritage est de si peu de valeur que les frais absorberoient la plus
grande partie du prix.

Zulassung und sie geschieht auf Grund einer amtlichen Schätzung.
Im allgemeinen aber gilt nicht erst für das 18., sondern schon
für das 15. und 16. Jahrhundert: l'usage de faire vendre en
justice les biens d'un débiteur dont on ne peut être payé, est
devenu universel[1]).   Die Exekution geschieht durch Verkauf.

Nun ist aber in Frankreich[2]) die Pfandrechtsrealisierung stets im Zusammenhange mit dem Exekutionsrecht geblieben und machte sich die Fortschritte desselben zu
Nutzen[3]). Folgende Worte, welche eine Rechtsentwicklung des
deutschen Immobiliarpfandrechtes charakterisieren sollen, die
sich vielfach erst im 19. Jahrhundert vollzog, treffen für das
französische Pfandrecht schon des 16. Jahrhunderts zu und
zwar, wie unsere Betrachtung über das droit de suite zeigt, im
vollen Umfange. „Der Hypothekargläubiger, dessen Anspruch
vollstreckbar geworden ist, hat das Recht, auf gerichtliche ....
Zwangsvollstreckung anzutragen, was durch einen, wann
immer eintretenden Wechsel in der Person des Eigentümers
des Grundstückes nicht berührt wird. Damit ist das Recht der
Realisierung von Pfandrechten an liegendem Gute dem Exe-
kutionsrechte in unzweideutigster Form eingeordnet"[4]). Die Pfandrechtsrealisierung geschieht also in den Formen des Exekutionsrechtes[5]), geschieht durch den gerichtlichen Verkauf.

Dieser gerichtliche Verkauf führte in den deutschen
Partikularrechten durchwegs zum Untergang der auf dem
Gute liegenden Hypotheken. So tilgte beispielsweise nach

---

[1]) Guyot, verbo décret d'immeubles S. 355.

[2]) Länger dauert hingegen in manchen deutschen Partikularrechten
die Divergenz an zwischen Exekutions- und Vertragspfand. Für die Realisierung dieses letzteren war auch in den neueren Rechten vielfach die Beredung der Parteien massgebend, vergl. v. Schwind S. 35, alte Prozessordnung für Sachsen von 1622. ferner S. 45 das Landrecht des Herzogtums
Preussen von 1620, S. 57 Preussisches Landrecht, vergl. S. 184, S. 190.

[3]) v. Schwind weist mehrfach darauf hin, dass die fortschrittlichen
Formen naturgemäss regelmässig von der Seite des Exekutionsrechtes her
zuerst auftraten. S. 24, 45, 75, 78, 88. 183.

[4]; v. Schwind über das preussische Recht seit 1872 a. a. O. S. 66

[5]) Es ist also begreiflich, wenn das früher oder später auch in den
deutschen Partikularrechten zur Anerkennung gelangende Verbot der lex
commissoria - v. Schwind S. 38, 45, 74, 184 — frühe und unbestrittene
Geltung erhält; vergl. Basnage 446.

dem Gautprozess des bairischen Landrechts von 1616 und des Codex Maximilianeus iuris iudiciarii der Verkauf auf offener Gant die Pfandrechte. Hingegen Dienstbarkeiten, Ewiggelder, Reallasten blieben bestehen[1]). Diesen Untergang der Hypotheken infolge der Teilbietung sieht auch die sächsische Hypothekenordnung vom 6. Nov. 1843 vor[2]). Aber auch das preussische Recht kennt bis zum Jahre 1883 keine andere Regelung: Wird die Realisierung des Pfandgutes im Wege des Zwangsverkaufes durchgeführt, so bewirkt dies Untergang aller auf dem Gute ruhenden hypothekarischen und Grundschuldlasten. Der Erwerber erhält das Gut frei von allen Hypotheken und Grundschulden und die hypothekarischen und Grundschuldgläubiger, deren Forderungen auch gegen ihren Willen gekündigt wurden, haben sich an den Erlös des Gutes zu halten, oder durch vertragsmässige Abmachung die Fortdauer ihrer persönlichen undinglichen Rechte auch gegenüber dem neuen Erwerber zu erwirken[3]).

Dies entspricht nun genau dem Stand des französischen Rechtes vom 16. Jahrhundert ab. Auf die Beschlagnahme des zu exequierenden Gutes erfolgen die Criées, die unter Einhaltung bestimmter Fristen mehrfach zu wiederholende „öffentliche Verkündigung, dass gewisse Güter mit Beschlag belegt worden seien und gerichtlich versteigert werden sollen[4]).“

In dieser Zeit müssen die Oppositionen, die Anmeldungen resp. Einsprachen gemacht werden, so die oppositions à fin de distraire, von seite desjenigen, der ein Eigentumsrecht an der betreffenden Immobilie zu haben behauptet, so die oppositions à fin de charge zum Zweck der Sicherung der Reallasten und Servituten, welche der Erwerber übernehmen soll, so die oppositions à fin de conserver. Diese letzteren sind durch die

---

[1]) Codex Max. iud. 18 § 7, 8 cit. v. Schwind S. 80.

[2]) § 104, v. Schwind S. 38; vergl. das neueste Österreichische Recht l. c. S. 96.

[3]) v. Schwind S. 66.

[4]) Warnkönig und Stein II S. 607; vergl. vor allem d'Héricourt, Traité de la vente les immeubles par décret. Nouvelle édition, Paris 1752, ferner Pothier S. 50 f. Argou II 413, Guyot v. décret d'immeubles, Questions v. Hypothéque, lettres de ratification, Ancelme: Distinction et indépendance du droit de suite et du droit de préférence, Paris 1881, Seite 82 f., Cardaire S. 144.

Hypothekare zu machen. Das ist nach der Anschauung der Zeit die letzte Handlung, die sie auf Grund ihres droit de suite vornehmen. Denn dieses letztere geht unter, und zwar auf alle Fälle, gleichgültig, ob Opposition erhoben worden ist oder nicht. Freilich, im Unterlassungsfall geht nicht nur das droit de suite verloren, sondern auch das droit de préférence.

Tous les créanciers, soit simples hypothécaires, soit même privilégies, ne sont colloqués dans leur rang, sur le prix des biens adjugés par décret, que lorsqu'ils ont fait leur opposition au décret.

Les créanciers qui ont manqué de faire leur opposition, ne peuvent espérer, en faisant arrêt sur le prix, d'être payés, si ce n'est sur ce qui pourroit rester, après toutes les créances des opposans acquittées; et s'il reste quelque chose, tous ceux qui n'ont pas fait opposition le partagent entre eux au sol la livre de leurs créances, comme un simple mobilier qui appartient à leur débiteur commun [1]).

Den Hypothekaren, die zu opponieren unterlassen haben, bleibt also nichts anderes übrig, als auf den Restbetrag des Verkaufspreises zu greifen, soweit sich ein solcher nach Befriedigung sämtlicher Gläubiger, die Opposition gemacht haben, noch vorfindet und auch dann werden sie nur als Chirographargläubiger behandelt und pro rata ihrer — ursprünglich hypothekarischen — Forderungen befriedigt. — Damit ist auch schon die Wirkung der Opposition gekennzeichnet. Es wird dadurch das Vorzugsrecht erhalten. Der Erlös des par décret verkauften Gutes wird unter die opponierenden Gläubiger nach dem Range der Hypothekenordnung verteilt.

Quand le bien du débiteur est vendu par décret, les créanciers bipotequaires qui ont formé opposition au décret pour la conservation de leur droit, sont colloqués entré eux sur le prix de l'adjudication, suivant l'ordre de leur hipoteque [2]).

Es mag nun noch erwähnt werden, dass sich auch der civile Liegenschaftsverkehr die Vorteile, die ein derartiges Purgationsverfahren — freilich im wesentlichen nur für den Erwerber — darbietet, zu Nutze gemacht hat. Die Praxis hat

---

[1]) Pothier, Traité des hypothèques S. 65.
[2]) d'Héricourt S. 213, vergl. S. 195, Pothier cit. S. 50.

das décret volontaire ausgebildet. Es ist dies eine fiktive
Zwangsvollstreckung[1]), die sich genau in den Formen der
wirklichen Immobiliarexekution hält und vor allem den Hypothekaren gegenüber wie eine solche wirkt. Diese müssen also
Opposition erheben, wenn sie ihr Vorzugsrecht auf den Preis
wahren wollen. Dieses freiwillige Decret wurde durch das
Edikt vom Juni 1771 verboten, welches die lettres de ratification an dessen Stelle setzte. Das Verfahren war nunmehr
ein einfacheres und billigeres. In der Hauptsache aber waren
die Wirkungen gegenüber den Pfandgläubigern die nämlichen.

Und auf diese Wirkungen kommt es uns an dieser Stelle
allein an. Sie charakterisieren sich durch das Auseinander-
fallen des droit de suite und des droit de préférence.
Das letztere dauert noch fort, nachdem das erstere bereits aus-
gelöscht ist. In diesem ersteren aber fand man das Recht,
gegen die Sache vorgehen zu können, verkörpert. Dies existiert
nicht mehr. Nun aber erhebt sich die Frage nach dem
Rechtsgrund des Vorzugsrechtes.

Auf diese Frage gibt zwar Bourjon gelegentlich eine
einfache und klare Antwort:

A l'aide de l'opposition, l'hypothèque subsiste sur le prix
de l'adjudication, qui est à leur égard représentatif de l'héritage[2])
und der Gegensatz der Reallast wird wohl damit gekennzeichnet,
dass die Hypothek nicht auf die Sache, sondern auf den Preis gehe[3]).

Aber der Autor verfolgt selbst diese Auffassung nicht
weiter[4]). Er wäre mit ihr wohl allein gestanden. Man empfand

---

[1]) Es ist nicht nötig, dass der Verkäufer der Liegenschaft als Exe-
quierter erscheine. Warnkönig und Stein S. 608. Es kann verabredet
werden, dass der Erwerber die scheinbare Zwangsvollstreckung über sich
habe ergehen lassen. d'Héricourt S. 351. Infolge der Verschuldung
muss übrigens der Veräusserer oft genug dem Kaufvertrag eine Klausel
beigefügt haben, die dem Erwerber das Verfahren des décret volontaire
untersagte. Denn der bedrängte Veräusserer sähe dadurch den Zweck des
Verkaufes häufig vereitelt, pource que cela découvre ses debtes et aussi
que ses créanciers et non luy, toucheront le prix de la vente. Loyseau
III 1, 19.

[2]) Tit. VII, chap. VI, sect. VI N. 59.

[3]) l. c. dist. II N. 93.

[4]) In der Darstellung des Hypothekarrechtes wird vom Vorzugsrecht
überhaupt nicht gesprochen. Es findet seinen Platz in dem Titel über die
Exekution.

das geschilderte Auseinandergehen zu lebhaft als Zeichen der
Unabhängigkeit dieser beiden Rechte, der Verfolgung und des
Vorzuges. Aber sie dann doch wieder als Ausfluss desselben
Hypothekarrechtes darzustellen und kausal miteinander zu verbinden, war dann keine leichte Aufgabe, wenn man auch ein
dahinzielendes Bedürfnis empfinden mochte[1]). So versucht
denn auch Pothier eine Erklärung.

En adhérant par une opposition à la saisie réelle qui a
été faite, c'est le droit d'hypothèque que j'ai dans le bien que
j'exerce et que je poursuis. La somme pour laquelle je suis
utilement colloqué dans l'ordre, en même temps qu'elle est la
somme qui m'est personnellement due, est aussi le prix de mon
droit d'hypothèque et c'est en tant qu'elle est le prix de mon
hypothèque que je suis colloqué dans l'ordre[2]).

Der Versuch konnte nicht gelingen. Wir begegnen ihm
denn auch weiterhin nicht mehr. Es ist eine frappante Erscheinung: das Vorzugsrecht wird von den Autoren des
ancien droit durchwegs nicht aus der dinglichen Natur
der Hypothek abgeleitet.

Und so bemüht sich denn auch Pothier, eine andere Erklärung zu geben. Er bespricht die Hypothek auf künftig zu
erwerbende Güter und nennt den Grund, aus welchem auch
diesen Gütern gegenüber die Hypothekare nach der Zeit
rangieren.

Quoique les hypothèques des créanciers d'un même débiteur, dont les créances ont précédé l'aquisition de l'héritage
faite par ce débiteur, soient toutes nées en même tems, savoir
lors de cette acquisitions, n'ayant pas pu naître plutôt; néanmoins, dans notre Droit, ces créanciers ne viennent pas par
concurrence, mais chacun selon l'ordre de la date de leur titre
de créance, parce que le débiteur, en hypothéquant au
premier ses biens à venir, s'étoit interdit le pouvoir
de les hypothéquer à d'autres à son préjudice[3]).

Mit der Pfandbestellung bindet sich also der Schuldner
dahin, dass er dieselbe Sache nicht zum Schaden des ersten

[1]) Ancelme cit., Cardaire cit.
[2]) Coutume d'Orléans tit. XXI, § XXI, no. 173.
[3]) Pothier, Traité des hyp. S. 59.

15*

Gläubigers wieder verpfände[1]). Und diese Bindung ist wirksam genug, um eine solche Schädigung auch auszuschliessen. Nicht anders aber war, wie wir wissen, die Idee der ehemaligen Satzung. Genau so wie die Wirkung gegen Dritte als neue Form der Exequierbarkeit aus satzungsrechtlichen Vorstellungen heraus entstanden ist, so lebt auch im droit de préference die Anschauung fort, die Position, die sich der Satzungsgläubiger errungen, dürfte im allgemeinen nicht mehr verschlechtert werden.

Für diese Auffassung scheinen uns folgende Gründe in zwingender Weise zu sprechen.

Unsere Rechte kennen, wenigstens zum Teil, eine Hypothek, bei welcher das dingliche Recht nur gegen den Schuldner wirkt, die aber dem Gläubiger noch ein Vorzugsrecht gibt: Die Mobiliarhypothek. Wir können auf früher gesagtes verweisen, und uns darum kurz fassen. Angesichts dieses satzungsmässigen Rechtsinstitutes vermeiden es aber die Autoren, das droit de préference durch das dingliche Recht rechtfertigen zu wollen. Dass aber das Vorzugsrecht bei Mobiliar- und Immobiliarpfand dasselbe war, konnte keinem Zweifel unterliegen.

Dans les pays de droit écrit le prix des meubles est distribué par ordre d'hypotéque entre les créanciers hypothécaires, de même que le prix des immeubles, lorsqu'il y a une discussion générale et les créanciers chirographaires viennent par contribution au sol la livre[2]).

Aber auch wo die Mobiliarhypothek nicht Anerkennung gefunden hat, stossen wir auf ein Vorzugsrecht, das mit der alten Satzung in Beziehung zu setzen ist. Wir wissen, dass in vielen Coutumes die zeitlich vorgehende Satzung in der Exekution einen Vorzug genoss als älterer Conventionalarrest. Nicht eine Dinglichkeit, mit welcher der Arrest ursprünglich nichts zu tun hatte, sondern die grössere Vigilanz, die Priorität der Exekutionsanhebung, gab die Potiorität. Diese Auf-

---

[1]) Hingegen bringt allerdings Basnage ebor die Sachhaftungsidee in diesen Zusammenhang herein. S. 73 sagt er: A l'égard de celui qui a contracté l'hipotéque, elle afecte tellement son fonds, qu'il n'est plus en sa puissance d'en disposer, ni de l'engager à d'autres, au préjudice de son premier créancier; vergl. Guyot vo. Hyp. 781.

[2]) Argon II S. 403.

fassung lebt im ancien droit fort in Hinsicht auf die Mobiliar-
exekution. Bei einer Konkurrenz von Betreibungen geht der
Erstbetreibende vor.

Le creancier qui fait premier arrêter et saisir valablement,
ou prendre par execution aucuns meubles appartenans à son
debiteur, doit être le premier payé[1]).

Die erhöhte Wachsamkeit[2]) gibt also nach wie vor ein
droit de préférence. La diligence du premier saisissant fait
en sa faveur une espèce de privilége — — toute saisie antérieure opère une préférence sur toute saisie postérieure[3]).
Es ist dies in den Coutumes gerade so weit der Fall, als
sich nicht die Mobiliarhypothek Anerkennung verschafft hat[4]).
Denn in diesem Falle ist eben das — nämliche — Vorzugsrecht in dieser aufgegangen. Dass dieses droit de préférence
aber das nämliche ist wie dasjenige aus dem Immobiliarpfandrecht, haben wir bereits gesehen[5]). Der Rechtsauffassung
unserer Zeit ist denn in der Tat das Bewusstsein der genetischen
Zusammengehörigkeit des Vorzugsrechtes des premier
saisissant und des hypothekarischen droit de préférence nicht verloren gegangen. So schreibt de Ferrière zu
dem oben zitierten Artikel der Coutume de Paris:

La raison de cet article est que les meubles n'ayant point
de suite par hypotheque, et le prix d'iceux n'étant point distribué entre les créanciers selon l'ordre et le temps de leur
creance, il est juste qu'il soit baillé au premier saisissant,
et que la diligence du creancier qui veille à ses interests soit
recompensée, pendant que les autres negligent leurs affaires,
et ne se pourvoyent pas par les voyes ordinaires pour se faire
payer de leur debiteur[6]).

In aller Schärfe aber betont den gleichen Sinn dieses
Vorzugsrechtes in beiden Fällen Guy Coquille in seinen
Institutionen:

---

[1]) Art. 178 Coutume de Paris; vergl. Art. 447 Coutume d'Orléans.
[2]) Pothier zu art. 447 cit. erklärt das Vorrecht des premier saisissant
daraus, dass er ein pignus judiciale erworben habe.
[3]) Bourjon tit. VIII, chap. I, sect, VI N. 32, No. 36.
[4]) Vergl. Esmein a. a. O. S. 228.
[5]) Oben S. 228, 139, 150, 163.
[6]) Band I 383.

Le créancier qui premier fait saisir meubles valablement doit être préféré et premier payé — —. Mais l'exécution sur chose mobiliaires désire enlèvement et transport. Et si le meuble n'est desplacé la seconde exécution avec desplacement sera préférée à la première — — la raison est pour ce qu'en meuble n'y a hypothèque par convention, ains seulement par apprehension réelle[1]).

Aber nicht nur in der Theorie, sondern auch in der Rechtspraxis zeigt sich eine analoge Behandlung des beidseitigen Vorzugsrechtes. Es ist kein Zweifel: das zu Grunde liegende Prinzip wird nicht mehr so recht verstanden und nicht mehr so hochgehalten wie einstmals. Es erleidet Abschwächungen, Ausnahmen. So soll der premier saisissant des Vorzuges verlustig gehen im Fall der Insolvenz des Schuldners[2]). Aber noch mehr: Es drängen sich Privilegien vor, denen gegenüber die Priorität der Prävenienz zurückgestossen wird. Die Gunst der älteren Pfändung ist dagegen ziemlich widerstandslos. Dasselbe ist auf dem Gebiet des Hypothekarrechtes wahrzunehmen. Wohl wird immer wieder versichert, es gelte wie in Rom das Prinzip: qui prior est tempore, potior est jure: La priorité fait que ce qui est le premier en hipotéque, est le premier mis en ordre de distribution[3]). — Le prix est distribué entre eux (sc. die Gläubiger) selon l'ordre de leurs hypothèques[4]). Aber es geschieht in durchaus oberflächlicher Weise, wenn dergestalt die Priorität als für den Rang entscheidend hingestellt wird[5]). Ein wirklich zwingender, innerer Grund fehlt. Und der historisch richtige, welcher im Exekutionsrecht fusst, erscheint für unsere Zeit nicht durchschlagend genug, um nicht Be-

---

[1]) Institutions S. 444 f. cit. Esmein S. 228 N. 2; vergl. d'Héricourt S. 227.

[2]) Art. 474 C. d'Orléans cit. art. 179 C. de Paris: Toutefois en cas de deconfiture chacun creancier vient à contribution au sol la livre, sur les biens meubles du debiteur. Et n'y a point de preference ou prerogative pour quelque cause que ce soit; encore qu'aucun des creanciers eût fait premier saisir.

[3]) Basnage S. 57.

[4]) Pothier cit. S. 51.

[5]) Weshalb denn gelegentlich auch Basnage den Vorzug aus der Erfüllung der authentischen Form ableitet, wie wir bereits im ersten Teil gesehen.

strebungen, die auf eine Durchbrechung dieser Rangordnung hinausliefen, überaus erfolgreich erscheinen zu lassen. Die natürliche Folge dieser Sachlage besteht in der widerspruchslosen Preisgabe der natürlichen Hypothekarordnung gegenüber dem Privilegierungssystem.

Dans la concurrence de deux saisies entre deux créanciers d'une même personne, la seule qualité de premier créancier ne sufit pas pour aquerir la préference, elle se juge souvent par des circonstances particuliers, cessant quoi il est juste de préferer le premier créancier, comme aiant un droit plus puissant et plus ancien que le débiteur n'a pû afoiblir par les hipotéques nouvelles qu'il a contractées[1]).

On ne suit pas à l'égard de tous les créanciers l'ordre de la date de leurs hypothéques; cet ordre n'a lieu qu'entre les simples créanciers hypothècaires. — Il y a certaines créances et certaines hypothèques privilégiées, qui ne s'estiment pas par leur date, mais par leur cause, et qui précèdent les autres créanciers, quoiqu'antérieurs[2]). Leichten Herzens wird das Prinzip, wonach die Priorität über den Rang entscheidet, fallen gelassen. Warum auch nicht? Ist denn nicht der Grundsatz der Privilegierung, der Rangbestimmung nach Wertung (von Creditor und) causa einleuchtender? Nirgends ist zu entdecken, dass dadurch die Natur des Pfandrechtes alteriert würde.

Freilich, wie sollte eine solche Einsicht auch möglich sein, wo das spezielle Pfandrecht seiner Eigenart beraubt und fast vollständig in der Vermögenshaftung aufgegangen ist. Und dies ist das letzte Moment, das bei der Würdigung des droit de préférence berücksichtigt werden muss. Das Pfandobjekt ist regelmässig nicht spezialisiert und selbst wenn dies noch der Fall ist, erscheint doch das Band dieser speziellen Sachhaftung so locker als nur möglich. Deshalb kann auch das Vorzugsrecht nur sein, was es schon im Mittelalter war. Die obligatio specialis des très ancien droit und die Hypothek des ancien droit geben ein privilegium exigendi.

---

[1]) Basnage S. 442. Er spricht denn auch nur von dieser „Priorität" als von einer „Regel", die beinahe immer zutreffe S. 173.

[2]) Pothier l. c. S. 51.

Diese Erwägung führt uns von der bisherigen Betrachtung der im technischen Sinne satzungsrechtlichen Elemente hinüber zur Darlegung der anderen Seite, die wir als für das Wesen der Hypothek unseres Zeitabschnittes charakteristisch wahrgenommen haben. Die Hypothek succediert in den Nachlass der alten obligatio generalis, soweit sie in der V e r m ö g e n s - h a f t u n g aufgegangen ist.

Und da muss denn vorweg nochmals an das früher über die auf Diskussion des Schuldners gehende E i n r e d e d e s D r i t t b e s i t z e r s einer verpfändeten Liegenschaft Gesagte erinnert werden. Wir sind seither auf Quellenaussagen gestossen, welche bestätigen, dass eine derartige Einrede bei der obligatio generalis sofort als natürlich empfunden und deshalb zugelassen wurde, sobald überhaupt in den weitergehenden Wirkungen derselben die natürlichen Voraussetzungen dazu vorhanden waren. Andererseits wissen wir, dass das Privileg des Drittbesitzers für den Fall einer Spezialhypothek im 16. Jahrhundert noch um Anerkennung ringen musste. In der Folge wird freilich auch hier die Einrede unbestritten[1]) geltend gemacht.

Diese Stellungnahme besagt, dass nach der Veräusserung des Pfandobjektes d i e e n g e r e S a c h h a f t u n g d e r a l l g e m e i n e n V e r m ö g e n s h a f t u n g gegenüber von subsidiärer Bedeutung sei[2]). Die obligatio omnium bonorum geht vor. Das hat denn auch die zeitgenössische Doktrin scharf erfasst.

---

[1]) Seit dem letzten Viertel des 16. Jahrhunderts; vergl. d'Héricourt S. 61. Nicht nur der Hauptschuldner, sondern auch der Bürge soll belangt werden vor dem Drittbesitzer. Pothier S. 28. Ja selbst in Hinsicht auf die durch den in notarieller Form abgefassten Bürgschaftsvertrag obligierten und seither veräusserten Liegenschaften des Bürgen soll die Diskussion mit Erfolg verlangt werden können! Basnage S. 56. Interessant ist die Auffassung von Guy Coquille, Questions S. 612. Er findet die Zulassung der Exception rigoros und will zu Gunsten des Drittbesitzers nur bewilligen, dass er nicht des Besitzes entsetzt und allerdings auch, dass das décret-Verfahren zuerst auf die beim Schuldner verbleibenden Güter angewendet werde. Aber dieser Gunstgewährung gegenüber erscheint ihm offenbar doch der Ausschluss der Einrede juristisch als allein gerechtfertigt. Er empfiehlt deshalb, von Anfang an auch die veräusserten Pfandobjekte mit Beschlag belegen zu lassen.

[2]) Vergl. v. Schwind a. a. O. 175. Nach dem Landrecht für das Herzogtum Preussen (1620) musste sich der Gläubiger zunächst ebenfalls an den Schuldner und den Bürgen halten. Dort S. 47. Als selbständig

La raison est, qu'en ces hipotéques il y a deux obligations qui concourent, la personnelle et l'hypothécaire: la
personnelle est la premiere comme la plus noble, et
par laquelle l'on doit commencer[1]).

Wie aber gestaltet sich das Verhältnis, wenn die specialiter
verpfändete Liegenschaft noch beim Schuldner ist? Da ist vor
allem daran zu erinnern, dass dank der früher entwickelten
Grundsätze der Spezialhypothek stets eine Generalhypothek zur
Seite steht. Unsere Frage ist also dahin zu präzisieren: Wie
verhalten sich Spezial- und Generalhypothek zu einander in
Hinsicht auf den schuldnerischen Immobiliarbesitz?

Da geht denn die Meinung zunächst dahin, dass, wer sich
ausdrücklich ein spezielles Pfand hat anweisen lassen, sich in
erster Linie auch an dieses zu halten habe. Das hat freilich
die leidige Folge, dass dieser Gläubiger in eine ungünstigere
Lage kommen kann, als ein nachfolgender Gläubiger, der nur
eine Generalhypothek hat Denn dieser hat in seinem Zugriff
Freiheit, während jenem die Hände gebunden sind. Umgekehrt
gibt ihm das Spezialpfandrecht nicht die Befugnis, einem älteren
Hypothekar mit Pfandrecht auf das ganze Immobiliarvermögen
die Exekution gerade in sein spezielles Pfandobjekt zu verwehren. Die Bestellung einer Spezialhypothek führt also nur
zur Schwächung des betreffenden Gläubigers.

Le créancier qui a seulement une hipotéque générale,
bien qu'il soit posterieur, empêchera que le créancier anterieur
qui a l'hipotéque spéciale, vienne en distribution, avant qu'il
ait discutè son hipotéque spéciale. — — Il est souvent plus à
propos de n'avoir qu'une hipotéque générale, que d'en avoir
une spéciale sur certains biens, outre la générale. Car lorsqu'on n'a qu'une hipotéque générale sur certains biens, le debiteur n'y donne point d'ateinte, et ne l'afoiblit point en contractant une hipotéque spéciale sur quelque partie de ses biens,
mais si outre l'hipotéque générale, l'on se fait hipotéquer par-

---

tritt uns das Pfandrecht schon wieder in der preussischen Hypotheken-
und Konkursordnung von 1722 entgegen. l. c. S. 51.

[1]) Basnage S. 56. Wir wissen nach der Darstellung im ersten Teil,
dass diese Ausdrucksweise ein junge, eine neuzeitliche und durchaus dok-
trinäre ist, die sich in den mittelalterlichen Quellen nicht findet und sich
aus ihnen nicht rechtfertigen lässt.

ticulierement quelque chose, ce créancier ne se peut adresser
sur les autres biens, avant que d'avoir discuté ceux qui sont
particulierement afectez à sa dette[1]).

Um nun jeglichen — die Vorsicht, mit welcher die alten
lettres obligatoires abgefasst wurden, liess man auch den
authentischen Akten angedeihen — jeglichen derartigen Nachteil zu verhindern, nahmen die Parteien resp. die Notare eine
Klausel in die Verträge auf: que la speciale ne déroge à
la generale ny la generale à la speciale. Dadurch soll
das dem Gläubiger im Falle einer Spezialhypothek unter Umständen lästige beneficium excussionis beseitigt werden.

Es ist jedoch eine merkwürdige Erscheinung, die wir gewahren: Die Autoren sind sich darüber nicht einig, wem denn
ohne diese Klausel dies Beneficium zugestanden, wessen Beneficium durch sie ausgeschlossen werden solle. Nach Basnage[2])
soll nur ein Hypothekargläubiger einem andern seine Spezialhypothek in dem oben genannten Sinne vorwerfen dürfen. Nach
andern soll das Beneficium mangels der derogierenden Klausel
dem Schuldner, und nur ihm zustehen[3]). Endlich wird es gar
dem Drittbesitzer zugeschrieben, sodass es nur die Bedeutung
der persönlichen Diskussion hätte[4]).

Diese Unsicherheit, ja Verständnislosigkeit zeigt bereits,
dass die Frage kaum mehr praktisch wurde. Die Klausel, die
dies bewirkte, war de style. Die Notare pflegten sie in alle
von ihnen aufgesetzten Urkunden aufzunehmen[5]). Und was
wir schon des öftern wahrgenommen, scheint auch in diesem
Falle eingetreten zu sein. Die Rechtsübung führte zu einer

---

[1]) Basnage S. 54 f.; vergl. Faber, ds Error. pragm. t. I, t. 6, err. 4.
Loysseau III 8, 29. Guy Coquille Questions 610. Über andere Nachteile
der speziellen gegenüber der generellen Hypothek vergl. Basnage 51, 54, 55.
· [2]) S. 51. Dies ist denn auch die richtige Auffassung. Nur um das
Interesse der Gläubiger konnte es sich bei dieser Regelung handeln. Wir
finden dieselbe übrigens auch in deutschen Partikularrechten. v. Schwind
S. 34, die sächsische sog. alte Prozessordnung von 1622. Ebenso musste
nach dem Landrecht für das Herzogtum Preussen derjenige, der eine
Spezialhypothek hatte, sich zuerst an das Pfandobjekt halten, bevor er auf
das übrige Vermögen greifen konnte, l. o. S. 47; vergl. S. 176.
[3]) Guyot vo. Hyp. 781.
[4]) Loyseau III 8, 29.
[5]) de Ferrière II S. 212.

materiellen Rechtsänderung. Wenn die Klausel fehlte, wurde sie doch als stillschweigend vom Schuldner zugesagt, in wirksamer Weise nachträglich geltend gemacht.

Cette dérogation est même si ordinaire que Domat pense qu'elle doit toujours être sousentendue [1]).

Und diese Ansicht vertritt schon Bourjon des Entschiedensten: l'hypothéque spéciale ne déroge pas à la générale et — de droit tous les biens de celui qui est condamné ou obligé autentiquement, sont hypothéques pour la sûreté de son engagement [2]).

Diese Auffassung entspricht denn auch weitreichenden Haftungsgrundsätzen, die sich allgemeiner Anerkennung erfreuten, also auch gehegt wurden von den Autoren, die theoretisch der Zulässigkeit des beneficium excussionis realia mangels einer derogierenden Klausel das Wort liehen. Unsere Autoren betonen nämlich, dass in Hinsicht auf die im Besitz des Schuldners befindlichen Güter die Zugriffsrichtung völlig in der Wahl des Gläubigers liege, da alle Güter in gleicher Weise obligiert seien.

L'on ne distingue point à l'égard du debiteur si l'hipotéque est générale ou spéciale; le créancier peut se faire paier sur tel bien qu'il lui plaît, soit qu'il lui soit obligé généralement ou spécialement, parceque le créancier a un droit également bon sur tous les biens de son débiteur [3]).

Wenn also ursprünglich die Begründung eines Spezialpfandes die Bedeutung hatte, ein Exekutionsobjekt in den Vordergrund zu stellen, so verschwindet schliesslich auch noch diese letzte Spur eines selbständig erfassten Sachhaftungsrechtes. Spezielle sächliche und allgemeine Vermögenshaftung vereinigen sich, erstere geht ununterschieden auf in der Vermögenshaftung. Nur darin unterscheidet sich noch der Hypothekargläubiger vom Chirographargläubiger, dass ihm gemäss seiner „Priorität" ein privilegium exigendi in der Immobiliarexekution zusteht. Aber selbst dies Vorzugsrecht erhält noch seine Abschwächungen, seine Zurücksetzungen. Es konnte deshalb nicht ausbleiben,

---

[1]) Guyot l. c. S. 781.
[2]) Tit. VI, chap. I, sect. III N. 26 und chap. II, sect I. N. 6.
[3]) Basnage S. 51, Loyseau III 8. 19.

dass man den Hypothekar, solange er sich an die nichtver-
äusserten Pfandobjekte hielt, ausschliesslich als persönlichen
Gläubiger betrachtete. Infolgedessen erscheint es aber auch
nur als natürlich, dass jedem persönlichen Gläubiger grundsätzlich in thesi die Vermögenshaftung als hypothekarische
Haftung zugedacht wird. Die quasihypothekarische obligatio
bonorum ist zur hypothekarischen geworden. Schon Bouteiller
sagt: aussitost que l'homme est obligé, hypotheque s'y assiet
(S. 137). Hypothek ist hier aber nur die alte Vermögenshaftung.
Nun aber ist die Entwicklung auf der vorgezeichneten Bahn
weitergeschritten:

l'hypothéque paroit une suite naturelle de tout engagement:
ce qui est exactement vrai par rapport au débiteur dont les
biens ne peuvent être affranchis des suites de ce droit rela-
tivement à lui, lorsque la personne est obligée[1]).

Mit dem Schuldvertrag ist also die „Hypothek" notwendig
gegeben, zunächst allerdings nur dem Schuldner selbst gegenüber. Freilich nur aus Zweckmässigkeitserwägungen heraus muss
man diese — begrifflich für unsere Autoren offenbar nicht zu
rechtfertigende — Einschränkung dulden. Theoretisch erschiene
es als richtiger, jeden Schuldvertrag von Gesetzeswegen mit
vollwirksamer, hypothekarischer Vermögenshaftung auszustatten.

Tout engagement la (die dinglich wirkende Hypothek)
produiroit, si ce n'étoit l'abus qu'on en pourroit faire
contre des tiers[2]).

Aus praktischen Gründen bedarf es demnach einer Form
um den Satz der Jüngern: Qui s'oblige, oblige le sien vollinhaltlich wahr zu machen, um die obligatio bonorum zu einer
vollwertigen zu gestalten.

La convention sous seing-privé oblige les particuliers entre
eux; mais pour que ces conventions aient leur effect envers
des tiers, il faut l'intervention des notaires[3]).

Und Bourjon fährt in der oben zitierten Stelle fort[4]).
nachdem er die Haftung des Vermögens in Hinsicht auf den

---

[1]) Bourjou tit. VI, chap. I, sect. I no. 2.
[2]) l. c. sect. II no. 19.
[3]) Guyot vo. Hyp. 782.
[4]) Oben N. 2.

Schuldner als notwendige Folge des Schuldvertrages dargestellt hat:

Mais cela par rapport à des tiers auroit eu trop d'inconvéniens; ainsi comme l'hypothéque réfléchit contre les tiers, il a fallu l'assujettir à une forme autentique[1]).

Aber der Rechtsgelehrte beeilt sich zu versichern, dass die Erlangung dieser Form dem Gläubiger soviel wie möglich erleichtert werden müsse und erleichtert werde. Das gerichtliche Schuldanerkenntnis, dessen es bedürfe[2]), entgegen zu nehmen, sei jeder Richter kompetent. Denn er müsse nur die Sicherheit des Datums konstatieren, damit sich daraus die Hypothek als natürliche Folge ergebe. Der Gläubiger dürfe ferner schon vor der Fälligkeit, von der Schuldbegründung an, das Begehren stellen und der Schuldner sei innert den kürzesten Fristen zu zitieren[3]).

Cette voye d'acquerir l'hypothéque est si favorable, que tout créancier du contenu en une promesse ou en un billet, encore qu'ils ne fussent pas échûs a la voye ouverte pour l'acquerir; comme elle fait la sûreté de sa créance, il seroit injuste de la lui dénier[4]).

Zudem aber wissen wir, dass jeder autentische Akt dem Gläubiger die Hypothek verleiht. Da sie — im Geiste der Zeit: leider — nicht schon aus dem Schuldvertrag folgen kann, muss sie doch wenigstens aus der Formerfüllung sich zur Sicherung der Gläubigerrechte ergeben. Und dies geschieht de lege. In folgerichtigster Weise reiht sich diese Erscheinung ein in die Gesamtauffassung der Vermögenshaftung, wie wir sie kennen gelernt haben.

L'hypothèque ne dépend point seulement du consentement et de la convention des parties, mais se constitue par la seule autorité du loi et le ministère de ses officiers[5]).

C'est l'autenticité d'un tel acte abstraction faite des clauses qui la composent, que la loi attache ce droit. — — L'hypothéque vient de la loi qui la donne comme un acces-

---

[1]) l. c. N. 2.
[2]) Sofern nicht der Schuldvertrag in autentischer Form abgefasst ist.
[3]) l. c. N. 18 und 19.
[4]) N. 17.
[5]) Brodeau sur Louet H. n° 15.

soire à tout engagement contenu dans un acte autentique
et dont la date est constante[1]).

L'hypothéque vient toujours de la loi et non de la
seule convention[2]).

Es ergibt sich demnach, dass die Hypothek eine gesetzliche
ist. Die Entwicklung hat damit ein Endziel erreicht, dem sie
seit Jahrhunderten zusteuerte, dessen Keime in den bald
stereotyp werdenden Obligationsklauseln des dreizehnten
Jahrhunderts liegen. Diese Klauseln trugen in sich selbst
die Voraussetzungen ihres Unterganges. Das Prinzip der Vertraglichkeit der Haftungsherstellung, in einem einfachen Formalismus auf die solideste Basis gestellt, wurde durch sie in später
Stunde auf die Spitze getrieben, überspannt und fiel dann in
sich zusammen. Die Obligation wurde eine gesetzliche.
Wie die persönliche, so auch dank der Fortexistenz und des
Fortwirkens der Satzungsklauseln in den zu erhöhter Bedeutung
gelangten lettres die sächliche Haftung. In aller Schärfe
ist dieser Charakter der generellen Hypothek des ancien droit
als einer Legalhypothek noch in folgenden Stellen ausgesprochen.

En France, la convention ne produit point l'hypothèque,
c'est la loi seule qui la donne indépendamment de la
stipulation d'hypothèque; elle l'attache aux titres des actes
passés par devant notaires ou à l'autorité des jugemens rendus
par les magistrats revêtus du caractère de l'autorité publique,
ou enfin à la seule nature de certaines dettes privilegiées aux-
quelles elle a jugé à propos d'attacher la sûreté de l'hypothèque.
La première espèce d'hypothèque, quoiqu'elle soit en effet
légale, peut s'appeler contractuelle, parce qu'elle est attachée
aux titres des contrats passés par devant notaires[3]).

La distinction de l'hypothéque conventionnelle et
de l'hypothéque tacite sera bonne si l'on veut dans le droit
romain, mais elle ne l'est point parmi nous, qui ne l'avons point
reçue. Un principe incontestable dans nos mœurs est, que
l'hypothéque naît de l'authenticité et non pas de la convention.
Allerdings könne ausdrücklich eine Hypothek zugesagt sein.

---

[1]) Bourjon l. c. N. 24 und 25 S. 431.

[2]) l. c. N. 1.

[3]) Prévôt de la Jannès, Principes de la jurisprudence française. Ed.
1780 I 197 f.; vergl. Esmein S. 223.

C'est en ce sens que nous entendous l'hypothéque conventionnelle, que nous distinguous de l'hypothéque légale, la quelle accompagne, quoique non convenue, toutes les obligations, soit contenues dans des actes authentiques, soit dérivantes de lois, de coutumes, d'ordonnances, de jugemens[1]).

Der Unterschied zwischen vertraglicher und gesetzlicher Hypothek wird also geradezu ins römische Recht zurückverwiesen, denn alle Hypotheken seien gesetzliche. Vertraglich soll nach der letztzitierten Stelle nur eine Hypothek genannt werden können, die ausdrücklich stipuliert war. Hingegen der erstzitierte Autor legt dies Attribut auch den Hypotheken bei, deren Existenz auf einen authentischen Akt zurückzuführen sind, da hier doch die Parteien selbst Handlungen vornahmen, die unmittelbar dem Zwecke der Pfandrechtsbegründung dienten. Immerhin weisen beide Autoren auf die Existenz von Legalhypotheken in einem engern Sinne des Wortes hin.

---

[1]) Aus einem Plaidoyer cit. Guyot vo. Hyp. S. 788.

Zweites Kapitel

Die Forderungsprivilegierung im Rahmen des altfranzösischen Haftungsrechtes.

1. In jedem einigermassen differenzierten Recht wird eine gesteigerte Schutz- und Sicherungsbedürftigkeit gewisser Forderungen im Vergleich zu andern anerkannt. Es erscheint gerechtfertigt, eine unterschiedliche Behandlung eintreten zu lassen, sei es wegen der faktisch oder rechtlich eigenartigen Lage bestimmter Gläubiger, in Rücksicht also auf die Person des Berechtigten, sei es wegen der unterschiedlichen causae, aus denen die Forderungen entspringen und die in Anbetracht ihrer von Fall zu Fall mehr oder weniger verschiedenen ethischen und wirtschaftlichen Bedeutung Grund genug abgeben zur Schaffung einer ausgezeichneten Rechtslage zu Gunsten der einen oder andern Aussprüche. Darin liegt das Wesen der Forderungsprivilegierung im weiteren Sinne des Wortes: Auf Grund von Erwägungen, die eine derartige Gunst gerechtfertigt erscheinen lassen, wird ein Gläubiger von Gesetzeswegen anders, besser[1]) behandelt, als wie die Gläubiger nach dem Rechte des Landes im allgemeinen behandelt werden.

Der Wege, die zu diesem Ziele führen und schon führen sollten, sind gar viele und mannigfaltige. Ein Massstab für die historische Wertung all dieser Wege ist wohl in der genetischen Bedeutung derselben zu finden.

Es kann ein Institut, das bisher ius commune war, als solches verdrängt, nun aber noch den Zwecken der Forderungs-

---

[1]) Sofern, was hier der Fall sein soll, vom privilegium odiosum abgesehen wird.

privilegierung dienstbar gemacht werden. Das gemeine Recht ist ein anderes geworden. Von seinem Standpunkte aus, also dogmatisch, bedeutet auch dieses Mittel einer ausgezeichneten Behandlung gewisser Forderungen, wie überhaupt dem Effekte nach jede Forderungsprivilegierung Aufhebung, Durchbrechung eines allgemeinen Rechtsgrundsatz. Ebenso sicher liegt aber in diesem nunmehr herrschenden Rechtsgrundsatz, historisch betrachtet, ein Bruch mit den früher massgebenden Auffassungen und Einrichtungen. Ununterbrochen hingegen leben diese letzteren noch fort in dem engen Gebiete, das diesen Zurückgedrängten angewiesen wurde: als ius singulare. Ja, so lange das gemeine Recht noch im Fluss ist und mit dem alten gebrochen hat, ohne bereits die Konsequenzen daraus gezogen zu haben, liegt die Möglichkeit vor, dass das singuläre Recht vom Standpunkte des zeitweiligen allgemeinen Rechtszustandes aus immer noch als das folgerichtige und auch dogmatisch als am leichtesten zu rechtfertigen erscheint. Dies ändert sich jedoch mit der Konsolidierung der neuen Ordnung der Dinge und das Privilegierungsmittel, einst ius commune, ist nur noch ein dem früher oder später sicher eintretenden Untergang geweihtes Rudiment.

So lautet beispielsweise das letzte Kapitel in der Geschichte der Personalexekution. Die Dinge im Gange ihres Werdens betrachtet, erscheint nichts natürlicher, als dass der Gläubiger in die Person des Schuldners exequieren kann, nachdem sich dieser durch Mund und Hand haftbar gemacht hat. Und doch haben wir gesehen, dass schon zu einer Zeit, da das Treugelöbnis noch in tagtäglicher Übung war, die Personalexekution eingeschränkt wurde. Es bedurfte, wollte sich der Gläubiger dies Recht, auf die haftende Person selbst greifen zu können, nicht versagen, einer besonderen, über das Treugelöbnis hinausgehenden Beredung. Es ist nicht zu verkennen, dass dieser Rechtszustand an einem inneren Widerspruch litt, der einer destruktiven Tendenz in Hinsicht auf den Formalismus rief. Zur Zeit des Überganges finden wir nun aber noch das alte, in sich geschlossene, logische Rechtssystem konserviert auf dem Boden der Forderungsprivilegierung. Wer dem Vertreter des Königs gegenüber sich mit Treugelöbnis verpflichtete, hatte mit seinem Körper einzustehen. Auch auf

gewissen Märkten, deren Handel es zu unterstützen galt, hiess
es immer noch: Dich selbst machst Du haftbar, wenn ich die
Hand, die Du mir bietest, annehme. Indessen überdauerte auch
in diesen Positionen das materielle Recht den Formalismus.
Ausgesprochener als früher tritt uns nun in diesen Fällen die
Personalexekution als ein Privilegium entgegen. Das Band,
das auf ein einstiges ius commune hinwies, ist verschwunden. Das
neuzeitliche allgemeine Recht der ausschliesslichen Vermögenshaftung erleidet eine Durchbrechung in dem Sinne, dass zu
Gunsten gewisser Forderungen das Gesetz auch noch die spezi-
fische Personalhaftung zulässt und zwar erscheint wie dort die Ver-
mögens- so hier die Personenhaftung als eine gesetzliche, die
ipso iure mit dem Existentwerden des Schuldvertrages eintritt.

La personne ne peut estre constitué prisoniere pour debte
civile faute de payement, si elle ne s'y est expressement obligée,
ou qu'il soit question de deniers privilegiez [1]).

Aber wie wir sehen, konnte die Personalhaftung immer
noch vertraglich begründet werden. Unser Privileg war indessen
dem allgemeinen Recht der Vermögenshaftung gefolgt. Es
streifte den Begründungsformalismus ab. Es wurde gesetzlich.
Darin eben liegt nunmehr die Privilegierung, dass die Haftung
ohne ausdrückliche Beredung eintritt. Dies ändert sich im 17.
Jahrhundert. Die Ordonnanz [2]) vom April 1667 umschreibt nicht
nur genau den Kreis der Forderungen, die als privilegierte
de lege dem Gläubiger das Recht der Personalexekution geben,
wie z. B. die Gerichtskosten, die Ansprüche der Pupillen aus
der Administration der Vormünder, die Ansprüche aus dépôt
nécessaire [3]) u. a. m., sondern sie nimmt auch den Verträgen,
die auf Unterwerfung des Schuldners unter die contrainte par
corps abzielen, im allgemeinen ihre Wirksamkeit. Nur ein
Fall ist ausgenommen und dieser erscheint denn auch wieder
als ein Privilegium der hier besprochenen Kategorie: Für das
ius commune wird ein Verbot der vertraglichen Einräumung

---

[1]) Metz, Coutumes 1611 tit. XV, art. 10.
[2]) Touchant la reformation de la justice, Isambert XIV S. 189 f.
[3]) XXXIV 2, 3, 4; vergl. Mittermaier im Archiv für die zivilistische
Praxis XIV S. 110 f.; Menger, Archiv cit. LV 400 f.; Kohler, Shakespeare
S. 43 n. 2; Bourjon S. 569 f.

der Personalexekution aufgestellt. Zu Gunsten der ländlichen Verpächter abcr wird das alte Recht noch als singulare anerkannt. Es soll möglich bleiben, auf vertraglichem Wege ein Recht auf contrainte par corps gegen den Pächter zu erlangen[1]. In Hinsicht auf die genannten begünstigten Forderungen liegt nun aber das Privileg nicht mehr bloss darin, dass es bei ihnen einer Beredung nicht bedarf, sondern darin, dass ihnen ein aus dem gemeinen Recht überhaupt annähernd vollständig verdrängtes Exekutionsmittel zuerkannt wird.

Mit jeder Änderung des gemeinen Rechtes, dem gegenüber das Privilegium als singuläre Durchbrechung erscheint, ändert sich, eben in Hinsicht auf den breiten Untergrund des ius commune, der Charakter dieses Privilegiums. Und es ist kein Zweifel, dass seine Züge dem gemeinen Recht gegenüber immer fremdartigere werden. Der Gegensatz erweitert sich. Notwendigerweise wird die Domäne dieses singulären Rechtes verengt, bis ihm schliesslich aller Boden entzogen wird[2].

---

[1] l. c. art. 6 und 7; vergl. Code civil art. 2062. Den Gegensatz zu diesem Rechts bildet die Bestimmung, dass bestimmten Schuldnern gegenüber die Personalexekution nicht angewendet werden dürfe; vergl. Ordonnance ds Philippe de Valois vom Juli 1343 (Ord. II) zu Gunsten ausländischer Gewerbetreibender, die die inländischen Märkte besuchen kommen. Loysel, Institutes II S. 244 N. 8: Ceux qui vont ou reviennent des foires, du jugement ou mandement du roi, ne peuvent estre arrestés pour dettes, quoi qu'elles soient privilégiées. Hier also im Gegensatz zu dem oben genannten Recht des Verpächters Ausschluss jeder Personalexekution. Es ist einleuchtend, dass die genetische Bedeutung dieses Privilegs dasselbe in die zweite Kategorie singulärer Sicherungsmittel verweist, wie wir sie im Texte unterscheiden. Denn dies Verbot hat einen der allgemeinen Rechtsentwicklung vorgreifenden Charakter.

[2] In ähnlicher Weise hat auch in vielen anderen Rechten die absterbende Personalexekution die Funktion des ausnahmsweisen Forderungsschutzes ausgeübt. So in deutschen Rechten, beispielsweise ging die Exekution für Forderungen gegen Fremde, ferner für Zins, Lidlohn, geliehenes Geld, Wein, Zehrgeld, Kaufpreis bei Barkauf gegen die Person im Zürcherischen Recht; vergl. Wyss, Schuldbetreibung nach schweizerischen Rechten, Zeitschrift für schweiz. Recht Band III S. 1 f., insb. S 17. Dort auch über das ähnliche Recht von Luzern S. 40, und Dorf- und Amtsrecht S. 50. — Bekanntlich verwendete auch das spätere römische Recht die Personalexekution vorzugsweise gegen Fiskalschuldner; vergl. C. Th. IV. 20, 1.

Häufig kommt nun aber den Privilegierungsmitteln entwicklungsgeschichtlich eine ganz andere Bedeutung zu. Es wird eine Vergünstigung statuiert, die nicht als die zu Gunsten bestimmter Forderungen vorgesehene Konservierung eines im übrigen überwundenen Institutes oder Grundsatzes erscheint, sondern im Gegenteil dem ius commune gegenüber eine Neuerung bedeutet. Das gesteigerte Schutzbedürfnis wird dadurch befriedigt, dass in singulärer Weise zugelassen wird, was bisher dem Rechte fremd war, ihm widerstrebte. Dergestalt wird aber das Bedürfnis der Forderungsprivilegierung zu einer produktiven Kraft im Bereiche der Rechtsbildung. Das Bestreben nach ausgezeichnetem Rechtsschutz lässt neue Rechtsgrundsätze zur Anerkennung kommen, neue Rechtsinstitute praktische Gestalt annehmen[1]). In der

---

Puchta, Institutionen I § 179, Bethmann-Hollweg, Zivilprozess II S. 689, Kohler, Shakespeare 10 f., Mitteis, Reichsrecht und Volksrecht 450 f., 457. Voigt, Exekutionsrecht S. 108 f., 119. — Ebenso wurde in Griechenland, sehr früh (seit Solon), insb. in Athen, die Personalexekution für die Forderungen des Staates und aus Handelsverkehr reserviert. Kohler l. c. S. 13, Boeckh, Staatshaushalt der Athener, insb. Buch I cap. XIII. Hermann, griechische Altertümer I § 86, II § 17. — Desgleichen in Ägypten seit König Bochoris im 8. Jahrh. a. Chr. Mitteis l. c. S. 447; vergl. jedoch Voigt a. a. O. S. 120. Das Edikt des Tib. Jul Alex. Bruns, Fontes 5. Aufl. S. 218 § 4; Rudorff, Rheinisches Museum für Philologie II S. 68; Révillout S. 204 f.; Mitteis 525 f.

[1]) Denn die Not macht erfinderisch. Einer ausgezeichneten Behandlung einzelner Forderungen steht nicht nur das Interesse der Gesamtheit der Gläubiger, sondern auch dasjenige des Schuldners entgegen. Dass die Interessen der ersteren geschont werden müssen, ist einleuchtend. Es trifft dies aber gerade bei der Forderungsprivilegierung in erhöhtem Masse auch in Hinsicht auf den Schuldner zu. Denn die Lage dieses letzteren darf nicht in einem Masse erschwert werden, dass dadurch das Zustandekommen jener Rechtsverhältnisse gefährdet erscheint, aus welchen jene eines besonderen Schutzes wert erachteten Forderungen entspringen. Es müssen also mehrere gegenteilige Interessen versöhnt werden. Es handelt sich dabei geradezu um die soziale Rentabilität des singulären Rechts. Es ist begreiflich, dass sie dadurch angestrebt wird, dass zur Privilegierung Mittel ergriffen werden, die einen möglichst geringen Reibungseffekt erwarten lassen. Möglichst weitgehender Schutz bei möglichst weitgehender Schonung von Schuldner und Drittgläubiger, das ist das erstrebenswerte Ziel. Für gewöhnlich liegen die Verhältnisse zwischen Gläubiger und Schuldner einigermassen abweichend, von vornherein schon einfacher, da es sich bloss um zwei Parteien handelt. Dann ist der Gläubiger oft in der Lage, die

Tat treffen wir denn häufig solche Neuerungen zuerst gerade
im Bereiche des singulären Rechtes, von wo aus sie schliesslich
das ius commune siegreich überfluten.

Für solche Entwicklungsgänge bietet das römische[1])
Recht Belege von hervorragender Wichtigkeit. Da ist denn
vor allem auf die Bedeutung des Staatsvermögensrechtes hinzuweisen. Dies steht nun freilich ausserhalb des zivilen Ver-
mögensrechtes, ist nicht jus singulare. Indessen bewegte es
sich notwendigerweise im allgemeinen doch in den nämlichen
Formen wie jenes[2]). Wo es davon abwich und eigene Wege
ging, trat dies keineswegs in der Form, aber doch der Wirkung
nach als singuläres Recht in die Erscheinung. Wenigstens
trifft dies zweifellos zu, soweit es sich um die Sicherung von
Staatsforderungen handelt. Diese letzteren bedurften einer ganz
besonders vorteilhaften Behandlung[3]). Und das ärarische Recht
liess sie ihnen angedeihen, damit neuen Rechtsbildungen von
der grössten Tragweite mächtig Vorschub leistend. So wurden
für die Staatsforderungen sehr früh die Weiterungen der zivilen
Personalexekution vermieden und in der sectio bonorum eine
ärarische Vermögensexekution geschaffen. Damit stellte sich
das öffentliche Vermögensrecht in Gegensatz zum privaten,
welches grundsätzlich den Zugang zum Vermögen nur durch
Angriff der Person öffnete. Die Überlegenheit der ärarischen

allerweitestgehenden, zuweilen geradezu drückende, Garantien zu verlangen,
ohne dass der Schuldner sich der Sache entledigen könnte; vergl. folgende Note.

[1]) Nicht weniger auch das griechische. Die Hypothek scheint hier
ursprünglich wesentlich nur dem Sicherungsbedürfnis der Dotal- und Mündel-
forderungen gedient zu haben. Das Bestreben, diese Forderungen zu
schützen, aber trotzdem den Schuldner — den Ehemann, den Pächter der
Mündelgüter — nicht zu sehr zu belasten, rief demnach der hypothekarischen
Verpfändung. Der Verkehr hingegen hielt sich immer noch an die dem
Gläubiger günstigere πρᾶσις ἐπὶ λύσει; vergl. Hitzig S. 1 f., S. 7 f., S. 38 N. 1;
Beauchet, Histoire du droit privé de la république athénienne Paris 1897;
ferner Hitzig in Zeitschrift für Rechtsgeschichte Band XVIII 146 f. —
Ähnliches wäre zu sagen über die Entwicklung der Hypothek in Ägypten,
wo auch zuerst das von der Frau in die Ehe Gebrachte auf diese Weise
gesichert wird; Révillout 192.

[2]) Hölder in der Münch. Krit. Viert.-Jahrsschrift N. F. VI S. 522 f.

[3]) Dernburg, Pfandrecht I S. 26 f.

Neuerung ist indessen einleuchtend. Sie musste denn auch dem
zivilen Recht gegenüber eine vorbildliche Bedeutung erlangen.
Die Exekution, welche der Staat für seine Forderungen zur
Anwendung brachte, musste auch für das private Verkehrsrecht
der Auffassung zum Durchbruch verhelfen: Pecuniae creditae
bona debitoris, non corpus obnoxium esse. Die Vermögenshaftung gelangt zu selbständiger Bedeutung[1]).

In derselben Richtung bewegte sich der Einfluss der sogenannten legis actio per pignoris capionem. Hier ist der
sächliche Charakter der Vermögenshaftung zu Gunsten der
Publikanen und einiger durch Gesetz oder Herkommen bestimmten Forderungen in einer Art und Weise ausgebildet, die
den allgemeinen Grundsätzen des ius civile durchaus wider-
sprach. Durch das eigene Handeln des Gläubigers wurde auf
Grund der Vermögenshaftung unmittelbar eine engere, faustpfandliche Sachhaftung hergestellt[2]). Es ist überaus bezeichnend
für das ältere römische Recht, dass die Geschichte des pignus
in dieser singulären Art und Weise einsetzt[3]). Aber die zivilrechtlichen Auffassungen konnten durch dies ärarische und
sakrale Recht nicht unbeeinflusst bleiben. Das genommene
Pfand erheischte auch eine pfandmässige Behandlung. Aber
auch zur hypothekarrechtlichen Entwicklung führen von hier
Brücken herüber, nachdem die starre Personalhaftung gebrochen
schien. Denn was bedeutet das pignus oppositum ursprünglich
anderes als die Einräumung einer Pfändungsbefugnis[4])? So ist
denn wohl dem alten gesetzlichen Pfändungsrecht ein mehr

---

[1]) So die herrschende Meinung, Rudorff, röm. Rechtsgeschichte II
§ 93 S. 308; Keller, Zivilprozess § 82 S. 430; Rivier, cautio praedibus
praediisque § 32 No. 67; Bethmann-Hollweg II S. 670; Rudorff, Z. f. R.-G.
VIII S. 81 f.; Dernburg, emptio bonorum 25 f.; Fuchta, Institutionen II
§ 179 N. y. f.; Kniep, societas publicanorum S. 213; Mommsen, römisches
Staatsrecht II S. 551; Heyrovski, rechtliche Grundlage der leges contractus
S. 105; Voigt, Geschichte des römischen Exekutionsrechtes S. 106 f.; a. M.
Münderloh, Z. f. R.-G. XII 206; Karlowa, Zivilprozess 179; Pernice, Labeo
I 353 f.

[2]) Weshalb die Vermögenshaftung gelegentlich geradezu als Hypothek
aufgefasst wird; s. B. von Mathias, römische Grundsteuer und Vectigalrecht.

[3]) Vergl. Oertmann, fiducia S. 130.

[4]) Rudorff, Z. f. R.-W. XIII 181 f.; Herzen S. 38 f.; Voigt, Rechtsgeschichte II § 110 und pignus § 252; vergl. jedoch Dernburg I S. 50 f.

oder weniger weitreichender, fördernder Einfluss auf die spätere Pfandrechtsentwicklung zuzuschreiben [1]).

Sicherer lässt sich der Einfluss des publizistischen Rechtes auf die Hypothekarrechtsentwicklung von einer anderen Seite her nachweisen. Die Sicherstellung der Forderungen des Ärars geschah durch die cautio praedibus praediisque. Wir wissen, wie mühsam das römische Privatrecht zur Konzipierung des Hypothekenbegriffes gelangte. Hier aber in der cautio praediis fand es dieselbe vor. Roms erste Hypothek dient der Sicherung der Staatsforderungen. Kam es dabei zur Realisierung, so geschah sie gleichzeitig mit der Exekution gegen die praedes und im Zusammenhang mit ihr. Die Sachhaftung wurde also in derselben Weise und mit derselben Energie realisiert wie die persönliche Haftung. Die verpfändeten Güter wurden verkauft. Der Gedanke der hypothekarischen Haftung ist also verknüpft mit der vollen Anerkennung eines Realisierungsrechtes, mit der als konsequent und natürlich erscheinenden Möglichkeit der Verwertung durch Verkauf. Diese Erscheinung konnte nicht ohne Einfluss bleiben auf das Privatrecht [2]), wo er sich gerade im Realisierungsrechte geltend machen musste. Aber noch ein mehreres ist möglich. Es ist wahrscheinlich, dass das ärarische Pfaudrecht ein generelles war [3]). Dann ist doch wohl anzunehmen, dass das gesetzliche Generalpfandrecht des Fiskus (fr. de iure fisci § 5) zwar nicht vom Ärar übernommen wurde [4]), welche Annahme sich allerdings

---

[1]) Wir dürfen uns freilich nicht verhehlen, dass die Nachrichten über die legis actio p. p. c. spärlich sind und wir uns fast ganz auf dem Boden des Hypothetischen bewegen; vergl. jedoch Bachofen, Pfandrecht S. 4; Puchta, Institutionen § 248 S. 248; Herzen S. 56; abw. Dernburg 47 f. Dagegen wieder die Ansicht, dass das private Faustpfandrecht eine Nachbildung der staatsrechtlichen pignoris capio oder wenigstens auf demselben Boden erwachsen sei: Pernice, Z. f. R.-G. V 134.

[2]) Dernburg I S. 41; Bachofen S. 231; Mommsen, Stadtrechte S. 469; Heyrovsky 106; Münderloh, Z. f. R.-G. XII, 335.

[3]) Vergl. insb. lex Mal. c. 64; Bachofen a. a. O; Heyrovsky S. 43 N. 1; Münderloh S. 326; Karlowa, Zivilprozess cit.; röm. Rechtsgeschichte II S. 47 f.

[4]) So bekanntlich Bachofen.

verbietet, aber doch in Nachahmung jenes Beispiels in das Privatrecht aufgenommen worden ist[1]).

Wie wir sehen, wird also in bedeutungsvoller Weise die durch Einfachheit und Zweckmässigkeit sich vielfach auszeichnende Behandlung der ärarischen Forderungen allmählich vom Privatrecht übernommen und auch hier als ius commune anerkannt. Es fehlt aber auch innerhalb des Privatrechtes nicht an analogen Entwicklungsgängen. Es mag genügen, an den für unsere Zusammenhänge nächstliegenden Fall zu erinnern. Das interdictum Salvianum und die actio Serviana sind ursprünglich nicht gemeines Recht. Die Hypothek findet im prätorischen Rechte zunächst nur Anerkennung zu Gunsten einzelner bestimmter Forderungen, die man eines wirksamen Schutzes für würdig hielt und die in ihrer Eigenart selbst gerade auf eine solche Garantierungsart hinwiesen, zu Gunsten der Forderungen aus Pacht und Miete[2]).

Unter Nachahmung der Behandlung der Staatsforderungen durch den Aerar und an den Stützen des singulären Rechtes, der zivilen Forderungsprivilegierung rankt sich demnach das Hypothekarrecht empor. Die Forderungsprivilegierung aber erwies sich hier als von rechtsschaffender Kraft. Ihre Mittel sind hier nicht konservierend, dem alten Recht, das allmählich durch ein neues verdrängt wird, eine letzte Zufluchtsstätte gewährend, sondern sie sind vorgreifend, vorgeschobene Posten, die — möglicherweise — den Gang der Entwicklung, die das gemeine Recht nehmen wird, markieren.

Möglicherweise! Denn welche Bedeutung ein neu auftauchendes Mittel singulären Rechtsschutzes erhalten wird, ist regelmässig zunächst garnicht abzusehen. Dafür fehlt jeglicher Massstab. Noch viel weniger aber lässt sich aprio-

---

[1]) Ausführlich legt Kniep societas publicanorum I 1896, S. 218 f., die gegenteilige Auffassung dar. Freilich müssen wir gestehen, dass wir uns nicht von derselben überzeugen lassen konnten

[2]) Über das Faustpfandelement, das dieser Hypothek noch eignet einerseits, über die qualifizierte Schutzbedürftigkeit der genannten Forderungen andererseits vergl. u. a. Herzen 103, 163; Huschke, Studien des röm. Rechtes 1830 S. 343 f.; Keller, in Richters kritischem Jahrbuch XI S. 977; Puchta I § 57; Voigt, pignus 282; Kuntze, zur Geschichte des römischen Pfandrechts II 20 f.; Voigt, röm. Rechtsgeschichte I § 65 S. 740 f.; ders. in Handbuch der klassischen Altertumswissenschaft IV, 2 § 17.

ristisch bestimmen, dass für den Fall einer allgemeinen Durchdringung des gemeinen Rechtes mit dem neuen, zuerst nur den
Zwecken der Privilegierung dienenden Grundsatz, ein Fortschritt gemacht, ein positiver Gewinn erreicht sein müsse. Das
sind lediglich Fragen des Erfolges, Fragen, die nur die
Geschichte löst. So musste die oben genannte pignoris capio
im Rahmen des altrömischen Rechtes als eine kümmerliche,
entwicklungsunfähige Einrichtung erscheinen. Jetzt darf man
in ihr den Ausgangspunkt der Geschichte grosser haftungsrechtlicher Ideen erblicken.

Es fehlt nun nicht an Mitteln der Forderungsprivilegierung,
die insofern der eben besprochenen Kategorie angehören, als
sie sich in Bahnen bewegen, die im allgemeinen dem ius commune gegenüber als neue zu bezeichnen sind, die aber doch
dadurch von den bisher genannten abweichen, dass sie regelmässig bei Ausdehnung ihres Geltungsbereiches sich nicht als
für die Gesamtentwickelung förderlich, sondern im Gegenteil,
je mehr sie sich ausdehnen, als hemmend und schädlich erweisen. Als derartige Mittel stellen sich bei historischer Betrachtung die Privilegien im französisch-rechtlichen Sinn dieses
Wortes dar, die Vorzugsrechte. Die bisher genannten Be-
günstigungsmittel betreffen sämtlich die Position einzelner Gläubiger
dem Schuldner gegenüber. Die Vorzugsrechte hingegen sollen
die durch sie bedachten Gläubiger gegenüber anderen
Gläubigern desselben Schuldners in eine bevorzugte
Rechtslage versetzen[1]. Die privilegierten Gläubiger erhalten
nämlich vom Gesetz einen Anspruch auf vorzugsweise Befriedigung aus dem in einem öffentlichen Exekutionsverfahren
erzielten Erlöse.

Die Erteilung derartiger Vorzugsrechte erfolgt aus den
nämlichen Erwägungen heraus, wie überhaupt die Forderungsprivilegierung. Für sie massgebend ist die verschiedene
juristische, ethische und ökonomische Bewertung der einzelnen
Forderungen. Ein Unterschied drängt sich indessen doch auf.

---

[1] Vielfach liegt auch der Legalhypothek diese Aufgabe hauptsächlich
ob, wie hier vorläufig nur angedeutet sein mag, um es gerechtfertigt erscheinen zu lassen, wenn wir im Text nur von Vorzugsrechten reden, obschon
das Gesagte auch für die gesetzlichen Pfandrechte gelten soll; vergl. Knorr,
Natur und Funktion der Vorzugsrechte 1891, insb. § 5.

Eine Privilegierung in Richtung nur gegen den Schuldner wird ihre Rechtfertigung in den Eigentümlichkeiten der Forderungen selbst finden müssen. Die juristische Eigenart desselben mag beispielsweise in zwingender Weise die Gestattung des Privatpfändungsrechts erheischen. Wirtschaftliche und sittliche Erwägungen mögen Personalexekution oder beschleunigtes Verfahren in ganz bestimmten Fällen durchaus nötig oder doch wünschenswert erscheinen lassen. Jedesmal aber liegt der Grund der Begünstigung in der Eigentümlichkeit der betreffenden Forderung schlechthin. Die Behandlungsweise ist eine absolute in dem Sinne, dass der besondere Schutz, der ja nur gegen den Schuldner gegeben sein soll, sich nicht aus einer vergleichsmässigen Bewertung der Forderung in Hinsicht auf die andern Forderungen des nämlichen Schuldners, sondern aus dem eigenen inneren Wert der betreffenden Forderung selbst wird ableiten lassen. Ganz anders bei den Vorzugsrechten. Der Massstab ist ein relativer. Die Erteilung des Vorzugsrechtes und die Lozierung des Bevorrechteten bestimmt sich nach der Bedeutung, dem Wert der einen Forderung zu demjenigen der andern.

Diese Relativität bedingt nun von vornherein eine merkwürdige Expansionskraft des Prinzips der Bevorrechtung. Alle Forderungen treten zueinander in Relation. Warum sollten sie nicht alle bewertet und danach einrangiert werden? Prima facie mag dies sogar als ein Postulat sittlicher Rechtsordnung erscheinen. In der Tat fehlt es denn unserer Rechtsgeschichte nicht an Perioden, in welchen diese Tendenz in annähernd vollständiger Weise gesiegt hatte. Die Privilegierung lag dann nicht mehr in der Bevorrechtigung als solcher. Diese betraf zum mindesten den Grossteil der Forderungen, sodass man wohl von einem gemeinrechtlichen Prinzip reden kann. Die Privilegierung bestand vielmehr nur noch in der speziellen Lozierung. Aber während die früher genannten Privilegierungsmittel als ius commune geeignet waren, die Lage der Gläubiger in ihrer Gesamtheit und direkt oder indirekt auch diejenige der Schuldner zu erleichtern resp. zu begünstigen, führte die zum System gewordene Erteilung von Vorzugsrechten zu Krediterschwerungen und -Schädigungen und zu allseitigen Benachteiligungen. Das wurde bereits angedeutet und braucht hier nicht weiter ausgeführt zu werden.

Nach einer anderen Richtung hingegen bedarf das eben
Gesagte noch der Ergänzung. Gewiss liegt es in der Natur
dieser Privilegierung, dass ein Vorzugsrecht gern weitere nach
sich zieht. Nichts desto weniger sehen wir, das diese Privilegierung in den verschiedenen Zeiten in ganz verschiedenem
Masse statthat. M. a. W., auf die Tendenz erweiterter Anerkennung, wie sie unserem Bevorrechtungsprinzip eigen ist,
reagiert das Haftungsrecht — denn um Fragen der Haftung,
ihrer Intensität und ihrer Realisierung handelt es sich hier —
überaus verschieden, welche Verschiedenheit sich offenbar durch
die allgemeine grundsätzliche Ausgestaltung dieses
Haftungsrechtes selbst bestimmt. Mitten hinein in
die Zusammenhänge dieses letzteren stellt sich unser Privilegierungsmittel. Und daraus ergiebt sich das Abhängigkeitsverhältnis. Nicht nur der Umfang der Anerkennung, sondern
auch die grundsätzliche Bedeutung und das Wesen der Vorzugsrechte wird durch die Eigenart des materiellen und formellen
Obligations- und Exekutionsrechtes, auf dessen Boden sie erwachsen sind, bestimmt.

In diesem Sinne war die prätorische Konkursordnung die
breiteste Grundlage zur Verstattung von persönlichen Vorzugsrechten. Der starre Grundsatz der par condicio omnium creditorum
musste notwendigerweise andern, den Bedürfnissen des Lebens
angemesseneren Vorstellungen rufen. So finden wir denn in der
Tat schon zur Zeit der ausgehenden Republik eine ganze Anzahl
von privilegia exigendi anerkannt. — Nach Aufkommen der
Hypothek mussten diese Privilegien teilweise zu Legalhypotheken
werden. Der Bildung der ersten gesetzlichen Pfandrechte
leisteten freilich tatsächliche Umstände Vorschub. Sie entstanden
aus der Übung des Lebens heraus. Die Bedeutung derselben
ist deshalb zunächst nur eine prozessuale. Der Gläubiger hat
sein Pfandrecht nicht zu beweisen, da präsumiert wird, es
sei — wenigstens tacite — kontrahiert worden[1]. Es kommt
dazu, dass das Recht eine Realisierung der Pfandhaftung noch
nicht vorsieht. Um das Verkaufsrecht zu erwerben, bedarf es

---

[1] Vergl. Scheurl, Krit. Viert.-Jahrssch. II 482. Zu weit gehend jedoch
Bachofen S. 272, vgl. Dernburg I 292 f.

einer besonderen Beredung. Dank der Unfertigkeit des Hypothekarrechts sind die beiden gesetzlichen Pfandrechte zunächst nur gesetzliche Pfändungsrechte und durch solche verstärkte Retentionsrechte. — Anders liegen die Verhältnisse in Hinsicht auf die späteren, inbesondere die generellen Legalhypotheken. Der Wert der privilegia war durch die Anerkennung der Hypothek herabgemindert und war es doppelt, da diese Hypothek formlos begründet wurde. Die Schutzbedürftigkeit gewisser Forderungen kann aber nur grösser geworden sein. Begreiflich also das Bestreben, das ihnen zur Seite stehende Privilegium zum Pfandrecht zu erheben. Und diesem Bestreben kam die Gestaltung, die das Hypothekarrecht genommen, auf halbem Wege entgegen. Da wurden vor allem die Generalpfandrechte zugelassen. Überall da, wo eine direkte Beziehung der Forderung zu bestimmten Objekten des schuldnerischen Vermögens fehlte und wo die Forderung in Hinsicht auf die Person des Berechtigten eines qualifizierten Schutzes wert erschien, erwies sich gerade diese hypothekarische Haftung des ganzen Vermögens als zu den Zwecken dieses Schutzes ausgezeichnet geeignet. Dazu tritt die Formlosigkeit der Pfandrechtsbegründung. Mit Leichtigkeit konnte eine Legalhypothek eingeräumt werden. Dadurch wurde keine Formvorschrift des gemeinen Rechtes verletzt, es musste die Existenz des Privilegs nicht an eine Formerfüllung geknüpft werden. Es ist überaus charakteristisch, dass derselbe Kaiser, der die Frau nachdrücklich zu schützen bemüht ist, ihr verbietet, zur Sicherung ihrer Dotalforderungen vom Ehemann Bürgschaften zu verlangen. Hier bedurfte es der Formen der ausdrücklichen Beredungen, und dies mochte in Hinsicht auf das Verhältnis, in dem sich die betreffenden Personen gegenüber standen, unerwünscht erscheinen. Auf dem Gebiet des Pfandrechts hingegen vermag das Gesetz ohne weitergehende Durchbrechung gemeiner Grundsätze dem Schutzeswürdigen und -bedürftigen ein Recht einzuräumen, das sonst nur durch ausdrückliche vertragliche Einräumung entsteht. Das ist die Bedeutung der Legalhypothek in Rom. — Aber gerade die mit dem Gesagten bereits genannten Mängel mussten noch einer neuen Form des Vorzugsrechtes rufen. Angesichts der Unsicherheit, die mangels der Publizität herrschen musste, erschien eine unterschiedliche Behandlung der Hypothekare nach andern

als pfandrechtlichen, nämlich nach Billigkeitserwägungen, gerechtfertigt. Das Fehlen energischer Sachhaftungsvorstellungen und
die formalen Schwächen des römischen Pfandrechts hatte die
Ausbildung der Pfandprivilegien zur Folge.

Freilich, wenn wir dergestalt wahrnehmen, dass die Geschichte der Vorzugsrechte in engstem Abhängigkeitsverhältnis
steht zur Geschichte des Haftungsrechtes überhaupt, so muss
sogleich auch darauf hingewiesen werden, dass das Ein-
wirkungsverhältnis kein einseitiges ist. Nicht nur hängen
die Vorzugsrechte in ihrer Ausgestaltung von dem zu Grunde
liegenden gemeinen Rechte ab, sondern sie selbst sind wiederum
im stande, dies gemeine Recht, das Haftungsrecht, zu alterieren.
Darüber unten im Abschnitt über die Privilegien. An dieser
Stelle gilt es, die bisher gewonnenen Resultate für das französische Recht zu verwerten.

Wir gingen aus von der Betrachtung der konser-
vierenden Privilegien und haben solche bereits auch für
das französische Recht namhaft gemacht[1]). Dann wiesen wir
hin auf die vorgreifenden, die Rechtsentwicklung in fort-
schrittlichem Sinne beeinflussenden Privilegien. Es fehlt nun
auch nicht an solchen in den mittelalterlich-französischen Rechtsquellen. Nach ihnen ist die Haftung grundsätzlich eine vertragliche und dieser grundsätzlichen Auffassung entspricht der
Formalismus der Haftungsbegründung. Die Arbeit von Jahrhunderten ist auf die Überwindung des Vertraglichkeitsprinzipes
und die Anerkennung einer gesetzlichen Vermögenshaftung
gerichtet. Auf diese Entwicklung kann es nicht ohne
fördernden Einfluss gewesen sein, wenn das Mittelalter vereinzelt gesetzliche Obligationen kannte. Hier sah
man eine Haftung ohne Haftungsberedung und
Haftungsklausel, auf engem Gebiet vorweg genommen was
ius commune werden sollte. Der Aufzählung dieser Verhältnisse
schickt Beaumanoir den Satz voraus, das rechtlich Eigentümliche scharf charakterisierend: Aucunes choses sont obligies d'eles meismes tout sans convenances"[2]). Von selbst und

---

[1]) S. oben S. 241.
[2]) 1018.

ohne vertragliche Einräumung sind zuweilen Sachen obligiert. So die Illaten des Mieters zu Gunsten des Vermieters.

Sie comme se je loue ma meson, soit en fief on en eritage vilain, et cil a qui je l'ai louee a de ses biens portés en ladite meson etc. — — Et par ce puet l'en veoir que choses sont bien obligiees sans convenance[1]).

Ebenso haften d'eles meismes die Früchte des verpachteten Gutes zu Gunsten des Verpächters.

Encore autres cas pueent bien estre choses obligies sans convenance: si comme se je baille ma terre a ferme ou a louage et cil qui a moi la prist i a mis son labeur je ne li lerai pas lever les issues, s'il me plest, devant qui'l m'avra fet seurté de rendre moi ce qu'il m'en doit, tout ne m'eust il pas convenant au marchié fere qu'il m'en fist seurté, car li labeurs et l'amendemens que l'en met scur le lieu fet la seurté par coustume vers celi qui baille sa terre, mes par pleges ou par gages soufisans doivent estre li bien delivré a celi qui fist le marchié[2]).“

Die Früchte haften von Rechtswegen, und der Verpächter kann sie auf dem Gute zurückhalten, bis der Pächter durch eine vertragliche Obligation (seiner selbst oder eines Dritten: pleges oder einer Sache: gages) Sicherheit geboten hat. Es ist gleichgiltig, ob bei Abschluss des Pachtvertrages eine derartige Seurté vorgesehen war. Auf alle Fälle haften so lange die Erträgnisse; sie haften par coutume.

In innigem Zusammenhang zu der obigen Stelle steht folgende Aussage Beaumanoirs:

Se aucuns prent ma terre a ferme ou a louage et il i met son labeur et ne met puist fere pleges ne baillier gages, pour ce ne perdra il pas son marchié, s'il ne m'ot convent a fere pieges; mes s'il le m'eut en convent et il ne le fet, metre le puis hors du marchié. Et s'il ne le m'ot convent, les issues doivent estre mises en sauve main en tele maniere que je premierement prengne ce qui m'est deu par la reson du marchié et il prengne le remanant; et s'il u'i a pas assés par

---

[1]) l. c. Nochmals wird also diese Durchbrechung eines allgemeinen Rechtsgrundsatzes in aller Schärfe hervorgehoben; vergl. folgende Note.
[2]) 1019.

tout pour moi paier, je dois prendre ce qui i est et lui oster
du marchié pour la defaute du paiement dusques a tant qu'il
m'ait rendue la defaute et fet seurté du marchié tenir. Et s'il
veut jouir du marchié et tenir, bien se gart qu'il me rende la
defaute du paiement et m'offre la seurté avant que je lieve l'autre
despeuille en ma main pour sa défaute, car je ne seroie plus
tenus a lui tenir la marchié pour sa defaute[1])."

Infolge der gesetzlichen Haftung der Erträgnisse wurden
offenbar häufig Pachtverträge abgeschlossen ohne jede weitere
Sicherheitsbestellung, ja ohne Zusage einer zu errichtenden
persönlichen Haftung. Der Pächter braucht also auf das Begehren nach einer solchen nicht einzugehen. Der Grundherr
hat sich vielmehr einfach an die Früchte zu halten. Reichen
diese nicht aus, so kann er den Vertrag lösen und den Schuldner
ausweisen, es sei denn, dieser leiste Ersatz und bestelle
genügende Sicherheit. Das nämliche Recht der Ausweisung
hat der Grundherr, wenn ihm eine seurté zugesagt war und sie
wird nicht geleistet. Das Versprechen einer derartigen Sicherheit ist ein inhaltlicher Teil des Schuldvertrages. Eine
Haftung begründet es keineswegs. Dem Verpächter steht also
nur die Lösung des Pachtverhältnisses zu. Es ist interessant
zu sehen, wie genau dieses Verhältnis in nördlichen Quellen
noch im 16. Jahrhundert fortlebt. So bestimmen die Coutumes
de Sens von 1506[2]) und ebenso die Nouv. Coutumes von 1555:[3])

Qui prend maison ou terre à louage, ferme ou moison à
plusieurs années, il n'est tenu de pleger son marché, s'il
n'esté convenu. Mais s'il défaut de payer la première année,
après sommation sur ce faite, le Seigneur de l'heritage le
pourra mettre hors, s'il ne paye ladite année, et qu'il
pleige la subsequente, en garnissant et baillant sur ce
gages ou pleiges.

Vollständig rein ist das mittelalterliche Recht konserviert.
Die Übereinstimmung mit Beaumanoir ist beinahe eine wört-
liche! Der Pächter braucht, wenn nicht etwas anderes ausdrücklich ausbedungen war, nicht zu pleger, d. h. eine Haftung

---

[1]) 1021.
[2]) Art. 247.
[3]) Art. 251.

herzustellen. Doch riskiert er Ausweisung, wenn er in Verzug gerät. Dann kann er die Aufrechterhaltung des Schuldvertrages nur bewerkstelligen durch vollständige Nachlieferung und durch Sicherung der nächstfolgenden Zahlung.

Doch im allgemeinen ist im 16. Jahrhundert dieser Rechtszustand überwunden. Er führte zu merkwürdigen Weiterungen. Die drohende Ausweisung erinnert ihrer Wirkung nach an das Repressalienverfahren des alten Immobiliarexekutionsrechtes. Die riskante Umständlichkeit musste aber auch den Gedanken an eine mit Begründung des Pachtverhältnisses eintretende Haftung des schuldnerischen Vermögens nahelegen und die Brücke dazu war bereits geschlagen in der partiellen Haftung wie sie in der Obligation der Illaten und der Früchte zu erkennen ist. So ist, glaube ich, auch in diesen Verhältnissen ein, wenn auch nicht zu überschätzender, so doch anerkennungswerter Keim gegeben, der aus dem Eigenen heraus zur Überwindung der vertraglichen und formalistischen Haftungserrichtung führen musste [1]).

Der ihnen innewohnenden Ausdehnungstendenz nach reihen sich an die Privilegien der eben besprochenen Art die Vorzugsrechte an. Wir haben gesehen, dass diese im engsten Abhängigkeitsverhältnis zum ius commune stehen, das sie durchbrechen sollen. Das gilt nun auch für die mittelalterlichen Vorzugsrechte. Da das gemeine Recht, auf dem sie erstehen, in Deutschland und Frankreich einen parallelen Entwicklungsgang aufweist, ist von vorneherein wahrscheinlich, dass hier die Vorzugsrechte denselben Charakter aufweisen wie dort. Freilich begegnen wir gelegentlich sehr früh dem Hinweis auf die römischen Privilegien. Es wird beispielsweise die Rangordnung der Satzungsgläubiger festgesetzt [2]) oder das Liquidationsverfahren für den Fall einer Vorflucht geordnet [3]),

---

[1]) Über ein Vollstreckungsverfahren, das zuerst nur zugunsten privilegierter Forderungen anerkannt war, nachher aber allgemeines Recht wurde, vergl. die Darstellung der Entwicklung, wie sie die Betreibungsrechte der schweiz. Rechte vom 16. Jahrhundert ab genommen haben: v. Wyss in Zeitschrift cit., S. 31 f.

[2]) Montpellier 1205 art. XII

[3]) Montpellier 1204 art. 34.

den betreffenden, die Gläubigerrechte anlangenden Bestimmungen
aber einschränkend beigefügt: salvis privilegiis a lege indultis.
Aber notwendigerweise kann der Hinweis nur ein miss-
verständlicher und können die Privilegien nur scheinbar die
römischen sein. Denn wenn das schuldnerische Vermögen verwertet und verteilt wird, et nulla carta, nullum privilegium,
nullave facta securitas impetrata vel impetranda his debitis
aliquatenus prejudicare, und wenn sämtliche Gläubiger mit Einschluss der Satzungsgläubiger grundsätzlich „per rationem libre"
befriedigt werden, leuchtet ein, dass die Privilegien eine andere
Bedeutung haben als die römischen Vorzugsrechte[1]). Dies
gilt auch noch für jüngere Rechtsquellen, die auf das römische
Recht verweisen, um die Privilegien zu rechtfertigen. So
schreibt Bouteiller:

Par la loy escrite tous les biens de celuy qui doit aucune
chose, ou treu publique ou du Seigneur, par celle mesme
nature et condition sont obligez et vallent comme gage où
qu'ils soient.

Tous les biens de ceux qui doiuent à la bourse du
seigneur, c'est à dire les biens de ceux qui doiuent au seigneur,
dessous qui ils sont iusticiables, sont obligez comme gages et
se payent deuant toutes autres dettes et atteint ou celle dette
sur les gages des detteurs où qu'ils soient en la justice du
seigneur et par nature de loy y sont obligez[2]).

In gleicher Weise seien die Illaten des Mieters par la
nature de la loy escrite obliger. — Unschwer erkennt man das
von Beaumanoir ausdrücklich als coutumiär charakterisierte
Institut der obligation sans convenance wieder. Es ist ja einleuchtend, dass bei den Verschiedenheiten der Ausgestaltung
des Haftungsrechtes die Übernahme nur eine äusserliche sein
kann. Dies verraten denn auch die zitierten Stellen selbst. Es
wird betont, dass auf die Haftungsobjekte gegriffen werden
könne où qu'ils soient, wo immer sie zu finden seien. Hier
darf nun keineswegs eine gegen Dritte wirkende Mobiliarhypothek
angenommen werden. Die angeführte Wendung erhält vielmehr
ihre Beleuchtung durch die nachfolgende Beziehung auf die

[1]) Vergl. darüber noch unten S. 265.
[2]) Tit. CH, S. 587.

gages des detteurs. Bouteiller bringt einen echt deutschen
Grundsatz zum Ausdruck: Der Gläubiger kann die Sachen des
Schuldners überall, wo er sie findet, zu seiner Befriedigung an-
greifen[1]).

Aus diesem Grundsatz ergibt sich die Konsequenz, dass
der Gläubiger, der eine Sache des Schuldners besitzt, sich an
diese halten kann. Es ist ihm also, soweit der Wert des betreffenden Objektes reicht, leicht, zu seiner Befriedigung zu
gelangen. Diese tatsächlich günstigere Lage des Gläubigers,
der Sachen des Schuldners in Händen hat, wird vom Rechte
anerkannt und führt zur Gestattung eines Vorzugsrechtes[2]).
So ist es denn wiederum trotz des Verweises auf römische
Quellen[3]) deutsches Recht, das Bouteiller wiedergibt, wenn
er sagt:

Cil qui premier se trait à loy, ou à qui le gage fut
premier mis en main ou à qui il fut premier obligé celuy a le
plus de droict sur le gage[4]).

Der Gläubiger, der eine Sache des Schuldners im Besitz hat, geht den anderen Gläubigern vor. Diese Anschauung
verleiht einem Institut des mittelalterlichen Rechtes eine ganz
besondere Bedeutung: dem Privatpfändungsrecht. Es verleiht dem Gläubiger eine günstige Stellung dem Schuldner selbst
gegenüber. Es hat aber auch eine Bevorzugung den
anderen Gläubigern gegenüber zur Folge. Aber es mag Fälle
geben, wo das Privatpfändungsrecht ungeeignet erscheint. Dann
wissen die Rechte auf anderem Wege den annähernd nämlichen
Effekt zu erzielen. Es werden gewisse Forderungen exekutorisch
erklärt und die Vollstreckung soll eine beschleunigte sein. So
greifen diese Privilegierungsmittel ineinander. Es wird sich
denn auch kaum eine Forderung namhaft machen lassen, die
in der einen der angedeuteten Formen bevorzugt ist, ohne
es nicht auch noch in den anderen zu sein. Dass dabei
diese Mittel immerhin noch ihre Selbständigkeit behalten, dass
insbesondere das Vorzugsrecht seine auf eigene Rechtfertigung
gestützte, unabhängige Existenz hat, ist nicht zu verkennen.

[1]) v. Meibom, deutsches Pfandrecht S. 61, S. 448.
[2]) v. Meibom, l. c. 448 f.
[3]) Nämlich auf l. 2 C. qui pot. in pign. hab. VIII 17.
[4]) S. 590.

Zudem ist hervorzuheben, dass diesem Vorzugsrecht im Rahmen
des mittelalterlichen Rechtes eine durchaus eigenartige Bedeutung zukommt, die es ohne weiteres vom römischen Privilegium auf das schärfste trennt. Denn das deutsche Recht
kennt keinen Konkursprozess. Vielmehr verfolgt jeder
Gläubiger für sich allein seinen Anspruch im ordentlichen
Exekutionsverfahren. Dabei ist die Collision zweier oder
mehrerer Gläubiger möglich. Ein Vorzugsrecht bewirkt in einem
solchen Fall die Abweisung des einen Gläubigers zu Gunsten
des anderen. Das Obsiegen des privilegierten Kreditors ist aber
nur von relativer Bedeutung. Die Rechte dritter Gläubiger
werden dadurch nicht tangiert[1]).

Einige wenige Stellen mögen genügen, um das Gesagte
zu erhärten.

Der Gläubiger soll durch sofortige und beschleunigte
Exekution geschützt sein. Dies erscheint insbesondere gerechtfertigt zu Gunsten der Tagelöhner, Knechte, Ernteleute. Es
entspricht dies Billigkeitserwägungen[2]). Folgende Stelle beweist
dass in der Tat solche entscheidend waren.

Pluseurs detes pueent estre deues es queles il ne convient
point fere de commandement selonc la coustume general. — —
La seconde maniere si est quand l'en doit a manouvriers par
la reson de leur journees, car male chose seroit s'il convenoit
a ceus qui se doivent vivre de leur labeur a atendre le delai
du commandement. Donques, si tost comme li laboureres vient
au juge, il li doit fere paier sans delai par la prise du sieu
prende et vendre[3]).

Und zur raschen Exekution gesellt sich das Vorzugsrecht.

Item, si quis venerint ad vindemias et pro affanagio seu
mercede solvendis oporteat fieri executionem contra dominum
seu dominos qui eos conduxerunt seu conduci fecerunt, statim
fiet executio in primis vinis vindemiatis et apportatis per eosdem,
et isti solventur ante omnes creditores et omnem obligationem
praecedent[4]).

---

[1]) v. Meihom 445, 450.
[2]) v. Meihom S. 451.
[3]) Beaumanoir 697.
[4]) Bergerac a. 1322 art. 38.

17*

Aber andere Rechte räumen zu Gunsten des Lidlohnes
nicht nur eine beschleunigte Exekution ein, sondern gestatten
dem Gesinde und den Tagelöhnern die Privatpfändung. Wir
wissen, dass dergestalt mit verschiedenen Mitteln auf das nämliche Ziel losgesteuert wird.

De ceux qui peuvent prendre pour leur obligation sans
requerre Justice. Ceux peuvent prendre et nommayer de leur
volonté ou de leur autorité sur ceux qui leur seroient tenus et
obligez pour service, comme nous Dirons de ceux qui font
service par feur nommé, par terme ou par journée, quand la
ferme ou la journée est achevée, ils se peuvent faire poyer, et
prendre de leur authorité sur ceux à qui ils ont fait la besogne,
ou sur celuy qui la leur fist faire, et l'espletement en la Chastellenie .... comme autres gaiges, pour ce qu'ils fassent la
prinse le jour ou le lendemain de l'accomplissement de l'oeuvre
ou de la journée, et qui les empêcheroit, leur devroit amender,
comme d'écousse faite à Sergent au Seigneur[1]).

Dies Privatpfändungsrecht ist allgemein zu Gunsten des
Vermieters anerkannt. Der säumige Mieter, der sich der
Pfändung der Illaten widersetzte, machte sich bussfällig.

— — se je loue ma meson, soit en fief ou en eritage
vilain, et cil a qui je l'ai louee a de ses biens portés en ladite
meson et ne me paic pas mon louage, je puis prendre du sion
sans justice par coustume tant que je soio paiés de mon louage.
Et se cil a qui je louai ma meson me fet resconsse, contraindre
le puis a ce qu'il le m'ament[2]).

In gleicher Weise geniesst der Vermieter das Vorzugsrecht. Es stützt sich, wie wir gesehen, zunächst darauf, dass
„de hushere naghere to beholdende vor sine hure so wat he in
den weren vindet"[3]), stützt sich auf den Besitz. So bestimmt
auch der Grand Coutumier:

Debte deue à cause de louaige est tellement privilégiée
que sur les biens trouvés au louage, les arrérages d'iceluy sont
premièrement payés[4]).

----

[1]) Très auc. C. de Bretagne art. 329.
[2]) Beaumanoir 1018.
[3]) Hamburg. Recht 1292 C. V. u. a.; vergl. v. Meibom S. 449.
[4]) ch. 37 S. 351.

Aber auch wo der genannte Zusammenhang fehlt, kann der Vermieter ein Vorzugsrecht haben, so dass bei Kollision mit andern Gläubigern auch in Ansehung von schuldnerischen Vermögensobjekten, die nicht er zuerst gepfändet hat, die Forderung aus der Miete vorzugsweise zu befriedigen ist. So nicht nur in Bezug auf die Miete, sondern auch noch in anderer Anwendung:

Si aucun estois tenu à ung auitre pour louaige d'une maison, ou pour vente de vin vendu en gros sans jour et terme, il est assavoir que a ce sont debtes privil|égiées; mais si le creancier en prend obligation et donne terme, dès lors il se départ du privillége et faict sa debte commune et ordinaire, et telle qu'elle ne soit mie paiée avant aultres debtes[1]).

A le Roy pur execution de toutes ses dettes et de tout ce que deu luy est ..... que vente par autre en soit ou fust faicte ou en commencée à faire, si auroit le Roy la pay premier et auant toutes oeuvres deuaut autres dettes[2]).

Die dergestalt privilegierten Forderungen sollen vorzugsweise zur Befriedigung gelangen. Damit wird die gemeinrechtliche Ordnung der Gläubigerkollision durchbrochen. Diese Ordnung ruht bekanntlich nicht überall auf den nämlichen Grundlagen. Doch in weiten Rechtsgebieten liegt das über die Potiorität entscheidende Moment in der Priorität des Exekutionseintrittes. Auch die Satzung ordnet sich diesem prozessualen Gesichtspunkt unter. Infolge dieser einheitlichen Behandlung ist es nicht möglich, in Hinsicht auf die gesetzlichen Vorzugsrechte die nicht privilegierten Gläubiger verschieden zu stellen. Die privilegierten Gläubiger gehen im Kollisionsfall schlechtweg vor[3]).

Hingegen ist das privilegium doch nur einer gewöhnlichen obligatio generalis beigegeben, deren Realisierung nach mittelalterlichem Recht mit dem Angriff der Mobilien zu beginnen hat. Der Satzungsgläubiger jedoch kann sich sofort an die Liegenschaft halten. Aber noch mehr. So gut wie beschleunigte Exekution oder Privatpfändungsrecht, wird auch das

---

[1]) Grand coutumier S. 217.
[2]) Bouteiller lib. II tit. I, genannt wird ein Entscheid vom Jahre 1375.
[3]) Vergl. Anjou et Maine F 1095.

Vorzugsrecht des öfteren nur in Rücksicht auf bestimmte Vermögensobjekte zuerkannt, sei es, weil ein
faustpfandartiges tatsächliches Verhältnis die Zulassung der
gesetzlichen Obligation und ihre auszeichnungsweise Behandlung
erleichterte, sei es, weil die die Privilegierung veranlassenden
Billigkeitserwägungen in ihrer vermögensrechtlichen Richtung
nur in diesem beschränkten Sinne zutrafen. So ist es vielleicht
nur der Erlös aus den Illaten, oder den Früchten, oder der
Ernte [1]), dem gegenüber die betreffenden Gläubiger ihr Vorzugsrecht geltend machen können. So beziehen sich in der Tat die
früher namhaft gemachten Legalobligationen nur auf Mobilien.
So heisst es auch im Recht von Anjou in Bezug auf das Privileg
des Vermieters:

Le seigneur de la maison louée est preferé de son louages
sur les biens de son louagier estana en icelle avant touz autres [2]).

Diese Erscheinung ist um so bedeutungsvoller, als sie in
eigentümlicher Weise auch die Geschichte der priviléges im
neuern Recht durchzieht. Dies letztere weist also in dem einen
oder andern Punkt von vornherein auf das mittelalterliche
Recht zurück. Es zeichnet sich aber überhaupt durch seine
Eigenart aus und lässt dadurch auf eine mehr oder weniger
selbständige Entwicklung auf nationaler Basis schliessen. Darüber noch weiter unten.

Das Gesagte will aber nicht auch auf die Legalhypo-
theken zutreffen. Es gab keine mittelalterlichen gesetzliche
Satzungen, das ist auch ein Widerspruch in sich nicht nur dem
Wortlaute der Benennung, sondern auch der Sache nach. Die
Satzung bedarf der Tätigkeit der Parteien. Zunächst des
Schuldners, indem er die Obligation zusagt. Aber auch des
Gläubigers. Indem er sich die Satzung zusagen lässt, sorgt er
für einen Güterarrest, der ihm als Exekutionseröffnung ange-
rechnet wird. Wieder musste es dem Rechte völlig fern liegen,
in einem Fall, wo der Gläubiger nicht handelte, den genannten
Gesichtspunkt zur Geltung bringen zu wollen. Und doch war
es gerade das Vorzugsrecht, auf das es bei der Begünstigung

---

[1]) Oben S. 257.
[2]) Anjou et Maine L, 265.

bestimmter Forderungen oder ihrer Träger abgesehen war.
Bei der Erteilung dieses Vorzugsrechtes musste es also auch
in Hinsicht auf die Immobilien sein Bewenden haben, wenn
diese letztern überhaupt einbezogen wurden [1]. Abweichendes
Verhalten kommt immerhin, wie wir noch sehen werden, vor.
Doch sind es vereinzelte Erscheinungen, die die Regel nur bestätigen [2].

Wenn dann aber später die Legalhypotheken einen weiten
Raum einnehmen, hat man dies, gestützt auf die genannte Sachlage im Mittelalter, durchweg auf Rechnung des römischen
Rechts gesetzt. Hier soll dies letztere völlig gesiegt, hier seine
erobernde Kraft auch dem französischen Rechte gegenüber
gezeigt haben.

Aber es will uns bedünken, dass man mit dieser Auffassung dem historischen Prozess nicht ganz gerecht wird. Die
mittelalterlichen Ansätze zu einer Legalhypothek sind kümmer-
lich, sind dies auch, wo man das römische Recht kannte. Wohl
begreiflich: Es fehlten materielle Voraussetzungen zur breitern
Anerkennung des gesetzlichen Pfandrechts. Aber dem römischen
Recht und der romanistischen Doktrin kam auch zur Zeit der
zweiten Rezeptionsbewegung nicht die mitreissende Wucht zu,
das coutumiäre Recht der Praxis, da wo es eigenartig und
darum „haineux" [3] war, essentiell zu ändern. Die Praxis ging
ihre eigenen Wege. Sie war nicht ohne Widerstandskraft.
Wenn diese nun in dem Recht der Legalhypotheken nirgends
zum Ausdruck kommt, so liegt dies nicht an einer überwältigenden
Rezeptionsbewegung als solcher, sondern dies passive Verhalten
erklärt sich daraus, dass das in Frage stehende Institut des
römischen Rechtes in den Gesammtrahmen des einheimischen
Rechtes im Gegensatz zu früher, aufs beste hineinpasste. Das
französische Recht war so sehr ein anderes geworden, dass
die Legalhypotheken nunmehr ein ihm völlig adäquates Institut
bedeuteten. Ja, dies trifft noch in höherem Masse zu, als für
das justinianische Recht.

---

[1] Oben S. 261 und Anjou cit. F. 1095.

[2] Vergl. unten Legalhypothek der Frau, betr. das mittelalterlich-
deutsche Recht, Stobbe II 2, 149, 150.

[3] Was besagen will: von einer geradezu „gehässigen" Zähigkeit dem
römischen Recht gegenüber.

Zunächst scheint freilich der Begriff der Legalhypothek für das französische Recht kein anderer als für das römische zu sein. Das Pfandrecht wird zu Gunsten der durch ihre causa oder durch die Person des Gläubigers qualifiziert schutzbedürftigen Forderung unabhängig vom Willen des Eigentümers, unmittelbar durch das Gesetz geschaffen.

On apelle hypotéque tacite, celle qui s'aquiert par le seul benéfice de la Loi, et qui est établie par elle, sans qu'il soit besoin d'aucun consentement, ou d'une stipulation expresse des parties; ou autrement celle qui descend de la disposition et de la volonté de la Loi, sans le fait ou la convention des parties, acordée par une faveur et un privilége particulier, ou en consideration de la personne des créanciers, ou de la cause de la dette [1]).

Wenigstens in dem ersten Teil dieser Erklärung wird das Charakteristikum der Legalhypothek darin gesehen, dass es zu ihrer Begründung einer dahingehenden Beredung nicht bedürfe. So auch folgende Definition.

La loi seule, en certains cas, donne aussi une hypothèque au créancier sur les biens de son débiteur. On appelle cette hypothèque „tacite" parcequ'elle a son fondement dans la loi sans le secours d'aucune convention [2]).

Doch in diesem Sinn ist, wie wir bereits gesehen, selbst die sogenannte konventionelle Hypothek eine gesetzliche. M. a. W. in diesem Sinne gibt es überhaupt im ancien droit nur Legalhypotheken. Eine ausdrückliche Zusage von seite des Eigentümers gibt keine Hypothek, solange sie nur eine mündliche ist oder sich nur in einer Privaturkunde findet. Der notarielle Akt verschafft hingegen dem Gläubiger ein Generalpfandrecht unabhängig von jeder Stipulation. Wir wissen, dass die Autoren des ancien droit in diesem Falle selbst von einem gesetzlichen Pfandrecht sprechen. So bleibt, um zu einem engern Begriff der Legalhypothek zu gelangen, nur noch die Hervorkehrung des Privilegierungsmoments übrig.

Il y a des hipoteques qui viennent de la qualité de

---

[1]) Basnage 59.
[2]) Guyot, vo. Hypothèque S. 806 f.

l'engagement, pour lequel la Loi a voulu donner une hipoteque du jour qu'il a été formé [1]).

Es ist also eine besondere Gunst des Gesetzes, aus welcher heraus die Legalhypothek erwächst. Und diese Gunst besteht darin, dass das Recht mit dem Existentwerden der Forderung auch die pfandrechtliche Sicherheit entstehen lässt. In Zweck und Mittel sind also die römische und die französische Legalhypothek dasselbe Institut.

Aber wir haben schon wiederholt darauf hingewiesen, dass all die Vorzugsrechte ihrer ganzen dogmatischen Bedeutung nach von der Eigenart des gemeinen Rechts, das speziell sie durchbrechen, abhängig sind. Eine Betrachtungsweise, die diesen Umstand genügend berücksichtigt, wird denn auch zu der Erkenntnis führen, dass das Charakteristische an der Legalhypothek im römischen und im französischen Recht keineswegs in denselben Momenten liegt.

In Rom liegt in der Legalhypothek die Durchbrechung des Grundsatzes, demzufolge nur der Eigentümer seine Liegenschaften hypothekarisch belasten kann. Man muss sich dessen bewusst sein, dass ein derartiges Mittel der Privilegierung insbesondere im Rahmen eines Rechtes, das den Begriff des souveränen Eigentums in so schroffer Weise ausgebildet und anerkannt hat, nicht ohne Radikalismus ist. Es fehlte in der gemeinrechtlichen Doktrin nicht an Zweiflern, die nach der Berechtigung einer derartigen gesetzlichen Pfandbelastung von seiten des Staates gefragt haben. Bekanntlich vermeiden es aber auch die römischen Quellen, von Legalhypotheken zu sprechen. Als tacite kontrahierte werden diese vielmehr auf den Boden des Vertragspfandrechtes gestellt.

Von alle dem gilt so ziemlich das Gegenteil für das französische Recht. Hier ist jede Hypothek, die auf das gesammte Vermögen geht, eine gesetzliche. Wir haben bereits gesehen, dass es infolgedessen nicht an Stimmen fehlt, die einen noch engeren Legalhypothekenbegriff überhaupt abwiesen. — Indessen tritt grundsätzlich die hypothekarische Haftung des Vermögens von gesetzeswegen nur ein mit Erfüllung einer bestimmten Form. Dabei ist allerdings diese

---

[1]) d'Hericourt 229.

Form nur eine von den Bedürfnissen des Lebens aufgezwungene
Fessel. Den geltenden Haftungsgrundsätzen entspräche ein Anderes:
Entstehung der sächlichen Haftung in vollem Umfange unabhängig
von aller Form. Darin lag das dogmatische Ideal. Man suchte
es natürlicher- und notwendigerweise zu verwirklichen, wo es
anging, wo man also einigermassen Anhaltspunkte fand, um die
für den Formalismus geltend gemachten Zweckmässigkeitserwägungen durch andere zerstreuen zu können. Und in der
Tat konnte man dies auf dem Gebiet der Forderungsprivilegierung.
Dem traditionellen Formalismus, der die Verwirklichung des
Grundsatzes: qui s'oblige, oblige le sien nur erschwere, konnte
man die Interessen von besonders schutzbedürftigen Personen
entgegenhalten. Hier war also der Boden, auf welchem man
jene theoretisch ja nur zu verurteilenden Erschwerungen der Begründung einer hypothekarischen Vermögenshaftung überwinden
und damit einen Rechtszustand schaffen konnte, wie er im Grunde
genommen allein den obersten Haftungsgrundsätzen entsprach.

Auf dieser Grundlage musste man aber mit vollen
Segeln einem ausgedehnten Legalhypothekensystem ent-
gegenfahren. Aber diese Grundlage war ein Produkt
der einheimischen Rechtsentwickelung. Sie also war's,
nicht eine die Kausalreihen der ruhigen, steten coutumiären
Rechtsentwickelung durchbrechende Zauberkraft des römischen
Rechts, die der umfangreichsten Aufnahme der gesetzlichen
Immobiliarpfandrechte rief.

In diesem hier vertretenen Sinne sprechen denn auch
die Autoren des ancien droit von der, der Forderungsprivilegierung
dienenden [1]), Legalhypothek.

Il y a certaines hypothéques que la loi produit, abstraction
des actes. Das Recht verlange grundsätzlich eine bestimmte
Formerfüllung, exceptant le cas de l'hypothéque légale, dans
lequel la Loi fournit ou supplée à l'autenticité [2]).

Das Gesetz ersetzt also die Authentizität: Durch das Gesetz wird die Form überflüssig. Unsere Legalhypothek bedeutet
eine gesetzliche Dispensierung von einer Formerfüllung.

---

[1]) Von welcher im Fortgangs der Darstellung nunmehr allein die
Rede, soweit nichts anderes ausdrücklich bemerkt wird.
[2]) Bourjon tit. VI, chap. I, sed. 1 no. 2.

Es bedarf dieser letzteren nicht zur Herstellung der hypothekarischen Vermögenshaftung.

La loi seule, en certains cas, donne une hypothèque au créancier sur les biens du débiteur, quoique l'obligation du débiteur ne soit portée par aucun acte devant notaire, ni qu'il soit intervenu aucun jugement de condamnation contre lui. Cette hypothèque est appelée „tacite", parce que la loi seule la produit sans aucun titre[1]).

2. Die Aufnahme der gesetzlichen Immobiliar-pfandrechte: Die Legalhypotheken der Ehefrau.

Es ist bekannt, dass auch deutsche Rechte — beispiels, weise das lübische und schweizerische Recht — zur Anerkennung der Legalhypothek zu Gunsten der Frau gelangten, wo das eheliche Güterrecht nach einer derartigen gesetzlichen Sicherstellung verlangte.

Im französischen Recht machte sich dieses Bedürfnis vor allem im Süden geltend, in den Ländern des droit écrit. Als eheliches Güterrecht herrschte hier das Dotalsystem, freilich nicht ohne beachtenswerte germanische Einschläge.

Früh und intensiv macht sich hier das Bestreben geltend, die Dotalforderungen zu sichern. Die Coutumes anerkennen ein Vorzugsrecht der Frau auf die Mobilien des Mannes. Dies ist zuweilen die einzige Gunst des Gesetzes. So beispielsweise im Recht von Lyon. Es kann sich dann also weder um eine Legalhypothek noch um ein römisches Privilegium handeln. Das Vorzugsrecht ist vielmehr das deutsche: Drittgläubiger können die Fahrhabe nur unbeschadet der Rechte der Frau pfänden[2]). Anderwärts ist dies Vorzugsrecht aber aufgegangen in der Satzung.

In der Tat macht sich schon im 13 Jahrhundert überall das Bestreben geltend, diese seurté der Frau zu Gute kommen zu lassen. Man könnte geneigt sein, darin einen Einfluss des römischen Rechtes zu erblicken. Eine dahingehende Möglichkeit ist nicht zu leugnen. Das Folgende wird indessen doch wohl die Annahme gerechtfertigt erscheinen lassen, dass

---

[1]) Pothier, Traité de l'hypothèque S. 11. Ders. Introduction zu tit. 20 Coutume d' Orléans S. 747.

[2]) Mornacii observationes S. 896 f. Bouguier, Arrests S. 90, Henrys Oeuvres II S. 877.

auf dem in Frage stehenden Gebiet dieser Einfluss nicht stattgefunden habe. Eine gegenteilige Vermutung bestätigte übrigens
nur, was wir über das Eindringen des römischen Rechts und
seine alterierende Kraft gegenüber dem einheimischen Recht
gesagt haben. Der Berührung mit dem justinianischen Recht
käme bloss die Bedeutung einer Anregung zu, die dann die
Rechte in selbständigster Weise verwerteten.

So kennt das Recht von Bordeau[1]) eine eigentümliche
gesetzliche Obligation zu Gunsten der Frau. Für die Rück-
zahlung der dos haften die Güter des Mannes und wenn er
mit seinen Brüdern in Gemeinschaft lebt, auch die Güter
dieser letzteren.

Coustuma es en Bordalés que si molher a contreyt maridatge
am homme que aia plusieurs frayres en tems que lo matremoni
fo feit, aben los bents en comun que no tant solament los bens
deu marit, ans los bens deus autres frayres lo son obliguats
per son maridatge. Es de aquesta medissa costuma, la medissa
moler pot aver et demandar sobre los bens deus avant deyts
frayres son maridatge[2]).

Auf Grund dieser Obligation darf offenbar der Mann seine
Güter nicht veräussern. Ein solches Geschäft wäre nichtig.
Doch kann er zu einer solchen Veräusserung sich der Zustimmung der Frau vergewissern. Dann ist die Veräusserung
zulässig. Immerhin wirkt auch diese Beteiligung des Satzungsgläubigers, der Frau, nur insoweit, als die letztere dadurch
nicht gefährdet wird. Die Zustimmung wirkt als „Opposition",
wie wir dies früher schon gesehen. Infolgedessen kann die
Frau auch noch auf die veräusserten Liegenschaften greifen,
sie kann es aber nur noch subsidiär, nur noch, wenn die Dotal-

---

[1]) Dessen Coustumaz das germanische Mundium in aller Schärfe beibehalten haben. Zudem anerkennen sie als Grundsatz, dass Rechtsfälle,
die nach dem eigenen Recht sich nicht entscheiden lassen, nach verwandten
Coutumes zu behandeln sein, ev. aber nach der ratio naturalis und erst in
letzter Möglichkeit nach dem römischen Recht: Costumes es que si lo cas
qui s'aben no se pot jutgar segont Costuma, que no ny a punt d'aquet cas,
deu hom recorre à la costumas semblans; essi no ny a de samblans
costumas, deu hom recorre à rason naturam plus per medana de la
costuma; essi aguestas causas defalhen, hom deu recorre à Droy
Escrit. § 228.
[2]) § 56, vergl. § 195.

forderungen aus den beim Schuldner gebliebenen Gütern nicht
getilgt werden können. Nur in dieser Weise ist nämlich folgende
Bestimmung zu verstehen:

Costuma es que si lo marit ben de son bens, pausat que la
molher autroye et jura la venda, ya per so no sera que la
molber no pusca demandar son maridatge aux bens que seram
venduts; si doncas noy sobra tant deus bens autres deu marit,
que la molher se poguos pagar de son maridatge; et en aquet
cas no tornera pas aus bens que seram estats venduts[1]).

Nicht um eine Legalhypothek handelt es sich also zunächst,
sondern, wie nach dem Stande der Rechtsentwickelung nicht
anders möglich, um eine gesetzliche deutschrechtliche Obligation.
Aber noch mehr. Das Privilegierungsbestreben stösst auf lokale
Eigentümlichkeiten des Haftungsrechtes und aus der Berührung
entsteht ein merkwürdiges, neues Rechtsinstitut: Es ist interessant,
dass die Geschichte der Legalhypothek in Frankreich anhebt
mit der Ausbildung eines „Satzungs-titels".

Wir haben bereits das Recht der Fors de Béarn besprochen Wir wissen, dass nach demselben die Immobiliar-
obligation eine gerichtliche Assignation bedeutet. Um nun eine
solche zu erlangen, muss die Frau nur ihre Dotalforderungen vor
Gericht in irgend welcher Weise glaubhaft machen, worauf das Gericht die Assignation zu erteilen hat. La dite some per son dot,
lo assignetz, — et la quoau assignation per vos fasedore etc.
Die Zustimmung des Mannes zu dieser Belastung seiner Güter
wird aber nicht eingeholt, nirgends überhaupt vorausgesetzt.
Die Frau hat also einen auf die Assignation gehenden Titel. —
Diese Regelung findet sich notwendigerweise auch in den
Coutumes von Toulouse. Denn auch hier entsteht die Obligation,
das poderagium, nur durch Bannlegung. Bei feudal abhängigen
Liegenschaften kann diese der Seigneur derselben vornehmen,
wenn der Gläubiger unter Zustimmung des Schuldners eine
derartige Sicherheit anstrebt. Der Grundherr kann sie aber
auch zur Sicherung seiner eigenen Ansprüche wünschen. Dann
kann er „propria auctoritate" das poderagium errichten. Einer
Zustimmung von seiten des Schuldners bedarf es nicht.

---

[1]) § 113. Die Realisierung der Haftung geschieht durch gerichtlichen Verkauf. Vergl. § 195.

Est usus sive consuetudo Tholose quod quilibet dominus feudi sive feudorum potest et est sibi licitum propria auctoritate accipere poderagium seu poderagia, et dare sibi ipsi et primariam pre aliis infeudo suo seu feudis pro debitis et aliis in quibus est sibi feudotarius obligatus, quod obtinet roboris firmitatem, nisi Rex sit de creditoribus [1]).

Einen Titel zum poderagium hat nun auch die Frau. Es wird versichert, dass dies Recht uralt und eine Erinnerung an einen andern Zustand nicht mehr vorhanden sei. Die Frau wendet sich an den Rat der Stadt oder an den königlichen Vikarius. Von diesen · ist der Mann zu befragen — offenbar über die Höhe der Dos und über die eventuell ausschliesslich zu belastenden einzelnen Vermögensobjekte. Daraufhin erteilt der Stadtrat oder der Vikarius das „assignamentum", wie diese Legalobligation mit Vorliebe genannt wird. Stellen sich dem Anhören des Gatten Schwierigkeiten entgegen, so wird die Obligation rechtsgültig auch ohne diese Vernehmung erteilt [2]).

Es war wohl Sitte, dass die Frau bei Eingehung der Ehe in dieser Weise sich eine Gewähr für Rückerstattung der Dos geben liess. Dergestalt mag sich folgende Bestimmung erklären lassen: art. 110 bestimmt, dass die Satzungsgläubiger den Chirographgläubigern im Range vorgehen [3]) und fährt dann fort: Tamen uxores preferuntur in bonis mariti tantum pro dotibus suis, et dotalitiis et necessariis, vel pro debitis in quibus sunt una cum marito obligate, non obstantibus poderagiis supradictis si illa data sunt constante matrimonio.

Für all die genannten Ansprüche rangiert also die Ehefrau nicht von der durch Consules oder Landvogt erteilten Konzedierung der assignamenta, sondern vom Tage des Eheschlusses. Die in der Lebensübung wohl häufig vorhandene tatsächliche Übereinstimmung des Datums der Obligationskonzedierung und des Eheschlusses mag zu dieser Regelung geführt haben. Sie führte allerdings in ihrem Erfolge zu einer merkwürdigen Privilegierung der Frau gegenüber den Poderagiagläubigern.

Trotz dieser Privilegierung wird man zögern, in diesem Sicherungsrechte der Frau eine Entlehnung aus dem justini-

---

[1]) Coutume de Toulouse 142, vergl. oben S. 159.
[2]) Vergl. oben S. 161.
[3]) Oben S. 159/60.

anischen Rechte zu erblicken. Das römische Recht wurde bereits
in Toulouse gelehrt. Aber die Praxis hielt sich, wo sie
überhaupt auf römisch-rechtliche Anschauungen zurückging,
immer noch an das ältere, das theodosianische Recht. In
Toulouse sind die Dotalgrundstücke bei der Zustimmung der
Frau veräusserlich. Und was diese assignamenta anlangt, so
tragen sie einen so eigentümlichen und der Coutume angepassten
Charakter, dass man wohl der Versicherung glauben mag, es
handle sich um altes einheimisches Recht. Der beste Beweis
dafür liegt in dem Umstand, dass man das ganze Institut nur
in der konkreten Ausgestaltung erfasste, die es eben in Hinsicht
auf die Frauenforderungen erhalten hatte. Hier wurzelte es.
Daher die Unmöglichkeit einer freien legislativpolitischen Hand-
habung, die nicht gefehlt haben könnte, wenn diese Assignationen
zu Gunsten der Frau aus einer Berührung mit dem Rechte
Justinians entsprungen wären[1]).

Freilich, dass auf dieser Grundlage das römische Recht
eine widerspruchslose Aufnahme fand, erscheint überaus natürlich
und begreiflich. So bleiben gerade die Coutumes von Toulouse
offiziell in Geltung bis zur Revolution. Aber schon längst war
aus dem poderagium eine Hypothek und aus der assignation
zu Gunsten der Frau die Legalhypothek geworden und zwar

---

[1]) Es hatte nämlich das Vormundschaftsrecht, das bis dahin wesentlich in der bail germanischen Ursprungs bestanden, zu schweren Miss-
bräuchen geführt. Ein königliches arestum sane vom Jahre 1285 will Abhülfe bringen. Es werden die verschiedensten und weitestgehenden Mass-
regeln zum Schutze der Minderjährigen getroffen. Der baillistre — es wird
jedoch von tutor und curator gesprochen — muss cautio idonea leisten
und soll vereidigt werden. Bei Antritt wird ein gerichtliches Inventar aufgenommen. Schenkungen und Cessionen werden verboten. Zum Schlosse
muss Rechnung abgelegt werden, die das Gericht nachzuprüfen hat.
Endlich werden die schwersten Strafen für den Fall der Pflichtversäumnis
angedroht, welche Strafen auch die Richter treffen sollen, die zum Schaden
des Mündels lässig waren. Inbezug auf die Schenkungen, Abtretungen u. a.
heisst es endlich: Et nihilo minus Autores seu curatores quibus factae
fuerunt districtius debere compelli ad redditionem non obstantibus donationibus, quitationibus seu cessionibus et firmatatibus seu vinculis quibuscumque.
Also nicht nur die Schenkungen, sondern auch Sicherheiten, Satzungen
sollen dem Mündel nicht schaden. Von einer gesetzlichen Obligation zu
seinem Gunsten ist aber in dem weitschweifigen arestum, das alle möglichen Mittel aufzählt, keine Rede.

eine privilegierte Legalhypothek, was man nunmehr dahin aus-
drückte, dass in Toulouse die lex Assiduis recipiert worden sei.
Freilich finden sich dahin gehende Entscheide doch erst seit
dem 16. Jahrhundert und werden auch dann noch von andern
Entscheiden abgelöst, in denen von dieser Privilegierung keine
Rede ist[1]). Es ist dann aber interessant zu sehen, wie dies
eine Privileg sofort auch andern rief. So sollen die Kinder
erster Ehe für die Dos ihrer Mutter gemäss der lex assiduis
selbst, nach einigen auch für die Forderungen aus der Verwaltung privilegiert sein[2]). Dabei bereitete die Regelung des
Ranges dieser privilegierten Hypotheken die grössten Schwierigkeiten. Schliesslich wurden die Forderungen der Frau an die
erste Stelle gesetzt[3]). Ferner setzt begreiflicherweise sofort das
Bestreben ein, die Bedeutung dieser Privilegierung im Interesse
Dritter abzuschwächen. Das Privileg sollen ausser der Frau
nur ihre Deszendenten beanspruchen dürfen[4]). Den Gläubigern
aber soll das Recht der denonce zustehen. Die älteren Hypothekargläubiger des Mannes können der künftigen Ehegattin
vor der Eheschliessung mitteilen, dass sie gesonnen sind, ihre
ältere Hypothek mit ihrem Vorrange aufrecht zu erhalten.
Geschah diese Denonce in gehöriger Form, so wirkte das Privilegium dem betreffenden Pfandgläubiger gegenüber nicht. Ja,
schliesslich kam die Praxis von dieser Privilegierung soweit ab,
dass die Frau schlechtweg hinter den letzten denonzierenden
Gläubiger trat, so dass ältere Pfandgläubiger, auch wenn sie
sich nicht gemeldet hatten, durch die Frauenhypothek nicht
mehr zu Schaden kommen konnten[5]).

So nahmen auch die andern südlichen Rechte die Legalhypothek auf. Selten zwar findet sie ausdrücklich in den

---

[1]) Maynard II 7, 53 S. 98.
[2]) Maynard l. c.
[3]) Graverol sur de la Rocheflavin II 5 S. 158, Rocheflavin S. 127,
Henrys cit. 881. Auch der Rang zwischen der Hypothek der Frau und
derjenigen des Fiskus war streitig Rocheflavin 125 d'Olive III, ch. 35
S. 532, Henrys cit. Argon II S. 88.
[4]) d'Olive l. III, ch. 35. Henrys 890.
[5]) De la Rocheflavin l. II S. 119, Soulatges E VII, art. 4 S. 251,
Henrys l. s. 880. Auch wurden gelegentlich die Spezialhypotheken vom
Privilegium nicht betroffen. Henrys l. c., vergl. Guyot, verbo denonce
Band IV S. 397.

Redaktionen der Coutumes Aufnahme[1]). Man stützt sich vielmehr, dem Charakter der Rezeption in den südlichen Ländern
entsprechend, unmittelbar auf das römische Recht. Um so merkwürdiger ist, dass, von Toulouse abgesehen, unsere Legalhypothek
nirgends privilegiert wird.

Hingegen werden auch die Forderungen mit ihr ausgerüstet, ohne dass im einzelnen die Rechtfertigung aus den
römischen Quellen zu gewinnen versucht wird. Neben der
Dos und den Paraphernen werden vielmehr auch die gains
nuptiaux et de survie in gleicher Weise durch die Legalhypothek
geschützt. Es sind dies all' die Vermögensvorteile, welche sich
die Ehegatten gegenseitig zuwenden, sei es einfach in Hinsicht
auf die Ehe selbst oder aber für den Fall des Überlebens.
Das Recht dieser Zuwendungen entwickelt sich unabhängig von
den römisch-rechtlichen Bestimmungen, beispielsweise über die
donatio propter nuptias oder mortis causa donationes. So
wurde das droit de bàguea et joyaux anerkannt. Der Frau
wurde für den Fall des Überlebens eine Summe ausgesetzt, die
einerseits in einem bestimmten Verhältnis zum Betrag der Dos,
andererseits in eben solchem Verhältnis zur sozialen Stellung
des Mannes stehen musste[2]). So ferner das deuil und der
Unterhalt während des Trauerjahres[3]), so vor allem das augmentum dotis, das augment de dot[4]), in welcher Form das
germanische Wittum in den pays de droit écrit sich zu behaupten vermochte[5]). Es betrug in der Regel die Hälfte oder
ein Drittel der Dos.

All diese Rechte sind durch Legalhypotheken geschützt.
Und das Datum ist für diese gesetzlichen Pfandrechte das

[1]) Vergl. Bordeau 1520, tit. IV, art. 44, der dem alten art. 56 ent-
spricht: Hypothèque de la dot sur les biens des frères du mari. Vergl.
art. 46. Immer noch geht die Hypothek auch auf die Liegenschaften der
Brüder. Doch wird nun die wesentliche Einschränkung gemacht, dass die
Frau die tatsächliche Verwendung ihres Geldes zur Verbesserung jener
Güter beweisen muss.

[2]) Boucher d'Argis: Traité des gains nuptiaux et de survie, qui sont
en usage dans les pays de droit écrit. Lyon 1738. S. 8 f.

[3]) Boucher d'Argis S. 63 f, 101 f.

[4]) L. c. S. 11.

[5]) Sowohl Boucher d'Argis als auch Merlin, Répertoire h. v. leiten
das Institut merkwürdiger Weise aus dem griechischen Rechte ab.

nämliche: Das Datum des contrat de mariage und mangels eines solchen der Eheschliessung. Trotz des gleichen Datums geht aber doch die Hypothek für die Dos allen anderen vor. Es ist das von Bedeutung den Kindern gegenüber. Diesen fällt das Eigentum des augmentum zu. Dies erscheint also gefährdeter als die Dos, die zuerst ausbezahlt werden muss[1].

Nach dem Gesagten anerkannte also die Praxis Legalhypotheken, die mit keinem Text, weder der Coutumes noch der römischen Quellen, zu rechtfertigen waren. Die charakteristische Folge hat sich uns bereits bei Besprechung des Toulouser Rechtes aufgedrängt. Vagen Billigkeitserwägungen folgend, werden immer mehr Forderungen privilegiert und mit Legalhypotheken ausgestattet. Der Mann kann nach den südlichen Rechten nach dem Tode der Frau einen Teil der dos als gain de survie zurückhalten. Es ist dies das contre-augment Der Mann hat zur Sicherung desselben eine Hypothek auf die Güter der Frau vom Tage des Ehevertrages resp. der Eingehung der Ehe[2]. — Die Tochter hat eine Hypothek auf die Güter ihres Vaters für die Auszahlung der Dos. Geht die Dos ohne Verschulden der Tochter verloren, so hat letztere auch für die Ausbezahlung der zweiten Dos, zu der der Vater verpflichtet ist, eine Hypothek. Sie datiert vom Tage des zweiten Ehevertrages[3]. — So lange der Ehemann in väterlicher Gewalt steht, hat die Frau eine Legalhypothek auch gegen den Inhaber dieser väterlichen Gewalt. Doch steht sie ihr nur subsidiär zu, für den Fall der Unzulänglichkeit der Güter des Mannes[4].

Endlich sei noch erwähnt, dass die Hypotheken der Frau generelle sind[5], ferner dass die Frau auf dieselben nicht verzichten kann, so wenig, als sie in der rechtlichen Lage ist, sich für andere zu verpflichten. Die Dos ist unveräusserlich. (S. C. Vellejanum, lex Julia de fundo dotale[6]). Doch sind es nur

---

[1] Boucher d'Argis 180, Henrys II, lib. IV. Quest. 33 S. 298.
[2] Boucher d'Argis S. 184.
[3] Henrys II, lib. II ch. VI Quest 53.
[4] de la Rocheflavin, arrêt 1674.
[5] Worauf noch zurückzukommen sein wird.
[6] Vergl. Schäffner III 207 f., Warnkönig und Stein II 241, 261 f., Beaune, Introduction 490 f, Viollet, Histoire 795 f.

einige Rechte, wie beispielsweise dasjenige von Toulouse,
welche letzteres Gesetz befolgen, während die andern diesbezüglich dem justinianischen Rechte folgen [1]).

Völlig abweichend vollzog sich die Aufnahme der
Legalhypothek in den Ländern des Gewohnheitsrechtes. In diesen hat bekanntlich die Fahrnis- und Er-
rungenschaftsgemeinschaft beinahe überall Anerkennung als
gemeines Güterrechtssystem gefunden [2]). Über das Gemeinschaftsvermögen, die gesammte Fahrhabe und die errungenen
Liegenschaften hat der Mann die freie Verfügung. Er kann sie
beliebig, von der Frau unabhängig, mit Schulden belasten [3]).
Hingegen Sondergut der Frau kann der Mann nur mit Zustimmung derselben veräussern. Der Ertrag fällt notwendigerweise in die Gemeinschaft. Manche Coutumes beruhigen sich
schlechtweg bei dieser Wirkung mangels anderweitiger Beredung
der Ehegatten. Die Frau verliert also, wenn sie ihre Zustimmung
zur Veräusserung gegeben hat, jeden Anspruch in Hinsicht auf
die Propres. In diesem Sinne ist es richtig, wenn Loyseau
sagt: On ne savait ce que c'était que le remploy par toute la
France [4]). Andere Coutumes geben der Frau einen persönlichen
Anspruch auf den Erlös. Dieser wird also zu einer Gemein-
schaftsschuld.

Le prix de la vente ou rachat (sc. du bien propre) est
repris sur les biens de la communauté, au profit de celuy auquel
appartenoit l'heritage ou rente: encore qu'en vendant n' eût
esté convenu de remploy ou recompense: et qu'il n'y ait aucune
declaration sur ce faite.

---

[1]) Vergl. insb. Glasson VII S. 391 f.

[2]) Homme et femme conjoints ensemble par mariage sont communs
en biens meubles et conquests immeubles faits durant et constant le dit
mariage. Et commence la communauté du jour des espousailles et bene-
diction nuptiale. C. de Paris 220.

[3]) Le mary est seigneur des meubles et conquests immeubles par
luy faits durant et constant le mariage de luy et de sa femme: en telle
manière qu'il les peut vendre, aliener et hypothéquer, et en faire et disposer
par donation, ou autre disposition faite entre vifs, à son plaisir et volonté,
sans le consentement de sa dite femme, à personne capable, et sans
fraude. 225 C. de Paris.

[4]) Traité des offices III 9, 16.

In dem Rechte von Paris sind es erst die Coutumes von
1580, welche diese Bestimmung, die sich schon der Ausdrucksweise nach als eine Neuerung kennzeichnet, enthält[1]). Der
Schutz wird erst in der Folgezeit ein wirksamerer.

Dass dergestalt das Frauenvermögen fast völlig der Gewalt des Mannes preisgegeben, war nur möglich bei allgemeiner
Anerkennung eines andern Institutes des ehelichen Güterrechtes:
Durchweg kennen unsere Rechte das Witthum oder douaire
(dotalitium, doarium). Regelmässig ist es gesetzlich vorgesehen,
so dass es einer Stipulation nicht bedarf: douaire coutumier
oder légal. Dies douaire ist eine Witwenversorgung, eine Zuwendung, welche der Frau für den Fall ihres Überlebens von
Seiten des Mannes zugesichert ist. Es besteht gewöhnlich in
einem Niessbrauchsrecht an einem Teil der Güter des Mannes.
Die Quote beträgt meistens die Hälfte des unbeweglichen Vermögens des Mannes zur Zeit der Eheschliessung und der ihm
während der Ehe in direkter Linie zugefallenen Erbschaften.
Dies douaire kann als conventionnel oder préfix der Frau auch
vertraglich zugesagt werden, in welchem Fall auch seine Grösse
sich nach der Übereinkunft richtet.

Die Güter, auf denen das douaire lastet, sind im älteren
Recht[2]) unveräusserlich. Nur die Zustimmung der Frau kann
dem Manne die freie Disposition über seine dergestalt belasteten
Güter zurückgeben. Dass diese Zustimmung oft genug nicht
eine wirklich freie war und sich diesbezüglich Missbräuche
einschlichen, verraten die Quellen selbst. Rationeller[3]) war

---

[1]) art. 232.

[2]) Vergl. Glasson VII 393 f., insbes. 405 f.

[3]) Diese Parallele zwischen dem Recht des douaire und der Hypothek,
zwischen der alten Zustimmung der Frau zur Veräusserung der belasteten
Güter und der modernen Renunciation auf die Legalhypothek drängt sich
auf, wenn man z. B. in den Etablissements I, ch. 166 liest: Se aucuns hons
vendoit sa terre — — sa fame après sa mort auroit son douere és choses
que il auroit vendues, et après la mort à la fame si retornerait arrière à
celui qui l'auroit achetés: Et se cil qui l'auroit achetée disoit: Je ne
l'acheterai pas de vous, se vous ne faites jurer a vostre fame que jamais
riens n'i demandera ne par douere, ne par autre chose, et vuel que vous
lui en facez en autre lieu eschange pour son douers, et par dessus je vuel
avoir les lettres de d'Official, de l'Evesque ou du Juge. Et se elle l'avoit
ainsi juré de sa volonté sans force et en eust eschange — — elle n'i pourroit
plus rien rapeler. Vergl. Beaumanoir XIII 5; XXI 2.

das Oppositionsrecht geregelt, wie' es nach unserer früheren
Darstellung bei der Entwicklung der Hypothek auf Grund des
Satzungsrechtes eine bedeutungsvolle Rolle spielte: Der Gläubiger
erlaubte die Veräusserung, behielt sich aber sein Recht vor.
In dieser Richtung, der Hypothek entgegen, wirkten dann auch
andere Momente. Die Witwe konnte die Güter, auf die sie
das Nutzniessungsrecht hatte, verpachten. So konnte sie dieselben auch den Erben des Mannes, resp. den Kindern überlassen, welch letzteren das Eigentum am douaire zufällt, wenn
sie auf den Erbteil des Vaters verzichten. Die Frau hielt sich
also an den Pachterlös. So erschien es aber auch als naheliegend, sich als douaire eine Rente bestellen zu lassen. In
der Zeit des Überganges, in welcher durch manche neue Klausel
in den Eheverträgen alte Gemeinschaftsgrundsätze gelockert
werden [1]), geschieht es immer häufiger, dass an Stelle des
douaires eine Kapitalabfindung oder doch, wie gesagt, eine
Rentenbestellung tritt. Das neue Recht ist dabei nicht so sehr
von dem alten verschieden, wie es scheinen mag. Allerdings
ist nach der sich allmählich geltend machenden romanistischen
Doktrin die bestellte Rente ein persönliches Recht. Aber es
steht ihr das Pfandrecht zur Seite. Die Dinglichkeit des
Niessbrauches aus dem douaire wird in dieser Weise notwendigerweise zur Dinglichkeit aus der Sachhaftung und wenn
nicht nach der Theorie, so doch, wie wir gesehen haben, in der
Praxis immer noch aus der Grundrentenbelastung.

In dieser Weise gelangten die Coutumes zum ersten gesetzlichen Immobiliarpfandrecht. Es entstand nicht durch einen
magischen Einfluss des römischen Rechtes, nicht durch missverstandene Lektüre der Pandekten. Aus der Eigentümlichkeit
eines eigenartigen einheimischen Rechtsinstitutes selbst, aus dem
Charakter des douaire heraus bildete sich zuerst das andere
Institut, die Legalhypothek.

Darum findet sich, wenigstens vereinzelt, die Legalhypothek
für das douaire schon zu Beginn des 15. Jahrhunderts: Les
biens et heritages du mary sont obligés et hypothequiés pour
le douaire de la femme [2]). Hier hat allerdings die Legalhypothek

---

[1]) Glasson VII 374.
[2]) Jean des Mares Dec. 94.

dieselbe Bedeutung wie im römischen Recht. Durch das Gesetz wird eine Sachhaftung hergestellt und damit der Grundsatz — der zu jener Zeit auch in den Coutumes herrschend war — durchbrochen, dass die Sachhaftung nur vertraglich, nur durch Zutun des Eigentümers begründet werden könne. Es findet sich denn auch zunächst kein weiteres Zeugnis für diese Legalhypothek. Insbesondere steht der genannte Ausspruch auch für das Pariser Recht lange Zeit einzig da. Erst in der zweiten Hälfte des 16. Jahrhunderts begegnen wir wiederum diesem gesetzlichen Pfandrecht und hier tritt es uns merkwürdiger Weise als eine Neuerung entgegen.

Par la coutume de Paris et autres, le douaire coutumier est de la moitié des héritages féodaux et roturiers que le mari tient et possède aux épousailles, et qui lui sont échus depuis la consommation du mariage en ligne directe, pour lequel la femme a droit d'hypothèque dès le jour du mariage qu'ou appelle hypothèque légale: en manière que si le père est répondant du douaire promis par son fils à la future épouse, soit préfix ou coutumier, audit douaire seront obligés non seulement les biens qu'il avait au temps dudit mariage, ainsi aussi ceux qu'il aurait depuis acquis. Jugé par arrêt du sixième mai 1567[1]).

Zunächst ist hier zu ersehen, dass es die Gerichtspraxis[2]) ist, welche die Legalhypothek zur Anerkennung bringt. Das ist bedeutsam. Notwendigerweise erscheinen den Gerichten oft genug gerade jene Erwägungen entscheidend, aus welchen heraus sich die gesetzlichen Pfandrechte überhaupt rechtfertigen lassen. Das Praejudiz erwies sich als folgenschwer. Die Gerichtspraxis wurde zum eifrigsten Pfleger und Förderer des Legalhypotheken-systems.

Dass sie das überhaupt werden konnte, setzt freilich ein anderes voraus: dass die haftungsrechtlichen Anschauungen selbst einer umfangreichen Anerkennung von Legalobligationen Vorschub leisteten. Wie wir früher gesehen, war dies nunmehr der Fall. Denn unser Entscheid ist erst aus dem Jahre 1567.

---

[1]) Charondas le Caron zu Bouteiller tit. 97 S. 556.

[2]) Nur vereinzelt findet unsere Legalhypothek ausdrückliche Anerkennung in den Redaktionen der Coutumes. Vergl. Poitou art. 408. Eu art. 149, Montdidier art. 135. Die Coutume de Paris vom Jahre 1580 hat die Legalhypothek für das douaire nicht aufgenommen.

Es verdient hervorgehoben zu werden, dass die Aufnahme der Legalhypotheken im koutumiären Recht späten Datums ist. Der Charakter des douaire wies doch selbst diesen Weg. Beschritten wurde er erst zu der Zeit, als auch die romanistische Doktrin über die konstituierte Rente zum Siege gelangte und vor allem erst zu einer Zeit, als überhaupt die hypothekarische Vermögenshaftung bereits zu einer gesetzlichen geworden war. Hierin lag die Rechtfertigung der gerichtlichen Praxis.

Die Festsetzung eines douaire préfix geschah im contrat de mariage, der stets in notarieller Form abgefasst war. Es folgte daraus eine Legalhypothek im weiteren Sinne des Wortes. Wäre es nicht unleidlich gewesen, der Frau, welche das gesetzliche douaire erhalten sollte, die hypothekarische Vermögenshaftung zu versagen? Ohne Zweifel, es war eine zwingende Konsequenz der allgemeinen Rechtslage der Frau für ihr douaire schlechtweg und unabhängig von Erfüllung oder Unterlassung einer Form, die Haftung des ehemännlichen Vermögens zuzugestehen: Pour douaire, l'on peut proceder par lesdites voyes de requêtes personnelles et hypothequaires, encore qu'il n'y ait obligation expresse de biens[1]).

Ja es scheint dies so folgerichtig, dass wir im Vorneherein annehmen dürfen, es müsse das koutumiäre Recht mühelos überall die Legalhypotheken anerkennen, wo die genannten Voraussetzungen in gleicher Weise zuträfen. Diese Entwicklung vollzieht sich nun auch. Aber sie vollzieht sich, wenigstens zunächst, nur langsam, so wie sich Änderungen im koutumiären Recht vollziehen. Dies letztere besinnt sich zuerst gleichsam auf sich selbst. Infolgedessen nimmt es nur auf, was es sich wirklich aneignen, was es sich assimilieren kann. In dieser koutumiären Weise gelangt nun auch die Legalhypothek zur Sicherung des Sondergutes der Frau zur Anerkennung.

Art. 232 der Coutumes de Paris gibt der Frau, deren Sondergut mit ihrer Zustimmung vom Manne veräussert wurde, nur einen Anspruch auf den Betrag des Erlöses aus dem Gemeinschaftsvermögen. Doch die Kommentatoren sprechen der Frau das Recht zu, subsidiär den Ehegatten persönlich belangen zu können. Si les biens de la communauté ne sont pas suffisans

---

[1]) Poitou art. 408.

pour le remploy des propres de la femme, il se fait sur les propres du mary[1]).

Häufig genug mag dies Recht, um es über jeden Zweifel erhaben erscheinen zu lassen, in einer besonderen clause de reprise d'apport franc et quitte im Ehevertrag festgelegt worden sein. Dann war die Frau hypothekarisch sichergestellt. Aber sollte die Frau nicht auch Mangels einer solchen Beredung, mit hypothekarischem Recht auf das Vermögen des Mannes greifen können? Die Praxis war schwankend. Erst im 17. Jahrhundert setzt sich die Anerkennung der Legalhypothek durch[2]).

Auf die Dauer war es nicht möglich, die propres anders zu behandeln als die Aussteuer, „dos," maritagium. Diese letztere bestand in den Vermögensstücken, welche die Eltern der Tochter zuwandten, die sich verheiratete, welche Zuwendung dazu dienen sollte, die Lasten der Ehe tragen zu helfen. Diese Aussteuer konnte in Fahrhabe oder in Immobilien bestehen. In diesem letzteren Falle waren und blieben sie Sondergut, propre. Es war aber nötig, die Frau für ihre ganze Aussteuer zu schützen, da sie als vorläufige Abtretung eines Erbteils (avancement d'hoirie) galt und in der Erbteilung eingeworfen werden musste. So wurde denn die Aussteuer von der Gerichtspraxis mit einer Legalhypothek ausgerüstet. — Die Sicherung der Aussteuer und überhaupt des von der Frau Eingebrachten verlangte auch einen hypothekarischen Schutz der indemnités, der Ansprüche auf Schadloshaltung aus Verpflichtungen, die die Frau mit ihrem Manne eingegangen war. — Endlich stand der Frau bei der Teilung der Gemeinschaft häufig ein Voraus aus derselben, ein préciput zu, das in einem Teil oder dem Ganzen der Fahrhabe bestand.

All diese Ansprüche waren schliesslich durch Legalhypo-

---

[1]) De Ferrière II S. 48, vergl. Pothier, Introduction zu tit. 10, Coutume d'Orléans no. 117.

[2]) De Ferrière, Compilation III S. 312, 329, ferner über diese pratique et usage du Palais Delulande zu art. 192 Coutume d'Orléans. Hingegen anerkennen ausdrücklich die reformierten Coutumes générales du Bretagne die fragliche Hypothek. Art. 439. Et aura la femme recompense de l'alienation de son propre, en esgard à l'estimation des choses vendues, du jour du consentement par elle presté.

theken geschützt. Relativ spät setzt sich die Anerkennung dieser letzteren durch. Deshalb fehlt es denn auch durch die ganze Zeit des ancien droit hindurch nicht an strittigen Fragen in Bezug auf diese gesetzlichen Pfandrechte. Insbesondere war über Datum und Rang nur erst spät eine annähernd einheitliche Auffassung zu gewinnen.

In Bezug auf die Ansprüche der Frau gegen den Mann für ihre veräusserten Immobilien hatte jene nach übereinstimmender Meinung der Juristen Hypothek vom Tage des Ehevertrages, wenn in diesem die eventuellen diesbezüglichen Rechte der Frau namhaft gemacht worden waren. Wird jedoch das remploi nicht erwähnt, dann soll die Hypothek nach der einen Auffassung vom Tage der Veräusserung datieren. Eine andere Lösung wäre den Interessen der Gläubiger gefährlich. Zudem wird gelegentlich mit der Inferiorität dieser Hypothek argumentiert, da die letztere nur neueren Gerichtsgebrauches sei, welchem nicht weiter, koutumiärem Recht entgegen, nachzugeben sei: d'autant que l'hypotheque vient ou de la loy ou de la convention des parties portée par un acte authentique; or quand elle n'i est point stipulée, elle ne peut provenir ni de l'une ni de l'autre[1]). — C'est assez faire de grace à une femme de lui accorder hypotheque du jour de l'obligation par elle subie ou alienation de son patrimoine, puisque la coutume ne lui en donne point du tout[2]). Andererseits wird betont, dass die Frau, wenn ihr eine Legalhypothek gegeben werde, dadurch so gestellt werden solle, wie dies zu ihren Gunsten durch ehevertragliche Abmachungen überhaupt möglich gewesen wäre. Sonst läge es in der Hand des Mannes, die Frau auf das schwerste zu schädigen. Er brauchte ihr nur die Zustimmung zur Veräusserung ihrer Güter abzuringen wissen, nachdem er sich in Schulden gestürzt hat. Wenn endlich Justinian die Veräusserung der Frauengüter schlechtweg verbiete, sei es um so gerechtfertigter, in den Coutumes, die die Veräusserung mit Zustimmung der Frau gestatten, diese letztere durch eine Hypothek zu schützen, welche vom Tage des contrat de mariage datiere und mangels eines solchen das

---

[1]) Ferrière, Compilation III S. 419 zu art. 232.

[2]) Delalande zu art. 192 C. d'Orléans II S. 397, vergl. Bouguier lettre R. I S. 258.

Datum des Eheschlusses tragen müsse[1]). Aus der ersten Hälfte des 17. Jahrhunderts werden denn auch Entscheide, die in diesem Sinne lauten, angeführt. Es fehlt aber auch nicht an jüngeren gegenteiligen Entscheidungen. Zur Zeit Pothiers ist die Frage freilich nicht mehr zweifelhaft. Sie ist zu Gunsten der Frau gelöst. Mangels eines contrat datiert die Hypothek vom Tage des Eheschlusses[2]).

Analoge Erwägungen machten sich geltend in Hinsicht auf die Indemnitäten, wenn die Frau sich mit dem Manne obligiert hat. Es fehlt nicht an Autoren, welche behaupten, dass die Hypothek als Accessorium einer Forderung nicht vor dieser bestehen könne, oder doch, dass ein solch ausgedehnter Schutz der Frau nur auf Grund ausdrücklicher Bestimmung des Gesetzes zulässig wäre und dass durch eine andere Regelung die Gläubiger auf das schwerste geschädigt werden könnten[3]). Die älteren Juristen huldigen mehrheitlich dieser Auffassung und während der ganzen Zeit des alten Rechts fand sie ihre Verteidiger[4]). Immerhin · zeigt sich im alten Recht die Tendenz, überall die Rechte der Frau zu schützen und zu fördern, die Wirkung der Legalhypotheken im Zweifelsfalle also auszudehnen. Die Frau verliere de facto mit dem Eheschluss vielfach die Bewegungsfreiheit, die nötig wäre, wenn sie sich auf vertraglichem Wege für die Indemnitätsforderungen genügend sichern sollte. Dieser Auffassung folgte schliesslich die Gerichtspraxis: Hypothek für die indemnités vom Tage des Ehevertrages, eventuell vom Tage des Eheschlusses[5]).

Das douaire datirte vom Contrat de mariage, wenn es ein vertragliches war. Aber begreiflicherweise erhielt auch die Hypothek für das douaire coutumier dies Datum und damit eventuell dasjenige der Eheschliessung. Dies entsprach auch der alten Bindung der Güter, wie sie mit dem douaire ursprüng-

---

[1]) Ferrière l. c.

[2]) Pothier VII 320, Brodeau sur Louet R. 30, 16, S. 536.

[3]) Boucheul, Coutume de Poitou art. 252 no. 89. Bouguier, l. c., l'action en garantie ne peut être que du jour ou l'on s'est obligé pour autruy.

[4]) Die denn auch bei Redigierung des Code civil von 1804 siegreich blieben, vergl. art. 2135.

[5]) Brodeau sur Louet F. 17, 7 R, 30, 12 und 16. Ferrière, Compilation III. tit. X, art. 237. S. 423, Pothier VII, S. 380 fg.

lich gegeben war. Sie ist's ja, die von der Hypothek abgelöst wurde[1].

Dergestalt war schliesslich das Datum für alle Hypotheken der Frau das nämliche[2]. Aber vom Datum ist der Rang zu unterscheiden. Die Praxis statuierte unter den genannten gesetzlichen Pfandrechten eine gewisse Rangordnung. Lange schwankte die Praxis in der Frage ob der erste Rang dem douaire oder der Aussteuer zukomme. Auch hier wurde schliesslich zum Vorteil der Frau entschieden[3]. Hinter Aussteuer und douaire folgen remploi und indemnité, welche Ansprüche doch erst während der Ehe entstehen, wenngleich die Hypothek zurück datiert wird. Endlich folgt das préciput[4].

Doch diese Frage nach dem Rang ist gleichsam interner Natur. Sie betrifft das Verhältnis der privilegierten Forderungen resp. Personen unter sich. Was aber das Privilegierungsmittel selbst anbetrifft, hat nun schon die Betrachtung der zu Gunsten der Frau anerkannten gesetzlichen Pfandrechte ergeben: Das Privilegierungsmittel der Legalhypothek führt sich ein im engsten Anschluss an das einheimische gemeine Recht, insbesondere an die französischrechtlichen Haftungsvorstellungen. Einmal anerkannt bezeugt das besagte Rechtsinstitut eine ausgesprocheue Tendenz zu intensiver[5] und extensiver Er-

---

[1]) Ferriére l. c. S, 431.

[2]) Pothier I S. 247, VII S. 319. Boucheul II 701.

[3]) La dot est le principe et la raison du mariage, le douaire n'est que l'execution, la suite et la dépendance. Sonet et Brodeau cit. 529 lettre D. Bd. I. Argou II 408.

[4]) Bardet, Recueil d'arrêts du Parlement de Paris. nouv. éd. I l. IV ch. 54 S. 274, vgl. Boucher d'Argis S. 6 fg. Argou 11, 152 fg.

[5]) Z. B. durch ein der privilegierten Forderung besonders günstiges Zurückverlegen des Datums. Dieser Tendenz verschliesst sich auch das Recht der Ordonnanzen nicht. So bestimmt das Edikt von 1673 (art. 61 und 62) ausdrücklich, dass die Frau für ihre Ersatzansprüche Hypothek vom Tage des Ehevertrages habe. Oder z. B. durch Ausdehnung der Haftung auf bisher freie Objekte. Dass die genannten Hypotheken generelle sind, ergibt sich aus dem Sinn unserer Ausführungen. Zweifelhaft war aber, ob diese Hypotheken auch Güter beträfen, die mit einer fideikommissarischen Substitution belastet waren. Die Jurisprudenz verhielt sich zuerst fast völlig ablehnend. Nur etwa die Dotalhypothek sollte subsidiär auch auf die Substitutionen gehen und auch da nur, soweit die Substituierten Deszendenten waren, oder gar nur gegen die liberi primi gradus. Aber

weiterung[1]). Nach beiden Richtungen hin wird das Gesagte seine volle Bestätigung finden durch eine kurze Betrachtung der übrigen Legalhypotheken.

3. **Die übrigen Legalhypotheken. Die gesetzlichen Generalpfandrechte aus dem Vormundschaftsrecht.** Nach den Bestimmungen der römischen Quellen ist der Vormund gehalten, zur Sicherung der Ansprüche des Mündels Bürgschaft zu stellen. Die Coutumes des ancien droit enthalten regelmässig keine dahingehende Vorschrift. Par notre usage, aucun tuteur n'est obligé de donner caution[2]). Es wird vielmehr in anderer Weise für die Sicherung des Mündelvermögens gesorgt. Die alten Rechte sehen eine subrogé tuteur vor, der im Falle einer Kollision der Interessen von tutor und Mündel die Interessen des letzteren zu wahren hat. Zudem wird bei der Ernennung des Vormundes in weitgehendem Masse — wiederum rein koutumiäres Recht — der Familienrat herangezogen. Unter Assistenz dieses letzteren wird der Tutor vom Gerichte ernannt. Die Tutela ist also — wenigstens regelmässig — eine dativa, d. h. eine gerichtliche[3]). Daraus ergibt sich aber ohne weiteres eine neue Garantie zu Gunsten des Mündels, nämlich die Legalhypothek. Wohl wird, um diese letztere zu rechtfertigen, gelegentlich auf das römische Recht verwiesen. Es fehlt aber auch nicht an Autoren, welche in der Legalhypothek des Mündels nur eine gesetzliche Sachhaftung im weiteren Sinn, d. h. nur einen Ausfluss der allgemeinen Rechtsgrundsätze erblicken. Die persönliche Haftung des Vor-

---

allmählich belasteten sämtliche Hypotheken der Frau auch die gebundenen Güter und zwar wirksam gegen alle Grade der Substitution und unabhängig davon, ob die Substitution Kollateralen oder Deszendenten zu gute kommt. Diese Auffassung machte sich denn auch die Ordonnanz vom August 1747 zu eigen. De la Rocheflavin, Arrests II 127. Louet I, D, 21 S. 487, Henrys III, l. V, a. 95, 472, vgl. III, l. IV, a. 15 S. 226. Boucher d'Argis ch. 23 S. 181. Henrys, cit. III S. 294. Boutaric: L'ordonnance concernant des Substitutions. Avignon 1754.

[1]) Die einmal anerkannten Billigkeitserwägungen führen zu immer neuen Legalhypotheken.

[2]) Argou I ch. VIII. Domat II. I, sect. 1, art. 8 u. 9, vgl. Dumont: De l'hypothèque légale du mineur. Thèse. 8. 6 fg.

[3]) Tutelles sont datives et non légales. Bourjou tit. VI, ch. I, sect. I, art 4, Claude 232 Loysel, Institutes I. 4, 6 no. 181.

mundes ist wenigstens als eine eventuelle von der Begründung
an gegeben[1]). Diese Begründung geschieht aber durch gerichtlichen Akt. Und damit ist die Vermögenshaftung als eine hypothekarische gegeben. Die Hypothek ist also eine expressa,
und also eine „vertragliche“, wenn man diese Bezeichnung in
diesem Sinne anwenden darf. Dies ist in der Tat die Auffassung Brodeau's.

C'est chose triviale au Palais et qui se juge tous les jours,
que minores habent expressam hypothecam in bonis tutorum,
du jour de la tutelle — — et la raison y est apparente, d'autant
que les tutelles se baillant en Jugement, l'acte de tutelle oblige
tous les biens des tuteurs; ce qui est si ordinaire et du stile
de la dation de tutelle et de l'acte de la tutelle, que quand bien
il y seroit ohmis, il s'y sousentendroit, comme étant chose de
l'essence de la tutelle[2]).

Danach ist wie die Existenz, so auch das Datum dieser
Hypothek gegeben. Sie datiert von der gerichtlichen Begründung.

Mineurs ont hypothèque sur les biens de leurs tuteurs et
curateurs pour les comptes qu'ils doivent rendre, du jour de
l'acte de tutelle ou curatelle[3]).

Le mineur devenu majeur ou émancipé a l'hypothèque
pour le paiement du reliquat sur tous les biens de son tuteur,
du jour de l'acte de nomination du tuteur, si c'est un tuteur
datif[4]).

Und Pothier fährt fort: ou du jour qu'il a commencé à
l'être, s'il est légitime. In der Tat war in beschränktem Masse
auch eine tutela legitima anerkannt[5]). Auch diese führte eine
Legalhypothek mit sich. Hier im eigentlichen Sinne des Wortes.
Sie liess sich nicht auf einen gerichtlichen Akt zurückführen.
Datieren musste sie notwendigerweise einfach vom Tage, da sie
begann, du jour de la tutelle[6]). Dies trifft nun noch auf andere

---

[1]) La nomination est la source de tous les engagements du tuteur.
Bourjon tit. VI, sect. 2, no. 174.

[2]) Brodeau sur Louet H, no. 23 Bd. I S. 850.

[3]) Lamvignon, Arrestes de la tutelle 74.

[4]) Pothier, Traité des personnes et des choses Bd. VI, part I sect. 4
no. 198.

[5]) Vgl. Pothier cit. no. 147.

[6]) Loyseau, Institutes l. III ch. VII, art. 15.

Hypotheken zu, die ebenfalls den Schutz des Mündels bezwecken.
So hat das Mündel ein gesetzliches Pfandrecht gegen den über-
lebenden Elternteil, so weit dieser die Verwaltung des Mündelvermögens übernimmt und dies Pfandrecht datiert vom Ableben
des verstorbenen Vaters resp. der Mutter[1]). Wenn sich die
Witwe wieder verehelicht und zwar ohne Rechnungsablegung
und Begleichung der Ansprüche des Mündels aus der Tutel,
dann haftet das Vermögen des zweiten Gatten hypothekarisch,
wenigstens subsidiär, und zwar vom Tage der Eheschliessung[2]).
Endlich hat grundsätzlich das Mündel eine Hypothek gegen
jeden Gestor, der ohne Titel sich in die Verwaltung des Mündel-
gutes eingemischt hat, vom Tage dieser Einmischung ab[3]).

Diese Legalhypothek, welche übrigens nicht nur den
Minderjährigen, sondern auch den wegen Verschwendung oder
Geisteskrankheit Bevormundeten zu gute kommt[4]), sichert die
Ansprüche wie aus Versäumnis und schlechter Geschäftsführung,
so auch aus der regelmässigen Verwaltung und zwar nicht
nur während der Dauer der Vormundschaft, sondern darüber
hinaus alle Ansprüche, die sich ergeben bis zur Rechnungsablegung[5]). Dass es sich dabei um ein Generalpfandrecht handelt,
geht aus dem Gesagten im allgemeinen und im besonderen aus
den herangezogenen Quellenaussprüchen hervor.

Recht interessant ist, dass die koutumäre Praxis, die dem
Mündel eine Hypothek gegen den Tutor gab, auch diesem
letzteren ein Pfandrecht an den Gütern des Mündels
zusprach. Dies liess sich keineswegs aus den römischen Quellen
begründen. Vielmehr ergibt sich die Anerkennung dieser
Hypothek aus den oben genannten allgemeinen Erwägungen und
aus der Natur der tutela dativa. Darum datiert diese Hypothek
in den meisten Rechten nicht erst von der Beendigung der Vor-

---

[1]) Ferrière, Compilation II 1195.

[2]) Pothier, Coutume d'Orléans Intr. cit. ch. I, sect. 1, no. 18. Brodeau
sur Louet lettre I. II 734, 742. Über die Legalhypothek auf die Güter
der Honorartutoren und der subrogé-tuteur, vgl. Brodeau sur Louet cit.,
lettre H no. 23. Bd. I S. 849. De Lamvignon no. 80.

[3]) Ferrière, Compilation II, S. 1195, vgl. Dumont S. 15.

[4]) d'Espeisse, Traité des contrats I. partie, tit. 16, sect. VII, n. 11 und
12. Basnage, S. 60.

[5]) Bourjou Bd. I tit. VI, c. 2 sect. 3 n. 151 fg. Meslé, Traité des
minorités, tutelles et curatelles. Teil 1, chap. XII S. 439 fg.

mundschaft und der Rechnungsablegung, sondern vom Tage der
Vormundschaftsbestellung. Die Praxis des Pariser Parlaments
war allerdings schwankend. Aber insbesondere die ältere Jurisprudenz erkannte i. A. genau das Wesen dieser Hypothek und
datierte sie demzufolge in der dem Mündel ungünstigen Art und
Weise. So sagt Henrys geradezu, dass diese Hypothek einer
besonderen Stütze in Gesetz oder Coutume nicht bedürfe. Als
gerichtliche entstehe sie aus der tutela dativa gemäss den
gemeinen Grundsätzen uud deshalb müsse auch das Datum danach bestimmt werden[1]). Diese Auffassung und die Anerkennung
dieser Legalhypothek im älteren Recht ist gewiss charakteristisch
für einen Rechtszustand, in welchem das gesetzliche Pfandrecht
kaum merklich als eigenes Institut wahrzunehmen ist, vielmehr
fast indistinkt in den allgemeinen Rechtsgrundsätzen aufgeht.
Nicht weniger kennzeichnend ist aber, dass diese Hypothek
allmählich wieder zurückgedrängt wird. Der Gesichtspunkt der
Privilegierung tritt immer mehr in Vordergrund. Der eben
genannte Grundzug des gemeinen Rechtes erzeugt diese Tendenz.
Sie führt dazu, dass im 18. Jahrhundert dem Vormund eine
Hypothek nur noch vom Tage der Rechnungsablegung zugesprochen wird und auch dies nur, soweit Ausgaben in Frage
stehen, die im Interesse der Verwaltung gemacht werden mussten.
Ja nach einigen Autoren steht dem Vormund ein Pfandrecht
schlechtweg nicht mehr zu, es sei denn, er habe nach Nieder-
legung der Vormundschaft einen gerichtlichen Entscheid gegen
das Mündel angestrebt und erlangt[2]).

Dem Privilegierungsbestreben der Zeit und den beim
Mangel wirksam hemmender, gesunder, pfandrechtlicher Anschauungen immer mehr entscheidenden Billigkeitserwägungen schienen nun noch andere Personen als
die oben genannten in der nämlichen schutzbedürftigen Lage
wie sie. Les administrateurs et les marguilliers comptables
sont, par rapport aux hôpitaux et aux fabriques, ce que les

[1]) Henrys II 308.
[2]) Vergl. Dumont S. 21 f. Basnage S. 61. Ferrière II S. 1197.
Pothier, Traité de l'hyp. chap. I art. 3. no. 30. Bourjon tit. VI, ch. II no.
174 und (Bd. II) tit. VI. ch. I sect. 1 u. 5 Guyot v. Hyp. sect. I § VIII.
Die Reciprocität blieb erhalten in den Ländern des geschriebenen Rechts
und in der Normandie. D'Héricourt ch. XI sect. II, no. 19, S. 229 f.

tuteurs sont par rapport aux pupilles [1]). Wie die Minderjährigen,
so sollen also auch die Krankenhäuser und die Kirchen gegen
ihre Verwalter geschützt werden. Dieselben Erwägungen können
die Gemeinden zu ihren Gunsten in ihrem Verhältnis zu den
Syndics geltend machen und schliesslich auch die Kirchen gegen
ihre Pfründner. Es ist also nur eine analoge Rechtsanwendung, wenn man auch all diesen Personen Legalhypotheken
verleiht. Oder wie Pothier sagt, man verleiht ihnen dieselbe
Hypothek, die man den Pupillen zuerkennt [2]). Nichts demon-
striert besser die Beherrschung des Sachhaftungsrechtes durch
Vorstellungen obgenannter Art, die naturgemäss einem absolut
fremden Bereich angehören, als der Umstand, dass sich Pothier
bewogen fühlt hervorzuheben: Cette hypothéque légale ne s'étend
pas aux simples Receveurs, Intendans et Agens des affaires
des particuliers [3]).

Denn annähernd in dieser weiten Allgemeinheit ist allerdings dieser Grundsatz schon ausgesprochen worden. Es ist
dies begreiflich zu einer Zeit, in der ausdrücklich anerkannt
wird, dass die Statuierung einer Legalhypothek keiner gesetzlichen Unterlage bedarf und dass Billigkeitserwägungen die
analogische Ausdehnung zur Genüge rechtfertigen. So in aller
Schärfe d'Héricourt: [4])

On ne suit point dans le Pais Coutumier la disposition
du droit Romain, qui n'admet d'hipotheque tacite, que quand
elle est accordé par une Loi expresse; car si on y suivoit cette
regle, le mineur même n'auroit point d'hipotheque sur les biens
de son Tuteur du jour qu'il a été nommé, parce que les
Ordonnances et les Coutumes ne prescrivent rien sur ce sujet,
et que les Dispositions du droit Romain n'y sont pas regardées
comme des Loix. Mais comme on a vû que l'hipoteque tacite,

---

[1]) Guyot l. c., vergl. d'Héricourt cit. no. 20.

[2]) Pothier l. d'Orléans, Introduction zu tit. XX. chap. I, sect. I, no.
18. Louet R. chap. 50 S. 597. Ferrière, Compilation II 1197. Poitou II,
704 tit. XV, art. 408. Basnage 66, 67.

[3]) Pothier l. c. S. 742. Ebenso scheint es den Autoren geboten, zu
betonen, dass auf das Vermögen von Mandataren des Autors die Mündel
keine Hypothek hätten! Ferrière Nouv. inst. cout. IV 1, art. 123.

[4]) l. c. no. 20, welche Stelle wiederum zeigt, dass man sich gar wohl
bewusst war, wie wenig das einheimische Recht der Legalhypotheken sich
mit dem römischen deckte.

introduite en certains cas par le droit Romain, étoit fondée sur
des principes d'équité, on l'a adoptée dans le Pais Coutumier
pour tous les cas ausquels on pourroit appliquer le même motif
de décision. D'où l'on a formé la regle générale, que l'hipoteque
suit nécessairement l'obligation publique, par rapport à ceux
qui sont chargés de l'administration du bien d'autrui.

Folgerichtig gelangt man bei dieser Anschauungsweise zur
Annahme, dass im Falle eines Fideikomisses der Substituierte
eine Legalhypothek auf das Vermögen des Onerierten haben
müsse Entscheide aus dem 17. Jahrhundert sprechen sich denn
auch in diesem Sinne aus[1]), und diese Rechtsübung erhält ihren
gesetzlichen Ausdruck in der Ordonnanz vom August 1747[2]).

In gleicher Weise muss jedem eine Legalhypothek zugesprochen werden, der gegen einen Beamten, einen officier public,
insbesondere gegen einen Huissier oder auch gegen einen Anwalt
Ansprüche hat, die sich aus der Amtsführung ergaben[3]).

---

[1]) d'Héricourt l. c. Basnage S. 67 fg.

[2]) Tit. 2, art. 17. Boutaric l. c. S. 166.

[3]) Guyot l. c. N. VII. Diese Hypothek ist jedoch keine generelle.
Sie geht vielmehr nur auf den Preis des betreffenden office. Umgekehrt
hat der Anwalt keine Legalhypothek gegen den Klienten. Indessen erhebt
sich hier doch eine interessante Frage. Die Jurisprudenz steht auf dem
Standpunkt, dass eine Hypothek nicht ohne Schuld bestehen könne. Zwar
meint Pothier, man könne eine Hypothek errichten für eine künftige Schuld.
Doch fügt er ausdrücklich bei, dass die Hypothek erst von dem Existentwerden der Schuld datiere und dass diese Schuld durch authentischen Akt
begründet sein müsse. C. d'Orléans, Introduction zu tit. XX S. 743. M. a.
W. Es gibt keine Hypothek für eine künftige Schuld. Wohl aber kann
es eine solche geben für eine bedingte Schuld und zwar mit Wirkung vom
Tage der Begründung, nicht erst vom Zeitpunkt des Bedingungseintrittes
ab. Pothier l. c. Doch darf die Bedingung nicht eine potestative sein.
Man stützt sich dabei auf das Pandektenrecht (vergl. l. 9 § 1, D, 20, 4.)
Guyot Hyp. I § IV. Pothier Hyp. S. 23. Dann wird aber doch einer möglichst einschränkenden Interpretation das Wort geliehen. So soll auf Grund
einer procuration générale der Anwalt für alle inskünftig entstehenden
Ansprüche Hypothek vom Tage dieses Generalmandates haben, wenn nur
letzteres in gehöriger (notarieller) Form abgefasst sei. [Ursprünglich bedurfte
es dazu einer Klausel: à peine de tous dépens, dommages et interêts. Diese
Klausel liess demnach die später entstehenden Ansprüche auf den notariell
abgefassten Vertrag zurückführen und dies genügte zur Anerkennung der
Hypothek. In der Folge ist diese Klausel nicht mehr nötig.] Il sufit que
la Partie se trouve liée dès le moment même de l'acte, quoique l'effet

Ja man ging sogar so weit im Fall eines Deliktes gegen
das Eigentum, den Täter als einen Administrator anzusehen und
dem Beschädigten auf Grund dieses Verhältnisses eine Hypothek
zuzusprechen vom Tage des Deliktes an: car si nous tenons
pour maxime en France, que les immeubles de celui qui est
chargé publiquement de l'administration du bien d'autrui, sont
tacitement hipotequés à la conservation des droits du proprietaire,
les immeubles de celui qui a enlevé le bien d'autrui et qui en
devient Administrateur par un crime, doivent à plus forte raison être hipotequés à la restitution de ce qui a été volé etc.[1]
Von anderer Seite wurde dieser Erwägung jedoch widersprochen. Mit Recht. Denn sie ist zu eng. Eine Hypothek
erhält nämlich jeder durch ein Delikt Geschädigte gegen den
Täter. Ursprünglich nur vom Tage der Verurteilung an. Aber
dann begann auch hier das Bestreben, das Datum zurückzu-
verlegen, sich geltend zu machen. Wenigstens bei Verbrechen
solle die Hypothek im Zeitpunkt der Tat entstehen[2]). Doch die
Unterscheidung schien wenig gerechtfertigt. Schlechtweg soll
mit der strafrechtlichen Handlung die Hypothek gegeben werden.
Denn — und nun folgt wieder die charakteristische Begründung,
die als genügend angesehen wird, — es entstehe mit der Tat auch

---

dépende de différentes choses qui doivent être exécutées par la suite.
D'Héricourt l. c. 247. Zuweilen zögerte man doch, so weit zu gehen. Nach
dem Recht von Paris soll für Geld, das der Anwalt vorgestreckt hat, die
Hypothek vom Tage des Generalauftrages datieren, für alle übrigen Ansprüche
aber erst von den betr. speziellen Aufträgen ab. Guyot I § 4. Die
Tendenz, die Hypothek möglichst weit zurück zu datieren, tritt
also hier ganz allgemein auf. Zuerst hatte sie sich nur bei den
Legalhypotheken geltend gemacht und diente der Privilegierung. Jetzt
entsprach sie dem Bestreben, die hypothekarische Vermögenshaft möglichst
immer mit der „persönlichen" entstehen zu lassen, also mit dem Schuldvertrag. Da es aber dabei einer notariellen Form bedurfte, führte man die
Verpflichtungen so weit als nur zulässig auf die einmal erfüllte Form zurück.
So hat nach der Praxis von Paris der Bürge, der den Gläubiger befriedigt,
Hypothek vom Tage des Bürgschaftsvertrages, par la raison que le cautionnement emporte avec lui une obligation tacite de la part du principal
obligé, de rembourser la caution de ce qu'elle sera obligée de payer.
Anders in der Normandie: Hypothek vom Tage der Leistung. Guyot I §
VIII, no. 11. Guyot l. c. no. 25 S. 234.

[1] d'Héricourt l. c. no. 24 S. 237.
[2] Mornac cit., Guyot I § VIII no. 8.

die persönliche Obligation: il est certain que celui qui commet
un crime ou un délit, s'oblige par le seul fait à le réparer.
Par cette raison quelques auteurs ont décidé que l'hypothèque
sur les biens du condamné, est acquise du jour du délit[1].
Manche Autoren meinten freilich, die persönliche Obligation
müsse erst zu einer „öffentlichen" werden. Eröffnung der Straf-
verfolgung sei nötig. Von hier ab datiere denn auch die Hypothek. Es siegte aber doch die erstgenannte Auffassung: Legalhypothek vom Tage des Deliktes ab[2]).

Andere Erwägungen sind es, die zur Legalhypothek zu
Gunsten der Lose aus einer Erbschaftsteilung führen.
Es soll nicht ein Los auf Kosten der anderen zu Schaden kommen,
beispielsweise durch ein bei der Teilung gemachtes creditum
oder durch Eviktion. Vielmehr sollen anteilmässig sämtliche
Lose zur Deckung solcher aus der Teilung entspringenden Ansprüche beitragen. Nur so wird das gleiche Recht aller Teilnehmer gewahrt. L'égalité qui est de l'essence du partage,
suppose nécessairement que les lots seront garans les uns des
autres[3]). Dass die Lóse sich gegenseitig garantieren, liegt also
im Wesen der Teilung, folgt ex natura rei[4]). Diese notwendige
Funktion kann aber nur verrichtet werden, wenn die Garantie
eine dingliche ist. Comme la garantie est due ex natura rei,
il a pareillement hipotéque h l'éffet de cette garantie, parceque
autrement elle demeureroit inutile, si elle n'avoit point de suite
contre le tiers détenteur[5]). Die Lose selbst sind also zur gegenseitigen Sicherung vom Tage der Teilung an hypothekarisch
haftbar, auch wenn diese Teilung nicht in notarielle Form gekleidet wurde. — Diese Sicherung liegt in der Tat so sehr in
der Natur der Sache, dass es erklärlich ist, wenn die Rechte
noch einen weitergehenden Schutz des gehörigen Teilungs-
resultates anstreben.

Les partages sont même des espèces d'échange; car pendant l'indivision, chacun a droit pour partie sur le tout et sur
chaque partie du tout: pour faire cesser l'indivision, les parta-

---

[1]) Guyot l. c. d'Héricourt a. a. O.
[2]) So auch ausdrücklich die Coutume de Bretagne art. 178.
[3]) d'Héricourt l. c. no. XXIV.
[4]) Basnage 68/9. Guyot l. c. no. IX.
[5]) Basnage l. c.

geants s'abandonnent les droits qu'ils avaient sur les lots les uns des autres. — — Ils se fait entre eux une espèce d'échange, qui renferme toujours la condicion tacite, que chacun jouira paisiblement des biens compris dans son lot. Si l'un d'eux souffre eviction, la condition du partage manque à son égard, et il a son recours contre son conpartageant. Ce droit de recours est même quelque chose de plus que l'hypotheque; le défaut de la condition fait revivre son droit de propriété sur l'heritage échu au lot de son conpartageant, jusqu' à concurrence de ce qui lui manque pour être égalé à lui[1]). Die Aufgabe des Eigentumsrechtes an den Drittlosen geschieht also nur unter der Bedingung, dass das eigene Los vollwertig bleibe. Tritt das Gegenteil ein, so defiziert die Wirkung der Teilung und das Eigentumsrecht an den übrigen Teilen des Nachlasses lebt wieder auf. Der Teilerbe erhält also gegen die anderen ein Vindikationsrecht.

Nous favorisons si fort le cohéritier, que suivant la jurisprudence certaine des Arrêts, il n'est pas tenu de prendre la voie hipotécaire, et il peut se faire envoïer en possession d'un fonds, pour se récompenser, à proportion des sommes qu'il a paiées pour son cohéritier[2]).

Eine fernere Spezialhypothek entnahm das ancien droit den römischen Quellen. Der Legatar erhält eine Legalhypothek auf die Güter, die der Onerierte vom Erblasser erhielt. Sie datiert vom Tage des Hinschiedes des Erblassers. Es ist dies die Auffassung, die auch die ältere gemeinrechtliche Doktrin in Deutschland vertreten hat[3]). Wenn mehrere oneriert sind, haftet das, was jeder vom Erblasser erhalten hat, nur für den Teil der Vermächtnisschuld, die ihn persönlich trifft. Nur eine solche Teilforderung hat der Vermächtnisnehmer gegen den einzelnen Onerierten und darum ist er auch hypothekarisch nicht in weitergehendem Masse zu belangen[4]). In richtiger Weise wird dergestalt das justinianische Recht[5]) von der Mehr-

---

[1]) Guyot l. c.
[2]) Basnage S. 68.
[3]) Vgl. Dernburg, Pfandrecht I S. 332 N. 17.
[4]) Dernburg l. c.
[5]) l. 1 C. comm. de leg. 6, 43.

zahl der alten Autoren ausgelegt[1]). Doch fand auch eine audere Ansicht, wonach jeder Onerierte hypothekarisch für das ganze belangt werden könne, ihre Vertreter[2]). Dieser Auffassung folgte später der Code civil[3]). Mit der Legalhypothek wurde übrigens auch das Korrektiv aus dem römischen Recht übernommen, das Justinian in dem Satze zu geben suchte, wonach die Legate von Voneherein nur insoweit geschuldet werden, als die Aktiva die Passiva im Augenblick des Todes übersteigen[4]). Auch das beneficium separationis, welches den Legatar auf den nach Befriedigung sämtlicher Gläubiger noch übrig bleibenden Rest der Erbschaftssachen verweist, stand den Gläubigern zu[5]).

Erwähnen wir endlich noch die Legalhypotheken des Fiskus. Der Staat hat für jede Kontraktsschuld ein gesetzliches Generalpfandrecht. So im römischen Recht, so im ancien droit[6]). Demzufolge hat er es auch gegen seine Verwalter und die Pächter der königlichen Einkünfte. Gegen diese letzteren Schuldner vor allem suchte sich der Staat je und je wirksam zu schützen[7]). Es ist denn auch nur die Legalhypothek in

---

[1]) Charondas, Reponses X 26, VI 33; Maynard, Questions liv. 8, ch. 63. Du Moulin, de div. et indiv. part. 2 no. 8 fg., Henrys l. IV quest. 171, Pothier, Don. test. ch. 5 sect. 2 § 2 und Introduction C. d'Orléans tit. XVI, art. 3 no. 107.

[2]) Bacquet, droit de justice chap. 8 no. 26. Mornac, Furgole test. ch. 10 no. 43 fg.

[3]) c. c. 1017.

[4]) Dernburg l. c.

[5]) Pothier, do l'hypothéque chap. I art. 3 S. 13, Guyot l. c. no. XII. In der Normandie hat jeder Chirographargläubiger Legalhypothek auf die Erbschaftsgüter vom Tode des Schuldners an. Guyot l. c. no. X. Ja auch das Vermögen des Erben wird hypothekarisch haftbar für die Schulden des Erblassers. In Paris bedarf es zu einer solchen Sicherung der Übernahme und gerichtlichen Anerkennung der Schuld durch den Erben gemäss den allgemeinen Grundsätzen. Vgl. d'Héricourt XXV.

[6]) Pothier, hyp. cit., Introduction XX, chap. I, No. 18, Louet I l. H som. 22, S. 848.

[7]) Vgl. Etablissements de Saint Louis l. II, chap. XXXI, vgl. Declaration von Philipp VI. vom Jahre 1335: Nous déclarons, en ces termes, par la teneur de ces présentes lettres que noz dictes debtes doivent estre et soient mises à exécution et payées à Nous ou à nos gens à ce deputez, avant toutes autres debtes deues. Zu diesen mittelalterlichen Privilegien

dieser Anwendung, welche in dem Recht der Ordonnanzen gesetzliche Anerkennung findet. Art. 4 der Ordonnanz vom August 1669 statuiert das gesetzliche Pfandrecht auf die vor Antritt der Pacht resp. der Verwaltung vorhandenen Liegenschaften der Verwalter und Pächter. Ein solches Pfandrecht beschwert indessen auch die später erworbenen Liegenschaften, doch nicht nur als einfache, sondern als privilegierte Legalhypothek.

4. Die Privilegien. In der Doktrin des neunzehnten Jahrhunderts ist sich die Auffassung über das geschichtliche Wesen der Privilegien im ancien droit beständig gleich geblieben.

Diese Auffassung wird in der Rechtsgeschichte von Warnkönig[1]) folgendermassen zusammengefasst: Grundsätzlich gehen unter mehreren Pfandgläubigern die älteren vor. Doch wird dieser Grundsatz zu Gunsten der privilegierten Pfandgläubiger durchbrochen. Die Pfandprivilegien, auf die damit hingewiesen ist, sind im ganzen den römischen nachgebildet[2]). Aber es hat sich doch teils infolge einer Verwechselung der Pfandprivilegien mit dem beneficium exigendi, teils deshalb, weil man an Mobilien keine eigentliche Hypothek kannte, der Begriff des „Privilège" allmählig von dem der Hypothek getrennt und ein selbständiges Dasein erlangt. Man spricht deshalb von créances und von hypothéques privilégiées. Es muss nun aber — immer nach Warnkönig — festgehalten werden, dass die Hypotheken „ihrer historischen Entwickelung und ihrem wahren Begriff gemäss — auch nichts anderes sind als Vorzugsrechte auf Zahlung". Und

---

tritt immer wieder die Vorschrift eine genügende vertragliche Haftung zu bestellen. Vous faciez tous nos receveurs qui applégiez ne se sont souffisamment, applégier chascun d'autant comme monte sa recepte d'un an, ou de ce que vous verrez qu'il devra suffire. Ord. von 1347. Vgl. Du Boys, Des Priv. et Hyp. accordés à l'état etc. Paris 1883, S. 119 fg.

[1]) Warnkönig und Stein II 603 fg.

[2]) Diesen Hauptanteil an der Bildung des französischen Privilegienrechtes hat das römische Recht insbesondere auch nach Schäffner III 358: Die Coutumes hätten keine Legalhypotheken und Privilegien auf Mobilien gekannt. Von Süden her seien die Vorzugsrechte des Fiskus, der Dos und andere römische Normen eingedrungen. S. 362: Das Immobiliarpfandrecht, die Legalhypotheken und die Privilegien des römischen Rechts hätten vom Süden aus ganz Frankreich erobert.

so wird man denn auch in den s. g. Privilèges[1]) eigentliche
Hypotheken erkennen.

Übereinstimmend findet sich diese Auffassung auch in den
neuesten Werken wieder. So sagt Beaune[2]) dass das ancien
droit die römischen Privilegien aufgenommen habe und zwar in
der Unterscheidung, die die römischen Quellen selbst machen,
als privilegierte Hypotheken und als „einfache" (persönliche)
Privilegien. Aber diese Unterscheidung verwischte sich. Allmählig wurde zur Regel, was in Rom nur Ausnahme gewesen:
Ce systöme de la réalité gagna du terrain et s'étendit. Immer
mehr wurden die persönlichen Privilegien zu privilegierten Hypotheken. Die Umgestaltung vollzog sich in der Weise, dass man
den persönlich Privilegierten eine Legalhypothek verlieh oder
es stand ihnen doch nach den Grundsätzen des gemeinen Rechtes
regelmässig ein Immobiliarpfandrecht zu. Dies führte schliesslich dazu, dass die Privilegien einen dinglichen Charakter erhielten wie die Hypotheken. Nur können die letzteren bloss
Liegenschaften zum Objekt haben, während die Privilegien auch
auf Mobilien lasten können[3]).

Neben der Unbestrittenheit, mit der sie herrscht, wird an
dieser historischen Erklärung der Privilegien am meisten auffallen, was sie über die persönliche resp. dingliche Natur
der Vorzugsrechte aussagt. Das altfranzösische Recht soll
die persönlichen privilegia des römischen Rechtes aufgenommen
haben. Diese Behauptung lässt sich nicht beweisen. Im Gegenteil, sie widerspricht aller Rechtsübung der Zeit, die überhaupt
in Frage kommen kann. Die Coutumes kennen z. B. die Vorzugsrechte auf die Mobilien. Von diesen wird aber bemerkt, in
den Coutumes selbst und durch die Kommentatoren, dass sie

---

[1]) Weil sie eben auch Vorzugsrechte seien.

[2]) Contrats 564, vgl. Glasson VII 673. Es sei die römische Theorie
der Privilegien und Hypotheken rezipiert worden. Das alte Recht habe
weder an Mobilien noch an Immobilien gesetzliche Pfandrechte gekannt.
Vom Süden her seien dann die Vorzugsrechte auf die Mobilien eingedrungen,
neben welchen sich allerdings auch einheimische herausgebildet hätten.
Vor allem aber sei der Erfolg des römischen Rechtes auf dem Gebiet der
Legalhypotheken und Privilegien auf die unbeweglichen Güter gross gewesen.

[3]) Völlig übereinstimmend P. de Loynes in der Préface zu Baudry-
Lacantinerie et de Loynes: Du nantissement, des privilèges et hypothèques
1895 Bd. I S. XX.

wirklich nur auf die Fahrhabe gehen[1]). Es erscheint uns demnach zum vorneherein irreleitend, diese Vorzugsrechte als die „persönlichen" und falsch, sie als die persönlichen des römischen Rechtes zu bezeichnen. Ihr Charakteristikum besteht in der besagten Beschränkung auf die Mobilien. — Nach den obigen Darlegungen sollen unter römischem Einfluss die persönlichen Privilegien zu dinglichen geworden sein. Es eignete ihnen schliesslich wie den Hypotheken eine „affectation réelle"[2]). Aber worin denn diese Dinglichkeit bestehen soll, wird nicht gesagt. Und doch wäre dies dringend geboten! Denn die behauptete nämliche Dinglichkeit wie sie der Hypothek zukommt, ist zum vorneherein ausgeschlossen. Anerkanntermassen können nämlich auch die Mobilien Objekte dieser Privilegien sein. Das sind ja die Privilegien, die wir soeben als die persönlichen erkannt haben. Worin nun ihre Dinglichkeit bestehen soll, ist schlechterdings unergründlich. Und so können wir denn überhaupt nur nach dem Woher und Warum eines solchen Erklärungsversuches fragen. Da zeigt es sich denn, dass die Autoren davon ausgehen, es hätten zunächst nur ihre persönlichen Privilegien d. h. diejenigen auf die Mobilien Eingang gefunden, nachher hätten sie auch Anerkennung in Hinsicht auf die Immobilien erlangt, so dass die Vorzugsrechte nunmehr selbst den Hypothekaren gegenüber wirksam waren. Aber diese Erklärung genügt doch nicht im entferntesten, um für alle Privilegien einen dinglichen Charakter anzunehmen. Und zudem erscheint auch hier wiederum die tatsächliche Behauptung nicht als haltbar, wonach erst durch den Einfluss des römischen Rechtes und erst sehr spät — im 17. Jahrhundert - Vorzugsrechte auf die Immobilien zur Aufnahme gekommen seien. Es lässt sich wohl die Existenz solcher Privilegien schon für das Mittelalter nachweisen.

Vor allem aber ist offenbar die Einsicht von entscheidender Bedeutung, dass es sich hier nicht um einen Gegensatz von persönlichen und dinglichen Vorzugsrechten, sondern

---

[1]) Vgl. Coutume de Paris 179 und dazu Brodeau II 446, wo vorsichtiger Weise nur von einer „Ähnlichkeit" der französischen mit den römischen Privilegien gesprochen wird. Weitere Belege siehe im Verlauf der Darstellung selbst.

[2]) Beaune l. c.

um den Gegensatz von Vorzugsrechten auf Immo-
bilieu und auf Mobilien handelt. Das ist eine ganz andere
Unterscheidung und zwar in Hinsicht auf das Wesen dieser Rechte,
dogmatisch, augenscheinlich von geringerer Bedeutung. Während
persönliche und dingliche Vorzugsrechte notwendigerweise ihrem
Begriffe nach verschiedener Natur sein müssen, können die
Privilegien durchaus dieselbe juristische Natur haben, wenn sie
nur in ihren Objekten differieren. Darin allein können wir also
den genannten Autoren beistimmen, wenn sie die begriffliche
Unität der Privilegien behaupten. Jedoch soll nach ihnen die
Unität darin liegen, dass schliesslich alle Privilegien zu Hypotheken (Warnkönig), alle reell (Beaune, de Soynes) geworden seien.

Dabei ist nicht zu verkennen, dass die Schriftsteller des
ancien droit selbst dieser Auffassung Vorschub leisteten.
Definiert wird das Vorzugsrecht als le droit que la qualité de
la créance donne à un créancier, d'être préféré aux autre
créanciers antérieurs, même hipotequaires[1]). Ausdrücklich wird
also der privilegierte dem Hypothekargläubiger vorangestellt.
Mit Recht, soweit die letzteren überhaupt in Betracht kommen.
Aber der Verfasser, der eben nur ein Traité de la vente des
immeubles par decret schreibt, berücksichtigt offenbar die Privilegien nicht, die nur auf die Fahrhabe gehen. Ist ferner nicht
eigentümlich, dass gesagt wird, das Privileg gebe einen Vorzug
vor den älteren und selbst vor den Hypothekargläubigern? Zunächst also vor den älteren Chirographargläubigern — das ist
die Konsequenz aus dieser Formulierung. Aber kommt denn
hier, d. h. bei allen Gläubigern, die nicht unter das „même
hipotequaires" fallen, das Alter überhaupt in Betracht? Sind
hier nicht grundsätzlich alle gleich, so dass das Privilegium
nicht in einem Vorzugsrecht vor den älteren, sondern in einem,
die Gleichheit durchbrechenden Vorzugsrecht vor sämtlichen
persönlichen Gläubigern besteht? Die fragliche Ausdrucksweise
enthält, wie wir sehen werden, eine Reminiscenz an alteinhei-
mische Rechtsvorstellungen, wie sich solche noch in grosser
Zahl bei den jüngeren Autoren finden.

Eine einlässlichere Erklärung sucht Basnage zu geben und

---

[1]) D'Héricourt chap. XI, Sect. I, no. 1 S. 199.

sie ist allerdings so geraten, dass die eingangs genannte historische Doktrin sich auf dieselbe berufen kann.

Dans le Droit français, nous avons ces deux especes de créanciers, les chirographaires et les hipotécaires, et nous en avons encore une troisième espece d'hipotécaires et de privilegiez. — — Mais il faut remarquer que nous n'avons point reçûs dans notre usage les privileges que le Droit Romain apelle personnels, — — nous ne reconnoissons plus de créanciers personnels, que ceux qui n'ont que les contrats ou obligations sous seing privé et ils sont d'égale condition, et ne peuvent avoir plus d'avantage les uns que les autres, ce qui n'étoit point par le Droit Romain, où il y avoit des créanciers personnels plus privilegiez les uns que les autres [1]).

Es gibt demnach Chirographar-, Hypothekar- und privilegierte Hypothekargläubiger. Danach hat jeder privilegierte Gläubiger auch eine Hypothek. Die drei Kategorien entsprechen den gleichnamigen des römischen Rechts. Deshalb wird der Unterschied, der in Anbetracht der vierten Kategorie obwaltet, scharf hervorgehoben. Das französische Recht kennt keine privilegierten persönlichen Gläubiger. Der Grundsatz der gleichen Behandlung der Chirographaren wird nie durchbrochen [2])

Aber obschon hier versucht wird, römisches und französisches Recht selbständig zu erfassen, kennzeichnet sich doch die ganze Auffassung sofort als eine romanistische. Und es wird sich herausstellen, dass ein Rechtszustand, wie er hier dargestellt wurde, überhaupt nicht existierte. Das gilt auch von der Darstellung Guyot's [3]). Als ancien droit wird hier das reine römische Recht mit seinen vier Gläubigerkategorien erklärt. Ein Blick auf das altfranzösische Recht, wie es wirklich war, genügt, um die Unzulänglichkeit der genannten Versuche zu erhellen. Die romanistische Doktrin hat nicht vermocht, dem französischen Privilegiensystem gerecht zu werden, es zu erklären. Wir müssen uns zu nutze machen, was sich uns schon in den einleitenden Erwägungen dieses Ab-

[1]) S. 312 f.
[2]) Vgl. noch Seite 312: Das römische Recht habe einen grossen Unterschied gemacht zwischen dem persönlich privilegierten und dem Hypothekargläubiger, anders also als im französischen Recht.
[3]) Hyp. Sect. I § IX.

schnittes ergab: Die Einsicht in das Wesen der Privilegien ist nur zu gewinnen auf der breiten Grundlage des Verständnisses des geltenden Haftungs- und insbesondere Exekutionsrechtes. Und dies Verständnis kann notwendigerweise nur eine Betrachtungsweise ergeben, welche dem alteinheimischen Recht Rechnung trägt.

Und da müssen wir uns denn nur des früher über die mittelalterlichen Privilegien Gesagten erinnern. Grundsätzlich geht in der Mehrzahl der Rechte der premier saisissant vor, d. h. im Kollisionsfalle bestimmt sich die Reihenfolge, in welcher die Gläubiger zu befriedigen sind nach dem Alter resp. Zeitpunkt der Besatzungen. Die Privilegierung besteht in der Durchbrechung dieser grundsätzlichen Regelung zu Gunsten von Gläubigern, welche vorzugsweise befriedigt werden sollen, obschon sie für ihre Forderungen die Exekution erst später anheben liessen. — Eine allmählich anbrechende Zeit neuer wirtschaftlicher Verhältnisse, gesteigerten Kreditbedürfnisses lässt in diese Ordnung ein neues Element eintreten. Die Interessen des Verkehrs erheischen bei Zahlungsunfähigkeit des Schuldners eine gleichmässige Befriedigung der Gläubiger nach Markzahl. Wie in Deutschland[1]) so machen auch in Frankreich einzelne Rechte diese Auffassung für den Fall der déconfiture, der Insolvenz zu der ihrigen.

Quant aucuns s'est obligiés par letres ou par convenances a pluseurs creanciers et il n'a pas assés vaillant pour paier et li creancier sont plaintif, li mueble et li eritage au deteur doivent estre pris et vendu et paié as creanciers a la livre selonc ce que la dete est grans[2]).

So Beaumanoir. Die nämliche „contributions", d. i. anteilmässige Verteilung im Falle der Déconfiture sieht auch Bouteiller vor in dem tit. 64 des ersten Buches, in einer Stelle, die hier angeführt sein mag. Denn sie kennzeichnet scharf die beiden verschiedenen Behandlungsweisen. Es wird zuerst der Begriff der déconfiture erklärt, dann der Grundsatz des gemeinen Exekutionsrechtes statuiert, wonach die Erstbetreibenden auch die Erstbezahlten sind und endlich darauf hingewiesen, dass dieser Grundsatz nach den Forderungen von Vernunft und

---

[1]) v. Meibom 457 f.
[2]) 1055 vergl. 1598/99.

Recht bei Insolvenz dem andern weichen müsse, der eine anteilmässige Befriedigung aller Gläubiger erheischt.

Contribution que rurallement entre les loix est appellee
cas de desconfiture, est quand il aduient qu'une personne est
obligee et endettee enuers tant de creanciers, qu'à satisfaire
chacun de ce qui luy est deu, le vaillant à l'obligé ne pourroit
suffire n'accomplir à satisfaire, n'à faire raison à tous ses creanciers: et lors veut raison et droict que s'il aduient que le detteur
est ou soit assailly pour ses dettes et ses creanciers et s'en
soient trais a loy et l'ayent fait mander et conuenir par adiournement, iaçoit ce que l'adiournement de cour iudiciaire vueille
que les premiers creans et marchandans soient premiers payez,
si auant qu'ils verifiront leurs dettes, neantmoins veut la loy
de contribution que si tost qu'il apperra que taut de dettes et
detteurs y aura que le vaillant du detteur ne puisse satisfaire
et tout payer chacun crediteur, ce que deu luy est, que tout
le vaillant soit ramené en une somme de deniers et d'icelle
somme sera payé à chacun crediteur aussi bien au derrain
venant à loy, comme au premier, au marc pour la liure, c'est
à scauoir, selon ce que deu leur sera, mais qu'ainsi soit requis
par lequel que ce sera des crediteurs. Et ce est appellé droit
de contribution.

Genau dies ist nun aber auch noch das Recht des
16. und der folgenden Jahrhunderte. Wir haben schon
früher gesehen[1]), dass auch jetzt noch zunächst der Grundsatz
gilt: le premier saisissant est préféré[2]). Daneben ist aber auch
die Insolvenz berücksichtigt und vorgesehen, dass bei Eintritt
dieser letzteren die Gläubiger pro rata zu befriedigen sind.

Toutefois en cas de deconfiture chacun creancier vient
à contribution au sol la livre, sur les biens meubles du debiteur.
Et il n'y a point de preference ou prerogative pour quelque
cause que ce soit; encore qu'aucun des creanciers eût fait
premier saisir[3]).

In diesem Artikel wird das Prinzip der anteilmässigen
Befriedigung nur noch in Ansehung des Mobiliarvermögens aus-

---

[1]) oben S. 222, 257.
[2]) So erläutert Brodeau den art. 178 du Coutume de Paris mit
Recht durch die eben zitierte Stelle aus Bouteiller.
[3]) art. 179 C. de Paris; vergl. art. 448 C. d'Orléans.

gesprochen. Nur von den Privilegien auf die Fahrhabe sei
denn auch zunächst die Rede. Es erhebt sich nämlich die
Frage, ob mit dem Vorrang des zuerst Pfändenden auch das
Vorzugsrecht des privilegierten Gläubigers im Falle
einer déconfiture verloren gehe. Die Frage wurde schon
im Mittelalter verneinend beantwortet. Die Insolvenz vermochte
dem Privileg nichts anzuhaben[1]). Dies gilt auch im neueren
Recht. Denn die apodiktische Erklärung des soeben zitierten
Artikels über die Gleichheit aller Gläubiger bei Insolvenz, erleidet, wie die nachfolgenden Artikel zeigen, die Ausnahme:
sinon en cas de privilege[2]). Damit ist bereits gesagt, dass die
Privilegien, wie sie das neuere französische Recht auf die
Mobilien anerkennt, ihrer juristischen Natur nach die nämlichen
sind, die schon das Mittelalter — auf deutschrechtlicher Basis —
ausgebildet hatte.

Und nicht nur ihrer Natur nach, sondern teilweise auch
in Hinsicht auf die Forderungen und die Objekte sind die
Privilegien die gleichen geblieben. Freilich sind im Laufe der
Zeit eine grosse Anzahl neuer Privilegien hinzugekommen.
Privilegien auf die Mobilien[3]) haben: Der Betreibende für die
Gerichtskosten, die Begräbniskosten[4]), Aerzte, Apotheker für
die Kosten der letzten Krankheit, der Fiskus für seine
Forderungen[5]).

Das sind die einzigen Vorzugsrechte, die auf das gesamte
Mobiliarvermögen gehen. Dazu kommen nun aber zahlreiche
Privilegien, die ein Vorzugsrecht nur in Hinsicht auf den Erlös
aus speziellen Objekten geben. So das Privilegium des Ver-
pächters auf die Ernte und — im Gegensatz zum römischen
Recht — auf die Invecten und Illaten, des Vermieters auf das
Eingebrachte, desjenigen der Sämereien liefert auf den Ertrag

---

[1]) Vergl. oben S. 257.

[2]) Pothier zu art. 448 cit.

[3]) Nach Pothier, Introduction XX art. II § IX. vergl. Basnage e. c.,
d'Héricourt a. a. O. Pothier, Traite des hyp. § 50 f. Guyot vo Privilége u. a.

[4]) Weil sie im Range sehr begünstigt sind, sollen sie zuerst aus den
Mobilien bezahlt werden, auf die kein Gläubiger ein spezielles Privilegium hat.

[5]) Endlich wer einen im Schuldturm befindlichen Schuldner die
Subsistenzmittel vorgestreckt hat.

der Ernte, des Schmiedes, Wagners, Sattlers für die Lieferungen
des letzten Jahres[1]), dasjenige des Lieferanten von Fässern auf
den Wein in diesen, der Ernteleute auf die Ernte[2]), der Hirten
auf die Herde für den Lohn eines Jahres. der Handwerker
(Maurer, Zimmerleute u. a.) auf die Mietserträgnisse der von
ihnen reparierten Häuser, der Fuhrleute für die verfahrenen
Sachen während eines Jahres, des Verkäufers auf die verkaufte
Mobilie, des Gastwirts auf das Reisegepäck u. a. m.

Die meisten Privilegien sind demnach spezielle. Dieser
Umstand allein schon lässt die romanistischen Erklärungsversuche unzulänglich erscheinen. Hingegen ist diese Eigentümlichkeit, wie wir bereits gesehen haben, für manche der
mittelalterlichen Privilegien charakteristisch.

Völlig abweichend vom Zustand der vorausgehenden
Periode ist indessen die Erscheinung, dass der Gesichtspunkt
der Privilegierung d. h. der Einordnung der Forderungen
in eine Prioritätsordnung zu fast durchgängiger Herrschaft gelangt ist. An Stelle der Rangierung nach dem Zeitpunkt der Saisie[3]) ist diejenige nach der qualitativen Forderungs-
bewertung getreten. Dabei wird jede Privilegierung am liebsten
mit den generellsten legislativpolitischen Erwägungen zu rechtfertigen gesucht. Man gewinnt aus dem einen oder anderen
Fall einer Begünstigung durch Vorzugsrecht ein allgemeines
Prinzip, dem sich dann in leichter und natürlicher Weise neue
Fälle unterordnen lassen. Welche Privilegien[4]) wurden nicht
auf die Versionsidee gestützt! Darin steckte also Methode,
freilich nicht eine solche, wie sie der naiven Rechtsbildung der
bisherigen Perioden eigen gewesen war. Auf diese formale
Seite beschränkte sich u. E. der Einfluss des römischen Rechtes.

[1]) Nicht in allen Rechten und dann zuweilen nur auf die gelieferten
Objekte, soweit sie noch vorhanden.

[2]) In willkürlicher Weise werden ausdrücklich Lieferanten von Reb-
pfählen und Dünger ausgenommen.

[3]) Die übrigens immer noch Platz greift, solange der Schuldner nicht
insolvent ist. Des öfteren gehen die Autoren bei der Betrachtung der
Privilegien noch von diesem Falle aus. Ferrière II S. 368. Der Vermieter
sei vorgezogen à tous autres creanciers quoy que premiers saisissans et
executans etc.; vergl. oben die Definition von d'Héricourt.

[4]) Bis hin zum Vorzugsrecht des premier saisissant, Ferrière, Compilation zu art. 177 no 7.

In den hier in Frage stehenden Gebieten, war er dann allerdings in diesem Sinne sehr bedeutend, bedeutend genug, um schliesslich die Gläubigerkollision und den Konkurs durch eine so eigenartige Bildung wie sie die Prioritätsordnungen darstellt, beherrschen zu lassen.

Im einzelnen müssen wir nur noch auf zwei Privilegien besonders hinweisen.

In Betreff des Barverkaufes nehmen die Coutumes [1]), insbesondere diejenigen von Paris, merkwürdig früh das römische Recht auf, demzufolge der Verkäufer, solange er nicht bezahlt ist, Eigentümer bleibt und die Sache vindizieren kann. So berichtet schon Jean des Mares [2]).

Qui vend aucune chose sans iour et sans terme, esperant d'estre promptement payé, il puet sans préjudice la chose poursuivre, en quelque main qu'elle soit transportée, pour en etre payé du pris qu'il l'a vendue, ou pour rauoir la chose.

Dies Vindikationsrecht anerkennen auch die alten (art. 194) und die neuen Coutumes de Paris (art. 176), die Coutumes d'Orléans (art. 458) u. a.[3]), wenn gleich diese Abweichung von deutschrechtlichen Grundsätzen nicht ohne Widerspruch erfolgt und die Kommentatoren sich bemühen, die Tragweite dieser Bestimmungen einzuschränken[4]). — In selbständiger Weise wird nun aber der Kreditverkauf behandelt. Aus einem solchen steht dem Verkäufer ein Privilegium zu.

Et neansmoins encore qu'il eût donné terme, si la chose se trouve saisie sur le debiteur par autre creancier, il peut empêcher la vente et est preferé sur la chose aux autres creanciers[5]).

---

[1]) Touraine 1559 art. 220.

[2]) no 195, vergl. Cout. not. 141, vergl. Cout. not. 159 mit Entscheid von 1369.

[3]) Vergl. Beaune, Contrats 208.

[4]) Wer die Sache vom Käufer auf dem Markte erwarb, braucht sie dem Eigentümer nicht herauszugeben, Pothier zu art. 458 cit. Sind seit dem Verkauf einige Tage verstrichen, so wird ein Kreditverkauf präsumiert, Pothier u. a. O., de Ferrière zu art. 176 cit. Ja nach Brodeau sur Louet l. P. no 14 soll jeder gutgläubige Erwerber geschützt sein. Ebenso nach Basnage in Übereinstimmung mit der Rechtsübung in der Normandie S. 339.

[5]) C. de Paris 177.

Es scheint, dass dies Privileg im Gefolge des Vindi-
kationsrechtes zur Anerkennung gelangte. Denn die Autoren
rechtfertigen die Bestimmung damit, dass fingiert werde, es ver-
bleibe das Eigentum der verkauften Sache, so lange sie beim
Erwerber liege, dem Verkäufer[1]).

Zu nennen ist ferner noch das Privilegium des Vermieters und Verpächters auf die eingebrachte Fahrhabe des
Mieters resp. Pächters. Diese Fahrhabe bildet die Sicherheit
des Gläubigers. Diesem wird deshalb wie im Mittelalter, so auch
im neueren Recht die Befugnis zur Privatpfändung zuerkannt.
das droit de gagerie[2]). Es bedarf also keines weiteren Titels.
Das Pfändungsrecht erstreckt sich auf die Invekten und Illaten
und steht in Hinsicht auf die Rückstände nur beschränkt, nur
für einige wenige Zinsraten zu[3]). Zudem kann der Gläubiger,
soweit es zu seiner Sicherheit nötig ist, die Entfernung der ihm
haftenden Fahrhabe verhindern. Soweit aber doch Mobilien
verschleppt worden sind, kann sie der Vermieter verfolgen. Er
kann gegen den Besitzer, selbst wenn er gutgläubiger Erwerber
ist, Klage anstemmen auf Herausgabe der Sache, doch nur zur

---

[1]) Ferrière zu art. 177 cit. So spricht auch Pothier zu art. 458 cit.
von einer hypotheque privilégiée que la coutume donne au vendeur pour
le prix. — Der Grand coutumier bezeichnet die Forderung aus einem Bar-
verkauf als privilegiert, hingegen aus Kreditverkauf entstehe kein
Privilegium.

[2]) Paris, alte Coutumes 163, neue 161. Orléans 406 f.

[3]) Aber auch als Privatpfändungsrecht selbst wird das Institut einzuschränken versucht. Nach Orléans art. 406 soll der Pfändung ein Gerichtsdiener beiwohnen. Auch die übrigen Formalitäten der gerichtlichen
Saisie, insb. der Zahlungsbefehl müssen statthaben. Pothier zu art. 406 cit.
— Die nämliche Befugnis der privaten Pfändung von Fahrhabe und Prüchten
steht dem Berechtigten aus einer rente foncière zu. Pothier, Introduction
XIX § VI S. 713, Paris (art. 165) art. 173. Vergl. Brodeau II S. 368: Iu
dieser milderen Form durch Gagerie werde das grundherrliche Recht ausgeübt, das früher in den „empeschement" oder obstacles bestanden habe.
Ce droit a succedé a celuy qui permettoit aux Seigneurs censiers, faute de
payement de leursdits cens et rentes seignouriales, de mettre hors des
gonds l'huis de la maison censuelle, le fermer, verrouiller et cadenasser.
barrer, ou mettre barriere et barreau au deuant en signe de saisie, arrest,
ou empeschement; ce que quelques Coustumes appellent obstacles qui estoit
une forme d'execution reelle et un exploict dependant de la seigneurie
directe et foncière. Ce qui est aholy .... à Paris où ls droict de Gagerie
a esté introduit au lieu de cette execution rigoureux.

Sicherung von drei verfallenen Zinsen und nur soweit die
Sache diesen Wert nicht übersteigt[1]). Oder aber er kann, in
den gleichen Grenzen, die Sache selbst pfänden, wo er sie
findet[2]). Vermieter und Verpächter haben also eine gesetzliche Spezialhypothek. Aber sie ist nicht nur dadurch von
der römischen Legalhypothek verschieden, dass sie auch für den
Verpächter auf die Invekten und Illaten geht, sondern vor allem
auch durch die Beschränkung, dass sie nur während einer
kurzen Zeitdauer — bei der Miete acht, bei der Pacht vierzig
Tage lang von der Deplazierung an[3]) — geltend gemacht werden
kann. — Zu diesen Begünstigungen tritt endlich noch das
Vorzugsrecht. Es ist begreiflich, wenn man es aus der Hypothek
zu begründen versucht[3]). Aber wir wissen, dass zuerst nur das
Vorzugsrecht anerkannt war. Erst das Bestreben immer weiter-
gehender Privilegierung und die Berührung mit dem römischen
Recht brachten dem Vermieter die Hypothek. Die Unabhängigkeit des Vorzugsrechtes zeigt sich aber noch darin, dass es
für alle aus dem Mietvertrag entspringenden Forderungen, nicht
etwa bloss für einige Zinsraten, beansprucht werden kann,
während das Pfändungsrecht dem Mieter und Dritten gegenüber
in dieser Weise beschränkt ist[4]).

Bisher ist von den Privilegien nur die Rede gewesen, so
weit sie sich auf die Mobilien beziehen. Es muss nun aber
bemerkt werden, dass einige der genannten Privilegien auch
in Hinsicht auf die Immobilien wirksam sind, so dass sie
bei einer Immobiliarexekution ein Recht auf vorzugsweise
Befriedigung an erster Stelle, vor den Hypothekaren
verleihen. Dieser absolute Vorrang ist es, was die eingangs
genannten Autoren veranlasst, hier von privilegierten Hypotheken,
von dinglichen Privilegien zu reden. Dabei herrscht die Ansicht
vor, diese Art der Privilegierung habe sich nur unter Mitwirkung
des römischen Rechtes bilden können und sei ein Produkt der
späteren Rechtsentwicklung, vom 16. Jahrhundert ab.

---

[1]) Cout. d'Orléans 419.

[2]) Cout. d'Orléans 415, Paris 171; Pothier, Introduction cit. § III no. 49.

[3]) Doch erläutert Pothier: un droit d'hypotheque et une espece de
nantissement.

[4]) Pothier l. c. § IV.

Egger, Vermögenshaftung und Hypothek.

20

Schon aprioristische Erwägungen lassen diese Auffassung bedenklich erscheinen. Der Vorzug der ersten Besatzung in der Befriedigung enthält ein Prinzip, das nach mittelalterlicher Anschauung so gut für die Liegenschaften wie für die Fahrhabe gilt. Darauf beruht das Vorzugsrecht aus der Satzung (obligation). Wenn dieser Grundsatz bei den Mobilien durchbrochen werden kann, so muss diese Möglichkeit schlechterdings auch für die Immobilien zugestanden werden. Und dass wirklich die Satzung in dieser Richtung nicht anders behandelt wird als die Exekutionsanhebung zeigen die südlichen Rechte. Hier hat sich das Mobiliarsatzungsrecht in die neuere Zeit hinübergerettet. Logischerweise gehen aber die privilegierten Gläubiger nicht nur dem premier saisissant, sondern auch diesen „Hypothekaren" vor[1]. Ja es kennt schon das Mittelalter eine Rechtslage, in welcher allfällige Privilegien, die auf die Gesamtheit der Mobilien geben, in natürlicher, ja geradezu zwingender Weise auch auf die Erlöse aus Immobilien gehen müssen, so dass durch sie die Satzungsgläubiger zurückgesetzt werden. Zu einer Zeit nämlich, die das Ordreverfahren der Immobiliarexekution noch nicht kennt oder noch nicht in feste Formen gebracht hat und die die specielle Satzung als solche nur erst als ein die Dispositionsbefugnis des Schuldners einschränkendes Recht kennt, ist es möglich, dass der Konkurs ein besonders energisches Gepräge erhält. So haben wir gesehen, dass nach Beaumanoir Fahrhabe und Liegenschaften im Falle der Insolvenz in eine Masse geworfen werden, aus welcher die Gläubiger pro rata zu befriedigen sind, obschon ausdrücklich Obligationen par lettres vorausgesetzt werden. Der Satzungsgläubiger verliert sein Vorrecht wie der Erstbetreibende. Es ist aber von innerer Wahrscheinlichkeit, dass auch hier die Privilegien erhalten bleiben, also auch dem Satzungsgläubiger gegenüber. Dies wird denn auch in dem früher zitierten Recht von Montpellier ausdrücklich anerkannt[2].

Dabei setzten wir allerdings voraus, dass das Mittelalter Privilegien auf die Gesamtheit der Mobilien gekannt habe. Denn von so gearteten Privilegien wird hier behauptet, dass sie in natürlicher, dem Mittelalter adäquater Weise auch in Hinsicht auf die Immobilien hätten zur Anerkennung gelangen können.

[1] Brodeau zu art. 178 II S. 440.
[2] Vergl. oben S. 256/7.

Es ist ja sicher, dass diese Privilegien nicht zahlreich waren. Aber das liegt an allgemeinen rechtlichen und wirtschaftlichen Verhältnissen, die bewirkten, dass Forderungen von qualifizierter Schutzbedürftigkeit eine geringere Bedeutung hatten oder auf ganz andere Weise geschützt wurden, während umgekehrt die speziellen Privilegien, wie z. B. diejenige des Vermieters und Verpächters sich durch eine bestimmte faktische oder juristische Beziehung des Gläubigers zu bestimmten Teilen oder Objekten des schuldnerischen Mobiliarvermögens leicht ergaben. In Wirklichkeit fehlt es nun aber auch dem Mittelalter nicht an Privilegien, die einzelne begünstigte Gläubiger wie in der Mobiliar-, so auch in der Immobiliarexekution sämtlichen anderen Gläubigern vorgehen lassen.

Ein solches Privileg hat der König für seine Forderungen. Früh trifft man gelegentlich das Privileg für die Gerichtskosten als allgemeines anerkannt[1]). Der Grand Coutumier privilegiert u. a. die Forderungen des Königs und die Forderungen der Minderjährigen[2]) und lässt erkennen, dass die Vorzugsrechte auch in der Immobiliarexekution zur Geltung kommen können[3]). Ebenso das Recht von Anjou[4]). In gleicher Weise kennt Bouteiller Obligationen, die auf das gesamte Vermögen gehen und gegen das Ganze einen Anspruch auf vorzugsweise Befriedigung geben[5]).

Es gilt also von den Privilegien, die das neuere Recht auf die Gesamtheit der Mobilien und Immobilien gehen lässt,

---

[1]) Salon a. 1293. Giraud II, 265.
[2]) S. 216.
[3]) S. 222.
[4]) Anjou, Man. L., no. 265: Et sera la femme preferée de son donaire sur les heritages de son mari. F no. 1095: Les crediteurs ont privilege, c'est assavoir de temps, de cause, et de diligence. De temps, c'est assavoir ceulx qui ont premieres obligations, de cause, c'est assavoir ceulx qui sont personnes privillegiez pour certaines causes, comme sont eglises, mineurs et femmes mesmement en leurs donaires; de diligence, c'est assavoir cenlx qui ont veillé en leur fait et en satisfacion de leur debte ou de leur obligacion en maniere deue, comme avoir le premier saisine.
[5]) Vergl. oben S. 261. Dazu tit. 102 S. 587: tous les biens de ceux qui doiuent à la bourse du seigneur, c'est à dire les biens de ceux qui doivent au seigneur, dessous qui ils sont iusticiables, sont obligez comme gages et se payent deuant toutes autres dettes etc.

20*

dass sie sich in natürlicher Weise in die historische Entwicklung und in den Rahmen des einheimischen Rechtes eingliedern und dass das diesbezügliche neuere Recht begrifflich nur übernommen, was schon das Mittelalter ausgebildet hat. Und wie von den speziellen Privilegien auf die Mobilien, so gilt auch von diesen generellen Vorzugsrechten: Es sind in der Hauptsache die nämlichen Forderungen wie im très ancien droit, die in unserer Periode auf diese Weise privilegiert werden: Die Ansprüche der Grundherren aus dem Obereigentum, des betreibenden Gläubigers für die ausserordentlichen Kosten des Dekrets und die Begräbniskosten[1]).

Zu Unrecht werden also die bisher betrachteten Privilegien dingliche genannt, zu Unrecht werden sie durch das römische Recht zu erklären versucht. Aber das ancien droit kennt noch eine dritte Kategorie von Privilegien. Sie gehen auf spezielle Immobilien und sind stets mit einer Hypothek verbunden. Hier kann man also von privilegierten Hypotheken sprechen und in begründeter Weise wird auf das entsprechende römische Institut als von vorbildlicher Bedeutung hingewiesen.

So wurden die Versionsprivilegien aufgenommen[2]). Der König hat ein Privilegium auf alle von den Verwaltern und Pächtern der Steuern seit ihrem Verwaltungsantritt erworbenen Liegenschaften, weil präsumiert wird, dass der Erwerb mit königlichem Gelde erfolgt sei[3]).

Nous entendons avoir privilège sur le prix des immeubles acquis depuis le maniement de nos deniers, néanmoins après le vendeur et celui dont les deniers auront été employées dans l'acquisition et dont il sera fait mention sur la minute et expédition du contrat[4]).

Weil das Privileg auf die präsumierte Version gegründet ist, wird anerkannt, dass dem Fiskus vorgehe, wer Geld zum Erwerb der betreffenden Liegenschaft geliehen habe. Denn allgemein wird das Privileg dessen anerkannt, der Geld zum

---

[1]) d'Héricourt chap. XI sect. 1 no. 1 f.
[2]) Pothier. Ed. Beugnot IX 458.
[3]) Vergl. Dernburg, Pfandrecht II S. 440 f.
[4]) Edict vom 13. Aug. 1669 art. 3; vergl. d'Héricourt l. c. no. XI f. Du Boys cit.

Erwerb, zur Konservierung oder Ameliorierung einer Immobilie geliehen hat[1]). Doch wird verlangt, dass der Darlehnsgeber die Verwendung zu einem solchen Zwecke sich in notarieller Form stipulieren lasse und dass in der Quittung die entsprechende tatsächliche Verwendung erwähnt werde[2]). — Dieses Versionsprivileg kommt auch den Bauhandwerkern zu gute. Sie brauchen sich nicht, wie in Rom, die Hypothek erst vertraglich geben zu lassen. Wie das ältere gemeine, so gibt ihnen auch das französische Recht eine privilegierte Legalhypothek.

Dabei wird zuweilen zwischen Erhaltung und Verbesserung der Sache unterschieden[3]). Wenn die Arbeit das Haftungsobjekt schlechterdings vor dem Untergang rettet, soll sie eines uneingeschränkten Privilegs geniessen. Handelt es sich indessen nur um Reparaturen, Umbauten, Ameliorationen, dann soll das Privilegium in Höhe des durch die Arbeit geschaffenen Mehrwertes bestehen. Es ist interessant, dass eine konsequente Durchführung dieses Gedankens im ancien droit zu dem Versuche führte, den Wert des Grund und Bodens und denjenigen der superficies zu trennen und verschieden zu behandeln.

Il fut ordonné que le fonds seroit estimé separément, et que le prix de l'estimation seroit paié au Seigneur direct et la valeur de la superficie à celui des deniers duquel la maison avoit été construite.

Il fut jugé que ventilation seroit faite du fonds et des bâtiments separément, pour être sur ce, tant le bailleur que le créancier qui avoit prêté pour bâtir, paiez en concurrence; le bailleur à proportion de la valeur de son fonds, l'autre du bâtiment, en égard à l'état present de la chose[4]).

Es musste also der Mehrwert festgestellt werden. Zuerst wird es ohne weiteres als zulässig erklärt, dass die Ansprecher diesen Mehrwert beweisen, eventuell durch Sachverständige beweisen lassen in einem Zeitpunkt, in welchem die betreffende Arbeit schon weit zurückliegt. Während bereits vom Geldgeber

---

[1]) d'Héricourt l. c. no. VII.

[2]) Wenn es sich um Reparaturen handelt, müssen auch die Quittungen der Unternehmer und Handwerker angeben, dass sie mit dem Gelde des betreffenden Geldgebers bezahlt worden seien.

[3]) d'Héricourt l. c., Basnage 324 f.

[4]) Basnage 321 f.

das Innehalten bestimmter Formen verlangt wird, die allein als
genügende Beweismittel angesehen werden, um die zweckentsprechende Verwendung der Gelder zu erhärten, wird vom
Bauhandwerker noch keinerlei Formalität verlangt. Er mag,
wenn er in die Lage kommt, sein Privilegium geltend zu machen,
den durch seine Arbeit geschaffenen Mehrwert mit den ihm zur
Verfügung stehenden Mitteln nachweisen.

Le privilége a lieu en faveur des ouvriers encore qu'il n'y
ait aucun devis ni marché par écrit, pourvû que les ouvrages
soient constans ou que s'ils sont déniés ils puissent être vérifiés
et que l'ouvrier ait agi dans un temps compétant, c'est à dire,
dans le temps que la Coutume a fixé pour la durée de son
action [1]).

Aber die Stelle zeigt, dass von anderer Seite vielfach bestimmte Formalitäten verlangt wurden, die einer solideren
Festsetzung des Mehrwertes dienen sollten. Es müssen die
Quittungen der Arbeiter vorgelegt und ihr Inhalt beschworen
werden. Wer nicht die devis, die Bauanschläge einreicht, kann
auf ein Privilegium nicht Anspruch machen [2]). Schliesslich wird
von dem Bauhandwerker, der gesonnen ist, eventuell das Vorzugsrecht geltend zu machen, verlangt, dass er zur Zeit des Bauens
selbst resp. unmittelbar vorher und nachher die Werte, bezw.
den Mehrwert gerichtlich feststellen lasse. Vor Beginn der Arbeit
soll ein gerichtlicher Experte ein Protokoll über die Liegenschaft
und ihren Wert aufnehmen und das soll sich nach Beendigung
der Arbeit oder im Jahre der Beendigung wiederholen [3]).

Sehen wir schon bei den genannten Privilegien im einzelnen manche Abweichungen vom römischen Recht, so gilt dies
im vollen Umfange für einige andere privilegierte Hypotheken,
die das ancien droit in originaler, selbständiger Weise zur Ausbildung gebracht hat.

Wie der Verkäufer einer beweglichen Sache, so hat
auch derjenige einer Liegenschaft ein Privilegium. Aber während
sich jenes zuerst in den Coutumes findet, hat sich dieses in
den Ländern des geschriebenen Rechts entwickelt. Zur Sicherung

---

[1]) Bourjon S. 596 no. 155; vgl. d'Héricourt l. c.

[2]) Louet H no 21.

[3]) Reglement des Parlement de Paris vom August 1766. Vgl. Guyot
v. Privilége und Ouvrier.

des Kaufpreises enthielten die Kaufverträge regelmässig ein pactum reservati dominii, eine clause de précaire. Wie dies bei so manchen schliesslich stereotyp gewordenen Klauseln der Fall war, wurde auch hier im Laufe der Zeit die Klausel, wenn sie fehlte, als vorhanden fingiert und dem Gläubiger das Recht, das ursprünglich ausdrücklich zugesagt werden musste, auch mangels einer Beredung zuerteilt. Dies Recht bestand ursprünglich im Eigentum der verkauften Sache. Aber allmählich griff eine andere Auffassung Platz. Mit der Tradition sollte trotz der Klausel der Eigentumsübergang vollzogen sein. Dem Verkäufer wurde aber für den Fall, dass von anderer Seite in die veräusserte Liegenschaft exequiert wurde oder dass er selbst seinen Kaufpreis in der Exekution zu erlangen versuchen musste, vorzugsweise Befriedigung zugesagt. Nicht mehr das Eigentum, aber eine privilegierte Hypothek soll er haben[1]). — Dieses Recht dringt allmählich[2]) auch in die nördlichen Coutumes ein. Le vendeur n'est censé avoir vendu que sous la condition tacite, que l'acquereur ne deviendroit proprietaire absolu, que quand il auroit payé la prix entier de son acquisition[3]). Und zu dieser formaljuristischen, an die südliche Auffassung anklingende Erwägung schliesst sich die Forderung der Billigkeit an[4]).

In analoger Weise gelangte die privilegierte Hypothek des Miterben zur Garantierung seines Loses zur Anerkennung. Da man zu diesem Zwecke sogar die Vindikation zuliess, ist es nur natürlich, dass die Legalhypothek zu einer privilegierten gemacht wurde. Man betrachtete den Erben wohl auch als Verkäufer[5]).

---

[1]) La clause do précaire dont les parties se servent d'ordinaire, et que nos arrêts suppléent quand elle est omise, n'est pas en usage dans le commerce pour empêcher l'effet de la vente et la tradition de la chose vendue, mais pour en faciliter l'exécution par la sûreté du paiement du prix convenu. — Aussi faut-il avouer que son effet n'est pas d'empêcher la translation de la propriété, mais bien d'acquérir au vendeur, pour sa sûreté, une hypotheque spéciale et privilégiée. d'Olive. Quest. not. II, 17. Vgl. Beaune, Contrats 206 f.

[2]) Erst im 17. Jahrh. Beaune l. c.

[3]) d'Hericourt l. c.

[4]) d'Hericourt cit. Basnage 334 f.

[5]) Guyot Hyp. sect. I § 8 no. 9; Bourjon S. 596 no. 153; d'Hericourt no. IX; Basnage 338. — Über die Privilegien des Seerechtes d'Héricourt no. XV, Basnage 319.

Wenn wir bisher die Privilegien im Verhältnis zum ius commune nur gleichsam nach ihrer passiven Seite hin, d. h. nur in ihrer Abhängigkeit von den allgemeinen Rechtsgrundsätzen betrachtet haben, so hat sich uns doch schon in den einleitenden Erwägungen dieses Abschnittes ergeben, dass die Privilegien auch ihre rückwirkende alterierende Kraft diesem ihnen zu Grunde liegenden Rechtszustande gegenüber besitzen. Das zeigt sich schon äusserlich durch die überragende Bedeutung, die der Gesichtspunkt der Forderungsprivilegierung im neueren Recht erlangt hat. Es konnte dies aber auch nicht ohne Einfluss auf die haftungsrechtlichen Vorstellungen der Zeit bleiben. Über diese Beziehungen des französischen Privilegierungssystems zum Haftungsrecht noch ein kurzes Wort.

Das Zusammentreffen oder der Konkurs von Gläubigern regelt sich auf dem Gebiet der allgemeinen Vermögens-Haftung offenbar am folgerichtigsten durch den Grundsatz der Gleichheit. Aber diese Gleichheit kann als Unfähigkeit einer zivilistischen Gliederung und Rangierung empfunden werden und führt zu einer spezifisch-prozessualen Prioritätsordnung, in welcher — eben weil es sich ausschliesslich um Sätze des Prozessrechts handelt — grundsätzlich doch die materielle Gleichheit gewahrt scheint[1]).

Doch die konsequent durchgeführte Gleichheit beispielsweise des römischen Konkurses, so unanfechtbar sie dogmatisch sein mag, zeigt die Divergenz der Verhältnisse im Bereich des Faktischen. Die Korrektur wird in der Durchbrechung der Gleichheit gesucht, in der Forderungsprivilegierung. Aber auch wo die begriffliche Gleichheit sich in eine prozessuale Ungleichheit umsetzt, machen sich derartige Bedürfnisse geltend, die ebenfalls zu einer vorzugsweisen Behandlung einzelner Forderungen führen.

Schliesslich kann dieser Gesichtspunkt der Privilegierung zu einer durchgeführten Potioritätsordnung gelangen lassen. Die Natürlichkeit schon der dogmatischen Deduktion und die Tatsache, dass die Rechtsgeschichte derartige Regelungen kennt, zeigen, dass eine solche Behandlung des Zusammentreffens von Gläubigern begrifflich im Rahmen der Vermögenshaftung wohl

---

[1]) Oben S. 139, 151.

möglich ist. Aber — das Prinzip der Gleichheit, das natürliche Prinzip erscheint doch auf den Kopf gestellt. Begrifflich gilt also, was praktisch: Eine solche Regelung ist möglich, aber sie ist unnatürlich, unzweckmässig.

Andere Grundsätze herrschen auf dem Gebiet der hypothekarischen Haftung. Allein folgerichtig und natürlich ist hier die Potiorität nach der Priorität, nach dem Alter des Rechtes. In der Durchführung dieses Prinzips beruht mit die Stärke und Zweckmässigkeit dieser Haftungsform. Je häufiger es hingegen durchbrochen wird, desto schwächer wird die Sicherung, die in der Sachhaftung liegt, desto mehr tritt der Gedanke der ausschliesslichen oder doch der erstlinigen Haftung einer Sache für den Gläubiger, der sie sich zum Pfand setzen liess, zurück. So lockert sich aber das Band der Haftung in Hinsicht auf das spezielle Objekt, und in natürlicher Reaktion tritt das Bestreben ein, im Pfandrecht nur noch einen Titel zur vorzugsweisen Befriedigung aus dem ganzen Vermögen zu erblicken. v. Schwind hat für die deutschen Partikularrechte diese pfandrechtlich destruktive Wirkung des Privilegiensystems im einzelnen dargestellt[1]).

Für das französische Recht erleidet indessen diese Auffassung eine merkwürdige Änderung. Verhängnisvoller als die Privilegien wirkten ja auch in Deutschland die Generalpfandrechte. Sie zerstörten die spezifisch pfandrechtlichen Vorstellungen, indem sie wesentlich nur eine Form privilegierter allgemeiner Vermögenshaftung darstellten. Dies System aber zeichnet gerade das französische Recht aus. Zur Zeit, als die Legalhypotheken Eingang fanden, hatten die haftungsrechtlichen Vorstellungen bereits eine Richtung eingeschlagen, der die gesetzlichen Pfandrechte nur entsprachen, so dass also hierin von einer zersetzenden Rückwirkung dieser letzteren nicht wohl mehr kann gesprochen werden. Und das gilt schliesslich auch von den Privilegien. Da die hypothekarische Haftung regelmässig generell ist und zunächst und so weit als möglich unter dem Gesichtspunkte der Vermögenshaftung behandelt wird, stellt sich das Privilegium nicht viel anders in diesen Rahmen hinein wie in denjenigen der allgemeinen Vermögenshaftung.

[1]) a. a. O. 173 und 174, 174 Noten.

Aber wir machen die Wahrnehmung, dass die Privilegien eine ausgesprochene Tendenz zur Spezialität besitzen. So schon die Privilegien auf die Fahrhabe. Dem Arbeiter haftet vorzugsweise das Produkt seiner Arbeit, dem Winzer der Wein, dem Hirt die Herde, dem Schnitter die Ernte. Dabei sprechen die Zeitgenossen oft von gage und nantissement. In der Tat wird denn das Recht auf vorzugsweise Befriedigung aus einem speziellen Objekt in einzelnen Fällen zur Hypothek: Pfandrecht des Verkäufers, des Vermieters. — Dieser Gesichtspunkt der Spezialisierung macht sich nun aber auch in der Privilegierung auf dem Gebiet des Immobiliarrechtes in voller Intensität geltend. Der Verkäufer, der Bauhandwerker, der Geldgeber, sie alle haben das Privilegium und damit die Legalhypothek nur in Hinsicht auf spezielle Objekte. Das gesunde Prinzip der Spezialität offenbart sich denn auch sofort in pfandrechtlichen Wirkungen, die den Sachhaftungsideen nur adäquat sind[1]). Hier wird also ein wichtiges pfandrechtliches Prinzip aufrecht erhalten, das sonst dem ancien droit beinahe abhanden gekommen war. Diesen Spuren, die sich fast nur noch auf dem Gebiet des Privilegienrechtes fanden, musste späterhin für das Vertragspfand in breiter Bahn gefolgt werden. Es liegt darin allerdings auch eine Kritik des Pfandrechtssystems, wenn sich ergibt, dass in seinem Rahmen den Privilegien geradezu die Funktion zufiel, die wir oben als vorgreifende bezeichnet haben! —

---

[1]) Den privilegierten Gläubigern kann kein beneficium discussionis personalis entgegengehalten werden. Bourjon tit. VI, chap. IV, sect. 1, no. 6.

Drittes Kapitel.

Das Recht der pays de nantissement.

1. Der Stand der Doktrin. Die Rechte im äussersten
Norden und Nordosten Frankreichs, die Coutumes der Pays de
nantissement kennen eine merkwürdige Art der Hypothekenbegründung. Sie charakterisiert sich sofort durch die Bezeichnungen,
die sie in den Rechten selbst findet. Denn diese sprechen von
vest (vesture) und devest, von dessaisine und saisine
(ensaisinement), deshéritance und adhéritance, exfestu-
cation und infestucation, traditio festucaria seu per
festucam, issue et entrée. Diese Terminologie zeigt, dass
es die Formen der Eigentumsübertragung sind, die hier
dem Pfandgeschäft dienstbar gemacht werden. In der Tat ist
der Formalismus in beiden Fällen der nämliche. Die Parteien
begeben sich vor den Grundherrn. Hier entledigt sich der
Verkäufer oder der Pfandschuldner der Gewere, indem er das
Grundstück in die Hand des Grundherrn zurückgibt: deshéritance. Darauf folgt die Investitur. Der Grundherr weist
den Erwerber in die Liegenschaft ein. Er tut es durch Übergabe eines Stabes, der festuca oder buschette, den er vorher
vom Verkäufer oder Pfandschuldner überreicht erhalten hat[1]).
So heisst es, um nur eine der vielen diesbezüglichen Bestimmungen
unserer Rechte herauszugreifen, in den Coutumes de Rheims:

---

[1]) Celui qui a aliéné ses Héritages se transporte devant le Bailli
entre les mains du quel il remet — la propriété des Héritages dépendans
de cette Seigneurie, en faveur de l'Acquereur. Et pour cet effet, il leur
met un Rameau, une Branche, ou un Bâton, entre les mains, et c'est ce
qu'on appelle Désaisine. Le Bailli remet ce Rameau entre les mains de
l'Acquéreur, pour jouir des Héritages —. C'est ce qu'on nome Saisine.
Artois zu art. 1 S. 162.

Saisine ou vest, est un acte solemnel fait par le seigneur
foncier, ou sa Justice, par la tradition d'un petit baston ou
buschette à l'acquereur, par laquelle ledit acquereur acquiert
droit de propriété et possession en l'heritage par euy acquis:
pourvu qu'il se soit prealablement deuestu dudit heritage au
profit d'iceluy achepteur, et non autrement [1]). Und in eben
dieser Weise wird auch das Pfandrecht hergestellt [2]). Deshalb
werden in diesem Zusammenhange Eigentumsübertragung
und Pfandrechts- d. h. Hypothekenbegründung wohl
auch gleichzeitig dargestellt. Es geschieht beispielsweise in
folgender Stelle, in welcher zugleich der Formalismus etwelche
Abänderung erhält. Die Festuca liegt beim Vogt. Die deshéritance vollzieht sich, indem der Schuldner sich nähert und
den Stab mit seiner Hand berührt.

Héritages, tant fiefs que mainfermes ne se peuvent vailla-
blement vendre, échanger, donner arrenter, charger, ou hypo-
thequer, ny aucunement aliener, sinon par en faire et passer
devoirs de la Loy de desheritance, et déssaisine ou raport
solennel par devant les gens de la loy des lieux et Seigneuries
dont ils sont tenus immediatement, mettant la main à la
verge ou bâton que tient le Bailly, Mayeur ou autre
officier, ou l'un desdita gens de loy: Et que lesdits de la loy
soient en nombre competant; sans lesquels devoirs de loy, ne
se peut par contracts transferer, ou âquerir droit de propriété
incommutable en aucuns héritages [3]).

In merkwürdiger Treue haben sich hier also die alten
Formen bis ins 17. und 18. Jahrhundert hinein, ja bis zur
Revolutionszeit erhalten. Sie treten uns noch in solcher Frische
und Ursprünglichkeit entgegen, dass es nur begreiflich erscheint, wenn die alten Herausgeber der Coutumes und die
Autoren der Zeit die Bedeutung dieser formalen Vorgänge ganz
richtig erfassen. „Unsere Coutume ersetzt durch eine Fiktion
die Beschwernisse der realen Apprehension" [4]). Und ausdrücklich

--- ---

[1]) art. 165.

[2]) Vergl. Amiens art. 141; Artois art. 75: Buridan zu art. 1 S. 162.

[3]) Cambresis tit. V art. 1.

[4]) Pinault zu l. c. gegen Zweifler, denen diese Zeremonien noch gar
nicht genügten und die noch ein Mehreres verlangten, was sie mit
romanistischer Begründung reale Besitzergreifung nannten, was in Wirk-

wird von einer symbolischen Investitur gesprochen. Bei der Übergabe eines Strohhalmes oder einer Rute sei man, so meint Buridan, ursprünglich davon ausgegangen, dass sich solche Objekte auf dem in Frage stehenden Gute fanden und einen, wenn auch minimalen Teil desselben bildeten. Dann hätten die „guten Leute der alten Zeit" geglaubt, durch Übergabe eines solchen Teiles die Übergabe des Ganzen bewirken zu können[1]).

In dieser Weise wird also die Hypothek errichtet. Die Formen reden für sich. Unzweideutig weisen sie auf die ältere Satzung, das engagement zurück. Bekanntlich hat Franken diese Entwickelungslinie ausführlicher gezeichnet. Dabei wies er auf die Gestaltung des englischen Mortgage hin, indem er es einreihte in eine hypothetische Kette von Gliedern, die vom germanischen Proprietätspfand bis hin zur formlosen Hypothek führte. In diesem Zusammenhang machte er auch die pays de nantissement namhaft. „Hier gehört zum Eigentumsübergang die allodiale oder feudale Investitur und hier gehört sie in gleicher Weise zur Konstituierung des Pfandrechtes. — Hier bildet also, wie in England, die Geschichte des Immobiliarpfandes eine ungebrochene Kette"[2]).

Wir müssen es an diesen Bemerkungen genug sein lassen. Unzweifelhaft weisen diese Formen der Pfandrechtsbegründung auf Institute des alten Rechts, die ausserhalb des Rahmens unserer Betrachtung liegen. Unverkennbar erscheint hier die deutsche Hypothek in enger Fühlung mit der älteren Satzung. Trotzdem weist Franken eine dementsprechende Auffassung des „jüngeren" Satzungsinstitutes zurück und er stellt denn auch die französische Obligation in Gegensatz zu dem Immobiliarpfand-

---

lichkeit aber wohl die Erinnerung an die letzten Reste der Realinvestitur bedeutete.

[1]) Nostre coustume et semblables, ont introduit pour marque, ou symbole de la vesture ou ensaisinement de l'heritage nouvellement acquis, que le seigneur foncier, ou sa Justice, mettroit és mains de l'acquoreur un petit baston, ou buchetto, c'est à dire une baguette ou quelque festu: peut-estre, pour ce que d'ordinaire y ayant quelque arbre planté, quelque paille ou esteule en l'heritage vendu, les bonnes gens du passé pensoient qu'en tirant quelque rameau, buchette ou festu, qui faisoient, ce sembloit, partie dudit heritage, c'estoit faire la tradition du total etc.

[2]) Franz. Pfandrecht § 170, Brunner, Z. f. d. g. Handelsrecht, XXII, 542 f.

recht der hier besprochenen Coutumes: Die romanisierte „Obligation" des gemeinen (französischen) Rechts und das rein germanische Auflassungspfand der pays de nantissement sind die beiden grossen sich gegenüberstehenden und sich auch bekämpfenden Hypothekensysteme der neueren vorrevolutionären Zeit[1]). Aber an diesem Punkte bedarf Franken dringend der Ergänzung. Die Hypothek dieser Länder ist ihm schlechthin das Auflassungspfand. Ihr System ist ein einfaches, in sich einheitliches.

Dahin geht auch die allgemein herrschende Auffassung. Man weiss freilich, dass die Formen, in welchen nach diesen Rechten die Hypothek begründet wird, unter sich recht verschieden sind. Wie oft wurde, insbes. in der französischen Literatur auf diese Formen hingewiesen. Aber es geschah fast immer aus legislativ-politischen Motiven, mit einem Seitenblick auf das moderne Recht. Eine Würdigung auf ihre dogmenhistorische Bedeutung hin fanden sie nicht. Deshalb hält man sie denn auch durchweg für wesensgleich. Sie alle sollen den gleichen Zweck, die gleiche Wirkung, den gleichen Ursprung haben. Dabei hält man sich an die symbolische Investitur. Die andern Formen sind nur Derivationen desselben. Dies der Stand der Doktrin wie zu Anfang[2]), so auch noch zu Ende[3]) des neunzehnten[4]) Jahrhunderts.

Aber diese Auffassung erweist sich bei näherem Zusehen als unhaltbar. Diese verschiedenen Formalapparate lassen sich unmöglich auf einen einheitlichen Ausgangspunkt zurückführen. Sie zeigen sich vielmehr von einer Gegensätzlichkeit, die in zwingender Weise auf völlig verschiedenen Ursprung schliessen lässt. Neben dem besitzlosen Auf-

---

[1]) § 170, vergl. § 20 f.

[2]) Merlin, Rep. vo. Nantissement S. 421. Übrigens bringt dies Repertoire unter den verschiedenen Stichworten sehr wertvolles Material. Es bildet die einzige ausführlichere Darstellung, die wir kennen.

[3]) Vergl. Glasson VII 681, ces formalités étaient dérivées de l'ancien ensaisinement. Beaune, Introduction 540, 544, Contrats 537, 548, 556. Esmein, Etudes 190 f. Laurent, Principes XXX, no. 164; Fourmeaux, Du Mode de Publicité des Hypothèques, 1897 S. 33.

[4]) Fast schärfer schieden demnach die älteren Autoren. Doch kamen sie zu diesen Unterscheidungen nur durch schiefe Vergleiche mit dem römischen Recht. Loyseau III 1, 33 S. 82.

lassungspfand stossen wir auf eine andere Hypothek, die augenscheinlich keinen essentiellen Gegensatz zur altfranzösischen Spezialobligation bildet, die vielmehr vergleichsweise neben sie gestellt werden muss. Ja es wird sich herausstellen, dass dergestalt diese Obligation und damit überhaupt das Recht der jüngeren Satzung in die schärfste Beleuchtung gerückt wird. Die Zusammenhänge erheischen zunächst eine kurze Betrachtung des Vollstreckungsrechtes.

2. Das Exekutionsrecht. a) Der Formalismus der Bannlegung. Die Eigentümlichkeiten des deutschen Zwangsverfahrens sind auch in unsern Coutumes anzutreffen. Auch hier zerfällt die Immobiliarexekution in die beiden Teile der Fronung und der definitiven Aberkennung des Gutes mit anschliessender Verwertung und auch im einzelnen unterscheidet sich das Verfahren nicht allzusehr von demjenigen, wie wir es aus den älteren deutschen Quellen kennen und wie wir es auch im altfranzösischen Recht beobachtet haben. Aber es erscheint in den pays de nantissement noch in Formen gekleidet, die anderswo schon Jahrhunderte früher verschwunden waren, die aber ihrer Eigentümlichkeit nach den Ursprung und die historische Bedeutung des ganzen Verfahrens in sicherer Weise erkennen lassen. Gradlinig weisen sie auf die fränkische missio bonorum in bannum zurück. Es müssen die Gesichtspunkte des fränkischen Amtsrechtes allgemein durchgedrungen und in das Rechtsbewusstsein des Volkes übergegangen sein. Denn ausschliesslich auf ihnen baut sich die Entwickelung in der Folgezeit auf. Zwar begegnen wir manchen Neubildungen. Aber auch diese ruhen bei all' ihrer Mannigfaltigkeit durchweg auf den königsrechtlichen Grundlagen.

Geschichtlich von der grössten Bedeutung ist die Fronung, so weit sie uns als main assise entgegentritt. Auf Grund der richterlichen Ermächtigung begibt sich der Fronbote auf das Grundstück und frout es, indem er dasselbe „in die Hand des Königs" legt.

Le sergent procedant par execution en vertu de iugement ou lettres obligatoires et autentiques contre l'obligé ou condamné, ou contre son heritier, après que lesdicta jugement ou obligation auront esté declairez executoires contre luy, peut saisir et mettre en la main du Roy les heritages et biens immeubles du debteur[1]).

Se aucun debiteur est condamné ou obligé envers aucun creancier, et le creancier veut contraindre soudit debiteur à le payer, un Sergent ayant commission du Juge, se transporte au domicile dudit debteur, et luy fait commandement de par le Roy, qu'il paye audit creancier la somme par luy deue. Et en ce cas de refus ou delay, ledit Sergent luy fait encore commandement qu'il luy administre de ses biens meubles et de se mettre en diligence d'en trouver; et en deffaut d'iceux prend et met en la main du Roy les heritages dudit debteur ou condamné[2]).

In allen unsern Coutumes kehrt die Auffassung wieder: Durch die Fronung werden die Güter in die Hand des Königs gelegt. Zur Vornahme des Aktes muss der Fronbote sich der Assistenz von Zeugen vergewissern oder es wird verlangt, dass Schöffen mit dem Gerichtsvollzieher auf das Gut gehen.

Les héritages — — soient prius et saisis en la main du roy et ad ce faire il ait deux hommes présens[3]).

Quand aucuns font ratraire héritage par faulte de rente non paiée, il convient mettre la main de justice, en la présence de deux eschevins[4]).

Diese Zeugen sind umso notwendiger, als es sich nur noch um eine blosse Form handelt. Denn dem Besitzer wird durch die Fronung das Recht an seinem Gute nicht genommen. Keineswegs wird der Schuldner aus dem Besitze gewiesen[5]). Dieser Umstand führt zu einer Modifizierung der Fronung und zu dem Verfahren der misc de fait. Die Bannlegung geschieht auf Betreiben des Gläubigers und zu seiner Sicherung. Fiktiv entzieht sie die Liegenschaft dem Schuldner. Da mag es denn, vielleicht in leiser Anlehnung an die Investiturformen, naheliegend erschienen sein, den betreibenden Gläubiger,

---

[1]) Amiens art. 254.

[2]) Boullenois, Usages et Stil art. XV, S. 42.

[3]) Vimeu, Cout. loc. d'Amiens art. 22. Bouthors I S. 369. Amiens 1507 art. 46, l. c. S. 91.

[4]) Montreuil art. 9 l. c. II 666.

[5]) Plank, Gerichtsverfahren II 254.

wiederum fiktiv, in das Gut einzusetzen. Ganz besonders das Beiwohnen des letzteren an der Fronung mag dieser Form gerufen haben, bei welcher denn auch notwendigerweise vorausgesetzt wird, dass er sich mit auf das Grundstück begebe.

— — le debiteur n'a aucun biens moeubles pour satisfaire au deu, la justice dudit Pays ordonne au demandeur de prendre l'amman ou escoutheteur auquel la congnoissance appartient, avœux cinq eschevins de la loy dudit Pays, lesquels officiers et eschevins, par serment, prisent, à requeste de partie, les héritages cottiers du débiteur; lesquelz héritaiges ils baillent au créditeur, selon la prisie par eux fait, pour satisfaire à son deu; lequel créditeur est submis ce prendre et recepvoir [1]).

Hier besteht freilich die priaie in dem wirklichen Entzug der Gewere und in der realen Einsetzung des Gläubigers. Davon ist aber regelmässig keine Rede. Die meisten Rechte kennen die mise de fait nur noch als eine oeuvre de loi d. h. als eine Form des nantissement in dem weiten Sinn, in welchem dieser Terminus zur Charakterisierung unserer Länder benützt wird. Sie ist also nur noch ein Symbol, eine Zeremonie:

La presence du prévôt, de son lieutenant ou d'un sergent, est nécessaire dans la mise aux biens qui doit être faite pardevant quatre échevins; parce que c'est une oeuvre de loi dont l'opération consiste, à mettre le créancier saisissant ou son procureur special dans les biens et effets saisis, non pas réellement, mais par fiction, laquelle néanmoins a autant d'effet, que si le creancier y étoit mis réellement [2]).

Wie die main assise, so geht auch die mise de fait vor Zeugen vor sich [3]). In Hinsicht auf beide ist für die Gestattung grundsätzlich nur das königliche Gericht oder der königliche Statthalter zuständig.

---

[1]) Montreuil art. 10. Cout. loc. d'Amiens II 688.

[2]) Pathou zu tit. VIII art. 9 no. 5; vergl. Tournai ch. 1 art. 1: Par coutume, Mise de fait ne dépossède personne — —

[3]) Bei Gefahr der Nichtigkeit des Aktes, der Schadenersatzpflicht und der Bussfälligkeit für den Fronboten. Placard von 1531, tit 2. cit. Merlin, Mise de fait S. 302.

Commission de Mise de fait se décerne seulement par notre gouverneur de Lille ou son lieutenant[1]).

Commission de main assise se décerne seulement dudit gouverneur de Douai ou son lieutenant[2]).

Main assise et mise de fait — — décret sur ce obtenu en cour royale[3]).

Diese Zuständigkeit allein ist sachgemäss. Sie ergibt sich aus der historischen Bedeutung dieser Fronungsmodalitäten. Denn sie beide gipfeln im Erlass des Königsbannes. Daraus erklären denn auch die Autoren logischerweise die besagte Regelung der Kompetenzfrage:

main assise et mise de fait, c'est mettre et asseoir la main du Roi sur un immeuble par un Sergent, en vertu de commission du Juge Royal[4]) l'effet de la main-mise étant de mettre les biens saisis entre les mains du roi, nul autre que la cour et les juges royaux, par leur institution, ne sont compétens d'accorder des Mains-mises[5]).

Es erscheint deshalb als, übrigens nachweislich, späte Neuerung, die mit der naturnotwendig erfolgenden Verdunklung der alten Vorstellungen und mit der gerade in unsern Gebieten bedeutenden Machtfülle der Seigneurs zusammenhängt, wenn sich auch die grundherrlichen Gerichte für berechtigt halten, eine mise de fait zu verhängen. Es blieb dies denn auch streitig bis zuletzt[6]).

Die gefronte Liegenschaft wird wohl als solche kenntlich gemacht durch Zettelanschlag[7]) und durch Aufpflanzen eines Strohwisches oder eines Banners[8]). Oder es wird gar vom Fronboten verlangt, dass er Partikelchen des gefronten Vermögensobjektes loslöse, beispielsweise ein Rasenstück aushebe und zu Gericht trage.

Mais il est nécessaire, en matière de mise de fait, que

---

[1]) Châtelline de Lille tit. 19. art. 1.
[2]) Douai chap. 27. art. 1.
[3]) Boullenois art. 115.
[4]) Com. zu art. 115 cit.
[5]) Dubois d'Hermanville cit. Merlin no. main-assise S. 613.
[6]) Vergl. darüber ausführlich Merlin l. c.
[7]) Maillard zu art. 71 no. 46.
[8]) Bouillenois II S. 378; vergl. Franken S. 32.

l'huissier, dans son exploit rapporte au moins deux aboutissans
de chaque partie de biens qu'il a saisie ou appréhendée, sans
quoi il ne seroit pas possible de les reconnoître et d'identifer
et il a été jugé — qu'une saisie par plainte à loi étoit
nulle, parcequ'on n'avoit point rapporté dans la saisie réelle,
deux aboutissans de l'héritage[1])."

In dieser Stelle begegnen wir einer neuen Form des
Güterarrestes, der Plainte à loi. Wir begegnen diesem merkwürdigen Verfahren nur in der Châtellenie de Lille, also im
Bereich einer grundherrlichen Gerichtsbarkeit. Der Gläubiger
wendet sich mit seinem Begehren an den Seigneur oder an
den Vogt oder auch nur an den Sergent, den Gerichtsdiener:
se fonder en Plainte verbale. Die dergestalt angegangene
Gerichtsperson wendet sich mit einem Gesuch an das Gericht.
Dieses gibt darauf dem Gesuchsteller den Auftrag, vorläufig,
wie die Quellen sagen, „wörtlich", verbalement die Vermögensobjekte, welche die Plainte bezeichnet, in die Hand des Gerichts zu legen. Der durch den Gläubiger angegangene Gesuchsteller (semonceur), also der Seigneur, der Vogt oder der
Gerichtsbote vollzieht diese vorläufige Arrestierung und
lässt dem Schuldner eine Vorladung vor Gericht zukommen.
Daraufhin erklärt das Gericht, dass das Getane bis auf weiteres
genüge[2]) und die Güter „in hinreichender Weise", suffisamment
in die Hand des Gerichtes gelegt seien. Innerhalb der nächsten

---

[1]) Pathou zu art. II tit. XII no. 8. Bd. II S. 495.
[2]) tit. 21, art. 4. Par l'usage, pour deuement soy fonder en plainte,
est requis qu'icelle soit faite pardevant le seigneur, bailly ou lieutenant,
trois hommes de fiefs, trois juges ou quatre eschevins du moins, sur laquelle plainte, ledit seigneur, son bailly on lieutenant doit à l'enseignement desdits hommes de fiefs, eschevins ou juges, iceux sur ce semoncés
prendre et mettre en la main de justice verbalement tous les biens,
meubles et immeubles, sur lesquels ledit plaintissant fait plainte: en
faisant deffence à tous de non emporter ne transporter lesdits biens jus
du lieu, à peril d'encourir l'amende — — et de reparer le lieu, et assigner
jour aux parties en especial et à tous autres en general, au jour de plaids
ordinaires de ladite plainte en quinze jours, et sur a semoncer et conjurer
de loy lesdits hommes de fiefs, eschevins ou juges, lesquels à ladite semonce
doivent respondre que ledit bailly a pris et mis si suffisament en ladite
main de Justice lesdits biens, qu'il peut et doit suffire à loy, pourveu que
e surplus se parfasse en temps et en lieu.

sieben Tage erfolgt die vue et montrée. Der Gläubiger geht
mit dem Grundherrn oder dessen Vogt oder dem Sergent, begleitet von zwei Dingleuten oder Schöffen, auf das Gut und
bezeichnet hier die zu pfändenden Objekte. Der officier
semonceur (Seigneur, Vogt, Gerichtsdiener) pfändet sie, en
prenant et mettant en la main de justice effectuellement
iceux biens. In Tat und Wahrheit sind sie nunmehr in der
Hand des Gerichtes. Und wiederum bedarf es der Anzeige an
den Schuldner und des Aufgebotes vor Gericht. Ebenso werden
in genereller Weise die Interessenten geladen[1]). Bei Nichterscheinen wird nicht weniger als viermal, jedesmal unter neuer
Fristansetzung geladen[2]). Endlich erfolgt nach Anhören der
Parteien das décrètement der Plainte à loi.

Auch dieses Verfahren lehnt sich an das königsrechtliche
Bannverfahren an. Die Ausgestaltung im einzelnen weist vielfach darauf hin. Was aber das soeben genannte décrètement
anlangt, so entspricht auch dieses der allgemeinen Regelung
bei mise de fait oder main assise[3]). Es besteht in dem die
Fronung bestätigenden Gerichtsentscheid[4]). Diesem kommt zunächst die Bedeutung zu, dass die Forderung des Gläubigers
von Gerichtswegen anerkannt wird. Dann macht er auch die
Fronung zu einer unanfechtbaren und vollwirksamen[5]).

Cette Sentence est de tel effet, que lorsqu'elle est obtenue,
l'Impetrant a ypotéque, a droit réel, du jour du Procès verbal

---

[1]) art. 5. Après laquelle plainte faite, est requis faire saisir les
biens, en faisant par ledit plaintissant ou procureur pour luy, veuë et
ostention d'iceux, en dedans sept jours et sept nuicts du jour de ladite
plainte par ledit seigneur, bailly ou lieutenant, ou sergeant en la presence
et pour ayde de loy de deux desdits hommes de fiefs, juges ou escherins
du moins, en prenant et mettant en la main de justice effectuellement
iceux biens, en faisant semblables deffences et adjournemens quo dessus,
et sceute desdites saisines, deffences et adjournemens à la personne contre
laquelle l'on fait la plainte à loy.

[2]) art. 6. les heures de premier, second, tiers et quatriesme jour.

[3]) Vergl. Artois art. 71.

[4]) Une Sentence, qui déclare que l'Impétrant a eu droit, a eu raison
de se faire mettre de fait, en la possession de l'héritage. Maillard zu
art 71 no. 51.

[5]) Le décret est nécessaire pour acquérir hypothèque, mais il a un
effet rétroactif au jour de la saisie réelle.

de la Mise de fait, de la prise de possession; de sorte que le decret se rétrotrait à l'apprehension[1]).

Endlich sind noch Clain und arrêt zu nennen. Im wesentlichen kommt ihnen dieselbe Bedeutung zu wie den schon besprochenen Formen[2]). Auch sie sind, wie schon der Name sagt, ein Arrest, ein Kummer, eine Sperre, ein Verbot. Das Gericht verfügt sie und vollzieht sie auch, oder, soweit sie unter bestimmten Voraussetzungen der Gläubiger selbst vollzieht, assistiert sie doch. Freilich bedarf es nicht eines Gerichts-schlusses, sondern nur der formlosen Erlaubnis zweier Richter[3]). Dabei ist von der grössten praktischen Bedeutung der Clain gegen Forensen. Gegen solche bedarf es nur der Mitwirkung des Büttels[4]). Soll das Verfahren jedoch gegen Bürger gehen, dann bedarf es erst noch eines abandon[5]), eines Bannes. Der Bürger und seine Güter werden dem Zugriff in Höhe einer geltendzumachenden Forderung preisgegeben.

On ne peut saisir, n'empescher par clain les biens d'un bourgeois — —, si premierement eux et leurs biens ne sont démenez de forain et abandonnez par la loy de ladite Ville[6]).

Das Verfahren bedeutet, so weit es gegen Vermögens-objekte gerichtet ist, wie gesagt, eine Arrestierung derselben. Es besteht also wiederum darin, dass der Fronbote die Hand des Gerichts auf die Güter legt.

La saise consiste dans la main de justice, que le Sergent met et appose, après avoir obtenu mot de loi, sur les biens — qu'il veut saisir[7]).

Es gilt also auch hier, was früher schon bemerkt wurde, der Schuldner wird nicht depossediert[8]).

---

[1]) Maillart l. c. no 52, so dass, wer die ältere mise de fait aufweist, vorgeht, auch wenn das décrètement des jüngeren Gläubigers zuerst erteilt wurde; no. 53. .

[2]) Vergl. Cambresis S. 417; Ville et Eschevinage de Lille tit. VII Band II S. 174 und S. 207.

[3]) Lille l. c. tit. VIII, art. VI no. 13. Cambresis a. a. o.

[4]) Lille tit. VIII art. 12 no 1 u. 2, Bd. II, S. 222. Cambresis S. 418.

[5]) Vergl. Franken S. 32.

[6]) Lille tit. VIII, art. 14. Chisoing, Cout. loc. art. 2. Es wird frei-lich auf diesen Bann noch zurückzukommen sein. Vergl. die belgischen Rechte unten im Anhang Kap. 4 sub I.

[7]) Lille l. c. art. 12. no. 2.

[8]) Vergl. Lille tit. XII. art 7. no. 2.

b. Wirkungen der Bannlegung. Dass aber all die
dargestellten Formen auf denselben historischen Ausgangspunkt
zurückzuführen und einheitlich zu erklären sind, geht vor
allem aus den im Wesentlichen identischen Wirkungen dieser
verschiedenen Verfahren hervor. Sie alle entziehen dem
Schuldner die Veräusserungsbefugnis, bedeuten ein
Verbot der Veräusserung[1]).

Dans toutes espèces de saisies, il n'est point permis
au débiteur de vendre, aliéner ou transporter les
biens saisis[2]) — parceque dans l'une comme dans l'autre,
la main de justice est apposée sur les biens — saisis et
que l'effet de cette main de justice est d'empêcher
toutes aliénations[3]).

Dementsprechend wird diese Sperre häufig als „empeschement" bezeichnet[4]). Um ihre Wirkung zu sichern, ist die Mitteilung an den Grundherrn unerlässlich. Er soll von der Fronung
in Kenntnis gesetzt werden, damit er in Bezug auf das gefronte
Gut keine Investitur vornimmt, sei es zu Eigentum, sei es zu
Pfandrecht, ausser unter Wahrung des in der Fronung geltend
gemachten Gläubigerrechtes[5]). Denn darin liegt augenscheinlich
der Zweck der zunächst nur provisorischen und formalen Aberkennung des Gutes: Es soll keine künftige Handlung des
Schuldners, des Grundherrn, des Gerichts oder eines dritten
Gläubigers demjenigen mehr schaden, zu dessen Gunsten die
Fronung ausgesprochen wurde. Dergestalt ergibt sich in natür-
licher Weise das Vorzugsrecht der ersten Besatzung[6]).

---

[1]) Vergl. Plank 254, v. Meibom S. 104.

[2]) Pathou zu tit. VIII, art. 12 no. 14.

[3]) l. c. zu tit. VIII art. II Gl 2 no. 6.

[4]) Pathou S. 206, oder als défense, Lille tit. 21 art. 4 cit. Amiens art. 254.

[5]) — — doibt signifier ladite saisie aux seigneurs dont lesdictes
heritage sont tenus, ou à leurs officiers, leur faisant defences de receuoir
dessaisine ou bailler saisine à autruy d'iceux heritages, que ce ne soit à la
charge de la somme pour laquelle se fait ladite execution lesquelles defences
ledit sergent doibt faire enregistrer.

[6]) Buridan zu art. 180 no. 3. Pathou zu art. 12 tit. VIII no. 3 f.
Bei der plainte à loi sollte nach der einen Meinung schon die verbale
Pfändung das Vorzugsrecht geben, parceque dès-lors, les biens du débiteur
étoient mis, du moins figurativement, sous la main de justice. Nach der
richtigen Auffassung entscheidet die plainte réelle. l. c. no 5.

Le premier clamant sur les biens d'un detteur est preferé aux autres posterieurs clamants[1]).

Arrest engendre oppignoration et donne preference contre tous autres crediteurs non privilegiez, n'est qu'au temps d'iceluy arrest le debiteur soit insolvent et en deconfiture, auquel cas lesdits crediteurs viendront au marcq la livre sur les biens arrestez[2]).

Doch die Quellen fassen diese Rechtsfolgen in einen Ausdruck zusammen: Die Königliche main assise und die mise de fait, die Plainte à loi und die clains, sie alle führen zu empeschement und préférence, zu einem executiven Pfandrecht, zur — Hypothek.

Plaintes, saisines et mises de fait créent hypotheques et non autres[3]) — hypothèque est créée à la conservation et sûreté du prétendu et contenu ésdites Plaintes, dès l'instant de ladite saisine, pourvu que sentence s'en ensuive au profit du plaintissant[4]).

Toutes personnes, pour avoir payement de leurs deus, peuvent clamer — — et faire saisir les biens, maisons, terres — — de leurs debteurs — —: les quels clains et saisines créent hypotheque sur la chose saisie dés l'instant de ladite saisine[5]).

Mises de fait deuement faites et décrétées, pour sureté d'aucunes choses, en pendront et créent hypothecque dès l'instant de la main mise[6]).

c. Das Befriedigungs-(Realisierungs-)verfahren. In verschiedener Art und Weise und unter teilweise von einander abweichenden Voraussetzungen vollzieht sich die Arrestierung haftender Güter. Immer aber handelt es sich um eine Bannlegung. Deshalb ist denn auch der durch die Eronung geschaffene Pendenzzustand überall der nämliche. Aber noch mehr. Wie das Provisorium, so ist auch die bei andauernder

---

[1]) Cambresis art. 39 tit. 25.
[2]) Gorgue Rub. III art. 22, Seclin art. 13.
[3]) C. d'Haubourdin (Lille) art. XII, vergl. Buridan l. c.
[4]) Lille tit 21. art. 2.
[5]) Lille tit. Seclin art. 11, VIII, art. 6.
[6]) Die mise de fait gibt also das Datum, doch ist nachfolgendes décrètement nötig. Lille tit. 12 art. 4 und dazu Pathou no. 6.

Nichtbefriedigung des Gläubigers nötig werdende Lösung dieses Provisoriums und dessen Überführung in eine definitive neue Rechtslage[1]) in streng einheitlicher Weise geregelt. Die Güter sind in die Hand des Gerichts gelegt und dieses lässt ihnen, soweit nicht besondere Umstände ein anderes gebieten, grundsätzlich die gleiche Behandlung widerfahren[2]). Und zwar ist diese Behandlung in den verschiedenen Coutumes eine ziemlich übereinstimmende und den Anforderungen einer höheren wirtschaftlichen Entwicklung entsprechende.

Nur vereinzelt begegnet man noch in dem einen oder andern Weistum der Übereignung. Der Gläubiger wird in das gefronte Gut eingewiesen. Daraufhin erfolgen drei Aufgebote von vierzehn zu vierzehn Tagen. Während dieser Zeit können der Schuldner und die am Gute Retraktberechtigten die Schuld tilgen und so das Gut lösen, „zurückkaufen". Geschieht dies nicht, so erhält der Gläubiger unanfechtbare Eigengewere. Der Ansatz einer Fortentwickelung ist darin zu erblicken, dass das Erbe vom Schultheis und fünf Schöffen geschätzt wird[3]). Augenscheinlich wird ein Ausgleich gesucht zwischen der Forderung des Gläubigers und dem ökonomischen Ergebnis des Verfahrens.

Fast durchweg ist denn auch ein Verfahren zur Anerkennung gelangt, das das genannte Gleichgewicht herzustellen

---

[1]) Im Gegensatz zum vertraglichen Pfand muss das exekutive in einer kurzen, gesetzlich festgelegten Zeit realisiert werden: Artois in einem Jahr, Maillard zu art. 190 no. 47 S. 952, Rheims in drei Jahren Buridan zu art. 180 S. 343 f. Doch zeigen die Ausführungen ein starkes Schwanken und es wird dem Autor nicht leicht, die saisie in der Exekution anders zu behandeln als die formale Konstituierung einer vertraglichen Hypothek. Warum soll das exekutive Pfand nicht derselben Verjährung unterliegen wie das conventionale? Die Gründe, aus denen schliesslich einer unterschiedlichen Behandlung das Wort geliehen wird, sind wesentlich formaler Natur.

[2]) Lille tit. XIII, art. 7. no. 1 f. art. 4 Gl. 1 no. 1 f.

[3]) Vergl. unten S. 334 l'officier fait trois criées — pendant lesquelles le débiteur poeult rachetter sondit héritaige, en payant comptant la somme pour quoy il a esté prisie et tous loyaulx coustemens, et semblablement le prosme d'icelluy à qui c'estoit ledit héritaiges; mais lesdits cryées faites et passées, le dit debiteur et prosmes en sont forclos et débouttez, et en poenit chelluy à quy il a esté baillé par prisis, joyr héritablement et à tousjours, et n'y a aproz aucune proximité.

geeignet ist. Nach den criées erfolgt keine Übereignung,
sondern ein Verkauf par décret d. h. unter gerichtlicher
Leitung und gerichtlichem Friedewirken und eine Verteilung
des Erlöses nach dem Ordre, nach dem Kollokationsplan [1]).

Der Fronbote lässt die Liegenschaft durch vereidigte
Sachverständige schätzen [2]) und lässt öffentlich bekannt geben,
dass dieselbe an einem bestimmten Tage zum Verkauf angesetzt
werde. Dies geschieht durch die mise à prix. Regelmässig
wird sie bereits als Verkauf, als vente bezeichnet, was wohl
auf eine früher übliche, schon an diesem Tage erfolgende
provisorische Übereignung an den Erwerber schliessen lässt.
In der Tat besteht die mise à prix darin, dass an dem angesetzten Tage sich ein Kauflustiger findet, der ein Angebot
macht und einen Gottespfennig, der für die Armen bestimmt
ist, verspricht und dass der Gerichtsvollzieher unter ausdrücklicher Zustimmung der Schöffen, das Angebot annimmt. Wird
kein Angebot gemacht oder wird es nicht angenommen, so erfolgt eine neue mise à prix und es ist schlechterdings erforderlich, dass ihr eine neue öffentliche Bekanntmachung vorausgehe.
Nach erfolgreicher Durchführung dieses Scheinverkaufes finden
die Criées, die Aufgebote statt, je von vierzehn zu vierzehn
Tagen, vier an der Zahl Sonntags nach dem Gottesdienst vor
der Kirche, und vier am Markttage auf dem Markte. Dann
wird zum öffentlichen Verkaufe geschritten. Durchwegs findet
er statt unter Abbrennen einer Kerze. Bis zu ihrem Erlöschen
werden Angebote entgegengenommen. Diese Angebote heissen
enchères oder haulces, aber auch palmées — in welch letztern
wir die letzte rechtlich bedeutsame Anwendung des alten Handschlages erkennen. Der Steigerer ist durch den Handschlag
an sein Angebot gebunden bis er überboten wird. Dem vor
dem Erlöschen der Kerze Letzt- und Meistbietenden soll die
Liegenschaft verbleiben. Indessen erfolgt das décret erst am
nächsten Tage. Bis dahin kann der Schuldner immer noch
den Gläubiger befriedigen und dadurch das Verfahren rück-
gängig machen. Bis dahin werden aber vielerorts auch noch

---

[1]) Lille tit. XIII, art. 1 f. insb. art. 4. Gouvernance et Bailliage tit.
XXIII. art. 1 f. insb. art. 8 f. Cambresis tit. XX, art. 8 und XXV, 16.

[2]) Lille tit. XIII art. 4. Gl. 1 no. 4. Viele Rechte kennen indessen
diese Schätzung nicht mehr.

neue Angebote entgegengenommen. Dann aber werden die definitive Adjudikation und das décret erlassen: der richterliche Zuspruch und das Friedewirken.

Binnen kürzester Frist hat der Erwerber den Kaufpreis auszuzahlen. Dieser wird an die Gläubiger verteilt gemäss dem Verteilungsplan der auf Grund der Anmeldungen, der oppositions, wie sie die Interessenten während des Verfahrens gemacht hatten, hergestellt wird. Die Fristen für die Anmeldungen sind häufig etwas weiter hinausgezogen als im gemeinen französischen Recht. Übereinstimmend aber hat das Dekret purgative Wirkung. Es wird denn auch das décret volontaire anerkannt. Doch kommt ihm naturgemäss nur eine untergeordnete Bedeutung zu[1]).

Weicht schon das dargestellte Verfahren. wenigstens seinen Grundgedanken nach nicht allzusehr von demjenigen ab, wie es im übrigen Frankreich geübt wurde, so ist die Übereinstimmung mit diesem letztern in den südlichen Gebieten der pays de nantissement eine vollständige. Denn auch sie stehen unter dem Edikt von 1551, welches das Zwangsverfahren in die Immobilien einheitlich regelte.

Hier bedarf es denn zu der definitiven Übertragung keiner weiteren Formalitäten mehr. Hingegen ist es in den nördlichen Provinzen teils streitig, ob das Dekret genüge, teils zweifellos feststehend, dass es nicht geeignet ist, den Erwerber sicher zu stellen, sodass dieser noch eine Auflassung bewirken muss. Es gibt auch hier Rechte, wo durch das Dekret schlechthin das Eigentum übertragen wird[2]). Mehrheitlich stehen aber die Rechte auf dem Standpunkt, dass zwar durch das Dekret der Schuldner entsetzt wird, dass sich die Wirkung aber auch darauf beschränkt[3]).

---

[1]) Dans la Flandre flamaado, ou ne pratique que peu ou point. de purger les héritages vendus; parceque toutes les hypothèques sont nulles et de nul effet, si elles ne se trouvent point enrégistrées au greffe des lieux ou des seigneurs d'où les biens relèvent immédiatement; les acheteurs peuvent y avoir recours pour leur sdreté. ‹ Lille tit XIII, art. 1, Gl. 1 no. 8.

[2]) Gand, tit. IV, art. 7. Hainaut, cit. Lille tit. XIII, art. 10 no. 8 und Merlin no décret d'immeubles § III no. 3 S. 356 f.

[3]) So auch die ältern südlichen Rechte. Vermandois 1448 no. 95.

Un décret adjugé est équipollé à desheritement[1]).
Infolgedessen ist es nötig, dass der Erwerber die Investitur,
die adhéritance nachsucht.

Par ladite adjudication de decret l'acheteur ou dernier
rencherisseur n'est reputé saisi ny héritier[2]) des fiefs, maisons
et heritages: tant et jusques à ce que la possession luy a esté
baillée par la loy et justice du seigneur dont ils sont tenus[3]).

Dieser Akt der Investitur vollzieht sich ohne Beteiligung
des bisherigen Eigentümers. Auf Begehren des Erwerbers
werden ihm die lettres de décret ausgestellt und zugleich erlässt der Gerichtsvollzieher[4]) auf Grund gerichtlicher Ermächtigung
eine Aufforderung an die kompetente Behörde, den Käufer in
das Grundstück einzusetzen.

d. Die haftungsrechtliche Bedeutung der Immobiliarexekution. Nicht nur das Verfahren der Zwangsvollstreckung, wie es die pays de nantissement kennen, zeigt
uns weite historische Zusammenhänge, zeitlich der Gegenwart
nahe gerückt, in hellem Lichte, sondern ebenso sehr ermöglicht
auch ein Blick auf die zivilrechtlichen Grundlagen dieses
Verfahrens wertvolle Rückschlüsse auf einstmals allgemeine
Rechtsanschauungen. Welches ist die Stellung dieser soeben
dargestellten Immobiliarexekution im Rahmen des zivilen Haftungsrechtes?

Viele Rechte kennen eine gesetzliche Haftung der Person
des Schuldners und eine gleichzeitig gegebene allgemeine
Vermögenshaftung. Mit dieser ist also ohne weiteres auch
die Möglichkeit gegeben, nötigenfalls auf das schuldnerische

---

[1]) Vergl. oben N. 1 no. Lille tit. XIII, art. 10, Salle de Lille tit.
XXII, art. 13.

[2]) Héritier ist in unsern Quellen regelmässig der Eigentümer genannt.
Vergl. Merlin no. Main-mise S. 616.

[3]) La salle de Lille tit. XXIII art. 14.

[4]) Es fehlt nicht an Rechten, welche nicht nur die adhéritance verlangen, sondern auch vorschreiben, dass vor Erlass des Dekrets die déshéritance stattzufinden habe. Doch wird bei dieser Entsetzung die Mitwirkung des bisherigen Eigentümers nicht vorgesehen. Vielmehr kann
ihn der Gerichtsvollzieher von Gesetzeswegen ersetzen. Lille tit. XIII, art.
10 no. 7. L'huissier y est autorisé à faire la déshéritance au nom du
propriétaire sur qui l'on a vendu.

Immobiliarvermögen zu greifen. Nur die Reihenfolge des Zugriffes auf die verschiedenen Haftungsobjekte regeln die hierher gehörigen Rechte unter sich ungleich.

Nach den einen soll der Gläubiger nach seinem Belieben auf die Güter oder auf den Körper des Schuldners greifen können[1]), wozu sogleich zu bemerken ist, dass die Personalhaftung und die Personalexekution in unserm Rechten von der allergrössten Bedeutung ist und in reichstem Masse zur Anwendung gelangt[2]). Jedoch ist nach vielen Rechten die Vermögenshaftung in den Vordergrund gedrängt. Der Gläubiger soll sich zunächst an das Vermögen halten und in Bezug auf dieses werden die Mobilien als erstes Angriffsobjekt bezeichnet. Erst bei Unzulänglichkeit der Fahrhabe und der Grundstücke soll der Schuldner in den Schuldturm gebracht werden.

L'executeur est tenu, en premier lieu, s'adresser aux biens meubles du condamné, par après, faute de biens meubles, aux heritages, et d'en faire vente par décret et éxecution de justice, et en faute de biens meubles et héritages non trouvés, s'adresser au corps du condamné[3]).

Aber es fehlt nicht an Rechten, welche nicht so unbedingt die Vermögenshaftung in den Vordergrund rücken. Allerdings soll zuerst in die Mobilien und erst nachher in die Immobilien exequiert werden. Aber augenscheinlich will diese Bestimmung nur der Stabilität der Grundbesitzverhältnisse dienen. Denn an Stelle der Mobilien kann — so bestimmen manche Coutumes — gar wohl die Person des Schuldners angegriffen werden. Die gesetzlich festgelegte Reihenfolge dient nur dem Schutz der Liegenschaften[4]).

Ganz anders eine weitere Gruppe von Rechten. In allererster Linie steht die Personalexekution. Der Schuldner wird seiner Freiheit beraubt. Erst wenn dieses Vorgehen sich nach einiger Zeit als erfolglos erweist, wird das Verfahren auf

---

[1]) Chisoing, C. loc. von Lille art. 2. So auch das réglement des Parlamentes von Flandern von 1672. Vergl. Merlin no Clain § I S. 367.

[2]) Lille tit. IX, Band II S. 301—351

[3]) Douay chap. XIII, art. 3, Lille XVIII, 8 Salle de Lille 23, 4. Neufville IV.

[4]) Flandern. cit. Merlin, vo Clain § I S. 367.

das Vermögen ausgedehnt[1]), wobei zuerst wiederum nur die Fahrhabe in Betracht fällt.

Manche Coutumes schrecken demnach am meisten vor der Immobiliarexekution zurück. Sie soll nur das letzte refugium sein. Man soll zu ihr nur schreiten se mieulx ne poeut on faire, wenn es sich anders gar nicht machen lässt, wie ein Weistum sich ausdrückt[2]).

Aber einzelne Coutumes gehen in dieser Richtung noch weiter. Der Inhalt der Haftung, soweit sie von Gesetzeswegen eintritt, beschränkt sich auf die Einständerschaft der Person und der Fahrhabe. Um auch die Liegenschaften angreifen zu können, bedarf es eines ausdrücklichen Einbezuges in die Haftung, einer besonderen Obligierung.

L'ou peut vendre par decret et execution de la Justice le fond et propriété des maisons et heritages en ladite Ville et Eschevinage en vertu des lettres obligatoires passées pardevant eux, contenans consentement exprès à ces fins ou autrément les profits et revenus de cent ans et un jour en faisant les criées en l'Eglise Paroissiale de la Ville etc.[3]).

— — on ne peut jamais — — parvenir au decret et adjudication du fonds, attendu que, suivant les coutumes et chartes du Hainaut, le fonds de terre ne peut être vendu et passé à un tiers sans le consentement du débiteur, qui en est propriétaire[4]).

Vollstreckung in die Liegenschaften setzt also Zustimmung des Schuldners voraus[5]). Bei solch starrer Auffassung und so zäh beibehaltener Abneigung gegen die Immobiliarexekution musste aber auch die Wirksamkeit des Dekretes im Recht der Eigentumsübertragung eine etwas abweichende Behandlung er-

---

[1]) So um eine ältere Quelle zu nennen, der livre Roisin S. 48 no. VIII., aber auch noch neuere: Commines no. IV.

[2]) Amiens Cout. loc. II S. 503.

[3]) Armentieres art. IX S. 168, vergl. Cout. loc. d'Erquinghem art. IX. S. 173.

[4]) Vorerwägungen zum Edikt Ludwigs des XIV., von Februar 1692. Merlin vo Main-mise 616.

[5]) Diese ist aber nicht mit den noch zu nennenden Verpfändungsformen zu verwechseln. Hier handelt es sich um die Aufnahme der Grundstücke in die obligation générale, bei jenen Verpfändungsformen aber um die obligation spéciale.

fahren, als wir bis jetzt gesehen. Dies ganze Recht ruht auf den alten Vorstellungen und lebt in den alten Formen. Ihnen muss sich auch die missgünstig behandelte Zwangsveräusserung fügen. So soll denn dem Dekret keineswegs die Wirkung der déshéritance zukommen Vielmehr muss diese durch den Schuldner selbst vorgenommen werden. Erst dann kann überhaupt zum Verkauf par décret geschritten werden. Hier genügt also selbst die spezielle Obligierung nicht. Es bedarf erst noch einer symbolischen Besitzräumung von seite des Schuldners, wenn es dem Gläubiger möglich gemacht werden soll, aus dem Kapitalwert der Grundstücke seine Be-friedigung zu finden. Das ist der Standpunkt des Rechtes vom Hennegau.

Die gleiche unbefriedigende Rechtslage führt zu den gleichen Notbehelfen und Auswegen. Wie früher besprochene mittelalterliche Rechtsquellen, so sehen auch unsere Coutumes die Vollstreckung in die Nutzung der schuldnerischen Grundstücke vor. Dies hat uns bereits eine der oben zitierten Stellen[1]) verraten. Und die soeben herangezogene[2]) Bestimmung der Chartes générales von Hainaut heisst zum Schluss:

Mais les devront manier annuellement jusques au four-nissement de leur traité. Endlich das Recht von Lille[3]):

Lesdits Haut-Justiciers ou Viscontiers, par leurs loix et justices, peuvent faire vendre, crier et soubhaster par decret et execution de justice, les profits et revenus de cent ans et un jour des fiefs, et heritages tenus d'eux ou dependans en y gardant et observant les devoirs en tel cas requis: et ne peuvent vendre le fonds et propriété d'iceux fiefs et heritages, n'est qu'à ceste fin ils soient par exprès rapportez et hortigez[4]).

Es war bekanntlich für die mittelalterliche Rechtsent-wicklung kein leichtes Problem, Mittel und Wege zu finden, die

---

[1]) — — sans qu'on puisse jamais décréter les immeubles, à moins que le débiteur ne s'en soit déshérité, etant capable d'aliéner vo Clain § I S. 368 bei Merlin und ibid. vo. décret d'immeubles § III S. 356 und vo. main-mise S. 615. Chartes générales chap. 69 art. 20: Les dits sergents ne pourront vendre fiefs, alloets ou mainfermes, s'il n' y a déshéri-tance préalable par les héritiers à cet effet.

[2]) s. Note 1.

[3]) châtellenie de Lille tit. I, art. 30.

[4]) d. h. déshérité.

in der Immobiliarexekution mit etwelcher Sicherheit zu einem
Resultate führten, das in wirtschaftlicher Weise mit den zu
Grunde liegenden Schuldverhältnissen harmonierte. Soweit aber
die Vollstreckung nur in die Nutzniessung ging, so dass diese
auf die Forderung angerechnet wurde, war ein ökonomischer
Ausgleich von selbst gegeben. Doch nur sehr ungefähr. Die
Abrechnungen werden die schuldnerischen Interessen keineswegs
überall gehörig zum Ausdruck gebracht haben. Den Schwierigkeiten, die daraus entstehen, versuchten die Rechte häufig zu
entgehen, indem sie in schematischer Weise ein für alle mal die
Berechnungsmethode festlegten. Unsere Coutumes geben einen
andern Weg: Es wird die Nutzung einer möglichst langen Zeit
an den Meistbietenden verkauft und aus dem Erlös dieses Verkaufes sollen die Gläubiger befriedigt werden. Die Rechte von
Lille sehen eine Exekution in die Nutzung von hundert Jahr
und ein Tag vor. Das ist eine solch' lange Frist, dass man
als die nächste Entwicklungsstufe die Anerkennung der auf das
Grundstück selbst gehenden Exekution voraussieht. Dem ist
aber nicht so. Die lange Frist rief allerdings vielen Schwierigkeiten und Unannehmlichkeiten. Daher setzte sie ein Placard
vom Jahre 1618 herab auf 29 Jahr und ein Tag[1]).

Das Verfahren stimmt im wesentlichen mit dem früher
dargestellten überein. Es wird eröffnet durch die main mise,
welche der Gerichtsdiener auf Grund richterlicher Erlaubnis vornimmt, indem er sich auf das Grundstück begibt und hier ein
Rasenstück aushebt oder einen Halm oder Zweig zu sich nimmt,
um sie einem Dritten als „morte-garde" zu überreichen[2]). Dann
erfolgen die mise au prix, die criées, deren es jedoch nur je
zwei vor der Kirche und auf dem Markte bedarf, dann der
öffentliche Verkauf unter Abbrennen der Kerze und endlich die
Adjudikation und das Dekret[3]). — Die Superiorität dieser
Exekutionsmodalität vor ältern, in denen ebenfalls nur die
Nutzung in Betracht fiel, besteht darin, dass hier mit Leichtigkeit die Interessen einer Mehrheit von Gläubigern gewahrt
werden können. Hypothekare melden also ihre Ansprüche an

---

[1]) tit. I, art. 30 no. 8.
[2]) Chartes générales cit. chap. 69 art. 17.
[3]) Lille tit. XXIII, art. 17, 18 f.

(oppositions) und werden dann vorzugsweise aus dem erzielten Kaufpreis befriedigt: ordre [1]).

Endlich sei erwähnt, dass auch in einigen unserer Coutumes sich die Gebilde einer Übergangsstufe zeigen, wie sie uns aus mittelalterlich deutschen Rechtsquellen bekannt sind: Auf eine bestimmte Zeit — drei Jahre, fünf Jahre — wird das Grundstück nur in Nutzung gegeben und zwar dem Gläubiger selbst. Gelingt es ihm dann nicht auf diesem Wege innerhalb der festgesetzten Frist zur Befriedigung zu kommen, dann wird endlich doch noch zum gerichtlichen Verkauf der Grundstücke geschritten.

Stehen schon die dargestellten Rechte auf einer Stufe der Entwicklung, wie sie anderswo kaum erst im vierzehnten, eher schon im dreizehnten Jahrhundert erreicht war, so fällt uns endlich eine Coutume auf, die haftungsrechtlich einen noch bedeutend älteren Zustand widerzuspiegeln scheint. Das Recht von Cambresis kennt den Clain wie die übrigen hierher gehörigen Coutumes als arrêt, als empêchement. Wie anderswo kann er auch hier ein persönlicher sein. Und hier setzt die Bedeutung unserer Rechtsquelle ein. Die persönliche Haftung — sie wird nicht mehr vertraglich hergestellt — geht auf die Person. Der „Arrest" erfolgt in der Weise, dass auf Grund richterlicher Ermächtigung der Fronbote hingeht und den Schuldner berührt. Diese Berührung unterwirft ihn der Hand des Gerichtes. Der Gerichtsvollzieher meldet die Vornahme dieser Handlung an das Gericht. Dieses erlässt einen Befehl an den Schuldner, innerhalb vierundzwanzig Stunden zu zahlen. Wird diesem Befehl nicht nachgekommen, dann kann dem Schuldner die Freiheit entzogen werden.

On doit s'adresser à Mr. le Prevost, auquel faisant apparoitre la sentence ou titre executoire et luy payant ses droits —

---

[1]) On demande si le créancier qui a acquis hypothèque par mise de fait ou autrement, sur le bien saisi, et dont la jouissance est décrétée — — peut exercer son hypothèque sur les deniers consignés procédans de la vente par décret de cette jouissance et si en l'exerçant, il doit être préféré au créancier saisissant qui a fait décréter. — — L'hypothèque est antérieure à la saisie et — l'hypothèque l'emporteroit sur la saisie, parce qu'elle a précédé et qu'elle affecte tous les fruits qui naissent du fonds, comme le fonds même.

il pourra authoriser ses sergeants pour arrêter sur la rüe touts étrangers, mais seulement pour toucher de prime abord un bourgeois, et en vertu de cet attouchement qui soumet le bourgeois aux mains de la Justice, Mrs. de la chambre sur le rapport du sergeant qui a touché, font par leurs huissiers oommandement au débiteur de satisfaire dans 24 heures apres le quel delay on peut aller le faire enlever de sa maison par les sergeants en presence dudit Prevost et de deux Eschevins [1]).

Merkwürdigerweise beschränkt sich die gesetzliche Haftung grundsätzlich auf die Person selbst, soweit sie nicht durch ausdrückliche Einräumung von seiten des Schuldners erweitert wird. Keineswegs ist mit der Haftung der Person auch die Haftung des Vermögens gegeben. Nicht einmal des beweglichen. Die Möglichkeit, in sie exequieren zu können, setzt ihre „Verhypothezierung", ihre Obligierung voraus und zwar gibt es dazu keinen anderen Weg: es muss ausdrücklich — vor den Richtern — geschehen. Dies Recht kennt eine „obligation par peine servie". Nach dem Kommentator besteht sie darin, dass für den Fall der Nichtleistung der Obligierte sich und seine Güter bei einer Busse der gerichtlichen Exekution unterwirft. Doch art. XLV sagt von dieser Obligation:

L'execution d'une obligation par peine servie se fait ordinairement en la cité contre manans par apprehension de la personne obligée par peine servie; mais contre forain ou hors de la cité se peut faire tant par apprehension de la personne que des biens meubles — —. So weit also die Bürger in Betracht kommen, wird auch aus einer mit Strafklausel versehenen Obligation ausschliesslich die Person des Obligatus angegriffen. Und der Herausgeber der Coutume gibt die Erklärung [2]):.

Il faut encore excepter (sc. von der Zugriffsmöglichkeit) les meubles des bourgeois, qui dans la ville et banlieue ne sont jamais sujets aux executions des saisies et arrêts; si ce n'est par clain de dégagement [3]) pour salaires et journées de domesti-

---

[1]) Jannaux zu tit. XXV, S. 418.

[2]) l. c. S. 476.

[3]) Vergl. S. 422 t.

ques ou artisans, ou lors que le debiteur les a specialement hypothequez par obligation passée par devant
Eschevins ou enfin dans les causes privilegiées des louages,
rentes etc. [1]).

In aller Form muss also die Fahrhabe obligiert werden.
Sonst bleibt die Haftung auf die Person beschränkt. U. E.
führt dies merkwürdige Recht, dem wir eine geradezu typische
Bedeutung beimessen möchten, mitten in haftungsrechtliche
Probleme hinein, die bis ins germanische Altertum zurückweisen.
Hier müssen wir es vorläufig an diesen Hinweisen genug
sein lassen.

e) Übergang: Der vorsorgliche Zwang. Es bedarf
keines weiteren Beweises, dass das bisher dargestellte Verfahren ein Verfahren der Zwangsvollstreckung ist und
dass insbesondere die genannten Formen der Bannlegung
der Eröffnung dieses Verfahrens dienen, also wirklich exeku-
tivischer Natur sind. Das ergibt sich aus den herangezogenen
Quellen von selbst. Nun kann aber die eine und andere dieser
Formen — und darin liegt nach manchen Coutumes das einzig
Unterschiedliche derselben[2]) — schon angewendet und deren
Verwertung gegen den Schuldner angerufen werden, bevor dem
Gläubiger ein exekutorischer Titel zur Seite steht. Nicht einmal der Fälligkeit der Schuld bedarf es. In vorsorglichem
Zwang wird zu den Zwecken der Sicherstellung das
Gut des Schuldners gefrout, besetzt, bekümmert,
„arrestiert"[3]). Es ist ja auch naheliegend, den ersten Teil
des Vollstreckungsverfahrens, der eben eine Bindung und Festlegung von Vermögensobjekten und deshalb eine Sicherungs-
massregel ist, mit seinen Vorteilen zeitlich möglichst weit nach
vorne zu verschieben und naheliegend, ihn im Interesse des
Gläubigers schon in einem Zeitpunkt zur Anwendung zu bringen,
wo an die zwangsweise Realisierung des Gläubigerrechts noch
nicht zu denken ist, ja wo vielleicht noch gehofft wird, dass

---

[1]) Hypothek auf die Immobilien, vergl. art. 20 tit. cit. S. 449.

[2]) Pathou zu tit. VIII, art. 6 Gl. 1 no. 20 f.

[3]) Die gleiche Benennung für diese Sperrung der Güter zwecks
zwangsweiser Sicherung und für die exekutive Fronung kennen auch die
mittelalterlich deutschen Quellen. v. Meibom S. 103; Plank, Gerichtsverfahren II 384; vergl. folgende Note.

sich diese überhaupt vermeiden lasse [1]). Die Quellen sprechen
denn auch in all diesen Fällen von Besatzung zum Zweck der
Sicherung ausdrücklich von prévention, von sûreté (im Gegensatz zu paiement) und von „voye des cautions" [2]). Auch sind
sie in der Sache so präzise wie nur möglich:

Il est loisible à toutes personnes pour dettes, censes et
redevances de terres ou heritages dont le jour de payement
n'est encore venu, sors faire assurer à ses depens par la voye
de clain ou arrest [3]).

On ne doute point que pour une dette échue, le créancier
ne puisse s'assurer par mise de fait sur les biens de son
débiteur, quoi qu'il ne puisse point en exiger caution. Pourquoi
ne le pourroit-il point pour une dette non échue ou
conditionelle, sans attendre une juste cause ou un changement
dans la fortune du débiteur? La mise de fait pour sûreté
n'ôte rien au debiteur; elle ne le dépossède point, elle ne fait
qu'assurer son engagement, sans frais ni difficulté. On pourra
donc ici, sans nouvelle cause, intenter mise de fait pour sûreté
d'une dette non échue ou conditionnelle, sur les biens du
débiteur [4]).

Trotz dieses Schutzmittels der zwangsweisen Sicherstellung
wird der Gläubiger häufig das Bedürfnis nach weitergehenden
Garantien empfinden. Es kommt vor, dass der vorsorgliche
Zwang vom Richter erst im Falle einer Gefährdung angeordnet
wird. Die Quellen, die wir eben zitiert haben, sprechen freilich
nicht von dieser Voraussetzung [5]), auf welchen Umstand noch

---

[1]) Eine andere Erklärung gibt Plank l. c. S. 387 u. 390. Das hier
in Betracht kommende Mittel des vorsorglichen Zwanges soll dem Satzungsrechte entlehnt sein. Diese Ansicht entspricht der Auffassung, die Plank
über das Verhältnis der jüngeren Satzung zum Exekutionsrecht hegt.
Vergl. ob. S. 146, 156.

[2]) Pinault zu Cambresis tit. XXV, art. 56. Merlin vo Clain § I
S. 365, 372 f. vo. Main-mise S. 613, vo. Mise de fait § I S. 293.

[3]) Cambresis tit. XXV, art. 56.

[4]) Pathou zu tit. XII, art. 4 no. 13.

[5]) Vergl. jedoch in Bezug auf den Clain im Rechte von Lille Pathou
zu tit. VIII, art. 6, Gl. 1 no. 38 f.: ne pourroit-on point saisir par clain
pour une dette non échue, en déclarant le débiteur insolvable, ou lorsqu'il
est latitant ou fugitif? La saisie par clain pourroit être pratiquée dans
l'une ou l'autre de ces circonstances, parce qu'il y a du péril dans la
demeure. Vergl. Merlin Plainte à loi S. 252.

zurückzukommen sein wird. Aber auch davon abgesehen hat der Gläubiger ein Interesse, von Anfang an über die Haftungsobjekte, die seiner Sicherheit dienen sollen, Klarheit zu haben und dieses Interesse hat schliesslich oft genug auch der Schuldner. Die Sicherung, die der vorsorgliche Gläubiger sich verschafft, muss ihm drückend, ja oft gefährlich sein. Der Schuldner wird deshalb bereit sein, dem Gläubiger von vorneherein die von ihm verlangten Garantien einzuräumen. Auch wenn es dieselben Sicherungsmassnahmen sind, die sich der Gläubiger durch den vorsorglichen Zwang zu verschaffen wüsste, wird er sich dazu herbeilassen. Sogar erst recht! Denn durch die Beredung verliert der Güterarrest vieles von seiner sonstigen Härte. Denn es unterliegt nun der Vereinbarung, den Umfang im allgemeinen und die besonderen Objekte des „Empeschement" zu bestimmen. Ja es erweist sich der Arrest, der ursprünglich nur in der Form der exekutiven Fronung und nachher — immer noch einseitig — zur zwangsweisen Sicherstellung verwendet wurde, in hohem Masse geeignet zum Mittel der vertraglichen Sicherung der Ansprüche des Gläubigers. Der Schuldner bleibt bei dieser Güterarrestierung in Besitz und Nutzung. Dem Gläubiger wird eine empfindlichere Machtbefugnis nur für den vom Schuldner selbst der blassen Möglichkeit nach gern in Abrede gestellten Fall der Säumnis und der Nichtbefriedigung eingeräumt. Auf diese Weise, die der inneren Wahrscheinlichkeit gewiss nicht entbehrt[1]), gelangen wir zum Begriff der jüngeren Satzung.

[1]) Vielmehr erscheint sie so zwingend, dass wir begreifen, wenn zu einer Zeit, welcher diese geschichtlichen Zusammenhänge nicht mehr bewusst waren, diese Entwicklung sich im Kleinen wiederholt. Man vergleiche folgende interessante Stelle aus den Coutumes notoires (LXII): Toute fois que, aucune Execution est encommenciée sur un obligié et sur ses biens et aucune tierce personne en répond suffisamment, la main garnie en main de Justice, et de ce il appert deuement et suffisamment, en puet proceder sur les biens d'iceluy. ainsi respondant, par voye d'Execution, en son viuant et se perpetue la poursuite de ladite Execution, sur les biens prins et mis en la main de Justice, au viuant dudit respondant: et ainsi en use l'en. Es wird in das Vermögen eines Schuldners exequiert. Nun springt ein Dritter ein, der genügende Sicherheit bietet. Der Gläubiger kann diesen Bürgen annehmen. Er kann dann aber, um den Vorzug der begonnenen Exekution nicht zu verlieren und um sich des Bürgen zu vergewissern,

3. **Das Hypothekarrecht.** a) **Die Form der Pfand-rechtsbegründung.** Wenn man die jüngere Satzung immer wieder anders, als wir soeben dargelegt, zu fassen versuchte, wenn man gestützt auf Ähnlichkeiten in der Realisierung einer engeren Verwandtschaft mit der älteren Satzung das Wort sprach, und wiederum gestützt auf jene Ähnlichkeiten die vorsorgliche zwangsweise Besatzung nur als eine von Seiten des Gerichts erfolgte Supplierung der konventionellen Satzung betrachten wollte[1]), so lag das zu einem nicht zu unterschätzenden Teil daran, dass die **Formen der Begründung der Satzung** in den Quellen meist so sehr verblasst sind, dass sie für die historische Erkenntnis der Zusammenhänge gar nicht mehr in Betracht kommen können[2]). Darin liegt für diese Fragen die grosse Bedeutung der Coutumes de nantissement, dass sie diese Formen noch treu erhalten haben, dass sie die Pfandrechts-begründung noch an Akte knüpfen, die ihre geschichtliche Her-kunft nicht verleugnen, die vielmehr in ihrer Eigenart die sichersten Schlüsse erlauben auf das Wesen des durch sie be-gründeten Rechtes und damit auf die genetischen Zusammenhänge, die vom Satzungspfandrecht weit zurückführen bis in die fränkische Periode, bis zum königsrechtlichen Bannverfahren. Nicht dass uns mehr viel zu sagen übrig bleibt. Statt das Satzungsrecht darzustellen, könnten wir uns beinahe begnügen, auf das über die Exekution Gesagte zu verweisen. Aber das ists gerade. Darin liegt die Beweiskraft: **Der Parallelismus ist ein vollständiger.**

Begründet wird die Hypothek durch **main assise.**

L'on acquiert droit réel d'ypotéque sur des Héritages, situés en Artois, par la Main-assise. Ce qui se fait en cette manière. Un Créancier, auquel le débiteur a accordé le pouvoir de faire asseoir la Main de Justice sur ses Biens, pour sûreté de sa Créance, obtient une commission du Juge immédiat, ou médiat, selon les

---

sofort gegen diesen die Exekution beginnen. Er braucht sie nicht durch-zuführen. Er soll dauernd die Vorzüge aus der begonnenen, der vorweg ge-nommenen ersten Exekutionshandlung geniessen. Diese Stelle bietet eine genaue Parallele zu dem Hypothekarrecht, wie wir es in den pays de nantissement antreffen.

[1]) Plank l. c. 387, 390.

[2]) Vergl. Plank a. a. O. 342 f., von Meibom 418 f.

cas specifiés ci-dessus, en vertu de laquelle un Sergent asseoit la main du Seigneur immédiat, ou celle du Roi, comme Souverain d'Artois, ou d'autre Justice, le cas y échéant, sous le Ressort médiat de laquelle l'héritage est situé, pour sûreté de la créance: Il assigne le Débiteur et le Seigneur, pour consentir ou debattre la Main-assise et pour ordonner qu'elle tiendra[1]).

Also: Der Schuldner hat dem Gläubiger das Recht eingeräumt, zur Sicherheit für seine Schuld die Hand des Gerichtes auf seine Güter legen zu lassen (Spezialobligation). Auf Grund dieser Erlaubnis bewirkt der Gläubiger einen Gerichtsbefehl. Dieser wird durch den Gerichtsdiener ausgeführt, indem er die Hand des Königs oder die Hand des grundherrlichen Gerichtes auf die Liegenschaft legt — zur Sicherheit für die Schuld. Dann erfolgen die nötigen Aufgebote zum Termin, an welchem die Interessenten widersprechen mögen, ansonst dem Gläubiger Friede gewirkt wird. — Diese Hypothek durch main assise kehrt in allen unsern Rechten wieder[2]). In fast stereotyper Form sehen wir sie überall in Bestimmungen wie etwa der folgenden vorgesehen:

Quand aucun pour seureté de payement — veut acquerir hypotheque et droict réel sur l'heritage de son obligé, est requis qu'il observe l'une des trois voyes cy apres declarées[3]). — La deuxième que le creancier[4]) — — pretendant hypothecque

---

[1]) Maillart. S. 162 no. 11 Artois art. 71.

[2]) Vergl. Cout. loc. d'Amiens I 190, 15, 372, II 55, 601, 498. Lille XX 1 f. Donay chap. 17. Boullenois usages art. XII, S. 41; Boullenois Cout. II S. 149, Amiens 1507 art. 77 f. 1567 art. 140 f.

[3]) Der erste Weg besteht in der Auflassung, vergl. oben S. 315, der dritte in der mise de fait, wovon sogleich zu handeln sein wird.

[4]) Die Stelle heisst hier: le creancier achepteur, donataire ou autre pretendant hypotheque. Also auch der Käufer und der Beschenkte können main assise verlangen. Vergl. Boullenois Bd. II S. 149. Darin wird die main assise den Auflassungsformen ähnlich. Aber es ist notorisch, dass die main assise ihre vorzügliche Bedeutung durchaus im Exekutions- und im Hypothekarrecht hat. Ja es berichten die älteren Autoren, dass sie in der Tat ursprünglich ausschliesslich der Pfandrechtsbegründung gedient habe. La main-assise n'avoit lieu autre que pour faire acquérir ypotéque aux Créanciers des Rentes ou des Droits exigibles lorsqu'ils en avoient stipulé la faculté par leurs titres. art. 71 nennt denn auch unter den verschiedenen Mitteln zum Erwerb der Gowere aus irgend einem Titel, die

par commission de iuge competant f a c e m e t t r e et a s s e o i r
la m a i n du Roy ou d'autre j u s t i c e, s u r l e s h e r i t a g e s
de s o n obligé p o u r la s u r e t é de sa debte et s i g n i f i e r
icelle main mise tant au dit obligé comme aux seigneurs dont
lesdicts heritages sont tenus et mouuans, ou à leurs baillif et
officiers de iustice. Et faut faire adiourner lesdicts seigneurs
et obligé pour voir declarer que la main-mise tiendra etc.[1]).

Wie aber die Exekution nicht nur mit der main assise,
sondern auch mit der m i s e de f a i t eröffnet werden kann, so
gilt dies auch für die Begründung der Hypothek. Und notwendigerweise vollzieht sich die mise de fait wiederum in der
Weise, die wir schon kennen gelernt haben.

La troysiesme voye[2]) est que celuy qui veut auoir ladicte
hypothecque et droict réel, obtienne commission du bailly
d'Amiens, ou d'autre iuge competant et par vertu d'icelle se
face mettre de faict ou procureur pour luy és fiefs et heritages
sur lesquels il veut auoir sa acureté et droict réel: et face
signifier ladicte mise de faict aux proprietaires et possesseurs
desdicts heritages et aux seigneurs dont ils sont mouuans et
face assigner iour par deuant ledict iuge competant, pour se
venir, tenir et decreter de droicte etc.[3]).

---

main assise nicht. Hingegen erscheint die mise de fait als ein geeignetes
Mittel. Auch Merlin nennt die main assise ausschliesslich als Modus der
Pfandrechtsbegründung. Dies entspricht denn auch dem Wortlaut der
übrigen vorige Seite No. 2 genannten Rechte. Die Erweiterung des
Wirkungsbereiches, wie sie die im Text zitierte Stelle vorsieht, ist also nur
ein vereinzeltes und spätes Produkt, das den Niedergang kündet. Dass es
sich nur um eine abgeleitete Wirkung handelt, zeigt zudem die Stelle selbst,
indem sie unmittelbar nach der Nennung des Käufers doch wieder nur von
der Hypothek spricht.

[1]) Amiens 142.

[2]) Amiens 144, vergl. vorige Seite Note 3. Boullenois art. 105, Amiens
loc. II 601, II 55.

[3]) Im Gegensatz zur main assise findet die mise de fait allgemeine
Verwendung auch ausserhalb des Pfandrechts. So wird unterschieden
zwischen einer apprehensiven und einer bloss der Sicherung dienenden
mise de fait, welch letztere nicht depossedire: m. d. f. pour sûreté ou pour
appréhension: La mise de fait pour sûreté donne hypothèque et celle pour
appréhension vaut désheritance et adhéritance. Lille tit. XII art. 4 no. 1.
Vergl. tit. XIX. Artois art. 71. So ist bei Maillart in der Parallelstelle zu
den oben (vorige Seite Note 1) über die main assise wiedergegebenen Aus-

b) Die Wirkungen des Hypothekarrechtes. Schon bei Betrachtung des exekutiven Pfandrechtes haben wir die Wirkungen kennen gelernt. Sie bleiben dieselben auch für das Vertragspfand. Auch dieses ist ein „empeschement" und eine défence, ein Verbot[1]).

Par la coustume, main assise — crée seureté et hypotheque dés l'instant de la main mise, et ne peuvent les obligez ou reconnoissans deteriorer, ne faire chose au prejudice de la dite hypoteque[2]).

Der Schuldner kann also nicht mehr in einer Weise über das Gut verfügen, die dem Gläubiger Schaden brächte. Das Verbot, als welches die Quellen die Hypothek bezeichnen, ist also wesentlich eine Einschränkung der Dispositionsbefugnis des Eigentümers und worauf es vor allem abzielt, ist eine Behinderung der Veräusserung. Dies „Veräusserungsverbot" ist denn geradezu eine technische Benennung der Hypothek. Aber dasselbe findet seine Stellung bezeichnender Weise durchaus unter den dinglichen Belastungen.

Comme souventes fois advient qu'en la vente ou charge des biens immeubles, les vendeurs récélent les charges antérieures, servitudes, prohibitions d'aliéner, ou autres charges ou obligations, ausquelles iceux biens se trouvent par après tenus et affectés au grand préjudice des achepteurs — —[3]).

An die Hinfälligkeit der trotz des Verbotes vorgenommenen Veräusserung wird in dieser Stelle nicht gedacht. Auch sonst

führungen, die sich ausschliesslich auf die Hypothek bezogen, in Bezug auf die mise de fait zunächst nur an die „apprehensive" gedacht, d. h. an diejenige, welche die Gewere überträgt. S. 161 no. 5, vergl. auch S. 493 no. 48. Merlin vo. Mise de fait § I. S. 291: Einweisung des Käufers, des Testamentsvollstreckers, des Legatars, der Frau in das douaire, des Erben in die Succession durch mise de fait. Konstituierung der Hypothek § IV no. 6 S. 309. — Oft werden unterschiedslos die Arten der Pfandrechtsbegründung nebeneinander genannt, die exekutivischen und die vertraglichen: Il faut pour l'hypothèque spéciale avoir recours à sa saisie, mise de fait, rapport d'heritages, et autres voies judiciaires, marquées par nos coutumes. Lille tit. VIII, art. 1, Gl. V, no. 31. Cout. loc. de Lille I S. 191 art. XII.

[1]) Amiens cout. loc. I 372. Boullenois Usages l. c.
[2]) Lille tit. XX, art. 2.
[3]) folgt die Statuierung eines Purgationsverfahrens. Edit perpétuel vom Jahre 1611 art. 36, cit. Lille II S. 513.

wird trotz der genannten Bestimmungen und Bezeichnungen
nirgends eine entgegenstehende Veräusserung als nichtig erklärt.
Der Standpunkt, den Beaumanoir im mittelalterlichen Recht ver-
trat, erscheint überwunden. Aber nicht weniger deutlich als
etwa bei dem grössten Coutumisten zeigt sich selbst in dieser
Überwindung noch der Gang der Entwicklung. In formal-
juristisch und ökonomisch gleich haushälterischer Weise ist die
Tragweite des Veräusserungsverbotes eingeschränkt in dem
Sinne, dass alle nachfolgenden Veräusserungen und Ver-
schenkungen gültig sind — unbeschadet der Rechte des
Pfandgläubigers. Er kann also immer noch in die
Sache exequieren, genauer nach unseren Rechten: seine Exekution
fortsetzen — nach wie vor. Das ist das droit de suite des
Hypothekars[1]). Und in gleicher Weise ergibt sich, wie wir
schon früher gesehen, aus der Natur der Hypothek als einer
Besatzung das Vorzugsrecht des Pfandgläubigers[2]). Ebenso ist
endlich auf das früher Gesagte zu verweisen in Hinsicht auf
die bedeutendste Wirkung, die die Hypothek

c) in der Realisierung, im Verwertungsverfahren findet.
Dieses Verfahren ist für das Pfandrecht durchaus das oben für
die Exekution dargestellte. Die Quellen selbst geben denn auch
die Darstellung desselben bald als Modus der Pfandrechts-
verwirklichung, bald als exekutives Befriedigungsverfahren[3]).

d) Haftungsrechtliche Bedeutung: Verhältnis zur
Vermögenshaftung. Die plainte à loi und der clain sind keine
Formen der Begründung eines Vertragspfandes. Schon ihr
Name sagt das. Sie bezeichnen die Sperre im Vollstreckungsverfahren, sind Formen wesentlich exekutivischen Charakters.
Aber auf dem Gebiet des vorsorglichen Zwanges dienen sie der
gesteigerten, besonderen, „speziellen" Sicherung, die der Richter
über den Willen des Schuldners hinweg dem Gläubiger zu-
gesteht — auf Objekte, die diesem bisher nur durch die allgemeine Vermögenshaftung unterworfen waren. Demgegenüber dienen die main assise und die mise de fait der Konstituierung auch des Vertragspfandes, des Pfandes, das der

---

[1]) Vergl. oben S. 202, 221.
[2]) Maillard S. 489 no 6 und Buridan zu art. 176 C. de Rheims
S. 335 no 1.
[3]) Vergl. noch Boullenois II S. 375 f, Cambresis tit. 25, art. 20 S. 449 f.

Schuldner zugesagt hat. Diese Einräumung wird in den Quellen des öfteren als eine ausdrückliche für die Vornahme der main assise vorausgesetzt und zwar wird durchwegs verlangt, dass sie in öffentlicher Urkunde zum Ausdruck komme.

L'on ne peut proceder par ladite voye de main assise, si ce n'est qu'elle soit accordée par lettres authentiques[1]).

— — est requis que telle main assise soit accordée par lettres obligatoires passées ou reconnues pardevant le gouverneur ou son lieutenant ou auditeur audit Lille, sous scel du souverain ɔailliage[2]).

Die Gläubiger versäumten nicht, sich diese Zustimmung geben zu lassen. Die Notare mussten sie immer wieder in ihre Formulare aufnehmen: ces Clauses ne sont guère omises dans les Actes des Notaires[3]). Endlich wurden sie fehlenden Falles vom Gericht suppliert. Wenigstens südliche Rechte gelangen in der Tat so weit: Le consentement du debiteur n'est pas requis au nantissement[4]). Die Begründung ist folgende:

Il[5]) (sc. le débiteur) ne peut point empescher que son creancier ne recherche toutes les seuretez que la loy luy donne, pour s'assurer de son deu et a deu sçavoir que lors qu'il s'obligeoit, il obligeoit aussi tous ses biens, suivant la maxime generale de la France, que quiconque s'oblige, oblige le sien, encore que mesme il n'en soit fait aucune mention expresse dans le contrat, cette clause, y'estant toujours sous-entendue, tant à son égard, que pour ses heritiers.

Es wird hier auf einen Grundsatz des gemeinen französischen Rechtes verwiesen. Dieses gewinnt denn auch tatsächlich, vor allem durch den Einfluss der Pariser Gerichtspraxis, mit manchen Institutionen und Prinzipien immer grössere Bedeutung auch im Norden. Es erscheint naheliegend, gerade die in Rede stehende merkwürdige Auffassung, wouach die Konstituierung einer Hypothek der Zustimmung des Schuldners

---

[1]) Amiens 143.

[2]) Lille tit. XX art. 1 cit. Maillard S. 162 no. 11 cit. S. 490 no. 16.

[3]) Maillard S. 490 no. 11.

[4]) Buridan S. 345, Coutume de Rheims art. 181.

[5]) S'étant reconnu redeuable par le contrat de constitution de rente ou autre contrat; portant obligation pour autre deu.

gar nicht bedarf, solchen von Süden her sich geltend machenden
Einflüssen zuzuschreiben. Denn man ist geneigt, die Anschauung,
wie sie dieser Regelung zu Grunde liegt, wie ein Fremdkörper
im Rahmen des Rechtes unserer Coutumes zu betrachten.

Aber diese Einflüsse auch in unserer Frage zugegeben —
damit geht die Rechnung doch nicht restlos auf. Qui s'oblige,
oblige le sien. Dieser Satz statuiert im Süden die allgemeine
Vermögenshaftung, und dient in der Zeit, in der wir stehen,
bereits dazu, die hypothekarische Vermögenshaftung zu illustrieren. Dabei ist grundsätzlich an die Gesamtheit der schuldnerischen Güter und als naturgemäss an ihre gleiche Behandlung
gedacht. Einen ganz andern Sinn erhält das Wort für die
nördlichen Rechte. Es statuiert — soweit es nach dem früher
Gesagten überhaupt Geltung hat — auch die Vermögenshaftung.
aber einzig und allein in dem Sinn der mittelalterlichen obligatio
generalis. Wenn es aber die Unabhängigkeit des Gläubigers, der
sich ein Pfandrecht beschaffen will, von der schuldnerischen
Einwilligung rechtfertigen soll, erhält es einen andern Sinn und
besagt: Die Vermögenshaftung ist ohne weiteres ein Titel zur
wirksameren Sachhaftung in der Gestalt der Spezialhypothek. Darin sieht vielleicht unser Rechtsempfinden einen
Versuch, die grössten Gegensätze zu überwinden. Aber das
gemeine altfranzösische Recht hat sie als solche gar nicht gekannt.
Jenes hätte denn auch mit all seinem Einfluss nicht ausgereicht,
diese Kluft zu überbrücken, wenn dem nicht Grundanschauungen
unserer Rechte selbst mächtig Vorschub geleistet hätten.

Jetzt erinnern wir uns, dass Coutumes, die von Süden her
noch nicht beeinflusst sind, die zwangsweise Besatzung zulassen, ohne sie irgendwie vom Nachweis einer Gefährdung der Ansprüche abhängig zu machen. Vorausgesetzt ist nur die allgemeine Vermögenshaftung. Hier berühren sich unmittelbar die Besatzung zu vorsorglichem Zwang
und das „Vertragspfand". Freilich nur uneigentlich kann man
noch von vertraglichem Pfand reden. Der Gläubiger hat auf
Grund der „persönlichen" d. h. der generellen Obligation einen
gesetzlichen Titel, der ihm das Recht auf spezielle, auch
gegen Dritte wirkende Sachhaftung einräumt. Er lässt diese
herstellen — zur vorsorglichen Sicherung. Und so verschieden
das Recht in den pays de nantissement und im übrigen Frank-

reich ist und in seiner Ausgestaltung sein muss — in der Frage
nach der grundsätzlichen Behandlung des Verhältnisses von
genereller und spezieller, von quasihypothekarischer und realiter
hypothekarischer Haftung herrscht der Tendenz nach völlige
Übereinstimmung. Der Grund dieser Übereinstimmung liegt
darin, dass hier wie dort das Hypothekarrecht sich in engster
Anlehnung au das Exekutionsrecht gebildet hat und dieses Ausfluss einer sächlich aufgefassten Haftung ist. Aus der Pfändung
das Pfandrecht. Jene aber aus der generellen Vermögenshaftung. In dieser liegt deshalb virtuell die hypothekarische
(spezielle) Obligation enthalten.

Es ist von der grössten Wichtigkeit zu sehen, wie selbst
die Auffassung in den pays de nantissement auf diese schiefe
Bahn gerät. Es bestätigt das wohl die Ansicht, die wir in den
vorausgehenden Kapiteln vertreten haben und die dahin geht,
dass die haftungsrechtlichen Vorstellungen, die der Hypothek
des ancien droit zu Grunde liegen, allem Wesentlichen nach
schon in der alten Obligation im Keime gegeben waren. Aber
da doch in unsern Coutumes alle äusseren Vorbedingungen
eines starken Sachhaftungsrechtes gegeben waren und diese
doch nicht vor den gefährlichen grundbegrifflichen Vorstellungen,
wie sie uns soeben entgegengetreten, zu schützen vermochten,
liefern diese Rechte auch einen eigenartigen Beitrag zur Kritik
jener Doktrin, die in der modernen deutschen Hypothek ausschliesslich eine Obligation erblicken möchte.

Endlich sei zur Erhärtung des Gesagten noch auf einige
Ausführungen eines alten Autors verwiesen, die in der Tat
zeigen, dass der exekutivische Gedanke den das ganze Hypothekarrecht beherrschenden Gesichtspunkt bildete. Wenn, so deduziert
der Verfasser, dem Gläubiger ein exekutorischer Titel zur Seite
steht, so kann weder der Schuldner noch dessen Erbe verhindern.
dass auf Verlangen des Gläubigers, der zu seinem Gelde
kommen will, die schuldnerische Liegenschaft gerichtlich verkauft
werde. Deshalb kann der Schuldner auch nicht widersprechen,
wenn der Gläubiger sich eine Hypothek verschaffen will. Denn
er kann nicht gegen seine eigene Obligation handeln. Wenn
zur Konstituierung der Hypothek die Vornahme gerichtlicher
Akte verlangt wird, so geschieht dies also nicht in Rücksicht
auf den Schuldner. Es geschieht dies vielmehr nur in Rücksicht

auf die übrigen Gläubiger, um ihnen gegenüber einen bestimmten
Rang, einen Vorrang zu erlangen. Und nochmals in anderer
Wendung: le consentement du debiteur n'est pas requis; parce
que l'ayant donné une fois, par le moyen de l'obligation qu'il a
contractée, par la soubmission qu'il a faite, de l'obligation qu'il a
faite de sa personne et de ses biens, en vain luy en deman-
deroit-on un second. Il ne pourroit pas revoquer ce premier
consentement par luy volontairement donné en contractant, au
prejudice de son creancier. Und schliesslich: auch für bedingte
und noch nicht fällige Ansprüche können die Akte vorgenommen
werden, die nötig sind, um Hypothek zu erwerben[1]).

4. Die Mobiliarhypothek. Das Grundpfandrecht der
pays de nantissement ist eine Anweisung von Exekutionsobjekten.
Durch eine derartige Auffassung erhalten wir aber auch eine
sichere Handhabe zur Erklärung einer anderen Erscheinung
unserer Quellen, einer Erscheinung, welcher auf anderem Wege
wohl überhaupt nicht beizukommen ist. Dadurch wird auch
die bisherige Darstellung nicht wenig an Schlüssigkeit gewinnen.
Aber auch ohne solche retrospektiven Erwägungen ist das fragliche Rechtsinstitut überaus beachtenswert. Es betrifft die
Mobiliarhypothek.

Schon von Meibom hat das Fahrnisvermögen als mögliches
Objekt einer jüngeren Satzung bezeichnet. Doch dachte er
dabei nur an die Satzung des ganzen Vermögens und diese
erschien als etwas Singuläres. Nun aber wissen wir, dass es
allerdings im deutschen Recht ein besitzloses Mobiliarpfand gibt.
Und zwar in zweifacher Ausgestaltung. Schon die Haftung des
beweglichen Vermögens im Rahmen der obligatio generalis bedeutet ein Pfandrecht an der Fahrnis, bedeutet Sachhaftung an
beweglicher Habe ohne Tradition. Dazu kommen nun aber die
Fälle einer intensiveren Haftung von Fahrnis in der Gestalt der
obligatio specialis, in Gestalt der Mobiliarhypothek im engeren
Sinn. Die quasihypothekarische Fahrnishaftung ist in ihrer Entstehung nur aus der Eigenart des ältesten Rechtes heraus zu
erklären. Hingegen die Spezialsatzung von Mobilien liegt in
den Eigentümlichkeiten des Vollstreckungsverfahrens

---

[1]) Buridan zu C. de Rheims art. 184 S. 355 f.; vergl. Pathou Bd. I
tit. V, art. 7. Gl. 15.

begründet. Die Bannlegung des fränkischen Rechtes war ursprünglich ein bannum omnium bonorum. Sie ging auch auf die Fahrhabe. Es wurde, wie von Meibom[1]) mit Recht hervorhebt, durch sie die Mobiliar- und Immobiliarexekution in ein einziges Verfahren zusammengezogen. Wenn nun der Güter- arrest, wie wir ihn als ersten Teil der Zwangsvollstreckung in die liegenden Güter in unseren Coutumes kennen gelernt haben, wirklich ein unmittelbarer Abkömmling der fränkischen Fronung ist, wenn also die Anschauung zutrifft, dass in diesen Gebieten das alte Amtsrecht sich durchgesetzt und behauptet habe, dann scheint es von vorneherein schon wahrscheinlich, dass hier auch eine entsprechende Behandlung der Mobilien im Vollstreckungsverfahren statthabe. Dem ist in der Tat so. Durch clain, arrêt, mise de fait, plainte à loi wird in gleicher Weise wie auf die Liegenschaften, so auch auf die Fahrhabe eine Hypothek gelegt.

Ung créditeur poeult faire claim sur l'héritage de son debteur par le bailly, présens deux eschevins, en cas qu'il n'ait trouvé biens meubles ou catels pour y faire son clain etc.[2]).

L'on peut intempter poursuites . . . par plainte à loy et saisine de biens meubles et immeubles. Par saisine faite (en vertu desdites plaintes) d'iceux biens, meubles ou heritages, hypotecque est créée à la conservation et seureté du pretendu et contenu esdites plaintes dés l'instant de la dite saisine: pourvu que sentence s'en ensuive au profit du plaintissant[3]).

Pour en vertu de commission de mise de fait — — faire créer hypotecque de et sur biens, meubles, fiefs, maisons et héritages, est requis préparativement faire apparoir dudit titre — —[4]).

Tout ce que l'homme peut posséder, acquérir et vendre, est susceptible d'hypothèque. La mise de fait n'est qu'une manière autorisée par la coutume de se procurer une hypothèque, quand on est muni d'un titre; on peut donc saisir par Mise de

---

[1]) S. 76.
[2]) Cout. loc. d'Amiens, Montreuil art. 9, Bd. II S. 666.
[3]) Lille tit XXI, art. 1 und 2.
[4]) Salle de Lille tit XIX, art. 1. Vergl. C. de Seclin art. X f.

fait tout ce qui est dans la possession de son debiteur, soit meubles, soit immeubles[1]).

Diese letztere Erklärung, wonach man natürlicherweise auf alle veräusserlichen Vermögensobjekte des Schuldners Hypothek bestellen könne, entspricht genau der Auffassung, die wir soeben dargelegt haben. Und im übrigen zeigen die Zitate, dass die Hypothek auf die Mobilien durch die gleichen gerichtlichen Handlungen zur Entstehung gelangt, wie diejenige auf die Immobilien. Die Objekte werden in die Hand des Gerichtes gelegt. Dies geschieht bei der Fahrnis durch Berühren.

Il faut que le sergent mette sous la main de justice les meubles et effets qu'on lui indique, ou qu'il les voie; il faut même qu'il les touche[2]).

Doch genügt das Berühren einzelner Fahrhabestücke, um die Universitas, welcher jene angehören, dem Pfandrecht zu unterwerfen. Diese Universitas ist wesentlich durch das örtliche Beisammensein bestimmt. Mobilien, die also nicht in demselben Hause liegen, muss der Gerichtsdiener besonders aufsuchen, wenn sie auch von der Hypothek betroffen sein sollen[3]). Insbesondere genügt eine mise de fait auf die bewegliche Habe in Haus und Hof nicht, um die Herde auf der Weide zu treffen. Der Arrest muss also noch separat auf dieselbe oder wenigstens auf ein Stück Vieh aus ihr bewirkt werden[4]). — Darüber hinaus ist das Verfahren durchaus das nämliche, wie wir es bereits kennen gelernt haben[5]), von der gerichtlichen Ermächtigung des Fronboten an bis zum Aufgebot der Interessenten und dem Friedewirken[6]). Und um gleich eine Bemerkung über die Verwertung beizufügen, so geschieht dieselbe nach viel kürzerer Zeit als wie im Immobiliarverfahren, meist schon nach wenigen Tagen, soweit es sich dabei um ein exekutives Pfandrecht handelt[7]). Ferner ist das Verfahren notwendiger-

---

[1]) Merlin vo. Mise de fait § H S. 295 f.
[2]) Lille tit. VIII, art. 12 Gl. 1 no. 11.
[3]) Lille l. c.
[4]) Chartes générales cit. tit. 69, art. 13.
[5]) Vergl. Merlin vo. Mise de fait § III 302 f., und Plainte à loi 252 f. Lille tit. XXI, art. 4.
[6]) Vergl. vorige Seite N. 3.
[7]) Lille tit. VIII art. 9. Gl. H no. 1, Merlin main mise S. 615.

weise einfacher und rascher. Immerhin ist der Verkauf durchwegs ein gerichtlicher. Indessen fehlt es nicht an Handlungen,
die das Aufgebotsverfahren durch criées darstellen, indem der
Verkauf durch Maueranschlag am Kirchenportal rechtzeitig
publiziert wird[1]). Ja es kommt vor, dass auch die Mobilien,
wie die Liegenschaften unter Abbrennen einer Kerze verkauft werden[2]). Eigentümlich beim Zwangsverfahren in die
Liegenschaften ist, dass die mise à prix als Verkauf bezeichnet
wird. Es handelt sich dabei um einen Scheinkauf, dessen un-
geachtet der Eigentümer das Gut noch bis zum décrètement
lösen kann. Offenbar der gleichen Wurzel entspringt eine abweichende Behandlung der Mobilie. Sie wird nach einer wie
gesagt kurzen Frist de facto verkauft. Aber der Schuldner
behält noch eine zeitlang das Rückkaufsrecht[3]).

Aber die abweichenden natürlichen und rechtlichen Ver-
hältnisse verlangen im einzelnen doch wieder eine andere
Behandlung der beweglichen als der unbeweglichen Pfandobjekte.
Von grosser Bedeutung sind denn in unseren Rechten für die
Mobiliarhypotbek die Aufnahme eines Inventars von seiten
des Gerichtsdieners und die Bestellung von gardes. Im
Hennegau wird sogar verlangt, dass das Inventar in Gegenwart
des Gerichtsschreibers und zweier Schöffen aufgenommen werde.
Ebenso sind die Hüter unerlässlich[4]). So auch nach folgender
Bestimmung:

Si aucuns biens meubles mouvables estoient judiciairement saisis par plainte à loy ou autrement, en la maison et
pourpris du debiteur, et fussent après trouvez sans garde ayant
pouvoir à ces fins: tels biens sont reputez descalengez et
dechargez de la dite saisine: de sorte que si autres faisoient

---

[1]) Réglement des parlement du Flandre vom Jahre 1672 art. 56.

[2]) Cambresis tit. XXV. art. 43. Si les bêtes, ou autres biens meubles
du detteur, sur lesquels à la poursuite du creancier arrêt est fait, ou qui
sont pris et levés par peine servie, sont biens frayables et perisables: ils
se doivent vendre par justice publiquement au plus offrant et dernier
rencherissant à l'extinction de la chandelle allumée après le troisième
jour passé.

[3]) Regiement cit. art. 69.

[4]) Chartes générales cit. ch. 69 art. 9.

judiciairement par après saisir lesdits biens et à iceux mettre garde ayant pouvoir, servient à preferer[1]).

Doch erscheint hier die Bestellung von gardiens nicht in dem Sinne nötig, dass ohne sie das Pfandrecht nicht beṣtünde. Vielmehr steht es in der Wahl des Gläubigers, solche zu beschaffen oder nicht[2]). Aber im Unterlassungsfall ist sein Recht viel weniger wirksam. So ist die letzt zitierte Stelle nur dahin aufzufassen, dass ein nachfolgender Gläubiger, der sich zur Bestellung von Hütern herbeilässt, dem älteren Gläubiger vorgeht, der dies unterlassen hat. Leidet aber auch die zweite Saisie an dieser Unterlassung, dann behält der vorgehende Gläubiger sein volles Recht[3]).

Damit gelangen wir zur **Frage nach den Wirkungen dieses Pfandrechtes.** Dieses gibt in vielen Rechten keineswegs ein Veräusserungsverbot oder eine Wirkung gegen Dritte. Vielmehr wird ausdrücklich konstatiert: Biens meubles n'ont point de suite d'hypotheque contre un tiers autre que le deteur[4]). Die Wirkung der Hypothek besteht hier also ausschliesslich in dem Vorzugsrecht, das sie dem Gläubiger auf den Erlös aus dem schuldnerischen Mobiliarvermögen gibt[5]). Da dieses letztere schon de lege generaliter haftet, bedeutet also dies Vorzugsrecht die mildeste Form der Spezialobligation[6]).

On y partage entre les créanciers le prix des meubles vendus judiciairement, suivant l'ordre et la date de leurs hypothèques. — — Les créanciers qui auront acquis sur ces meubles des hypothèques antérieures aux saisies, pourront les exercer utilement, sur le prix provenant de ces meubles vendus judiciairement, qui se trouvera sous la main de justice etc[7]).

---

[1]) Lille tit. XXII, art. 8.
[2]) Vergl. Lille tit. XII art. 4, no. 9. Merlin vo Mise de fait § III, S. 302.
[3]) Lille tit. VIII, art. 3 no. 15.
[4]) Cambresis tit. XX art. 11 das droit de suite also auch hier in dem früher dargelegten Sinn. Vergl. oben S. 286. Lille tit. VIII, art. 2 Gl. 1 no. 4.
[5]) Merlin v. Mise de fait § IV, no. 6 S. 309.
[6]) Vergl. oben S. 147, 150, 163 fg , 221, 228 und Pathou in folg. N.
[7]) Lille VIH, art. 2 Gl. 1 no. 6.

Indessen erschöpft sich in diesem Vorzugsrecht regelmässig der Inhalt der Hypothek nicht. Es entspricht schon der Art und Weise, wie sie konstistuiert wird, dass mit ihr ein Veräusserungsverbot gegeben sei. Das ist denn auch die grundsätzliche Auffassung der Quellen[1].

Prendre et mettre en la main de justice tous les biens meubles et immeubles sur lesquels est dirigé la Plainte, en faisant défense à tous de non emporter ni transporter lesdits biens jus (hors) du lieu, à péril d'encourir l'amende de soixante sous et de réparer le lieu[2].

Aber das Verbot ist wirklich noch als solches, d. h. persönlich gedacht[3]. Vor allem hat ein gutgläubiger Erwerber nicht unter demselben zu leiden. Nur gegen denjenigen Erwerber ist es wirksam, der von dem auf der Sache lastenden Pfandrecht gewusst hat. Sein Wissen nimmt ihm den guten Glauben und bewirkt, dass die Veräusserung nicht gültig ist:

Il a participé à la fraude du débiteur, et cette fraude, qui est commune entre eux, empêche que les meubles et effets saisis aient été valablement aliénés[4].

Es finden sich nun aber noch reichlich Rechte, welche eine bedeutend wirkungsvollere Hypothek auf die Mobilien anerkennen. Auch hier vollzieht sich vor unsern Augen die Dank der Intensivierungstendenz stattfindende Entwickelung von der obligatio specialis zur Hypothek. Dabei entfernen sie sich auch vielfach von den Formen der Begründung, wie sie für das exekutive Pfandrecht gelten. Gerade in Hinsicht auf dies verselbständigte Pfandrecht setzten nun freilich einige Coutumes ausdrücklich fest, dass es keine Anerkennung geniessen solle.

L'on ne peut aquerir droict réel et hypothecque par main assise et mise de fait, si ce n'est sur fonds et heritage, et ne se peut acquerir ledit droit réel et hypothecque sur meubles et

---

[1] Die Hypothek, von welcher in voriger Note die Rede ist, entspringt in anderer, erst später zu nennender Weise.

[2] Lille tit. XXI, art. 4. Vergl. Ausdehnung von der plainte à loi auf saisie, clarin mise de fait tit. VIII, art. 2 Gl. 2 no 6.

[3] abweichend oben S. 344.

[4] Lille tit. VIII art. 2 Gl. 2 no. 10. Vergl. tit. cit. art. 12 no. 14.

choses tenans condition de meubles comme sont rentes personnelles non hypothecaires et autres semblables [1]).

Aber gerade dieser energische Ausschluss deutet darauf
hin, dass man sich einer in den Verhältnissen gegebenen[2]) Entwickelung zu erwehren hatte. Neben den ablehnenden Coutumes
gibt es andere von gerade entgegengesetzter Stellungnahme.

Die Konstituierung der Mobiliarhypothek ist eine formelle.
Sie geschieht meist vor dem Richter. Dabei ist die Versicherung — oft eidlich — abzugeben, dass jede dolose Absicht
fernliege. Ferner wird eine Spezifikation in Hinsicht auf
die Pfandobjekte verlangt: die Hypothek soll eine spezielle
sein. Nachdem die Obligierung dergestalt vor dem Richter vorgenommen worden ist, hat noch eine Publikation in der
Kirche zu erfolgen.

Un chacun peut aussi obliger pour dettes ses rentes,
actions, ses meubles, ses cateux mobiliaires ou ses biens qui
peuvent estre tranzportez, en la faisant en presence des
Eschevins de la mesme Ville et Chastellenie, ou
d'autre Loy, sous laquelle ils sont, et en declarant par bonne
specification et juste, dans l'obligation lesdites rentes, meubles,
cateux et biens qui peuvent estre emmenez et transportez, et
en faisant une publication à l'Eglise, au lieu où le debiteur

---

[1]) Amiens, 37 Cout. loc, de Monstreul., vergl. Cout. loc. de Lille II S. 349.

[2]) Vergl. solche Verbote auch in schweizerischen Rechten, Huber l.c.
S. 819. Charakteristisch ist folgende Bestimmung, aus welcher hervorgeht,
dass derartige Mobiliarverpfändungen tagtäglich vorkamen und zwar häufig,
um einzelne Gläubiger zu übervorteilen. Deshalb soll nach diesem Artikel
die Mobiliarhypothek in ihrer Wirkung möglichst beschränkt werden. Sie
soll Gültigkeit nur haben auf vierzehn Tage und eine Erneuerung soll gar
nicht mehr zugelassen werden:

Comme aussi l'on voit journellement les débiteurs pour sauver leurs
biens meubles et defrauder les crediteurs, obliger par contract judiciaire
leurs biens catheux et de là est statué et ordonné, que personne ne pourra
doresnavant engager ny obliger son bien, meuble ny catheux, grains ny
bestiaux ès mains de telle personne que ce fût et pour telle cause que ce
soit, ny le mettre par forme d'asseurance, que pour un terme de quinze
jours seulement, après lequel terme expiré sera tenue ladite oppignoration,
obligation, asseurance et contract de nulle valeur, sans pouvoir autrefois
ledit bien obliger à la mesme personne et pour le mesmo deub. Angle V no. 7.

23*

et l'obligé est resident, au premier jour de Dimanche après la mesme obligation[1]).

Oder die Verpfändung kann auch vor dem Rate vorgenommen werden. Und es wird wohl auch verlangt, dass darüber eine öffentliche Urkunde ausgestellt werde.

L'on peut aussi donner ses meubles pour seureté sans en faire la tradition au creancier, pourveu qu'il en soit fait un acte judiciaire contenant la specification et leur valeur, passé pardevant le Juge sous lequel meubles sont, ou pardevant les Bourg-maistres et Eschevins d'Audenarde lorsque le proprietaire est bourgeois au choix du proprietaire[2]).

Oder das Pfandrecht wird begründet durch eine Verschreibung[3]) in einem öffentlichen Register.

Toutes obligations, transportes, engagements, saisies, ventes, aliénations, arrests et autres affectations de biens cateux, de dettes et actions, et de tous autres biens mobiliaires, tels qu'ils soient, en cas que les debiteurs et vendeurs, nonobstant ce, soient demeurez en possession des mesmes biens, et qu'ils les ayent et retiennent entre leurs mains et en leur disposition, et qu'ils demeurent sous leurs noms, ils devront pour acqurir la réalité et l'affectation, estre annotez et enregistrez, par celuy qui est commis pour cela, de la part du Collège des Eschevins[4]).

Die Form ist essentiell. Ohne sie bleibt die Sache dem Gläubiger nur im Rahmen der allgemeinen Vermögenshaftung obligiert. Die Verpfändung aber besteht in ihren weitergehenden Wirkungen nicht zu Recht: à pareille peine de nullité, au regard d'une personne tierce[5]). Der Zeitpunkt der Erfüllung der Form gibt denn auch das Datum für die Hypothek:

La dite vente ou l'engagement aura lieu, à compter depuis le temps de ladite reconnaissance [en Justice] et non autrement[6]).

---

[1]) Vinox VIII 9.

[2]) Audenarde XIII 2.

[3]) Entspricht dem Modus in den schweizerischen Rechten, Huber a. s. O.

[4]) Bruges XXVIII 1.

[5]) Franc art. 91. Gleichzeitig ist noch eine Strafe angedroht: à peine de l'amende de six livres parisis si l'on trouvoit le contraire, outre la nullité de ladite obligation ou vente. Furne XXVII 13.

[6]) Poperinghe III 13.

Die dergestalt begründeten Hypotheken geben ein Vorzugsrecht auf den Preis des Pfandobjektes. Sie geben aber
ausnahmslos auch ein gegen Dritte, und zwar auch gegen
gutgläubige Dritte wirksames Zugriffsrecht.

Les dites obligations auront la force et donneront l'hypoteque et la preference sur les mêmes biens, si longtemps qu'ils
sont en la possession du debiteur, et qu'ils luy appartiennent:
mais estant vendus, et la tradition en estant effectivement faite,
et estant mis hors de la possession du debiteur, le creancier
n'aura nulle suite en vertu de la mesme obligation, que pendant
le temps de six semaines, du iour que le créancier en est
averti [1]).

Aber dieses dingliche Recht ist, wie der Schlusssatz zeigt,
zeitlich beschränkt. Es soll nach der Veräusserung des
Pfandobjektes durch den Schuldner nur noch sechs Wochen
lang bestehen, freilich vom Zeitpunkt an gerechnet, da der
Gläubiger von dieser Veräusserung in Kenntnis gesetzt wird.
Alle Rechte sehen eine derartige Beschränkung vor. Doch
braucht sie keineswegs so weit zu gehen, wie es hier der Fall
ist. Das Pfandrecht verliert des öfteren Monate lang seine
Wirkung nicht[2]). Der Frist von sechs Monat ein Tag begegnen
wir im Recht von Bruges:

Et de tels transports, de tels engagements, ventes, arrests,
ou aliénations estant mesme deuement enregistrez, n'obligeront
ny n'affecteront pas neanmoins plus longtemps, au préjudice
d'un tiers, que pour le temps de six mois et un jour; avant la
fin du quel temps, le creancier ou l'acheteur sera tenu de vendre
les effets transportez, ou le prendre pardevers luy, ou bien de
faire renouveller son engagement sur le registre[3]).

Nach dieser Zeit muss das Pfandrecht erneuert werden,
soll es nicht seine Kraft verlieren, und es müssen dabei wieder
die gleichen Formalien innegehalten werden wie bei der ursprünglichen Konstituierung[4]).

Einige der genannten Rechte kennen, wie die Belege
zeigen, eine zeitlich beschränkte Mobiliarvindikation als all-

---

[1]) S. Vinox l. c.
[2]) Bourbourg VII 14, Franc art. 91.
[3]) Bruges XXVIII 2.
[4]) S. Vinox l. c. Bruges l. c.

gemeinen Grundsatz ihres Fahrnisrechtes. Für die Mehrzahl aber ist die Zulassung der Mobiliarhypothek eine Durch- brechung ihrer mobiliarrechtlichen Grundsätze. Dabei benennen sie dieses Pfandrecht engagement, vor allem aber oppignoration[1]), obligation, direkt auch arrêt und stellen es neben die saisie. Dies weist doch wieder zurück auf die Zusammenhänge mit dem Exekutionsrecht. Für diese spricht auch die Form der Konstituierung unter richterlicher Beihülfe. Endlich steht inhaltlich das Satzungsrecht in diesen Coutumes in vollkommener Übereinstimmung mit dem Recht, wie es das gerichtliche Verbot zu Gunsten des Gläubigers herstellt. Es sei nur noch auf folgende beiden Bestimmungen über das exekutive Mobiliarpfand aus schon genannten Rechten hin- gewiesen.

Toute chose arresté est affectée au profit de celuy qui a fait l'arrest pour la dette demandée de sorte que l'on ne peut l'aliener, transporter ou engager au préjudice de l'arrest qui y a esté fait — — à l'effet que le premier qui a fait arrester est préferé aux autres[2])

Les dits meubles et dettes ainsi arrêtées, serout oppig- norées de l'Arrêtant pour son deub, sans que à son préjudice le dit bien puisse être ailleurs transportez ou chargez, et où autre posterieur Arrest aussi y survient par autres personnes, sera neantmoins le premier Arrêtant préferé par avant tous autres[3]).

Jedoch ein Einwand könnte gegen unsere Auffassung über die Entstehung der Mobiliarhypothek erhoben werden, der zunächst von entscheidender Bedeutung zu sein scheint. Diese Hypothek kann nämlich auch begründet werden in seiner Art und Weise, die ganz unverkennbar auf die Formen des Eigentumserwerbes bei Immobilien zurückweist. Wenn also, so könnte man scheinbar mit Recht schliessen, überhaupt eine beschränkte Mobiliarvindikation anerkannt ist und zudem die Konstituierung der Mobiliarhypothek einen der Auflassung

---

[1]) Oppignoration als Wirkung der saisie und des clain siehe oben S. 326 und unten N. 3.

[2]) Furne XII, 8, vergl. Bouchaute II, 9 mit Androhung der Nichtigkeit im Fall entgegenstehender Veräusserungen.

[3]) Angle IV No. 6.

verwandten Akt darstellt -- dann muss ein Zusammenhang
zwischen dieser Fahrnishypothek und dem „germanischen
Proprietätspfand" angenommen werden. Vom Faustpfand, etwa
mit Verfallsklausel, muss die Entwicklung ausgegangen sein,
die zu dem Ziele führte, das wir vor uns sehen: eine Parallel-
bildung zum Auflassungspfand des Immobiliarrechts.

Aber dem gegenüber muss zunächst darauf hingewiesen
werden, dass gerade die in Frage kommenden Coutumes jene
Mobiliarvindication so wenig anerkennen wie eine Wirkung der
Mobiliarhypothek gegen Dritte. Zudem aber erscheint die
Verwendung der Formen des Immobiliarsachenrechts auf dem
Gebiet des Fahrnisrechtes als eine juristische Anomalie, welche
Schlüsse auf die Entstehung eines Rechtsinstitutes nicht ohne
weiteres zulässt. Bei genauerem Zusehen ergeben sich denn
auch Resultate, die von den genannten, scheinbar naheliegenden
Folgerungen doch abweichen.

Die Pfandrechtskonstituierung, die in Rede steht, ist diejenige durch den rapport à loi. Worin dieser besteht, ist in
einem einzigen Worte gesagt. Er ist die déshéritance, die ex-
festucation[1]). Der Eigentümer verzichtet symbolisch auf die
Gewere und legt sein Recht in die Hand des Grundherrn oder
des Gerichtes. Er tut es durch Übergabe der Festuca[2]). Die
Eigentümlichkeit des rapport à loi besteht also nur darin, dass
er den ersten Teil des gesamten Formalaktes des Eigentumserwerbes in seiner Isoliertheit darstellt. Er bedarf notwendigerweise der Fortsetzung in der Investitur, wenn das Eigentum
übertragen werden soll. Aber dieser ganze Akt mitsamt der
Investitur kann auch der Errichtung einer Hypothek dienstbar
gemacht werden. Es wird gelegentlich gesagt, der Hypothekar erhalte auf diese Weise Eigentum an der Liegenschaft
in Höhe seiner Forderung. Es heisst von dem investierten
Gläubiger:

Il est réputé propriétaire de l'héritage jusqu'à concurrence
de ce qui lui est dû, et y possède un veritable droit réel, jus in re[3]).

Doch diese Auffassung ist nicht haltbar. Der Gläubiger
erhält nicht Eigentum. Und wenn er das Pfandrecht realisieren

---

[1]) Cambresis, zu tit. XX S. 373 vergl. Merlin h. v. 525 f.

[2]) Cogniaux, Observations 1744 cit Merlin S. 527.

[3]) Merlin a. a. O. 527.

will, muss er den Weg einhalten, der oben dargestellt wurde.
Aussprüche, wie der zitierte, wollen denn auch nur die Energie
der Sachhaftung charakterisieren, wie sie sich aus dieser Verpfändung ergibt und uns als reine obligatio rei entgegentritt.
Im Hennegau bedarf es bei Bestellung eines Auflassungspfandes
einer besonderen Beredung, wenn der Schuldner persönlich
haften soll. Also selbst zu einer Zeit, wo sonst die Haftung des
Schuldners de lege eintritt, wird sie unter der genannten Voraussetzung nicht ohne weiteres angenommen[1].

Anders bei rapport à loi. Es ist ausschliesslich eine
Form der Pfandrechtsbegründung. Dabei wird ausdrücklich versichert, dass neben ihr ohne weiteres die Personalhaftung fortbestehe.

Dans le cas du Rapport, la dette conservant sa personnalité,
quoique le débiteur l'ait assurée par l'affectation d'un immeuble,
il est clair que le créancier doit avoir le choix d'agir par action
réelle sur l'heritage rapporté, ou par action personnelle contre
le débiteur[2]. — Le Rapport n'empêche pas que le créancier
n'excerce l'action personnelle[3].

Das Recht, das aus dem rapport à loi entsteht, wird als
jus ad rem bezeichnet. Schon dadurch wird diese Hypothek
in Gegensatz gestellt zu dem Auflassungspfand, welches in
allen unsern Quellen als „wahres dingliches Recht" bezeichnet
wird. Mit aller Deutlichkeit kommt der Inhalt dieses jus ad
rem zum Ausdruck: es gibt dem Schuldner ein Recht qui

[1] Dans le cas d'hypothèque constituée par déshéritance et adhéritance:
l'action du créancier est absolument réelle, et il ne peut la diriger que
contre l'héritage même. Merlin a. a. O. und Cogniaux l. c.: L'hypothèque
qui est l'offet de la déshéritance et adhéritance — — donne jus in re et
fait cessor l'action personuelle, tant sur les biens hypothéqués que sur tous
autres meubles et immeubles.

[2] Merlin S. 527.

[3] Cogniaux l. c. Cambresis tit. XXV art. 20. Action pour dette,
dont le crediteur a pour seureté de payement pris et accepté rapport et
hypotheque, se peut intenter contre la personne du detteur personnellement,
ou par clain pour execution de lettres sur les heritages rapportés; et
procéder apres significations et publications par trois quinzaines, comme
dit est, à la vente de la chose hypothequée: mais si elle étoit moins vendue
que les deniers du rapport ne portent, le detteur ou son heritier qui seroit
tenu aux dettes, seroit poursuivable pour le reste.

l'autorise à se pourvoir sur le fonds même de l'heritage, pour le payement de la dette [1]).

Cette hypotheque (par rapport) ne donne aux creanciers aucune propriété sur le fief, mais seulement un droit en vertu duquel il peuvent faire executer le fief pour leur payement [2]).

Der rapport à loi gibt demnach nur den Zugriff frei auf die Liegenschaften. Es gibt ein droit de suite in dem historisch richtigen Sinne dieses Wortes, welcher in einer über alle künftigen Handlungen des Schuldners hinweg zugesicherten Exekutionsmöglichkeit liegt. Der rapport à loi ist also eine Satzung, wie die main assise eine solche ist. Bei beiden heisst es: la justice se saisit des heritages pour les soumettre aux executions des hypotheques [3]). Beide bereiten die Exekution vor. Bei Anerkennung des rapport arbeiten die Coutumes mit den Rechtsvorstellungen, wie sie dem Bereich der main assise angebören.

So, aber auch nur so wird das Phänomen der durch rapport à loi konstituierten Mobiliarhypothek [4]) verständlich.

5. Die Pfandrechtsgrundsätze und die Forderungsprivilegierung. Die Konstituierung der Hypothek verlangte, dass die devoirs de loi erfüllt, die feierlichen, formellen Akte derselben vorgenommen würden. Die vertragliche Zusage eines Pfandrechts verschafft nur einen Pfandrechtstitel. Immer noch wird die alte Klausel obligamus omnia bona nostra etc. in die Kontrakte aufgenommen. Aber die Wirkung gegen Dritte bleibt ihr hier versagt. Die Hypothek, die Spezialobligation, bedarf der Realisierung, des nantissements.

Nul ne peut acquerir droit réel ou hypotheque [5]) en aucuns heritages, se n'est par l'une des voyes de nantissement. Par ladite Coutume ceux qui ont acquis saisine et droit réel en aucun heritage par l'une desdites voyes, sont preferez devant tous

---

[1]) Merlin l. c.

[2]) Cambresis, zu tit. I, art. 41 S. 47; vergl. S. 48 no. 2.

[3]) Cambresis, Com. zu tit. XX, S. 375.

[4]) Par la coustume, tous rapports et hostigemens de fiefs, maisons, heritages, et biens meubles, faits pardevent les seigneurs etc. Lille XXII 1 f. Hainaut chap. 118. art. 6, art. 9. Vergl. Merlin l. c. S. 526.

[5]) Obligation, sagt Maillard, werde oft mit Hypothek verwechselt. Er aber möchte mit obligation nur die aus der Obligationsklausel der Verträge sich ergebende „persönliche", mit Hypothek die durch nantissement zu begründende sächliche Haftung bezeichnet wissen. Zu Artois S. 489.

autres qui n'auroient que droit personnel; et se plusieurs ont hypotheques et droit réel sur aucun heritage, il convient qu'ils voyent l'un après l'autre en ordre de date d'hypotheques, et non point en ordre de date des venditions ou obligations personnelles [1].

Das Erfordernis der Formerfüllung und die Eigenart dieser Formen führte unmittelbar zur Anerkennung der bedeutsamsten pfandrechtlichen Grundsätze. Das Gericht legt seine Hand auf das Grundstück, das Pfandobjekt sein soll. Der Fronbote muss selbst auf die Liegenschaft gehen, um das Pfandrecht auf dieselbe zu legen. Das setzt eine genaue Bezeichnung und Umschreibung dieses Objektes voraus. M. a. W. die Hypothek ist eine spezielle.

En Artois, l'on ne reconnaît pas d'hypothèque générale, toute hypothèque ordinaire y est speciale parcequ'elle ne peut être aquise à moins que le créancier ou un procureur pour lui, ou la justice n'ait été mise en possession, n'ait été saisie de chaque pièce d'héritage sur laquelle on veut acquérir des droits réels [2].

Ebenso ergibt sich aus diesen Formen die Publizität [3] des Pfandrechtes. Durch einen öffentlichen Akt ist also speziell und augenfällig das Haftungsobjekt als solches gekennzeichnet. Das muss starken Bindungs- und Haftungsvorstellungen förderlich sein. Dabei haben wir allerdings nicht in erster Linie an das Auflassungspfand zu denken, das dank seines Wesens im alten Recht bis zuletzt energisch den Gedanken der reinen Sachhaftung repräsentierte. Sondern wir halten uns an die Formen der Pfandrechtsbegründung, die schon bisher Gegenstand unserer Betrachtung waren. Da stellt sich denn das spezielle Pfandrecht durchaus in einen Rahmen, der von der generellen Vermögenshaftung getragen ist. Wir hatten wiederholt Gelegenheit, diese Zusammenhänge zu beobachten. Aber die Haftung ist nach der (speziellen) Verpfändung nicht nur eine ganz anders gesicherte in Hinsicht auf nachfolgende Veräusserungen

[1] Boulenois, Cout gen. S. 33 art. 74/5. 76. Vergl. art. 77. Artois art. 74. Maillard S. 531 und art. 75 und Maillard S. 557.

[2] Maillard l. c. S. 533, vergl. Ordonnance, touchant l'hypotheque tacite du Seel du Souverain Bailliage de Lille 1591. Vandenhane I S. 197. Lille tit VIII. art. 1 Gl. 5 no. 31. Merlin vo. devoirs da loi § III, S. 640: Cambresis tit. V art. 11.

[3] Darüber unten 363 fg.

durch den Schuldner, sondern sie ist auch eine ganz anders
exponierte geworden. Nachdem die Liegenschaft, die genau
bezeichnet wurde, öffentlich als eine gefronte erklärt wurde,
ist es überaus naheliegend, dass sich der Gläubiger nunmehr,
soweit möglich, an sie hält. Er soll es wenigstens so halten
können: Die Coutumes gewähren dem Drittbesitzer kein
beneficium discussionis [1]).

Doch diese Grundsätze waren nicht mit Absicht angestrebt,
nicht in Erkenntnis ihrer Vorzüglichkeit aufgestellt worden.
Ungesucht und ungewollt ergaben sie sich als die zufällige
Wirkung von Formen, die Zwecken dienten, welche mit der
Förderung des Realkredites ursprünglich nichts zu tun hatten.
Diese Nebenwirkungen fand man deshalb zunächst keiner
besondern Berücksichtigung und Förderung wert. Es ist denn
auch nicht zu verkennen, dass sie vielfach in sich mangelhaft
waren. Gerade die Publizität war nur ungenügend gewahrt,
denn sie basierte auf einem schliesslich doch nur in beschränkter
Öffentlichkeit vorgenommenen Akte. Dazu kommt, dass dieser
Akt selbst im Laufe der Zeit die grössten Abschwächungen
erlitt [2]). Eine romanisierende Richtung mochte sie auch so noch
für überflüssig, ja selbst für unbillig halten [3]). Wir wissen, wie
anderswo diese destruktiven Tendenzen von Erfolg gekrönt waren.
Doch in unsern Rechten hatten sich die alten Anschauungen
und die alten Formen erhalten und in eine Zeit hinüber gerettet,
wo man sie aus neuen Erwägungen heraus erst recht zu schätzen
begann. Man erkannte den Wert der bisherigen Übung aus
ihren Nebenwirkungen heraus. Diese rückten denn auch bei
Behandlung des gesamten Formalapparates in den Mittelpunkt
und dies führte zu bedeutsamen Änderungen. Man verzichtete
auf die bisherigen symbolischen Akte und ersetzte sie durch
Formen, die in ganz anderer Weise geeignet schienen, den
Zwecken der Publizität zu dienen. So sollen die Parteien
nunmehr vor den Richter oder den Rat gelangen, wo auf Grund

[1]) Cambresis tit. XX, art. 6, Maillard zu tit. 11, no. 55, S. 493 Lille
tit. VIII, art. 1, Gl. 5 no. 37.

[2]) Vergl. Rheims art. 174 und 175.

[3]) Com. zu C. du Boulonnois tit. XV, Bd. II S. 159, 163; vergl. Godet
cit. bei Boullenois, Questions S. 131.

ihrer Erklärungen, eine Verpfändungsurkunde aufgesetzt wird[1]).
Dabei müssen sowohl die Schuld, für welche die Liegenschaft
haften soll, als auch dies haftende Objekt genau angegeben
sein[2]). Dabei wird ferner auch die Nennung der älteren Hypotheken
verlangt. Im Unterlassungsfall haftet der Gerichtsschreiber
persönlich[3]). Das setzt voraus, dass er sie kennen kann. Und
das ist möglich auf Grund des Registers. Dies ist denn die
bedeutsamste Modernisierung der Form, die sich vor unsern
Augen vollzieht. Um die Publizität herzustellen, sowie sie
durch das Interesse des Realkredites[4]) erheischt wird, sollen
alle durch devoirs de loi entstandenen dinglichen Lasten in ein
Register auf der Gerichtskanzlei eingetragen werden.

Le seigneur ou son bailly et greffier est tenu de faire
registre de toutes les dessaisines et saisines, mises de faict et
mains assises, afin que les creanciers ou acquereurs, puissent
cognoistre au vray quelles hypothecques y a sur les heritages,
pour raison desquels ils veullent contracter[5]).

Freilich in Rechten wie die Coutumes von Cambresis und
vom Hennegau findet das Register noch keine Erwähnung.

---

[1]) Les deux contractants doivent comparaitre devant le bailli ou
lieutenant du lieu, et illec déclarer en présence du greffier et de deux
témoins, le contrat qui aura été fait, dont sera fait acte, qui vaudra
dessaisine et saisine, sans autre formalité. Péronne art. 264. Interessant
sein dabei die Übergangsformen von Rheims oben S. 363 N. 2. Die Parteien
kommen mit ihrem Pfandvertrag vor den Richter, dieser muss vor Zeugen
erklären, dass ils nantissent les lettres, ou les tiennent pour bien nanties
sur les heritages. Durch die Erklärung wird das nantissement vorgenommen.
Die Quellen nennen dies: nantir le contrat. Dabei wird über die richterliche Erklärung eine Urkunde ausgestellt, oder sie wird in die Vertrags-
urkunde vom Gerichtsschreiber eingetragen: „endossé." — Und eben dort
die andere Form: Auf Grund der Ermächtigung durch den königlichen
Prevòt oder den Bailly wendet sich der Gläubiger an den Fronboten.
Dieser wendet sich vor Zeugen an das Gericht und stellt das Begehren auf
das nantissement, welches wieder in der obigen Weise zu erfolgen hat.
Buridan zu art. 175 S. 334 nennt selbst dies Verfahren une espèce de
main assise.

[2]) Rheims art. 177. Buridan S. 339 no. 3.

[3]) Buridan l. c. no. 4. Maillard S. 560 no. 52.

[4]) Vergl. Maillard zu art. 75 no. 50, S. 560. Die Formalitäten seien
eingeführt worden, damit die Gläubiger dieselben kennen, sodass sie sich
dann auch nicht beklagen könnten, wenn sie verkürzt würden.

[5]) Amiens 145. Vergl. Rheims 174, 177; Maillard l. c. no. 51.

Selbst die Ausstellung einer Urkunde ist nicht in verbindlicher Form vorgesehen. Im Gegenteil wird erwähnt, dass die Existenz des Pfandrechtes auch durch Befragen der Schöffen und durch Zeugen bewiesen werden könne[1]. Aber in den andern Rechten gelangt das Register im Verhältnis zu den Formalitäten in die dominierende Stellung. Ohne Eintrag soll überhaupt keine Belastung zu Recht bestehen. Mit ihm soll eine solche erst zur Existenz gelangen. Er soll auch das Datum für dieselbe abgeben.

Celles rapportées les premières sur le mesme registre, et qui y sont signées, quoiqu'elles fussent postérieures en date étant préférées[2].

Begreiflicherweise lässt man deshalb diesem Register besondere Sorgfalt angedeihen. Es darf nicht in fliegenden Blättern bestehen, sondern muss ein sorgfältig paginiertes Buch sein. In diesem haben sich zur Vermeidung jeder unehrlichen Machenschaft die Eintragungen lückenlos zu folgen. Wie die genaue Datierung werden auch Angabe der Schuldsumme und spezielle Bezeichnung des Pfandobjektes verlangt — wie ehedem. Denn das Bewusstsein des Zusammenhanges dieses Registers mit den alten devoirs à loi ist durchaus lebendig[3].

Dabei fehlt aber auch nicht das volle Verständnis für die praktischen Vorzüge dieser Einrichtung[4]. Die Autoren betonen, dass man ihr die Sicherheit des Kreditverkehrs verdanke und dass sie deshalb in hohem Masse dem öffentlichen Wohle diene[5]. Infolgedessen verhielt man sich den königlichen Ordonnanzen gegenüber, soweit sie in ihren Bestimmungen das gemeine französische Pfandrecht anerkannten oder voraussetzten, möglichst abweisend. Insbesondere der Widerstand der nördlichen Rechte in den Provinzen von Artois und Flandern war ein energischer und erfolgreicher. Er konnte

---

[1] Cambresis tit. V art. 5. Devoirs de loy se doivent prouver par lettres en ferme ou par record des juges vivant. Hainaut chart. gen. chap. 50 art. 1. Merlin devoirs de loi § III 643.

[2] Bruges tit. XXVII, art. 2.

[3] Buridan zu C. d. Vermandois, art. 120, S. 282.

[4] Man gewährt Einblick in die Register oder man verpflichtet den Gerichtsschreiber, den Interessenten Auszüge zu liefern. Buridan l. c.

[5] Buridan a. a. O., vergl. § 279.

es schon darum sein, weil wichtige ältere Ordonnanzen, insbesondere diejenigen von 1539 und 1566, welche die notarielle und die gerichtliche Hypothek mittelbar oder unmittelbar zur Einführung bringen, hier überhaupt keine Geltung fanden, da diese Gebiete erst später, in der zweiten Hälfte des 17. Jahrhunderts, zu Frankreich kamen und von einer nachträglichen Aufnahme jener Gesetze keine Rede war. Späterhin enthielten die königlichen Erlasse des öfteren die Klausel, wonach die neuen Bestimmungen in jenen Provinzen nur unbeschadet ihres alten eigenes Rechtes gelten sollen[1]. Oder die Ordonnanzen wurden durch gewaltsame Interpretation als mit der Coutume übereinstimmend befunden[2]. Oder man weigerte sich, dieselben aufzunehmen und in das Parlamentsregister einzutragen und gelangte mit entsprechenden Vorstellungen an den König, so im Jahre 1771, um sich vor den Wirkungen des Ediktes über die lettres de ratification zu schützen. Das Parlament von Flandern charakterisierte dabei das einheimische Pfandrecht als das chef-d'oeuvre de la sagesse, comme le secours, l'appui et la sûreté de la propriété, comme un droit fondamental, dont l'usage a produit de tout temps les plus heureux effets et a établi autant de confiance que de facilité dans les affaires — —.

In diesen nördlichen Rechten war deshalb die gerichtliche Hypothek nicht anerkannt. Die Coutumes schliessen sie zum Überfluss noch durch besondere Bestimmung aus, so in Artois[3], so im Hennegau[4].

Les jugemens n'emportent point hypoteque sur les biens de la personne condamné, sans déshéritance.

Aus den nämlichen Gründen ist aber auch kein Raum für die Legalhypotheken. Ausdrücklich werden sie auch der Ehefrau und dem Mündel versagt. Einzig der Fiskus hat auf Grund des édit perpétuel ein gesetzliches Generalpfandrecht für alle seine Einkünfte.

L'hypothèque tacite et légale n'est point reçûe; il n'y a

---

[1] Vergl. Declaration vom Mai 1685 inbez. auf die Geltung des Ediktes vom Mai 1684 in den pays de nantissement.
[2] Buridan zu Rheims art. 180 S. 343.
[3] art. 74. Vergl. Maillard no. 265f. S. 555, auch zu art. I, no. 39 S.166.
[4] tit. VII, art. 4.

que le Roi qui ait hypotheque de plein droit sur les biens des receveurs de ses domaines et autres revenus[1]).

Weniger heftig und erfolgreich ist der Widerstand, den die südlichen Rechte dem gemeinen coutumiären Recht und den Ordonnanzen, soweit diese auf letzterem ruhen, entgegenbringen. Zwar interpretieren auch hier die Coutumes von Rheims und Vermandois die Ordonnanz von 1556 dahin, dass sie dem in einem Prozess Obsiegenden bloss einen Pfandrechtstitel gebe. Die Hypothek erwirbt er erst mit dem Beginn der Exekution[2]). — Hingegen im Boulonnois, in Ponthieu und in Amiens gelangt die gerichtliche Hypothek zur Anerkennung[3]). Keineswegs gab aber eine notarielle Urkunde ein Pfandrecht[4]). Dieser wesentliche Unterschied in der Wirkung wurde in Hinsicht auf die Regelung in den übrigen Coutumes und insbesondere im Pariser Recht, als ungehörig empfunden. Es gelangte deshalb die Sentence d'hypotheque zur Ausbildung. Auf Grund eines Schuldanerkenntnisses soll der Richter den Schuldner zur Erfüllung des Kontraktes „verurteilen". Dieser aber enthält die Klausel der Generalobligation. Die richterliche Sentence macht letztere zum vollwirksamen Pfandrecht[5]).

Bei einer derartigen Durchbrechung der Grundsätze des einheimischen Rechtes ist es begreiflich, dass auch die Legalhypotheken[6]) von Süden her einzudringen vermochten. Selbst die Rechte, in denen das Urteil nur einen Pfandrechtstitel gibt, vermochten ihnen nicht zu widerstehen. Aufgenommen wird zuerst die Legalhypothek der Frau für ihr douaire. Im Laufe des 17. Jahrhunderts wird der Ehefrau das generelle Pfand-

---

[1]) Hainaut tit. VII, art. 5. Vergl. édit perp. Isambert Bd. XVI, Lille tit. XXII, art. 3: Par la coutume générale ne sont aucunes hypothèques tacites, sauf le privilège du prince. Cambresis tit. V S. 152. Anerkennung dieses Rechtszustandes durch die Deklaration vom 17. Juli 1749.

[2]) Sentences de juge emportent hypotheque du jour de l'exécution d'icelles. Vermandois 125. Sentence du juge n'emporte hypothèque si non du jour qu'elle sera nantie ou exécutée.

[3]) Boulonnois comm. II S. 152 f.

[4]) Boulonnois S. 153; vergl. Merlin vo. Nantissement § IV S. 435f.

[5]) Boulonnois cit. S. 154.

[6]) Vergl. Vermandois art. 124. Rheims 182, 46. Péronne 135. Chaulny tit. II, art. 8. Comm. von Vrevin S. 13 und art. 128. S. 248. Peronne 135, 269. Amiens 115.

recht im nämlichen Umfange zugesprochen, wie in den südlicheren Coutumes [1]). Im übrigen sind es wesentlich [2]) nur noch die Mündel [3]), deren Ansprüche durch eine Legalhypothek geschützt werden. Sie befänden sich, das ist der Standpunkt unserer Rechte, in der gleichen Lage, wie die Ehefrauen: Sie könnten nicht selbst die Formalitäten des nantissement anstreben. Zudem entbehrten die zu Grunde liegenden Verhältnisse, Ehe und Vormundschaft nicht der Publizität, sodass durch die Zulassung dieser Pfandrechte der Kredit nicht erschüttert werde.

Solche Erwägungen müssen aber ganz besonders in Hinsicht auf die Privilegien von entscheidender Bedeutung gewesen sein. Denn diese sind in unseren Rechten in reicherem Masse anerkannt, als man erwarten möchte. Sie haben dabei durchaus denselben Charakter wie im südlicheren coutumiären Rechte. So begegnen wir zunächst wieder all' den Vorzugsrechten auf die Gesamtheit der Mobilien oder auf einzelne Fahrhabeobjekte [4]). Soweit sie sich auf die Gesamtheit erstrecken, können sie regelmässig auch auf den Erlös der verkauften Liegenschaften geltend gemacht werden [5]). Vor allem aber sind auch hier die Privilegien auf die Immobilien durchgedrungen. Dass sie dem Prinzip der Spezialität Genüge taten, muss ihrer Aufnahme Vorschub geleistet haben. Zudem liessen sie sich in ihrer Mehrzahl unter dem Versionsgesichtspunkt rechtfertigen, sodass ein solider Kreditverkehr als durch sie nicht gefährdet betrachtet werden mochte. Nicht nur die südlicheren unter unseren Rechten [6]), sondern auch die nördlichen [7]) anerkennen neben dem Privileg des Seigneurs und denjenigen für Begräbniskosten und die

---

[1]) Buridan zu C. de Rheims cit. art. 182. Boulonnois Comm. S. 391.

[2]) In Rheims und Vermandois hat auch der Vormund eine Legalhypothek. Buridan zu art. 124. Brodeau l. II. no. 23.

[3]) Vom Fiskus abgesehen, dessen Pfandrecht auch in diesen Rechten ausser Zweifel steht. Vergl. Buridan zu Rheims art. 46.

[4]) Vergl. Boullenois Comm. S. 369 f. Lille II 238 f., 262 f., 290 f. Cambresis S. 465 f. Buridan S. 359 f. Maillard S. 399.

[5]) So insbesondere die Begräbniskosten, vergl. Cambresis l. c. Maillard S. 491. Boullenois II 390.

[6]) Boullenois II S. 390 f. Buridan, Reims S. 338.

[7]) Cambresis 465 f. Lille II S. 289, Artois, Maillard 399 no. 9. 491 f. Vergl. Merlin vo. nantissement.

Kosten des décret auch die Privilegien des Verkäufers und des Bauhandwerkers, des Geldgebers und aus der Erbschaftsteilung.

Dieselben Rechte also, welche sich der Legalhypothek beinahe völlig verschlossen, anerkennen die Privilegien in der gleichen juristischen Ausgestaltung und in der gleichen Ausdehnung wie die früher betrachteten südlichen Coutumes. Eine derartige Erscheinung beweist, dass diese Privilegien auf wesentlich deutschrechtlicher Basis gar wohl Geltung erlangen konnten und dass es sich infolgedessen wissenschaftlich nicht rechtfertigen lässt, in Hinsicht auf die Bildung des französischen Privilegienrechtes schon von vorneherein den grössten Anteil dem Einfluss des römischen Rechtes zuzuschreiben.

Haftungsrechtliche Reformbestrebungen.

Die Hypothek des droit commun und diejenige Hypothek der pays de nantissement, die wir soeben betrachtet haben, sind auf den nämlichen Ursprung zurückzuführen. Denn sie sind sich in ihrem Wesen gleich. Sie sind beide Satzung. Technisch werden sie in den mittelalterlichen Quellen obligation genannt. Und als obligation treten sie uns im Sprachgebrauch noch des 17. und 18. Jahrhunderts entgegen, und es fehlt nicht an Autoren, die sich darüber klar sind, dass sie auch wissenschaftlich in dieser Weise zu umschreiben seien. Selbstverständlich ist diese Hypothek des ancien droit im Süden und Norden eine obligatio rei. Dies trifft für die spezielle wie für die generelle Hypothek zu. Und von Anfang an war diese sächliche Natur für beide die nämliche. Darüber hinaus enthält die Spezialobligation aber noch ein Verbot und zwar ein Verbot exekutivischen Charakters. Dasselbe weist denn auch unverkennbar auf die Realisierung der obligatio generalis zurück. Häufig genug ist deshalb in unseren Quellen die Darstellung des Hypothekarrechtes in den Abschnitten über die Zwangsvollstreckung zu suchen. Denn immer noch ist in der Hypothek eine Anweisung von Exekutionsobjekten zu erblicken, ein Setzen zur Vollstreckung, zur Verfolgung, ein droit de suite[1]). In thesi ist sie deshalb von der generellen Vermögenshaftung abzuleiten, die virtuell das exekutivische Pfandrecht in sich schliesst.

----

[1]) Ypotéque: Droit de suivre la chose entre les mains de ceux qui la possèdent. Maillard zu Artois art. 74 no. 273.

Doch von hier ab gehen die Wege weit auseinander in
dem Hypothekarrecht der pays de nantissement und der übrigen
Coutumes: Die Rechte der ersteren verlangen immer noch die
Satzung oder Besatzung. Sie verlangen Aktion und Form.
Für sie ist die Hypothek immer noch Anfang der Exekution.
Und dieser muss sich notwendig gegen ein bestimmtes Objekt,
gegen ein speziell bezeichnetes Grundstück richten. Die spezielle
Sachhaftung tritt uns in voller Intensität entgegen. Sie ist durch
die markante Art der Begründung und durch ihre apparten
Wirkungen scharf geschieden von der Vermögenshaftung, wenn,
gleich diese für sich allein schon genügender Rechtstitel zur
Bestellung jener zu sein vermag. — Anders in den übrigen
Rechten. Qui s'oblige, oblige le sieu. Die Sachhaftung soll
sich möglichst unmittelbar aus der „persönlichen". ergeben. Jene
erscheint geradezu wie diese als eine gesetzliche. Der „vorweg-
genommene Exekutionsbeginn" hat sich verflüchtigt. Seine
Funktion vertritt ein pfandrechtlich indifferenter und von der
Tätigkeit des Eigentümers, des Pfandschuldners der Möglichkeit
nach unabhängiger Akt. Ohne weiteres Zutun vermag er aber
auch nicht eine besondere Beziehung zu einem speziellen Vermögensobjekt herzustellen. Ein derartiges Resultat wird denn
auch nicht angestrebt. Die hypothekarische Haftung ist die
hypothekarische Haftung des Vermögens. Darin geht das Recht
der traditionslosen Sachhaftung auf.

Praktisch war das Recht der nördlichen Provinzen von
ausserordentlicher Superiorität. Hier herrschten die Grundsätze
der Spezialität und der Publizität. Für sie war im Süden keine
Stätte. Hier war die Hypothek, wenn auch nicht schlechterdings
formlos begründet, so doch heimlich und überwiegend generell.
Die ganze Zeit des ancien droit hindurch stossen wir denn auf
die lebhaftesten Klagen[1]) über die wahrhaft verhängnisvollen
Wirkungen des südlichen Pfandrechtes. Der städtische Mobiliar-
reichtum wuchs von Tag zu Tag und gleichzeitig wuchs die

---

[1]) Vergl. Loyseau, III 1, 19; III. 1, 16, 35. d'Héricourt II 3 no. 8,
XIV, no. 7. Vergl. die préambules zu den Ordonnanzen z. B. Mai 1424 Ord.
XIII S. 47 f., S. 49. Juli 1428 l. c. S. 135 f. Jan. 1431 S. 261 Nov. 1441
S. 339 f. Vergl. Ord. Bd. VIII S. 482. — Juni 1581 Isambert XIV S. 493
(XX 175) März 1673, XIX 73 f. — Blondel, Mobilisation du sol en France,
Paris 1888 S. 42, S. 66, S. 82.

24*

Kreditbedürftigkeit des Landes. Aber die Ohnmacht des Rechtes machte den dringend nötigen ökonomischen Austausch unmöglich. Die alten Quellen hatten demjenigen den gesunden Sinn abgesprochen, der sein Erbe veräusserte. Nun heisst es umgekehrt sprichwörtlich: il y a plus de fols acheteurs que de fols vendeurs. In der Tat, ein Liegenschaftserwerb war voll Gefahren, und nicht weniger riskant war die Hypothekenbelehnung. Eine furchtbare agrarische Krisis in der zweiten Hälfte des 18. Jahrhunderts war die unausbleibliche Folge dieses Rechtszustandes. Vergeblich hatte man versucht, ihr vorzubeugen.

Denn die lebendige Einsicht in die Missstände des Pfandrechtsystems musste eine Reformbewegung hervorrufen. Die königliche Gesetzgebungsgewalt suchte sie durchzuführen. Dabei richtete sie ihren Blick natürlicherweise auf die nördlichen Rechte. Es galt für ganz Frankreich ein Recht zu erobern, wie es dem Norden eigen war. Die Ordonnanzen anerkennen zuweilen ausdrücklich die vorbildliche Bedeutung dieser Coutumes. Die vorgesehenen Reformen bewegen sich denn auch in der dadurch gekennzeichneten Richtung.

Trotzdem überschätzte man die Energie dieser legislativ-politischen Bewegung, wollte man sie ihrer Tendenz nach dahin charakterisieren, dass sie sich in ihren wichtigsten Äusserungen auf einem rechtlichen Boden bewegt habe, welcher derjenige der nördlichen Coutumes gewesen sei oder dass sie wirklich die Übernahme der Anschauungen, welche diesen letzteren zu Grunde lagen, zum Endziel gehabt habe. Dazu hätte es vor allem der Möglichkeit und des Willens bedurft, die grundbegriffliche Basis, auf der das gemeine französische Recht ruhte, preiszugeben. Denn in der prinzipiellen haftungsrechtlichen Auffassung bilden das droit commun und das nördliche Recht zwei sich schneidende Kreise, und da verlässt denn jenes insbesondere mit der Anerkennung einer grundsätzlich generellen und geradezu legalen absolut wirkenden Vermögenshaftung die gemeinschaftliche Basis. Sich von den einem solchen Rechtszustand zu Grunde liegenden Auffassungen zu befreien wäre also die Aufgabe gewesen. Darüber aber vermochte man nicht zur klaren Einsicht zu gelangen. Das praktische Ziel, das man anstrebte, glaubte man durch Vorschriften erreichen zu können, die man ihrem Inhalte nach als wesentlich formeller Natur erachtete.

Materiell bleibt die Reformbewegung wenigstens zunächst durchaus in den alten Vorstellungen befangen. Künftighin erleiden
sie freilich beträchtlichen Abbruch und werden mannigfach
durchbrochen. Denn wo sie in offenem Widerspruch stehen zu
immer dringlicheren Postulaten des Rechts- und Wirtschaftslebens,
tragen diese letztern schliesslich doch des öftern den Sieg davon.
Keineswegs aber auf der ganzen Linie. Bis zum heutigen Tage
nicht. Noch in das moderne französische Pfandrecht ragen in
lebendiger Nachwirkung Vorstellungen hinein, wie sie dem
coutumiären Hypothekarsystem entsprachen. Auch hier also
müssen wir die erstaunliche Konsistenz des alten Rechtes als
sehr realen Faktor in die Rechnung einbeziehen. Denn man
stösst auf mehr als eine Erscheinung, die schlechterdings nur
zu erklären ist, wenn man sich stets dieser Eigentümlichkeit
bewusst ist.

Ein Edikt[1]) Heinrich III. vom Jahre 1553[2]) führt die
Insinuation, die bisher nur für die Schenkung bestand, für alle
dinglichen Verträge ein. Sie sollen spätestens zwei Monate
nach ihrem Abschluss in ein Register beim Gerichtsschreiber
eingetragen werden. Durch die rechtzeitige Erfüllung der Formvorschrift wird, soweit dies für die Wirkungen in Betracht fällt,
das Datum des Vertrages gewahrt. Hingegen bei verspätetem
Eintrag können dem Ansprecher resp. Gläubiger inzwischen
begründete Rechte wirksam entgegengehalten werden. Die
Register können eingesehen werden. Diese Bestimmungen sollen
nach den dem Edikt vorangestellten Erwägungen der Sanierung
der Verhältnisse dienen. In Wirklichkeit· belassen sie das
Hypothekenrecht in seinem alten Zustand und das neue Register
ist mit samt den Abgaben, die vorgesehen waren, wesentlich
fiskalischen Erwägungen entsprungen. Das Edikt steht also
sehr weit hinter den sehr ernstlichen Reformversuchen zurück,
welche die Könige schon im 15. Jahrhundert, wenigstens in
Hinsicht auf einzelne coutumes gemacht hatten.

Ebenso gering ist die reformerische Bedeutung der Ordon-

---

[1]) Über diese ganze Reformbewegung ausführlicher Fourmeau: Du
mode de Publicité des hypothèques. Thèse 1897. S. 37 f. Drouets, Thèse
1888. S. 84 f. Beaudry-Lacantinerie a. a. O. Einleitung. Überhaupt die
Darstellungen des Rechtes des C. c.

[2]) Jourdan, Decrusy et Isambert XIII S. 313 f.

nanz, welche im Jahre 1581[1]) die Kontrolle der Verträge einführt. Diese contrôle des actes besteht wiederum in einer
Einregistrierung. Wiederum wird sie für alle dinglichen Verträge verlangt. Doch die Register sollen keine öffentlichen sein.
Sie sollen ausschliesslich dazu dienen fraudulöse Rückdatierungen
zu verhindern. Aber die Ordonnanz lässt selbst erkennen, dass
die Vorschriften vor allem die Abgaben an den Staat sichern
wollen. Und die näheren Ausführungen zeigen auch, dass dies
wirklich der leitende Gesichtspunkt gewesen ist. Übrigens
wurden weder die Insinuation noch die Kontrolle in grösserem
Umfange wirklich durchgeführt und dies obschon auch noch
spätere Ordonnanzen ihnen Geltung zu verschaffen suchten.

Völlig erfolglos blieb aber auch der bedeutendste gesetz-
geberische Versuch auf dem Gebiet des Pfandrechts: das Edikt
vom Jahre 1673[2]). Colbert, der Schöpfer desselben, hatte
erkannt, dass die Interessen der Geldgeber wie der Geldnehmer
die Publizität der hypothekarischen Belastung der Güter erheische.
In vollkommenerer Form soll deshalb allgemein zur Einführung
gelangen, was die coutumes de nantissement angestrebt haben.
Zu diesem Zweck wird ein Registeramt geschaffen. Hier sollen
die Pfandgläubiger ihre „oppisitions" bewerkstelligen. d. h. die
Inskription ihrer Pfandrechte bewirken. Die Unterlassung führt
zum Verlust des Vorzugsrechtes in Hinsicht auf die Eingetragenen.
Auch die gerichtlichen Hypotheken mussten inskribiert werden.
Dispensiert sind die Personen, die das Recht durch eine Legalhypothek schützt. Doch dauert dieser Dispens nur so lange,
als der Grund der Privilegierung besteht. Es müssen also die
Mündel nach erlangter Volljährigkeit, die verwitwete Frau
innerhalb bestimmter Frist ihre Pfandrechte einschreiben lassen.
— Der Registerbeamte muss Interessenten auf Verlangen Auszüge liefern, und er ist für die Richtigkeit und Vollständigkeit
derselben haftbar. Zu dieser Öffentlichkeit kommt die Spezialität,
die darin besteht, dass die Schuldsumme einregistriert wird und
ferner darin, dass die belasteten Grundstücke, die im Amts-
kreise liegen, aufgezählt werden.

---

[1]) l. c. Bd. XIV S. 493 f.
[2]) l. c. Bd. XIX S. 73 f. Edit portant établissement de greffes
pour l'engistrement des oppositions des créanciers hypothécaires.

Diese bedeutenden Massnahmen, die beispielsweise in der Behandlung der Legalhypotheken weitergingen als nachmals der code civil und die diesbezüglich erst wieder durch das Gesetz vom 23. März 1855 erreicht wurden, erleiden indessen ihre nicht unbeträchtliche Abschwächungen. Es wird unterlassen, die Eigentumsverhältnisse selbst einer entsprechenden Publizität zu unterwerfen. Und ferner gewährt das Edikt eine Eintragsfrist von vier Monaten. Bei Innehaltung dieser Frist wird der Rang bestimmt nach dem Datum der Entstehung des Pfandrechts ohne Rücksicht auf inzwischen begründete Belastungen. Dass grundsätzlich aus jeder notariellen Urkunde sich ein Generalpfandrecht ergibt, daran wird so wenig gerührt wie an der Existenz der gerichtlichen, der gesetzlichen und der privilegierten Hypotheken. Trotz dieser Schwächen bleibt aber das Werk ein überaus weitsichtiges. Aber der Widerstand des verschuldeten Adels, der durch diese Neuerungen seinen Kredit völlig untergraben glaubte, war so heftig, dass sich die Regierung schon im April 1674, sehr gegen ihren Willen, wie deutlich aus dem Wortlaut des betreffenden Ediktes zu erkennen ist, gezwungen sah, das Gesetz zurückzuziehen[1]).

Der Versuch war so gründlich gescheitert, dass ihm unter dem alten regime keine weitern mehr nachfolgten, die sich die Reform des gesamten Hypothekarrechts zum Ziele gesetzt hätten. Hingegen hob ein Edikt vom Juni 1771 das ausserordentlich kostspielige Verfahren des décret volontaire auf und ersetzte es durch die lettres de ratification. Der Erwerber konnte darnach das Grundstück entlasten, indem er den Kaufvertrag auf der Rats- oder Amtskanzlei niederlegte. Durch öffentlichen Anschlag wurden dann die Hypothekare von der Handänderung in Kenntnis gesetzt. Dann mussten sie innerhalb zweier Monate ihre Pfandrechte anmelden. Nach dieser Frist wurden dem Erwerber die lettres de ratification zugestellt. Die Anmeldungen wurden in einem Kollokationsplan ordnungsgemäss zusammengestellt und darnach der Kaufpreis verteilt. Dieses vereinfachte Purgationssystem mochte den Grundstücksverkehr einigermassen erleichtern. Im übrigen aber wurde alles beim alten belassen.

So fand die Revolutionszeit ein Pfandrecht vor, das schon

[1]) l. c. Bd. XIX S. 133.

den bisherigen Bedürfnissen nicht entfernt entsprach. Die diesbezüglichen Bedürfnisse erlitten nun noch eine gewaltige Steigerung. Ein rationelles Hypothekarrecht wurde geradezu eine
Forderung von eminent politischer Bedeutung. Der Staatskredit
selbst sah sich infolge der Assignatenwirtschaft auf ein be-
friedigendes Realkreditsystem angewiesen. Es kam das völlig
neue Grundeigentumsrecht hinzu. Mittelst der eingezogenen
Güter der toten Hand und zum Teil auch der Krondomänen sollte
ein neuer Stand kleiner Grundeigentümer geschaffen werden.
Man erleichterte die Transaktionen soviel man nur konnte.
Aber man sah ein, dass diese Bestrebungen die wirksamste
Unterstützung durch eine gründliche Hypothekarreform fänden.
Eine solche glaubt der Konvent zu bringen durch das Gesetz
vom 9. Messidor III: loi concernant le code bypthécaire[1].
Man ist bei der Lektüre desselben erstaunt zu sehen, wie sehr
all' seine Bestimmungen, sofern sie wirklich die Hypothek zum
Gegenstand haben, die grundlegenden Anschauungen wiederspiegeln, die dem ancien droit eigen waren und die es gerade zu
überwinden gegolten hätte. Das Gesetz will den Grundsatz der
Publizität durchführen. Il n'y a d'hypothèques que celles
résultant d'actes authentiques inscrits dans des registres publics
ouverts à tous les citoyens[2]. Aber die Inskription konnte
während eines Monats seit der Begründung des Pfandrechts erfolgen, so dass der Rang nach dem Datum des Konstituierungs-
aktes gewahrt blieb[3]. Während eines Monats konnten also die
Hypotheken mit voller Wirkung gegen Dritte nach wie vor
heimlich sein. Die Eintragung verlangt Angabe einer bestimmten
Schuldsumme. Nicht aber ist eine spezielle Angabe der Pfandobjekte vorgesehen. In der Tat: die Hypothek ist grundsätzlich
eine generelle. Das beweist zur Genüge, wie sehr die alten
Vorstellungen noch lebendig sind. Diese Hypothek ist die alte
sächliche Vermögensobligation. L'hypothèque est un droit réel
sur les biens de l'obligé ou du débiteur, accordé au creancier
pour sûreté des engagemens contractés envers lui (art. 2). Die
Güter des „Obligierten oder des Schuldners" sollen dem

[1] Vergl. Pothier Oeuvres Ed Hutteau Bd. XIV S. 216 f. Merlin ro.
Hyp. S. 828 f.
[2] Art. 3.
[3] Art. 22.

Gläubiger zur Sicherheit dienen. Deswegen wurden eo ipso
alle im Bezirk des Registeramtes gelegenen Grundstücke mit
diesem dinglichen Recht belastet (art. 26). Dass diese Regelung wesentlich einen Versuch darstellt, das coutumiäre Sachhaftungsrecht durch die Statuierung des Publizitätsprinzipes zu
retten und festzulegen, zeigen in aller Schärfe auch noch die
Titel, die nach dem Gesetz eine Hypothek geben. Die Legalhypothek im engeren Sinne, als Privilegium, ist nicht anerkannt.
Man opferte sie den Anforderungen des Grundsatzes der Öffentlichkeit. Aber in dem weitern früher dargelegten Sinne ist
auch jetzt noch jedes hypothekarische Pfandrecht ein gesetzliches. Es bedarf nicht der vertraglichen Einräumung. Die
öffentlichen Urkunden geben vielmehr wie die gerichtlichen
Schuldanerkenntnisse und Urteile von Gesetzeswegen eine Generalhypothek[1]. Les actes de cette nature — — donnent hypothèque de plein droit, et sans avoir besoin d'être exprimée, sur
les biens présens et à venir des obligés ou condamnés et ceux
de leurs héritiers (art. 19).

Das Dekret vom 9. messidor enthielt aber doch auch merkwürdige und einschneidende Neuerungen. Es schuf als ein
selbständiges Institut die Eigentümerhypothek in der Form der
cédules hypothécaires. Bis zur Höhe von drei Viertel des
Wertes kann der Eigentümer sein Grundstück durch solche
cédules belasten, welche dann durch Indossament begebbar
sind. Es ist charakteristisch, dass dieser dem alten Recht
gegenüber wirklich revolutionäre Versuch, der übrigens sein
Vorbild in staatlichen Finanzoperationen gehabt hatte, sofort
einer Einrichtung rief, die in dem einen oder andern Punkt an
das deutsche Grundbuch erinnert. Laut art. 32 des Gesetzes
kann nämlich der eingetragene Hypothekargläubiger von seinem
Schuldner den Ausweis verlangen, dass er in gehöriger Form
die déclaration foncière der Güter vorgenommen habe, welche
in dem Kreise des Registeramtes liegen, in dem der Gläubiger
sich hat eintragen lassen. Diese déclaration foncière ist durch
ein besonderes Gesetz, ebenfalls vom 9. Messidor III geregelt.
Sie besteht in folgendem Verfahren: Unterschriftlich bekennt
sich der Schuldner als Grundstückseigentümer und macht
urkundlich die ihm gehörigen Liegenschaften namhaft. Die

---

[1] Art. 17, 18, vergl. art. 3.

Urkunde enthält die nähere Beschreibung dieser Liegenschaften und nennt ihren Schatzungswert. Diese Bescheinigung wird in drei Exemplaren ausgestellt. Das eine behält der Hypothekenbewahrer, das zweite wird bei der Gemeindekanzlei niedergelegt und das letzte hält der Eigentümer zurück. Die Bedeutung dieser Deklaration besteht vornehmlich darin, dass sie dem Dritten gegenüber schlechthin beweiskräftig ist. Der Pfandgläubiger, der sich auf die Angaben der Deklaration stützen kann, ist gegen jede Eviktion des Gutes geschützt. Ein Vindikant muss das Recht, das er geltend machen will, dem Hypothekenbewahrer anzeigen. Dieser registriert es ein. Das Obsiegen des Ansprechers kann aber den vor dem Eintrag begründeten Pfandrechten nichts anhaben. Les hypothèques inscrites et les cédules requises avant ladite notification, ont leur pleine et entière exécution sur la chose hypothéquée, sauf le recours du propiétaire contre celui qui les avait consenties (art. 95 des Hypothekengesetzes, vergl. art. 92 f.). Darin lag eine dem französischen Recht im übrigen fremd gebliebene Auffassung, die in ihren Wirkungen an den öffentlichen Glauben des Grundbuches erinnert. Der Versuch hatte denn auch so wenig wie derjenige mit den cédules hypothecaires Erfolg oder dauernde allgemeinere Bedeutung. Man scheute immer wieder davor zurück, die merkwürdigen Dekrete in Kraft treten zu lassen. Bis in die letzten Jahrzehnte hinein ging die allgemeine Ansicht auch dahin, dass sie nie Geltung erlangt hätten. Dem ist allerdings nach neueren Forschungsergebnissen nicht so. Sicherlich aber vermochte sich dieses neue Recht bei der kleinen Frist, die ihm gewährt war, nicht einzuleben. Es erlag den zahlreichen Anfechtungen und wurde ersetzt durch das

Dekret vom 11. brumaire VII: loi sur le régime hypothécaire. Wie für die Eigentumsübertragungen die Transkription, so wurde für die hypothekarischen Belastungen die Inskription vorgeschrieben. Die Hypotheken müssen in öffentliche Register eingetragen werden. Und zwar ist hier zum ersten Male vorgesehen, dass Dritten gegenüber die Hypothek nur von der Inskription ab Wirkung habe (art. 2). Neben den vertraglichen — es bedarf nunmehr wirklich der ausdrücklichen Einräumung, art. 4 — sind auch die gerichtlichen und die gesetzlichen Hypotheken anerkannt. Aber auch sie müssen eingetragen

werden. Dabei nennt das Gesetz die Personen, welche zu
Gunsten der Privilegierten die Legalhypotheken einzutragen
haben und welche im Unterlassungsfall für den Schaden haftbar
gemacht werden (art. 21, 22). Aber wenn auch öffentlich, sind
diese Hypotheken doch auch generell (art. 4). Anders hingegen
das Konventionalpfandrecht. Es ist speziell und bedarf der besonderen Angabe des Pfandobjektes (art. 4). Speziell sind notwendigerweise auch die Privilegien auf die Immobilien, die das
Gesetz übernimmt. Es nennt das Privilegium des Verkäufers
und dasjenige des Unternehmers (art. 12, 13, 14), letzteres mit
den Einschränkungen (Mehrwert) und den Formvorschriften,
wie sie im Code civil wiederkehren. Dasselbe gilt für die
Privilegien, die auf den Erlös der Gesamtheit der Mobilien und
subsidiär auf denjenigen aus den Immobilien gehen (art. 11).
In dieser Hinsicht wurde das alte Recht übernommen. Neu
geregelt wurde hingegen das Verfahren der purge. Auf Grund
der Publizität der Belastungen konnte es wesentlich vereinfacht
werden. Das Verfahren aus Artikel 30 ff. wurde denn
auch in den Code civil übernommen, als Mittel, durch welches
der Erwerber die Liegenschaft von den eingetragenen, den
öffentlichen Pfandrechten befreien kann. Für die übrigen
Hypotheken musste der Code freilich noch ein weiteres Purgationssystem aufnehmen. Er fand es bereits vor im Edikt
vom Jahre 1771, das die Heimlichkeit der Pfandbelastungen
voraussetzt. — Über die Einrede der persönlichen Exkussion
schweigt sich das Gesetz aus. Nicht minder über die Pfandklage gegen den Drittbesitzer. Ihre Existenz und Ausgestaltung
blieb deshalb bestritten. Das Gesetz sagt aber auch nichts
über die legislativpolitischen Experimente der vorausgehenden
Dekrete — und diesbezüglich war es nicht zweifelhaft, dass
der Gesetzgeber nicht mehr gewillt war, ihren Spuren zu folgen.
In dieser wie in mancher andern Hinsicht war das Gesetz vom
Jahre VII von grundlegender Bedeutung für das neue Recht,
wie es festgelegt wurde im

Code civil von 1804. Das sieghafte Beharrungsvermögen
des coutumiären Rechtes erhält eine überraschende und interessante Illustrierung durch die Artikel 2167 ff. des französischen
bürgerlichen Gesetzbuches. Sie seien hier an die Spitze gestellt.
Sie führen uns in medias res hinein.

2167. Si le tiers détenteur ne remplit pas les formalités qui seront ci-après établies pour purger sa propriété, il demeure, par l'effet seul des inscriptions, obligé comme détenteur à toutes les dettes hypothécaires, et jouit des termes et délais accordés au débiteur originaire.

2168. Le tiers détenteur est tenu, dans le même cas, ou de payer tous les intérêts et capitaux exigibles, à quelque somme qu'ils puissent monter, ou de délaisser l'immeuble hypothéqué, sans aucune réserve.

2169. Faute par le tiers détenteur de satisfaire pleinement à l'une de ces obligations, chaque créancier hypothécaire a droit de faire vendre sur lui l'immeuble hypothéqué, trente jours après commandement fait au débiteur originaire, et sommation faite au tiers détenteur de payer la dette exigible ou de délaisser l'héritage.

Aus diesen Bestimmungen erfahren wir, dass der Drittbesitzer der verpfändeten Liegenschaft gehalten ist oder angehalten werden kann, gewisse Handlungen vorzunehmen. Es sind ihm „Obligationen" auferlegt. Sie gehen alternativ auf payer und délaisser! Der Code civil hat also das délaissement, dies veraltete und unpraktische Institut, aufgenommen, das dem Drittbesitzer wenig bietet, den Gläubigern aber beträchtliche Kosten bereitet, da die Besitzaufgabe durch den Eigentümer sie zwingt, einen Kurator zu bestellen, auf dessen Namen das Zwangsverfahren seinen Fortgang nehmen kann. Dabei wird diese Einrichtung in der Form eingeführt, die geradezu wörtlich derjenigen entspricht, welche diesem Recht in der Coutume de Paris Ausdruck verlieh. Der Drittbesitzer soll zahlen oder das Grundstück preisgeben. Dazu ist er „obligiert". Aber schon die alten Quellen sprechen ohne innere Berechtigung und missverständlich von einem Sollen oder Müssen in Hinsicht auf das délaissement durch den Drittbesitzer. Davon kann u. E. auch im neuen Rechte gar nicht die Rede sein. Wird die Liegenschaft nicht preisgegeben, so können die Gläubiger den Zwangsverkauf anstreben. Diesem gegenüber bedeutet für sie das délaissement niemals ein ökonomisches Plus. Wohl aber vermag es dem Drittbesitzer Annehmlichkeiten und Vorteile zu gewähren. Bei dieser Sachlage erscheint die Annahme eines auf Preisgabe gehenden Sollen des Pfandbesitzers geradezu begrifflich unmöglich. Wollen die Gläubiger nicht das délaissement, so verhält es sich aber anders mit der Zahlung. Auf diese geht ihr Recht. Sie sollen auf freiwillige Weise oder durch das Zwangsverfahren befriedigt werden. Um ihnen diese Befriedigung zu sichern, war ihnen die Liegenschaft verpfändet worden, die sich jetzt in dritter Hand befindet. Das Rechtsverhältnis, das sich dergestalt bildet, wurde im ancien droit nicht unter ausschliesslich pfandrechtlichen Gesichtspunkten betrachtet. Das Recht der vorbehaltenen Rente — rente foncière — hatte eine innerlich geschlossene konsequente Durchbildung erhalten und verschaffte sich einen Einfluss auch auf das Hypothekarrecht. Nicht die Theorie, aber die Praxis neigte zur Auffassung hin, dass auch bei der Hypothek das Grundstück selbständig belastet sei im Sinne der alten dette réelle. Accessorisch führte diese Belastung u. a. zu einer Realobligation, derzufolge der Eigentümer zu einer der Belastung entsprechenden Leistung gehalten war. Er schuldete sie. Es war ein an den Besitz geknüpftes Sollen Das deutete die Pfandklage an, die ihrem Wortlaute nach auf Zahlung ging. — Wie das alte Recht, so spricht nun auch der Code davon, dass der Drittbesitzer zahlen solle. Dass es sich dabei um eine Obligation im historisch richtigen Sinne nicht handeln kann, beweist schon die Fortsetzung des Textes, indem art. 2170 anhebt: néanmoins le tiers détenteur qui n'est pas personnellement obligé à la dette etc. Vielmehr ist der Drittbesitzer nur gehalten, zu zahlen (2168). Er soll die Ansprecher befriedigen. Diese Artikel konservierten die alte „Realobligation". Soweit sie dabei das Délaissement einbeziehen, ist dies freilich unserer Ansicht nach materiell irrig.

Doch wir müssen gestehen, dass wir zum Schutze unserer Ansicht keinen Kommentator des Code anrufen können. Sie hat in der Literatur auch nicht einen Vertreter gefunden[1]. Am nächsten trifft sie sich mit der Auffassung von Zachariae[2]

---

[1] Doch scheint sie in folgendem Ausspruch des Kassationshofes durchzuklingen: c'est une des bases du nouveau système hypothécaire — — que le tiers détenteur qui n'est pas personnellement obligé au payement de la dette ne peut être contraint à ce payement qu'en qualité de détenteur, que sur le bien même qui est hypothéqué, et non par voie de condamnation personnelle, lors même qu'il ne délaisserait pas le bien. Cit Dareste S. 132.
[2] 8. Aufl. (Crome) Bd. II S. 147.

und von Puchelt[1]). Danach ist der Drittbesitzer als solcher gehalten, entweder die Forderung zu bezahlen oder die belastete Liegenschaft aufzugeben. Auch das Délaissement soll also Inhalt der Realobligation sein. Der Wortlaut und zwar nicht nur des Code, sondern auch der älteren Quellen, — und die Autoren verweisen auch darauf — scheint allerdings diese Theorie zu erhärten. Aber wir können sie in dem auf die Preisgabe bezüglichen Teil weder dogmatisch noch historisch für gerechtfertigt finden. Aber hervorheben wollen wir, dass sie doch anerkennt, der Eigentümer als solcher sei gehalten zu zahlen, obschon er nicht dahin verurteilt werden könne.

Umgekehrt anerkennt Troplong[2]) nur ein auf Preisgabe gehendes Sollen des Drittbesitzers. Er tadelt also die Ausdrucksweise payer ou délaisser. Das Verhältnis liege vielmehr so, dass der Eigentümer als solcher das Grundstück preisgeben müsse. Wenn er es jedoch vorziehe, könne er die Pfandsumme bezahlen. Dies war die bevorzugte Auffassung der Autoren des ancien droit. Sie begegnet uns auch zur Zeit des intermediären Rechtes wieder[3]). Aber sie zeugt nicht für ein grosses Verständnis des einheimischen Rechtes. Die alten Theoretiker gelangten zu ihr durch falsche Vorstellungen über die römische pignoris vindicatio.

Sie ist denn auch heute fast allgemein als irrtümlich erkannt. Die überwiegende Mehrzahl der Autoren steht auf dem Standpunkt, dass die Redeweise des Code civil eine völlig schiefe und unhaltbare sei: Der Drittbesitzer sei weder zu zahlen, noch die Liegenschaft preiszugeben gehalten. Er kann, er darf das eine oder das andere. Verpflichtet aber ist er — und auch das ergibt sich offenbar nur aus der allgemeinen Rechtsordnung — einzig und allein dazu, das Zwangsverfahren in die Liegenschaft zu dulden[4]).

[1]) Das rheinisch-französische Privilegien- u. Hypothekenrecht. S. 261.
[2]) Des priv. et hyp. III no. 782.
[3]) Guichard S. 43.
[4]) Aubry et Rau § 287 no. 1. Duranton XX S. 372. Pont Priv. et hyp. no. 1127. Dareste de la Chavanne, du délaissement hypothécaire S. 129 f. Allard, droits et obligations du tiers détenteur en matière hypothécaire no. 23 S. 17 no. 148 f. S. 81.

Es ist kein Zufall, dass beinahe sämtliche Kommentatoren
des Code dieser Ansicht huldigen. Wohl lässt sich nachweisen,
dass die Bestimmungen der Art. 2167—2169 einen sehr realen
historischen Untergrund besitzen. Aber ebenso begreiflich ist
es, dass die Autoren auf Grund der pfandrechtlichen Vorschriften
und der pfandrechtlichen Grundbegriffe des Gesetzbuches sich
dem Inhalt der fraglichen Artikel gegenüber abweisend verhalten müssen. Diese entstammen einem fremden Vorstellungs-
kreis. Sie gehören einem Rechte an, das sich begrifflich gar
wohl mit dem Immobiliarpfandsystem in organischer Weise hätte
verbinden können. Unbestreitbar war eine solche Bewegung
einst im Fluss gewesen. Aber sie wurde unterbunden. Und
was von der Berührung zurückblieb, ist wenig, ist Bruchstück.
Es wird als etwas Fremdes empfunden. Der Gesamteindruck
geht, wenn man die Autoren anhört, dahin, das die Sprechweise
der herangezogenen Artikel eine unorganische und dem Pfandrecht des Code civil nicht adäquate sei.

Die Richtigkeit dieser Kritik ist nicht zu verkennen. Eine
„Realobligation", die im Leistensollen des Eigentümers als solchen
besteht, ist doch wohl nur aus der selbständigen dinglichen Be-
lastung des Grundstücks, aus der „dette réelle" als eine derivative
Erscheinung zu erklären. Sie setzt einen mehr oder weniger
ausgeprägten Reallastencharakter der Hypothek voraus. Der
Umstand, dass dem französischen Grundpfandrecht dieser
Charakter abgeht, straft jene Bestimmungen Lüge.

In der Tat liegen diese Vorstellungen dem Hypothekarsystem des code civil fern. Dieser letztere ist der Erbe des
ancien droit. Ist er es selbst bis hin zu den Wendungen in
den Artikeln 2167 und 2168, so ist er es nicht minder in den
grundbegrifflichen Auffassungen des Pfandrechts. Notwendigerweise ist deshalb seine Hypothek ausschliesslich Obligation,
obligatio rei, Sachhaftung. Erschöpfend wird sie ihrem Wesen
nach als Pfand bezeichnet: gage, sûreté, garantie. Sie ist nichts
anderes als eine sächliche Bürgschaft, eine caution, welche Bezeichnung noch Guichard[1]) auf die Hypothek aus dem Gesetz
vom 11. brumaire VII, welche keine andere als die des Code
ist, anwendet. Der Code civil stellt selbst an die Spitze des

---

[1]) S. 40, S. 48.

18. Titels, der die Privilegien und Hypotheken zum Gegenstand hat, Bestimmungen, welche diesen haftungsrechtlichen Charakter scharf widerspiegeln, so scharf und klar, dass sich denn auch hin und wieder in der pfandrechtlichen Literatur die historisch richtigen Haftungsvorstellungen ausgedrückt finden.

Die Artikel 2092 und 2093 lassen das Vermögen des Schuldners als das gage commun erscheinen. Sie statuieren das Prinzip der Vermögensobligation und ferner dasjenige der grundsätzlichen Gleichheit der Gläubiger. Aber diese Gleichheit kann durchbrochen werden. Es gibt haftungsrechtliche Formen, die ein Vorzugsrecht verleihen. Art. 2094. Les causes légitimes de préférence sont les privileges et hypothèques. Ohne Rücksicht auf die Vermögenshaftung wird dann weiterhin die Hypothek definiert: art. 2114: L'hypothèque est un droit réel sur les immeubles affectés à l'acquittement d'une obligation. — — — Elle les suit dans quelques mains qu'ils passent. Durch die Hypothek ist das Pfandobjekt in der Weise belastet, dass es die Ansprüche des Gläubigers sichert, indem sich dieser nötigerweise aus ihm Schadens erholen kann. Die Hypothek ist das dingliche Recht an fremder Sache, zufolgedessen ein Grundstück oder die Nutzniessung an einem Grundstück für eine gewisse Forderung in der Weise haftet, dass der Gläubiger sich an das Unterpfand behufs Befriedigung aus demselben halten darf, gleichviel in wessen Hände das Pfand übergeht[1]).

Die vertragliche Hypothek hat den nämlichen Charakter wie in dem Gesetz vom Jahre VII. Sie muss ausdrücklich in notarieller Urkunde vom Eigentümer eingeräumt werden. Von da ab ist sie existent. Dritten gegenüber wirkt sie aber erst von der Inskription ab. So wird dem Grundsatz der Öffentlichkeit genüge getan. Zugleich muss die Konventionalhypothek als spezielle konstituiert werden. Aber auch Generalpfandrechte werden anerkannt. So die Legalhypotheken, die teilweise selbst noch nach dem Gesetz vom Jahre 1855 den Publizitätsvorschriften nur beschränkt unterworfen sind. So vor allem auch die gerichtliche Hypothek. Sie ist in dem weiten Umfange anerkannt, dass nicht nur aus Verurteilungen, gleichgiltig ob sie

---

[1]) Zachariae-Crome l. c. II S. 5.

auf Antwort oder auf Ausbleiben erfolgten und ob sie endgültige oder bloss vorläufige gewesen, eine solche entsteht, sondern dass auch den gerichtlichen Schuldanerkenntnissen und Verifikationen von Unterschriften in Privaturkunden diese Wirkung zukommt. Es ist begreiflich, dass bei diesen generellen Pfandrechten dem Drittbesitzer die Einrede der persönlichen Exekution verstattet wird. Der art. 2170 räumt sie denn auch in ganz allgemeiner Form ein: Le tiers détenteur qui n'est pas personnellement obligé à la dette, peut s'opposer à la vente de l'héritage hypothéqué qui lui a été transmis, s'il est demeuré d'autres immeubles hypothéqués à la même dette dans la possession du principal ou des principaux obligés et en requérir la discussion préalable. Als Ausnahme statuiert dann art. 2171, dass dem Drittbesitzer im Falle einer Spezialhypothek die Einrede nicht zustehe.

Wenn in der Frage der Einrede das Recht für das Konventionalpfand ein anderes ist als für die übrigen Pfandrechtsarten, so ist im übrigen die Regelung wieder eine übereinstimmende. So ist insbesondere die Abhängigkeit von der Forderung für alle Pfandrechtsformen in gleich konsequenter und strenger Weise durchgeführt. Nur wo und solange eine Forderung besteht, kann die Hypothek bestehen. Deutsche Partikularrechte und auch das bürgerliche Gesetzbuch sind bestrebt, bei Veräusserungen verpfändeter Liegenschaften den Eintritt des Erwerbers in die persönliche Schuld des Vorbesitzers möglichst zu fördern. Es zeigt sich also die Tendenz, das persönliche Verhältnis dem sächlichen folgen zu lassen. Das ist charakteristisch für das deutsche Recht. Aber es ist ebenso charakteristisch für das französische Recht, dass ihm ein solches Bestreben fern liegt. Lassen sich doch die Autoren noch des öftern von Erwägungen leiten, wie sie für das alte Recht so kennzeichnend waren und die dahin abzielen, dass sie bei Fragen des Sachhaftungsrechtes überall von der Vermögenshaftung auszugehen suchen. Dieses, dem Wesen der Hypothek-Obligation entsprechende Verhältnis 'erhielt einen drastischen Ausdruck in dem nicht auf Real-, sondern auf Personalfolien begründeten Inskriptionssystem. Hier berühren sich materielles und formelles Recht aufs engste. Die Eigentümerhypothek kann unter den besagten Voraussetzungen keine Anerkennung, der öffentliche

Glaube keine Stätte finden. Damit fehlen die elementarsten
Voraussetzungen, deren es bedarf, soll die Hypothek nicht nur
Haftung, sondern noch ein Mehreres sein, soll sie jenes Reallasten-
element in sich aufzunehmen vermögen, das ihr erst jenen
Charakter der Absolutheit und der Gradlinigkeit verleiht, der die
Superiorität des deutschen Pfandrechtes ausmacht.

Anhang.

Zur Vorgeschichte des mittelalterlichen Haftungsrechtes.

———

25*

1. Kapitel.

Die Vermögenshaftung aus der Wadiation.

In den Quellen des mittelalterlichen Rechts tritt uns die „persönliche Haftung" in den verschiedensten Formen entgegen. Es sind geradezu heterogene Gebilde, die in diesen weiten Rahmen hineinfallen. Objekte und Umfang der Haftung bieten ein wechselvolles Bild dar. Haftung der Person mit ihrem körperlichen Substrat und Haftung des Vermögens stehen einander gegenüber, und wohl alle denkbaren Möglichkeiten einer Regelung ihres gegenseitigen Verhältnisses finden in den jüngern Quellen realen Ausdruck. Wer glaubte, diese Mannigfaltigkeit historisch und dogmatisch auf eine einzige Formel bringen zu können, der würde dem lebendigen Reichtum der tatsächlichen Verhältnisse nicht gerecht, der begäbe sich von vorneherein des Verständnisses der auf ihn einstürmenden Welt eigenartiger Erscheinungen. Denn er wäre dem Chemiker vergleichbar, ·der auf der Suche nach dem Urelement die tatsächlich in einer Mehrheit vorhandenen unterscheidbaren Elemente in dieser ihrer Vielheit ignorierte.

Ebenso ist die Reduktion auf Eine Formel eine Unmöglichkeit angesichts der germanischen Haftungsinstitute. Unüberbrückbar stehen sie getrennt neben einander da, ein jedes für sich. In seiner eigenen Weise will deshalb jedes einzelne erklärt werden. So lässt sich dann aber auch hoffen, dass sich von dem buntgestalten Bild jene Grundsteine schliesslich scharf abheben, die in gradliniger Verlängerung auf das mittelalterliche Recht hinführen, das auf dieser weiten historischen Basis nun plötzlich nicht mehr unentwirrbar kaleidoskopartige Bilder uns zeigt, sondern in jeder einzelnen Erscheinungsform seine geschichtliche Wesenheit uns offenbart.

In diesem Zusammenhang beansprucht vor allem die Wadiation unser Interesse. Sicherlich kommt ihr eine haftungs-rechtliche Bedeutung zu, augenscheinlich aber auch in ganz merkwürdiger Besonderheit, deren Erklärung wohl eigenartige Schwierigkeiten bieten muss. Bevor wir eine obligationenrechtliche Würdigung versuchen, sei zuerst in allgemeinerer Weise auf die Eigentümlichkeiten des langobardischen Pfändungsrechtes hingewiesen. Denn bereits hier setzen die Schwierigkeiten. wenn auch vorerst noch nicht nach der von uns letztlich ver-folgten Richtung hin, ein.

Das Pfändungsrecht steht nach den langobardischen Quellen nicht jedem Gläubiger zu, sondern nur demjenigen, der sich auf eine vorgängige Wadiation berufen kann[1]). Dieser aber hat es ohne auf irgend eine Beteiligung von Seiten des Gerichts angewiesen zu sein[2]). In Bezug auf die nähere Aus-gestaltung des Rechts sind die beiden Edikte Rotharis und Liutprands scharf auseinander zu halten. Das Ed. Roth. scheint nur eine einmalige Pfändung gestattet zu haben, c. 245. Der Verfall des genommenen Haftungsobjektes ist dabei überhaupt noch nicht vorgesehen, c. 252[3]). Hingegen wird bestimmt, dass der Gefahrsübergang vom Gläubiger auf den Schuldner sich nach zwanzig (bezw. sechzig) Tagen vollziehe. Anders das Liutprandsche Recht. Der Schuldner wird ein erstes Mal gepfändet. Zwölf Tage lang trägt der Gläubiger die Gefahr des Zufalls, nachher der Schuldner. Zugleich erhält der erstere das ihm bisher nicht zustehende Nutzungsrecht. Liu. c. 108, 109. Und zudem darf derselbe eine zweite Pfändung vornehmen, c. 108. Et super habeat licentiam repignerare usque in secundam vicem, ut sint ipsa pignera in dubblo, quantum devitum ipse

[1]) Siegel, deutsches Gerichtsverfahren; Brunner, Rechtsgeschichte II 446; Wach, Arrestprozess 14; Heusler, Institutionen II 207; Stobbe, Z. f. R. G. XIII 223; Wodon, Forme et garantie dans les contrats 148; Horten, Personalexekution II 77. A. M. Sohm, lex Salica 53; Wilda, Z. f. d. R. I 195. Zu Liu 67 vergl. gegenüber Zöpfl Rechtsgeschichte III 294 Wach 15 f., mit durchschlagenden Erwägungen; Löning, Vertragsbuch 88 N. 1; Val de Lièvre, Launegild und Vadia 205 f.; Kohler, Beiträge zur germanischen Privatrechtsgeschichte I 16, N. 3.

[2]) A. M. Heusler II 236 zu Roth 245.

[3]) Abweichend nur Bethmann-Hollweg IV 367 und Osenbrüggen, Strafrecht der Langobarden 145. Vergl. die Glosse Lib. Pap. Roth. c. 252.

est. Die Pfänder verfallen nach dreissig resp. sechzig Tagen und zwar gleichzeitig die bei den beiden Pfändungen weggenommenen Objekte.

Die Bedeutung der verschiedenen Stadien dieses Verfahrens, insbesondere der zweimaligen Pfandnahme, ist streitig.

Wach[1]) weist darauf hin, dass schon durch die erste Pfändung der Gläubiger einen seiner Forderung vollkommen entsprechenden Vermögenswert erhalten habe, sodass er sich also nicht bloss um Sicherstellung oder, dürfen wir beifügen, um Zwang, sondern auch schon um Befriedigung handelt. Die Pfändung ist also bereits eine executivische. Es ist ein blosses Privileg für den Gläubiger, wenn ihm eine zweite Pfändung und auch noch ein weiteres Verfahren — wie dies tatsächlich der Fall ist — zugestanden wird. Aber aus dieser Erklärung ergibt sich — um zunächst nur dies Bedenken namhaft zu machen — dass das jüngere, das Liutprandsche Recht ungleich strenger und ungerechter ist als das ältere von Rothari, das nur eine Pfändung kannte, die doch der exekutiven Funktion genügt hätte. Es handelt sich also bei dieser Auffassung um einen Widerspruch mit der allgemeinen Richtung der geschichtlichen Entwickelung. Und dieser ist — als immerhin mögliche Reaktion — doch wohl nur anzunehmen, wenn zwingende Gründe dafür vorhanden sind. Aber gerade die Motive einer derartigen Gesetzgebung sind gar nicht zu ersehen. Sie bleibt uns also selbst ein Rätsel.

Löning vertritt die Auffassung, dass die Pfänder in erster Linie der Herbeiführung der geweigerten Leistung dienen. Der Schuldner soll zur Vornahme derselben bewogen werden. Indessen schon nach zwölf Tagen ändert diese Pfandnahme ihren Charakter. Der Gefahrsübergang ist Strafe für die nicht rechtzeitige Leistung und da diese Verzögerung andauert, tritt erneute Strafe ein: Pfandverfall. Die zweite Pfändung ist ein neuer Exekutionsakt. Derselbe Verlauf. Wiederum ändert sich der Charakter der Pfändung und führt zu Strafe, erweist sich also zur Herstellung des Rechts als unfähig. Erst das nachfolgende gerichtliche Verfahren führt zur Realisierung des Rechts

---

[1]) cit. S. 390 N. 1.

Löning muss dieses Verfahren folgendermassen charakterisieren
(§ 95): Diese systemlose Weise des langobardischen Rechts
führt somit schliesslich zur Realisierung des Rechts sowie zur
Sühne der in dem rechtlich relevanten Zeitpunkt stattgehabten
Rechtsverweigerung; allein diese Rechtsfolgen sind nicht an das
Unrecht als solches geknüpft, sondern finden sich im Laufe des
Verfahrens wie zufällig ein und bewirken ausserdem eine un-
billige Überlastung des Schuldners, der infolge mangelhaften
Exekutionsverfahrens dreimal leisten muss.

Aber bei dieser Auffassung, die wohl eine Erklärung der
einzelnen Stadien gibt, ist immer noch nicht ein rechter Sinn
für die Neuerungen des Liutprandschen Rechtes zu gewinnen.
Dieses ist noch systemloser und unbilliger als das ältere Recht.
Die Lösung liegt vielleicht in der Richtung folgender Erwägung[1]):
Das Recht Rotharis war ein sehr hartes. Der Schuldner
wird gepfändet. Zahlt er nun nicht in kurzer Zeit, dann findet
ein Strafverfahren statt, das ihm seinen ganzen Grundbesitz
entzieht[2]). Und was eine solche Entziehung des Grundbesitzes
im germanischen Altertum zu bedeuten hat, ist bekannt. Das
Liutprandsche Recht ist um hundert Jahre jünger. Sollte es
nun wirklich sich kein besseres Ziel für seine „Reform" gewählt
haben, als das so schon harte und unwirtschaftliche Recht noch
härter und unwirtschaftlicher zu machen? Keine Kunde, die
davon zu erzählen weiss! Und keine, die von einer plötzlichen,
unerklärten und ungerechten Verschlechterung in der Lage der
Schuldner berichtet. Begreiflich. Denn Liutprand versuchte
gerade umgekehrt, das alte Recht zu reformieren, zu mildern.
Dem Schuldner soll nämlich eine bedeutend längere Zeit hindurch
auch die Möglichkeit zustehen, seinen Verpflichtungen nach-

---

[1]) An dieser Stelle brachte ich ursprünglich eine ausführliche Aus-
einandersetzung mit der Auffassung des langobardischen Pfändungsrechtes
als einer Stufenfolge von Pressionsmitteln zwecks Willenszwanges. Ebenso
enthielten die beiden folgenden Kapitel derartige kritische Beschäftigungen
mit dem Buche Hortens, das mich Wochen ja Monate lang aufgehalten hat.
Nach reiflicher Überlegung ziehe ich aber diese Teile des Manuskriptes
zurück. Ich beschränke mich auf die Verweise, wo sie nach den allgemeinen
Grundsätzen am Platze zu sein scheinen, schliesse mich im übrigen dem
Urteile Schreuers in K.V.J.Sch. 42 S. 325 f. an.

[2]) Vergl. unten Kap. 2. Darauf hat übrigens gerade Horten nachdrücklich hingewiesen.

zukommen. Die Intromissio, wie wir sehen werden, Strafverfahren, soll möglichst vermieden werden. Aber dadurch wird
die Position des Gläubigers erheblich[1]) verschlechtert. Und
nun sehen wir im Edikte Liutprands einen interessanten Versuch, den Antagonismus der Gläubiger- und Schuldner-Interessen
in gerechter Weise auszusöhnen. Was dem Gläubiger genommen
wurde, soll ihm möglichst wieder in anderer Weise gegeben
werden. Zunächst braucht der Gläubiger den Schuldner
nicht mehr dreimal zu mahnen, Liu. 15[2]). Ohne diese
Verzögerung kann der Gläubiger zur Pfändung schreiten. Diese
hat genau denselben Zweck, wie die eine Pfandnahme des
Ediktes Rotharis, den Zweck, an welchen bei einer Pfandnahme
überhaupt zunächst zu denken ist: das Pfand dient der Sicherstellung Auch soll es den Schuldner zur Erfüllung veranlassen.
Doch: debitor non facit justitiam. Bisher erfolgte nun sofort
Bestrafung. Jetzt ist die Sache geändert. Zunächst vollzieht
sich der Gefahrsübergang nicht mehr erst in zwanzig resp.
sechzig Tagen, sondern schon nach zwölf, und zudem wird
ausdrücklich der Pfandgenuss gewährt. Doch die schuldnerische
Leistung bleibt aus. Der Gesetzgeber sieht sich nun vor das
Problem gestellt: Es soll einerseits nicht nur jedes voreilige
Strafverfahren vermieden werden, sondern es ist andererseits
auch dahin zu wirken, dass nicht der Schuldner zum Schaden
des Gläubigers in infinitum mit der Leistung zuwarte. Und
dies letztere wäre zu befürchten, wenn die Reform nur darin
bestände, die Frist bis zur Intromissio zu verlängern. Ver-
längert wird sie. Damit erhöht sich aber auch die Gefahr für
den Gläubiger, nicht zu seinem Rechte zu gelangen[3]). Hier

---

[1]) Umsomehr als aus der Intromissio der Gläubiger oft vielmehr erhalten haben muss, als ihm geschuldet worden

[2]) Man vergl. zu der vielumstrittenen Stelle Horten II 71f. Ebenso
schon Esmein, Etudes sur les contrats dans le très ancien droit français 94.
Dreimalige Aufforderung auch nach Löning S. 93. A. M., doch von andern
Erwägungen, als sie hier vertreten, ausgehend Bethmann-Hollweg V 330
N. 8. Eine andere Erklärung von Liu. 15 gab Wilda Z. f. d. R. S. 203:
Reaktion gegen die fränkische, dem Pfändungsrecht abholde Gesetzgebung.

[3]) Dabei trifft folgende Erwägung genau die Auffassung des langobardischen Rechts: Wir stehen in der Periode der Naturalwirtschaft, also
in einem Wirtschaftssystem, in welchem der Gläubiger, welcher eine bestimmte Sache oder Leistung zu fordern berechtigt war, in ganz anderer

hilft das neue Recht dadurch, dass es noch einmal eine Pfändung gestattet. Die erste, resp. der Pfandgenuss aus derselben,
mag den Gläubiger schadlos halten für die erst jetzt durch das
Gesetz ermöglichte Verschleppung und die ihm dadurch bereitete Inkonvenienz und die neue Pfändung gebe ihm — bei
der erhöhten Gefahr — eine neue Sicherstellung. Nach Ablauf
einer neuen Frist von dreissig resp. sechzig Tagen ist nun
lange genug gewartet worden. Es ist wahrscheinlich, dass der
Schuldner seiner Verpflichtung überhaupt nicht mehr nachkommen kann oder will. Jetzt soll das alte Strafverfahren eintreten. Und dabei nun verfallen die Pfänder, dies nur als
natürliche Folge des ganzen Systems. Der Bestimmung von
Liu. 108: Et si per triginta dies pignera ipsa debitor aut fideiussor recollegere neglexerent, si in Neustria aut in Austria
fuerent, amittat ipsa pignera et non habeant facundiam requi-
rendum, kommt in erster Linie die Bedeutung zu, nicht den Verfall,
sondern die Fristen festzusetzen. Nun ist die Frist abgelaufen.
Nun — so ist zu ergänzen — tritt das Strafverfahren ein[1]).
Da aber dieses den Gläubigern sogar Eigentum an den Liegenschaften gewährt, so dass sie schon daraus mehr als das Geschuldete erhalten, möge die Fahrhabe behalten, wer solche gepfändet hat. Dies vereinfacht das Verfahren. Ja, selbst jene
Erwägungen, aus denen heraus später dem ersten Pfandnehmer
fast allgemein ein mehr oder weniger weitgehendes Vorrecht
vor den nachfolgenden zugebilligt wurde, mögen mitgespielt
haben. — Dass es sich aber nicht um exekutive Befriedigung
des Gläubigers handelt, zeigt schon der Wortlaut der angeführten
Stelle. Sie ist nur negativ: Der Schuldner soll nicht mehr ein-

---

Weise gerade an dieser Sache oder Leistung interessiert war als in späteren
Zeiten. „Nur mit ihnen war ihm in Wirklichkeit gedient, und ein Ersatz
in Geld hatte, auch wenn er möglich gewesen wäre, für ihn untergeordneten
Wert, geschweige denn ein Ersatz in Gestalt irgend anderer gepfändeter
Gegenstände. So erschien der Schuldner dem Gläubiger in viel bestimmterer
Weise auf den Inhalt der Obligation verpflichtet, und wenn er nicht leistete,
verletzte er die Interessen des Gläubigers in einer Art, die keine Schadens-
ersatzleistung wirklich heilen, sondern nur eine Strafe sühnen konnte.“
Huber, Schweizer. Privatrecht IV 844. Deshalb hat allerdings Löning Recht,
wenn er im Verfall eine Bestrafung des Schuldners erblickt.

[1]) Eben die intromissio, auf welche wir noch zu sprechen kommen
werden.

lösen können. Realiter war damit allerdings ein Beitrag zur Satisfaktion gegeben. Aber eben nur ein Beitrag. Denn die lange Säumnis des Schuldners ist eine Vertragsverletzung, die nur noch strafrechtlich gesühnt werden kann.

Eine selbständige Funktion kommt also dem Pfandverfall schon nicht mehr zu. Sondern er nimmt diejenige der intromissio auch als die seinige an: Die Frist, die mit der Pfändung zu laufen beginnt, ist abgelaufen. Der Gläubiger ist solange sichergestellt. Jetzt aber tritt Bestrafung ein und zwar eben durch die intromissio und — durch den Pfandverfall. Die Auffassung ist durchaus analog derjenigen einer Pfandsatzung als Strafgeding.

Und diese Auffassung ist diejenige der Quellen. Bei dem kurzen Verfahren des Rotharischen Rechts warf die Strafsanktion schon dadurch ihre Schatten voraus, dass hier schon der Gefahrsübergang als Strafe galt. Ed. Roth 252. — — Si· infra istos dies viginti quis ille pignum suum iustitiam faciens et debitum reddens non liberaverit, et post transactus viginti dies contigerit ex ipsum pignus mancipium, aut quolebet piculium mori aut humicidium, aut damnum facere aut alibi transmegrare tunc debitor in suum damnum repotet, qui pignora sua liberare neclexit etc.

Dieselbe Funktion hat nun auch der Verfall der Pfänder aus beiden Pfändungen im Rechte Liutprands. Aus einigen unter sich ähnlichen Formeln nennen wir nur die eine:

Form. ad. Ed. Liupr. 108: P., te appellat Martinus, quod tu pignerasti eum in uno suo caballo domito, qui valebat solidos 100. — Propter hoc te pigneravi quo tu debes michi dare solidos 100. — Tene tuos denarios, et redde mihi meum caballum. Non reddam, quia transacti sunt 30 dies. Es ist Pfandhaftung eingetreten. Nach einem allgemeinen Grundsatz des germanischen Mobiliarpfandrechts befreit dies den Schuldner von der Vermögenshaftung, soweit sie überhaupt bestanden hat[1]). Und doch beeilt sich der Schuldner noch nach dem Pfandverfall, die Schuld zu bezahlen — in letzter Stunde, vor Durchführung des Strafverfahrens. Diese Erscheinung findet keine befriedigende Erklärung, wenn man annimmt, die Pfänder seien eine datio in

---

[1]) Worüber sofort zu handeln sein wird.

solutum, eine eventuelle Zahlung, dergestalt, dass es nur noch vom Schuldnerwillen abhänge, ob er das Pfand auslöse und die wirkliche Erfüllung an Stelle der Pfänder setzen wolle. In der Zeit der Naturalwirtschaft habe die Pfandgabe nur provisorische Barleistung sein können. Der Gläubiger sollte jetzt sofort etwas erhalten, was ihm das Geschuldete direkt und vollkommen ersetzte, dieses provisorisch Gegebene sollte. wenn der Schuldner es nicht löste, die definitive Leistung werden und bleiben.

So richtig diese Auffassung für andere germanische Rechte[1]) ist, für das langobardische Recht trifft sie unmöglich zu. In aller nur wünschenswerten Deutlichkeit lässt dasselbe ersehen, dass der Schuldner nach wie vor leisten muss. Denn für den Unterlassungs-fall steht im Hintergrund die Sühne, die Sühne für das Unrecht, das im Nichtleisten liegt. Dieses erhält strafrechtliche Sanktion.

Doch bevor wir diese betrachten, müssen wir einer anderen ·Frage nähertreten: Worin liegt der ursprüngliche Sinn der langobardischen Wadiation? Welche Funktion kommt ihr zu? Im wesentlichen ohne Zweifel die nämliche wie der fränkischen Fidesstipulation. Aber worin diese beiden gemein-same Bedeutung bestehe, darüber gehen die Ansichten sehr weit auseinander. Doch darf als herrschend die Meinung bezeichnet werden, die vor allem Sohm[2]) vertreten hat. Nach ihm handelt es sich bei der Wadiation bekanntlich[3]) um den Formalvertrag des germanischen Rechts, der im Gegensatz zum Realvertrag überall zur Anwendung gelangt, wo eine Gegenleistung von Seiten des Gläubigers nicht stattzufinden hat. Die Wadia (Wette) ist rechtsnotwendige Formvoraussetzung für die Verbindlichkeit des ohne Gegenleistung gegebenen Versprechens. Sie macht die Willenserklärung zur bindenden[4]).

---

[1]) Heusler, Institutionen II 132.

[2]) Process der lex Salica 2f., 18f. Recht der Eheschliessung 34f., 46. Ferner Siegel. Geschichte des deutschen Gerichtsverfahrens I S. 35f., 223, 249. Bethmann-Hollweg IV 474, Stobbe, Z. f. R. G. XIII S. 214f. Glasson Histoire du droit et des institutions de la France III 1229. Esmein, Etudes 70f.

[3]) Wir verweisen auf die Zusammenstellung der verschiedenen An-sichten über Wadiation und Treugelöbnis bei Puntschart: Schuldvertrag und Treugelöbnis S. 1f.

[4]) So auch Wodon. La forme et la garantie dans les contrats francs 1893 S. 200f. Doch soll das Urteilserfüllungsgelöbnis der einzige Formal-vertrag gewesen sein. Also wie Behrend, Festgabe für A. W. Heffter 81f.

Gemäss dem gemeinrechtlichen Obligationsbegriff wird
dabei nicht zwischen Schuld und Haftung unterschieden. Nachdem uns aber diese begriffliche Unterscheidung wieder zurück-
gewonnen ist, erheischt auch die bisherige Ansicht über die
Bedeutung des Wadiaformalismus eine Revision. Für das
mittelalterliche Treugelöbnis hatte sich ergeben, dass es der
Begründung der Haftung diente. In vorzüglicher Weise liess
sich auf Grund dieser Erkenntnis auch eine Erklärung der Form
gewinnen, in welcher das Treugelöbnis abgegeben zu werden
pflegte. Es erschien deshalb naheliegend, der Wadiation die
nämliche Funktion zuzuweisen: Es rechtfertigte sich dies schon
durch die Erkenntnis, dass die Haftung Einräumung einer
Machtbefugniss bedeute. So liess sich hoffen, die Form der
Wadiareichung in genau derselben Art und Weise befriedigend
erklären zu können, wie dies beim Treugelöbnis der Fall
gewesen. In der Tat hat denn auch Puntschart bereits wiederholt[1]) die Ansicht geäussert, die Wadiation sei wie das mittelalterliche Treugelöbnis der Vertrag zur Begründung der persönlichen Haftung. Wir harren der Ausführungen, die Puntschart
darüber in Aussicht gestellt hat. Wir wollen denselben nicht
vorgreifen. Aber die Zusammenhänge der vorliegenden Untersuchungen zwingen uns doch, schon jetzt zu bemerken, dass
sich uns aus den Quellen ein anderes Bild von der haftungsrechtlichen Bedeutung der Wadiation ergeben hat.

Allerdings konstatieren gerade die langobardischen Quellen
ausdrücklich, dass durch die Wadiation die Haftung begründet
werde. Wenn wir infolgedessen einmal die Begründung der
obligatio personae durch den Akt der Wadiareichung als erwiesen annehmen wollten, so wäre doch nicht zu verkennen,
dass die Zuweisung dieser Funktion die Bedeutung der Wadiation
zum allerwenigsten nicht erschöpfend charakterisierte. Es kann
doch gar nicht ausser acht gelassen werden, dass die Quellen
nicht nur die Herstellung der Haftung, sondern auch die Begründung des Schuldverhältnisses von der Wadiareichung ab-

---

[1]) Schuldvertrag und Treugelöbnis 279, 284, 375 f., 400 f., 429 N. 5,
439 N. 3, 441 N. 5, 462 N. 2, Grundschuldbegriff des deutschen Reichs-
rechtes 1900, S. 120.

hängig machen[1]). Und auch in der Folge repräsentiert die Wadia die Schuld. Der Betrag der letzteren bezeichnet nach dem allgemein üblichen Sprachgebrauch den Wert der ersteren. Um die Wadia wird gestritten, wenn die Schuld in Frage steht. Ohne jene kann diese nicht geltend gemacht werden. Sie repräsentiert die Schuld. Man gibt die Wadia, damit man schuldet. Unde guadia dedimus ut debeamus[2]). Aus diesem Formalakte ergibt sich die Verpflichtung zum Leistensollen. Quicumqui homo — wadia dederit — in omnibus complere debeat[3]). Und nicht weniger diejenige des Haltensollens. Die letztere heisst geradezu manere in guadia[4]).

Auf diese Seite des Wadiationsrechtes ist hier des Näheren nicht einzugehen. Es ist aber einleuchtend, dass das Hinzutreten dieser Funktion das genetische Problem desselben ganz ausserordentlich kompliziert und den Spielraum für hypothetische Erklärungsversuche in ungeahnter Weise verengt. Ebenso lässt dieser Umstand die Theorie, wonach die Wadiareichung die Haftung begründe, zum mindesten als zu eng erscheinen.

Richtig ist freilich, wie schon gesagt, dass nach dem Wortlaut der Quellen aus der Wadiation eine Obligation entsteht. Und mehr noch: diese Obligation soll eine persönliche sein. Denn immer wieder begegnen wir der Wendung se obligare per wadia[5]).

Aber trotzdem erheben sich auch nach dieser Richtung hin die ernstesten Zweifel. Zum Wesen der persönlichen Haftung gehört es, dass sie dem Gläubiger ein Klagerecht gegen den Schuldner gibt. Eine Klage stand nun aber — wir werden noch darauf zurückkommen — unmittelbar aus der Wadiation ursprünglich niemandem zu. Dazu bedurfte es anderer Voraussetzungen. Und das andere Bedenken von

---

[1]) Brunner, Grundzüge der deutschen Rechtsgeschichte 2. Aufl. § 49 S. 186 f.; Huber IV 831; Schreuer, K. V. J. S. Bd. 42 S. 331; Schröder R. G. S. 289 f, 295, 296, 730 v. Amira, Grundriss 186 f. A. M. v. Zallinger, Wesen und Ursprung des Formalismus 1898 S. 4, 14, 14. Puntschart. 449, 490, insb. 404 N. 1.

[2]) Cod. Cav. 126.

[3]) Liu. c. 15.

[4]) Cod. cav. N. 126, N. 11.

[5]) Vollständig jedoch: per wadia et fideiussores und diese Ausdrucksweise allein schon muss manchen Bedenken rufen.

prinzipalster Bedeutung: Eine Personalobligation muss grundsätzlich die Basis für ein ziviles Satisfaktions- und Ersatzverfahren abgeben. Aus der Obligation die Exekution. Aber
auch dieses Requisit der persönlichen Haftung fehlt dem
Wadiationsrecht. Dieses führt anerkanntermassen nur zu einem
Sicherungsverfahren, zur Herstellung einer speziellen Sachhaftung, wobei diese ursprünglich nach allem, was wir wissen,
darauf angelegt ist, im Nichtbefriedigungsfall einfach weiter zu
dauern. M. a. W. Das Verfahren aus der Wadiation ist ganz
wesentlich nur Zwangs- und Sicherungsverfahren[1]). Damit
wird im Erfolge freilich dem Gläubiger auch ein Ersatzobjekt
gegeben. Aber auf „Ersatz und Genugtuung" ist das Verfahren zunächst gar nicht angelegt. Gerade die langobardischen
Quellen gewähren uns nach dieser Richtung hin einen tiefen
Einblick. Sein Pfändungsrecht ist als Ersatzverfahren gar nicht
zu erklären. Und noch weniger eine pönale Sanktion, nachdem
der Gläubiger schon Pfänder hat, die ihm doppelten Ersatz zu
bieten vermögen. Indessen treffen diese grundsätzlichen Erwägungen auch zu, wo diese eigentümlich langobardischen Vorstellungen nicht hineinspielen. Sie verbieten doch wohl die
Ansicht, die Wadiation habe der Begründung der „persönlichen"
Haftung gedient.

Es muss aber auch bemerkt werden, dass mit der Einsicht,
die Wadiation stelle die persönliche Haftung her, alte Rätsel
doch noch Rätsel blieben und alte Fragen nach wie vor vergeblich der Lösung harrten. Der Fomalapparat des Wadiierungs-
aktes wäre doch damit noch nicht erklärt. Insbesondere müsste
es aber schwierig sein, diese persönliche Haftung ihrem Inhalt
nach genetisch zu erklären. Denn dieser Inhalt bestände doch
ausschliesslich in dem Recht des Gläubigers zur Pfandnahme,
zur Herstellung der Sachhaftung. Denn dass dies das Recht
ist, das die Wadiation dem Gläubiger verschafft — darüber
lassen die Quellen keinem Zweifel Raum.

Liu. 15: Quicumque homo — — wadia dederit — — in
omnibus conplere debeat. Et si distolerit et pigneratus

---

[1]) Es ist eine „Tvangsforanstalting". Kier, Edictus Rotari, Koppen-
hagen 1898, S. 60. Übrigens ist den methodologischen Bedenken, welche
Pappenheim in der Z. f. R. G. diesem Buche gegenüber wiederholt geäussert
hat, doch sicher beizustimmen.

fuerit in his rebus in quibus lecitum est pignerandi, nulla
calomnia qui pigneravit patiatur. Cod. Cav. No. 11 a. 821:
Et ipsa convenientia firma et stabilis permaneat in eadem guadia
et per districtum mediatorem, qui tribuit nobis ad pignerandum omnia sua pignora tamdiu donec per invitis adimpleat
nobis omnia. Ebenso No 21 a. 842 — — mediatorem, qui se
tribuit vobis ad pignerandum omnia pignera sua legitima. Ferner
No. 22, No. 26. No. 91 a. 882: Unde wadia tibi dedit et
mediatorem tibi posuit. — — Et si exinde in pignerationem
beneritis, antipono me ego qui supra debitor similiter antiposui
tibi fideiussori triplo pigno de omnia rebus legitima, ut licentiam
habeatis prindere et tradere in manu creditori nostro usque
dum sit bena iustitiam. — No. 100 a. 884 — — per ipsa guadia
obligavit se et mos eredes ut — — et apposuit se ad
pignerandum omnis causam suam etc. und wiederum in der
Folge: et ipse riso apposuit se nobis ad pignerandum omnia
causam suam. No. 126. Unde guadia tibi dedimus et mediatores vobis posuimus — et in antea facimus nos et contenti
per inbitis maneamus iu eadem guadia et per districti
ipsi mediatores, qui se tribuimus vobis ad pinnerandum
omnia illorum pinnera legitimam et inlegitimam: tamdiu
doncc per inbitis adimpleamus vohes ea etc. Ganz besonders
aber vergl. Form ad. Liutpr. 15: — non debuisti me pigne-
rare propter ipsa vadia quia etc. Form ad. Liu 107 propter
hoc te pigneravi, quia tu fuisti meus fidejussor de uno vadio;
ad 108 — quod tu debes mihi dare X sol. und öfter, wozu
man noch vergl. Ed. Roth. tit. ad c. 245: De pignerationibus
et devitas.

Diese und zahllose andere Stellen machen es zweifellos,
dass die eigentümliche Wirkung der Wadiation darin besteht,
dass der Gläubiger das Pfändungsrecht an den Mobilien des
Schuldners, die deshalb von vorneherein schon pignora genannt
werden, erhält[1]).

Das ist das uns tatsächlich Gegebene. Hält man sich
strenge an dasselbe, so kann man die Folgerung doch wohl nicht
abweisen: „Man haftet aus der Wadiation nicht persönlich."
Sondern haftbar wird die schuldnerische Fahrhabe. Diese wird

[1]) Vorgl. Horten II 83 f., Excurs 192.

symbolisiert durch die Wadia, die ein Teilstück derselben ist. Mit der Reichung dieses Teils will man die Unterwerfung des Ganzen, dem dieser Teil angehört, also des schuldnerischen Mobiliarbesitzes[1]).

Ist eine solche Rechtsbildung überhaupt möglich? Es ist immer gefährlich, aus doktrinären Erwägungen heraus, der Vielgestaltigkeit des Lebens mit einem Unmöglich entgegenzutreten. In der Tat stehen keine begrifflichen Erwägungen dieser Auffassung entgegen. Es haftet eine Fahrnisgesamtheit. Diese wird als solche durch den Besitz von seiten einer bestimmten Person umschrieben. Nur an diesem einen Punkt spielt das persönliche Moment hinein, und auch hier nur in dem realistischen Sinne, dass durch den Besitz des Schuldners dessen eigene Herrschaft über die Sachen zum Ausdruck kommt, über welche eigene schuldnerische Herrschaft hinaus das Recht des Gläubigers auch nicht gehen kann. Sie zeichnet den Kreis der Haftungsobjekte, die aufhören, solche zu sein, wenn sie ausserhalb dieses Kreises geraten. Nur der äussere Umfang der Haftung wird darnach durch den Besitz gekennzeichnet. So will es das sachenrechtliche Formalprinzip. Aber sachenrechtlicher Boden ist es, auf dem wir uns hier bewegen.

Wohl geht eine andere Meinung dahin, in diesem Pfändungsrecht finde eine „persönliche Haftung" ihren Ausdruck. Aber es sei einmal von den oben genannten Bedenken abgesehen — das darf man sich dann nicht verhehlen, dass der Begriff der persönlichen Haftung sich auf diese Weise ganz ausserordentlich verflüchtigt, dergestalt, dass nunmehr heterogene Rechtsbildungen unter ihn fallen. Denn der aus dem Wadiationsakte sich ergebende Rechtszustand ist so grundverschieden von der persönlichen Obligiertheit, wie sie sich uns weiter unten noch ergeben wird, dass es nicht gelingen will, in diesen Gebilden eine einziges Institut oder einen Zusammenhang des Ursprungs zu erkennen. Und das wäre natürlich notwendig, sollte der Begriff der Personalobligation gewahrt bleiben und sich nicht in ein leeres Wort verflüchtigen.

Die Haftung aus der Wadiation ist keine persönliche[2]).

---

[1]) In formeller Übereinstimmung mit Horten II 89.

[2]) Entsprechend ist aber auch die germanische Bürgschaft zu betrachten. Der Einfachheit halber sprechen wir im Text immer nur vom

Die Fahrhabe ist es, die haftet, und was die Wadiareichung in haftungsrechtlicher Beziehung bedeutet, ist nichts anderes, als die Konstituierung einer generellen Mobiliarhypothek. Der einzelne Gegenstand, der aus der Gesamtheit herausfällt, haftet nicht mehr — wie dies in der späteren Generalobligation auch nicht der Fall ist. Und die Haftung hat auch nur den einen Sinn und Zweck: Grundlage für eine eventuell herzustellende intensivere spezielle Sachhaftung zu sein. Und leicht kippt in der Tat das Verhältnis, das auf Grund der Wadiation bis zur Pfändung besteht, in diese engere Sachhaftung um. Ausgesprochen tendiert es dahin — und verrät damit auch sein Wesen und sein Werden. Wie ein Provisorium erscheint, was der Pfandnahme vorausgeht und als das Hauptsächliche und Ursprüngliche, was ihr nachfolgt, d. i. das Faustpfandrecht.

Damit sehen wir uns vor die Aufgabe gestellt, eine Erklärung für die Entstehung dieser germanischen Hypothek[1]) zu geben. Diese Aufgabe wird dadurch noch präzisiert, dass die Erklärung zugleich den Formalismus der Wadiation verständlich zu machen hat. Denn augenscheinlich stehen Form und Inhalt in innigstem Konnex. Und endlich kompliziert sich das Problem, wie wir schon angedeutet haben, noch durch den Umstand, dass auch das Schuldverhältnis einbezogen werden will und dass auch dieses seiner Entstehung und Geltendmachung nach im Rahmen des Wadiationsrechtes seine Erklärung finden soll.

Schuldner. Zunächst aber setzt überall der Bürge sein Mobiliarvermögen ein. Es treffen diesbezügl. alle Erwägungen zu, die wir im Texte anstellen. Die Schwierigkeiten der Erklärung der germanischen Bürgschaft liegen nicht in den Objekten der Haftung, sondern in dem Umstand, dass die Wadiation ursprünglich stets eine — in Wirklichkeit also sächlichen — Bürgschaft durch Dritte, eine Haftung fremden Vermögens vermittelt. Darauf ist aber hier nicht einzugehen. (Vergl. jedoch noch unten Kap. IV sub C).

[1]) Wobei insbesondere die Eigentümlichkeit, dass sie nur die Funktion hat, Grundlage für eine faustpfandliche Haftung, nicht etwa unmittelbar für ein Ersatz- und Genugtuungsverfahren zu sein, ihrer Erklärung harrt; denn gerade angesichts dieser Eigentümlichkeit muss man sich immer wieder fragen: wie ist dies Gebilde als persönliche Haftung vorstellbar? Die besagte Wirkung der Pfändung, welche also nicht Eigentum verschafft, ist um so beachtenswerter, als sie ja eine fast allgemeine Erscheinung des germanischen Rechtes ist, also auch des nordgermanischen. Vergl. v. Amira nordgerm. Obl. R. I. § 34, II S. 256.

Bei dieser Problemstellung ist uns der Weg doch wohl eng und scharf vorgezeichnet. Geradezu zwingend weist sie auf die Theorie Heuslers und Frankens zurück, der nunmehr ·eine erhöhte Bedeutung zukommt.

Nach drei Richtungen hin haben sich uns aus der Betrachtung des germanischen Rechtes, soweit es sich aus den Quellen erkennen lässt, grosse, weittragende Postulate ergeben — für die Schuld, ihre Konstituierung und Geltendmachung, für die Haftung in ihrer merkwürdigen Sächlichkeit und für den Formalismus. In geradezu überraschender Weise leistet die herangezogene Theorie, die wir bereits dargelegt haben[1]), den Anforderungen, mit welchen wir an sie herantreten, Genüge. Durch sie wird die ganz eigenartige Funktion der Wadia im Schuldrecht erklärt. So gibt sie denn auch die Grundlage ab zum Verständnis der Geschichte der Urkunde. Ebenso führt diese Theorie aprioristisch notwendigerweise zu einem solchen Haftungsrecht, wie wir es tatsächlich in den Quellen vorfinden. Wir haben bereits früher konstatiert, dass diese Deduktion nicht zu einer persönlichen Haftung führt und Heusler anerkennt dies denn auch ausdrücklich. Nun stellt sich heraus, dass diese persönliche Haftung auch gar nicht existiert. Was vorhanden ist, ist eine provisorische Mobiliarhypothek, wie sie gerade durch die Ausbildung des interimistischen Pfandes zur Anerkennung gelangen musste. — Die volle Schlüssigkeit der Frankenschen Deduktion mögen noch später zu nennende Erwägungen dartun. Hier ist nur noch darauf aufmerksam zu machen, dass dieselben haftungsrechtlichen Vorstellungen wie der langobardischen Wadition, auch der fränkischen Fidesstipulation zu Grunde liegen: Aus der Festucareichung die Mobiliarhypothek und das Pfändungsrecht zwecks Herstellung eines Faustpfandverhältnisses. Wir müssen es uns freilich versagen, diese Verhältnisse näher darzustellen und insbesondere auf die Probleme, die sich aus tit. 50 ergeben, einzugehen. Wir können uns um so eher kurz fassen, als uns in den letzten Jahren eine Erklärung gegeben wurde, die vollauf geeignet erscheint, die Lösung des grossen Problems zu bieten.

---

[1]) Oben S. 57 f. Heusler, Institutionen I 79, II 240.

26*

Es wird sich das am besten erweisen lassen, wenn wir
uns zunächst die Schwierigkeiten allgemeiner Natur vergegen-
wärtigen, die l. Sal. tit. 50 den bisherigen Erklärungen entgegen-
stellte. Nach Sohm und, um nur die Neuesten zu nennen, nach
Wodon und Kleinfeller[1] soll die aussergerichtliche fidesstipulation
zum Verfahren aus tit. 50, 1 und 2 und zur aussergerichtlichen
Pfandnahme, die gerichtliche fidesstipulation hingegen zum Verfahren aus tit. 50, 3 und 4 und somit zur gerichtlichen Pfandnahme führen. Darnach kommen der fides facta bestimmte
Beziehungen zur Form der Vollstreckung zu, und diese
Beziehungen bezw. Folgewirkungen sollen nun grundverschieden
sein bei der gerichtlichen und bei der aussergerichtlichen
Wadiation. Das liesse[2] darauf schliessen, dass dieses fidem
facere trotz der gleichen Förmlichkeit offenbar ein ganz verschiedenes sei, je nach dem Ort der Vornahme, und dass es
jedenfalls bei diesen so verschiedenen Wirkungen der einen
und der andern fides facta unmöglich wäre, eine Ableitung
des einen aus dem andern Rechtsgeschäft anzunehmen, bloss
wegen der Übereinstimmung der Form. Diese wäre also zufällig.
Wenn beispielsweise Wodon[3] das Urteilserfüllungsgelöbnis als
den ersten Formalvertrag bezeichnet, so ist seiner nachfolgenden
Behauptung, aus jenem hätten sich die übrigen Verträge entwickelt, von vornherein der Boden entzogen, wenn er diesen
letztern ganz andere Rechtswirkungen beilegt als der gerichtlichen fides facta. Und ebenso will die Einheitlichkeit des
Formalkontraktes bei Sohm nicht glaubhaft erscheinen, in
Anbetracht dieser grundverschiedenen Wirkungen. — Demgegenüber muss, wenn die Entstehung der einen Fidesstipulation

---

[1] K. V. I. S. 218 f, wo Kleinfeller darauf aufmerksam macht, dass
auch der neueste Versuch, nämlich derjenige Hortens, die Einheitlichkeit
von tit. 50 nachzuweisen, nicht gelungen ist.

[2] Darauf weist Horten mit Recht hin I. 26. Um so bedenklicher
erscheint, dass Horten auf den Vorschlag Brunners nicht eingeht, der doch
von all diesen Schwierigkeiten und Bedenken nicht getroffen wird   Gerade
Hortens Kritik zeigt die grosse Bedeutung der Brunner'schen Auffassung,
die schon darum erhöhte Berücksichtigung verdient hätte, weil sie neu und
von der Kritik noch nicht genauer gewürdigt worden war. Statt dessen
erfahren wir, dass Brunner eine „Mittelmeinung" aufgestellt habe. I. S. 35 N.

[3] Forme et garantie S. 36.

aus der andern auch nur wahrscheinlich gemacht werden kann, die Annahme eines verschiedenen „Vollstreckungverfahrens" für beide Fälle sofort auf lebhafte Zweifel stossen. Horten sucht nun nachzuweisen, dass die fides facta als gerichtliche zur Entstehung gelangt sei und dass sie sich von der Malstatt in den Privatverkehr verpflanzt habe, mit ihrer solennen Form natürlich auch ihr „exekutorischer" Charakter. Aber selbst, wenn diese Annahme richtig wäre — was nicht bewiesen und nicht beweisbar ist — dürfte die Erwägung, dass die einheitliche Entstehung beider Arten der Fidesstipulation auch ein einheitliches Realisationsrecht bedinge, nicht dahin ausgelegt werden, also müsse das Pfändungsverfahren ein gerichtliches sein. Demnach wäre dies die ursprüngliche Weise der Pfandnahme gewesen, welchem Schlusse von vornherein widerspricht, was wir von der Geschichte des Pfändungsrechtes wissen[1]).

Es ist also nicht nur denkbar, sondern auch innerlich wahrscheinlich, dass jede Wadiation, oder richtiger, die ihrem Wesen nach eine und einzige Wadiation ursprünglich zur aussergerichtlichen Pfandnahme geführt habe. Damit setzt denn auch Brunners Erklärung von l. Sal tit. 50 ein. Darnach schliesst 50,3 nicht an 50,2 an, sondern 50,3 und 4 bilden eine Novelle, die an 50,1 anknüpft. Die Einleitungsworte von 50,3 nennen die tatsächlichen Voraussetzungen des neuen Verfahrens und diese sind keine anderen als diejenigen von 50,1. Dem Gläubiger stehen nunmehr zwei Wege alternativ zur Verfügung: gräfliche oder Selbstpfändung. Dabei wird sowohl dort wie hier fidesfacta vorausgesetzt — ob gerichtliche oder aussergerichtliche ist in beiden Fällen gleichgültig.

Bei dieser Erklärung entfallen die angedeuteten Bedenken. Nichts widerspricht der Annahme von der Wesensgleichheit der gerichtlichen und der aussergerichtlichen Wadiation. Und doch gibt es zwei Verfahren. Und die Anerkennung derselben im Sinne Brunners erhellt einen bedeutsamen historischen Entwickelungsprozess.

Ursprünglich gab es nur eine aussergerichtliche Pfandnahme. Bei derselben werden wohl stets Zeugen, die zugleich als Schätzungsleute[2]) funktionierten, zugegen gewesen sein:

---

[1]) Vergl. ausser Brunner cit. Wodon 174, Esmein 93.

[2]) Sohm, Prozess 24 f.

testes vel illi qui praecium adpreciare debent. Hingegen war
ursprünglich die richterliche Erlaubnis nicht nötig. Bald jedoch
erwies sich dies Erfordernis als dringend wünschenswert [1]).
Deshalb nunmehr das nexti canthichio und ferner die drei
Mahnungen, die in dieser Zahl und in ihren bestimmten Fristen
sich auch nur allmählich werden Anerkennung verschafft haben.
Gegen all das eine notwendige Reaktion: Aus 50,2 spricht der
tätige Antagonismus der Gläubiger- und Schuldnerinteressen:
Gut, die richterliche Erlaubnis werde eingeholt, der Schuldner
werde gemahnt und Fristen seien ihm gewährt, aber — ut nulli
alteri nec solvat nec pignus det solutionis nisi ante illi impleat
quod ei fidem fecerat [2]). Nach dem Ablauf der Fristen schreitet
der Gläubiger zur Pfändung. Dass er selbst dieselbe vornimmt, charakterisiert eben dieses Verfahren als das ältere. Es
führt zu demselben Rechtszustand wie die langobardische
pigneratio: es wird auf Grund der Festucareichung und -hin-
nahme die spezielle und faustpfandliche Sachhaftung hergestellt.
Als Haftungsobjekte dienen die Pfänder zu Pfand und Sicherung [3]).

Erst später wurde durch königliches Gesetz — tit. 50,3
und 4 — festgestellt, dass der Gläubiger statt selbst zu pfänden,
den Grafen anrufen könne. Aber die Pfändung, die dieser vornimmt, ist eine andere. Sie bringt dem Gläubiger Eigentum
an den gepfändeten Sachen.

Erst jetzt kann, genau besehen, von einer Vermögenshaftung im Sinne der mittelalterlichen obligatio generalis
gesprochen werden. Denn erst jetzt dient die bewegliche Habe
in unmittelbarer Weise zur Sicherung als Ersatzobjekt, an
welchem der Gläubiger durch Aneignung sich Schadens erholen
kann. Der Rechtszustand ist also ein positiv neuer. Aber er
schliesst insoweit an den früheren an, als die Haftung durchaus die Sachen zum Objekt hat. Die Wadiation schafft
nach wie vor nicht eine obligatio personae, sondern eine
obligatio rei, eine obligatio bonorum.

Übrigens verrät das neue Verfahren durch seine ganze
Ausgestaltung seinen Charakter als einer Abspaltung der Fried-

---

[1]) Seuffert: Recht, Klage, Zwangsvollstreckung bei Grünhut XII 620.
[2]) Sohm, Prozess 20 N. 4; Bethmann-Hollweg IV 26 N. 5 a. m.;
Löning 32.
[3]) Brunner R. G. II 450.

losigkeit. Dazu tritt uns in tit. 50 — auch schon in dessen
erstem Teil — noch ein pönales Element entgegen, die Bussen.
Und wieder drängen sich die Probleme hervor, die sich schon
bei Betrachtung des langobardischen Rechts erhoben haben [1])

[1]) In unserer Darstellung ist die Bezeichnung Wadiation bevorzugt. Der fränkische Ausdruck für dieselbe Sache ist bekanntlich Fidesstipulation, fidem facere. Dass dieser Name allein es nicht rechtfertigt,
hier ein eigentliches haftungsrechtliches Treugelöbnis anzunehmen, war in
der Literatur i. A. nie verkannt worden. Sehr wahrscheinlich ist diese
Ausdrucksweise in unmittelbarer Anlehnung an den römischen Sprachgebrauch entstanden. Denn auch die Römer hatten ihr fidem facere, ihr
fidem spondere. Auf die Möglichkeit dieser Herkunft der fraglichen Ausdrucksweise in den germanischen Quellen hat u. W. zuerst Brunner hingewiesen, Zur Rechtsgeschichte der röm. u. germ. Urkunde S. 222 N. 9.
Diese Annahme erweist sich mehr und mehr als zutreffend, vergl. jetzt auch
Siegel, Handschlag und Eid 76 N. 2; Puntschart 301 N. 3, auch 308 N. 2,
ferner Summaria Cod. Theod. antiqua lib. XII, tit. 6, c. 5: si fide di-
centium fidem fecerint, nebst a. m. cit. von Tamassia, fidem facere, im
Archivio giuridico 1903, Bd. 70, S. 367f.

2. Kapitel.

Vertragsbruch und strafrechtliche Haftung des Schuldners.

Die Ableitung der Wadia, die wir gegeben, führt einerseits zur Annahme einer vorgeschichtlichen Entwickelungsperiode, in welcher das Verkehrsleben sich im Rahmen der Bar- und Realverträge bewegt haben muss. Diese Annahme ist keineswegs ohne innerer Wahrscheinlichkeit. Andrerseits erscheint jene Ableitung wohl geeignet, ja ist u. E. allein geeignet, die volksrechtlichen Zustände zu erklären. Doch nach beiden Richtungen hin bedarf die bisherige Darstellung der Ergänzung. Weder dürfen wir uns die prähistorischen Verhältnisse so einfach denken, als ob sie sich in den angegebenen Formen des Vertragsschlusses und der Vertragssicherung erschöpft hätten, noch — und das ist für uns vor allem wichtig — liessen sich auf diese Elemente wirklich alle das Recht von Schuld und Haftung anlangenden Erscheinungen, die wir in den leges barbarorum antreffen, zurückführen. Dies hat auch Heusler[1] betont. Wohl müsse sich die Entwicklung im Vertragsrecht in der Richtung vollzogen haben, wie sie von Franken behauptet wurde. Doch dieses Moment des Fortschreitens vom Bargeschäft zum Kreditgeschäft, vom wirklichen Pfand zum Scheinpfand, so wichtig es auch sein mag, reiche allein nicht aus. Jene Geschäfte seien reine Facta des Austausches von Werten gewesen[2]. Aber an sie hätten sich obligatorische Wirkungen

[1] Institutionen. II 229 f.
[2] Vergl. jedoch Huber, IV 830; Schröder, R. G.[4], S. 239; Puntschart 404 N.

anschliessen können. So habe der Kaufvertrag im Falle nachträglicher Eviktion zu einer Währschaftspflicht geführt. Eine damit gegebene Vermögensbeeinträchtigung sei nun ursprünglich nicht anders empfunden worden, als wie jeder andere Schaden, insbesondere aus Delikt. In jedem Falle griff ursprünglich der Geschädigte zur Fehde. Wie aber Todschlag, Raub und Diebstahl, so habe auch bei jenen obligatorischen Wirkungen, die sich zuweilen an die Realkontrakte knüpften, der Verletzte durch Selbsthülfe sich selbst Recht geholt. So trete alles Obligationsrecht von der Seite der Delikte in das Rechtsleben ein.

Die rechtlichen Wirkungen des Vertrages reichen weiter, als man nach der bisherigen Darstellung annehmen könnte. Die Eingehung des Vertrages, sei es durch Leistung der Sache, rc, oder durch Hingabe eines Pfandes bezw. durch formale Wadiation, involviert eine rechtliche Gebundenheit der Parteien. Sie sollen den Vertrag erfüllen. Andernfalls ist die Rechtsordnung verletzt. Diese ist in ihrer Existenz bedroht, negiert. Daraus folgt notwendigerweise die Möglichkeit einer Unrechtsreaktion, eines Zwangsverfahrens von pönalem Rechtsgrund und Charakter. In der Tat ist das Zivilrecht ursprünglich im Kriminalrecht befangen[1]. Das naive Rechtsbewusstsein kennt keine Unterscheidung der causae criminales und causae civiles[2]. Da die Nichtbefriedigung des Gläubigers nicht anders aufgefasst wird als wie ein Raub, so ist die Vollstreckung notwendigerweise — Strafvollzug[3].

---

[1] Ihering, Schuldmoment im röm. Privatrecht S. 8f., Kampf ums Recht 76f., Geist des röm. Rechts I § 11 a. S. 129 f. Sickel, Bestrafung des Vertragsbruches, Einleitung. Friedrichs, universales Obligationsrecht 1896 S. 33f. Gaukier in Nouvelle revue hist. de dr. fr. et. ctr. 1889 S. 602, Dareste, Etude S. 84. A. M. Leist, altarisches ius civile, insb. Bd. II 304f.; vergl. jedoch dort über das indische Recht l. c.

[2] Brunner R. G. II 329, Horten I 31f. Umso überraschender war das Resultat der Forschungen Sohms, wonach das alte fränkische Recht ganz verschiedene Verfahren gekannt habe, je nach der Art des geltend zu machenden Anspruchs, Prozess insb. S. 8f, vergl. Siegel, Geschichte des deutschen Gerichtsverfahrens 58.

[3] v. Amira, Recht in Paul's Grundriss der germanischen Philologie III S. 220, 221, vergl. Bethmann-Hollweg IV § 14, trotzdem in Bezug auf das fränkische Recht die Sohmsche Unterscheidung gutgeheissen wird. Vergl. dort N. 7.

Diesen Rechtszustand zeigen noch in aller Schärfe die Quellen des nordgermanischen Rechts. Sie benennen jedes Unrecht, gleichviel ob ziviler oder krimineller Natur, als Raub. Weil dabei das ursprüngliche Recht nicht sowohl auf das subjektive Moment als auf das objektive abstellt, nicht sowohl die Beschaffenheit des schuldnerischen Willens als die Tatsache der Schädigung und den Umfang dieser letzteren zu seinem Massstabe nimmt, liegt ein Raub auch in der Nichtbefriedigung des Gläubigers [1]).

Es ist denn auch überaus charakteristisch, dass im nordgermanischen Recht zivile Forderungen ursprünglich nicht anders exequiert werden konnten als indirekt, auf dem Umwege der Friedloslegung. So im götischen Recht: Friedlos wird, wer eine öffentliche Bussschuld nicht rechtzeitig erfüllt. Also erst, wer einer öffentlichen Busse verfallen und mit ihrer Begleichung im Rückstand geblieben, ist von der Friedlosigkeit bedroht [2]). Ähnlich früher wohl auch im Swealand [3]). Ebenso ist wahrscheinlich, dass auch im norwegischen Recht jede Personenobligation — wie sich v. Amira ausdrückt — mittelst der Acht realisiert werden konnte, wenn nämlich der Verzug als rán (Raubanschlag) öffentliche Sühne erheischte [4]).

Wenn nun dieses Verfahren der Friedloslegung auch nicht eine Exekution genannt werden kann, wenn auch vielmehr der wirtschaftliche Effekt der Befriedigung des Gläubigers nicht mehr im Rechtsverfahren, sondern nach demselben, nämlich nach der Ächtung, als etwas rein Tatsächliches herbeigeführt wird, so handelt es sich dabei nach v. Amira's Auffassung doch um eine Folgewirkung der Haftung. Wohl wird eine Übeltat, die eben in der Nichterfüllung der Schuld liegt, gesühnt. Aber diese Sühnung ist gerade nur dadurch möglich, dass die privatrechtliche Obligation nach dem ältesten Recht den Charakter einer strafrechtlichen annehmen kann. Die zivile Obligation wird dadurch realisiert, dass sie zur strafrechtlichen gesteigert wird [5]).

---

[1]) Wilda, Strafrecht der Germanen 196, 907; Ihering, Schuldmoment 4.

[2]) v. Amira, Nordgerm. Obligationenrecht I 144 f.

[3]) l. c. I 147.

[4]) II 142, vergl. Wilda 269, 908.

[5]) l. c. I. 150.

Gegen diese Auffassung sind jedoch Zweifel laut geworden.
Brinz[1]) hat ihr entgegengehalten, dass eine Personenhaftung
nicht habe existieren können bis zum Aufkommen einer Exekution.
Bis dahin sei sie kein vom öffentlichen Strafrecht losgelöstes
Privatinstitut gewesen, habe also als obligatio im zivilrechtlichen
Sinne überhaupt nicht bestanden. Der Bruch des gegebenen
Wortes hat nach Brinz bussfällig und in weiterer Folge strafbar
gemacht, aber in nicht anderer Weise als Diebstahl und Betrug.
So wenig der Dieb vor dem Delikt obligiert ist, so wenig wird
ursprünglich vor dem Wort- oder Vertragsbruch eine Obligation
oder Haftung existent, eine vorausgehende Obligierung Grundlage
der Buss- und Straffälligkeit gewesen sein. Das Wort und der
Vertrag waren noch nicht causae obligationis, sondern wie Eigentum, Sachen, Rechte und wie die Person selbst Gegenstand
der Verletzung, Gelegenheit und Versuchung zum Delikt. Aber
auch der Wortbruch oder das Delikt brauchte noch nicht causa
obligationis zu sein. Die Busse, die in seinem Gefolge ist,
fällt nicht bloss dem Damnifikaten, sondern auch dem Könige
und der Hundertschaft zu, ist also bereits öffentliche Strafe,
wirkt, wenn sie gezahlt wird, als Strafe und Ansporn zur
Leistung, wenn sie nicht gezahlt wird, zur Beschleunigung des
äussersten — der Friedlosigkeit. Aber es existiert noch kein
Privatzwangsrecht und keine Privatsatisfaktion. Damit aber eine
Person haftet, muss sie dem Gläubiger und niemand sonst als
Satisfactionsobjekt ausgesetzt sein. Sie, die Person des Haftenden
selbst (in ihrer Totalität oder bloss in ihrer Vermögenspotenz
und der zur Zeit der Exekution ihre Pertinenz bildenden Habe)
muss dem Gläubiger und nur dem Gläubiger einstehen dafür,
dass ihm nicht geleistet wurde, was ihm geleistet werden sollte.
Vor dem Aufkommen der Personal- und Vermögensexekution
ist eine derart bestimmte Haftung nicht denkbar. Die Acht
ereilt den Übeltäter. Sein Delikt kann auch ein Omissivdelikt
sein: die Nichterfüllung der Schuld. Diesem Delikte selbst
aber geht keine Haftung voraus, keine, den Haftenden zum
Satisfaktionsobjekt ausschliesslich (privatim) des Gläubigers
machende Obligation. Eine solche privative Personenhaftung

---

[1]) In den Göttingischen gelehrten Anzeigen 1885 S. 525f.

zu verwirklichen, dazu ist die Ächtung nicht geeignet; gibt sie doch den Betroffenen aller Welt preis.

Diese Erwägungen scheinen mir in der Tat vollinhaltlich zutreffend zu sein. Sie finden ihre Bestätigung in Bestimmungen wie etwa derjenigen des westgotländischen Rechts, wonach bei der auf Grund einer Friedloserklärung erfolgenden Einziehung und Verteilung der Güter unter gewissen Voraussetzungen der Gläubiger nicht mehr als drei Mark erhalten soll. Über den ganzen Rest des Vermögens wird anderweitig verfügt[1]). Hier kann man doch nicht von Ersatz und Satisfaktion, also doch nicht von Haftungsrealisierung sprechen. Die gleiche Auffassung zeigt das isländische Recht, welches ebenfalls keine Exekution von Urteilen kennt, die auf Geld und Gut lauten, sondern dem Gläubiger im Falle der Nichterfüllung eine Klage wegen clömrof gibt, d. h. wegen Missachtung des Urteils. Sie geht wiederum auf Friedloslegung oder aber auf Landesverweisung[2]). Ebenso zeigt auch das dänische Recht, dass die Ächtung keineswegs der Nichterfüllung unmittelbar entspringt, sondern als Folge eines Delikts erscheint, das in der Verletzung einer öffentlichen Genossenpflicht besteht. Vergl. Stadtrecht von Lund c. 37[3]).

Im wesentlichen zu demselben Ergebnis führt nun aber auch die Betrachtung der südgermanischen Rechte. Nach ihnen ist zweifellos ursprünglich jede Klage eine Deliktsklage, eine Klage um strafbares Unrecht[4]). Sie beruht auf der **strafrechtlichen Haftung. Diese aber ist von der zivilrechtlichen völlig verschieden und schon in ihren Entstehungsgründen von der letzteren unabhängig.**

Höchst interessante Ausblicke eröffnet uns darüber das salische Recht. Auch dieses kennt das Scheinpfand, das eine „interimistische", wirtschaftlich bedeutungslose Pfandhaftung

---

[1]) Wilda cit. 290. Vergl. l. Sal. 149: et omnes res ejus crunt in fisco aut cui fiscus dare voluerit.

[2]) Brunner R. G. I. 183 N. 20.

[3]) Lehmann. Der Königsfriede der Nordgermanen S. 116, über Pfändung und Friedloslegung in nordgerm. u. südgerm. (langob.) Rechten auch Kier. Ed. Rot. 56f., 60/61.

[4]) Brunner R. G. II 328, Heusler II 230f., Schröder R. G. 84. Stobbe-Lehmann III 107f. und die oben S. 409 No. 1—3 cit. Lit.

herstellt, dabei das Versprechen des Schuldners in sich schliesst, jederzeit zur Ergänzung bereit zu sein resp. sie zu dulden, wenn sie der Gläubiger vornehmen will. Die Reichung der festuca gibt das Pfändungsrecht. Und in Ausübung dieses letzteren stellt der Gläubiger die Pfandhaftung dar. Kein Vorgehen gegen den Schuldner — keine persönliche Haftung desselben.

Doch der Schuldner soll leisten. Unterlässt er es, dann macht er sich auch nach der altfränkischen Auffassung eines Deliktes schuldig. Darauf folgt die Unrechtssanktion. „Unzweifelhaft war nach ältestem fränkischem Rechte der Gläubiger, dem der Schuldner die Zahlung der gewetteten Schuld verweigerte, berechtigt, von der aussergerichtlichen Pfändung abzusehen und die Friedloslegung des Schuldners zu erwirken" [1]). Diese Friedloslegung aber ist keine Exekution und schon die Erwägungen von Brinz haben wahrscheinlich gemacht, dass diesem Ächtungsverfahren eine persönliche Haftung gar nicht zu Grunde liegen könne. Nicht anders war bisher die Auffassung der germanistischen Doktrin [2]).

In der Tat sind es andere Vorstellungen, von denen das alte Rechtsleben getragen war. Die Anschauung scheint dahin gegangen zu sein: Die zivile Schuld kann sich steigern zur strafrechtlichen Schuld. Leisten sollen und doch nicht leisten ist Delikt — und daraus folgt unmittelbar die strafrechtliche Haftung [3]). Hierzu bedarf es also keiner vertraglichen Einständerschaft. Wird dem Sollen aus dem Schuldvertrag nicht entsprochen, das rechtliche Bestimmtsein, das seine Grundlage in der gesamten Rechtsauffassung der Zeit findet, nicht ausgelöst, dann fühlt sich dies Recht eben in seinen Grundlagen verletzt. Deshalb bieten nunmehr Mittel des Strafrechts den Schuldverhältnissen ihren

---

[1]) Brunner II 453 und Z. f. R. G. XI 84.

[2]) Sohm, altdeutsches Reichs- und Gerichtsverfahren 121, Esmein Etudes 157 f.

[3]) Dieser Satz war bereits niedergeschrieben, als uns folgende Stelle zur Kenntnis kam: „Doch bestand von altersher neben der vertragsmässig begründeten Haftung innerhalb des Rahmens der Friedlosigkeit eine Haftung von Rechts wegen, so für Schulden aus Missetaten und für Schulden, die sich durch rechtswidriges Verhalten des Schuldners zu Missetaten gesteigert hatten. Brunner, Grundzüge S. 185, 2. Aufl. S. 192.

starken Schutz[1]). So erklärt sich die auffallende Erscheinung, dass die Geschichte des deutschen Rechts mit einem weitreichenden Strafrecht für unerfüllte Schuldverpflichtungen beginnt[2]).

Dass aber in der Tat die strafrechtliche Sanktion das Unrecht traf, das in der Nichterfüllung der Schuld lag[3]), dass sie demnach nicht die Steigerung der persönlichen Haftung bedeutet, diese letztere im privatrechtlichen Sinne vielmehr überall nicht voraussetzt, ja sie ausschliesst, dass demnach die fränkische Fidesstipulation so wenig wie die langobardische Wadiation der Herstellung dieser zivilen Personalhaftung dienen kann, dies alles erhellt aus dem Mahn- und Betreibungsverfahren des salischen Rechtes[4]). Dem Gläubiger stand aus der Fides facta nur das Pfändungsrecht zu. Der Schuldner haftete ihm nicht. Jener konnte also gegen diesen auch nicht klagen, nicht gerichtlich vorgehen. Das gerichtliche Verfahren war vielmehr nur ein Strafverfahren, nur möglich bei Rechtsverletzungen die notwendigerweise pönalen Charakters waren, so dass auf Friedlosigkeit oder auf Busse erkannt werden konnte. Denn das waren die einzigen Mittel, welche das Gerichtsverfahren gegen den sachfälligen Beklagten zur Verfügung hatte. Daraus ergibt sich von vornherein, dass zur Geltendmachung von Zivilsachen dies Verfahren nicht geeignet war. Erst dann konnte der Gläubiger seinen Schuldner vor Gericht ansprechen, wenn dieser letztere in strafbares Unrecht versetzt war, das ihn bussfällig machte. In dieses Unrecht aber ist der Schuldner versetzt, der nicht seine Schuld erfüllt[5]). Rechtswidrig enthält er seinem Gläubiger die Sache oder Leistung vor. Dadurch „gewinnt der Berechtigte nicht etwa einen Anspruch auf Schadenersatz, sondern einen Anspruch auf Sühne des durch die Weigerung erlittenen Unrechts[6])." Und diese Auffassung findet ihren unmittelbaren Ausdruck in den Bussen, in welche der Schuldner verfällt, der sich zur Zahlung auffordern oder gar wiederholt mahnen lässt. L. Sal. 50, 1[7]).

[1]) Huber, Schweizerisches Privatrecht, IV 830.
[2]) Sickel, Vertragsbruch 14.
[3]) Vergl. auch v. Amira, Grundriss § 67 bei Paul III 181 u. 184.
[4]) Brunner R. G. II 519 f., vergl. Schröder R. G. 390 f. und dort N. 120.
[5]) Dies inter pellat pro homine.
[6]) Brunner l. c. 521.
[7]) Vergl. das Mahnverfahren bei den Dänen oben S. 412.

Der beste Beweis dafür, dass diese Auffassung dem fränkischen Recht geläufig war, liegt in der richterlichen Auspfändung von l. Sal. tit. 50, 3 u. 4. Dieses Verfahren ist eine Abspaltung der Friedlosigkeit[1]). Darum muss, bevor zur Pfandnahme geschritten wird, der Graf den Schuldner ausdrücklich zur freiwilligen Leistung auffordern: Qui ad presens es, voluntatem tuam solve homine isto, quo ei fidem fecisti et elege tu duos quos volueris cum rachineburgius istos, de quo solvere debeas, adpreciare debeant et haec quae debes secundum iustum praecium satisfacias. — Si audire noluerit, wird zur Pfändung geschritten. Ihr Ursprung gibt sich dadurch zu erkennen, dass die Tätigkeit des Grafen infiscare, confiscare genannt wird. Die Pfandnahme heisst strud, Raub[2]). Dem Gläubiger werden die Pfänder zu Eigen übergeben. Doch erhält er charakteristischer Weise nur zwei Dritteile der Pfandobjekte. Der Rest fällt dem Grafen als fredus[3]), als Strafsumme wegen Verletzung der Rechtsordnung zu. Dies zeigt am deutlichsten der Charakter der Pfändung als eine Abspaltung der Friedlosigkeit und die Auffassung, die man von dieser zwangsweisen Wegnahme von Befriedigungsobjekten aus der Fahrhabe des Schuldners hegte. Sie bedeutete Strafe[4]), Verwirklichung der Friedlosigkeit in einer gewissen ökonomischen Richtung. Aber freilich, sie ist bereits aktiviert. Sie tritt ganz wesentlich ein zu Gunsten des Gläubigers, erzielt faktisch den Erfolg eines Satisfaktionsverfahrens. Immer mehr wird dieser Gesichtspunkt in den Vordergrund gerückt sein. Noch verleugnet das Recht nicht seinen kriminalrechtlichen Ursprung. Aber der Gang, den die Entwicklung nehmen musste, liegt klar gezeichnet vor uns: Das neue Verfahren wird Exekutionsverfahren. Es soll Ersatz und Genugtuung verschaffen Damit löst es die Haftung der schuldnerischen Fahrhabe in dem früher dargelegten Sinne ab. Die Haftung ist aber immer noch eine obligatio bonorum. Nicht aber ist eine

---

[1]) Brunner, Z. f. R. G. XI 62 f., insb. 84 f.

[2]) Brunner II 453 N. 5 f.

[3]) L. c 621.

[4]) Die hier eintretende Staatshilfe bewirkt also nicht „genau das, was im Stadium der Selbsthülfe der Berechtigte kraft seines Rechts selbst tun würde." Seuffert bei Grünhut XII 624, 626. Vielmehr sind Folgen wie Voraussetzungen verschieden.

Personalobligation begründet. Noch viel weniger war dies ehedem der Fall. Die strafrechtlichen Wirkungen sind deshalb auch nicht dahin zu erklären, dass eine privatrechtliche Personalhaftung sich zur strafrechtlichen gesteigert habe. Umgekehrt war es die zivile Schuld, die eine „Steigerung" erfahren konnte. Die Haftung, die dabei entstand, war krimineller Natur, diente nicht der Satisfaktion, sondern der Sühne, entstand nicht durch vertragliche Unterwerfung, sondern ex lege[1]). So stehen dem Gläubiger zwei Mittel zur Seite: Pfändung (in ihrer älteren Form) und Friedloslegung. Dazu erhält er nun — zur Wahl — ein Neues: die Grafenpfändung. Diese weist in ihrem Ursprung auf das zweitgenannte Mittel hin. Das Pönalverfahren bestimmte denn auch gänzlich ihre formelle Ausgestaltung. Trotzdem bildet sie — dahin zielte jene Königsnovelle ab — eine organische Fortbildung des früheren Pfändungsrechtes und knüpft denn auch an die nämlichen Voraussetzungen an. Immer noch gilt deshalb, dass die schuldnerische Fahrhabe haftet. Ja es hat dies seine erhöhte Richtigkeit. Denn aus der Fahrhabe lässt sich nunmehr der Gläubiger Ersatzobjekte unmittelbar zu eigen holen.

Am Schlusse sei noch angedeutet, dass in genau analoger Weise bei der inhaltlichen Erweiterung der Vermögenshaftung und ihrer Erstreckung auf die Immobilien das Pönalverfahren die rechtlichen Formelemente lieferte. Als missio in hannum regis tritt uns die Fronung zunächst als eine provisorische Einziehung des Vermögens entgegen. Nach Jahr und Tag wird sie, wenn anders der Schädiger seinen Verpflichtungen nicht nachgekommen ist, zur definitiven, zur Confiskation. Erst Kapitularien Ludwigs I. bestimmen, dass die eingezogenen Güter in erster Linie zur Befriedigung des Klägers verwendet werden sollen. Dabei wurde bereits festgesetzt, dass

---

[1]) Über das Verschwinden des ursprüngl. Strafrechts für unerfüllte Schuldverpflichtungen vergl. Sickel cit. 15, Sohm, Prozess 192, 217 ff., insbes. das Bussensystem verschwindet i. A. bald. Nichtsdestoweniger erhält sich noch manche Spur der alten, strafrechtlichen Auffassung durchs Mittelalter hindurch, vergl. z. B. über das mittelalterlich-französische Recht Franken, franz. Pfandrecht 261; am zähesten überall in der Immobiliarexekution, vergl. oben S. 97, 111 fg. und unten Kap. 4.

auf die Güter nur gegriffen werden solle bei Unzulänglichkeit der Fahrhabe. So reiht sich an das alte, auf die Mobilien beschränkte Verfahren die Immobiliarexekution an[1]).

Ein analoges Verfahren in die Immobilien kennt auch das langobardische Recht. Darauf sei noch in Kürze hingewiesen. Das langobardische Recht hat kein besonderes Mahn- und Betreibungsverfahren analog dem salischen ausgebildet. Es bedarf desselben nicht. Die Schuld des Schuldners und das Recht des Gläubigers nicht etwa bloss auf eine datio in solutum, sondern auf wirkliche Schulderfüllung — diese Vorstellungen sind im langobardischen Recht überaus lebendig. Der Schuldner soll leisten, innert den Mahnfristen nach Roth. Edikt oder innert den im Pfändungsverfahren gegebenen Fristen des neueren Rechts. Kommt er dieser Verpflichtung nicht nach, so macht er sich eines Delikts schuldig, schwer genug, um mit der strengsten Strafe bestraft zu werden.

Liutpr. Ed. c. 57 bestimmt in seinem ersten Teil: Si quis debitum fecerit et res suas vindederit et talis fuerit ipse debitus quod sanare non possit, et filius eius per uxorem suam aliquid conquisierit vel postea sibi per quocumque ingenio laboraverit, posteus genitor eius omnes res suas venundavit, vel pro debito suo creditoribus suis dederit, aut a puplico intromissi fuerent: non habeant licentiam creditoris eius res quas filius de coniuge sua habere vedetur, ´vel quod postea conquisivit aut laboravit, repetentum aut distrahendum. Es findet also im Falle der Insolvenz des Schuldners eine intromissio der Gläubiger in die Güter jenes statt.

Nun bestimmt Ed. Liu. 108: Insuper (sc. nebst und nach dem Recht der zweimaligen Pfandnahme) potestatem habeat, qui pigneravit, causam suam per legem agere et procurare. In Ermangelung eines jeglichen Anhaltspunktes in anderer Richtung dürfen wir wohl annehmen, dass dieses Verfahren, das nach der erfolglosen zweimaligen Pfändung stattfindet, kein anderes ist, als dasjenige aus Liutpr. c. 57.

Wichtig sind in der Bestimmung des Ed. Liu 108 über den Verfall der Pfänder vor allem die Fristen. Innerhalb dieser

---

[1]) Brunner, Abspaltungen 85 R. G. II 457f. und oben S. 111 und die dort zitierte Litteratur, ferner v. Amira, Grundriss 221, Schröder 372.

Fristen hätte der Schuldner zahlen sollen. Eine Personenhaftung aber besteht nicht neben der Sachhaftung. Der Gegensatz jedoch zwischen dem eben dort statuierten Recht (facundia) des Schuldners, die Pfänder einzulösen und dem nun folgenden Verfahren ist u. E. gar nicht anders zu erklären, als durch die Annahme, dass nach der Pfandnahme zunächst einzig die Pfandhaftung und die zivile Schuld existierten, dass aber die Säumnis während der Fristen deliktische Wirkungen erzeugte, indem mit Ablauf der Frist das Delikt und die strafrechtliche Haftung zur Entstehung gelangten.

Der strafrechtliche Charakter[1] aber der intromissio liegt schon darin ausgeprägt, dass die Gläubiger aus derselben möglicherweise mehr erhalten, als ihnen geschuldet wurde, ja, es kann wohl schon in dem blossen Faktum des Entzuges des Grundbesitzes erkannt werden — eine überaus harte Massnahme. Vor allem aber ist er daraus zu ersehen, dass es eben eine intromissio a publico ist. Der Staat confisciert die Güter. Durch ihn werden die Gläubiger eingewiesen. Auch hier kann es sich also nicht um ein Satisfaktionsverfahren aus ziviler Haftung des Schuldners handeln.

---

[1] Vergl. auch Horten II 93 f.

3. Kapitel.

Die persönliche Haftung.

Gewiss kennt das germanische Privatrecht nicht nur die Sachen-, sondern auch die Personenhaftung. Das ist eine in die Augen springende Erscheinung und sie ist denn auch schon längst bekannt. Aber man hielt dafür, dass nach altem Recht aus jedem Schuldvertrag ipso iure die Möglichkeit eines Zugriffs auf die schuldnerische Person gegeben sei. Und da man eine solche Auffassung auch im altrömischen Recht wiederzufinden glaubte, so zweifelte man nicht, vollkommen analoge Rechtsbildungen vor sich zu haben: Man griff auf die Person des Schuldners und durch sie und mit ihr auf ihre gesamte Habe.

Bei näherem Zusehen zeigt sich indessen, dass das alte Recht ein ganz anderes gewesen. Noch wirken freilich die Anschauungen der älteren Doktrin in nicht zu unterschätzendem Umfange nach und erschweren wohl jetzt noch die Aufgabe, der Eigentümlichkeit der germanischen persönlichen Haftung vollkommen gerecht zu werden. Vor allem nahm nämlich die ältere Doktrin, ohne irgend einem Zweifel Raum zu gewähren, an, die Haftung sei eine universalistische gewesen, eine antropocentrische: Mit dem Zugriff auf die Person sei auch derjenige auf ihre Habe von selbst gegeben gewesen. Und noch heute ist man geneigt, dem Treugelöbnis eine derartige generelle Wirkung, der engeren persönlichen Haftung eine derartige zentrale Stellung zuzuweisen.

Aber diese Auffassung lässt sich so wenig halten wie der andere Teil der früheren Lehre: Die Haftung des Schuldners sei eine gesetzliche gewesen.

Vielmehr wissen wir, dass die Haftung eine vertragliche war, dass sie, wie spätere Quellen sich ausdrücken, vom Schuldner konzediert, eingeräumt werden musste. Und wir wissen, worin diese Haftung besteht. Sie bedeutet die Ein-

27*

räumung eines eventuellen Zugriffsrechtes, also einer Machtbefugnis, eines mehr oder weniger weitgehenden Herrschaftsverhältnisses. Eine solche Macht aber muss sich materiell
manifestieren. Sie muss ihren wahrnehmbaren, formalen Ausdruck
finden. Deshalb ist die Sachhaftung ursprünglich nur denkbar
in der Form des Faustpfandes. Nicht anders aber setzt die
Geschichte der persönlichen Haftung ein. Der Haftende war
Geisel, war Faustpfand.

Für Personen und Sachen gilt, wenn sie Haftungsobjekte
abgeben sollten, ein und dasselbe Publizitäts- resp. Formalprinzip.
Aber dieser Umstand führt die persönliche und die sächliche
Haftung nicht zusammen, sondern reisst sie inhaltlich notwendiger-
weise weit auseinander. „Es gab für die ältere Zeiten nur zwei
Arten der Haftung: die Haftung mit der Person in engster
Bedeutung, d. h. also nötigenfalls mit der Konsequenz der
Schuldknechtschaft und die Haftung mit einzelnen bestimmten
Gegenständen, die — — zu Pfand gesetzt worden waren"[1]).

Die Eigentümlichkeit und die Enge dieser Grundlage ist
von entscheidender Bedeutung für die gesamte Entwicklung in
der Folgezeit. Wir haben schon gesehen, wie auf dieser Basis
das Wadiationsrecht sich entwickelte. Es muss nur noch
einmal betont werden, in welche Linie entwicklungsgeschichtlicher
Erscheinungen dasselbe einzureihen ist.

Aus der Wadiation ergibt sich nur das Recht des
Gläubigers, Sachhaftung herzustellen. Sollte dieses Recht der
Inhalt, und zwar wäre es der erschöpfende Inhalt, einer Personalhaftung sein? Wie wäre dies Phänomen historisch zu erklären?
Hätte die Wadiation ursprünglich dazu gedient, den Schuldner
persönlich haftbar zu machen, so hätte sie auch die Wirkung,
ja nur die Wirkung haben können, dass der Gläubiger auf die
Person des Schuldners hätte greifen können. Und von dieser
ursprünglich einzigen Wirkung ist in der Wadiation keine Spur
mehr übrig geblieben! Hat aber schon von Anfang an die
Wadiation nicht den Schuldner selbst in eigener Person verhaftet,
dann bleibt nur noch eine Möglichkeit: Nur mit der Sachhaftung
kann die Wadiation in genetischen Zusammenhang gebracht
werden. Und darum erschöpft sich ihre Wirkung letztlich noch

---

[1]) Huber IV, 841. v. Schwind, Wesen und Inhalt des Pfandrechtes S. 1.

in den Volksrechten darin, die Herstellung einer faustpfandlichen Sachhaftung zu ermöglichen. Und darum immer noch die in anderer Weise wohl nie befriedigend zu erklärende Form des Wadiationsaktes.

Aus der bisherigen Darstellung lassen sich nun aber auch Schlüsse von grundsätzlicher Bedeutung für die Geschichte der persönlichen Haftung ziehen. Diese letztere nämlich ist, wie dies bereits gesagt wurde, stets eine vertraglich eingeräumte. Sie ist dabei immer nur eine Haftung der Person selbst. Nun wissen wir aber, dass aus der Wadiation eine Vermögenshaftung entstand und ferner, dass dem Gläubiger auf Grund des — wadiierten — Schuldvertrages zur Wahl stand, statt die Haftung zu realisieren, eine Pönalsanktion für das erlittene Unrecht zu betreiben. Deshalb aber kann die Bedeutung der persönlichen Haftung — ganz im Gegensatz zu älteren Anschauungen — ursprünglich nicht eine sehr grosse gewesen sein. Friedloslegung oder Pfandnahme — das waren ja schon zwei Wege und das bedeutet reichlich viel für eine in ihren wirtschaftlichen Verhältnissen und in ihren psychischen Voraussetzungen einfache Gesellschaft. Es bedurfte einer Zeit milderer Sitten — auch hierin hat die frühere Auffassung geirrt — und höherer Wertschätzung aller wirtschaftlichen Faktoren, um die persönliche Haftung zu grösserer Bedeutung gelangen zu lassen [1]). Dabei war nach dem Gesagten wenigstens innerhalb desselben Rechtsverbandes diese Haftung durchaus eine subsidiäre. Wenn der Gläubiger sich auf „Obligationen" überhaupt einliess, hielt er sich wohl regelmässig zuerst an das Mobiliarvermögen, das ihm haftete.

Das germanische Recht liefert uns eine überraschende Bestätigung dieser Deduktionen.

[1]) Deshalb kann denn auch Kohler, Shakespeare vor dem Forum der Jurisprudenz S. 19 betonen, dass der Schuldgefangene in vielen Rechten sehr früh mild behandelt werde. Aber aus einer „ökonomischen Passivität" der betreffenden Kulturstufe heraus ist dies Phänomen wohl nicht zu erklären. Die milde Behandlung ergibt sich daraus, dass der Gläubiger die persönliche Haftung überhaupt annimmt. Damit erklärt er sich bereit, auf härtere Massnahmen, die ihm das Pönalrecht ja zur Verfügung stellt, zu verzichten. Dass er das tut, bedeutet also gerade eine Ökonomisierung des Schuldrechtes. An Stelle einer Unrechtsreaktion tritt ein Haftungsobjekt — die Person

· Es ist schon Brinz[1]) als eine merkwürdige Abweichung vom römischen Recht, welches ihm diesbezüglich viel logischer schien, aufgefallen, dass die Personalexekution sich im nordgermanischen Recht als Erzeugnis jüngeren Rechts darstellt. Dabei ist anfänglich ihr Anwendungsgebiet ein kleines. Für Fälle gewöhnlicher Zahlungsunfähigkeit wird sie vom isländischen Recht sogar ausdrücklich ausgeschlossen. Sie bedarf deshalb ganz besonderer Voraussetzungen[2]). Und auch dann ist sie stets nur eine subsidiäre[3]).

Dieselben Beobachtungen können wir auch im südgermanischen Recht machen. Die exekutive Verknechtung findet in den meisten Rechten, soweit sie dieselbe überhaupt kennen, nur Anwendung auf Bussschuldner. Wie für diese sich eine exekutive Verknechtung allmählich herausbildete aus der ursprünglich als Strafe stattfindenden Preisgabe hat auf Grund der langobardischen Quellen Brunner[4]) nachgewiesen. Auch auf die Auslieferung des insolventen Missetäters an den Verletzten nach burgundischem Recht sei nur hingewiesen[5]), ebenso auf die Überantwortung des zahlungsunfähigen Wergeldschuldners, wie sie die lex Salica im tit. de chrenecruda kennt und wie sie nach Ed. Chilp. für alle Deliktschuldner angenommen werden darf. Ordinamus, cui malum fecit tradatur in manu et faciat exinde quod voluerint. Ed. Chilp. c. 8. In dieser Preisgabe erschöpft sich das fränkische Recht bereits. Eine Verknechtung von Gerichtswegen ist ihm nicht bekannt[6]).

---

[1]) Götting. gel. Anzeigen l. c. 531.

[2]) v. Amira, Nordgermanisches Obligationsrecht I 131 f., II 167 f., Recht 221.

[3]) Ferner ist sie ihrer ganzen juristischen Regelung nach daraufhin angelegt, dass der Gläubiger durch sie zu seiner ökonomischen Befriedigung gelangen kann. Der Schuldknecht ist nicht unfrei oder, wo dies der Fall, nur bedingt, um der Schuld willen und soweit die Tilgung dieser letztern dadurch gefördert wird. Doch ist er der Hausgewalt des Gläubigers unterworfen und hat zum Zweck der Schuldtilgung für jenen zu arbeiten. Der Wert der Arbeit wird auf die Schuld angerechnet. Für den Betrag der Schuld darf der Gläubiger ihn auch nach vorgängigem Angebot an die Verwandten innerhalb des Landes verkaufen Beendigung auch durch Schuldtilgung von seiten Dritter; vergl. noch v. Amira cit. I 127, II 156 f.

[4]) R. G. H 380. Z. f. R. G. XI „Abspaltungen" 93 f.

[5]) L. Burg 12,3.

[6]) Brunner, Abspaltungen 97.

Vollends aber für Vertragsschulden gibt es weder Preisgabe noch Verknechtung. „Die Behandlung des säumigen
Vertragsschuldners richtete sich allerwegen nach dem Schuldvertrag[1]).“ Es gibt also keine exekutive Haftung des Schuldners
mit seiner Person und ebensowenig ergibt sich diese Haftung
aus dem Akte der Festukation oder Wadiation[2]). Es bedarf also
immer eines besonderen Vertrages, einer ausdrücklichen Beredung.

Es fehlt denn auch nicht an zahlreichen Quellen, die uns
von einer vertraglichen Selbsthingabe berichten. Dieselbe ist
dabei stets eine subsidiäre, ein letztes Refugium[3]). Deutlich
spiegelt die lex Bajuvarorum die Auffassung ihrer Zeit wieder.
Sie bestimmt in I 10: Si quis episcopum — occiderit, solvat
eum. — Fiat tunica plumbea secundum statum eius, et quod
ipsa pensaverit auro, tantum donet qui eum occiderit; et si
aurum non habet, donet alia pecunia mancipia, terra
villas, vel quicquid habet, usque dum impleat debitum. Et si
non habet tantum pecuniam, se ipsum et uxorem et filios
tradat ad ecclesiam illam in servitio, usque dum se redimere
possit. Also nur der Mörder eines Bischofs gelangt in Schuldknechtschaft — aber auch er nur subdiär und nur zeitweise —
eine Regelung unter ökonomischem Gesichtspunkte. Das gleiche
Verfahren mit der gleichen Steigerung kommt zur Anwendung
im Falle der Tötung eines Presbyters. Doch reicht es nicht
mehr bis zur Exekution in die schuldnerische Person. Wohl
aber wird auf die Grundstücke gegriffen. L. Baj. I 9: Si
aurum non habet, donet alia pecunia, mancipia, terra, vel
quicquid habeat, usque dum impleat. Wie im fränkischen Recht
werden also die Grundstücke nur bei Verbrechen und zwar nur
bei Kapitalverbrechen angegriffen. Vergl., L. Baj. II 1[4]). Es
erscheint sogar die zeitweise Schuldknechtschaft als das kleinere
Übel. Deshalb heisst es denn für die leichteren Delikte, II, 1:

[1]) Brunner cit. 98, vergl. v. Thudichum, Geschichte des deutschen
Privatrechts 65.

[2]) Darüber, dass nicht noch eine Personalexekution statthabe, vergl.
Sohm, Prozess 175. Vergl. jedoch Waitz, Das alte Recht der salischen
Franken 175. Maurer, Geschichte des altgermanischen nam. altbair.
Gerichtsverfahrens 1844 S. 63.

[3]) Vergl. schon Tacitus, Germania 20, v. Amira bei Paul III 183, 184.

[4]) Ut nullus liber Baiuvarius alodem aut vitam sine capitale crimine
perdat.

ceteras vero quascumque commiserit peccatas, usque habet
substantiam, componat secundum legem; si vero non habet,
ipse se in servitio deprimat et per singulos menses vel
annos, quantum lucrare quiverit, persolvat cui deliquit, donec
debitum universum restituat. Ausdrücklich wird gesagt, dass
die Schuldknechtschaft nur eine zeitweise sein dürfe, bestimmt,
die Bussschuld abzuverdienen. Nur noch um Zivilschulden
kann es sich also handeln in VII 3: Ut nullum liberum sine
mortali crimine liceat inservire, nec de heredidatem sua expellere.
— — Quamvis pauper sit, tamen libertatem suam non perdat, nec
heridatem nisi ex spontanea voluntate alicui tradere voluerit,
hoc potestatem habeat faciendi. Haftung des Schuldners mit seiner
Person nur auf Grund einer ausdrücklichen Beredung. Ebenso das
friesische Recht. L. Fris. XI 1: Liber homo spontanea voluntate
vel forte necessitate coactus[1]) nobili, seu libero, seu etiam lito in
personam et servitium liti se subdere. Ausdrücklich berichten auch
die langobardischen Quellen, dass der Schuldner nicht habe verknechtet werden können. Exp. ad. Liu. 151: Lex ista noluit
aliquem pro debito tradendum esse servitio: moderno tamen
tempore sicut pro crimine ita pro debito — — und Lib. Pap.
Loth. Ex. 1: Cum ipse leges facte fuerunt, nondum preceptum
erat quod aliquis liber homo propter aliquas causas posset ad
servitium inplicari.

So kennt das germanische Recht keine exekutivische
Schuldknechtschaft[2]), d. h. von Gesetzeswegen wird im Falle der
Insolvenz nicht auf die Person des Schuldners gegriffen. Jenem
„Formalakt" aber, der ein grosses Gebiet des alten Vertrags-
rechtes beherrscht, kommt keineswegs die Bedeutung zu, eine
so weit führende Personalhaftung herzustellen.

Da es demnach stets eines besonderen Vertrages bedarf,

---

[1]) Einen juristisch bedeutsamen Gegensatz zu dem vorausgehenden
spont. volunt. sollen diese Worte schwerlich bedeuten. Wir werden zahlreichen Stellen begegnen, welche mit ähnlichen Worten das wirtschaftliche Un-
vermögen des Schuldners, der sich deswegen doch freiwillig haftbar macht,
bezeichnen. Vergl. Rozière, Recueil général des Formules I 45 pro necessi-
tatis tempore et vidi vitas compendium me eciam sterilitas et inopie
precinxit ut in aliter transagere non possum nisi — plenissima voluntate
mea —. I 7: gravis necessitas, ebenso I 49, 50, 371, 372.

[2]) Anders nur das westgotische Recht. L. Wisig V, tit. 6 c. 5.
Brunner R. G. II 480. Dahn, Westgotische Studien S. 199 f.

um die Haftung der schuldnerischen Person herzustellen, müssen begreiflicherweise die Beredungen verschieden weitreichend sein. Häufig sehen wir, dass der Schuldner sich für alle Zeiten dem Gläubiger verknechtet. Es geschieht dies in der Regel als Selbstverkauf in den Formen der symbolischen Selbsttradition. Meistens sind es Bussschuldner, die dergestalt dauernd ihre Freiheit preisgeben und dies erklärt sich aus ihrer Bedrohung mit noch Schlimmerem [1]. Doch diese Obnoxiationen stellen keine Haftung her. Sie dienen der Solution.

Aber dieser Hingabe zu eigen stehen andere Arten der Selbstverknechtung gegenüber, welche wesentlich nur für Vertragsschuldner in Betracht zu kommen scheinen und welche den Schuldner zum Haftungsobjekt machen. Er gibt sich hin zu Pfand. Zwei ihrem Inhalt nach wesentlich verschiedene Ausgestaltungen dieser persönlichen Pfandsetzung sind dabei scharf zu unterscheiden. Der Schuldner tritt in Schuldknechtschaft, damit auf ihn selbst und seine Angehörigen ein Zwang ausgeübt wird, der zur Zahlung anspornen soll und damit der Gläubiger eine pfandrechtliche Sicherheit hat, die ihn für die Verzugsfolgen entschädigen mag. Oder aber der Schuldner soll in der Schuldknechtschaft seine Schuld abverdienen [2]. Im ersten Fall ist er antichretisches pignus, für den zweiten findet sich eine analoge Rechtsbildung des Sachhaftungsrechtes in der Todsatzung.

Dieser Gegensatz ergibt sich aus den Quellen, obschon sie sich keineswegs immer mit der wünschenswerten Deutlichkeit ausdrücken. Doch erkennt man die erste Art der Haftung in Rozière, Form. I 371: Constat me accipisse et ita accepi de

---

[1] Vergl. oben Ed. Chilp. c. 8. Der Kaufpreis, der zuweilen genannt ist, wird der Busse entsprochen haben. Obnoxiationen wegen drohender Strafen, weil morte periculum ex hoc incurrere debui, weil vitae periculum incurrere potueram: Rozière Form 50, 49, 152. Vergl. ferner Roz. Form 44, 45, 46. Marculf II 28. Ego de rebus meis, unde vestra beneficia rependere debuissem non habeo, ideo pro hoc statum ingenuitatis meae vobis visus sum obnoxiasse, ita ut ab hac die de vestro servitio penitus non discedam. Reformbestrebung des Conc Franc. a 615, vergl. C. can. Mansi X 548: de ingenuis qui se pro pecunia aut alia re vendiderint vel oppigneraverint ut quandoquidem pretium quantum pro ipsis datum est invenire potuerint, absque dilatione ad statum suae condicionis reddito pretio reformatur. Über das ostgötische Recht. v. Amira I 480

[2] Stobbe, Beiträge 179, Neumann, Geschichte des Wuchers, Korn 34.

vobis per hanc caucione ad pristetum beneficium, hoc est in
argento uncias tantes. In loco pignoris emitto vobis statum
meum medietatem, ut in una quisque septenana ad dies tantis,
qualecunque operem legitima mihi ininuxeris, facere debiammus;
que annus tantus compliti fuerint, res vestraa reddere debias,
et caucionem meam recipere faciam. — Ebenso Nr. 372 (Cart.
Senon 3). Ego pro hoc tale caucione in te fiere et adfirmare
rogavi, ut usque ad annos tantos in quisque hebdomata dies
tantos opera tua, quale mihi iniunxeris et ratio prestat, facere
debeam. Quod si minime fecero, aut neglegens aut tardus exinde
apparuero, aut ante ipso placito me immutare presumpsero, tunc
spondeo, me per huius vinculum cautionem, ubi et ubi me
invenire potueris, sine ullo iudice interpellationis pro duplum
satisfactione me reteneor debitor. Et quomodo ipse anni
transacti fuerint, debito tuo tibi reddeo, cautionem meam
per manibus recipiam. Diese Haftung schliesst das Recht des
Gläubigers auf eine tüchtige Arbeitsleistung während bestimmter
Zeit in sich und diese erscheint gesichert durch eine Strafberedung,
welche auf das duplum der Schuld geht. Anders die folgende
Stelle. Sie zeigt nicht nur, wie der Schuldner sich gleich
auch beim Empfang des Darlehns in die zeitweilige Macht des
Gläubigers begibt, um ihm eine Sicherheit zu bieten und ihn
zugleich schadlos zu halten für den ihm entgehenden Genuss
der Darlehnssumme, sondern wir ersehen aus ihr, wie eine
Steigerung der Haftung vorgesehen wird. Sollte es sich als
nötig erweisen, so erlangt der Gläubiger noch das Züchtigungsrecht
und der Inhalt der Haftung geht dann auf die Macht desselben,
den Schuldner wie einen servus zu halten. Marculf II 27.
Necessitati meae supplendo solidos vestros mihi ad beneficium
praestitistis ideo iuxta quod mihi aptificavit, taliter inter nos
convenit, ut dum ipsos solidos de meo proprio reddere potuero,
dies tantos in unaquaque hebdomada servitio vestro, quale mihi
vos aut agentes vestri injunxeritis, facere debeam. Quod si
exinde negligens aut tardus apparuero, licentiam habeatis, sicut
et ceteris servientibus vestris disciplinam corporalem imponere.

Auf die zweite oben gekennzeichnete Art wird der Schuldner
als Pfand haftbar in Cap. Carol. apud Ansegis. serv. 810 (811?)
Bor. I. nᵒ 70 c. 3: Si quis liber homo aliquod tale damnum
cuilibet fecerit, pro quo plenam compositionem facere non

valeat, semetipsum in wadio pro servo dare studeat,
usque dum plenam compositionem adimpleat. Ferner Cap.
de partibus Saxon. 777—790. Bor. I. n⁰ 26 c. 21: Si vero non
habuerint unde praesentaliter persolvant, ad ecclesiae servitium donentur usque dum ipsi solidi solvantur. Und
ferner Cap. Bonon. 811 Bor. I n⁰ 74 c. 1: Quicumque liber homo
in hostem bannitus fuerit et venire contempserit, plenum heri-
bannum, id est solidos sexaginta, persolvat, aut si non habuerit unde
illam summam persolvat semetipsum pro wadio in servitium
principis tradat, donec per tempora ipse bannus ab eo fiat
persolutus; et tunc iterum ad statum libertatis suae revertatur.

Eine Herstellung der persönlichen Haftung liegt nach der
herrschenden Ansicht auch in der Formel der l. Sal. tit. 50, 3:
adprehendat fistucam et dica verbum: Tu grafio homo illo mihi
fidem facit — — ego super me et furtuna mea pono quod
securus mitte in furtuna sua manum. Durch diese Worte und
die sie begleitende Zeremonie soll der betreibende Gläubiger
nicht nur mit dem Vermögen, sondern mit seiner Person haftbar
werden. Aber selbst bei dieser Auffassung ist aus der Festukation des tit. 50 für die Erklärung der Fidesstipulation nichts
zu gewinnen. Die Festuca diente nach derselben freilich der
Herstellung einer zivilen Haftung. Gewiss ist das nicht unmöglich. Dann ist aber doch zu beachten, dass die Form eine
vom gewöhnlichen Wadiationsakte verschiedene ist; von hier
aus Schlüsse auf die Bedeutung und die Tragweite der Fidesstipulation überhaupt ziehen zu wollen, geht also doch wohl
nicht an. Sollte es sich um eine Wadiation handeln, dann ist
nicht abzusehen, warum der Gläubiger nicht einen fideiussor
zu stellen hat, dem er die festuca reichen kann. Aber selbst
wenn man annehmen wollte, dass die lex Salica bereits in
diesem Umfange die Selbstbürgschaft anerkenne, so kann doch
nicht entgehen, dass dieser letztern ein anderes Zeremoniell
zukommt, ein Zeremoniell, das immer noch ein Geben und
Nehmen der festuca bedeutet[1]). Vor allem aber ist zu
betonen, dass, wenn hier die Herstellung einer Obligation
bezweckt wird, der betreibende Gläubiger ganz ausdrücklich
ein Doppeltes der Haftung namhaft macht: Me et furtuna

[1]) Ed. Chilp. c. 6.

mea[1]). Wenn es sich also hier um eine zivile Haftung handelte, könnte es wohl nur eine ausdrückliche[2]) Verhaftung des Gläubigers in dem Sinne der soeben zitierten Beredungen sein, nur dass sie hier die Formen der Festucation zu Hülfe nähme.

Aber es drängt sich doch das Bedenken auf, in welcher Weise, wie weitgehend der Schuldner verhaftet sein sollte. Der Haftungsinhalt kann ja ein sehr verschiedener sein und er wird, wie wir gesehen, denn auch durchwegs genau festgesetzt. Hier aber ist das nicht der Fall. Dies erklärte sich nur mit der Annahme, dass die Folgen einer Verhaftung unter Festucation ein für allemal geregelt und festgesetzt gewesen wären. Und dies setzte wiederum eine häufige Anwendung dieses Verhaftungsmodus voraus. Von alledem ist aber in den Quellen nichts zu beobachten.

Die Schwierigkeit hebt sich, wenn wir bedenken, dass rechtswidrige Aufforderung zur Grafenpfändung den Gläubiger zum Wergeldschuldner macht. So streng wird bestraft, wer die gesetzliche Strud in ungerechtfertigter Weise sich zu nutze macht. Nichts kann besser erhärten, dass das Verfahren des tit. 50,3 u. 4 eine Abspaltung der Friedlosigkeit darstellt. Jetzt kennen wir aber auch die Bedeutung der in Frage stehenden Formel. Die Haftung, um die es sich handelt, ist eine gesetzliche und eine strafrechtliche. Es ist die Haftung des Wergeldschuldners. Kann der zu Unrecht die Pfändung verlangende Gläubiger diese Wergeldsumme nicht zahlen, dann wird er preisgegeben. L. Sal. tit. 58: Et si eum in compositione nullus ad fidem tullerunt hoc est ut redimant de quo non persolvit tunc de sua vita componat. Dass aber, obschon gesetzliche Haftung, dieselbe doch vom Gläubiger über sich selbst aus-

---

[1]) Vergl. Chilp. Ed. c. 7, l. Sal. 77,7 und l. Sal. 45. Nach Horten haben wir hier ebenso offenbar eine Verhaftung von Gut und Blut als eine fides facts. I 50 N. 128 II 85, 89. Über das sub fidem facere des tit. 58,2, vergl. Brunner: Sippe und Wergeld in Z. f. R. G. III 37. — Abweichende Erklärung vom tit. 50,3 auch Zöpfl, Deutsche Rechtsgeschichte III 292 und 339 N. 125.

[2]) Es ist besonders bedeutsam, dass die Person sich selbst ausdrücklich einbezieht. Die sog. Selbstbürgschaft, welche den Wadiationsakt zu Hülfe nimmt, kann u. E. ein Recht auf die Person des Schuldners nicht geben. Vielmehr obligiert die Selbstbürgschaft immer nur das Vermögen. Sie ist ein Niedergangsprodukt und als solches aus dem vorausgehenden Wadiationsrecht zu erklären. Dieses aber beschränkt sich in seinen Wirkungen auf die Obligierung des Vermögens und erreicht nicht die Person selbst.

gesprochen werden soll, erklärt sich leicht. Das ganze Verfahren ist formell — entsprechend dem Charakter dieser Strud und dem Umstand, dass es sich um eine Neuerung handelt. Daher die Ansprache an den Grafen, die Ansprache von seiten des letztern an den Schuldner mit dem Anrufen des schuldnerischen Willens, was sich um so merkwürdiger ausnimmt, als der Schuldner gar nicht anwesend zu sein braucht. Deshalb also auch die formellen Worte des Gläubigers.

Demnach bedeutet die Festukation in l. Sal. 50,3 so wenig, wie die Wadiation, die Form der Herstellung einer persönlichen Haftung. Ein solcher Formalakt, der diesem Zwecke diente und der sich allgemeiner und ausschliesslicher Anwendung erfreute, existiert überhaupt nicht.

Die beiden Formen, in denen nach unsern Quellen die Obnoxiationen vorgenommen wurden, begreifen sich leicht. Der Deliktsschuldner verkauft sich dem Geschädigten und es erfolgt sofortige Erfüllung, d. h. der Verletzer begibt sich in die Macht des Verletzten. Form. Andegav. 2 (Rozière 48). Quia coniunxerunt mihi necligencias — — et in aliter transagere non possum, nisi ut integrum statum meum in vestrum debiam implecare servitium, ergo constat, me ullo cogente imperium, set plenissimam voluntate mea, etsi de hac causa reprobus aparuerit, pro ipsa necligencia integrum statum meum in vestrum servicium oblegare (!) Debeam accipere a vobis precium, in quod mihi complacuit, soledus tantus, ut quicquid ab odierno diae de memetipso facere volueritis, aicut et de reliqua mancipia vestra obnoxia, in omnibus, Deo presole, abeatis potestatem faciendi, quod volueritis. Oder aber es erfolgt eine symbolische Tradition durch Hingabe eines Statusscheines. Form Arvern. No. 5 (Rozière I 51): A pluris est cognitum qualiter ante hos dies investigante parte adversus negligentia pro culpa mea in custodia traditus sum et nullum habeo substantia, unde me redimere debeam, nisi tantum formam et statum meum quem libero et inienuo videor habere et in servitio vestro pro hac causa debeam inclinare; — — — ego vobis carta patrociniale de statum meum, quem ingenuo habeo, in vos conscribere vel adfirmare rogavi, ut post ac diebus vite meae ex iure in servitio vestro debeam et consistere. Unde me spondeo vel subter firmari, ut contra presente cartola patrociniale neque ego neque de heredibus meis nec quislibet ulla oposita persona prae ac die ambulare non debeamus.

Diesen Gegensatz treffen wir nun auch da, wo es gilt, die Person des Schuldners zum Haftungsobjekt zu machen. Oft ist die Form nicht näher zu erkennen. Doch vernehmen wir, dass der Schuldner sich loco pignoris[1]) in die Herrschaft des Gläubigers begebe oder wie es in überaus charakteristischer Weise häufig heisst: semetipsum in wadio pro servo dare oder semetipsum pro wadio in servitium tradere[2]). Einer Form hingegen, die in anschaulicher Weise das Wesen der persönlichen Haftung als eines Herrschaftsverhältnisses zum Ausdruck bringt, begegnen wir in Form. Salic. Bignon. 27 (Rozière II 464): fuit iudicatum, ut per wadium meum eam contra vos componere vel (Bign. atque) satisfacere debeam. Sed dum ipsos solidos minime habui, unde transsolvere debeam, sic mihi aptificavit, ut brachium in collum posui per comam capitis mei coram praesentibus hominibus tradere feci, in ea ratione ut interim, quod ipsos solidos vestros reddere potuero, et servitium vestrum et opera qualecumque vos vel iuniores vestri iniunxeritis, facere et adimplere debeam, et si exinde negligens vel iactivus apparuero, spondeo me contra vos, ut talem disciplinam supra dorsum meum facere iubeatis, quam super reliquos servos vestros.

So ist die Obligierung der Person noch zu einer Zeit, die schon längst ihren typischen Vertragsformalismus hat, immer noch eine Obligierung nur der Person in ihrem körperlichen Substrat und immer noch nur von subsidiärer Bedeutung. Deshalb kennt die Zeit des Wadiationsrechtes noch gar keinen einheitlichen oder gar schon stereotyp gewordenen Formalismus für diese persönliche Obligation. Übrigens obligiert sich persönlich der Schuldner auch im Mittelalter häufig genug in ähnlicher Weise wie im Altertum, durch Erklärung vor Gericht, in gehörig abgefasster Urkunde u. s. w. Und dabei ist es wirklich nur auf die Haftung

---

[1]) Rozière, Form I 371.

[2]) Cap. Carol apud Anseg. 810, Cap. Bonon., Cap. de judacis c. 2., Cap. Haristall 779, l. Baj. oben S. 423. — Cap. leg. add. 803 Bor. I n° 39 c 8. Liber qui se loco wadii in alterius potestatem commiserit ibique constitutus damnum aliquod cuilibet fecerit qui eum in loco wadii suscepit — — damnum solvat. — — Si vero liberam feminam habuerit usque dum in pignus extiterit et filios habuerit, liberi permaneant. (Ed. Pistense a. 864).

der Person selbst abgesehen, soweit nicht ein anderes ausdrücklich beredet wird. Eine solche Beredung ginge dann auf
mehr oder weniger weitreichende Vermögenshaftung. So ist die
Geschichte des materiellen Haftungsrechtes in der strengsten
Kontinuität ihrer Abwicklung zu verfolgen[1]).

---

[1]) Auf das sächsische Recht sei hier nur hingewiesen. Ann. Laur.
maior. ad a. 777, I 158. Cap. Carol, de partibus Sax. 27, Einhard in den
Ann. ad a. 758, vergl. Brunner, Abspaltungen 98, Puntschart 352 N. 4,
372 N 6, 498 N. Dagegen ist allerdings darauf hinzuweisen, dass schon das
Altertum Handschlag und Eid im Schuld- und Haftungsrecht verwendet,
z. B. Gregor v. Tours, de glor. confess. c. 67. (M. G. Script. rer. Merov.
I 788) und von dems. Hist. Franc. l. V c. 3, beide Stellen auch cit. bei
Löning, Vertragsbuch 28, andere bei Siegel S. 22. Diese Quellen erheischen
eine nähere Betrachtung bei einer geschichtlichen Würdigung des Treugelöbnisses (vergl. die Bemerkungen unter Kap. 4, sub B. in fin. Deshalb
hier nur einen Fingerzeig). So früh wie durch Handschlag wird der Formalakt
auch durch Eid vollzogen. Es wird also schon für das älteste Recht jene
Präponderanz des Handschlages vermisst, welche bei einem unmittelbaren
Zusammenhang mit der persönlichen Verpfändung doch der natürliche
Zustand wäre. Aber ebensowenig wie für den Eid ist dieser Zusammenhang für den Handschlag aus den germanischen Quellen nachzuweisen.
Tatsächlich lassen diese Quellen darüber keinen Zweifel, dass mittelst Eid
oder Handschlag das fidem facere vorgenommen wird. Nun lag aber in der
personae obligatio, wie wir sie hier betrachtet haben, überall kein fidem facere,
sondern eine höchst sächlich aufgefasste Verpfändung der Person, bezw. ihrer
Arbeitskraft und Freiheit (über diese Sächlichkeit auch unten 4. Kap. sub. B.)
Das fidem facere bezeichnet vielmehr die Wadiation, eben die Fidesstipulation.
Eid und Handschlag gehören dem Wadiationsrecht an. Dass dies wiederum
nicht mit der Geisselschaft und persönlichen Verpfändung zusammenhängt,
glauben wir durch die früher namhaft gemachten Erwägungen wahrscheinlich
gemacht zu haben. Dass aber eine persönliche Obligation in der Separat-
bedeutung einer Ehrverpfändung in der Wadiation liege, ist durch nichts
bewiesen. Über den Ausdruck fidem facere vergl. oben S. 407. Eid und
Handschlag treten also an die Stelle der Wadia und dienen tatsächlich demselben Zweck: Jüngere Formen zur Perfektionierung des Schuldvertrages, und
zwar zu einer Perfektionierung, welche immer auch schon eine bestimmte
Haftung involviert (Realvertragprinzip). Diese Haftung ist aber keine andere
als bisher. Fidem facere per wadiam gibt haftungsrechtlich nur ein Pfändungsrecht, eine germanische Mobiliarhypothek! Auch in diesem Punkte müssen
wir uns vorläufig mit der Bemerkung begnügen, dass uns das Gegenteil aus
den Quellen nicht beweisbar erscheint und müssen die positive Begründung
und die Verwertung der vorgetragenen Ansicht für das mittelalterliche
Recht späteren Ausführungen überlassen.

4. Kapitel

Pönalsanktion und Haftungsformen im belgischen und niederländischen Recht.

Der Versuch, die haftungsrechtlichen Erscheinungen, welche uns die ältesten Quellen bieten, zu würdigen, nötigte uns, zwei sich gegenüberstehende neuere Theorien des Formalismus in synthetischer Weise heranzuziehen. Und selbst jetzt erwiesen sich die Grundlagen noch als zu eng, um allen Erscheinungen, die uns entgegentraten, gerecht zu werden. Ein dritter Vorstellungskomplex musste in die Betrachtung mit einbezogen werden.

Die Theorie Frankens vermittelt uns das Verständnis der Vermögenshaftung in der eigenartigen Form, in der sie uns als germanische Mobiliarhypothek entgegentritt. Aber wir mussten gewahren, dass die Personalhaftung in diesem Rahmen keinen Platz fand.

Umgekehrt die Theorie Puntscharts. Wohl bietet dieselbe eine Erklärung der eigentlichen personae obligatio. Aber wir vermissen eine genetische Beleuchtung der obligatio bonorum. „Ursprünglich", so schreibt der Verfasser des Buches über den Schuldvertrag und das Treugelöbnis[1]), „befand sich jeder Haftende als Geisel in der Gewalt des Gläubigers, um zu verfallen, wenn die Schuld nicht erfüllt werden sollte. Nachdem dieses Stadium der Haftung überwunden und letztere mit der Freiheit der haftenden Person verträglich geworden war, trat an die Stelle der Vergeiselung das Versprechen, sich im Fall der Nichterfüllung der Schuld zu stellen, die eigene Person als Pfand dem Gläubiger zur Verfügung zu stellen, ebenfalls noch,

---

[1]) 490.

weil sie verfallen, gleich als ob Geiselschaft bestanden hätte. Dieses Versprechen war das Versprechen der Treue u. s. w. — —" Dann aber folgt die weittragende Wendung: „Als dann die Person im Falle der Nichterfüllung der Schuld nicht mehr wie ein Faustpfand verfiel, unbekümmert um das Verhältnis des Wertes des Haftungsobjektes zum Wert der Schuld, sondern als bei der Verwirklichung der Haftung das Vermögen in den Vordergrund trat, da wurde das Treuversprechen zum Versprechen, zwar auch noch immer sich selbst zum Pfand, dem Gläubiger zur Verfügung zu stellen, aber erst dann, wenn der Gläubiger mangels von Vermögen die Person selbst zur Verwirklichung der Haftung benötigt und nicht mehr, weil die Person verfallen war."

Darnach tritt also die Haftung des Vermögens gleichsam schützend vor die Haftung der Person mit ihrem körperlichen Substrat. Und zwar ergibt sich jene unmittelbar aus der Entwicklung der engern, eigentlichen Personalhaftung. Wohl obligierte sich die Person als solche. Aber immer mehr verzichtete man auf das Recht, sie ihrer Freiheit zu berauben, solange man in dem schuldnerischen Vermögen Ersatz und Genugtuung finden konnte. Grundsätzlich aber liegt das gedankliche Endziel des ganzen Verfahrens doch in der Überantwortung der schuldnerischen Person.

Es ist zu beachten, dass Plank[1]) und Puntschart von dem Recht des Mittelalters, sogar des jüngern Mittelalters ausgehen. Entspräche nun ihre Auffassung dem wirklichen historischen Werdegang, dann müssten wir in den früheren Perioden der Entwicklung auf eine unbedingt dominierende Bedeutung und wirklich zentrale Stellung der Personalexekution im Rahmen des Haftungsrechtes stossen. Aber wer wollte behaupten, dass das germanische Recht eine solche Erscheinung bietet? Selbst wenn die Auffassung Planks für das spätere Mittelalter dogmatisch zuträfe, niemals liesse sie sich genetisch in dem Sinne Puntscharts verwerten. Nicht läge dann nämlich in dem jüngern Recht ein Hervorschieben der Vermögenshaftung und ein Zurücktreten der Personalhaftung vor, sondern umgekehrt, die Entwicklung hätte

---

[1]) Welcher zuerst einer derartigen Auffassung das Wort geredet hat, deutsches Gerichtsverfahren II § 133 f., vergl. oben S. 126.

dieser letztern zu einer grundlegenden Bedeutung verholfen, die
sie nie zuvor besessen. Denn das lässt sich doch wohl aus
den germanischen Rechtsquellen mit aller Sicherheit erkennen:
Die Vermögenshaftung fristet ihr Dasein nicht als Magd der
Personalhaftung. nicht als ihr provisorischer Ersatz und als
ihre Aushülfe. Sie hat ihre eigene selbständige Existenz. Sie
ist gleichsam sich selbst genug und findet keineswegs ihre
begriffsnotwendige Ergänzung und Fortsetzung durch die Exekution in die Person. Wir sprechen von Begriffsnotwendigkeit.
Denn eine solche wäre bei der Theorie Puntscharts die Krönung
des mit der Pfandnahme einsetzenden Zwangsverfahrens wider
den Schuldner bezw. Bürgen durch die Personalexekution.
Davon ist nun aber nirgends die Rede. Primär und prinzi-
paliter haftet das Vermögen. Ja, es ist das zunächst die
alleinige zivile Haftung, die mangels weiterer Beredung in
Betracht kommt. Nur subsidiär tritt die Personenhaftung hinzu
und sie muss — das eben zeigt die Unabhängigkeit der beiden
Haftungen — in einem besondern Akt begründet werden [1][2].

Wie in dem Problem der Vermögenshaftung, so bedarf die
Theorie Puntscharts auch in dem Problem des Vertragsformalismus
der Ergänzung. Ja, nach dieser Richtung hin erwies sich die
Theorie Frankens geradezu als superior. Sie berief sich auf die
Naturnotwendigkeit des allmählichen Niederganges des Wadiationsrechtes — war dieses doch selbst nur das Produkt eines ständigen Niederganges pfandrechtlicher Institute — und liess es
infolgedessen als natürlich erscheinen, dass die Wadia durch

[1] Eine ganz anders lautende, aber auch ganz anders zutreffende Ableitung des spätern Haftungsrechtes gibt Huber, schweiz. Privatrecht IV
S. 841 f., wo insbes. S. 843 die entwicklungsgeschichtliche Bedeutung der
Klausel „sub obligatione omnium bonorum" eine Darstellung fand, die wir
in dieser Schrift nur bestätigen konnten.

[2] Es darf also vor allem auch nicht angenommen werden, wie man
aus der zitierten Stelle Puntscharts S. 490 schliessen könnte, dass die Vermögenshaftung im Rahmen des persönlichen Haftungsrechtes die Funktion
übernommen habe, einen Ausgleich zwischen Schuldbetrag und Ersatz im Satisfaktionsverfahren zu schaffen. In selbständiger Weise hatte sich in dieser
Beziehung die Entwicklung im Recht der Vermögenshaftung bereits entwickelt, wenn wir vom Langobardenrecht absehen. Aber auch die Personalhaftung erwies sich zu einer derartigen Entwicklung durchaus fähig wie
die früher genannten Beredungen zeigen.

den Handschlag ersetzt und abgelöst wurde[1]). Umgekehrt hin-
gegen wird durch die Erklärung des mittelalterlichen Gelöbnis-
Formalismus, wie sie Puntschart gibt, der Formalismus der
Wadiabegebung noch nicht erklärt. Ja, wir stossen vielmehr
bei voller Würdigung der dieser letztern zukommenden Wirkungen
auf ernste Schwierigkeiten. Doch wie dem auch sei[2]) — im
Haftungsrecht sind zur Erklärung der spätern Entwicklung wohl
zwei Ausgangspunkte anzunehmen: faustpfandartige Haftung der
Person — faustpfandartige Haftung von Vermögensobjekten, von
Sachen. Auf dieser Grundlage vollzogen sich zwei in Richtung
und Resultat analoge Entwicklungen. Sie führten zur hypothekarischen Haftung der Person, herzustellen durch symbolische
Unterwerfung und zur hypothekarischen Haftung des Vermögens
herzustellen ebenfalls durch symbolischen Akt, durch die Wadiation.

Doch älter als alles traditionslose Pfand, als alle hypothekarische Haftung sind die Vorstellungen, die alles zivile
Schuldrecht im kriminellen Schuldrecht befangen sein liessen.
Deshalb die Möglichkeit eines gewaltmässigen Vorgehens in
einem Verfahren, das nicht Satisfaktions-, sondern Pönal-, Sühne-
verfahren ist. Auf dieser Basis gelangten wohl einzelne Rechte
unmittelbar zu einer gesetzlichen und universellen Vermögens-
bezw. Vermögens- und Personenhaftung. In der Mehrzahl der
Rechte war dies aber darum unmöglich, weil die beiden
genannten (beschränkten) Haftungen ja gerade zur Verhinderung
des Pönalverfahrens errichtet wurden. Dies geschah in immer
grösserem Umfange und schliesslich blieben überhaupt nur noch
diese haftungsrechtlichen Vorstellungen lebendig. Aber auch
die Entwicklung dieser vertraglichen Haftung wurde mannigfach
von dem Pönalverfahren her befruchtet.

So glauben wir die Erscheinungen des germanischen Rechtes
auffassen zu müssen, so um ihrer selbst willen. Aber nachträglich will es uns scheinen, dass sich uns so auch ungezwungen
der Schlüssel bietet zum Verständnis des spätmittelalterlichen
Haftungs- und Exekutionsrechtes. Es ist ja bekannt, wie viel-

---

[1]) Vergl. Schröder[4] S. 293 f., Huber 831 f. Auch darauf wird zurückzukommen sein.

[2]) Es wird in anderem Zusammenhange auf diese Probleme zurückzukommen sein, vergl. unten B. in finem.

gestalt und scheinbar widerspruchsvoll dies letztere ist[1]). Es
ist nicht aus einem Gusse. Wie wäre das nach seiner Vor-
geschichte auch möglich! Noch ist das alte Recht nicht bis
auf seine Fundamente zerstört und überwunden. Im Gegenteil
besteht noch die alte dreigestaltige Grundlage, die dem Ganzen
seine architektonische Struktur verleiht. Dies ergab sich uns
schon für das französische Recht. In erhöhtem Masse trifft es
für das niederländische und das belgische[2]) Recht zu.

A. Ungehorsamsverfahren und Pönalsanktion.

Vorerst einige Rechtsaltertümer aus belgischen und holländischen Quellen. Sie werden dartun, in welch weitgehender
Weise noch in der zweiten Hälfte des Mittelalters und später
das Rechtsleben in einen formalistischen Rahmen eingespannt war.

Die Ladung vor Gericht, das ajourner oder tagen[3])
geschieht an bestimmten Orten. Ursprünglich musste sie
bekanntlich im Hause des Gegners geschehen[4]). Das führte schon
in der Karolingerzeit angesichts der Grundbesitzer, deren Häuser
durch die Normannen verbrannt worden waren, zu Unzuträglich-
keiten[5]). Aber in der nachfolgenden Zeit traurigen Niederganges und Verfalles war eine solche Regelung vollends unmöglich. Nur selten wird mehr im Hause geladen[6]). Fast
allgemein wird vielmehr die Ladung im Hause gerade verboten.
Sie hat „auf königlichem Wege" zu geschehen — unter freiem
Himmel.

on l'amoine en justiche en royaul chemien[7]).

Es wird für jedes Verfahren untersagt, die Partei in einem
geschlossenen Raum überhaupt vorzuladen.

---

[1]) Vergl. Plank a. a. O. II, S. 244.

[2]) Über diese Quellen ist zu vergleichen Brunner, cit. im Quellen-
verzeichnis, ferner Defacqz, Ancien droit belgique 1873 und 1846, Vander-
kindere, Institutions de la Begique au Moyen Age 1890 (nur ad a. 843),
Britz, Code de l'ancien dr. belgique 1847. Viele der im folgenden benützten
Editionen haben sehr beachtenswerte quellengeschichtliche Einleitungen.

[3]) Brunner, R. G. II 333, insb. N. 4.

[4]) Brunner l. c. S. 332.

[5]) Brunner R. G. I 379 f.

[6]) Nur diesen Modus nennt Warnkönig, Flandrische Staats- und
Rechtsgeschichte, Bd. III, 1642, S. 279.

[7]) Li Paweilhars No. 72.

In aliqua ecclesia, in taberna, in domo aliqua non licet villico, ueque scabinis, nec eorum ministris ut precipiant quod aliquis veniat ad justitiam, vel propter catallum seu propter aliam culpam[1]).

Selbst um einen Missetäter vor Gericht zu ziehen, darf man nicht in ein Haus eintreten, es sei denn, dass illo qui in eadem domo manet es erlaubt[2]). — Bekanntlich konnte ein gerichtliches Verfahren auch durch vorsorglichen Zwang in der Form der Besate, der Arrestierung von Sachen oder Personen veranlasst werden[3]). Auch diese zwangsweise Herstellung einer Sicherung sollte nicht in einem Gebäude geschehen. Nur allmählich wurden Ausnahmen zugelassen. Dem Arrestierungsverfahren kam insbesondere Fremden gegenüber eine grosse Bedeutung zu. Es wurde nun, wenn zunächst auch nur schüchtern, gestattet, dass man unter Beachtung aller Vorsichtsmassregeln im Wirtshaus eine Besate vornehmen dürfe. Und dies gilt denn noch im 16. Jahrhundert. Man kann im Arrestverfahren in bloss formeller Weise, ohne Apprehension auf den Schuldner greifen. Aber in allen Fällen ist es verboten, ihn zu Hause anzugehen, wenn er es nicht erlaubt. Ist er aber nicht zu Hause, so müssen, so weit der Befehl auch in seiner Abwesenheit gültig gegeben werden kann, seine Angehörigen die Zustimmung erteilen[4]). Nur in Bezug auf Gasthäuser und ähnliche Gebäude von öffentlichem Charakter gilt ein anderes[5]).

---

[1]) Diplom von Philipp II. a. 1208, art. 11, Liège I, S. 364, vergl. S. 368.
) Diplom cit. art. 10.
[3]) Vergl. Behme, Lübecker Oberstadtbuch 150 f., oben S. 338 und Plank dort cit.
[4]) Van besetten. Ende man mach lude besetten also wail in tauernen als op die strate. Mer weert dat ijeman queme in een herberge off in enich hoijs ende daer ijnne bleue ende nijet optie straet ghaen en wolde ende onsen borgeren schuldich weer Soe sal onse borger ghaen anden weert ende seggen die knaep is mij schuldich sprect oen off hij mij voldoen wil buten ghericht dat wil ic nemen. Ende ist dat hij des nijet doen en wil so mach hij den besetten inder herberge. Kampen, das goldene Buch, S. 163 a. 1389.
[5]) Men en mach geen huyssoeckinge doen, noch yemanden, t'zy gefaillerde persoonen ofte andere, om Civile saken in eenige huysen, noch oock in eenige schepen, in vlieten oft daer buyten liggende, albier arresteren, apprehenderen, oft wt leyden, sonder wille ende consente vanden inwoonder, ofte in sijne absentie, van sijnen huysgesinne: wtgenomen

Wie an bestimmten Orten, so kann die Ladung auch nur
zu bestimmter Zeit geschehen. Sie soll nur an bestimmten
Wochentagen vorgenommen werden und nur zu bestimmter
Stunde[1]).

Endlich werden Ladung und Besate in streng formeller
Weise vorgenommen[2]).

Auf die Ladung hin hat der Schuldner zu rechter Zeit vor
Gericht zu erscheinen. Eine Äusserlichkeit, eine bestimmte Form
gibt dafür den Massstab, ob er rechtzeitig gekommen sei oder
ob er als Contumax zu gelten habe[3]), wie denn überhaupt die
Konstatierung, dass einer nicht erschienen ist, oder die andere,
dass einer vorflüchtig geworden, in vorgeschriebener Form zu
erfolgen hat[4]).

Die Gerichtsverhandlungen erfolgen in gebanntem Gericht[5]),
wiederum: zu bestimmter Zeit und an bestimmtem Ort[6]). Es
wird Lust geboten und Unlust verboten[7]) und die Parteien
müssen bei ihren Worten bleiben.

tavernen, gasterijen etc. Maer arrestementen van goeden mogen soo wel in
Poorters ende Ingesetene huysen gheschieden, als elders. C. d'Anvers tit.
XXVII art. 15. Anvers Bd. II S. 118.

[1]) um des Maendages to richte tyt wird nach der Stadsrol von
Ootmarsum 1507 ein Fronbote gegeben. Erst um die Mitte des 16. Jahr-
hunderts wird es nach dem Stadtrecht von Steenwijk zugelassen, dass der
Schuldner an jedem Tage aufgeboten oder angepfändet werde. art. 20.

[2]) Darauf ist noch zurückzukommen.

[3]) Die sich nae dat gericht kiert ende antwoirt gift eer dat vinster
gesloeten word, den mach men genen schaeden doen soe hij dan niet
ongehoersam word geacht. Der Schuldner mag kommen bis die Fenster
geschlossen werden; solange gilt er nicht für ungehorsam. Und gleich die
interessante Fortsetzung der Stelle: Desgelijcx die bewijsen kan, dat hij enen
sijner saecken volmuchtich gemaect heft ende dieselfde versumde anspraecke
te doen, soo sall die verwerer niet wt den rechten sijn, doch mach sijne
onkosten des daechs an den volmechtigen verhaelen. Im Falle einer Vertretung durch Bevollmächtigte soll der Schuldner nicht ausser Rechts gelegt
werden bei Versäumnis, die der Vertreter sich zu schulden kommen liess.
Campen (Croeser) Mitte des 16. Jahrhunderts. S. 31.

[4]) Hasselt No. 86.

[5]) vierscara hannita, Keure von 1240 No. 28, Warnkönig, Urk. II S. 76;
vergl. Warnkönig cit. III S. 271 f.

[6]) Vergl. Warnkönig cit.

[7]) Steinwijk, um 1550, art. 7 und 8. Burchard, Hegung der deutschen
Gerichte 1893.

Maect ons lust, ende wat ick uw segge, daer wil ick by blyen; ende daer sall hy an lyenn, die die saacke syne is, ende wes hy daervan gesecht hefft, dat mach hy verbeterenn, verminderen noch vermeeren, dan hy sal by den seluen woorden blyuen[1]).

Insbesondere soll der Beklagte auch bei der Klage um Schuld nur mit Ja oder Nein antworten.

Beclaget eyn gast ceneu porter, so sal die porter daerup antwarden neen of ja. War dan die porter bekent, dat sal hy dien gaste gelden binnen vierten nachten. Doet hys niet, so magh one die gast doen penden voer dat hy om becant heft[2]).

Der Beklagte kann sich durch Eid purgieren. Dabei bedarf er wohl auch noch in Zivilsachen des Beistandes von Eideshelfern, die schwören, dass sein Eid vollwertig und gut sei[3]). Der Eid wird gestabt[4]). Ein Verstoss gegen die Formvorschriften macht sachfällig. Erst spät bestimmen unsere Rechte, dass ein Formfehler zunächst nur die Schuldsumme um ein Bestimmtes erhöhen soll. Und nur wenn der Schuldner bei dreimaligem Schwören der „Gefahr"[5]) nicht zu entrinnen vermag, soll er seine Sache verloren haben[6]).

---

[1]) Art. 8 cit.

[2]) Kondichbroek der Stad Zutphen 1356—1357 No. 59. Doch gilt dies keineswegs bloss im Rechtsstreit zwischen Bürgern und Fremden, sondern auch für die Einheimischen schlechtweg. Kan his mit scepene neit tobrenken, so mach hie one sculdeghen ende de andere mach seggen ia of neyn. Stadtbuch von Zutphen, erste Hälfte des 14. Jahrh. § 12; vergl. Brunner R. G. I 180, II 342 f., insb. 346, Entstehung der Schwurgerichte, 44, Schröder R. G. 85, 362.

[3]) Brunner R. G. II 378 f., dort über niederländisch mittelalterliches Recht S. 379 N. 8 382 N. 31, 385 N. 59, 387 N. 72, Schröder 364 f., 772, Warnkönig III 295 f. Ouste Rechte van het Baljuwschap van Zuidholland, Dordrecht II S. 265 N. 61 goede wittachtige mannen, welche schwören, dat synen eedt oprecht ende voer goet gehouden wordt.

[4]) Brunner II 427 f., 427 N. 2 niederl. Eidspiel, vergl. Nijmegen, S. 459, Cursus 1385 N. 14. Hasselt, 15. Jahrh. S. 112 Vandeu Eedt toe stauen.

[5]) Siegel, Die Gefahr vor Gericht und im Rechtsgang, Wiener Sitzungsberichte LI.

[6]) Valt hy daerinne gebreckelicken soe sal hy verbuert hebben tot twee reysen toe, tot elcke reyss thien schellingen, ende vollbrengt by den eedt niet den dorden off daerenbinnen, soe sal hy saecke verloren ende daeraen verbuert hebben thien pondt etc., oudste Rechten van het Baljuwschap van Zuidh. cit.

Der Unterliegende muss dem Kläger „bei scheinender
Sonne" genugtun, d. h. noch am Tage des Gerichts vor Anbruch
der Nacht[1]). Der Schuldner „zahlt" mit Geld oder mit
Pfändern[2]). Auch das Lösen der Pfänder muss bei scheinender
Sonne geschehen[3]). Verbürgt sich jemand vor Gericht für einen
andern, so muss dieser andere ebenfalls vor Gericht anwesend sein[4]).

Ursprünglich galt wohl der Grundsatz, dass ein jedes
Rechtsverhältnis nur in derjenigen Form gelöst werden könne,
in welcher es auch begründet worden, nur vor derselben Instanz,
nur unter analogen Formalien. Ein Ausfluss und ein Überrest
dieser Auffassung ist es, wenn ein Keurbrief gegen 1190 bestimmt:

Quidquid invadiatur coram scabinis, solvetur coram scabinis.
De omni eo, quod invadiatur coram scabinis, duo scabinis
poterunt cognoscere usque ad X libras; tres XV libras; quatuor
XX libras; septem omnia. Et quotquot scabini possunt cognoscere
alicujus debitum, totidem cognoscere poterunt ejusdem
solutionem[5]).

Die Besate im vorsorglichen Zwang findet in streng
formeller Weise statt. Es wird die Hand auf das Gut gelegt
und dasselbe unter bestimmter Wortformel als bekummert
erklärt. Zeugen müssen bekunden, dass die vorgeschriebene
Form innegehalten wurde[6]). Dasselbe gilt nun aber auch für

---

[1]) Campen (Crosser) S. 91, 451, Nijmegen 451.

[2]) Li Paweilhars N. 8, N. 58 dat salmen betalen bi schinender sonnen
mit reeden gelde off mijt gueden panden. Goldenes Buch von Campen S. 159.

[3]) Ende losset men die pande nijet op ten dach bi schinender sonnen
so mach die ghens dien die pande gesat sijn die vercopen etc. Campen 158.

[4]) Et snchiez que nolle personne, queile qu'il soit, ne se puet obligier
devant justice, se li personne pour cuy il soy oblige, ou son mambour pris
par justice n'est là présens. Li Paweilhars N. 194. Nach dem Paweilhars
werden die Bürgen bei Nichterscheinen des Angeklagten mit derjenigen
Strafe bestraft, welche den Angeklagten getroffen hätte. No. 56 vergl.
Liège I S. 164.

[5]) § 8. C. der Franc de Bruges Bd. II.

[6]) Den rechter. Ick vraech u, N., alsoe N. besettinghe begeert, wat
ick hem schuldich ben te doen met recht.

Den beemract. Ick seg dat ghy hem recht doen sult, op sijn ban
ende boeten.

Item soe seyt die rechter tegens de party die recht
versoect:

die Aufhebung des Arrestes. Die Quellen statuieren ihre forma dearrestationis, die forme van guede te doen ontsetten[1]). Es bedarf keiner weiteren Ausführung, dass auch die gerichtliche Pfändung in entsprechenden Formen sich bewegt[2]).

Dagegen ist für die Gedankengänge, die wir sofort aufnehmen und des nähern verfolgen werden, von besonderer Wichtigkeit und darum besonders hervorzuheben, dass auch der Zahlungsbefehl in genau der gleichen Weise, d. h. ebenso formell erfolgt, wie die Ladung. Das commander geschieht durch „Mund und Brief und Bote"[3]) und ebenso wie die Ladung ausschliesslich auf königlichem Wege[4]). Ja für den Zahlungsbefehl gilt in

---

Legter u handt op dat ghy besedt wilt hebben. — Alsoe besedt ick dat goet van sheeren weegen, een, twee, drie ende vierwerff; ick gebye dat niemandt dat goet en ript noch en verroert, op die hoochste boeten die te lande staen; dat gebye ick van sheeren weegen, een, twee, drie ende vierwerff. Ick vraech u, N., of ick dat goet besedt heb nasden rechte vanden lands, ofte niet.

Den heemraet. Jae.

Den rechter. Ick vraech u, N., off die party van deese besettinge schuldich is senich weet te hebben.

Den heemraet. Jae.

Den rechter. Alsoe partyen haer recht aenden heer versien, soe vraech ick u. N., hoe die heer hem selven schuldich is te ontlasten ende die partyen te vreeden te schicken.

Den heemraet. Ick seg datmen dat goet besteeden sal te wachten, op sgoets cost, censu man die solvent genoech is, ter tijt toe dattet gost verborcht is off die partyen te vreeden geschict sijn.

Den rechter. Ick vraech u, N, off die man solvent genoech es voert goet, om te wachten.

Den heemraet. Jas.

Den rechter. Ick vraech u, N., off deese man solvent ghenoech es om dit gost te verborgen, ofte niet.

Den heemraet. Jae. De Dingtaal van Zuidholland Dordrecht II 314 f.

[1]) Nijmegen S. 468. Ganz besonders komplizierte und interessante Formen ausführlich in den C. d'Anvers „Impressae", tit. XXVIII, Anvers Bd. II, S. 127 f.

[2]) Vergl. in dem vorige Seite No. 6 cit. Dingtaal Lüttich Bd. II, S. 381. Ord. von 1551 No. 77 u. v. a.

[3]) Lettre a. 1361 No. 7 Lüttich II S. 15.

[4]) ilhe li doit commandeir à payer en royaul chemien, par le tesmoingnaige des esquevins, si hault que loy ensengne. Et si appellons royaul chemien partout sens maisons et sens clossin, tant que pour faire le commant. Li Paweilhars No. 14. Liège I 80.

noch höherem Masse, dass er nicht mehr im Hause des Schuldners
vorgenommen werden dürfe. Darin eben ist ein Beweis dafür
zu erblicken, dass die merkwürdige Wandlung, welche im fraglichen Punkte aus den Quellen gegenüber dem ältesten Rechte
zu erkennen ist, auf die schon angedeutete Art zu erklären sei:
Man fürchtet Störungen der Ordnung, Exzesse[1]. So ist es
möglich, dass tatsächlich das ajourner, die Ladung immer noch
im Hause des Gegners stattfindet. Erfolgt dann aber das
Obsiegen des Klägers, dann bleibt für den Zahlungsbefehl das
Haus verschlossen. Nur unter der Haustüre darf das commander
an den Schuldner gerichtet werden.

Pour queilconques debtes que ce soit, on porat adjourneir
le borgois en sa maison par le botilhon ou forestier de lieu,
par trois adjours; et s'ilh ne compeirt ou soy excuse rai-
sonablement ensi que loy requiert, on li commanderat le debte
ou le covent alle usserie de la maison, avoikes les amendes
à payer etc.[2].

Doch genug! Diese Zusammenstellung war willkürlich und
sie könnte aus unseren Quellen in infinitum fortgesetzt werden.
Aber sie zeigt bereits, worauf es hier ankommt: die Herrschaft
der Form. Das Rechtsleben vollzieht sich in einer
starren Formalordnung[3].

Eine solche Rechtsordnung muss hart und streng sein,
oder — sie ist überhaupt nicht. Überall wo sie auf den Willen
und das Handeln des Menschen abzustellen hat, wird sie vor
den äussersten Mitteln nicht zurückschrecken, um sich durchzusetzen. Ihre Organe erlassen zu diesem Behufe zunächst
Befehle. Und diese müssen strikte ausgeführt werden. Das
ist Genossenpflicht. Es hiesse diese Rechtsordnung bis in ihre
Grundlagen hinein negieren, wollte man einem solchen Befehle
nicht nachkommen. Das wäre Ungehorsam, Versäumnis der

---

[1] So erklärt es sich auch, dass zwar noch die Güter im Hause
besetzt werden dürfen, vgl. oben S. 437 No. 5, nicht aber die Person des
Schuldners selbst, l. c. ferner noch 1662 in Lüttich Bd. III, S. 320.
Übrigens erfolgt wie die Pfandnahme, so auch das Ergreifen der Person mit
dem Schlüssel des Bürgermeisters. Ordonnanz von 1551 No. 77. C. c. Bd.
II, S. 381, Records 1537 Bd. III, S. 26.

[2] Mutation 1386 N. 29, Lüttich II, S. 66, vergl. Brunner II, S. 334 N. 13.

[3] v. Amira, Grundriss 212. Grimm, deutsche Rechtsaltertümer 4. Ausg.
Bd. 2 S. 351 fg., Heusler Institutionen I, 60 fg. Brunner, Grundzüge[2] 157 f.

Genossenpflicht, — eine Missetat! Und die entsprechende Reaktion von seiten der verletzten Rechtsordnung bliebe nicht aus.

Unsere Quellen berichten ausführlich von der Ladung[1]), von dem Aufbieten vor Gericht. Das ist begreiflich bei der eminenten Tragweite dieser Rechtshandlung. Es wird darum nicht nur genau die Form beschrieben, in welcher sie sich vollziehen soll, sondern es wird auch gewissenhaft festgesetzt, an wen die Ladung ergehen dürfe, wenn der Schuldner nicht anzutreffen ist. Dann soll das Aufgebot rechtskräftig auch an seine Frau oder seine Kinder oder seine Freunde abgegeben werden können. Und diese sind gehalten, es weiter zu geben[2]). Oder es werden noch die Nachbarn besonders genannt[3]) oder das Gesinde soll den Befehl entgegennehmen[4]). Dass diese einlässliche Regelung ihren Grund in der grossen Bedeutung der Ladung hat, zeigt sich vor allem auch darin, dass die ganze Form derselben gelegentlich gerade nach den Wirkungen bestimmt wird, welche eine resultatlose Ladung zur Folge hat. Es soll ein jeder einen andern vor Gericht laden können, und es soll der Partei geglaubt werden, wenn sie unter ihrem Eid versichert, die Ladung gehörig vorgenommen zu haben. Aber besteht die Folge des Nichterscheinens in Sachfälligkeit oder in Bannlegung, dann darf die Partei nicht allein laden. Dann müssen ihr zwei Schöffen oder gute Zeugen zur Seite stehen[5]).

---

[1]) Warnkönig III 278 f.

[2]) Dat ijeman van onsen borgeren schuldich weer den anderen onsen borgere een somme gelts off guet ende sijn dach omquame ende die ghene die schuldich weer sot onser Stat weeke off dann nijet in der Stat en weer. So mochte die ghene den men schuldich is des anderen wijff off sijne kijndere off vriende doen bieden voer Scepenen. Stellt sich heraus, dass diese Angesprochenen, Frau oder Kinder oder Freunde keine Weisung haben, die Schuld zu bezahlen, dann wird ihnen aufgetragen, das Aufgebot dem Schuldner zur Kenntnis zu bringen und zwar in vier Wochen, wenn er im Lande weilt, oder in einem halben Jahre, wenn er ausser Landes gezogen ist. Goldenes Buch von Campen S. 162/3.

[3]) Campen (Dr. Croeser) S. 15. Dabei wird aber ein besonderes Weiterleiten nicht mehr vorgesehen. Wenn die Angehörigen oder das Gesinde das Aufgebot entgegengenommen haben, findet das Verfahren seinen Fortgang, gelijck off hem sulcx an sijn persoen gedaen were.

[4]) Campen l. c., Steenwijk Nr. 19 S. 19.

[5]) Aloet, le nouvel previlegue 1330, Nr. 28. Vergl. Nr. 29. Aber es ladet hier immer noch die Partei, vergl. Brunner II 332.

Die Ladung ist ein Befehl. Wer diesem nicht gehorcht, ist „ungehorsam“. Und dieser Ungehorsam macht bussfällig.

Want eenich persoen aengesproken is op syn tweede genachten, en hy nict voort en coempt als hy geroepen wordt, men sal wysen voort binnen den gedinge; ende als men op dingende is, soe wyt men gelt oft pandt binnen der sonnen; dan, te versuecken des scholteten, wyst men alsulcken **misdedlch** op VII schillingen, **als van ongehoorsaemheyt**, altyt op alsoe dat die partye inbrenge dan, by der ersten genachten, onschult, wellige onschult die't lantrecht pryst[1]).

Ennich van onson borgeren, die voer het rechte off denn gerichte gelaedenn wordt ende geboden is ende die selue niet en quame ende **onghehoorsuem** wtbleue noch den anspraecker niet en antwoorde, wer dergestalt nicht gehorcht, zahlt eine Busse zur Hälfte an den Bürgermeister, zur Hälfte der Stadt. Dann erfolgt ein zweites Aufbieten. Bleibt er wieder ungehorsam weg, dann zahlt er das Doppelte der ersten Busse, wiederum in der genannten Weise verteilt. Dann soll man ihn ein drittesmal doen verdachuarden. Dann erfolgt Bussfälligkeit für das Dreifache etc.[2]).

In aller Deutlichkeit sagen es also die Quellen: Nichterscheinen nach erfolgter Ladung ist Ungehorsam und macht bussfällig[3]). Stets erfolgen mehrere, in unseren Quellen regelmässig drei Ladungen[4]). Dabei kann schon die erste Ladung zu einer Busse führen oder aber die Bussfälligkeit tritt erst ein, nachdem sämtliche Ladungen sich als erfolglos erwiesen haben. Die Busse wird durch das Gericht ausgesprochen.

Mit der Bussfälligkeit tritt auch Sachfälligkeit ein[5]). Aber

---

[1]) Loensche Landrecht art. 8 Looz I. S. 42.

[2]) Sachfälligkeit und Haftung für allen Schaden und alle Kosten. Steenwijk, Stadtbuch aus der Mitte des 16. Jahrhunderts Nr. 21 S. 20. Vergl. Stadtrecht von Ommen, 1451, Li Paweilhars Nr. 58, ferner die bei Warnkönig III S. 281 Nr. 808 cit. Quellen.

[3]) Brunner II 461.

[4]) Brunner II 337, insb. auch Nr. 31 u. i. A. Sohm Altdeutsche Reichs- und Gerichtsverfassung 114 f., Bethmann - Hollweg I, 26, 472, über das Recht der fränkischen Zeit auch Schröder 374 fg. und die dort Nr. 83 cit.

[5]) Vergl. oben S. 407, 414, ferner Warnkönig l. c. 809, ausführlich über das mittelalterlich-deutsche insb. sächsische Recht Plank, Gerichts-

der Schuldner, der von vorneherein sich nicht auf die gerichtliche Verhandlung einliess, wird nun schwerlich gesonnen sein, seinen durch die ihm auferlegten Bussen erhöhten Verpflichtungen nachzukommen. Doch in diesem Falle findet das Ungehorsamsverfahren seinen unmittelbaren Fortgang. **Über den Bussschuldner wird der Bann verhängt.** Er wird nun nicht mehr geladen, sondern es wird ihm befohlen, die Bussen und die Schuld zu zahlen und gleichzeitig wird ihm für den Unterlassungsfall die Verhängung des Bannes angedroht.

Se uns bons demande debte à une aultre homme pardevant justiche, et chis n'y responde à la demande, et li maire le mette en warde, et li partye s'en déplainde, chis at attenté sa debte qu'ilhe li arat demandeit, et la justiche VII sous, lesqueilz deniers li mairez li doit et puet commandeir que ilhe les payet de soleal luiseant, ou ilhe voist gesire arier le justiche[1]).

Pour queilconques debtes que ce soit, on porat — adjourneir le borgois — par trois adjours; et s'ilh ne compeirt — on li commanderat le debte ou le covent — avoikes les amendes à payer dedens trois jours, sour estre bannis fours delle justiche ou banlieu etc.[2]).

Leistet der Contumax nicht in der angesetzten kurzen Frist, so wird der Bann ausgesprochen. Der Ungehorsame wird zum „exlex"[3]).

Super debito pecuniae citari potest quilibet — — ad querimoniam alterius: et si citatus non comparuerit banniri debet[4]).

Die Bannlegung ist die Krönung des Ungehorsamsverfahrens. Ihren formalen Grund findet sie in der Bussfälligkeit und diese ist die Sanktion der Gehorsamsweigerung. Und wie sehr dies alles sich in formellem Rahmen abspielt, zeigt jenes

verfahren § 140, 141. Dort auch über das Nichterscheinen des Klägers § 146, Schröder 375, Warnkönig III 281, vergl. dort Nr. 811, v. Amira. Grundriss 221.

[1]) Li Paweilhas 58.

[2]) La mutation 1386 Nr. 29.

[3]) Alost, Le nouvel previlegue 1330 No. 69. Extra legem erit, R. der Freien von Brügge II S. 14 § 50 f.

[4]) Keuro der vier Ämter 1242, X 27, Warnkönig, Urkundenbuch II S. 191, vergl. ferner Warnkönig III N. 811.

dem 16. Jahrhundert angehörige Stadtrecht, das bestimmt, der
Geladene gelte nicht als ungehorsam und man solle ihm keinen
Schaden antun, wenn er im Gericht erscheine, bevor die Fenster
des Gerichtssaales geschlossen würden, und ebenso soll der
Geladene wegen einer Säumnis des von ihm bestellten Vertreters
nicht „wt den rechten" gesetzt werden [1]).

Daraus geht nun schon hervor, dass ein derartiges formales
Unrecht keineswegs bloss der Ladung gegenüber verübt werden
kann. Es ist vielmehr anzunehmen, dass grundsätzlich jeder
rechtskräftige formelle Befehl, insbesondere jede
gerichtliche Aufforderung in thesi zum Ungehorsamsverfahren führen kann [2]).

Die Rechte unseres Quellengebietes gehen darin tatsächlich
ausserordentlich weit. Es scheint dies geradezu der bevorzugte
Modus der Rechtsdurchsetzung gewesen zu sein. Denn er kommt
selbst da zur Anwendung, wo ein anderer und unmittelbarer Weg
nicht ausgeschlossen gewesen wäre.

So wird dem Schuldner befohlen, in den Schuldturm zu
gehen. Leistet er dieser Aufforderung nicht Folge, so verfällt
er in Busse. Denn er ist ein Ungehorsamer. So das Stadtrecht
von Nijmegen:

Man pfändet zuerst das Vermögen des Schuldners, soweit
man desselben habhaft werden kann. Ist der Gläubiger noch
nicht befriedigt, so soll der Schuldner weitere Pfänder anweisen
und endlich wird ihm befohlen, in den Schuldturm zu gehen.
Nochtant sall hijt doen, ende dairtoe sullen die burgermeister
off baden tot gesijnnen des anleggers, wannere die baden ge-
gichticht hefft op synen ett dat hy den schulder beveel gedaen
hed, te doen als vurscr. steet, ende die schulder darijn
ongehoirsam worden weer, den ongehoersamen antasten
ende opter poerten voirs. leiden, dairop to blyeven ter tijt toe
den anlegger volschiet is, ende den here ouser stat die
broecken dairop staende betailt sijn [3]).

Dieselbe Auffassung liegt folgendem Falle zu Grunde.
Der Gerichtsdiener P. hält bei sich auf Betreiben des Gläubigers
S. den Schuldner R. gefangen. P. beschwert sich beim Gericht über

[1]) Oben S. 438 N. 3.
[2]) Vergl. v. Amira, Grundriss, 212.
[3]) Ouds nieuwe brief 1471 N. 11.

S. und verlangt Bezahlung oder Sicherheit für die aufgewendeten Kosten. Das Gericht spricht sich dahin aus, dass allerdings S. die Kosten zu zahlen habe, wenn er wolle, dass sein Schuldner im Schuldturm sitze. Nun gelangen für diesen Fall die mittelalterlichen Rechte durchweg zur Annahme einer gesetzlichen Zahlpflicht bezw. Haftung des Gläubigers. Anders hier — es handelt sich um das Recht von Namur — hier wird dem Gläubiger aufgetragen, sich zu obligieren. Da er dem Befehl nicht nachkommt, wird demselben durch Busse Nachdruck verliehen.

En ensuivant lequel jugement, ledit mayeur enjoindi audit S. de finer et soy obligier de payer ledit sergant, en cas toutes voyes, là où icellui sergant ne les pouroit avoir dudit R. Quoi oyant, ledit S. dist et respondi tout court que, par le Sang Dieu il ne s'en obligeroit jà; et tellement que le desseur dit mayeur le calenga, de la somme de cent florin — — ou de tous ses biens meubles, ou de telle autres amende que eschevins diroient qu'il avoit fourfait[1]).

Es wird also befohlen, eine Haftung herzustellen oder eine solche selbsttätig zu realisieren. In beiden Fällen stehen Bussfälligkeit und Ungehorsamsverfahren hinter dem Befehl.

Es ist nun aber auch nur eine unmittelbare Konsequenz der diesen Erscheinungen zu Grunde liegenden Auffassung, wenn dem unterliegenden Schuldner zu zahlen befohlen wurde und er dadurch bei Nichtbefriedigung des Gläubigers bussfällig wird, sodass nunmehr gegen ihn das Ungehorsamsverfahren seinen Lauf nimmt[2]).

Darauf wird sogleich einzugehen sein. Es soll nur eine Bemerkung über diesen Bann vorausgeschickt werden. Dieser Bann ist pönaler Natur und ein direkter Abkömmling der Friedlosigkeit. Dieses letztere geht daraus hervor, dass er selbst gelegentlich noch so genannt wird. Der Schuldner wird noch im 15. Jahrhundert „friedlos" gelegt.

Dede ienich man pantweygeringhe van bekande schult, daer hem een ratman een boet van ghedaen heuet bynnen XXI daghen te bitalen biden X pennighe to broke, de breket ene

---

[1]) Rep. von 1483 No. 6. Namur Bd. II S. 141.

[2]) Vergl. Brunner, Über den Ungehorsam gegen das Urteil II 452 f., Schröder 374.

sware marc to der stad behoef; ende voert so mach de raetman
terstond beden den schuldener by eenre sware marc to broke, dat
he den clager voer sine schulde ende der stad ende den raetman
voer oer broke vanden X pennig voeldoe by sunnenschine.
Eude he sal mede seggen, doet he neet vol by sonnenschine,
dat he des uasteu rechtdaghes voerden houe en waerneme; de
borgermeyster myt sinen ghesellen, de dat recht biwaren voerden
houe, sullen mitden rechte voertvaren ende hem **vredeloes**
(leggen) sonder nachtforst daerof to nemen, beyde voer broke
ende voer schulde[1]).

Der Schuldner hat die Schuld vor dem Rat bekannt. Ein
Ratsherr befiehlt ihm, unter Bussandrohung, innerhalb 21 Tagen
zu zahlen. Lässt der Schuldner diese Frist verstreichen, so hat der
Ratsmann ihm sofort nochmals Zahlung anzuempfehlen. Auch die
Busse an die Stadt und den Rat — zehn Pfennige — soll er
zahlen, alles noch an demselben Tage vor Sonnenuntergang.
Bei erneutem Ungehorsam beträgt die Busse eine schwere Mark.
Und es erfüllt sich, was schon beim zweiten Befehl angedroht
wurde: Am nächsten Rechtstage wird auf Betreiben des Rechts-
mannes durch Urteil auf Friedloslegung erkannt und daraufhin
wird sie vom Bürgermeister ausgeführt. Dabei schreibt unsere
Stelle vor, dass dies sofort zu geschehen habe. Weiterhin wird
aber doch bestimmt, dass der Schuldner noch eine Nacht Friede
haben soll.

Soe woer een man wort vredeloes gheleghet umme schult,
de he ghelden sal, of voer broke, den he schuldich is den
rechte of den raede, de sal vrede hebben van der tijd dat he
verleghet is to den anderen dagbe dat de zonne upgaet[2]).

Die pönale Natur dieser Bannlegung ist mit dem bisher
Gesagten bereits erwiesen. Es muss indessen doch noch hervorgehoben werden, dass der Bann genau derselbe ist wie derjenige, mit dem irgendwelche — andere — Missetäter bedroht
werden[3]). Freilich gibt es verschiedene Abstufungen in den
Folgen der Bannlegung. Sie kann die Konfiskation des Ver-

[1]) Stadtbuch von Groningen IV 16 S. 36.
[2]) Mer worde he verleghet van quader daet, so blyuet he rechtsvoert
buten vrede ende he bliuet ewelike vredeloes VI 129 S. 51.
[3]) Vergl. Keure der vier Ämter. Warnkönig. Urkundenbuch II N. 222
tit. 10, Antwerpen „Impressae" tit. XVII Bd. II S. 72.

mögens zur Folge haben oder sie kann sich in ihren Wirkungen
auf die Person allein beschränken [1]). Die Lösung ist bald eine
leichtere, bald eine schwerere [2]). Aber immer handelt es sich
um Differenzierungen, die sich offenbar erst spät herausgebildet
haben. Obschon die Wirkungen i. A. nun allerdings denjenigen
des Vorbannes [3]) entsprechen, so ist doch, wie in vielen andern
Punkten, so auch hier im einzelnen die Erinnerung an das
vorkarolingische Recht lebendig geblieben. Wenn der Bann
als Friedlosigkeit behandelt wird, so ist dies beweiskräftig genug.
Dazu kommt, dass in Brügge die Tötung eines jeden aus irgend
welchem Grunde Verbannten, noch im 14. Jahrhundert, wenigstens
nach dem Wortlaut des Gesetzes, straflos ist.

Quiconques sera banniz pour amende pecuniaire, de vie,
de membres ou de vilain fait, ou par autre raison quele quelle
soit, a termes, qui revenra ou pays, et dedens les bonnes
(sc. für bornes) dont il sera banniz, et dedens les dis termes,
qui tel banni mettra a mort, il sera quitte et deliure du fait [4]).

Ungehorsam werden kann der Schuldner nicht nur gegen
die Ladung. Er kann es in gleicher Weise auch gegen das
Urteil. Bereits haben wir einzelne hierher gehörige Fälle
kennen gelernt. Die bedeutsamste Möglichkeit, ungehorsam zu
werden und der Ungehorsamsreaktion zu verfallen, liegt
in der Erfüllungspflicht nach dem Unterliegen im Rechtsstreit. Der Schuldner soll erfüllen. Es kann nun allerdings
ein Satisfaktionsverfahren eintreten, indem auf Grund einer
Haftung sich der obsiegende Gläubiger an den einstehenden
Objekten Schadens erholt. Doch — es ist auch die Möglichkeit
einer Strafsanktion auf Grund des Ungehorsamsverfahrens ge-

---

[1]) Vergl. die vorige Seite No. 3 cit. Keure, Warnkönig HI 281 und der
Fortgang unserer Darstellung.

[2]) Keure cit. Verschiedene Busse bei Rückkehr, goldenes Buch von
Kampen S. 149. Die gleiche Busse zahlt, wer ihn aufnimmt. Also auch
den Verbannten aufzunehmen, ihm zu essen und zu trinken zu geben, ist
verschieden strafbar. Bei Aufnahme eines um Schuld Verbannten muss,
wer ihn aufnimmt, bald eine wie in den andern Fällen zum voraus bestimmte Busse bezahlen, bald auch die Schuld selbst übernehmen. Gent.
Cahier prim. Ruhr. III 321 No. 1, Warnkönig, Urkh. I S. 38 § 6, vergl.
Groningen S. 50.

[3]) Brunner II 465, Schröder 342, 375.

[4]) Charte von 1330 no. 65, R. der Freien von Brügge Bd. II S. 74 f.

geben. Es muss dabei betont werden, dass dies ein wesentlich anderes ist als das zivile Ersatzverfahren, als die Exekution. Beim Ungehorsamsverfahren ist überall kein Raum für eine Haftung. Wir haben das Verfahren bereits in wichtigen Anwendungen kennen gelernt. Dabei konnte, soweit wir uns an das germanische Recht halten, das sie zum Ausdruck brachten, von Haftung im Sinne der zivilen Einständerschaft überall nicht die Rede sein. Der Ladung muss Folge geleistet werden[1]). Auf dieser Basis baute sich das germanische Mahn- und Betreibungsverfahren auf, das ein Pönalverfahren ermöglichte, wo ein ziviles noch ausgeschlossen war. Der gesamte Fortgaug des Ungehorsamsverfahrens beruht auf dem Bestreben, die Rechtsweigerung zu überwinden resp. zu sühnen. Der Gesichtspunkt des Ersatzes kommt dabei zunächst nicht in Betracht. Und wenn dem wirklich so ist, so muss schon daraus gefolgert werden, dass dem Verfahren eine Einständerschaft, eine Obligation nicht zu Grunde liegen kann. Deshalb liefern denn auch für die Richtigkeit dieser Gesamtauffassung den sichersten Beweis jene Rechte, welche ein unmittelbar ziviles Exekutionsrecht überhaupt nicht kennen[2]).

Nach dem früher Gesagten liefert das germanische Recht folgende Grundlage für die schuld- und haftungsrechtliche Entwicklung der künftigen Perioden: Aus der Wadiation als dem Schuldvertrag ist die Möglichkeit eines Mahn- und Betreibungsverfahrens und damit der Pönalsanktion gegeben. Ein „Haften", wenn auch ein ganz anderes als aus einer Obligation, liegt also allerdings schon im schulduerischen, feierlich eingegangenen Sollen. Aus der Wadiation als dem nicht nur die Schuld, sondern auch die Haftung begründenden Akte, resultiert ferner ein Pfändungsrecht, welches zur quasibypothekarischen Vermögenshaftung wird. Ausserhalb der Wadiation steht die persönliche Haftung. Diese letztere sei hier vorläufig nicht in den Kreis der Betrachtung einbezogen. Dagegen müssen wir uns allerdings fragen, was aus dem materiellen Wadiationsrecht im Laufe der Zeit geworden sei. Es mag zunächst für arg

---

[1]) In dem Aufsatz über das Treugelöbnis (vergl. unten sub. B.) wird darauf zurückzukommen sein. Vergl. oben S. 398, 409 fg., 414, 442.

[2]) Und solche Rechte gibt es, wenn auch nur vereinzelt, noch im spätern Mittelalter, vergl. unten S. 453.

schematisierend gelten, wenn wir in scharfer Unterscheidung und
Trennung der ursprünglichen Wirkungen diese drei Möglichkeiten
aufstellen: Es ist nach dem Verfall des alten Rechtes
entweder das Pfändungsrecht allein übrig geblieben,
oder aber die Pönalsanktion allein, oder endlich es
bestehen beide nach wie vor nebeneinander. Aber es
wird sich erweisen lassen, dass jede dieser drei Möglichkeiten
sich auch tatsächlich in dem einen oder andern Rechtsgebiet
verwirklicht resp. erhalten hat. Hier interessieren zunächst nur
die Rechte der zweiten und dritten Gruppe. Und zwar sei
zuerst auf die letztere hingewiesen.

Sie wird hauptsächlich durch das Genter Recht in der
zweiten Hälfte des dreizehnten Jahrhunderts repräsentiert. Allerdings existiert nicht mehr jene merkwürdige Alternative:
Pfändung oder Friedloslegung. Vielmehr wird tatsächlich der
Schuldner zuerst gepfändet. Wenn aber die Pfändung eine
erfolglose war, dann ist nachher immer noch die Eröffnung des Ungehorsamsverfahrens möglich. Was einst,
einander ausschliessend, nebeneinander gestanden, das steht jetzt
cumulativ hintereinander. Die grosse Charte von Gent[1]) aus
dem Jahre 1297 bestimmt[2]).

Ende so wat schulde die bi vonnesse van scepenen ghewonnen wert, ofte die scepenen kenlic es, die scult mach men
panden up syn goet so waer dat gheleghen es binnen Ghend,
ende vint menre niet te pandene, soo es menne sculdech
te ghebiedene te sinen huus binnen Ghend, heift hy huus;
woent hy oec binnen der poert van Ghend niet, so moet menne
ghebieden in vierscaren up L ponden binnen viertien
nachten in te commene ende redene te doene den ghenen
dien hy sculdech es. Ende nen doet hys niet, so mach menne
verwinnen van L ponden. Ende als hy verwonnen es, so
mach menne anderwarven alsoet vorseit es ghebieden van L
ponden, ende verwinnen van L ponden alsoet vorseit es.
Ende alse hy verwonnen es te drien viertien nachten van drien
warven L ponden also alsct vorseit es, so es menne sculdech
te ghebiedene in vierscaren binnen viertich daghen in te commene

[1]) Gand S. 426 f
[2]) N. 85.

ende redene te doene den ghenen dien hy sculdech es, ende
diene vervolghet heift also alse vorseit es; ne dade hys niet,
ende na den viertichsten dach de vorseide claghere comt diene
vervolghet hevet ende hy voert wet heescht, men essene
schuldech te wisene ute sire wet bi der kenlicheden van
scepenen na de wet van der poert van Ghend; ende in deser
vorseider ghelike so mach poertre van Ghend van soulde dat
hem vremd man sculdech es imminghe doen metter wet.

Es wird also dem Schuldner nach erfolgloser Pfändung
unter Androhung einer hohen Busse befohlen, dem Gläubiger
„Recht zu tun". Die Bussfälligkeit wird in besonderem Urteile
ausgesprochen. Es erfolgt ein zweiter Befehl, wiederum mit
einer Fristsetzung von 14 Tagen und wiederum unter Androhung
einer Busse von 50 Pfund und dann wiederum die Verurteilung.
Und all' dies ein drittes Mal. Nachher wird noch vierzig Tage
gewartet, dann aber erkennt das Gericht, dass er ausser Rechtes
gesetzt werde [1]).

Ein anderes Verfahren kennt das Recht dieser Charte
nur [2]) für Kaufschulden, für welche in der Halle Siegelbriefe
ausgestellt worden sind. Doch endigt schliesslich auch für
diese Schulden das Verfahren auf die obige Weise. Es sind
nämlich zunächst die Siegelhalter der Halle zuständig. An sie
wendet sich der Gläubiger. Sie erlassen den Zahlungsbefehl
und nehmen die Pfändung vor und diese soll so machtech ende
ghestade sein, als ob sie von Schöffen vorgenommen worden
wäre. Nachher aber kann man sich noch an das Gericht wenden,
um den Schuldner zu betreiben in de drie vyftich ponden, auf
die dreimal fünfzig Pfund und auf das extra legem ponere [3]).

Nach unserer oben aufgestellten Unterscheidung muss es

---

[1]) Vergl. noch No. 20 und No. 52. Dort wird versichert, eine Exekution
gegen den — noch nicht in Bann gelegten — Bussschuldner sei nur in der
Weise möglich, dass der Bailli ihn zwinge, Kaution, Sicherheit zu leisten.
Er, der Bailli, könne aber nur aus der schuldnerischen Fahrhabe Pfänder
nehmen. Und des bestimmtesten: Niemand könne dafür eine Exekution in
das Haus oder die Liegenschaft des Bussschuldners vornehmen. Also nur
Pfändung und Friedloslegung. Vergl. noch N. 2.

[2]) Es ist typisch, dass in diesem Rechte die Personalhaftung nur erst
in der denkbar gebundensten Form vorkommt. Auch hierin gibt diese
Quelle ältestes Recht wieder, vergl. unten sub B.

[3]) l. c. S. 486.

nun auch Rechte — die zweite Gruppe — geben, welche nur eine Pönalsanktion kennen. Also gar keine Haftungsrealisation, demnach auch gar keine Haftung und doch Möglichkeit einer Gewaltsreaktion gegen den Schuldner. Es sind Rechte, in welchen es ebensowenig wie eine zivile Personalexekution eine Pfändung gibt. Also Unabhängigkeit der Pönalsanktion von der Vermögenshaftung und Selbständigkeit in ihrer Entstehung — aus dem Schuldvertrag. Auf diesem Standpunkte steht das Recht von Lüttich im 13. und 14. Jahrhundert[1]).

[1]) In diesen Quellen tritt uns zunächst vor allem ein Verfahren sour honour entgegen. Aber es ist kaum möglich, über dasselbe ein klares Bild zu gewinnen. Der Paweilhars bestimmt in No. 192 se ung homs soy oblige en autre justice que là où il est cuchans et levans, que ladite justiche nelle puet commandeir au jour qu'il est obligiez, ne après ce nul command de payer la somme d'argent sour son honnour; mais s'il revient en ladite justice, ly justice le peut tenir tant qu'il ayet payet ladite somme dont il estoit obligiez, ss dont ne faisoit teile obliganche qu'il le presist sour son honnour, et adont seroit-il atteins s'il ne payoit ladite somme d'argent le jour qui mis y seroit. Darnach könnte man glauben, dass die Ehre eingesetzt werde und dass der Verlust derselben die Einständerschaft zum Ausdruck bringe. Aber andere Zusammenhänge schliessen diese Auffassung doch wieder aus. Der Schuldner wird dreimal aufgefordert, eine Schuld zu bezahlen. Bei jeder erfolglosen Aufforderung verfällt eine Busse. Diese Bussen sind forpassées sour son honour. Die Ehre ist also sicherlich nicht eingesetzt. Sie findet hier aber bereits ihren Platz im Ungehorsamsverfahren. Loi muée 1287 N. 34. Lüttich Bd. I 414. Vergl. noch Li Paweilhars N. 192. Die Befehle werden sour honour erteilt. Und es sind offenbar gerade die mit Busse verknüpften Befehle des Ungehorsamsverfahrens, die so lauten. Brief von 1361 N. 7 Bd. II S. 15 commans si haut que sour honour. Und dieser Befehl ist ein besonders feierlicher und geschieht im Unterschied zu andern nur auf königlichem Wege, commander par le mayeur et esquevins sour son honeur Friede von Tongres 1403 N. 31 Bd. II S. 100. Tatsächlich besteht der Zusammenhang mit dem Ungehorsam: et se défallans en astoit . . pour la désobéissanche actaius de son honour. Heynsburg 1424 N. 3 l. c. S. 146. In dieser Stelle handelt es sich um Hausfriedensbruch. A. a. O. ist von einem Gläubiger, der sich gegenüber seinem Schuldner eine Körperverletzung zu Schulden kommen liess, gesagt, er habe paix brisyé und sei atteint de son bonneur. Vor allem kommt aber das Verfahren schon nach den ältesten Quellen gegen Kapitalverbrecher zur Anwendung, derer man nicht habhaft werden kann. Vorgehen sour honour ist Contumacialverfahren, Loi muée cit. no. 1, 2, 40, und dies offenbar in den schwersten Fällen. Noch spät, im 16. Jahrhundert heisst atteint de son honeur so viel als Todesstrafe.

Es gestattet zunächst gar keinen Zugriff auf die Güter. Der Paweilbar spricht in der in Betracht kommenden Stelle nur von Bussschuldnern, bestimmt aber in Rücksicht auf sie in aller Schärfe, dass nur das Ungehorsamsverfahren möglich sei:

Et sachiez que on ne puet nulle amende que sire attende à ses justichables leveir pour prendre waige ne panisse par loy, mais ilhe li doit commandeir à payer en royaul chemien, par le tesmoingnaige des esquevins etc. [1]).

Die Pfändung ist also ausgeschlossen. Dem entspricht, was jüngere Quellen über das Verfahren gegen den Schuldner überhaupt sagen.

Quant alcunne personne serat, pardevant le mayeur et les esquevins de Liège, ou par devant aultre halteur et justice — — foradjourneis par trois ajours — — por alcunnes debtes, convenanches ou marchandieses, que cely justice puist la ditte persoune sorséante desouz li ensi foradjourneis et convencus faire commandeir à sa personne — — sour estre bannis four de celi justice aussi bin com li dis maistres del citeit font faire par leurs varles leurs commana de teil cas à leurs bourgois; qu'ils payent la ditte debte ou acomplissent les covens ou marchandieses dont foradjourneis seront — —; et s'ilh astoit à dit comman désobéissans, qu'il fuist de dont en avant, alle requeste del partye qui deverat jureir devantrainement sa demandieze bonne, bannis fours de la ditte justiche, tant et si longement que li partye demandant sieroit de sa ditte demandieze et de ses frais deseur dis plainement satisfais [2]).

Der Schuldner wird also dreimal geladen, dann wird ihm unter der Androhung des Bannes befohlen, die Schuld zu zahlen. Dann wird endlich über ihn als einen Ungehorsamen der Bann

Bd. I S. 27. Wenn es demnach heisst et se astoient désobéissans les esquevins . . procéderont avant sour leurs honours etc. Lettres 1361 No. 7 cit., so kann sich dies nur auf das Ungehorsamsverfahren und die Pönalsanktion beziehen. Das Verfahren steht denn auch neben dem bannissement. Jenes ist offenbar das formellere und strengere, Friede 1403 cit. In aller Form noch der Friede von 1487, XXVI, 14 Bd. II S. 302, wo geradezu gesagt wird, dass für „Schulden und andere leichtere Fälle" das bannissement und für andere (es können nur „schwerere" gemeint sein) das Verfahren touchant à leurs honours eintrete.

[1]) No. 14.
[2]) Friedr. von Tongres 1403 art. 30; vergl. Mutation von 1386 art. 29.

ausgesprochen. Dieser Bann dauert, bis der Gläubiger befriedigt
und auch die Bussen gezahlt sind. Kommt der Schuldner aber
vorher in den Gerichtskreis zurück, aus welchem er verwiesen
ist, so kann auf ihn wie auf einen Fremden gegriffen werden.
Man mag ihn bis zur völligen Tilgung der Schuld eingesperrt halten.

Se teils aussi bannis se renbatoit en la ditte justice et il
fuist pris, que le dite justice le tenist semblament com li maistres
del citeit tinent les albains, tant et si longement que satisfaction
li fuist faite en le manièrc devant déclarée. — — Quiconques serat
bannis por les cas deseur dis, ilh sera quicte envers le mayeur
de lieu quant ilh arat asseis fait al partye por une amende de
sept souls de bonne manoie etc. [1]).

**Erst jetzt, erst nach der Bannlegung kann man nun
auch auf die Güter greifen.**

Se teile personne, quant elle seroit foradjournée et eakiwé
de justice, avoit alcun bins moibles à defours de sa maison,
en queilconque justiche que ce fuist, que ly partie demandant
porat, se ilh li plaist, ches dia bins faire arresteir par loy, et
yceàuz faire damyneir par trois quinzaines et alle quatrième
quinzaine faire forjugeir ct vendre par justice etc. [2]).

Es ist also in das Belieben des Gläubigers gestellt, ob er
nun Befriedigung aus der schuldnerischen — beweglichen —
Habe suchen will. Diese kann er, wo er sie findet, vor allem
also auch in einem fremden Gerichtsbezirk, angreifen. Dann
muss er freilich erst das Ungehorsamsverfahren in diesem Kreis
von dem dortigen Gericht betreiben lassen. Davon ist in dem
Friedensinstrument ausführlich die Rede. Der Gläubiger zeigt
dem Gericht, in dessen Bezirk nunmehr der Schuldner wohnt,
die Gerichtsurkunde, aus welcher hervorgeht, dass letzterer
wegen einer bestimmten Schuld in Bann gelegt wurde. Daraufhin erlässt das Gericht sofort einen Zahlungsbefehl, der eine
Frist von acht Tagen und im Ungehorsamsfall den Bann vorsieht. Und nachdem der Bann über den Schuldner ausgesprochen ist, muss das Gericht auf Betreiben des Gläubigers
die von letzterem selbst arrestierten Güter des Schuldners öffent-

[1]) Paix cit., vergl. Mutation cit.
[2]) Paix cit. Es folgen noch nähere Bestimmungen über diesen
gerichtlichen Verkauf der Fahrhabe.

lich verkaufen. Ist aber der Gläubiger noch nicht befriedigt
so kann er sich abermals an die jetzt — durch den derzeitigen
Aufenthalt des Schuldners — kompetent gewordene Gerichts-
behörde wenden und das Verfahren beginnt von neuem — ein
System von indirekten Zwangsmitteln[1]).

Dieser Rechtszustand ist i. W. noch derselbe im Jahre
1487: Immer noch das dreifache sorgfältig geregelte ajourner,
das commander, der Ungehorsam und die Bannlegung. Und
nun Möglichkeit für den Gläubiger, die Besate an den Gütern
vorzunehmen und nach dem Arrest sie gerichtlich verkaufen
zu lassen[2]).

Noch im Jahre 1540 gilt der Grundsatz: l'on ne peut arrester
ung bourgeoy citain de Liège, de corps et de biens, sy premierement il n'est albain. Ein Arrestverfahren ist weder
gegen die Person noch gegen die Güter des Schuldners
angängig, so lange der letztere nicht zum Forensen
gemacht ist[3]).

Die Ordonnanz Georgs von Österreichs vom Jahre 1551
jedoch bestimmt, dass einer in Bann gelegten Person erst befohlen werden müsse, bei leuchtender Sonne, d. i. noch am
Tage des Bannungsurteiles zu zahlen oder sich in den Schuldturm zu begeben und ihm bei diesem Befehl anzudrohen, dass
er sonst die Stadt verlassen müsse[4]). Ferner ist es gestattet,
nach der Bannlegung auf die Güter zu greifen[5]).

Nun wird die Bannlegung zur blossen Form. Es
wird von bannissemens et albainstez gesprochen, d. h. der
Schuldner wird gebannt und nunmehr ohne weiteres als Fremder
behandelt. Das will besagen, man kann auf Grund des auf

---

[1]) l. c. 1403. art. 4. Bd. II S. 93. Noch steht das radikalere Verfahren sour honour zur Wahl, vergl. art. 31. art. 30 spricht nur von Fahrhabe, die nicht im Hause des Schuldners sich befindet, art. 4 von Gütern
schlechtweg.

[2]) Paix de Saint-Jacques 1487 IV 14 Bd. III S. 208f., und X 18
L c. S. 237, die erste Stelle spricht wiederum nur von Fahrhabe in der
obigen (N. 1) Beschränkung, die zweite wieder allgemein von Gütern.

[3]) Records Bd. III S. 32.

[4]) art. 75f. Bd. II S. 380f.

[5]) Und zwar jetzt ausdrücklich auch auf die Liegenschaften, art. 78
vergl. Bd. II S. 451 N. 27 a. 1582 S. 512/13 und a. 1592 S. 537.

bannissement erkennenden Richterspruches gegen den Schuldner oder gegen seine Güter vorgehen[1]).

Dergestalt führt hier die Entwicklung zu einer gesetzlichen, universellen Haftung und zwar ungefähr zu der nämlichen Zeit, wie diese auch sonstwo zur Anerkennung gelangt. Aber hier bedurfte es nicht des Umweges einer jahrhundertelangen Übung der vertraglichen Haftungseinräumung. Hier führte der Umweg — denn ein solcher musste, um zur Überwindung des älteren Rechtes zu gelangen, auch hier gemacht werden — nach ganz anderer Richtung. Aus der Pönalsanktion heraus wurde das zivile Zugriffsrecht.

Mit diesem Gang der Entwicklung steht das Lütticher Recht keineswegs allein. Eine Keure von 1163 bestimmt[2]):

Qui alicui aliquid coram scabinis debet, et diem solvendi non tenuerit; justiciarius cum scabinis illum, cui res debetur faciet potentem super omnia, quae debitor habet; et si debitor nihil habuerit, ipse debitor in potentiam illius, cui res debetur; de hoc forisfacto duodecim denarios justiciario debet et duos solidos illi, cui res debetur.

Dass zuerst der Schuldner die Macht eingeräumt habe, davon wird nichts erzählt. Vielmehr geschieht es augenscheinlich gerade ohne die Voraussetzung einer obligatio, wenn das Gericht dem Gläubiger „Macht gibt über alles, was der Schuldner hat" und wenn er nichts hat, über ihn selbst. Das Gericht hatte das Vermögen eingezogen. Denn es behandelt den Schuldner als einen Missetäter. Die Stelle spricht von einem forisfactum. Eben aus diesem heraus kam das Gericht zu dieser Macht über die Güter: es hatte dieselben in den Bann gelegt. Dazu vergleiche man folgende Stelle.

Super quemcumque facta fuerit equitatio, omnis possessio ejus in potestate comitia et castellani erit. — — Et quicumque talem post factam equitationem receperit in domo sua, debet comiti et castellano quinque libras. Si vero

---

[1]) Vergl. die vorige Note und die Reformation von Groisbeeck 1572 ch. XII. Immerhin noch Bd. III S. 320, a. 1662; der Schuldner darf auf Grund des Bannes nicht in seinem Hause ergriffen werden. Es ist ihm eine Frist von drei Tagen gewährt, während welcher er frei aus dem Hause ziehen darf.

[2]) Nieuport, bei Warnkönig, Urkundenbuch II S. 87 no. CLXVII.

ballivi bannitum post equitationem factam, legitimis judiciis
publico conversari permiserint et per duos scabinos osten-
sus eis fuerit et manum ad ipsum non apposuerint, receptor
illius banniti, nulli subjacebit forefacto[1]).

Nach dem Umreiten sind die Güter in der — es kehrt
die gleiche Ausdrucksweise wieder wie in der obigen Stelle —
Macht des Grafen. Wer den in Bann Gelegten aufnimmt, wird
bestraft. Nun kann aber der Bailli erlauben, dass man öffentlich mit dem Gebannten spreche. Sehen das zwei Schöffen,
ohne dass sie ihre Hand auf den letzteren legen, dann wird
nicht bestraft, wer ihn aufnimmt. Dieser Stelle vorauf geht
eine andere, derzufolge der säumige Schuldner in den Bann
gelegt wird. Es ist nun doch nur überaus natürlich, dass das
geschilderte Ausfluchtsmittel früher oder später gerade dem
Schuldner gegenüber zur allgemeinen Anwendung gelangte.
Er ist nur noch formell ein Gebannter. Formell
freilich immer noch: Das gibt den Rechtstitel ab für
die Konfiskation der Güter, über welche der Graf
dann dem Gläubiger „Macht gibt"[2]). Das Ergebnis wird
auch hier schliesslich das nämliche sein: Gesetzliche und
universelle Haftung, die nicht nur die Modalitäten der
Realisierung, sondern ihre Existenz selbst und ihre Qualitäten
als gesetzliche und generelle Haftung unmittelbar dem
einstigen Pönalverfahren verdankt[3]).

---

[1]) Keure der vier Aemter 1242 X, 29, Warnkönig, Urkh. II S. 191.

[2]) Vergl. auch das goldene Buch von Campen S. 162 f. Der Schuldner
ist, nachdem die Mahnungen erfolglos waren, zu einem Fremden geworden
und man kann nun auf seine Person greifen. wenn man ihrer habhaft
wird oder auf seine Güter, was eben vorher nicht möglich war. Ist dat
hij des nijet en doet so mach hem die ghene den hij schuldich is off sijn
gewaerde bode daer nae aenspreken waer hij den vijnt ende in wat gerichte
gelijc off bij een gast weer. Ende sine guede hijnen ende buten der
vrijheit van Campen des gelijcs veruolgen offet gaste guede weren ter
Scepen claringe.

[3]) Von solchen Übergangsstadien, wie sie soeben zur Darstellung
gekommen sind, weisen noch andere Formen auf der liber Hirsutus minor,
Utrecht I N. 81 S. 129, vergl. die Roese N. 70 (1393) Bd. I S. 212 und
N. 140 S. 255, N. 142 (3,4), S. 258, Keure von 1403 no. 5 S. 403, — Recht
der Freien von Brügge, Keure in Bd. II § 50 S. 14, dort S. 74 f. S. 92 (art. 63).

B. Die Haftung der Person.

Die bisher betrachteten Rechte sind getragen von uralt germanischen Anschauungen. Sie gründen alles Zwangsverfahren gegen den Schuldner auf die deliktische Natur des Nichterfüllens, welche in den Rahmen formellen Unrechtes eingespannt erscheint. Sie kennen ein Ungehorsamsverfahren und die Reaktion durch Banulegung. Jenes setzt schon mit der Ladung ein. Und dann wiederum mit dem Zahlungsbefehl. Und beidemale im Weigerungsfalle Möglichkeit einer Pönalsanktion.

Ganz anders liegen die Verhältnisse, wenn eine zivile Haftung errichtet worden ist. Dann wird auf das Haftungsobjekt gegriffen. Dazu wurde es eingesetzt, dass der Gläubiger sich an ihm schadens erhole, wenn der Schuldner säumig wird.

Derartiges Haftungsobjekt kann, wie eine Sache, so auch eine Person sein. Wir haben gesehen, dass in einem solchen Fall nach dem ältesten Recht stets wirklich nur die Person in ihrer Körperlichkeit als obligiert erscheint. Grundsätzlich ist dies auch noch der Standpunkt des mittelalterlichen Rechtes. Formelhaft kommt es zum Ausdruck in dem Inhalt der Obligierungsklausel: obligat se et omnia bona sua. Die bona sind gesatzt und ausserdem die Person selbst. Es ist aber auch möglich, dass die Haftung nur auf die Güter oder nur auf die Person geht. Im letztern Falle liegt eine reine Personenhaftung vor.

So wird augenscheinlich in Dordrecht nur auf die Person gegriffen. Sie soll dann allerdings Vermögensobjekte zu Pfand setzen. Aber das beweist gerade, dass man ohne diese besondere Satzung nicht auf die bona greifen konnte. Diese Anweisung von Pfändern verlangt eine Keure mit folgenden Worten:

So wanneer een man cen pant wijst voor zijn schult, als hi ghevangen wordt, so moet hi dat pant kenlic maken dattet zijn is, opdatment begheert, ende niemet en mach gheen pant wysen, hi en moet daerin verjaert ende verdaecht wezen[1]).

Ist aber der Schuldner vorflüchtig geworden, dann muss allerdings die Möglichkeit gewährt werden, auch ohne besondere Obligierung gegen das schuldnerische Ver-

---

[1]) Keure, 15. Jahrh. N. 44, Dordrecht S. 222.

mögen vorgehen zu können. Doch nicht ohne Zögern wird
dieser Schritt gewagt. Der Schuldner muss während voller
sechs Wochen unauffindbar geblieben sein: erst dann kann
man durch Pfändung der Güter vorgehen.

Van vangebrieven. So waneer cenen vangebrief ghewonnen
is op eenen man, ende die man dan voorvluchtich wort voor
zijn schult, so mach men over VI weken daerna met dien
vangebrief te landewaerts panden of hierbinnen, also varre alst
den schepenen kenlic ghemaect wordt, dat hi zes weken voor
zijn schult voorvluchtich gheweest heeft[1]).

Dabei ist nun vor allem noch zu beachten, dass das
Pfandsetzen ursprünglich nur als ein Recht des Schuldners
betrachtet wurde[2]). Man hält sich nur an die Person. Aber
sie kann sich befreien, wenn sie anderweitige Satisfaktionsobjekte
anweist. Indessen ist hier der Gang der Entwicklung deutlich
vorgezeichnet. Immer mehr wird die unmittelbare Verfolgung
der Person nur noch als Pressionsmittel angesehen worden sein,
um zur Exekution in das Vermögen zu gelangen. Die Lage
ist hier derjenigen durchaus analog, welche wir bei Betrachtung
der Immobiliarexekution im coutumiären Recht[3]) angetroffen
haben. Die Verfolgung der Person bezweckt schliesslich bloss
noch Willenszwang, aber nicht nur zwecks Erreichung einer
Zugriffsmöglichkeit in die Liegenschaften, sondern überhaupt in
das Vermögen.

Genau dieselbe Entwicklung ist auch für Aalst (Alost)
nachzuweisen. Man hält sich hier im ältern Recht nur an die

---

[1]) l. c. No. 45.

[2]) So hi ghevangen wordt voor zijn schult met schepenen brieven,
so mach hie een pant wysen aen zijn gost ende op zijn bosten, indien dat
det pant goet ghenoech is voor die schult. Ende als hi aldus een pant
cens ghewijst heeft, ist dat hem dan det pant ontwonnen wort, so verbuert
hi X pont Hollands, ende die schult blijft twischat, opdat dat recht also
varre ghegaen is; ende daerna en mach hi gheen ander pant vandier
schult meer wisen, hy en moet die schult betalen twischat, of daervoer
inden steen te goen. Ende waert tat yement een pant wijsde, dat niet
goet ghenoch en ware ter schioringe an twyschatten ghelde of ten minste
aen eenschat ghelt, die verbuerde dieselve boete van X ponden, ende
daertoe en zoude hi gheen pant meer moghen wysen, dat hem stade doen
zoude, hine most betalen mit ghereeden gelde, of daervoer inden steen te
gaen. Dordrecht N. 176 S. 57.

[3]) oben S. 103 fg. 120 fg.

Person. Wenn sie will, kann sie freilich ihre Freiheit sofort
wiedererlangen: indem sie ihre Habe zu Pfand setzt. Zo wie
ghevanghen wart van sculden die mach, up dat hem ghelieft,
zijn lijf lossen met zienen goede[1]). Ist dergestalt die Habe
obligiert, dann wird sofort durch gerichtlichen Verkauf derselben
vorgegangen.

Nun kommt es aber — im Jahr 1451 — zu einem auf-
regenden Vorgang. Eine Schuldnerin sitzt schon sieben Wochen
lang im Schuldturm. Sie glaubt damit vollkommen „genug zu
tun" und zeigt sich nicht gesonnen, ihre Habe – und sie ist
begütert — zu obligieren. Endlich entscheidet in besonderem
Urteil das Gericht, man könne von der weiteren Verfolgung
der Personalexekution abstehen und das bewegliche Vermögen
der Schuldnerin, und im Notfalle auch ihre Liegenschaften
angreifen. In Anbetracht des Umstandes, dass wirklich Schuldner
uut origbe, aus Böswilligkeit es fertig bringen, im Schuldturm
sitzen zu bleiben, obschon sie genug Güter haben, wird dann
ein Statut erlassen: dat zo wie ende wat parsone van doe
voortan in vanghenesse ghedaen worde van verwysder scult oft van
sculden belooft up painen, goed ende goeds ghenouch hebbende,
omme betalen, binnen der jurisdictie vander stede, ende nict
en betaelde noch hem zelven en loste binnen XL daghen naer
dat hy ghevanghen ware, datmen thenden van dien, up dat
de scultheeschers versochten, zoude vercoopen heerlic, bi
kercgheboden met hooghenessen ende bider keersen, zulcker
sculdenaers goed, cerst beghinnende ande have ende daernaer
de erve, enz[2]).

Darnach wird ein begüterter Schuldner inskünftig nur
noch vierzig Tage eingesperrt gehalten. Hat er bis dahin nicht
gezahlt oder sich selbst gelöst, befreit, dann wird in sein Vermögen exequiert[3]).

Indessen — dass auf Grund einer personae obligatio nur

[1]) S. 282. Mitte des 15. Jahrh.
[2]) Aalst S. 280.
[3]) Vgl. noch d. liber albus von Utrecht, dort Bd. I N. 95. a. 1378,
wo ebenfalls in die Person eines Schuldners exequiert wird, der offenbar
begütert ist, vor allem aber Audenarde Bd. II No. 91, gegen 1420,
S. 308 f.: Auf Grund einer persönlichen Klage Exekution einzig und allein
in die Person selbst.

in die Person exequiert wird, entspricht nur den allgemeinen Haftungsgrundsätzen, wie sie sich aus den früheren Perioden in mehr oder weniger weitem Umfange in die Zeit, welcher unsere Quellen angehören, hinüber gerettet haben. Ganz merkwürdig aber ist, dass in den genannten Rechten die Person überhaupt in den Mittelpunkt des Exekutionsverfahrens versetzt erscheint, oder vielmehr, dass der exekutivische Zugriff überhaupt stets gegen die Person geht (sofern nicht eine besondere, dann notwendigerweise sächliche Haftung begründet worden ist). Die personae obligatio ist nicht nur zur regelmässigen, sie ist sogar (in diesen Rechten) als erste zur gesetzlichen geworden.

Im germanischen Altertum war die persönliche Obligation stets nur eine subsidiäre und accessorische. In den Rechten von Alast, von Dordrecht, von Cambresis[1] u. a. m. ist dies gänzlich anders geworden. Wir müssen also unser früher[2] aufgestelltes Schema erweitern: Von dem vorkarolingischen Schuldrecht ist beibehalten resp. weiterentwickelt worden entweder das Pfändungsrecht oder das Pfändungsrecht und die Pönalsanktion oder die Pönalsanktion allein. Schon in diesem letzteren Falle sehen wir ein Preisgeben des Pfändungsrechtes. Und dass die erste Eventualität, derzufolge die strafrechtliche Seite unterging, sich weithin verwirklichte, bedarf keiner Ausführung. Nun ist aber auch noch ein letztes möglich: Das Ungehorsamsverfahren kommt in Zerfall und Vergessenheit. Aber — vielleicht mit der Form, aus welcher einst dies Recht zur Entstehung gelangte — es verlor sich auch das Pfändungsrecht als der dominierende haftungsrechtliche Modus. An Stelle beider tritt die reine Personenhaftung[3].

Eine solche Erscheinung mag zunächst befremden. Doch erkennt man leicht, dass auch in diesen Rechten die zentrale Stellung der Personalexekution mehr Schein als Wirklichkeit ist. Sie besteht formell, nicht in der tatsächlichen Übung des

---

[1] Vergl. oben S. 336 f.

[2] Vergl. oben S. 451.

[3] Diese Rechte haben denn auch tatsächlich kein Strafverfahren um Schuld. Dagegen hat umgekehrt das Genter Recht eine Personalhaftung nur in kümmerlicher und unzulänglicher Weise. Vergl. in der früher cit. Charte vom 1292 No. 92 S. 464.

Lebens. In thesi greift man auf die Person des Schuldners und hegt dabei die Erwartung, dieses Procedere werde sich durch die Obligierung der Güter ohne weiteres erübrigen.

Wir haben gesehen, wie aus der Pönalsanktion heraus sich allmählich ein universelles ziviles Vollstreckungsrecht entwickelte. Durch die Person hindurch und nach ihr Zugriff auf das (verfallene) Vermögen. Zu einem ähnlichen Ergebnis gelangt die Entwicklung in den hier betrachteten Rechten der reinen exekutivischen, d. h. gesetzlichen Personalhaftung. Nur ist zu betonen, dass keineswegs schon der Angriff der Person den Weg ebnet, der zu den bona führt. Diese müssen gesatzt werden. Es bedarf einer bonorum obligatio. Noch die Überwindung dieser Auffassung durch gerichtliche bezw. gesetzliche Supplierung dieser Satzung zeigt den Dualismus der Vermögens- und der Personalhaftung, zeigt die Enge dieser letzteren, die eben keine Haftung der gesamten wirtschaftlichen Existenz ist. Immerhin gelangen, wie gesagt, diese Rechte auf einem besonderen Umwege doch auch zur Vermögenshaftung. Es ist dazu bloss noch zu bemerken, dass in weiterem Umfange diese Entwicklung doch nicht stattgefunden haben kann. Es fehlten dazu dank der einstigen entschiedenen Subsidiarität der persönlichen Einständerschaft i. A. doch die nötigen Voraussetzungen[1].

---

[1] Wenn auch im allgemeinen zutrifft, dass Gut den Mann befreit, — want 't goot vrijt den man, Cout. von Herrenthal art. 30, Auvers VII, S. 14 — so kann unter Umständen auch die Person, indem sie sich stellt, die Güter befreien, indem sie sich in arrests in plaetse van synen goede stellt, Antwerpen tit. IV, art. 26, l. c. Bd. I 178. Auch kann das Verfahren, wie die obige Darstellung zeigt, doch leicht versagen. Wie man übrigens Person und Güter trennte, zeigt recht anschaulich folgende Stelle. Man soll kein Gut an einer Person kümmern, sondern erst wenn sie es nicht mehr berührt, also beispielsweise ein Pferd nicht, solange der Reiter noch mit einem Fusse im Stegreif steckt oder das Pferd noch an der Mähne hält. Ist aber das Pferd irgendwo angebunden, oder hält es der Eigentümer nur mittelbar, mittelst des Fallriemens, dann darf man es kümmern. Man ensall auch kein gudt ain keyner perschonen kümeren; lecht aber eyner das gudt von eme, unde enrürt nyt dar ayn, so mag man das koemeren; quem eyner auch gereden und sess uff sym perde, oder stunde myt eym fus uff der erden, und myt dem anderen in dem stegereiff. oder stundt zumayl uff der erden und hett das pherdt mit dem mayneu in der handt, man snsall das pherdt nyt koemeren; hette er das pherdt aber

Allerdings erlangt im Mittelalter die Haftung der Person eine Ausdehnung und eine Bedeutung, die sie vorher nicht gehabt hat. Aber dies ändert doch i. A. nicht die überall lebendige Vorstellung, dass sie eben doch nur ein Haftungsobjekt wie ein anderes ist. Die Person haftet wie eine Sache. Dies zeigt sich deutlich genug schon in der Erscheinung der reinen Personalobligation. Aber dass auch in den Benennungen dieses Pfandes und in den für dasselbe geltenden Bestimmungen überall die Terminologie und die Grundsätze des Sachhaftungsrechtes zur Anwendung kommen, das ist eine Tatsache, auf die in unserer Literatur schon früh und nachdrücklich hingewiesen worden ist[1]). Dies hat seine Richtigkeit auch für unsere Quellen[2]).

Diese Sächlichkeit, wenn wir uns einmal so ausdrücken dürfen, der Personalhaftung ist von der grössten Tragweite. Nach verschiedener Richtung hin wird sie erst weiter unten ihre Beleuchtung erfahren können. Aber auf eines ist hier schon aufmerksam zu machen: Nach den Grundsätzen der Sachhaftung geschieht auch die Realisierung der Personalobligation. M. a. W.: auf den Obligierten wird zwangsweise, gewaltmässig gegriffen, wie auf ein sächliches Haftungsobjekt. Allerdings haben wir Rechte angetroffen, in welchem der Schuldner geladen wird, sich selbst zu stellen und somit selbsttätig die Haftung zu realisieren. Aber diese Ladung ist keine Einladung. Sie ist nicht — ein Appell an die Ehre. Vielmehr ist sie ein Befehl und wer ihm nicht nachkommt, wird die Ungehorsamsfolgen zu fühlen bekommen. Sie stellt

---

myt dem fallriemen in der hand oder von eme gebonden, so mach man ess koemeren. Luxemburg Bd. I, Weistum von Remich No. 36.

[1]) Es sei nur auf v. Meibom oben cit. hingewiesen und auf Korn, de obnoxiatione et wadio antiquissimi juris Germanici, 1863 und oben 425 no. 2. Vergl. Schröder 373 N. 82.

[2]) Es bedarf dies wohl keiner weiteren Ausführung. Gelegentlich wird der Grundsatz der „reinen" Haftung soweit getrieben, dass bestimmt wird, die Schuld sei nicht weiter verfolgbar, wenn es dem Schuldner gelungen sei, aus der Schuldhaft zu entweichen; ende ontbrake hem de sculdenaere, zo ware de scult quite. a 1445. Alost S. 282. — Sitzt ein Schuldner im Schuldturm, so kann er mit neuen Schulden „beschwert" werden. Brüssel, tit. IV no. 68 Bd. I S. 72. Vergl. R. von Gent, die grosse Charte No. 72.

also in keiner Weise auf die Freiwilligkeit ab, sondern schlechterdings auf ein Müssen. Aber selbst diese Rechte befinden sich noch in der Minderzahl. In fast allen Rechten wird einfach gewaltmässig auf den Schuldner gegriffen. Man geht gegen ihn vor wie überhaupt gegen ein Pfand. Die französischen Coutumes kennen kein anderes Verfahren, so regelmässig auch nicht die belgischen und holländischen Quellen. Sie schreiben vor, der Schuldner müsse ergriffen, oder er müsse in den Schuldturm oder in Ketten gelegt werden, oder der Amtmanu sei verpflichtet für die Arrestierung Sorge zu tragen[1]. Und die grundsätzlichen Voraussetzungen sind keine andere als wie sie auch für den Zugriff auf ein Pfand, ein sächliches Pfand vorgesehen werden.

Deshalb ist es denn auch unmöglich, dass aus der persönlichen Haftung Ehrenfolgen abgeleitet werden. Ob vielleicht solche aus dem Nichterfüllen des Schuldvertrages entspringen, ist hier nicht zu untersuchen Haftungsrechtlich aber haben wir nur ein Herrschaftsverhältnis, ein Unterwerfen des Körpers bezw. der Freiheit unter eine fremde Zugriffsmacht vor uns[2]. Von einem Treubruch kann in diesem Verhältnis schon darum keine Rede sein, weil dem Schuldner ja gar nicht die Gelegenheit geboten wird, die Treue zu betätigen. Auf Grund des Treugelöbnisses, soll die Person obligiert sein und zwar soll dabei die Treue dergestalt eingesetzt sein, dass der Schuldner verspricht, sich selbst ehrlich und freiwillig als Pfand auszuliefern[3]. Tut er das nicht, reisst er aus, vereitelt er die durch Treugelöbnis auf sich genommene persönliche Haftung, dann begeht er einen Treubruch. Die Strafe dafür ist die Ehr- und Rechtlosigkeit[4].

So lucid diese Erklärung des Formalismus des Treugelöbnisses zunächst erscheint — das Realisierungsrecht müsste notwendigerweise die Probe aufs Exempel abgeben. Denn das

---

[1] oudste Rechten van het Baljuwschap van Zuidholland N. 44, Dortrecht Bd. II S. 254, Liber albus N. 95. Utrecht I S. 48, Campen S. 22, Oudenaerde Bd. I S. 79 art. 5 S. 80, art. 10, Gent cit. vorige Note.

[2] Vergl. Puntschart 497 f.

[3] Puntschart 485 f.

[4] l. c. 478 f. Siegel, Handschlag und Eid, insbes. tit. X 576 f., ältere Lit. auf welche an dieser Stelle nicht einzutreten ist, dort N. 1.

Satisfaktionsverfahren gibt den Spiegel für das Obligationsrecht
ab. Und da finden wir denn nirgends von den südfranzösischen
in der fidance doch so urdeutschen Rechten bis hin zum nördlichsten Holland ein Vorgehen, aus welchem allein ein
Treubruch des Schuldners aus der Haftung erst möglich
würde.

Und tatsächlich findet denn auch nirgends in unsern
Quellen auf Grund des Treugelöbnisses eine Ehrloslegung des haftenden Schuldners statt[1]). Nicht kennen die
französischen Coutumes eine solche. Insbesondere — um allein
diesen gewichtigsten Zeugen zu nennen — ist Beaumanoir weit
davon entfernt, dem Gelöbnis, das er natürlich kennt, eine derartige Wirkung zuzuschreiben[2]). Ebensowenig wird eine solche
in den hier im Vordergrund der Betrachtung stehenden Quellen
anerkannt. Sie geben häufig genug die ausführlichsten und für
unsern Geschmack auch absonderlichsten Beschreibungen von
der Behandlung des Schuldners[3]). Es wird wohl auch der
Schuldner aus der Stadt gelegt[4]), oder, sehr häufig, bestimmt,
dass er nicht im Rat sitzen dürfe[5]). Aber das hängt alles mit
der Nichtbefriedigung des Gläubigers, nicht mit der Haftung
zusammen[6]). Dagegen ist folgende Stelle beachtenswert.

---

[1]) Über Personalexekution und die Behandlung des Schuldners, auch
die Ehrenfolgen in französischen, flandrischen und holländischen Rechten,
vergl. Kohler, Shakespeare S. 23, 46, 47, 56 f., 66 f. u. a. O. mit zahlreichen
Belegen. Aber sie bestätigen durchwegs unsere kritischen Bemerkungen
im Text.

[2]) Vergl. etwa No. 1538, 1539, 1598, 400.

[3]) Vergl. Gent cit., liber albus N. 95 cit., die oben bespr. Rechte
von Alost und Dordrecht u. v. a.

[4]) Hasselt S. 74, vergl. oben sub. A.

[5]) Groningen S. 63.

[6]) Es bleiben also höchstens einige Stellen aus dem Lütticher Recht,
welche von der Ehre sprechen, vergl. indessen oben S. 453 N. 1. Eine andere
Auslegung als sie oben S. 56 gegeben wurde, muss demnach auch dem
Recht von Gorze zuteil werden. Darüber später. Dagegen kommt gelegentlich, — aber auch nur gelegentlich — vor, dass der Schuldner, der
sich dahin obligiert hat, in den Schuldturm gehen und drin bleiben zu wollen,
mit Bussen bestraft wird, wenn er diesem Inhalt der Haftungsberedung
nicht nachlebt: Die hem verbinden sal te commen in vangenisse ofte
arreste, ende aldaer te blyven, indien hy het sellve niet en houdt, sal ver-
beuren jegens den heere LX ponden par., ende niet min ingehaelt tot

Meeneedich te maken. Waert dat yemant eenen anderen aenspreken woude mit eenighen recht, twelke roerde van cedulen of van beseghelde brieven, daermen eenen mensch mede dwingen woude, ende dattie brieven inhielden van trou, eer ende zekerhede, ja al waert dattet een man met zijne selvers seghel beseghelt had, of dat hi yement ghebeden hat voer hem te zegelen, so en mochtmens nochtans niet meeneedich maken; dats te verstaen ten ware dat hi namelick liefliken met opgherecten vingeren ten heylighen ghezworen had, ghestaefts eeds, voer goede wittachtighe mannen, ende dien eedt in dese beseghelde brieven ghescreven ende die orconden daerbi, anders so sijn twoorden ende anders niet, naden recht vander mansehep[1]).

Dass nur ein Eid u. U. zu Meineidsfolgen führen kann, ist allerdings selbstverständlich. Aber es wird nicht nur versichert, dass, wenn ein Brief nur die „Treue, Ehre[2]) und Sicherheit" enthielten, diese Folgen nicht eintreten, sondern es wird auch gesagt, dass dies „sogar" bei einer Siegelung des Briefes nicht der Fall sei. Demnach ist dies also eine i. A. wirksamere Form. Endlich verlangt die Stelle einen mit Hand und Mund unter bestimmten Formalitäten mit aufgestreckten Fingern den Heiligen gestabten Eid und dessen Vermerk in der besiegelten Urkunde. Alles andere seien leere Worte.

Ob dies so ganz richtig sei, ist an dieser Stelle nicht mehr zu untersuchen. Aber das Eine ist festzuhalten: Auf Grund des Treugelöbnisses nach unsern Quellen nirgends Ehrloslegung! Aber es tritt noch ein Mehreres hinzu. Neben dem Geloben der Treue soll das Treugelöbnis in der Form des Handschlages noch die Unterwerfung unter die Herrschaft des Gläubigers manifestieren. Darum wird die Treue körperlich hingegeben, weil es sich um die Überantwortung des zu Pfand gesetzten Körpers der Person handelt[3]). Nun ist allerdings

---

volcominghe vands saecke etc. Furnes (A. C. d. B.) II S. 280, vergl. v. Amira, nordgerm. Obligationenrecht II 311 f., Siegel, Handschlag und Eid S. 78 N. 1. Aber bekanntlich kommen derartige Bussen auch beim Sachpfand vor, so z. B. wenn das Pfand nicht rechtzeitig gelöst wird, vergl. Form. Turon. 13.

[1]) Älteres Recht der Stadt Dordrecht N. 7 S. 208.

[2]) Vergl. Puntschart S. 461 N. 5.

[3]) l. c. 491 f.

möglich, dass tatsächlich eine Personalexekution statthat, wo vorher ein Treugelöbnis abgelegt worden ist[1]). Häufig genug ist das aber nicht der Fall und gilt vielmehr der Satz: Trotz des Treugelöbnisses wird nicht auf die Person des Gelobenden gegriffen.

Diese merkwürdige Erscheinung hat sich uns schon bei Betrachtung des französischen Rechtes aufgedrängt[2]). Insbesondere war auch nach dieser Richtung wiederum Beaumanoir anzurufen[3]). Dasselbe ist nun für das belgische und holländische Recht zu sagen. Es seien hier nur noch zwei Urkunden namhaft gemacht. Die erste besagt:

. pecuniam reddere promittimus . . . Hanc conventionem creantavimus — — — fideliter adimplere et tenere. Et exinde ommia bona nostra tam praesentia quam futura posuimus in jus, legem et abandonum, erga quemcumque justiciarium sicut Andreas voluerit antedictus, nostris corporibus exceptis — —.

. . Es wird also das Treugelöbnis abgelegt. Nachher werden in aller Form die bona obligiert und dem Zugriff preisgegeben. Endlich wird — offenbar weil diese Obligierungsformen regelmässig eine gegenteilige Klausel enthalten[4]) — die Haftung des Körpers ausdrücklich ausgenommen. Wozu hier das Treugelöbnis? Umgekehrt folgende Urkunde:

Eine Schuld von 12 Pfg. und 6 Sch., die ic hem in guede truewe gelooft hebbe ende gelove wel te betalen mit twintich guede gouden etc. — — ende waert sake dat ic hem dat vorscr. gelt niet vol ende al en betaelde tot elken dach vorscr. soe sijnt vorwaerden dat J. S. vors. die een helfte vanden Engelsvaerder mit sinen toebehoren, daer dese vorscr. scult of roert, aentasten ende aanvaerden in allen havenen, daer hi comen sal, ende daer sinen vryen wille mede doen sal, als mit anders sinen vry eyghen guede; ende waert sake dat des sceeps vorscr.

---

[1]) Vergl. z. B. das oben zit. Recht von Alost, ferner Dordrecht Bd. II S. 95, Audenarde II S. 273.

[2]) Vergl. oben S. 88 f.

[3]) Vergl. oben S. 89, 90.

[4]) Freilich könnte man auch zu der Erklärung greifen: weil man die Folgen des Treugelöbnisses abwenden will. Aber nicht nur deutet der Wortlaut nicht auf einen solchen Sinn, sondern es bliebe nach wie vor die Frage berechtigt: wozu das Treugelöbnis?

gebrake, des God vorhoeden moet, soe sijnt vorwaerden dat
J. S. vorscr. jof die houder des briefs die vorscr. scult, die
ombetaelt is, winnen ende verhalen sullen aen alle mine guedon,
roerende ende onroerende, gewonnen ende ongewonnen ende
aen mijns selfs lijff, soe waer datment bevynden of bewisen
kan, ende daer sinen wille mede doen sal, ter wilen toe dat ic
hem dat vorscr. gelt vol ende al betaelt heb etc.[1]).

Es wird das Treugelöbnis abgelegt. Nachher wird ein
Schiff specialiter verpfändet. Nachher wird subsidiär eine
Einständerschaft erstens des Vermögens und zweitens des
Körpers errichtet[1]). Wiederum: wozu hier das Treugelöbnis?
Nun wollen einzelne Urkunden gewiss wenig besagen. Aber
wie sich die in Frage stehende Erscheinung z. T. aus den
wichtigsten französischen Quellen heraus aufdrängte, so ist sie
auch im Norden ganz allgemein nachweisbar[2]).

In Anbetracht dieser Erscheinungen bliebe bei möglichster
Wahrung der Puntschartschen Auffassung wohl nur noch eine
Erklärung des Treugelöbnisses möglich, die dahuginge, dass
mit dem Treugelöbnis allerdings die „persönliche“ Haftung hergestellt werde, diese Haftung aber könne inhaltlich eine sehr
verschiedene sein, insbesondere könne sie gar wohl nur gegen
das Vermögen gehen. Aber wenn anders ein solcher Rechtszustand doch noch aus der ursprünglich faustpfandlichen
Personalhaftung abgeleitet werden soll, könnte sich eine solche
Entwicklung doch nur in der oben für Dordrecht, Aalst und
ähnliche Rechte nachgewiesenen Art und Weise vollzogen haben.
Zum Teil im Rahmen des Treugelöbnisses, vor allem aber
ausserhalb desselben bliebe also immer noch aller Raum für
unsere Auffassung von der selbständigen Natur der Vermögenshaftung. Wir werden auch auf diese letztere sofort noch einmal zu sprechen kommen. Ihr Nachweis ist zunächst völlig
unabhängig von den Fragen, welche das Problem des Treugelöbnisses nunmehr in uns weckt. Wir müssen uns freilich
versagen, diesen Fragen noch an dieser Stelle nachzugeben.
Sie erheischen eine besondere Untersuchung[3]).

---

[1]) Dordrecht Bd. II S. 36, Rechtshandelingen no. 49 S. 36. Vergl.
die oben S. 55 no. 1 cit. Charte.

[2]) Der Beweis wird bei anderer Gelegenheit zu erbringen sein.

[3]) Früh dient der Handschlag ausschliesslich zur Demonstrierung der

C. Die Vermögenshaftung.

In unserem Quellengebiet stossen wir auf die aussergerichtliche und die gerichtliche Pfandnahme um Schuld[1]). Ganz
allgemein gestatten dabei die Rechte, dass den dritten Pfennig
d. h. die Hälfte der Schuld mehr gepfändet werde.

Wie dat pandet in onser stad, die mach panden pande,
die den derden deel beter syn dan sijn claghelike guet.[2])

Voert yemant, die den andren pant aen ziin rede ghoet,
die mach also veel ghoets na hem nemen also daer hi voer
pant ende voer den derden penninc meer biden scepene[3]).

Aber so wenig wie es stets eines Urteils bedarf, um zur
Pfandnahme zu schreiten[4]), so wenig erfolgt auf Grund eines
jeden dem Gläubiger günstigen Urteils tatsächlich eine Pfändung.
Vielmehr schlagen unsere Rechte häufig einen anderen Weg
ein: Sie lassen vom Richter den Befehl an den Schuldner ergehen, er solle innert bestimmter Frist zahlen oder Pfänder
setzen, oder vielmehr — die Quellen drücken sich anders aus
— er solle innert dieser Frist (es sind regelmässig vierzehn
Nächte vorgesehen) zahlen mit Geld (mit guten Pfennigen)
oder mit Pfändern[5]). So heisst es vom Schuldner, der vor
Gericht seine Schuld anerkennt[6]).

des solde die gheuen bijnen viertienachten daer nac

Willenseinigung und damit zur Perfektion des Schuldvertrages, vergl. oben
S. 82 und 129. Dasselbe gilt für die deutschen Quellen, vergl. Siegel, Haud-
schlag und Eid 116 N. 2. Im belgischen Recht wird der Handschlag
schliesslich nur noch beim gerichtlichen Verkauf der Liegenschaften, hier
aber ganz allgemein und als konstitutives Element gefordert, vergl. oben
S. 82 N. 2 vergl. ferner Hainaut (A. C. d. B.) III S. 613, Antwerpen I S. 189,
191, II 187, IV 124, 126, 167, VII 142, 219 (art. 54), Maestrich 337. Der
Handschlag heisst hier paumée, palmée, palmslach, palmslagh, handtslagh.

[1]) Zahlreiche Quellen bei Warnkönig Band III S. 312f.

[2]) Ommen 1451 No. 71 S. 20.

[3]) Liber albus S. 50 No. 8, vergl. Brunner II, S. 450 und die dort
N. 29 cit. holl. Litteratur.

[4]) Auch darauf soll an dieser Stelle nicht mehr eingegangen werden.

[5]) Vergl. oben S. 440 und dazu v. Amira, bei Paul III, 181, Schröder
R.G. 273.

[6]) Zahlen mit Geld oder mit Pfändern kann auch der vor Gericht
Geladene. Dann, also auch wenn er Pfänder setzt, braucht er der Ladung
keine Folge mehr zu leisten. C. von Befferen, Antwerpen Bd. VII, S. 521.

penninge off guede pande die dat dordendeel beter sijn dan dat gelt[1]).

Nicht anders kann der Rechtszustand im Altertum gewesen sein. Der Unterliegende musste „zahlen mit Geld oder mit Pfändern". Aber freilich nicht erst nach Wochen, sondern sofort. Doch das wird häufig genug unmöglich gewesen sein. Aber in der Forderung von Pfändern lag selbst schon ein Sürrogat. So giug man notgedrungen einen Schritt weiter. Sofort sollte wenigstens geleistet werden an dieser Zahlung mit Geld oder mit Pfändern, was im Augenblick und an Ort und Stelle — vor Gericht — geleistet werden konnte. So gab denn der Schuldner ein unterwertiges Pfand; vor aller Welt machte dies manifest, dass nunmehr der Gläubiger sich sein Geld oder seine Pfänder holen könne. Die jüngeren Rechte haben den Befehl zu zahlen oder Sicherheit zu leisten beibehalten. Aber sie gewähren eine Frist, innerhalb welcher der Schuldner diesem Befehl nachkommen kann. Die ältern Rechte sind — formell — drängender. Sie wollen sofortige Erfüllung. Aber gerade darum begnügen sie sich denn doch auch wieder nicht mit dem Scheinpfand. Mit einem Pfand — allerdings. Das ist nach den wirtschaftlichen Verhältnissen begreiflich. Es steht für Geld. Aber der Schuldner hat es zum Prozess, hat es zur Verurteilung kommen lassen. Und es mag ursprünglicher Rechtsauffassung allein entsprochen haben, dass er, wenn auch nicht leistete, so doch vollwertige Pfänder gab, und ferner dass man dem Unterliegenden mit ausgesprochenem Misstrauen begegnete.

Deshalb mochte man dem Gläubiger nicht zumuten, mit dem Scheinpfand und dem dahinter stehenden Vermögen seines Gegners, seines „Feindes" sich zu begnügen. Es lag also wohl ein Zwang der Verhältnisse darin, dass, wollte man nicht in letzter Stunde den Erfolg des friedlichen Rechtsganges vercitelu, ein anderes Vermögen vorgeschoben wurde — dasjenige eines Bürgen.

Augenscheinlich hat der Schuldner ursprünglich immer sofort zahlen oder vollwertige Pfänder geben müssen. Keine andere Bedeutung aber kommt dem Stellen von Bürgen zu.

---

[1]) Kampen, Goldenes Buch S. 158, vergl. dort S. 159, Zutphen S. 50, S. 51.

Ein guter Bürge ist eben auch ein vollwertiges Pfand. Aber
es handelt sich nicht um eine Unterwerfung der Person — da
wäre denn doch auch stets in erster Linie der Schuldner und
seine Familie selbst in Betracht gekommen —, sondern es
handelt sich um eine nur so mögliche Pfandsetzung, eine andere
Form der Sicherheit oder Zahlung, die eigentlich der Schuldner
selbst sofort aus seinem Vermögen vornehmen sollte: Deshalb
reicht er selbst die Wadia hin. Deshalb ist aber späterhin
auch die Ausschaltung des mediators unter Beibehaltung des
Wadierungsformalismus möglich. Nunmehr steht hinter der Wadia
das Vermögen des Schuldners selbst und immer noch steht die
**Wadiation, das Urteilserfüllungsgelöbnis für „zahlen
mit Geld oder mit Pfändern"** [1]).

Die holländischen und belgischen Quellen liefern eine
überraschende Bestätigung dieser Auffassung.

Das Loensche Lantrecht bestimmt an erster Stelle:

Als yemant aengesproken wordt op syn tweede genachten,
ende der man die aengesproken is die schult bekent clachteloes
dat hy die schuldich is, soe wyst men gelt oft pandt metter
sonnen, sonder boete des heeren [2]).

Wer geladen ist, auch wenn es das zweite Mal ist, der
zahlt, wenn er dann die Schuld bekennt, keine Busse. Aber
er wird angewiesen, verurteilt, vor Sonnenuntergang — also
anders als die vorher genannten Rechte — mit Geld oder Pfand
den Gläubiger zu befriedigen. Etwas abweichend [3]) ist die Behandlung, wenn der Schuldner nicht auf die zwei ersten Ladungen
eingeht und hy niet voort en coempt als hy geroepen wordt,
und er auf den Anruf des Richters nicht antwortet. Dann lässt
man noch eine Ladung ergehen. Im nächsten Gericht erfolgt
dann sofort die Verurteilung zu gelt oft pandt binnen der sonnen.
Und auf Antrag des Schultheissen erfolgt noch eine besondere
Verurteilung zu sieben Schillingen wegen Ungehorsams [4]). —

---

[1]) Vergl. oben S. 48 f. 396 f., vor allem Heusler II S. 230 f., wo S. 237
N. 16 auf das Loensche Lantrecht hingewiesen ist.

[2]) § 1 des Loensche Lantrecht die man useert tot Vliermael. Looz
Bd. I S. 39.

[3]) § 8.

[4]) te versuecken des scholteten wyst men alsulcken persoen misde-
dich op VII schillingen, als van ongehoorsamheyt. Nach § 2 kann der

Ist nun aber der Schuldner kenntlich und darum zu Geld oder
Pfand verurteilt, so kann er irgend ein Pfand setzen, es
mag noch so unterwertig sein, ja einen blossen Pfennig
hinzugeben ist ihm nicht versagt.

Als ondersaeten gewesen syn gelt oft pandt te setten
metter sonnen gelyck die erste clausule inhilt[1]), soe moegen
sy verpanden met eenre myten oft met ceneu anderen
pandt; ende als der aenspreker derde werff coempt, recht ver-
aueckende, soe vraecht men den bode oft die partyen die aengesproken syn, verpaudt hebben; seydt der bode ja, soe sal der
bode den pandt presenteren[2]).

Der Pfennig ist sonach das Pfand. Der Bote hat es
dem Gläubiger zu „präsentieren". Dann aber muss der
Schuldner einen Bürgen suchen, und zwar einen solchen,
bei dem man auch der Schuld entsprechend, genügend an
Pferden oder Kühen pfänden kann. Denn dieser Bürge soll
nunmehr alle erforderlichen Pfänder für die Schuld und für die
Kosten stellen[3]) und, soviel ist zu ersehen, es hat dies auch
von Seite des Bürgen vor der nächsten Gerichtssitzung zu geschehen. Andernfalls wird der Gläubiger vor Gericht erscheinen
und darüber Klage erheben. Darauf hin wird ein Urteil gefällt,
nach welchem der Bürge sofort zu pfänden ist. Die Pfänder
für die Schuld und oeck voor die VII scillinge aen den heer,
werden in seinem Hause geholt, um am nächsten Markttage
verkauft zu werden.

Schuldner, der auf die zweite Ladung hin vor Gericht kommt, sich darauf
berufen, er habe eine Anzahlung gemacht. Wenn der Gläubiger das
nicht bestreitet, so wird der Schuldner nur verurteilt te rekenen oft te
betalen binnen onser genachten. Es ist also von Verrechnen und Bezahlen
die Rede, nicht aber von Pfändern, obschon offenbar die Anzahlung auch
nur eine geringe gewesen sein kann. Die völlige Befriedigung des Gläubigers
muss dann vor der nächsten Gerichtssitzung geschehen. Sonst wird der
Schuldner nicht nur gebüsst, sondern auch sofort gepfändet, ohne dass man
ihn noch zu Geld oder Pfand verurteilte.

[1]) Oben § 1.
[2]) § 4.
[3]) § 5: Ende der aengesproken man mach dan suecken eeneu ondersaeten die heevich is voer de schult, te wetene die te panden is aen
peerden oft aen koeyon, so verre het geallegeert weert, ende denen cnder-
saete slaet men die pande op voer die schult ende voer die costen die
daer op gegaen syn ende gaen sullen.

Als dusdanige onderaaete die in voergenoempde manieren
panden gecocht badde ende die schult overscreven aen den
heyscher niet en betaelde ende der heyscher dat claechde voor't
gericht, ja die XV daegen geleden synde ende die genachten
gehalden by alsoe dat men die hielt, soe wyat men panden
haelen sal tot des mans huys die die panden gecocht heeft,
voer die principael schult, ende oeck voor die VII scillingen
aen den heer[1]).

Es ist also nicht zu bezweifeln, dass gerade nur **wann**
und weil der Schuldner **nicht** mit Geld oder mit — vollwertigen — Pfändern bezahlt, er nur ein Scheinpfand
und statt weiterer eigener Leistungen einen Bürgen stellt
und nicht zu bezweifeln, dass dieser Bürge an Stelle der
schuldnerischen Pfänder steht, so dass es denn auch bei
ihm auf gar nichts anderes abgesehen ist, als eben auf diese
Pfänder. § 7 sieht denn auch noch ein Recht des Gläubigers
vor, doch sich wieder an den Schuldner zu halten, wenn beim
Bürgen kein Pfand zu haben ist. Eine weitere Verfolgung des
Bürgen findet nicht statt. Damit erschöpft sich auch das
Wadiationsrecht. Es ist wohl überhaupt eine Neuerung, dass
man vom Bürgen weg sich wieder an den Schuldner halten
kann. Ursprünglich hat nur ein Rückgriffsrecht des Bürgen
selbst bestanden. Infolgedessen ist es denn auch eine
Neuerung, dass die Schuld nunmehr an der Partei (an des
Schuldners) Leib und Gut angewiesen wird[2]). Die denkbar
sicherste Bestätigung dieser Annahme, wonach wir es hier mit
einer Neuerung zu tun haben, liegt in dem Umstand, dass
andere Wadiationsrechte selbst dem — doch allzeit be-

---

[1]) § 6. Die Fortsetzung regelt die Pfandverwertung. Es ist merkwürdig, dass der Bürge als Käufer der Wadia erscheint. So ist schon
§ 5 betitelt: Hoe men schuldenaer syn panden sal mogen vercoopen. Dort
heisst es ferner, nachdem von den Pfändern des Bürgen — vergl. oben
S. 473 N. 3 — gesprochen worden: op alsoe dat men condigen sal den man
dien die panden syn ende die schult schuldich is, dat hy die quyte tot des
mans huyse die se gecocht hoeft, binnen XV dagen, op die panden verloren te syn.

[2]) § 7. Als eenich persoen gewesen is ter pandingen, ende der bode
op synen eedt neempt dat hy pande versocht hecft, maer sy en vinden
gheen panden sufficiant wesende, soe wyst men die schult aen die partyen
lyf en goet.

sonders begünstigten[1]) — Bürgen bloss ein Rückgriffsrecht auf die schuldnerische Habe geben.

So existieren in Luxemburg noch lokale Gewohnheiten, nach denen dem Bürgen immer erst ein Scheinpfand, ein von den Quellen sog. „kleines Pfand" abgenommen wird. Erst nach Ablauf einer bestimmten Frist wird auf erneutes Betreiben des Gläubigers das „grosse Pfand" gepfändet.

Quant il at aulcune personne laquelle ayt respondue de quelcque debte bien approvée — telle personnes sont tenues délivrer au sergeant de la court, sy elle en est requise, pety gaige, lequel se doibt prendre et gaiger per ledit sergeant à l'enseignement de justice, lequel pety gaige est annuptis dedans IX jours et après — — ladite partie et créditeur requiert la justice pour par le sergeant faire prendre et gaiger le grand gaige dudict respondant, lequel grand gaige se vend et distribue par justice pour satisfaire etc.[2]).

Und hier wird uns nun ausdrücklich versichert, dass sich der Bürge nur an das Vermögen des Schuldners halten kann. Dagegen ist es ihm gestattet, im Notfall sogar auf die Liegenschaften desselben zu greifen. Also besonderer Schutz des Bürgen und Tendenz, sein Rückgriffsrecht zu erweitern. Trotzdem haftet ihm nur das Vermögen.

Aprés ce le respondant se pouldra reprendre à son principal et faire gaigement, subhastation et vendition de ses biens meubles et à faulte des meubles, ses immeubles, pour soy indempniser tant des despens, intérestz que amendes[3])[4]).

Dass aber das Vollstreckungsverfahren mit der Wegnahme

---

[1]) Vergl. Schröder 292 und dort N. 106 f.

[2]) Bertboinge N. 17 Lux. Bd. II S. 334

[3]) No. 19. No. 20 bestimmt merkwürdiger Weise, dass der Bürge, der weder das kleine noch das grosse Pfand liefere, zu einer Busse verurteilt werde.

[4]) In Nijmegen haben sich Spuren der germanischen Bürgschaft bis ins 15. Jahrhundert hinein erhalten. Wer ein Streitgeding ablegen soll, muss wedde geven op sijn guet. (Es wird sich in dem Aufsatz über das Treugelöbniss Gelegenheit bieten, darauf zurückzukommen) Von dieser wedde heisst es: dicunt quidam quod sedentes sive morantes infra limites dictos banmiele, possunt dare wed si volunt. Sed hoc non potest fieri nisi constituant fideiussorum redire ad judicium. Darnach soll eine Wette nur unter Stellung von Bürgen abgelegt werden können.

eines wertlosen kleinen Pfandes eröffnet wird, ist wohlgeeignet, die haftungsrechtliche Bedeutung der Wadia zu beleuchten. Indem diese hingegeben wurde, machte sie die schuldnerische Fahrhabe zugängig. Nun mochte soviel wie nötig gepfändet werden. Dieser Formalismus hat sich nunmehr von dem Momente der Schuldkonstituierung zurückverschoben und tritt jetzt auf als Eröffnung der Exekution: Immer noch muss das Scheinpfand die Haftung des Vermögens zum Ausdruck bringen, immer noch ist erst nach der Übergabe bezw. Übernahme des Scheinpfandes[1]) eine — weitere — Pfändung möglich.

Im fall der forderer seins mutuo vorgestreckten geldt, oder sonstou hinderstendiger jedoch bekendtlicher . . schuldt uff vorgehende guttliche interpellation nicht fahig noch gewerttig sein mag, solet der meyer uff ansuchen des forders und geleiste caution dem schuldigt erstlich durch den botten kleine pfändt ahnemen. Erst nach 14 Tagen vergeblichen Wartens thutt der moyer uff ferner anhalten des forders den debitoren durch den gerichtsboten mit letzter und voller pfandschafft verfolgen[2]).

Notwendigerweise ist auch die Verpfändung einer Forderung von den geschilderten Vorstellungen getragen. Infolgedessen muss der Schuldner des zu pfändenden Guthabens dies letztere vor dem Richter anerkennen und dem Pfandgläubiger einen „kleinen oder grossen Pfennig" geben, damit der Gläubiger auf Grund desselben rechtlich vorgehen kann[3]).

Zusammenfassend mag also nochmals gesagt werden: Mit Pfändern wird „gezahlt". Die Wadia ist als „Anpfand" eine

---

[1]) Vergl. die schon bei Löning und von Franken (fr. Pfandrecht S. 233 N. 3) herangezogenen Quellen bei Grimm, Weistümer VI 235 und 280.

[2]) No. 1 u. 2 Hofbräuche von Oberwiss, Luxemburg Bd. L. S. 241 f. Ganz allgemein bestimmte auch das Dorfrecht von Casterlé (Brabant), dass die Exekution mit einer „kleijnen pant-halinghe" eröffnet werden müsse. Dabei steht es im Belieben des Schuldners, ob er — innerhalb vierzehn Tagen — dieses kleine Pfand einlösen will.

[3]) Ende moet de solvo debiteur den arrestant gheven eenen penninck cleyn oft groot (solck als den debiteur oft depositario belieft) in mindernissen syns debits (voer eenen pandt), om daer op te moegen procederene; ende daer en teynden moet de arrestant dien pandt ende schult voer syn actie ende credit besetten ende evinceren inder manieren voirscreven. Costumen der Stadt Antwerpen, sog. Antiquissimae. tit. IV art. 12 Bd. I S. 170.

Anzahlung und macht die Wadiation zu einem Realvertrag. In unseren Rechten ist von diesem alten Rechte nur noch die haftungsrechtliche Seite, diese aber in aller Reinheit erhalten geblieben: Mit Pfändern wird gezahlt. Keine Verwirklichung der Pfandhaftung jedoch ohne kleines Pfand, ohne Wadia.

Im allgemeinen mag sich das mittelalterliche Recht von diesen Auffassungen weniger weit entfernt haben, als man gemeiniglich anzunehmen geneigt ist[1]. Doch steht das Eine fest, dass es dem späteren Recht an einer Form der Schuldvertragsbegründung gebricht, welche in ebenso zwingender und unmittelbarer Weise eine inhaltlich ganz bestimmte Haftung vermittelt hätte, wie dies einstens im Wadiationsrecht der Fall gewesen. Wohl gibt es noch solche Formen, denen immer auch noch neben der Perfektion des Schuldvertrages die Wirkung zugeschrieben wird, eine Haftung zu begründen. Die Umschreibung der betroffenen Objekte ist i. W. jedoch eine rein willkürliche. Sie beruht auf einem positiven Rechtssatz, nicht auf innerer Notwendigkeit. Dazu kommt ein mächtig gesteigertes Bedürfnis nach solidester Kreditbasis und eine bedeutende Erweiterung des Kreises möglicher Haftungsobjekte. Diese Voraussetzungen bestimmen in zwingender Weise die Entwicklungsrichtung. Die Phasen aber dieses Werdens können wir genau verfolgen. Es sind deren gar viele und sie gestalten das Bild des mittelalterlichen Haftungsrechtes zu einem ungemein bunten.

Da lassen viele Quellen immer noch gar keinen Zweifel darüber aufkommen, dass eine Vollstreckung nur in die vom Schuldner wirklich zu Pfand gesetzten Objekte möglich ist[2].

---

[1] Darüber ein mehreres bei anderer Gelegenheit. Nur auf die Behandlung der Kollisionsfrage in vielen Rechten muss hier noch aufmerksam gemacht werden. Vergl. oben S. 153. Der Rang der Gläubiger bestimmt sich nach dem Datum des Schuldvertrages. Wie deutsche und französische, so kennen auch belgische und holländische Rechte diese Regelung: soe sal altijt die outste schult voergaen, oudste Rechten v. h. Baljuwschap van Zuidholland, Dordrecht II S. 254, vergl. Antwerpen Bd. II S. 555 und Maestricht S. 331 N. 4. Dieselbe ist demnach eine weitverbreitete. Sie erklärt sich wohl am besten durch den realvertraglichen Charakter der alten Wadiation.

[2] Vergl. Teil I Kap. 3 und 4, und S. 331 f. ferner C. de Valenciennes 1447, Hennegau (A. O. d. B.) Bd. III S. 410, Briel S. 132, Leiden S. 103, Warn-

Die Einräumungen und ihr Wortlaut allein entscheiden über den Inhalt der Haftung. Daraus ergeben sich begreiflicherweise die mannigfaltigsten Beredungen. Bei der Bedeutung des Grundbesitzes für engere und weitere Verbände, insbesondere für die Familie, wird häufig genug nur die Fahrhabe (oder die Fahrhabe und die Person) obligiert[1]). Oder aber es wird eine bestimmte Liegenschaft in ausschliesslicher Weise zu Pfand gesetzt[2]). Oder es wird eine obligatio generalis zugesagt. Dabei wird in den ältern Quellen nie unterlassen, genau anzuführen, was ihr unterworfen sein soll. Später ist dies allerdings nicht mehr nötig. Die Tatsache, dass in allgemeiner Weise eine Obligation eingeräumt ist, genügt. Dann soll eo ipso das gesamte Vermögen oder gar Vermögen und Person haften. Gegenteilige Intentionen bedürften also ausdrücklicher Kundgebung. Hier ist die Haftung somit immer noch eine vertragliche, aber grundsätzlich eine generelle[3]). Mit Vorliebe wird gerade diese Haftungsform an die Bedingung einer bestimmten Formerfüllung geknüpft[4]). Gelangen manche Rechte auf diesem Wege zur gesetzlichen und allgemeinen Vermögenshaftung[5]), so wird sicherlich in noch viel mehr Rechten diesem Ziele vorgearbeitet durch Anerkennung einer partiellen gesetzlichen Haftung, nämlich der legalen Fahrnisobligation[6]).

Unter diesen verschiedenen Formen — es wären deren, insbesondere, wenn man die Haftung der Person einbeziehen wollte, noch mehr zu nennen — tragen die erstgenannten unverkennbar das Gepräge höheren Alters. Ja vergegenwärtigt man sich dieselben in ihrer Eigenart, die durch das Unterschiedliche der jüngern Glieder ganz besonders hervortritt, so erkennt

---

könig Urkundenbuch I S. 27 (St. Omer § 2). Haftung der Erben Zutphen S. 54, Uccle S. 367 N. 40 S. 385 N. 23.

[1]) Vergl. oben S. 333 und Namur I S. 424 No. 5, C. d'Uccle S. 18. N. 115.

[2]) Grosse Charte von Gent N. 115, 123, vergl. 125, 126, Deurne S. 275. N. 356.

[3]) Kiel S. 32.

[4]) Vergl. Dordrecht N. 84. S. 236.

[5]) Looz Bd. II S. 18.

[6]) Vergl. Breuch der statt Luxenburg No. 38, No. 39 Bd. I S. 207 sg.. Antwerpen Bd. II S. 523 act 24, Hennegau Bd. III S. 545.

man, dass noch in der zweiten Hälfte des Mittelalters jene
Anschauungen lebendig wirksam waren, aus denen die obersten
Grundsätze alles germanischen Haftungsrechtes ent-
sprungen sind.

Die Haftung ist vor allem eine vertragliche. Das
bedeutet im Vergleich zum heutigen Recht eine seltsame
Weiterung, eine Erschwerung allen Verkehrs, die — ganz besonders angesichts ihrer Herrschaft durch die Jahrhunderte —
dringend ihrer Erklärung bedarf. Im germanischen Recht war
die Obligierung des Fahrnisbesitzes allerdings mit Notwendigkeit in der Perfektionierung des Schuldvertrages gegeben. Aber
eine weitergehende Haftung, d. i. die Einständerschaft der
Person diente wohl nur dazu, den Gläubiger von der Verfolgung
der Pönalsanktion abzuhalten. Es war auch eine gar zu
ungleiche Wahl zwischen Pfändungsrecht und Friedloslegung.
Und es mag der letztere Weg, obschon unwirtschaftlicher, häufig
genug doch den Vorzug des benachteiligten Gläubigers gefunden
haben. Da warf denn der Schuldner die Verpfändung der Person
in die Wagschale, welche die civile Haftung und das friedliche
Ersatzverfahren burg: Vertragliche Haftung um Schlimmes
und Schlimmstes abzuwenden[1]). — In vollem Umfange
trifft dieser Gesichtspunkt noch für die oben sub A besprochenen
mittelalterlichen Rechte zu[2]), aber — nur für sie und trotzdem
herrscht überall noch das fragliche Prinzip. Doch es verdankt nunmehr seine Herrschaft — es ist schon darauf hingewiesen worden, dass diese Herrschaft jetzt eigentlich erst
recht zu voller Entfaltung gelangt[3]) — einem andern Umstande:
Die Haftung musste notwendigerweise eine vertragliche sein, weil sie grundsätzlich eine spezielle war.
Welche Haftung hätte denn eine gesetzliche sein sollen? Da
gab es die Person, da gab es Liegenschaften, gab es einzelne
Fahrhabestücke, gab es Gruppen von Vermögensobjekten in
mehr oder weniger geschlossener Einheit — all das waren
juristisch betrachtet gleichwertige Haftungsgegenstände. Der
bevorzugte Zugriff war denn auch nach den verschiedenen

---

[1]) Vergl. Kohler, Shakespeare S. 22, 32.

[2]) Also immer noch zur Abwendung der (allerdings sehr gemilderten)
Acht, vergl. v. Amira, Grundriss 184.

[3]) Vergl. oben S. 132.

Rechten ein ganz verschiedener. Ja, hätte eine Form existiert,
die uno actu eine durch ihre Universalität geschlossene „persönliche" Haftung herzustellen und zwar ihrer Bedeutung und
Herkunft nach mit innerer Notwendigkeit herzustellen vermocht
hätte — dann wäre nicht abzusehen, warum sich denn die
Rechte so fieberhaft um die Haftung bemühten, warum sie denn
immer nach dem Was der Haftung frugen und nicht beim ersten
Anbrechen einer neuen Zeit, und allerspätestens im 13. Jahrhundert
zur Anerkennung der gesetzlichen allgemeinen Obligation gelangt
sind. In Wirklichkeit fehlte dazu die fundamentalste Voraussetzung. Denn es haftete nur, was — specialiter — eingesetzt war.

Aber diese Erklärung der Vertraglichkeit ersetzt nur ein
Problem durch ein anderes: Warum ist das deutsche Haftungsrecht von dem Grundsatz der Spezialität getragen? Wir können
antworten: Weil alles Pfand- oder Haftungsrecht der
Publizität unterworfen sein muss. Doch erheischt dies
nähere Erklärung. Die Haftung ist ihrem Begriffe nach eine
(eventuelle) Herrschaft. In ihrer Einräumung liegt die Gestattung eines Zugriffes, einer Macht über eine fremde Person
oder Sache. Eine solche Herrschaft musste äusserlich wahr-
nehmbar sein. Deshalb war die älteste Form der Einständerschaft das persönliche oder sächliche Faustpfand.
Aber auch als das Rechtsleben bereits ein reicheres und viel-
gestaltigeres geworden und allerdings eine hypothekarische
Haftung der Person sowohl als der Sachen zugelassen wurde,
erschien sie in der Vorstellung immer noch als eine faustpfandliche. Dieser Vorstellung hatten die ältesten Formen der
Obligierung[1]) genüge zu tun. Wenn nun diese Formen auch
später neutralisiert, d. h. in Hinsicht auf den Haftungsinhalt
i. W. indifferent sind, so bedarf es doch immer noch der
Form. Und es fehlt zunächst von diesen Anschauungen, von
diesen Grundlagen aus jede Möglichkeit zu einer Gesamthaftung
zu kommen. Weil die Haftung eine Herrschaft bedeutet, ist
sie immer noch eine öffentliche und eine spezielle und darum
immer auch noch eine vertragliche. Und es gibt — für die über-

---

[1]) Durch Wadia für die hypoth. Sachhaftung. Über die personae
obl. oben S. 420, 430.

wiegende Mehrzahl der Rechte — keinen Ausweg als durch getreuliche Befolgung dieser Grundsätze ihre Überwindung, ihre Selbstaufhebung zu bewirken. So wird denn — sit venia verbis — obligiert, obligiert, expresse obligiert, bis endlich endlich man diese Obligationen zu supplieren wagt.

Diese Auffassung ist wohl auch geeignet, uns das Verständnis zweier besonders merkwürdiger Erscheinungen zu vermitteln. Einmal die Formen der „reinen" Haftung[1]). Es muss sehr betont werden, dass die Quellen einen solchen Ausdruck nicht kennen. Und das ist begreiflich. Denn wenn wir von einer solchen reinen Haftung reden, so statuieren wir blos die rechtlich an sich höchst irrelevante Tatsache, dass nur ein bestimmtes Objekt und nichts weiter eingesetzt worden sei. Rechtlich ist nur der Grundsatz bekannt: Es haftet, was eingesetzt ist, also Herrschaft des Spezialitätsprinzips. Und wiederum rechtlich gibt es infolgedessen nur reine Haftungen. Wer sich und sein Fahrnisvermögen zu Pfand setzt, hat zwei Satzungen errichtet: obligat se — obligat bona mobilia sua. Dass das erstere allein auch möglich ist, haben wir zu wiederholten Malen gesehen. Hier will die Bezeichnung „reine Personenhaftung" nur besagen, dass ausser der Person nicht noch eine Sache oder eine Gruppe von Sachen zu Pfand gesetzt worden sei. Und dass unter diesen Umständen der Gläubiger sich auch nur an die Person halten kann, ist überall da, wo die deutschrechtlichen Haftungsgrundsätze noch in vollem Umfange lebendig sind, selbstverständlich. Wenn also durch die Bezeichnung „reine Haftung" zum Ausdruck gebracht werden soll, dass nur ein bestimmtes Objekt (ev. eine einzige, geschlossene, einheitliche Gruppe von Objekten) eingesetzt sei, so besagt dies etwas bloss Tatsächliches, rechtlich Zufälliges. Wenn damit aber fernerhin der Ausschluss einer jeden über dies wirklich eingesetzte Objekt hinausgehenden Zugriffsmöglichkeit angedeutet werden soll, so ist dies nur eine eben auf den unmittelbaren praktischen Erfolg abstellende Be-

---

[1]) Vergl. oben S. . Ferner die Erklärungen bei von Amira, nordgerm. Obl.-R. . § : II § , ders. in Pauls Grundriss III ˙˙ Puntschart ˙˙ f., dessen Erklärung v. Schwind m. R. zurückweist, (vergl. „Wesen und Inhalt des Pfandrechts" S. :f.) nicht ohne ihr eine andere gegenüberzustellen, der wir durchaus zustimmen, wenn wir im Text auch von anderen Erwägungen ausgehen.

Egger, Vermögenshaftung und Hypothek.

zeichnung des Spezialitätsprinzipes. Es haftet — nur! — was
eingesetzt ist. Die reine Haftung ist bloss eine Folge der
Geltung dieses Grundsatzes.

Die zweite merkwürdige Erscheinung, die bei der Anerkennung der oben dargelegten Auffassung der Gesamtentwicklung sich ebenfalls nur als eine notwendige Konsequenz
derselben erweist, betrifft den selbständigen, d. h. sächlichen, hypothekarischen Charakter der Vermögenshaftung. Denn wenn es wahr ist, dass die faustpfändliche
Natur des ältesten Pfandrechtes noch nachwirkt in Gestalt des
Spezialitätsprinzipes, dann kann der Zugriff auf das Vermögen
nur auf der Verpfändung desselben beruhen, dann kann die
Vermögenshaftung genetisch nur auf engere Formen des Sachhaftungsrechtes zurückgeführt werden. Und wir haben gesehen,
dass in den französischen Quellen die obligatio generalis wirklich
eine sächliche Haftung vermittelt.

Auch dafür finden die niederländischen Quellen den denkbar schärfsten Ausdruck. Die Generalobligation bindet die
Güter, aber nur solange, als sie in der Gewere desjenigen sind, der sie obligiert hat.

Generaele obligatie ende hypotecque van erffelijcke goeden
streckt haer alleene ende begrijpt de goeden vanden verbinder
soo langhe hy oft sijne erffgenaemen die besitten ende
ghebruycken, ende langher niet[1]).

Das Erlöschen der Obligation bei Austritt der Haftungsobjekte aus dem schuldnerischen Besitz wird damit erklärt,
dass der Schuldner die Freiheit zu veräussern habe.
Auf Grund welchen Titels immer ein gutgläubiger Dritter die
Liegenschaft vom Schuldner erwirbt — dieser Erwerb ist vollwertig und er soll nicht auf Grund einer generellen Satzung
angefochten werden können. So in aller Form zahlreiche
Stellen, die i. W. wie die folgende lauten:

Als een sculdenaere oft debiteur generalijck verbint, obligert
ende hypotekeert zijne goeden, alsulcke generaele hypoteke oft
verbandt streckt huer ende begrijpt alleenlijck de goeden vanden
sculdenaere ende debiteur zoe lange hy oft zijne erfgenamen
de selve besittende ende gebruyckende zijn ende niet langhere,

---

[1]) Santhoven a. 1664 XIV, 156.

alsoe generael verbant oft hypoteke nyemant en belet ziine
goeden te moeghen vercoopen oft veranderen.

Da nun der Schuldner nicht nur veräussern, sondern auch,
wie schon angedeutet, auch verschenken, ferner mit der Wirkung
des Vorranges speziell obligieren kann[2]), so kann ursprünglich[3])
der Generalobligation keine andere Funktion zugekommen
sein, als überhaupt ein Zugriffsrecht zu vermitteln, das droit
de suite im Sinn der älteren Doktrin. Dass sich dieses gegen
die Sachen richtet, so dass diese selbst als Objekte der
Haftung bezeichnet werden müssen, ergibt sich deutlich aus
der Redeweise der Quellen, wie sie uns soeben entgegengetreten
ist. Trotzdem hört die Haftung auf, wenn die Objekte nicht
mehr dem Schuldner gehören. Aber es ist zu beachten, dass
dies ein das gesamte Satzungsrecht durchziehender
Grundsatz ist. Denn er gilt ursprünglich auch für die Spezialobligation: Darum gerade die Verbote, die sich an den
Schuldner richten und die eine Möglichkeit geben, eine Veräusserung als nichtig erklären zu lassen. Das kann doch nur
einen Sinn haben, wenn ganz allgemein gilt, dass die Haftung
der Sache mit dem Austritt aus dem schuldnerischen Vermögen
ein Ende nimmt. Ein anderes hypothekarisches Sachhaftungsrecht gibt es im Mittelalter nicht. Es kann inten-
siviert werden durch Bannlegung. Aber das ist kein Institut
des Sachenrechtes.

Deshalb kann von einer Satzung zu Kistenpfand gerade auch
in diesem besonderen Sinne gesprochen werden. Und die Bezeichnung ist dann für die generelle wie für die spezielle Obligierung von Liegenschaften zutreffend. Denn dies besitzlose Grundpfandrecht folgt in der Tat den Grundsätzen, welche schon längst
die Haftung der schuldnerischen Fahrhabe beherrschten. Das
germanische Recht kannte ja schon diese Mobiliarhypothek,
dieses droit de suite in die bewegliche Habe des Schuldners,
welche denn von den Quellen als pignus oder pignora bezeichnet
wird. Aber es war zwingend, dass nur jener Komplex haftete,

[1]) Mecheln 1535 tit. VII No. 7 S. 52, vergl. ferner Kiel S. 83 N. 4
Deurne ibid. S. 111, Santhoven 1664 tit. XIV, no. 154 S. 55, alte C. a. 1569
tit. XIII no. 2, Herenthal tit. XVI no. 21 u. no. 23.

[2]) Löwen S. 81 u. 83.

[3]) Vergl. noch unten S. 486.

aus welchem die Wadia selbst herrührte bezw. nur das Vermögen des Bürgen, der sie übernahm. Die einzelnen Fahrhabestücke waren nach ihrer Entfernung aus diesem Vermögen nicht mehr gebunden. Hand wahre Hand. Nur innerhalb des damit abgezirkelten Raumes haftet die Fahrnis. Als nun späterhin die Liegenschaften obligiert wurden — es geschah schon in denselben Formen und mit einer terminologisch gleichen Wendung: ich obligiere meine Fahrhabe, ich obligiere diese Liegenschaft, alle meine liegenden Güter — so konnte die Bindung auch dieser Objekte keine andere sein, als wie sie im Fahrnisrecht[1]) in lebendiger Übung stand. Ihren unmittelbaren Ausdruck findet diese Anlehnung in folgender Stelle:

Generale obligatie oft ypotheke van erffelijcke : goederen strect haer alleene ende begrijpt de goeden vanden obligant soo lange hij oft sijue erffgenaemen die besitten ende gebruijcken; ende langer niet; alsoo generael verbandt niemanden en belet sijne goeden te vercoopen, gelijck oock havelijcke goeden [als] niet langer en sijn verbonden dan sij en blijven inden eijgendom vanden schuldenaer.[2])

Den wichtigsten Rückhalt aber findet, wie uns deucht, die Auffassung des mittelalterlichen Haftungsrechtes, die hier ihre Darstellung gefunden hat, in der Geschichte des neueren Pfandrechtes, selbst. Welche Bedeutung dabei der Spezialobligation zukam, ist früher ausführlich geschildert worden und

---

[1]) Es möge hier der Hinweis auf die Fahrnisnatur der Gebäude seinen Platz finden. Eine vollkommene Bestätigung der Ausführungen von Martin Wolff, der Bau auf fremdem Boden insbes. der Grenzüberbau (Fischer, Abhdlgen. Bd. VI) S. 9f., inbes. S. 11 liefert Audenarde Bd. I S. 80 (Cout. art. 8). Die Mobiliarqualität der Häuser, Scheunen, Windmühlen etc. wird gerade damit begründet, dass diese Objekte transportabel seien und es wird ausdrücklich auf eine Bauart abgestellt, welche die Trennung des Gebäudes vom Boden zulässt. Vergl. holländische Quellen bei Wolff, S. 18, S. 21 u. 43.

[2]) Santhoven, alte C. 1569 tit. XIII no. 4. Haeffelijcke goedens en blijven niet verbonden als paudt, langher dan sij blijven inden ejgbendbom vanden schuldenaer, Gheel 1611, tit. V no. 9 vergl. dort no. 8. In den pays de nantissement wird deshalb davon gesprochen, dass erst auf Grund der Fronung, der Erfüllung der Formvorschriften, wie sie für die Spezialsatzung gelten, eine „réalité" erworben sei. Vergl. Antwerpen (Impressae) tit. LVII, no. 49. Doch ist diese Ausdrucksweise dem älteren Rechte fremd. Vergl. oben S. 359, 361.

es ist an dieser Stelle nur zu bemerken, dass die Entstehung
der Hypothek sich in den belgischen und holländischen Rechten
nicht anders als in den nord-, mittel- und südfranzösischen
vollzogen hat. Überall besteht die jüngere Satzung in einer
Bannlegung, in einer Fronung, demnach in einer Obligation,
welche durch weitgehende Dispositionsbeschränkungen des
Eigentümers wirksamer gestaltet ist. Überall gelangen die
Rechte von hier aus zu einem auch gegen Dritte wirkenden
Verfolgungsrecht durch Radizierung jener persönlichen Beschränkungen auf das Gebiet der sächlichen Haftung. Und
überall macht sich späterhin das Bestreben geltend, diese selbst
nunmehr auch unter Verwertung der neuen Elemente einheitlich
zu behandeln, wie sie eine solche einheitliche Behandlung ja
im Grunde genommen stets gefunden hatte. Nur konnte sie
jetzt bloss noch in Anlehnung an die Spezialsatzung statthaben,
woraus sich dann die Umwandlung der obligatio omnium bonorum in eine eigentliche Hypothek erklärt[1]).

Es sei zur Bekräftigung dieser Auffassung hier nur noch
auf die Darstellung des Pfandrechts in der Inleidinge tot de
hollandsche Rechtsgeleerdheit von Hugo Grotius hingewiesen[2]).
§ 22 besagt, dass das vertragliche Pfand ein spezielles oder ein
allgemeines sein könne. § 23. Die generelle veronderpandinge
erstreckt sich auf alle Güter. Dabei kommt ihr, soweit sie
Fahrhabe betrifft, genau dieselbe Wirkung zu, wie der Spezialverpfändung. Soll sie aber auch liegende Güter belasten, dann
muss sie vor einem Gericht konstituiert werden, doch braucht
es keineswegs das Gericht der belegenen Sache zu sein. § 24.
Dies Generalpfand verbindet dann alle Güter des Schuldners
auf so lange, als sie in der Hand des Schuldners oder seiner
Erben bleiben. Kommt das Gut aber in dritte Hand, so soll

---

[1]) Wiewohl i. A. die westschweizerischen Quellen unberücksichtigt
blieben, muss ich an dieser Stelle doch nachdrücklich auf eine soeben edierte
Quelle dieses Gebietes hinweisen. No. 206 des Const. et Plaict gen. de
Lausanne (herausgeg. von R. v. Salis, Z. f. schweiz. R. 1903 S. 212) und
die dazugehörigen Remarques zeigen in ungemein bedeutsamer, in zwingender
Weise die Entstehung der späteren Generalhypothek (die hier auf deutschrechtlicher Grundlage jedem Gläubiger gegeben ist!) aus der schlichten,
an den schuldnerischen Besitz geknüpften, aber nichtsdestoweniger sächlich
gedachten Vermögenshaftung.

[2]) Herausgegeben von J. Fockema Andreae 1895 Buch II, Teil 48.

die Verpfändung keine Wirkung mehr haben, es sei denn, dass der Erwerb ein unentgeltlicher gewesen wäre. In diesem Falle soll das Gut auf Grund der allgemeinen Obligierung (Onderstelling) gebunden bleiben. § 25. Objekt einer Spezialverpfändung können bewegliche und unbewegliche Sachen sein. § 26. Dabei kann die Verpfändung beweglicher Habe mit oder ohne Besitzübertragung vorgenommen werden. § 28. Im letzteren Fall wirkt die Verpfändung nur gegenüber dem Schuldner, aber nicht zum Nachteil der übrigen Gläubiger. § 29. In Dritthand ist die verpfändete Fahrhabe frei und unbelastet. Eine Ausnahme ist nur zu Gunsten des Verkäufers zugelassen, wenn dieser sich ein Pfandrecht vorbehalten hat. § 30. Die Spezialverpfändung kann nur vor dem Gericht der belegenen Sache geschehen und unter Eintrag ins Register. § 34. Die jüngere Spezialverpfändung geht der älteren generellen vor. Aber diese letztere gibt einen Vorzug vor den unversicherten Schulden.

Wie falsch wäre es, die hier niedergelegten Rechtssätze, soweit sie dem modernen Sachhaftungsrecht zuwiderlaufen, dem Einfluss des römischen Rechtes zuzuschreiben. Nein, auf Grund des mittelalterlichen Haftungsrechtes mussten sie zur Anerkennung gelangen und sie haben diese im ganzen Gebiet des südgermanischen Rechtes für kürzere oder längere Zeit auch gefunden. Neben der Spezialhypothek, die nur vor dem Gericht der belegenen Sache begründet werden kann (obligatio specialis), gibt es eine Generalhypothek, welche die Güter nur bindet, solange sie beim Schuldner sind, und wenn dieser sie verschenkt hat, sodass in seinem obligierten Vermögen kein Ersatz dieses Objektes zu finden ist, obligatio generalis ganz in der Auffassung Beaumanoirs. Aber freilich, jene einstige Vermögensobligierung ist überwunden. De lege kann auf die Güter eines jeden Schuldners gegriffen werden. Über dieses allgemeine Recht hinaus gibt die Generalhypothek — von der besonderen Behandlung der Schenkung abgesehen — ein Vorzugsrecht. Alle Gläubiger mit Generalhypotheken rangieren hinter denjenigen mit Spezialpfandrechten, gehen aber den „unversicherten" Forderungen vor. Aber dass dies blosse Privileg immer nur in der Form einer generellen Verpfändung konstituiert wird, wäre nicht zu erklären, wenn nicht einstens die Pfandsetzung, die Obligierung als solche der einzige oder doch der

Hauptzweck gewesen wäre. Nicht zu erklären wären vor allem die Sätze, welche bestimmen, wie lange denn die Güter gebunden sein sollen. — Ebenso wenig wie diese generelle ist auch die Mobiliarhypothek eine Durchbrechung deutschrechtlicher Grundsätze. Im Gegenteil, diese ist leicht als der unmittelbare Abkömmling der alten Mobiliarobligation zu erkennen, wie wir sie allüberall in den mittelalterlichen Quellen, wiederum beispielsweise bei Beaumanoir, angetroffen haben. Auch die spezielle Verpfändung ist hier ihren Wirkungen nach nur eine „generelle", d. h. gibt nur ein schlichtes Verpfändetsein und stellt sich als ein drastisches Beispiel von Nachwirkung alter Rechtsübungen und -Vorstellungen dar[1]).

Auf denselben grundbegrifflichen Anschauungen beruht aber auch noch das neuere französische Recht. Wir haben gesehen, wie spät sich vielerorts die hypothekarrechtlichen Anschauungen konsolidierten. Deshalb fanden wir tatsächlich die historisch richtigen haftungsrechtlichen Anschauungen noch in der Literatur des 18. Jahrhunderts vertreten. Ja noch im 19. Jahrhundert fehlt es nicht an Autoren von besonders glücklichem Empfinden, welche sich immer noch auf die alten Vorstellungen besinnen können[2]). Doch diese Autoren bringen damit nur die Vorstellungen zum Ausdruck, die in Wirklichkeit auch noch das Recht ihrer eigenen Zeit beherrschen.

Das ist der fundamentalste Grundzug der Entwicklung in

---

[1]) Hier lebt also formal das alte Recht noch fort. Das gilt für alle Gebiete, welche eine Generalhypothek anerkennen, die materiell gar nicht eine Haftung der Sache (die ja vorher schon besteht), sondern nur ein Vorzugsrecht gibt. Vergl. oben S. 127.

[2]) Vergl. oben S. 22, insb. no. 2, S. 221. In ganz überraschender Weise trifft dies auch zu für die Darstellung des Obligationsrechtes bei Britz, Code de l'ancien droit belgique 1847. Vergl. insb. Bd. II S. 926: die obligation générale habe die Güter nur obligiert, solange sie beim Schuldner gelegen hätten. Anders sei es gewesen bei der Anweisung einer Spezialhypothek im Falle einer Rentenbestellung, in welchem Falle man sich auch noch nach einer Veräusserung an die Liegenschaften halten könne. Bei der Verschiedenheit der speziellen und der generellen Verpfändung konnte man aber auch sämtliche Güter specialiter verpfänden, sous hypothèque spéciale de tous ses biens. Es wird auf C. de Bruxelles (gemeint sind die C. von 1606, tit. XI.) art. 161 verwiesen. Vergl. ferner noch Britz über die Mobiliarhypothek u. s. w.

diesen Quellengebieten: ein ausserordentlich zähes, treues, konservatives Festhalten an altüberkommenen Begriffen und Instituten. So mag denn fast das ganze wirtschaftliche Sein der Nation auf einen andern Boden verpflanzt erscheinen, so mag denn insbesondere das Kreditwesen eine noch nie dagewesene grundlegende Bedeutung erlangt haben, dergestalt, dass das Kreditieren, das auf primitiver Stufe der kulturellen Entwicklung eine fast unerträgliche Ausnahme bedeutet, nunmehr zum unentbehrlichsten Lebenselement geworden ist — die rechtliche Form, in welcher dieses andere, dieses neue Leben sich abspielt und abspielen muss, ist dieselbe geblieben. Das neufranzösische Pfandrecht ist immer noch ausschliesslich Obligationsrecht. Dies gilt nicht nur in dem weiteren Sinne, dass die Hypothek eine Haftung darstellt, sondern auch in dem engeren, dass in ihr die Elemente der einstigen obligatio generalis und der obligatio specialis fortleben. So führt denn eine Betrachtung dieser Hypothek, auch wenn wir nur den unmittelbarsten Zusammenhängen nachgehen wollen, bis weit ins mittelalterliche Recht zurück. Und noch weiter zurück weisen jene grundbegrifflichen Bestimmungen des Code civil, von welchen unsere Betrachtung ihren Ausgang genommen hat. Wohl sagen sie, dass die Haftung nunmehr eine gesetzliche sei. Dies ist das Neue. Aber schon durch diese Statuierung verweisen sie auf einen ehemalig herrschenden abweichenden Zustand. Zudem aber künden sie noch einen anderen Grundsatz. Und dieser ist sich gleich geblieben. Wie ein roter Faden durchzieht er die Geschichte der haftungsrechtlichen Entwicklung von den ältesten Zeiten bis herab auf unsere Tage: Wenn der Code in seinem Art. 2093 sagt, die Güter des Schuldners seien das gemeinsame Unterpfand der Gläubiger, so legt er Zeugnis ab von der Selbständigkeit der Vermögenshaftung.

Druck von Max Schmersow vorm. Zahn & Baendel, Kirchhain N.-L.

Lightning Source UK Ltd.
Milton Keynes UK
UKHW011035170119
335365UK00006BA/96/P